Wissenschaftliche Untersuchungen
zum Neuen Testament · 2. Reihe

Begründet von Joachim Jeremias und Otto Michel
Herausgegeben von
Martin Hengel und Otfried Hofius

13

Der leidende Gerechtfertigte

Die alttestamentlich-jüdische Tradition
vom ‚leidenden Gerechten' und ihre Rezeption
bei Paulus

von

Karl Theodor Kleinknecht

J. C. B. Mohr (Paul Siebeck) Tübingen 1984

CIP-Kurztitelaufnahme der Deutschen Bibliothek

Kleinknecht, Karl Theodor:
Der leidende Gerechtfertigte: d. alttestamentl.-jüd. Tradition
vom „leidenden Gerechten" u. ihre Rezeption bei Paulus /
von Karl Theodor Kleinknecht. – Tübingen: Mohr, 1984.
  (Wissenschaftliche Untersuchungen zum Neuen Testament: Reihe 2; 13)
  ISBN 3-16-144867-7

NE: Wissenschaftliche Untersuchungen zum Neuen Testament / 02

Für Stefanie

VORWORT

Hauptaufgabe dieses Buches ist es, die Aussagen des Paulus zum
Thema 'Leiden' unter konsequenter Berücksichtigung ihres Traditionshintergrundes zu analysieren und zu interpretieren.

Die Untersuchung war ursprünglich anders geplant als sie jetzt
vorliegt: der ausführlichen Exegese der Paulustexte sollten lediglich zwei knappe Skizzen voranstehen, in denen einerseits das
alttestamentlich-jüdische, andererseits das griechische Leidensverständnis kurz dargestellt werden sollten. Bei der Arbeit am
alttestamentlich-jüdischen Textfeld eröffnete sich dann jedoch
eine traditionsgeschichtliche Perspektive, die genauer herauszu-
arbeiten mir für das Verständnis der neutestamentlichen Texte
ausgesprochen hilfreich erschien.

Dies aber bedeutete, den ganzen langen traditionsgeschichtlichen Weg noch einmal abzuschreiten, zum Teil auf von der Forschung schon vorgezeichneten Linien, immer wieder aber auch in
selbständigen Textuntersuchungen: aus den 'Vorarbeiten' wurde so
unversehens ein eigenständiger 'I.Hauptteil'. Er verlangt vom
Leser einen relativ langen Atem, gewährt m.E. jedoch auch
Aufschlüsse, die diese Zumutung rechtfertigen.

Stattdessen habe ich auf das geplante Pendant: eine zusammen-
hängende Darstellung der griechischen Versuche, Leiden zu artikulieren und zu bewältigen, angefangen etwa bei Sophokles' *Philoktet*
bis hin zu den Reden der kaiserzeitlichen Stoa, verzichtet. Dieser Textbereich wird bei den Paulusexegesen jedoch von Fall zu
Fall herangezogen.

Nach Abschluß der Untersuchung, die im Sommersemester 1981 von
der Evangelisch-theologischen Fakultät der Eberhard-Karls-Univer-
sität Tübingen als Dissertation angenommen wurde und hier nun in
überarbeiteter Form vorgelegt wird, habe ich vielen herzlich zu
danken: Herr Professor Peter Stuhlmacher hat sich nicht nur bereitwillig auf das Thema eingelassen und die Entstehung der Arbeit
mit großer Geduld und mit vielfachem freundlichem, aber auch kri-
tischem Rat begleitet, sondern seinem Assistenten auch ungewöhn-
lich viel Zeit und Freiheit zur selbständigen Arbeit gewährt.
Herr Professor Otfried Hofius hat die Dissertation als Korreferent

begutachtet und viele Verbesserungen für die Druckfassung ange-
regt. Zusammen mit Herrn Professor Martin Hengel hat er sie in
die WUNT aufgenommen. Eine ganze Anzahl von Kollegen, allen voran
Herr Dr.Bernd Janowski und Herr Dr.Hermann Lichtenberger, haben
mich bei der Ausarbeitung der Erstfassung beraten und immer wieder
ermutigt. Frau Marlies Niephaus hat aus einem schwierigen Manuskript in sehr umsichtiger Weise eine druckfertige Reproduktions-
vorlage hergestellt, Herr Heinz Dieter Neef mit großer Sorgfalt
bei den Korrektur- und Registerarbeiten geholfen.

Dankbar bin ich auch für die Förderung durch die Studienstif-
tung des deutschen Volkes, die mir ein langes und breit angeleg-
tes Studium finanzierte und mir während des SS 1976 ein Doktoran-
denstipendium gewährte, sowie der Evangelischen Landeskirche in
Württemberg, die sich an den Druckkosten dieses Buches beteiligt
hat.

Am meisten danken aber möchte ich meiner Frau. Nicht nur für
viel Verständnis und allerlei Unterstützung durch Rat und Tat bei
der Entstehung der Arbeit, sondern vor allem dafür, daß sie mir
aktiven Anteil gewährte an ihrem theologischen (und nichttheolo-
gischen) Denken und an ihrer Berufs- und Lebenspraxis. Gerade
dieser Austausch von Gedanken und Erfahrungen hat mir immer wieder ins Bewußtsein gerufen, daß wissenschaftliche Exegese kein
akademischer Selbstzweck ist, sondern eine für den heutigen Menschen in seiner Welt hilfreiche Funktion an Gottes Wort zu ver-
sehen hat. Sollte dem Buch davon etwas anzumerken sein, so würde
mich das freuen.

Tübingen, im Sommer 1984   KK

INHALTSVERZEICHNIS

Technische Hinweise

Literatur ist in den Anmerkungen mit Kurztiteln (Stichwort) notiert, die eine
eindeutige Identifikation im Literaturverzeichnis ermöglichen. Kommentare aus
Reihen sind einheitlich durch Angabe der Reihe und des jeweiligen biblischen
Buches notiert.
Abkürzungen nach dem Abkürzungsverzeichnis der Theologischen Realenzyklopädie,
zusammengestellt von S.Schwertner, Berlin/New York 1976; dort Fehlendes nach
dem Abkürzungsverzeichnis der ThWNT.

EINLEITUNG

Zum Thema

Mit einigen ganz einfachen Beobachtungen ist zu beginnen.

1. Überblicken wir das Textfeld der echten Paulusbriefe[1], so
ist sofort deutlich, daß Paulus in jedem dieser Briefe das Leidensthema zumindest berührt, daß es aber in keinem das ausschließliche
oder auch nur das beherrschende Thema bildet, sondern immer auf andere Aspekte bezogen, mit anderen theologischen Aussageelementen
verbunden ist. Die Relevanz des Leidensthemas wird von hier aus
ebenso sichtbar wie die - für seine exegetische Auswertung entscheidende - Kontextbezogenheit.

2. Innerhalb des für die Textsorte 'Brief'[2] kennzeichnenden einfachsten Kommunikationsmodells:

(AB)SENDER $\longrightarrow$ BOTSCHAFT $\longrightarrow$ EMPFÄNGER

läßt sich das Phänomen 'Leiden' an allen drei Elementen des Kommu-
nikationsvorgangs festmachen:

Die Briefe sind geschrieben von einem *Apostel*, dessen tägliche
Realität aufs stärkste von Leidenserfahrungen geprägt ist. Teils
sind sie in einer akuten Leidenssituation abgefaßt (Phil), teils
blicken sie darauf zurück (1Thess; 2Kor), teils verteidigen sie
den Apostolat des Paulus, der ihm gerade wegen seiner Leiden und
Schwachheit bestritten wird (2Kor).

Sie zielen in unterschiedliche *Gemeinde*situationen, in denen zum
Teil aktuelle (Phil) oder vergangene (1Thess) Leidenserfahrungen
zum Problem geworden sind und verarbeitet werden müssen, zum Teil
aber gerade umgekehrt solche Erfahrungen fehlen, jedenfalls keine

---

1 Bei der Ermittlung des paulinischen Leidensverständnisses haben Kol, Eph,
2Thess und die Pastoralbriefe als deuteropaulinisch außer Betracht zu bleiben. Selbst wenn die Echtheit nicht in allen Fällen mit völliger Sicherheit
ausgeschlossen werden kann, ist es methodisch geraten, zunächst von den mit
Sicherheit echten Briefen auszugehen und die nur möglicherweise paulinischen
erst im Anschluß daran vergleichend in den Blick zu nehmen (s.unten S.377-
383). - M.E. läßt sich lediglich über die Unechtheit des Kol heute noch mit
Gründen streiten, hier erscheinen mir die von E.SCHWEIZER, EKK Kol, 26f., und
W.-H.OLLROG, Mitarbeiter, 236-241, vorgeschlagenen Lösungen der Verfasserfra-
ge sehr viel plausibler als die Annahme einer genuin paulinischen Abfassung,
wie sie z.B. W.G.KÜMMEL, Einleitung, 298-305, vertritt. Daß 2Thess nicht pau-
linisch ist, zeigt W.TRILLING, EKK 2Thess, 22-28 und im Zuge seiner Kommentierung des Briefs m.e. sehr einleuchtend auf (trotz W.G.KÜMMEL, aaO. 228-232);
zum Eph und den Past cf. W.G.KÜMMEL, aaO. 318 bzw. 340f.

2 Daß es sich um wirkliche Briefe mit einer entsprechenden kommunikativen Funktion handelt, ist im Blick auf die genannten Texte unbestritten.

Rolle spielen und im theologischen Wirklichkeitsverständnis der
Gemeinde offensichtlich keinen Raum haben (1Kor, 2Kor).

Schließlich ist das Leidensphänomen auch für den in diesen
Briefen übermittelten Kommunikationsgegenstand ('Botschaft') als
ganzen[3] von entscheidender Bedeutung, weil dessen Kern, die Verkündigung von *Jesus Christus* als dem Gekreuzigten, in seiner Substanz damit verbunden ist.

Schon die durch den Briefcharakter der Texte gegebenen kommunikativen Grundstrukturen legen also die drei wesentlichen Faktoren der paulinischen Leidensaussagen nahe: der leidende Christus
- der leidende Apostel - die leidende Gemeinde.

Dabei ist es für die Texte kennzeichnend, daß sie nur in den
wenigsten Fällen einen einzigen dieser Faktoren thematisieren; in
der Regel setzen sie zwei von ihnen, manchmal auch alle drei zueinander in Beziehung. Gerade diese Beziehungen verdienen im Blick
auf die gedankliche und theologische Struktur der Aussagen besonderes Augenmerk.

3. Eine erste Durchsicht der Texte zeigt außerdem, daß Paulus
ausgesprochen häufig im Zusammenhang mit Leidensaussagen alttestamentliche Texte heranzieht, sei es als ausdrücklich gekennzeichnetes, sei es als stillschweigendes wörtliches Zitat, sei es als
nicht wortwörtliche, gleichwohl leicht erkennbare Anspielung. Ebenso fällt auf, daß an mindestens sechs Stellen Leiden in katalogartigen Reihungen aufgezählt werden, was die Übernahme einer vorgegebenen Form möglich erscheinen läßt. Auch die traditions- und
formgeschichtliche Fragestellung drängt sich also schon von den
Auffälligkeiten der Textoberfläche her auf.

Schon aus diesen einfachen, eher äußerliche Charakteristika der
Texte registrierenden Beobachtungen ergibt sich für eine Untersuchung der Frage, wie Paulus das Phänomen 'Leiden' in seinen Briefen versteht und zur Sprache bringt, eine komplexe Aufgabenstellung. Sowohl (a) die - vor allem durch die verschiedenen Situati-
onskontexte bedingte - Variationsbreite der Aussagen, als auch (b)
die wechselseitige Bezogenheit der Christus-, Apostel- und Christenleiden und (c) die den Aussagen zugrundeliegenden Traditionen

---

3 Natürlich sind auch die Aussagen über die Leiden des Apostels und der Gemeinde Teil der 'Botschaft' (im kommunikationstheoretischen Sinn), wie wir überhaupt den ganzen Kommunikationsvorgang mitsamt seinen (in dem auf S.1 gegebenen Minimalmodell unberücksichtigten) Rahmenbedingungen (Situation auf beiden
Seiten; Erwartungshorizont der Empfänger; Codebesonderheiten und -differenzen;
Konnotationen usw.) so gut wie ganz aus der 'Botschaft' rekonstruieren müssen,
da nur sie allein erhalten ist und die Apostelgeschichte nur einige wenige
Nachrichten im Blick auf unsere Fragestellung bietet.

beanspruchen als besondere Problemaspekte ihr eigenes Recht, sollten aber auch - soweit möglich - aufeinander bezogen werden.

Perspektiven der Forschung

Angesichts der Weite des Textfeldes und der Vielschichtigkeit
der Problematik liegt es auf der Hand, daß ein Bericht über die
Erforschung des paulinischen Leidensverständnisses, der die Vielzahl der in Kommentaren und exegetischen Einzeluntersuchungen, in
neutestamentlichen Theologien und Paulusbiographien vorgelegten
Deutungen aufarbeiten oder auch nur einigermaßen vollständig aufzählen wollte, den Rahmen einer Problemeinführung sprengen würde.
Doch nicht allein aus Raumgründen scheint mir eine solche for-
schungsgeschichtliche Darstellung im Rahmen dieser Arbeit nicht
sehr sinnvoll, sondern vor allem deshalb, weil darin von einem
auch nur annähernd kontinuierlichen Fortschritt bei der Behandlung unserer Frage, oder auch von historischen oder theologischen
'Entdeckungen', die sich als 'epochemachend' herausstellen ließen,
kaum die Rede sein könnte. Stattdessen wären eine Reihe durchweg
alter 'Grundmodelle' der Deutung nebeneinanderzustellen, die sich
bis heute in weitgehender Wiederholung der Argumente nebeneinander
finden.

Von daher erscheint es mir angemessen, nur einige 'Perspektiven'
als Problemhorizont aufzuzeigen: nämlich zunächst (1) auf der Basis der beiden jüngsten größeren Untersuchungen zum Thema von
Güttgemanns und Fischer Schwerpunkte und Spektrum der älteren Forschung (bis ca. 1966) zu skizzieren, sodann (2) zu fragen, ob neuere Arbeiten über diesen Forschungsstand hinausweisen und schließlich (3) noch auf einige mit der traditionsgeschichtlichen Fragestellung befaßte Arbeiten einzugehen, die zwar nicht oder nur am
Rande auf das paulinische Leidensverständnis eingehen, für meine
Untersuchung aber als mindestens ebenso wichtige Vorarbeiten gelten können wie die zuvor angesprochenen Arbeiten.

1. Gehen wir von der vorhin entwickelten mehrschichtigen Aufgabenstellung aus, so fällt sofort auf, daß die bisher zum Thema
vorgelegte Literatur ihr Interesse vor allem auf die Frage nach
dem Zusammenhang und Verhältnis von Christusleiden und Apostelleiden konzentriert hat.

a) Die sechs[4] *monographischen Arbeiten*, die in diesem Jahrhundert
dem paulinischen Leidensverständnis gewidmet worden sind - fünf

---

4 Nicht in diese Reihe gehört J.KREMER, Was an den Leiden Christi noch mangelt.
   Eine interpretationsgeschichtliche und exegetische Untersuchung zu Kol 1,24b
   (Diss. Rom), weil der Kol nicht zum engeren Gegenstandsbereich meiner Unter-

davon sind Dissertationen - machen dies meist schon im Titel deutlich: so *A.Steubing*, Der paulinische Begriff 'Christusleiden' (Diss.
Heidelberg 1905); *J.Schneider*, Die Passionsmystik des Paulus (1929)
und *E.Güttgemanns*, Der leidende Apostel und sein Herr (Diss. Bonn
1963, als Buch 1966); aber auch die thematisch breiter angelegten
(ungedruckten) Dissertationen von *A.Wurzinger* (Untersuchungen zum
Leidensbegriff des Apostels Paulus, Graz 1961)[5] und *K.M.Fischer*
(Die Bedeutung des Leidens in der Theologie des Paulus, Berlin
1966) haben in dieser Frage (erklärtermaßen oder faktisch) ihren
Schwerpunkt. Lediglich *H.Krätzl* akzentuiert in seiner (methodisch
wie theologisch höchst problematischen[6]) Wiener Dissertation (Die
apostolischen Leiden des hl. Paulus und ihre Wirkungen für die Gemeinden, 1959) anders und behandelt den christologischen Aspekt
eher anhangsweise[7], insgesamt sieht er aber von jeder historischen
oder traditionsgeschichtlichen Profilierung seiner Textauswertun-
gen ab.

  b) Dieselbe thematische Akzentsetzung wie in den Monographien
ist auch für die *übrige ältere Literatur*[8] kennzeichnend. Die in Kommentaren und Spezialuntersuchungen zu Einzeltexten, in Darstellungen der paulinischen Theologie und in 'Paulusbüchern' verschiedenster Provenienz vorgelegten Deutungen weisen dabei eine beachtli-
che Variationsbreite auf: die Leiden des Paulus werden von den einen als Nachahmung[9] oder Nachvollzug[10] der Leiden Christi und so
als Leiden in der Nachfolge gedeutet, andere gehen darüber hinaus
und sehen in ihnen aufgrund einer "weitgehenden Analogiehaftigkeit
zwischen dem Jesus auf Erden (...) und dem Apostel und Pneumatiker Paulus"[11] eine "direkte Analogie"[12] oder "objektive Fortset-

suchung gehört; gleichwohl bietet seine Darstellung der Interpretationsgeschichte (ebd. 5-152) zum Teil auch über den Kol hinaus ausgesprochen interessante Perspektiven.
5 A.WURZINGERs Arbeit unterscheidet sich von den übrigen darin, daß sie das
  ganze Feld der paulinischen Leidensaussagen in Einzelexegesen untersucht
  (ebd. 1-101) und den exegetischen Befund systematisch auszuwerten versucht
  (102-139). Ziel- und sachlicher Schlüsseltext ist für WURZINGER Kol 1,24
  (ebd. XIX; dort Schreibfehler: "1,14"), wodurch sich zum Teil eine perspek-
  tivische Verzerrung der Exegesen ergibt. Traditionsgeschichtliche Befunde
  begegnen nur selten (cf. ebd. 19.30-32.77) und werden nicht ausgewertet. Vielmehr betont WURZINGER (unter Berufung auf H.SCHLIER, ThWNT 3,146), daß sich
  die paulinischen Leidensaussagen von denen "des Judentums von Grund auf unterscheiden" (ebd. 137).
6 Zur Kritik cf. E.GÜTTGEMANNS, Apostel, 167 Anm.107.
7 Cf. H.KRÄTZL, Leiden, 160-163.
8 Cf. E.GÜTTGEMANNS, aaO. 13-30; K.M.FISCHER, Bedeutung, 12-22.
9 Cf. die bei K.M.FISCHER, aaO. 12 und E.GÜTTGEMANNS, aaO. 14-16 mit Anm.24-27
  genannten Positionen (v.a. H.WINDISCH, G.WIENCKE, E.G.GULIN).
10 Cf. O.KUSS, Römer, 326.
11 H.WINDISCH, Paulus und Christus, 7; cf. K.M.FISCHER, aaO. 13; E.GÜTTGEMANNS,
   aaO. 14. - WINDISCH sieht sowohl Jesus als auch Paulus als θεῖος ἀνήρ.
12 Cf. H.WINDISCH, aaO. 235; K.M.FISCHER, aaO. 13.

zung der Leiden Christi"[13]. Manchen erscheinen sie als "stellvertretende Leiden"[14], Paulus "nimmt die Gestalt eines *Soter* an"[15],
andere betonen die "erziehende Funktion, den Charakter einer gnädigen Heimsuchung, um den Christen in die wahrhaft christliche
Haltung einzuüben"[16] oder verstehen sie als Märtyrerleiden, "das
besondere Verheißung hat"[17]. Das stärkste Gewicht aber hat in der
älteren Exegese die mystische Deutung der Leiden erlangt[18], und
man kann es als Güttgemanns' (und Fischers) Verdienst ansehen,
diese Deutung so gründlich widerlegt zu haben[19], daß ihr Gewicht
bis heute (jedenfalls in der protestantischen Exegese[20]) erheblich reduziert ist.

c) *Güttgemanns' eigene Deutung*, die er vor allem den verschiedenen,
von ihm radikal kritisierten 'Analogie'-Vorstellungen (einschließlich der mystischen) entgegenstellt, knüpft an ein Stichwort Käsemanns an: die Leiden sind ein *"christologisches* Epiphaniegesche-
hen"[21], in dem der "Kyrios (...) sich selbst am Soma des Apostels
als der gekreuzigte Jesus" (= der 'irdische Jesus') "dokumentiert
und qualifiziert"[22]: die "paradoxe Identität"[23] des Gekreuzigten
und Auferstandenen wird so "leibhaft-existentiell an seinen Die-
nern"[24] offenbar.

Diese an 2Kor 4,7-15 gewonnene Deutung erkennt zwar zurecht
die fundamentale Rolle der Christologie in den paulinischen Leidensaussagen, andererseits aber verabsolutiert sie diesen Aspekt
so stark, daß für andere Nuancen des Leidensverständnisses, wie
sie sich aus dem Gesamtfeld der Paulustexte[25], aber auch aus der
Untersuchung der Traditionsfrage ergeben könnten, kein Raum mehr
bleibt. Güttgemanns sieht seine Untersuchung denn auch primär als
einen "Beitrag zur Klärung des Problems der paulinischen Christo-

---

13 K.M.FISCHER, aaO. 14; cf. H.SCHLIER, Art. θλίβω κτλ., ThWNT 3,143; G.SASS,
   Apostelamt, 81.
14 Cf. K.M.FISCHER, aaO. 14; E.LOHSE, Märtyrer, 201; H.v.CAMPENHAUSEN, Idee, 11;
   H.KRÄTZL, Leiden, passim.
15 H.WINDISCH, Paulus und Christus, 248f.; cf. E.GÜTTGEMANNS, aaO. 14.
16 Cf. K.M.FISCHER, aaO. 15.
17 Ebd. 18; cf. v.a. E.LOHMEYER, KEK Phil; H.v.CAMPENHAUSEN, aaO. 10.
18 Auf die Vielfalt der Nuancen ist hier nicht einzugehen; cf. die Fülle des
   bei E.GÜTTGEMANNS, aaO. 16-26 mit Anm.36-116 besprochenen Materials.
19 Cf. E.GÜTTGEMANNS, aaO., v.a. 102-112; K.M.FISCHER, aaO. 58-70.
20 Auf katholischer Seite wirken freilich so gewichtige Werke wie K.PRÜMM, Diakonia Pneumatos (1960-1967) bis heute weiter.
21 E.GÜTTGEMANNS, aaO. 107; cf. E.KÄSEMANN, Legitimität, 53f.56.
22 E.GÜTTGEMANNS, aaO. 117, cf. 116.
23 Ebd. 118.
24 Ebd. 119. - Der der Arbeit GÜTTGEMANNS' eigene Mangel an Transparenz läßt
   nur ein näherungsweises Referat seiner These zu, die er leider nirgends präzis zusammenfaßt.
25 Nicht von ungefähr konzentriert sich GÜTTGEMANNS auf Gal und 2Kor.

logie"[26]. Doch selbst wenn man diese Engführung akzeptiert, bleiben mit Fischer noch eine ganze Reihe grundlegender Einwände gegen seine Einzelexegesen und die sich daraus ergebende Gesamtsicht
geltend zu machen[27]. Zurecht sieht Fischer die Hauptursache für
die Schwächen der Argumentation darin, daß Güttgemanns' Exegesen
weitgehend von dem Interesse geleitet sind, "das Recht der exi-
stentialen Interpretation zu beweisen"[28], was ihm nicht immer ohne
Überfremdung der Texte gelingt.

d) *Fischers Arbeit* ist demgegenüber ein ausgewogenerer Versuch,
die Leidensaussagen in den Zusammenhang der paulinischen Theologie einzuzeichnen. Auch seine Interpretation gewinnt ihr Profil
hauptsächlich am 2Kor: die Rekonstruktion der Auseinandersetzung
zwischen Paulus und seinen Gegnern um die Christologie erlaubt
"Grundintentionen"[29] seines (christologischen) Denkens herauszu-
arbeiten. Den Ausgangspunkt dabei bildet Jesu Kreuzestod als Sieg
über die Macht der Sünde. Er qualifiziert die Leiden der Christen
(im Gegensatz zur Zeit vor diesem Sieg, als sie "Folgen der Sünde" und "Zeichen des Todes"[30] waren) als "Zeichen des Sieges
Christi, die zum Leben führen"[31]. Als solche halten sie diesen
Sieg in seiner Paradoxie präsent und machen die bleibende, auch
im Eschaton nicht aufzuhebende grundsätzliche Differenz zwischen
dem Kyrios und den Gläubigen deutlich. Sie sind so "sichtbare
Zeichen dafür, daß der Mensch nicht aus sich leben kann, sondern
nur aus Gott"[32].

Es ist von hier aus völlig plausibel, daß Fischer den engen
Zusammenhang von Leiden und Rechtfertigung betont (die "Leidenstheologie des Paulus ist die existentielle Form seiner Rechtfertigungslehre"[33]), also (gegen Güttgemanns) der Ableitung der Leidensaussagen aus einer Theologie des Apostel(amt)s grundsätzlich
widerspricht, und den Stellenwert der Rechtfertigungslehre als
"Lebens- und Denkzentrum der paulinischen Theologie"[34] unterstreicht.

---

26 E.GÜTTGEMANNS, aaO. 30.
27 Cf. K.M.FISCHER, aaO., v.a. 89.97-99. Sie betreffen vor allem die von GÜTTGE-
   MANNS vertretene grundsätzliche Unterscheidung von Apostelleiden und Leiden
   der übrigen Christen, die Interpretation von Gal 6,17, von hier aus aber
   auch die Grundthese des 'Offenbarungscharakters' der Leiden.
28 K.M.FISCHER, aaO. 99.
29 Ebd. 122, cf. 162.
30 Ebd. 162.
31 Ebd.
32 Ebd.
33 Ebd. 163.
34 Ebd., cf. auch 160.

Ein gewisses Problemindiz ist es dagegen, wenn Fischer im Blick
auf die einzelnen Leidenstexte, in denen er die oben genannten
Grundintentionen "sich in bestimmten Vorstellungen (...) objekti-
vieren" sieht, feststellen muß, auf dieser "Objektivationsebene"
komme "es zu logisch nicht ausgleichbaren Antinomien"[35]. Auch wenn
diese seiner Meinung nach "nicht die mangelnde Systematik des Paulus, sondern im Gegenteil die radikale Konsequenz seiner Denkinten-
tionen"[36] beweisen, gibt dieses Ergebnis doch Anlaß zur kritischen
Prüfung seiner Gesamtkonzeption.

Ein weiterer Kritikpunkt kommt hinzu, wenn sich Fischer durch
die bereits in seiner 'Problemstellung' (§ 2) ausgesprochene Ge-
ringschätzung traditions- und religionsgeschichtlicher Fragestellungen[37] darauf beschränkt, in einem den Gesamtgedankengang be-
schließenden Paragraphen als die "jüdische Prämisse der Leidenstheologie des Paulus"[38] den "unbedingten Kausalzusammenhang"[39] von
Leiden und Sünde anzuführen, der "urjüdisch" und für "die ganze
spätjüdische Leidenstheologie" kennzeichnend[40] ist. Diese Prämisse erfährt dann nach Fischer bei Paulus eine Wendung:

> "Die Macht, die die Sünde einst hatte, hat jetzt Christus. Paulus denkt tat-
> sächlich die Macht Christi in antithetischer Analogie zur Macht der Sünde.
> Dann müßte Paulus sagen, daß Christus für uns zur Sünde gemacht wurde. Und
> dies muß man nun nicht einmal folgern, sondern steht wörtlich da 2Kor 5,21.
> Stehen aber für Paulus Sünde und Leiden ursprünglich in einem unbedingten
> Kausalzusammenhang, müßte die Schlußfolgerung lauten: es gibt für den Chri-
> sten kein Leiden. Das aber ist nicht der Fall. Und genau an dieser Stelle er-
> folgt die Wende bei Paulus."[41]

Diese Sicht geht nicht nur in der Exegese von 2Kor 5,21 fehl[42],
sondern gibt vor allem keine befriedigende Antwort auf die Frage,
warum es denn eigentlich noch Leiden für den Christen gibt. Die
angesprochene 'Wende' des Paulus, in der er die Leiden Christus
zuordnet, weil er sie der (entmachteten) Sünde nicht mehr zuordnen
kann, ist doch nicht mehr als ein (theologisch bedenklicher) Not-
behelf, mit dem die Realität wieder mit der theologischen Theorie

---

35 Ebd. 162.
36 Ebd.
37 Cf. ebd. 22f.: FISCHER referiert hier einige Positionen zur Frage 'religionsgeschichtlicher Vorläufer' im Bereich der Stoa, des Judentums und der Gnosis
   und fährt dann fort: "Freilich sollten alle solche Ableitungsversuche mit
   großer Vorsicht betrachtet werden. Man kann damit wohl einzelne Vorstellungen und Voraussetzungen klären, aber die Vorstellung ist nicht das Wesen der
   Sache. Entscheidend ist letztlich, von welcher theologischen Denkvoraus-
   setzung her Paulus so denkt. Wir werden darum diese religionsgeschichtlichen
   Fragen nicht im Detail behandeln" (ebd. 23).
38 So die Überschrift seines § 14 (ebd. 154ff.).
39 Ebd. 154.
40 Ebd.
41 Ebd. 159.
42 S. dazu unten S. 279 mit Anm.116.

ins Lot gebracht werden soll, und - jedenfalls in dieser unvermit-
telten Übertragung - keine traditionsgeschichtlich überzeugende
Denkbewegung. Auch hier ist m.E. nach einleuchtenderen Deutungsmöglichkeiten Ausschau zu halten.

e) Daß Fischer an diesem Punkt zu einer so wenig plausiblen Lösung gelangt, liegt zum Teil gewiß auch daran, wie es die Forschung vor ihm mit der traditions- bzw. religionsgeschichtlichen
Frage gehalten hat. Zwar gehen die älteren Arbeiten, ganz besonders die von *Schneider*[43], zum großen Teil auf religionsgeschichtliche Aspekte ein[44] und bieten die Kommentare zu den Einzelstellen
eine Fülle von Vergleichsmaterial verschiedenster Herkunft, vor
allem stoische 'Parallelen'[45]. Doch kommt es allenfalls ansatzwei-
se zu einer exegetischen, für die Interpretation relevanten Auswertung[46].

Eine Ausnahme in dieser Hinsicht bildet in der von Fischer noch
berücksichtigten Literatur lediglich *Kamlahs* Aufsatz[47] von 1963,
insofern als hier - wenn auch nur thetisch-knapp und punktuell auf
Jeremia und den deuterojesajanischen Gottesknecht beschränkt -

---

43 J.SCHNEIDER, Passionsmystik, 75-117. SCHNEIDER behandelt die "jüdischen Voraussetzungen" (ebd. 75-84), die "antiken Passionskulte" (84-107) und deren
   Bedeutung für Paulus (107-117). Dabei profiliert er deutlich die alttestamentliche "Gestalt des unschuldig leidenden Gerechten" (ebd. 75) und verfolgt sie von den Psalmen bis in die jüdische Apokalyptik, ohne freilich die
   von ihm konstatierte "enge Verbindung" (ebd. 84) - die er um seiner mystischen Perspektive willen aber nicht als "*direkte* Beziehung" (ebd.) ansehen
   will - im einzelnen auszuführen und für die Interpretation auszuwerten. Die
   von ihm ebd. geforderte Spezialuntersuchung ist nie realisiert worden.
44 Cf. aber auch die durchaus nicht untypische Position von G.WIENCKE, Paulus
   über Jesu Tod, 133: "Wir würden aber einen falschen Weg gehen, wenn wir die
   Herkunft im Judentum oder im Hellenismus suchen wollten. Wir wollen vielmehr
   dieses Verhältnis zu Christi Leiden als eine Frucht der christlichen Frömmigkeit auf Grund des Kreuzestodes und als eine besondere Erscheinung des
   apostolischen Berufsbewußtseins und der Christusgemeinschaft betrachten. Wir
   spüren, wie sehr der Kreuzestod die Frömmigkeit und die persönliche christliche Haltung des Paulus gestaltet. Auch wenn Paulus, wie das Judentum vor und
   nach ihm, das Leiden vom eschatologischen Standpunkt aus betrachtet, so tut
   er es auf Grund eines Heilsgeschehens, und nicht, weil er die jüdische (...)
   Leidenstheologie auf eschatologischer Grundlage übernimmt".
45 In diese Richtung weist auch die einzige über Einzeltexte hinausgehende Spezialuntersuchung in der älteren Forschung: R.LIECHTENHAN, Die Überwindung
   des Leides bei Paulus und in der zeitgenössischen Stoa (1922). Auch sie bleibt
   beim Vergleich stehen und diskutiert vor allem, ob "die Verwandtschaft aus
   Genealogie oder Analogie zu erklären" sei (ebd. 388), dringt zu der Frage der
   Konsequenzen für die Interpretation aber noch nicht vor.
46 Anders steht es im Fall von W.SCHMITHALS' Versuch, das Leidensverständnis des
   Paulus zusammen mit seinem Apostelbegriff aus der Gnosis abzuleiten (W.SCHMIT-
   HALS, Apostelamt, 1961, bes. 38-40.209-211). Hier liegt die Relevanz für die
   Interpretation auf der Hand, doch hat die These keine Quellengrundlage (cf.
   E.GÜTTGEMANNS, Apostel, 126) und ist deshalb auch so gut wie durchweg abge-
   lehnt worden. Zur Kritik cf. E.GÜTTGEMANNS, aaO. 124-126; K.M.FISCHER, Bedeutung, 23.
47 E.KAMLAH, Wie beurteilt Paulus sein Leiden? Ein Beitrag zur Untersuchung seiner Denkstruktur.

eine traditionsgeschichtliche Perspektive aufgewiesen und mit der
christologischen Komponente der Apostel- und Christenleiden zusam-
mengesehen wird:

> "Das Leiden Christi hat auch seine Vorbildungen, nämlich in den alttestament-
> lichen Aussagen über den leidenden Gerechten. Wie nun an den Auswirkungen der
> Leiden Christi am Apostel deren Charakter zu erkennen ist, so auch an diesen
> Vorbildungen. Auch sie lassen erkennen, was Christusleiden sind. Hierdurch er-
> klärt sich das eigentümliche Verhältnis gewisser paulinischer Aussagen zur
> Gestalt des Propheten Jeremia und vor allem auch zum Gottesknecht von Deutero-
> jesaja."[48]

Christologische und traditionsgeschichtliche Deutung der paulinischen Leidensaussagen treten bei Kamlah nicht in Konkurrenz, sondern werden als Aspekte zu einer Einheit verbunden. So betont Kamlah, daß die

> "Ähnlichkeit zu den leidenden Gerechten des Alten Testaments deswegen von
> Paulus hervorgehoben wird, weil in ihnen eben die Christusleiden vorgebildet
> sind, die sich jetzt an Paulus auswirken, die nun seine apostolische Existenz
> bestimmen. So können sie ihm zur Beschreibung seiner apostolischen Leiden die-
> nen."[49]

2. Seit 1966 sind viele der paulinischen Leidensaussagen im Rahmen von Neubearbeitungen von Kommentaren, sowie in größeren und
kleineren Arbeiten über Paulustexte und Probleme paulinischer Theologie neu untersucht worden. Für eine ganze Anzahl von Einzelfra-
gen ergaben sich dabei weiterführende und präzisierende Lösungs-
vorschläge. Auf sie ist hier nicht einzugehen, so daß wir uns auf
Schrages Aufsatz von 1974 'Leid, Kreuz und Eschaton. Die Peristasenkataloge als Merkmale paulinischer theologia crucis und Eschatologie' als dem einzigen mit dem ganzen Textfeld der Paulusbriefe
und einer grundsätzlichen Problematik befaßten Beitrag beschränken können.

Schrage setzt beim Problem der oben schon angesprochenen katalogartigen Aufreihungen von Leiden, den sog. Peristasenkatalogen,
an, in denen die ältere Forschung so gut wie durchweg eine "Stilverwandtschaft zur Stoa"[50] gesehen hat. Doch kann er anhand einer
Fülle von sowohl hellenistischen als auch jüdischen Belegen zeigen,
daß die paulinischen Leidenskataloge sehr viel plausibler mit den
zahlreichen Stil- (und Sach-!)parallelen der jüdisch-apokalyptischen Literatur in Verbindung zu bringen sind. Hier liegt der
"wahrscheinlich primär(e) Traditionshintergrund der Peristasenkataloge"[51]. Von hier aus ist den Katalogen eine eschatologische
Komponente eigen, die sie in den paulinischen Leidensaussagen zum

---

48 Ebd. 228.
49 Ebd.
50 Cf. W.SCHRAGE, Leid, Kreuz und Eschaton, 142 mit Anm.2.
51 Ebd. 165.

Zuge bringen. Der "alles entscheidende Verstehungshorizont"[52] der
Peristasenkataloge aber ist die Christologie:

"Daß der Gekreuzigte die Christen in seine Nachfolge stellt, wird gerade in
den Peristasenkatalogen anschaulich bezeugt. Peristasen sind der bevorzugte
Ort der theologia crucis, in denen die Kreuzestheologie in Welt- und Ge-
schichtserfahrungen verlängert und expliziert wird."[53]

Die Peristasenkataloge stellen also einen Traditionsrückgriff dar,
mit dessen Hilfe das Zentrum der paulinischen Theologie: das Kreuz
Christi, im Blick auf die Leiden des Apostels und der Gemeinde ar-
tikulierbar und kommunizierbar wird.

Schrages Aufsatz weist über die älteren Arbeiten vor allem dadurch hinaus, daß er eine präzise traditionsgeschichtliche Einzeichnung der paulinischen Texte in ihren zeitgenössischen Kontext
vornimmt und die Rezeption des jüdisch-apokalyptischen Traditionshintergrundes an den Einzeltexten konkret aufweist und in ihrer
Relevanz für die Deutung dieser Texte wie auch des paulinischen
Leidensverständnisses als ganzem überzeugend auswertet. Freilich
bestimmt er das Verhältnis dieser 'Traditionskomponente' zu der
'christologischen Komponente' der Leidensaussagen eher im Sinne
der älteren, die Differenz betonenden Exegese: die Peristasenkataloge werden als Merkmale der theologia crucis begriffen und her-
ausgestellt, diese selbst wird aber nicht auf ihren (möglichen)
Traditionshintergrund hin befragt. Dies ist deshalb wichtig (und
nicht nur eine Frage der arbeitstechnischen Gegenstandsbegrenzung
des Aufsatzes), weil dadurch die christologische Prägung der paulinischen Leidensaussagen sachlich unvermittelt neben ihren Traditionshintergrund tritt. Die Möglichkeit, daß die theologia crucis selbst, d.h. vor allem das paulinische Verständnis von Leiden
und Sterben Jesu, schon etwas mit dem in den Peristasenkatalogen
zu Wort kommenden Traditionskomplex zu tun hat, wäre immerhin zu
prüfen; denn ließe sich hier eine Beziehung feststellen, so hätte
die Verwendung dieser Tradition ein ganz anderes sachliches Recht,
auch ließen sich die Apostel- und Christenleiden gerade in ihrem
Bezug zu den Leiden des Christus theologisch präziser beurteilen.

Schrages Arbeit macht m.E. die Notwendigkeit und Fruchtbarkeit
der (schon von unseren ersten Beobachtungen am Text her sich nahe-
legenden) traditionsgeschichtlichen Fragestellung gegenüber der in
dieser Frage zuvor eher zurückhaltenden Forschung unabweisbar.
Darüber hinaus zeigt sie auch schon die traditionsgeschichtliche
Richtung an, aus der die Traditionsrückfrage am ehesten - wenn
auch keineswegs ausschließlich - präzise Aufschlüsse erwarten darf.

---

52 Ebd. 167, cf. 168.
53 Ebd. 164.

Offen bleibt aber die Frage, ob den von ihm an den Peristasenkatalogen herausgearbeiteten Befunden sich nicht im Blick auf andere
Elemente und Aspekte der paulinischen Leidensaussagen, vor allem
auch den christologischen, noch weitere an die Seite stellen lassen. Oder, forschungsgeschichtlich ausgedrückt: ob sich die präzisen Beobachtungen Schrages mit der von Kamlah nur angedeuteten,
umfassenderen Sicht ähnlich genau verbinden lassen.

3. Daß diese Frage nicht abwegig ist, läßt sich durch einen
Blick auf zwei Arbeiten zeigen, die sich selbst kaum oder gar
nicht mit dem paulinischen Leidensverständnis befassen:

Zunächst ist *Schweizers* Versuch anzuführen[54], ein aus alttestamentlich-jüdischen Wurzeln herrührendes "Schema"[55] von "Erniedrigung und Erhöhung" bei "Jesus und seinen Nachfolgern"[56] herauszu-
arbeiten, dem "bis in allerlei Einzelheiten hinein der Weg, wie
ihn Jesus tatsächlich gegangen ist"[57] entspricht und das, vielleicht auch schon für seine eigene Deutung dieses Weges[58], in jedem Fall aber für die Ausbildung der frühen Christologie der Gemeinde[59] von maßgeblicher Bedeutung war. Die alttestamentlich-jüdische Basis dieses Schemas ist die Vorstellung des "leidende(n)
und erhöhte(n) Gerechte(n)", die Schweizer in einem breiten Textfeld vor allem des apokalyptischen und rabbinischen Judentums belegt findet[60]. Diese Vorstellung ist dann auch für die mit Jesus
in einer "Schicksalsgemeinschaft"[61] verbundenen "Nachfolger" von
Bedeutung, zunächst für den Jüngerkreis zu seinen Lebzeiten[62],
dann in vielfältiger Variation[63] auch für das nachösterliche Verständnis von Nachfolge, u.a. auch für Paulus[64].

Das von Schweizer postulierte 'Schema' ist dann 1970 in *Rupperts*
(alttestamentlicher) Habilitationsschrift über die 'passio iusti'[65]

---

54 Auf E.SCHWEIZERs These ist hier nur insoweit einzugehen, als sie unsere Fragestellung betrifft. Vor allem ist die bei ihm zentrale Menschensohn-Thematik
hier nicht weiter zu verfolgen.
55 Cf. E.SCHWEIZER, Erniedrigung und Erhöhung, 53.
56 Cf. die Titelformulierung: "Erniedrigung und Erhöhung bei Jesus und seinen
Nachfolgern". - 1.Auflage 1955; 2., stark erweiterte Auflage 1962.
57 E.SCHWEIZER, aaO. 33.
58 Cf. ebd. 21f.51f.
59 Cf. ebd. 53-86.87-125.
60 Cf. ebd. 21-32.
61 Cf. ebd. 131.143.
62 Cf. ebd. bes. 141 zu Mt 8,20.
63 Cf. ebd. 126-144.
64 Auf die paulinische Leidensvorstellung geht SCHWEIZER nur sehr knapp und
allgemein ein (cf. ebd. 141-143.144).
65 Die Arbeit wurde 1972/73 in drei selbständigen Teilen publiziert:
   (I)   L.RUPPERT, Der leidende Gerechte. Eine motivgeschichtliche Untersuchung
         zum Alten Testament und zwischentestamentlichen Judentum (1972);
   (II) L.RUPPERT, Der leidende Gerechte und seine Feinde. Eine Wortfeldunter-
         suchung (1973);

neu aufgegriffen und ausführlich untersucht worden. Im dritten,
ins Neue Testament hinüberweisenden Teil dieser Arbeit übt Ruppert
zwar deutliche Kritik an den (freilich größtenteils forschungsgeschichtlich erklärlichen) Unzulänglichkeiten der Traditionsuntersuchung Schweizers[66], vor allem aber an seinem den klaren Blick
auf den Traditionsbefund verstellenden Versuch, den 'leidenden Gerechten' um eines christologischen Interpretationsinteresses willen mit der Menschensohnvorstellung zusammenzuordnen[67]. Gleichwohl
hält er Schweizers These für einen - "wenn auch in unabgeklärter
Form" vorgelegten - "sehr glückliche(n) Denkanstoß"[68].

Ruppert selbst zeichnet in einer ausführlichen "motivgeschicht-
lichen Untersuchung"[69] die Entwicklung des "Motivs vom 'leidenden
Gerechten'"[70] von den ältesten Psalmen bis zu den Apokalypsen des
zwischentestamentlichen Judentums nach und liefert so ein an gründ-
lichen Textanalysen gewonnenes, geschichtlich differenziertes Bild
dieser Vorstellung, das - unter anderem - die (modifizierte) "These Schweizers auf solideren Boden zu stellen"[71] vermag.

Im Blick auf unsere traditionsgeschichtliche Frage der paulinischen Leidensaussagen ist Rupperts Arbeit - obwohl sie das Thema
explizit überhaupt nicht berührt - insofern ausgesprochen aufschlußreich, als sie den überwiegenden Teil
a) der von Paulus im Zusammenhang mit Leidensaussagen zitierten
   Schriftstellen,
b) der von Kamlah vermuteten alttestamentlichen Bezugstexte und
c) der von Schrage angeführten jüdisch-apokalyptischen Parallelen
   zu den paulinischen Peristasenkatalogen
zum Kreis der Texte vom 'leidenden Gerechten' zählt.

Ohne es zu beabsichtigen, liefert Ruppert also ein starkes Indiz dafür, daß zwischen den paulinischen Leidensaussagen und dem
Textfeld vom 'leidenden Gerechten' ein sehr viel engerer und brei-
terer Zusammenhang besteht, als dies bisher gesehen[72] wurde. Es
ist hier noch nicht der Ort, das auszuführen. Doch scheint mir
jetzt schon deutlich, daß eine die Beziehung zu den Texten vom
'leidenden Gerechten' umfassend berücksichtigende Untersuchung der

---

(III) L.RUPPERT, Jesus als der leidende Gerechte? Der Weg Jesu im Lichte
      eines alt- und zwischentestamentlichen Motivs (1972 als SBS 59).
Ich zitiere diese Titel als L.RUPPERT I; L.RUPPERT II; L.RUPPERT III.
66 L.RUPPERT III, 15f.
67 Cf. ebd. 75.
68 Ebd. 73.
69 Cf. den Untertitel von L.RUPPERT I.
70 Cf. die Kapitelüberschriften in L.RUPPERT I, 22.106.182.
71 L.RUPPERT III, 75.
72 Cf. aber auch die von P.STUHLMACHER, Achtzehn Thesen, in These 5 und 6 (515f.)
   knapp dargelegten Überlegungen, die genau in diese Richtung weisen.

paulinischen Leidensaussagen nicht nur eine von einem subjektiven
Sonderinteresse her interessante, sondern (zugleich) eine in der
gegenwärtigen Forschungssituation sinnvolle, ja im Grunde über-
fällige Aufgabe darstellt.

Zur Methodik traditionsgeschichtlicher Arbeit

Die methodischen Weichenstellungen der Untersuchung sollen jeweils erst dann erläutert und begründet werden, wenn sie zur Lösung anstehen. Doch ist vorab auf einige Aspekte der Methodik des
traditionsgeschichtlichen Vorgehens[73] einzugehen, weil sie die Anlage und Durchführung der Untersuchung im ganzen betreffen. Sie hängen eng mit der gegenwärtig wieder sehr umstrittenen Frage zusammen, wie das Verhältnis von alt-, zwischen- und neutestamentlichen
Texten zueinander grundsätzlich zu bestimmen sowie theologisch zu
deuten und zu werten sei[74].

So kann man den traditionsgeschichtlichen Bezügen ausschließlich von der neutestamentlichen Textbasis aus nachgehen: von Fall
zu Fall rückfragend werden instruktive Texte herangezogen und verglichen, wodurch sich Affinitäten zu einzelnen älteren Texten,
vielleicht auch zu bestimmten religionsgeschichtlichen Komplexen
(etwa Qumran) zeigen lassen und sich umgekehrt die einzelne neutestamentliche Aussage an den sie von den Traditionstexten unter-
scheidenden Differenzen profilieren läßt. Dieses - v.a. die Kom-
mentarliteratur beherrschende - Vorgehen erscheint mir für eine
Einzeluntersuchung nur dann sinnvoll, wenn man durchweg mit völlig heterogenem Traditionsmaterial zu rechnen hat oder wenn man
das Verhältnis der Traditionstexte zueinander für unwesentlich
hält. Denn ein solches Verfahren legt methodisch fest, daß lediglich die neutestamentlichen Texte als kohärente Sinneinheiten erscheinen, das Feld der Traditionstexte dagegen eher als ein Stein-
bruch, aus dem relativ beliebig Passendes entnommen werden kann,
ohne daß der ursprüngliche Ort des Elements und der Zusammenhang
mit anderen noch eine Rolle spielen.

Man kann den Unzulänglichkeiten dieses Vorgehens begegnen, indem man das Traditionsmaterial zunächst für sich sichtet und in
eine die Bezüge der Texte und Aussagen zueinander verdeutlichende

---

73 Cf. H.BARTH/O.H.STECK, Exegese, 77-92 (§ 8); J.ROLOFF, Neues Testament, 25;
   K.BERGER, Exegese, 169-186.(201).
74 Cf. H.GESE, Tradition und biblische Theologie, und von hier aus die Kontroverse um die 'Biblische Theologie', z.B. in dem Sammelband BThSt 1 zwischen
   K.HAACKER, P.STUHLMACHER, H.J.KRAUS, H.H.SCHMID, sowie in Heft 2 der ZThK
   1980 zwischen E.GRÄSSER und P.STUHLMACHER; G.STRECKER, "Biblische Theologie"?;
   H.Graf REVENTLOW, Hauptprobleme, 138-172.

Ordnung bringt, um es erst dann in einer Rückfrage vom Neuen Testament her auszuwerten. Auch dabei bestimmen allein die neutestamentlichen Texte den Aspekt und die Perspektive, unter denen das Traditionsmaterial untersucht wird, ebenso wie seine Auswahl. Zwar wird das Feld der Traditionstexte hier nicht mehr völlig beliebig ausgebeutet, sondern sehr viel sachgemäßer behandelt, gleichwohl ist die Fragerichtung durchgehend einlinig, wodurch dem Eigengewicht dieser Texte nur sehr bedingt Rechnung getragen wird.

Demgegenüber hat Gese eine Alternative vorgeschlagen, deren exegetische Leistungsfähigkeit er inzwischen in mehreren Aufsätzen exemplarisch unter Beweis gestellt hat[75]. Gese begreift das Alte und das Neue Testament als eine kohärente Traditionsbildung, in der die Entfaltung der göttlichen Offenbarung in der Geschichte ihren tradierbaren Niederschlag gefunden hat. Von daher sind die einzelnen Traditionstexte geschichtlich konkrete Stationen in einem (einheitlichen, keineswegs aber von Brüchen, Differenzen und Widersprüchen freien!) Prozeß, in dem sich in der Korrelation von fortschreitender Offenbarung Jahwes und sich entwickelndem Bewußtsein Israels eine Bewegung auf ein Telos hin aufweisen läßt. Dieses Telos aber ist das neutestamentliche Geschehen, das in der Christologie seine Sprachgestalt findet[76].

Einerlei, ob Geses Konzept im ganzen zu akzeptieren ist oder nicht, in jedem Fall öffnet es uns hinsichtlich der Frage einer traditionsgeschichtlichen Methodik - und nur insofern steht es hier zur Debatte - die Augen dafür, daß der Weg der Tradition, das Werden, das ihm innewohnt, von entscheidender Bedeutung für die traditionsgeschichtliche Betrachtung ist: die neutestamentlichen Aussagen stehen nicht nur im Kontext jüdischer Traditionen, sondern diese haben eine Geschichte, in der sie sich verändert haben. Das Spektrum traditionsgeschichtlicher Problemstellungen wird dadurch um eine ganz neue Kategorie erweitert, nämlich um die Frage, wie sich die Veränderung, die die neutestamentlichen Autoren in der Rezeption der Tradition vornehmen, zu den Veränderungen verhält, die die vorchristliche Traditionsgeschichte im Prozeß des allmählichen Werdens der Tradition bereits erkennen läßt. Dieser Fragestellung bei der traditionsgeschichtlichen Arbeit Raum zu geben, scheint mir in jedem Falle sinnvoll; ob sie in allen Fällen für die Textinterpretation - und womöglich für das Verstehen der

---

75 Cf. bes. H.GESE, Erwägungen zur Einheit der biblischen Theologie; DERS., Psalm 22 und das Neue Testament; DERS., Der Tod im Alten Testament; DERS., Das Gesetz; DERS., Die Sühne; DERS., Der Messias.
76 Cf. H.GESE, Erwägungen, 30; zu den Spannungen, Widersprüchen und Brüchen, die diesen Prozeß kennzeichnen: ebd. 15f.

Bibel als ganzer - signifikanten Ergebnissen führt, ist hier freilich nicht vorzuentscheiden. Schon allein weil die Einbeziehung
dieses Aspekts ein sehr viel dynamischeres Verständnis der traditionsgeschichtlichen Dimension neutestamentlicher Texte eröffnet,
erweist sich diese Sicht einer einlinig am Neuen Testament orientierten Perspektive überlegen.

Ein solches den Prozeß der Traditionsbildung einbeziehendes
Verfahren traditionsgeschichtlicher Arbeit birgt allerdings auch
Gefahren: erstens könnte es dazu verführen, die Untersuchung der
Tradition unwillkürlich auf die neutestamentlichen 'Zieltexte' auszurichten und so der Einseitigkeit, der den beiden ersten Vorgehensweisen von vornherein eigen ist, erneut zu verfallen. Zweitens
führt eine konsequente Beibehaltung der Darstellungslinie vom Alten bis ins Neue Testament hinein allzuleicht dazu, andere im Neu-
en Testament aufgenommene Traditionen zu übersehen. Für die Möglichkeit, daß Traditionen verschiedener Prägung und Herkunft aufgenommen sind, gilt es aber solange offen zu bleiben, als nicht das
Gegenteil durch entsprechende 'Fehlanzeigen' erwiesen ist.

Von hier aus erscheint es mir für das Vorgehen in meiner Untersuchung das beste, zunächst in einer 'diachronen Skizze' die Entwicklung der Vorstellung vom 'leidenden Gerechten' im Alten Testament und im zwischentestamentlichen Judentum in Umrissen zu vergegenwärtigen[77]. Es wird sich zeigen, daß sich an diese Skizze das
Weiterwirken dieser Vorstellung in der vorpaulinischen urchristlichen Überlieferung unschwer anschließen läßt. Die Frage, wie sich
die paulinischen Leidensaussagen zu diesen ihnen vorgegebenen Über-
lieferungskomplexen verhalten, soll dann um der besseren Durch-
schaubarkeit und zur Vermeidung einer vorschnellen Fixierung auf
diesen einen Traditionsbereich als Rückfrage von den paulinischen

---

77 Für diese Skizze stellt L.RUPPERTs Arbeit (s.oben S.11 Anm.65) eine entscheidende Vorarbeit dar, sowohl im Blick auf die Linienführung durch das umfangreiche Quellenmaterial als auch hinsichtlich zahlreicher Einzelbeobachtungen
   zu seiner historischen Einordnung und Interpretation. Allerdings sehe ich
   mich genötigt, den ganzen Weg selbst noch einmal abzuschreiten, vor allem deshalb, weil RUPPERT nur eine *Motiv*geschichte zu bieten beansprucht, aus der
   nicht einfach auf eine *Traditions*geschichte geschlossen werden kann: von daher sind vor allem die Zusammenhänge der einzelnen Phasen der Geschichte der
   Vorstellung vom leidenden Gerechten daraufhin zu prüfen, ob hier nur ein Motiv der Sprachoberfläche wieder aufgenommen wird, oder ob auch ein Bezug auf
   der Ebene der darin zur Sprache kommenden Phänomene besteht. Daraus ergibt
   sich auch die Notwendigkeit, die Vorstellung inhaltlich anders abzugrenzen
   als RUPPERT, wodurch sich das zu bearbeitende Textfeld etwas verschiebt. Aus-
   serdem meine ich, z.B. im Blick auf den Ursprung der Vorstellung und auf die
   Zuordnung und Interpretation der deuterojesajanischen Gottesknechtslieder
   anders urteilen zu müssen als er. Gleichwohl sei betont, daß meine Skizze
   ohne RUPPERTs Vorarbeit im Rahmen dieser Untersuchung nicht zu realisieren
   gewesen wäre.

Texten her gestellt werden. Die traditionsgeschichtliche Fragerichtung der Arbeit ist so eine doppelte: zum einen verfolgt sie
den geschichtlichen Weg der Vorstellung vom 'leidenden Gerechten'
bis in die neutestamentliche Zeit und geht so auf das Neue Testament zu, andererseits fragt sie zurück nach den den neutestamentlichen Aussagen zugrundeliegenden Traditionen. Ob und in welchem
Maße beide Fragelinien aufeinander zulaufen und sich treffen, womöglich zu einer einzigen verschmelzen, ist dadurch nicht schon
methodisch 'vorprogrammiert', sondern bleibt von der Sache selbst
unabhängig.

Leitfragen der Untersuchung

   Die aus der einführenden Problemskizze sich ergebenden Aspekte
der Aufgabenstellung lassen sich zu folgenden Leitfragen zusammenfassen:
1. Welches Verhältnis besteht zwischen den paulinischen Leidensaussagen und den alttestamentlich-jüdischen Aussagen vom 'leidenden Gerechten'?
2. Wie verhält sich die Rezeption dieser Tradition zu anderen Traditionsbeziehungen der paulinischen Texte?
3. Welche Konsequenzen hat die Rezeption der Tradition vom leidenden Gerechten für das paulinische Leidensverständnis im Blick
   auf die Leiden
   a) des Christus   b) des Paulus   c) der Gemeinde?
4. Wie ist das Verhältnis der Leiden des Christus, des Paulus und
   der Gemeinden sachlich zu bestimmen und welches Verständnis der
   Passion des irdischen Jesus liegt dabei zugrunde?
Schließlich gehört auch die hermeneutisch-methodische Frage nach
der Berechtigung, dem Inhalt und dem rechten Gebrauch einer Altes
Testament und Neues Testament umgreifenden 'biblischen Theologie'
zu den leitenden Fragestellungen, ohne daß ihr aber im Lauf der
Untersuchung explizit nachzugehen wäre. Während auf die vier Leitfragen im Zweiten Hauptteil, Teil B, eine Antwort versucht werden
soll, ist auf die Methodenfrage nur im abschließenden Ausblick
noch einmal kurz zurückzukommen.

ERSTER HAUPTTEIL

DIE GESCHICHTE DER TRADITION VOM LEIDENDEN GERECHTEN

Teil A

DER 'LEIDENDE GERECHTE'
IM ALTEN TESTAMENT UND IM ANTIKEN JUDENTUM

VORÜBERLEGUNGEN

Wie ist die Vorstellung sachlich abzugrenzen?

Die Frage, wie es das Alte Testament mit dem Leiden gehalten,
läßt sich nur in einer differenzierten Darstellung beantworten.
Denn Leiden kommt im Alten Testament in einer Fülle von Texten,
aus ganz verschiedenen Perspektiven und unter vielfältigen Aspekten zur Sprache. Wollen wir in diesem umfassenden Spektrum alttestamentlicher Leidensartikulation die Vorstellung vom 'leidenden
Gerechten' abgrenzen, so ist zu berücksichtigen, daß es sich dabei
nicht um eine lexikalische, sondern um eine *semantische* Größe handelt: Der "leidende Gerechte" markiert eine (Denk-)figur, ein Phänomen; seine Identität ist somit in der semantischen Tiefenstruk-
tur gegeben, die in recht verschiedener Weise in eine sprachliche
Oberflächenstruktur umgesetzt werden kann. Der Gegenstandsbereich
unserer Untersuchung läßt sich also nicht an einen bestimmten
Sprachgebrauch binden (z.B. das Vorkommen der Wurzel צדק und ihrer
Derivate im Kontext vom Leidensaussagen - die Textuntersuchungen
werden zeigen, daß dies eine ganz willkürliche Abgrenzung wäre).
Versuchen wir aber eine Abgrenzung des 'leidenden Gerechten' (und
damit eine Eingrenzung der zu untersuchenden Texte) 'von der Sache
her', so können wir aus dem Gesamtfeld der alttestamentlichen Aussagen über das Leiden von Menschen zunächst nur mithilfe der einfachen Distinktion: *'negatives oder positives Verhältnis des Leidenden zu*
Jahwe' die (zahlreichen) Texte ausschließen, in denen vom Leiden
der Frevler, der Feinde Gottes (bzw. Israels) usw. die Rede ist.
Alle Texte dagegen, in denen das Leiden von Menschen angesprochen
wird, die in einer - wie auch immer - positiven Beziehung zu Jahwe
stehen, fallen *zunächst einmal* in den Bereich unserer Betrachtung.
Innerhalb dieses Aussagenfeldes ist dann - aufgrund der von den
Texten selbst sich anbietenden Kriterien - weiter zu differenzieren. (Dabei wird sich zeigen, daß sehr viele dieser Texte noch
weitere semantische Strukturelemente gemeinsam haben, so daß sich

das inhaltliche Profil der 'Vorstellung vom leidenden Gerechten'
noch erheblich präzisieren läßt.)

Warum eine 'diachrone Skizze'?

Sondern wir im Alten Testament und in den Schriften des antiken
Judentums die in den Bereich unserer Untersuchung fallenden Texte
aus, so ergibt sich ein sehr umfangreiches Textfeld, das sich unter verschiedenen Aspekten darstellen ließe. Nun hat aber die alttestamentliche Wissenschaft bei ihrer Arbeit an diesen Texten
längst zahlreiche Differenzierungen und Spezifizierungen vorgenom-
men, die eine historische und sachliche Strukturierung ermöglichen.
Einzeltexte lassen sich zu Traditionslinien und -bündeln verbinden
und bestimmten theologischen und historischen Kontexten zuordnen.
So können wir die Entstehung der Aussagen erklären und ihre je besondere Intention erfassen. Ergebnis dieser Arbeit ist u.a., daß
die Traditionen vom angefeindeten und bedrängten Gerechten, von
Hiob, vom leidenden Propheten, vom leidenden Gottesknecht usw. je
besondere Fragestellungen und Akzente aufweisen und deshalb als
selbständige Größen voneinander zu unterscheiden sind.

Diesem durch die alttestamentlich-wissenschaftliche Arbeit gewonnenen Bild scheint die paulinische Rezeption dieser Traditionen
zu widersprechen: Paulus beschränkt sich - wie zu zeigen sein
wird - gerade nicht auf einzelne der hier unterschiedenen Traditionen, vielmehr finden sich in seinen Briefen komplexe Verbindungen von Traditionslinien, die auch nicht als bewußte Synthese
unterschiedener Einzeltraditionen erkennbar sind. Dies wird verständlich, wenn wir die hermeneutischen Rahmenbedingungen des urchristlichen Schrift- und Traditionsgebrauchs mitbedenken: für
Paulus stellte sich das Alte Testament in den damals fixierten
beiden ersten Teilen des heutigen masoretischen Kanons zusammen
mit der Fülle der sich daran anschließenden Schriften (die später
nur zum Teil in den dritten Kanonteil Eingang fanden) eben nicht
als Sammlung aufgrund ihrer Entstehung disparater Stoffe dar, sondern als Summe von Tradition, mit der er lebte und die ihm eine
Fülle von aktuellen und aktualisierbaren Vorstellungen an die
Hand gab. Zwar zeigt die paulinische Rezeption deutlich, daß auch
er die überlieferten Texte keineswegs undifferenziert gebraucht,
doch decken sich die von ihm vorgenommenen theologischen Struk-
turierungen nicht ohne weiteres mit den historischen und theologischen Differenzierungen, die wir heute in diesem Textfeld vorzunehmen in der Lage sind.

Gerade diese Spannung zwischen unserer heutigen, historisch
differenzierenden Betrachtungsweise und der des Paulus nötigt m.E.
zu einer 'diachronen Skizze' (die dann mit einer synchronen Be-
standsaufnahme für die Zeit des Paulus abzuschließen ist) und
macht ihren besonderen Reiz aus. Denn die bestimmte Gestalt und
Struktur der von Paulus aufgenommenen Aussagen ist für uns heute
- anders als für ihn - als Resultat des Prozesses erkennbar, in
dem sie entstanden und tradiert worden sind. Wir können den Weg
der Tradition vom leidenden Gerechten von ihren Ursprüngen an bis
in die Zeit des Neuen Testaments hinein rekonstruieren und ihr besonderes Profil zur Zeit des Paulus herausarbeiten.

So lohnt sich der Versuch, die Fülle des Materials der alttestamentlich-jüdischen Leidensaussagen geschichtlich zu ordnen und
dabei die Linienführungen, Weichenstellungen und Verbindungsbezü-
ge in der Traditionsbildung zu markieren. Denn dadurch gewinnen
wir die Möglichkeit zu prüfen, wie sich die Art und Weise, in der
Paulus die Tradition versteht und im Wechselspiel von Rezeption
und Innovation in seinen Briefen verarbeitet, zu den ursprünglichen Intentionen der Traditionstexte verhält und ob wir dieses
Vorgehen des Paulus auch heute noch logisch und theologisch nachvollziehen können.

Zum Verhältnis von historischer Kritik und Traditionsgeschichte

Unsere Skizze hat in der historisch-kritischen Analyse des Alten Testaments ihre wichtigste Voraussetzung. Nur dort, wo historisch und literarkritisch klar geurteilt werden kann, ergeben sich
auch deutliche Linien in unserer Skizze. Für diese *analytische* Betrachtung bilden das Instrumentarium und die Ergebnisse der alttestamentlichen Forschung die Basis: erst die konsequente historische Rekonstruktion erlaubt es, die Phasen, Stufen und Brüche
in der Entwicklung der Tradition zu erkennen.

Im Blick auf die *synthetische* Seite der Skizze, d.h. hinsichtlich der Verbindung dieser Phasen und Stufen zu einem Kontinuum,
kann in der heutigen Forschungssituation das Faktum eines traditionsgeschichtlichen Prozesses - wie wir oben sahen - nicht einfach vorausgesetzt werden: er ist vielmehr durch den Aufweis der
Kontinuität zwischen den Einzeltexten je und je nachzuweisen. Gelingt dies, so ist das alttestamentlich-jüdische Textfeld als ein
geschichtlich gewordenes Kontinuum ausgewiesen, das erst durch
die historisch-kritische Analyse präzis rekonstruierbar und als
solches erkennbar wird.

Die Konsequenzen solcher Kontinuität für die Bestimmung des
Verhältnisses von Altem und Neuem Testament sind hier nur anzudeuten. Der gängige[1] Satz etwa, das in seinem ursprünglichen Sinn
verstandene Alte Testament gehöre nicht zum christlichen Kanon,
wird höchst fragwürdig, wenn die alttestamentlichen Einzeltexte
von Anfang an in der Kontinuität eines Traditionsprozesses stehen,
der ihren Sinn mitbestimmt und unter Umständen im Lauf der Zeit
auch verschiebt. Erst die Frage, wie sich dieser *Prozeß* zum Neuen
Testament verhält, kann darüber entscheiden, ob und in welcher
Weise er (und mit ihm die Einzeltexte einschließlich ihres Ursprungssinns) zum christlichen Kanon gehört.

Welche Texte sind zu untersuchen?

Zur besseren Übersicht seien hier kurz die Text- und Traditi-
onskomplexe zusammengestellt, die in der 'diachronen Skizze' auszuwerten sind:

Im *Alten Testament* finden sie sich ausschließlich im zweiten und
dritten Teil des masoretischen Kanons: Den breitesten Raum nehmen
die *Psalmen* ein, von denen etwa 75 das Thema ansprechen, darunter
vor allem Klagepsalmen des Einzelnen (KE), aber auch des Volkes
(KV), Vertrauenspsalmen und Dank-(/Toda-)Psalmen des Einzelnen
(DE). Eng mit ihnen verbunden ist das *Hiobbuch*, das darüber hinaus
auch im Kontext der weisheitlichen Tradition steht. Unter den prophetischen Schriften ist vor allem das *Jeremiabuch* als in die vorexilische Zeit zurückreichende Traditionsbildung zu untersuchen,
dann - v.a. wegen der Gottesknechtsüberlieferung - *Deuterojesaja*,
schließlich die *späteren Schichten des Jesaja- und das Sacharjabuches* sowie die *Danielapokalypse*.

Im *deutero- und nichtkanonischen Bereich* hat sich die Untersuchung
v.a. mit den in den Weisheitsbüchern (Sir; Weish), in den *Apokalypsen*
(v.a.: äthHen), in der *makkabäischen Märtyrertradition* (2Makk; 4Makk),
in den *Psalmen Salomos* und in den *Testamenten der zwölf Patriarchen* überlieferten Leidensaussagen zu befassen, sodann ist auf die stark
stoisierende Leidensdeutung im *Testament Hiobs* einzugehen, ergänzend
auf eine Reihe kleinerer oder späterer Schriften, die sich den
gerade genannten sachlich zuordnen lassen. Großes Gewicht kommt
auch den *Qumranschriften* zu, allen voran 1QS, 1QH und 4QPs37. Dagegen können die *rabbinischen Leidensdeutungen* nur in einem knappen Ausblick am Ende der Skizze angesprochen werden - sie aus den Quellen
zu erarbeiten und darzustellen würde eine eigene, umfangreiche Untersuchung erfordern.

---

1 Cf. z.B. E.GRÄSSER, Offene Fragen, 215 unter Verweis auf E.Haenchen u.a.

1.Kapitel

DIE VORSTELLUNG VOM LEIDENDEN GERECHTEN

IN VOREXILISCHER ZEIT

1.1. Die Ursprünge

Die alttestamentlichen Texte ermöglichen uns ein Eintreten in
unsere Fragestellung erst von einer bestimmten geschichtlichen
Stufe an; selbst die ältesten Belege lassen uns den *Ursprung* der
Vorstellung vom 'leidenden Gerechten' nicht greifen.

Da Leiden zu den Grundphänomenen menschlicher Erfahrung zählt,
dürfte die Ausbildung des Verhältnisses zwischen Jahwe und Israel
von allem Anfang an auch von den Leidenserfahrungen des Volkes begleitet und beeinflußt worden sein. Je positiver und umfassender
sich dieses Verhältnis gestaltete, je mehr 'Israel' von sich und
von Jahwe wußte, desto bewußter hat es auch sein Leiden empfunden
und im Kontext seiner Jahwe-Beziehung reflektiert und artikuliert.

Als die älteste Weise, Leiden im Bezug auf Jahwe zur Sprache zu
bringen, gilt nach Ansicht der älteren Forschung[1] das Klagelied
des Volkes, aus dem das Klagelied des Einzelnen herausgewachsen
sei; manches spricht indes dafür, daß beide Formen nebeneinander
etwa gleichzeitig entstanden. In jedem Fall stehen beide, sowohl
KE als auch KV, von Anfang an in enger Beziehung zu ihrer altorientalischen Umwelt, aus der sie wesentliche Erfahrungs-, Sprach-
und Denkmuster übernommen haben[2].

Angesichts dieser 'Vorgeschichte' wäre es falsch, nach einem bestimmten,
möglichst alten Text, einer bestimmten Gestalt oder Institution in Israel
zu suchen, um von diesem Fixpunkt aus die in den Texten greifbaren Inhalte
ableitend zu entwickeln[3]. Von der Textlage her sinnvoll (und für die Zwecke
unserer Untersuchung auch hinreichend) ist es, den Einstieg in die Geschichte der Vorstellung dadurch zu gewinnen, daß wir die Texte chronolo-
gisch ordnen und in der - schon durch eine gewisse Breite von Belegen re-

---

1 Cf. C.WESTERMANN, Struktur, 272; H.GUNKEL/J.BEGRICH, Einleitung, 117.138f.
2 H.GUNKEL/J.BEGRICH, aaO. 120.125 (zum KV); 218-224 (zum KE); E.GERSTENBERGER,
  Der bittende Mensch, 64ff.115.
3 L.RUPPERT sieht in Ps 18 (= 2Sam 22) den ältesten Beleg der "passio iusti"
  (L.RUPPERT I, 22-25) und stellt damit ein Danklied des davidischen Königs
  an den Anfang der "Geschichte des Motivs vom 'leidenden Gerechten'" (ebd.
  182). Dadurch erscheint seine weitere Verwendung im AT als Demokratisierung
  eines Motivs der Königsideologie und damit als sekundäre Rezeption. Da aber
  Ps 18 hinsichtlich der Einheitlichkeit (cf. G.FOHRER, Einleitung, 309; E.BAU-
  MANN, Struktur-Untersuchungen I, 131-136) und genauen Datierung (cf. H.J.
  KRAUS, BK Ps I, 286f.) große Probleme bereitet und KRAUS' umgekehrte Deutung:
  "der König reiht sich ein in die Gemeinde der צדיקים und ענוים" (ebd. 293)
  gute Gründe für sich hat, kann ich RUPPERTs Annahme mitsamt der daraus resultierenden Perspektive nicht übernehmen.

präsentierten - ältesten Schicht versuchen, eine inhaltlich identifizierbare Vorstellung aufgrund von Struktur- und Repertoire-Entsprechungen zu markieren. Dadurch ist dann eine - freilich nur grob datierbare - Basis gelegt,
von der aus der Weg der Vorstellung weiter verfolgt und ggf. als eine Entwicklung dargestellt werden kann.

1.2. Die vorexilische Grundstruktur der Vorstellung in den Psalmen

1.2.1. Die Texte

Das reichste Textfeld, in dem vom Leiden des Gerechten die Rede
ist und das auch die ältesten Belege enthält, ist der Psalter.
Freilich ist die Datierung der einzelnen Psalmen besonders unsicher und oft umstritten. Da aber m.E. nicht pauschal davon auszugehen ist, "daß die meisten alttestamentlichen Psalmen (...) als
vorexilisch betrachtet werden"[4] können, möchte ich - trotz aller
Unsicherheiten im Einzelnen - auf der Basis der differenzierteren
Datierungsvorschläge von Fohrer[5] und Kraus[6] aus der Menge der Psal-
menbelege diejenigen ausgrenzen und untersuchen, deren vorexilische Entstehung sehr (a) oder einigermaßen (b) wahrscheinlich ist;
hinzu kommen noch diejenigen Texte, die keinerlei Indizien für
eine Datierung aufweisen und daher ebensogut vor- wie nachexilisch
sein können (c). Treten in diesen Psalmen auffällige Übereinstimmungen in Struktur und Repertoire zutage, so erlauben diese eine
Skizzierung der Vorstellung auf dem vorexilischen Stand.
Zu untersuchen sind daher folgende Texte:

(a) Ps 18; 28; 30; 56; 89;

(b) Ps 3; 6; 27; 31; 42/43; 54; 57; 59; 80; 109;

(c) Ps 5; 7; 13; 17; 26; 35; 64; 142.

1.2.2. Die Psalmen als strukturiertes Relationengefüge

Es ist für ihre Aussagestruktur kennzeichnend, daß sich in allen diesen Psalmen trotz der Gattungsunterschiede[7] die von Westermann[8] als für die Klage konstitutiv herausgearbeiteten "Subjekte"[9]
finden: neben dem *Beter* und *Jahwe*, die als "ich" (KV: "wir") und
"du" notwendige Strukturelemente aller Psalmen sind, ist in fast

---

4 H.RINGGREN, Psalmen, 10.
5 G.FOHRER, Einleitung, 308-318.
6 H.J.KRAUS, BK Ps, passim jeweils im Abschnitt "Ort".
7 Bei der Gattungszuördnung dominieren eindeutig die KE (18 der 23 Texte); die
  übrigen verteilen sich auf KV und DE; Ps 18 und Ps 89 sind zumindest teilweise gleichzeitig Königslieder.
8 C.WESTERMANN, Struktur und Geschichte, 269f.
9 Ebd. 269.

allen Fällen[10] auch der *'Feind'* bzw. *'Frevler'* von strukturbestimmen-
der Bedeutung. Auffälligerweise geht es nun in kaum einer Einzel-
aussage unserer Texte um nur eines dieser Subjekte allein, sondern
so gut wie immer um zwei, die miteinander in Beziehung gesetzt
werden. Fast jede Psalmaussage drückt also eine der folgenden
sechs 'Relationen'[11] zwischen den drei 'Subjekten' aus:

JAHWE → BETER
BETER → JAHWE
BETER → FEIND
FEIND → BETER
FEIND → JAHWE
JAHWE → FEIND

Diese Beobachtung erlaubt, die Struktur der Psalmen jeweils anhand
der Abfolge der Relationen, ihres Wechselns und ihrer Bezogenheit
aufeinander zu beschreiben und den 'Prozeß', den sie in ihrer inhaltlichen Bewegung darstellen, nachzuvollziehen.

> Ps 56 mag als Beispiel dienen: Seine Aussagestruktur ist deutlich geprägt
> von dem scharfen Gegeneinander, in dem die Relationen angeordnet sind. Dies
> deutet sich schon im einleitenden Halbvers 2a an (JAHWE→BETER / FEIND→BETER)
> und wird völlig deutlich, wenn den beiden parallel formulierten großen
> Schilderungen der Feindbedrängnis (FEIND→BETER: Vv 2b.3 + 6.7) in Vv 4.5
> das BETER→JAHWE-(Vertrauens-)Verhältnis und in Vv 8.9 die diesem entspre-
> chende JAHWE→FEIND- und JAHWE→BETER-Relation schroff entgegengesetzt werden.
> Der Text bringt so im Duktus der Vv 2-9 schon zum Ausdruck, was er in V 10
> dann explizit formuliert: die JAHWE→BETER-Relation und die FEIND→BETER-Re-
> lation stehen in so hartem Gegensatz, daß nur eine von beiden bestehen blei-
> ben kann. Jahwe bewährt sein Verhältnis zum Beter, indem er dessen Feind-
> bedrängnis aufhebt[12].
> Nachdem der Textprozeß bis zu diesem Stand gelangt ist, fehlt denn auch
> von V 11 an die FEIND→BETER-Relation (lediglich in V 12 taucht sie zitat-
> weise in der Wiederholung von V 5 noch einmal auf), stattdessen dominieren
> nun deutlich die sich positiv entsprechenden JAHWE→BETER- und BETER→JAHWE-
> Relationen.

Vergleicht man die in dieser Weise gewonnenen Beschreibungen der
Relationenstruktur aller oben genannten Psalmen miteinander, so
macht man auffallend oft die Beobachtung, daß bestimmte Relationen
parallel zueinander angeordnet sind. Es ergeben sich dadurch feste
Entsprechungsbeziehungen zwischen ihnen, die sich in fast allen
Texten in ähnlicher Weise aufweisen lassen:

---

10 Lediglich in Ps 30 ist der Feind eher beiläufig erwähnt (V. 2c); in Ps 26 und
   in Ps 28 erscheint er nicht als den Beter bedrängendes Subjekt, sondern
   - vielleicht aufgrund der Unverzichtbarkeit als Strukturelement - als Nega-
   tivfolie des Frevlers, von der sich der Beter distanziert (Ps 26,4f.9f.; Ps
   28,4f.)
11 Zur quantitativen Verteilung der Relationen: die Relationen BETER→JAHWE und
   JAHWE→BETER sind etwa gleich häufig, kaum weniger oft ist die Relation FEIND
   →BETER angesprochen. Aber auch die Relation JAHWE→FEIND kommt in fast allen
   Texten wenigstens einmal vor. Dagegen kommen die Relationen BETER→FEIND und
   FEIND→JAHWE nur in einzelnen Psalmen zur Sprache (Ps 3,7; 27,6; 35,13f.; 54,9;
   59,11 bzw. 28,5; 54,5c).
12 Ähnliche kontrastive Gegenüberstellungen der Relationen in Ps 54,3-7; 27,2f.;
   57,5-8 u.ö.

Die häufigste Erscheinung dieser Art ist die im synthetischen Parallelismus formulierte Kombination der BETER→JAHWE-Relation mit der JAHWE→BETER-Relation. So z.B. am einfachsten in Ps 30,3:

> *Jahwe, mein Gott, <u>ich</u> flehte zu <u>dir</u> — <u>Du</u> hast <u>mich</u> geheilt;*

oder Ps 3,5:

> *Rufe <u>ich</u> laut zu Jahwe — so erhört <u>er</u> <u>mich</u> von seinem heiligen Berge,*

aber auch[13] Ps 7,1:

> *Schaffe <u>mir</u> Recht, <u>Jahwe</u>, — denn unsträflich bin <u>ich</u> gewandelt und habe auf <u>Jahwe</u> vertraut ohne Wanken.*

Offensichtlich setzen diese Texte einen festen Entsprechungszusammenhang zwischen den Relationen voraus, dessen Wirksamwerden der Beter der Klagen erwartet und erhofft bzw. der Beter der Dankpsalmen preisend bestätigt.

Die zweite wichtige - schon etwas weniger selbstverständliche - Beobachtung betrifft die Relationen JAHWE→BETER und JAHWE→FEIND. Auch hier läßt sich in vielen Texten ein deutlicher Entsprechungs- bzw. (kausaler) Folgezusammenhang zeigen. So etwa in Ps 6,10f.:

> *Gehört hat Jahwe mein Flehen;* ___ *Schande und Schrecken trifft*
> *Jahwe nimmt mein Beten an.*   *hart all meine Feinde ...;*

oder Ps 54,6f.:

> *Siehe, Gott ist mein Helfer,*   *Er wird das Unheil zurückwenden auf*
> *der Herr ist meines Lebens* —— *meine Gegner; vernichte sie, Jahwe,*
> *Halt.*   *in deiner Treue!*

Ebenso Ps 7,10:

> *Ein Ende finde die Bosheit*
> *der Frevler*   —— *doch den Gerechten richte auf!*

oder auch[14] Ps 35,3:

> *Schwinge Speer und Beil* ___ *Sprich zu meiner Seele: "Deine Hilfe*
> *meinen Verfolgern entgegen!*   *bin ich"!*

Die hier jeweils deutlich werdende Entsprechung der positiven Zuwendung Jahwes zum Beter und der negativen zum Feind hat für den auf Jahwe vertrauenden Beter offensichtlich eine ebenso unmittelbare Plausibilität wie die oben angesprochene zwischen den BETER↔JAHWE-Relationen.

1.2.3. Das inhaltliche Repertoire

Bevor wir den theologischen Voraussetzungen dieser Entsprechungszusammenhänge nachgehen, ist noch ein summarischer[15] Blick auf das inhaltliche Repertoire der Texte zu werfen.

---

13 Weitere Belege z.B.: Ps 28,1; 31,6; 57,3.
14 Weitere Belege z.B.: Ps 3,8; 5,7f.; 31,18.
15 Da dieses Repertoire in den nachexilischen Psalmen weiterhin begegnet, wird unten nochmals darauf zurückzukommen sein (s.unten S.56, Anm.1).

Über die Terminologie der Bedrängnisse liegt in Rupperts Wortfelduntersuchung[16] eine ausführliche Übersicht vor, die hier nicht
im einzelnen reproduziert zu werden braucht. Grenzt man darin die
oben angegebenen vorexilischen Psalmen aus, so zeigt sich, daß in
diesem Textfeld die von Ruppert aufgelistete Terminologie zur Charakterisierung der Feinde (Kap 2)[17] zu einem ganz erheblichen
Teil und die zur Kennzeichnung der Anschläge der Feinde (Kap 3)[18]
in wesentlichen Grundbestandteilen vorkommt, während von den im
4. Kapitel[19] angegebenen Termini für (sonstige) "Leiden des bzw.
der bedrängten Gerechten" nur ganz wenige begegnen.

Ebenso wie die Relationenstruktur macht also auch die Wortfeld-
analyse deutlich, daß die älteste greifbare Artikulation des Leidens vor Gott im Alten Testament aus der Situation der Feindesbe-
drängnis[20] erfolgte. Wichtig in diesem Zusammenhang ist weiter,
daß bei den Feindbezeichnungen sowohl die "Kriegsterminologie"[21]
als auch die "Prozeßterminologie"[22] in großer Breite begegnen und
auch schon - z.B. in Ps 7 - miteinander verbunden sind. Es spricht
viel dafür, daß die Feindgestalt der Volksklage aus Kriegsnot im
Zuge der Entwicklung des KE aus dem KV auf die 'zivile' Bedrängnis
im Rechtsstreit übertragen wurde; wichtiger ist noch, daß in dem
uns in Texten greifbaren Teil der Geschichte der Vorstellung vom

---

16 L.RUPPERT, Der leidende Gerechte und seine Feinde (= L.RUPPERT II).
17 Ebd. 6-109. Die wichtigsten Termini im oben ausgegrenzten Textfeld sind
   die Grundbegriffe (a) אויב und (b) - seltener - רשע mit den Unterbegriffen
   (zu a) קם *(der sich (gegen mich) erhebt)*; צורר *(der (mich) anfeindet)*; צר
   (Bedränger); שורר *((gehässiger) Feind)*; aus der Kriegsterminologie: Parti-
   zipialformen von לחם *(bekämpfen)* und רדף *(verfolgen)*; aus der Prozeßterminologie: יריב *(Rechtsgegner)*; שטן *(Anschuldiger)*; שופט *('Richter' als Anschuldiger)*; ferner Formen von שאף *(schnappen)*; שנא *(hassen)*;
   (zu b) זדים *(Freche)*; איש מרמה/איש דמים *(Mann der Bluttat/Hinterlist)*;
   עד חמס/שקר *(falsche Zeugen)*; פועלי און *(Täter des Unheimlichen)*;
   außerdem (c) verschiedene Bezeichnungen für Fremde/Ausländer, 'Starke'/
   'Mächtige' und Bildausdrücke (v.a. wilde Tiere).
18 L.RUPPERT II, 110-178).Die wichtigsten Termini sind hier: Ausdrücke für
   Spott / Schmähung / Haß (z.B. לעג; ראה; חדף; שמח) und für Gewaltanwendung
   (z.B. אמע; בקש*pi.*; עזז); ferner רעה/עמל/און *(Unheil)*; חמס *(Gewalt)*, לחץ *(Bedrängnis)*; שקר/דבר*ni.*/חלק*(I)hi.*/חשב/יעץ *(Verleumdung/Intrigen)*; Ausdrücke
   des (Kriegs)kampfes:Verben: לחם*ni.*/לחץ/צפן/קדם/קום*Substantive:* הרב;
   חץ; קשת; מחנה; מלחמה; Bildausdrücke der Jagd: רשת *(Fangnetz)*; שחת *(Fang-
   grube)* sowie Ausdrücke für das Verhalten wilder Tiere.
19 L.RUPPERT II, 179-207. Zu nennen sind hier: צרה/צרר*ni.*; דלל; ממוט; אביון; בוש.
20 Zur grundsätzlichen Bedeutung des Feind-Phänomens in den Psalmen (und im
   altorientalischen Denken) cf. O.KEEL, Feinde und Gottesleugner, v.a. zur
   Entstehung des "Widersacher-Image" (36ff.), zum Zusammenhang zwischen dem
   (in älteren Texten vorherrschenden) Bild des persönlichen Feindes und dem
   (in jüngeren dominierenden) des Gottlosen (107ff.) sowie zum "Treiben der
   Feinde der Gottlosen" (155ff.), außerdem H.J.KRAUS, BK Ps III, 156-170
   und O.KEEL, Bildsymbolik, 68-97.
21 L.RUPPERT II, 22ff.
22 Ebd. 28ff.

leidenden Gerechten von Anfang an beide Bereiche nebeneinander,
aber in großer Parallelität zueinander, ja sogar einander über-
schneidend repräsentiert sind. Im Zusammenhang mit der formgeschichtlichen Frage nach dem 'Sitz im Leben' dieser Texte wird
darauf zurückzukommen sein[23].

Auch die BETER→JAHWE-Relation wird in unseren Texten in reicher
Variation zur Sprache gebracht. Einige Psalmen drücken sie in
Rechtsterminologie aus, sei es direkt: der Beter ist unschuldig
und beteuert dies[24], sei es indirekt durch die Aufforderung an
Jahwe, den Beter zu richten (דין, שפט). Er ist gewiß, aus diesem
Gericht bestätigt hervorzugehen. Auffällig ist, daß - bis auf den
relativ späten Ps 6[25] - keiner der Texte etwaige Sünden/Schuld
des Beters anspricht.

Die überwiegende Zahl der Psalmen artikuliert die BETER→JAHWE-
Relation mit Ausdrücken des Vertrauens. Hierher gehören zunächst
die zahlreichen Jahweprädikationen mit Suffix 1.sg. (mein Fels,
mein Heil, usw.[26]), häufig sind aber auch ausführliche Vertrauens-
aussagen: der Beter erinnert daran, daß er Jahwe von jeher vertraut hat (z.B. Ps 26,1), oder er setzt sein aktuelles Vertrauen
gerade jetzt in der Notsituation der Schilderung der Feindbedrängnis entgegen (z.B. Ps 31,15; Ps 13,5). Der wichtigste Terminus ist
hier eindeutig בטח[27].

Auch hier läßt sich das Textfeld nicht nach Rechts- und Ver-
trauensaussagen aufteilen, weil sich beide Bereiche überschneiden.
Auch die ausführlichste Unschuldsbeteuerung in Ps 26 führt בטח an
(26,1), auch ein so eindeutig 'rechtlicher' Psalm wie Ps 7 beginnt
mit der Vertrauensaussage: בְּךָ חָסִיתִי. So zeigt sich hier recht
deutlich, daß der Rechtsbereich kein selbständiger ist, sondern
von der übergreifenden Vertrauensrelation BETER→JAHWE mitumgriffen
wird[28].

1.2.4. Die צדקה - Konzeption der Psalmen vom leidenden Gerechten

Unsere Beobachtung, daß der Rechtsbereich *ein* Bereich in einem
größeren, ihn mitumfassenden Zusammenhang ist, hat eine Entspre-

---

23 S. unten S.30f.
24 Cf. Ps 18,2f.; 28,1; Unschuldsbeteuerungen am ausführlichsten in Ps 26,1-11
   (V 5: נקיון) und Ps 7,9f. (V 9: תמי), cf. auch Ps 17,3-5.
25 Cf. Vers 2.
26 Cf. Ps 18,2f.; 7,2.11; 27,1f.; 28,1; 31,4; 59,10; zur Sache cf. P.HUGGER,
   Jahwe meine Zuflucht, 59-116; zur altorientalischen Umwelt ebd. 133-137.
27 Ps 13,6; 26,1; 28,7; 56,5.12; cf. B.BECK, Kontextanalysen zum Verb בטח;
   andere Vertrauenstermini sind z.B. חסה, קוה pi., יחל; cf. P.HUGGER aaO.
   bes. 127-132.
28 Cf. z.B. Ps 17,1-3 im Vergleich mit 17,7.

chung in dem Ergebnis der exegetischen Debatte[29] um die Bedeutung
des Phänomens צדק/צדקה in Israel. Auch hier stellte sich heraus,
daß צדק 'Gemeinschaftstreue' im umfassenden Sinne meint, also eine
juridische Komponente mitenthält, aber nicht auf diese reduziert
werden darf. Die Parallelität dieser Bereichsbestimmungen ergibt
sich nun nicht von ungefähr: Vielmehr dürften die bisher angesprochenen Psalmen neben den (vorexilischen?)[30] Torliturgien Ps 15 und
Ps 24 diejenigen Texte sein, die uns am deutlichsten erkennen lassen, was צדקה an seinem ursprünglichen[31] Ort bedeutet hat.

Nach v.Rad haben Texte wie Ps 15 und Ps 24 die Funktion, daß die
Kultteilnehmer durch die Übernahme der apodiktischen Reihe sich in
dem durch diese Texte vorgeführten "Urbild des צדיק"[32] darstellen,
"um in der Aufsichnahme dieses Urbildes Jahwe recht zu sein und
des kultischen Erweises der göttlichen Gemeinschaftstreue teilhaftig zu werden".[33]
Ps 24,5 drückt diesen Erweis so aus:
Der wird Segen empfangen von Gott Jahwe und צדקה *vom Gott seiner Hilfe (*יִשְׁעוֹ*).*
Hier wird also genau das zugesagt, worum die Beter der vorhin angesprochenen Psalmen bitten: Hilfe als Erweis der Gemeinschaftstreue. Darum geht es, wenn Jahwe in den Psalmen aufgefordert wird,
כְּצִדְקָה (Ps 35,24) oder בְּצִדְקָתְךָ (Ps 31,2) helfend einzugreifen; aber
auch die Berufung der Beter auf ihre eigene צדקה (Ps 7,9; 18,12.25)
hat keinen anderen Sinn als einen solchen Erweis der צדקה Jahwes
herbeizuführen.

Diese für die Psalmen ausgesprochen bedeutsame Denkfigur ist
nicht an die צדק-Terminologie gebunden: Sowohl in Ps 15 und 24
als auch in den übrigen Texten unseres Betrachtungskreises, in denen צדק-Derivate vorkommen, verbinden sich diese mit einer ganzen
Reihe von Parallelbegriffen, die wiederum in anderen Psalmen ohne
צדק-Terminologie in gleicher Funktion vorkommen[34]. Von daher wäre
es falsch, die Texte mit צדק-Terminologie als eigene Gruppe aus
dem Textfeld auszusondern. Denn der Sache nach geht es in allen
Texten um den צדקה-Erweis Jahwes am צדיק.

---

29 Cf. die Forschungsübersichten bei G.v.RAD, Theologie I, 382f.; K.KOCH, Art.
   צדק, THAT II, 514-518 (v.a. die Arbeiten von J.PEDERSEN, K.H.FAHLGREN,
   K.KOCH und H.H.SCHMID).
30 Cf. G.FOHRER, Einleitung, 309f.
31 Zur "kultische(n) Verwurzelung von Jahwes Gerechtigkeit" cf. P.STUHLMACHER,
   Gerechtigkeit Gottes, 117ff.
32 G.v.RAD, 'Gerechtigkeit' und 'Leben', 232f.
33 P.STUHLMACHER, Gerechtigkeit Gottes, 131.
34 צדק-Derivate begegnen in Ps 5,13; 7,10; 17,15; 18,21.25; 31,19; 35,24; 64,11;
   142,8. Sachlich parallelgeordnet sind ihnen in diesen Psalmen folgende Termini: עני (35,10; cf.109,16), עם עני (18,28), אביון (35,10; cf.109,16.22.31),
   רגעי ארץ (35,20), יראיך (31,20) חסים בך (31,24; 17,7; 5,12).

An dieser Stelle ist noch eine weiterführende Einzelbeobachtung
anzuschließen: Es spricht für von Rads Auffassung vom 'Urbild des
צדיק'und seinem 'exemplarischen Leiden'[35], wenn in Ps 142,8 ein
Kreis von צדיקם erscheint, der sich um den Beter nach dessen Rettung scharen wird und dadurch die Einbindung des individuellen
צדיק in ein Kollektiv deutlich macht: Es dürfte sich hier nicht um
einen bloßen Sympathisantenkreis, sondern um die Schar derer handeln, die Anteil haben am selben Urbild. Ganz ähnlich ist das Individuum in Ps 35,26ff. in ein Kollektiv eingebunden, das den
Feinden direkt entgegengestellt wird:

> *Zuschanden und beschämt sollen werden zumal, die über mein Unglück sich*
> *freuen! In Schmach und Schande sich kleiden, die sich gegen mich großtun.*
> *Jubeln sollen, die meine Gerechtigkeit (צדיק) wünschen, immer sollen sie*
> *sprechen: Groß ist Jahwe, der da will das Heil seines Knechtes!*[36]

Von hier aus verwundert es nicht, wenn in Ps 5 die individuelle
Relation FEIND→BETER nur noch (in V.10) durchscheint, sonst aber
ganz zurücktritt zugunsten der 'grundsätzlichen' Erwägung des
Jahwe-Frevler-Verhältnisses: hier wird das individuelle Gegeneinander von Feind und Beter aufgehoben in das grundsätzliche Gegenüber von Frevler und Gerechtem coram deo. So deutlich in 5,11f.:

> *Laß sie büßen, o Gott, laß sie fallen durch ihre Anschläge!*
> *Ob ihrer vielen Frevel stoße sie fort, denn dir haben sie getrotzt.*
>
> *Doch freuen mögen sich, die dir vertrauen, beständig jubeln,*
> *und jauchzen in dir, die deinen Namen lieben.*

Da Ps 5; 34 und 142 spätvorexilische Texte sein dürften, mag sich
hier eine Entwicklungstendenz andeuten, auf die von den nachexilischen Psalmen her zurückzukommen sein wird[37].

1.2.5. Der Sitz im Leben

Die formgeschichtliche Frage ist vor allem im Blick auf die institutionelle Verankerung unserer Texte aufschlußreich: ließe sich
hier ein klares Bild gewinnen, so wäre auch ihre Intention und
Funktion präziser zu erfassen. Angesichts der vielen und sehr verschiedenen Versuche, den Sitz im Leben der Psalmen zu bestimmen[38],
ist hier jedoch derzeit kaum etwas sicher zu entscheiden. Am deutlichsten erkennbar (wenn auch in den Einzelheiten nur hypothetisch
rekonstruierbar) scheint mir eine solche Institution immer noch
für die 'Gebete des Angeklagten'. Auch wenn gegen Schmidts[39] Annah-

---

35 Cf. G.v.RAD, 'Gerechtigkeit' und 'Leben', 236.
36 Übersetzung und Textkritik nach H.J.KRAUS, BK Ps I, 425f.
37 Daß Targum und syrische Version in Ps 7,10 צדיק pluralisch wiedergeben,
   weist in dieselbe Richtung.
38 Eine Übersicht vermittelt z.B. Joachim BECKER, Wege, bes. 24-51.
39 H.SCHMIDT, Das Gebet des Angeklagten im Alten Testament (1928), bes. 4;7;21.

me von Tempelhaft und Inkubationsschlaf im Tempel, aber auch gegen
Beyerlins[40] zurückhaltendere Vorschläge einzuwenden sein mag, daß
sie präzisere Bestimmungen der Abläufe vornehmen als durch die
Texte selbst gedeckt sind[41], dürfte die Grundannahme einer "sakra-
le(n) Rechtsprechung am Heiligtum"[42], in der ein Angeklagter durch
einen Gottesentscheid seine Unschuld erweisen (und damit seine
Rechtsgegner verurteilen) konnte, zutreffen, und zwar wohl auch
schon für die vorexilische Zeit[43]. Einige unserer Texte[44] könnten
Formulare sein, die für diese Prozedur zur Verfügung standen: in
ihnen beteuert der Beter seine צדקה und erbittet von Jahwe aufgrund dessen צדק einen positiven, ihn bestätigenden und erlösenden
Entscheid.

Es spricht nichts dagegen, daß auch die übrigen Texte in ähnlicher Weise Gebrauchstexte gewesen sind, mit deren Hilfe צדקה-Ent-
sprechungen (wohl auch in Gestalt von Heilsorakeln[45]) herbeige-
führt werden sollten. Dabei ist in allen Fällen davon auszugehen,
daß der Beter den Erweis von Jahwes צדקה hic et nunc erwartete,
der Tempel also in der Tat, wie Ps 24,5 es aussagt, der Ort war,
an dem Segen und צדקה als Hilfe direkt erfahrbar waren[46].

1.2.6. Die theologische Funktion der Psalmen vom leidenden Gerechten

Von hier aus lassen sich nun die Entsprechungszusammenhänge zwischen den Relationen deuten, die wir oben als bestimmend für die
Struktur der Psalmen herausgearbeitet haben: Der צדקה-Zusammenhang,
der zwischen Jahwe und Israel und damit auch zwischen Jahwe und
dem einzelnen Israeliten besteht, wird durch die Feindbedrängnis
in Frage gestellt bzw. gestört. Der Psalm hat die Funktion, die
Wiederherstellung dieser intakten Struktur herbeizuführen. Dies
geschieht dadurch, daß die JAHWE→BETER-Relation sichtbar die
BETER→JAHWE-Relation als positive bewährt und die JAHWE→FEIND-Rela-
tion sichtbar als negative erscheint.

Wir wissen, daß diese צדקה-Konzeption Israels im Kontext einer
gemeinorientalischen Gerechtigkeitskonzeption ihren Ort hat, die
in die altorientalische Weisheit zurückweist[47].

---

40 W.BEYERLIN, Rettung, 141ff.
41 Cf. J.BECKER, aaO. 33.
42 Ebd. 25.
43 Cf. W.BEYERLIN, Rettung, 155.
44 In Frage kommen etwa Ps 3; 5; 7; 17; 26; 27; 57.
45 Aussagen wie der Lobpreis des "Wortes" Jahwes in Ps 56,11 legen das nahe.
   Cf. J.BEGRICH, Heilsorakel, 228f.
46 Zur Konkretion cf. O.KEEL, Bildsymbolik, 108-110.172.
47 Cf. v.a. K.KOCH, Vergeltungsdogma, 178-180; H.GESE, Lehre und Wirklichkeit,
   5-50, bes. 33-50; am stärksten betont diesen Zusammenhang H.H.SCHMID, Gerechtigkeit, bes. 166ff.; DERS., Jahweglaube, bes. 32ff.59ff.

Ein Blick auf die alte weisheitliche Tradition des Proverbienbuches[48]
mag das illustrieren. So steht dort z.B. der Spruch
Spr 11,8: *Der* צדיק *wird aus der Not* (צרה) *errettet,*
          und an seinen Platz muß der רשע *treten* ...
im Kontext einer ganzen Reihe von Aussagen, die den weisheitlichen Tun-
Ergehen-Zusammenhang betonen, und bildet mit ihnen eine gedankliche Einheit.
    Entsprechend lassen sich vom Tun-Ergehen-Zusammenhang her auch viele
alte Psalmenaussagen 'weisheitlich' deuten: der Beter bittet Jahwe, den in
der alten Weisheit in Worte gefaßten Erfahrungszusammenhang, der ihm in
seiner Erfahrung zerbrochen war, wieder in Kraft zu setzen und das 'gerechte' Ergehen, das seinem bzw. seines Feindes Tun entspricht, herbeizuführen.
    Dabei ist nun aber zu betonen, daß viele Psalmen zwar deutlich den Tun-
Ergehen-Zusammenhang als ontologische Voraussetzung erkennen lassen und
darauf abzielen, dieses Ordnungsprinzip durchzusetzen, daß sich aber nir-
gendwo ein Beter in seiner Bitte an Jahwe darauf als auf eine abstrakte,
weisheitlich reflektierte Ordnung beruft. Vielmehr bringt er sein Vertrauen
stets in einer persönlichen Ich-Du-Relation zur Sprache und seine Erfahrung
als eine im Gegenüber mit seinem Gott gewonnene Erfahrung ein[49].

Von dieser weisheitlichen Verwurzelung her ist es auch zu erklären, wenn in einigen unserer Texte der Tun-Ergehen-Zusammenhang ganz im Sinne einer 'schicksalwirkenden Tatsphäre' verstanden und vorausgesetzt wird. So heißt es in Ps 7,13-17, der Feind
schlage sich mit seinen eigenen Waffen und falle in die von ihm
selbst gegrabene Grube:

Sein Frevel kommt zurück auf sein Haupt,
auf seinen Scheitel seine Untat (Ps 7,17),

doch zeigt die Einbindung der Verse 13-17 zwischen die Verse 12
und 18 ebenso deutlich, daß dieser 'Automatismus'[50] als ein Eingreifen Gottes verstanden wird, ebenso wie z.B. Ps 5,11 die 'Ei-
gengesetzlichkeit' des Frevlergeschicks ganz explizit als Gottes
Werk bezeichnen kann:

Laß sie büßen, o Gott, laß sie fallen durch ihre Anschläge![51]

Jahwe bewährt seine צדקה, indem er die gegen den צדיק gerichtete
Tat des Frevlers auf den Feind unheilvoll zurückfallen läßt[52].

1.2.7. Zusammenfassung

Mit großer Wahrscheinlichkeit sind die ältesten greifbaren Texte vom 'Leiden des Gerechten' kultische Gebrauchstexte gewesen,

---

48 Cf. H.J.HERMISSON, Studien zur israelitischen Spruchweisheit, bes. 73-76.
49 Hier, scheint mir, dürfte zum Tragen kommen, daß das KE in der Tradition
   des KV steht, und zwar der Klage des *Volkes Israel*, das in seiner Erfahrung
   von Anfang an das Element der Parteilichkeit Gottes für sein Volk mitgetra-
   gen hat.
50 Cf. auch W.SCHOTTROFF, Art. פקד, THAT II, bes. 479-484.
51 Cf. auch Ps 64,7f.
52 Zum Tun-Ergehen-Zusammenhang cf. außer der oben (Anm.47) genannten Literatur:
   K.KOCH, Art. צדק THAT II, bes. 507-510; DERS., Art. Tat-Ergehen-Zusammen-
   hang, Reclams Bibellexikon, 486ff.; zum Verhältnis zur altorientalischen
   Weisheit bes. H.H.SCHMID, Gerechtigkeit, 23-27.166-177 (zur Kritik daran
   v.a. J.HALBE, Weltordnungsdenken, 381-418); zum sozialgeschichtlichen Aspekt
   F.CRÜSEMANN, Die unveränderbare Welt, bes. 85.

deren Funktion es war, die durch (Feind-)Bedrängnis gestörte
צדקה-Beziehung des Beters zu Jahwe durch einen צדקה-Erweis Jahwes
wiederherzustellen. Dieser Erweis wurde in der kultischen Situation unmittelbar erwartet. Der jeweilige Beter trat dabei in das
kultische Urbild des צדיק ein, das in den verschiedenen Psalmen
durch Parallelbegriffe verschiedener Nuancierung konkretisiert und
akzentuiert wird. So ergibt sich ein erster Vorstellungsrahmen vom
'leidenden Gerechten', der schon auf dieser frühen Ebene relativ
reich an Variationsmöglichkeiten ist. Wichtigstes Strukturmoment
ist die צדקה-Entsprechung, die durch das Leiden des צדיק gefährdet
ist: Leid (Bedrängnis) steht im Widerspruch zur intakten JAHWE→BE-
TER-Relation. Deren Bestätigung geschieht durch die Beseitigung
der Bedrängnis durch Jahwe.

1.3. Der 'leidende Gerechte' in der vorexilischen Prophetie

1.3.1. Das Leiden der Armen in der prophetischen Sozialkritik

Vom Leiden ist im Bereich der vorexilischen prophetischen Überlieferung des Alten Testaments meist im Zusammenhang von Heil und
Unheil für Israel und Juda die Rede. Als Folge der vom Volk ver-
schuldeten Krise seines Verhältnisses zu Jahwe ist sein Leiden also gerade kein 'Leiden des Gerechten' und kann darum hier außer
Betracht bleiben.

Jedoch finden sich in der prophetischen Sozialkritik[53], also
einem besonderen - vor allem für Amos und den frühen Jesaja kennzeichnenden - Teilbereich der Anklage, Aussagen, die geradezu wie
ein Pendant zu den Klagen der Psalmbeter anmuten, jetzt aber nicht
aus der Perspektive des Leidenden formuliert, sondern aus der eines Dritten - in der Stilisierung der Texte: Jahwes. So z.B.[54]
Am 2,6f.:

6b *Weil sie den Gerechten (צדיק; LXX: δίκαιος) um Silber verkaufen und den*
Elenden (אביון; LXX: πένης) um ein Paar Schuhe;
7 *die sie das Haupt der Schwachen (דלים; LXX: πτωχοί) zur Erde (hinabtreten)*
und den Weg der Elenden (ענוים; LXX: ταπεινοί) hinabbeugen ...

Wer berücksichtigt, daß "im alten Israel nur der unabhängige
Mann, der eigenen von den Vätern ererbten Grund und Boden besitzt,
rechts-, kult- und wehrfähig"[55] war, kann ermessen, in welch um-
fassendem Sinn die Existenz der Bedrängten, von denen dieser Text

---

53 Cf. dazu z.B. K.KOCH, Entstehung, 236-257; DERS., Profeten I, 55-62; G.v.
   RAD, Theologie II, 185f.
54 Cf. auch Am 4,1; 5,1f.; 8,4ff.; Jes 5,20-23.
55 K.KOCH, Profeten I, 56; zu den dahinterstehenden theologischen Implikationen: DERS., Entstehung, bes. 256.

redet, auf dem Spiel stand: ihnen drohte der Ausschluß "von selbständiger Teilnahme am 'Volk' Israel und von unmittelbarem Kontakt
mit dessen Gott"[56]. Die terminologischen Überschneidungen[57] legen
es nahe, prophetische Texte wie diesen zur Illustration der Situation heranzuziehen, die in einigen der angesprochenen Psalmen
vorauszusetzen ist, und die soziale Bedrängnis der צדיקים und
ענוים als einen frühen Aspekt des Leidens des Gerechten in die Betrachtung einzubeziehen.

Mehr freilich auch nicht. Denn die Perspektive dieser Texte ist
allein die der Anklage gegen das Jahwe untreu gewordene Israel:
die Bedrängnis des Gerechten kommt ausschließlich als Symptom des
heillosen Zustands des Volkes und seiner Führung in den Blick. Entsprechend liegt auch bei der Schilderung des 'Tages Jahwes' in Am
8,1-14, der unmittelbar mit diesen Mißständen motiviert wird
(8,7f.), der Akzent ganz auf der Negativwendung des Geschicks der
Bedränger, ist von der Restitution der Bedrängten nicht die Rede.

1.3.2. *Der leidende Prophet: Jeremia und der 'leidende Gerechte'*

Das Amosbuch deutet darüber hinaus noch einen weiteren Aspekt
an: nach Amos 7,10-17 ist der älteste Schriftprophet selbst wegen
seiner Verkündigung aus Israel in seine Heimat Juda zurück vertrieben worden. Der Text legt keinen Wert darauf, diesen Vorfall
als 'Leiden' zur Sprache zu bringen[58], doch belegt er schon ähnliche Haltungen und Vorgehensweisen der offiziellen Funktionsträger
Israels, wie sie später im Zusammenhang mit der Person Jeremias
ausführlich überliefert sind. Hier aber tritt das Leiden des Propheten deutlich in den Vordergrund.

Daß die Leidensthematik in den verschiedenen literarischen
Schichten des Jeremiabuches[59] in unterschiedlicher Weise begegnet,

---

56 K.KOCH, Profeten I, 56. Zu den sozialgeschichtlichen 'Realien' cf. auch W.
   SCHOTTROFF, Prophet Amos, 39-66, bes. 49ff.
57 Vgl. nur Ps 35,10; 109,16.22. Der צדיק begegnet vorexilisch (nur in Ps 72,13)
   noch nicht als 'leidender Gerechter', sondern als der, an dem sich gerechtes
   Richten des Königs bewährt; nachexilisch (Ps 113,7) ist דל dann auch Prädi-
   kation für den leidenden Gerechten.
58 Vielmehr liegt der Akzent auf der Abweisung durch Amasja (und Jerobeam), die
   darin begründet ist, daß "das Land seine Worte nicht zu ertragen vermag"
   (Am 7,10c), und dem Fluch, der aus dieser Abweisung resultiert. Damit bereitet der Text der späteren deuteronomistischen Tradition vom gewaltsamen Prophetengeschick den Boden (s.dazu unten den Exkurs 1, S.81f.).
59 Die Scheidung der vier 'Schichten': authentisches Jeremiagut (A) / Prosareden (C) / sogenannte Baruchschrift (B) / 'Konfessionen' wird im folgenden
   vorausgesetzt. Cf. zu A,B,C: S.MOWINCKEL, Zur Komposition des Buches Jeremia
   (1914) passim, und W.RUDOLPH, HAT Jer, XIV-XIX; zu den 'Konfessionen': W.
   BAUMGARTNER, Die Klagegedichte des Jeremia (1917), III.
   Zur neueren Diskussion um die Entstehungsgeschichte des Jeremiabuches und damit verbunden um die Datierung und Zuordnung seiner Teile zur Person Jeremia

hat vor allem Welten herausgearbeitet[60]. Dabei läßt sich m.E. eine
konsequente Entwicklungslinie zu einer immer bewußteren Verbindung
der Darstellung des Prophetengeschicks mit der Vorstellung vom
leidenden Gerechten verfolgen.

a) Offenbar hat sich schon *Jeremia selbst* als Leidender artikuliert, indem er sich, wie beispielhaft an Jer 8,18-23 zu zeigen
ist, "als erster Prophet in seiner Verkündigung einer individuellen Gattung bedient, des KE"[61]. Schon die älteste Schicht des Jeremiabuches weist also eine deutliche Beziehung zu dem bisher untersuchten Textfeld auf:

> 18 *Aufsteigt Kummer über mich, mein Herz ist krank.*
> 19 *Horch, der Hilferuf der Tochter meines Volkes aus dem weiten Land:*
> *"Ist denn Jahwe nicht in Zion, ist sein (Zions) König nicht dort?"*
> *"Warum haben sie mich gekränkt mit ihren Schnitzbildern, mit den*
> *Nichtsen der Fremde?"*
> 20 *"Vorbei die Ernte, zuende die Lese, und uns ist nicht geholfen!"*
> 21 *"Weil die Tochter meines Volkes zerbricht, werde ich zerbrechen;*
> *ich trauere, Entsetzen hat mich ergriffen.*
> 22 *Gibt es keinen Balsam in Gilead, ist dort kein Arzt?*
> *Warum wächst die Wunde der Tochter meines Volkes nicht zu?"*
> 23 *Wäre doch mein Haupt Wasser und mein Auge ein Tränenquell, daß ich*
> *beweinte Tag und Nacht die Erschlagenen der Tochter meines Volkes.*[62]

Der Text zeigt, daß Jeremia die Gattung[63] in einer anderen als ihrer ursprünglichen Funktion einsetzt: die Klage dient nicht mehr
der Rettung des Beters, sondern der prophetischen Anklage. Er geht
hier also ähnlich vor wie bei der Aufnahme der Gattung des Toten-
klageliedes in Jer 9,9(10)-21(22): auch diese macht er ja ganz
seiner prophetischen Intention dienstbar, wobei er sie von ihrem
ursprünglichen Sitz im Leben ablöst und literarisierend verfrem-
det[64].

Indes erschiene es mir falsch, von hier aus allein auf die (von
Jeremia gewiß auch beabsichtigten) Effekte beim Hörer abzuheben
und in der Aufnahme des KE nur einen technisch-stilistischen
Kunstgriff zu sehen, der die Selbstaussage Jeremias über sich als

---

cf. (ausgehend von dem durch W.RUDOLPH, HAT Jer, repräsentierten Forschungsstand): G.WANKE, Untersuchungen zur sogenannten Baruchschrift (1973); W.THIEL,
Die deuteronomistische Redaktion von Jeremia 1-25 (1973); H.WEIPPERT, Die Prosareden des Jeremiabuches (1973); F.D.HUBMANN, Untersuchungen zu den Konfessionen Jer 11,18-12,6 und Jer 15,10-21 (1978).

60 Cf. P.WELTEN, Leiden, 148: "Das zunächst verwirrende Mosaik von Leidensverständnissen erweist sich als getreues Spiegelbild der komplizierten Entstehung dieses Prophetenbuches".

61 Ebd.

62 Übersetzung nach P.WELTEN, Leiden, 126.

63 Zu den Einzelheiten des Verhältnisses zu den Psalmen cf. W.BAUMGARTNER, Klagegedichte, 73.

64 Ein ähnliches Beispiel ist Jer 4,19-21 (dazu W.BAUMGARTNER, aaO. 72f.); vgl.
auch Jer 23,9.

einen Leidenden, präziser: Mit-Leidenden[65] aufhöbe und außer
Kraft setzte. Worum es sich handelt, ist vielmehr die individuelle
Einbeziehung der Person des Propheten in den von ihm geleisteten
Kommunikationsvorgang zwischen Jahwe und seinem Volk.

> Um diese Erscheinung zu verstehen, bedarf es eines kurzen Rekurses auf die
> Wesensbestimmung der Prophetie z.Z. Jeremias und die sich daraus ergebende
> Funktionsbestimmung des Propheten[66]. Die deuteronomische Prophetenvorstel-
> lung (Dtn 18,15ff.) stellt die Propheten in die direkte Nachfolge des Mose,
> wie diesem legt Jahwe seine Worte ihnen in den Mund (18,18), damit er sie
> kundtue. Dieses Wort hat Jahwes volle Autorität, er selbst wird seine Über-
> tretung ahnden (18,19). Der Prophet ist also der autorisierte Mittler der
> Offenbarung Jahwes: Jesaja schaut bei seiner Berufung (Jes 6,1-8) den thro-
> nenden Jahwe und empfängt - selbst entsühnt durch einen Akt der Himmli-
> schen - die auszurichtende Offenbarung unmittelbar von Jahwe. Und nach Am
> 2,7 tut Jahwe nichts, "er habe denn seinen סוד seinen Knechten, den Prophe-
> ten offenbart". סוד aber bezeichnet "die himmlische Ratsversammlung Jahwes
> und zugleich (den) aus seinen Beratungen resultierende(n) Beschluß"[67]. In-
> dem der Prophet am סוד Anteil gewinnt, wird er selbst zum Repräsentanten
> der Offenbarung, und zwar in seiner Gesamtexistenz[68].

Die von Jeremia auszurichtende Verkündigung ist also nicht ein
Objekt, kein Auftrag, den er in der Weise eines 'Funktionärs' er-
ledigen könnte, sondern er repräsentiert sie in seiner Gesamtexistenz. Diese ganzheitliche Betroffenheit kommt mithilfe der
Gattung zur Sprache, in der individuelle Betroffenheit damals primär realisiert wurde, dem Klagelied des Einzelnen.

Jeremia übernimmt also nur einzelne Elemente des Repertoires
des KE und dessen Sprachduktus, während die oben als grundlegend
für die Psalmen vom leidenden Gerechten herausgearbeiteten Relationen in ihrer typischen Konstellation des angefeindeten Gerechten, der seine Not vor Gott beklagt, nicht in Erscheinung treten.
Insofern läßt sich von den authentischen Jeremiastücken her noch
kein Nachweis für die Rezeption der inhaltlich geprägten Vorstellung vom leidenden Gerechten führen, wohl aber lassen sich schon
gattungs- und wortfeldmäßige Verbindungen zwischen dem Textfeld
der Psalmen, die vom leidenden Gerechten sprechen, mit der prophetischen Verkündigung in spätvorexilischer Zeit aufzeigen.

---

65 Cf. P.WELTEN, aaO. 129; H.J.STOEBE, Seelsorge und Mitleiden, 116-134.
66 Cf. zum folgenden Gedankengang: H.GESE, Der Messias, 141.
67 H.J.FABRY, סוד, 104.
68 Daß diese Konzeption des 'Mittlers' ältere Vorstufen hat, läßt sich aufgrund
   der Beobachtungen WESTERMANNs erschließen, der im Rückgriff auf die alten
   Geschichtstraditionen die "Klage des Mittlers" als "besondere Form" herausgearbeitet hat, die er von der Klage Moses ("Klage des Führers" über die
   "Klage des Retters in der Richterzeit" bis zur "Klage des Propheten" (Elia,
   Amos, Hosea, Jeremia, Gottesknecht bei Deuterojesaja) verfolgt. Cf. C.
   WESTERMANN, Struktur und Geschichte, 292 (alle Zitate ebd.), s.dazu auch
   unten den Exkurs 2 (Elia), S.82f.

b) In der *Prosaüberlieferung* des Jeremiabuches ("C-Stoff")[69]
wird die Identifizierung des Propheten mit seiner Verkündigung in
den Zeichenhandlungen weiter ausgestaltet. Interessant ist dabei
für uns vor allem Jer 16,1-13. Der hier von Jahwe gebotene Verzicht des Propheten auf Ehe und Nachkommenschaft, auf Teilhabe an
Freude und Totenklage demonstriert das kommende Geschick des Volkes: der Prophet selbst antezipiert es zeichenhaft. Die Überlegung,
daß dieses "paradigmatische Leiden"[70] auch für ihn schmerzhaft
spürbar war, liegt dabei jedoch außerhalb des Interessenbereiches
des Textes.

c) Ungleich stärker im Vordergrund steht dagegen das Leiden Jeremias als Person in den *Fremdberichten*, der dritten großen Schicht
des Jeremiabuches ("B-Stoff")[71]. Um seine (hier nicht weiter zu
verfolgende) These zu stützen, die Stücke Jer 19,1-20,6; 27-29; 36
seien von dem geschlossenen Zusammenhang Jer 37-44 literarkritisch
zu trennen, hat Wanke u.a. auf die unterschiedlichen Leidensinter-
pretationen hingewiesen, die in beiden Textbereichen vorliegen:
während in den erstgenannten Stücken "die Durchsetzung der prophetischen Verkündigung gegen alle Anfeindung und Infragestellung"[72]
(mit einer entsprechenden "Idealisierung des Prophetenbildes"[73])
im Vordergrund steht, will die Erzählkomposition von 37-44 "die
Wirklichkeit der prophetischen Existenz Jeremias"[74] vor Augen führen: "Hier wird das erste Mal im Alten Testament der Zusammenhang
zwischen glaubender Existenz und Leiden bewußt zum Ausdruck gebracht: Leiden des Gottesboten als Konsequenz aus der Ablehnung
seiner Verkündigung"[75]. Setzen wir diesen Befund mit dem der anderen Schichten des Jeremiabuches in Beziehung, so ergibt sich eine
konsequente Linie: aus dem im authentischen Stoff von ihm selbst
ausgesagten Mitleiden Jeremias mit den Adressaten seiner Unheils-
verkündigung wird im Redenstoff ein die ganze Person Jeremia unmittelbar treffendes exemplarisches Leiden; in den Fremdberichten
erscheint dann der Weg Jeremias spätestens vom Beginn der Zedekia-
Zeit an als umfassender Leidensweg: ausführlich wird berichtet von
den Intrigen seiner Gegner, seiner Verhaftung und den verschiedenen Stationen seiner Haft, schließlich von der Verschleppung nach

---

69 Cf. R.SMEND, Entstehung, 158f. und die oben (Anm.59) genannten Arbeiten.
70 S.H.BLANK, The Prophet as Paradigm, 123.
71 Cf. R.SMEND, Entstehung, 160f. und - neben der oben (Anm.59) genannten Literatur - H.KREMERS, Der leidende Prophet.
72 G.WANKE, Untersuchungen, 156.
73 Ebd.
74 Ebd. 155.
75 Ebd. 156.

Ägypten, wo sich seine Spuren verlieren: die Schwäche des schei-
ternden Propheten, dessen Verkündigung wahr ist, aber nicht angenommen wird, wird unverkürzt ausgesprochen.

d) Von hier aus sind nun noch die sog. *Konfessionen Jeremias* in den
Blick zu nehmen, jene Klagelieder in Jer 11,18-23;12,1-6;15,10-21;
17,12-18;18,18-23 und 20,7-18[76], in denen Jeremia "unter Ausschal-
tung aller Zuhörer direkt mit Jahwe konfrontiert ist"[77].

Die Nähe dieser Texte zu den Psalmen ist seit langem aufgefallen, ihre gattungsmäßige Zugehörigkeit zu den KE seit den Anfängen
der formgeschichtlichen Forschung erkannt worden. Die Konsequenzen
aus diesen Beobachtungen sind aber von jeher sehr verschieden gewesen[78], und bis heute sind Autorschaft und Deutung der Stücke hef-
tig umstritten[79]. In unserem Zusammenhang können wir uns auf die
Frage beschränken, ob sich in den 'Konfessionen' über die schon in
der authentischen Schicht des Jeremiabuches aufgewiesenen Gattungs-
und Wortfeldübernahmen hinaus eine Rezeption der Vorstellung vom
leidenden Gerechten aufweisen läßt.

Schon der erste Text, Jer 11,18-23 weist deutliche Parallelen
zu Form und Inhalten der KE des Psalters auf[80]. Allerdings läßt
sich der Text nicht als ganzer als KE fassen: 11,21ff. ist klar
als ein durch eine Botenformel eingeleitetes Jahwewort erkennbar.
Formgeschichtlich konsequent hat Baumgartner denn auch 11,21-23
als einen zweiten, ursprünglich selbständigen Text von 11,18-20
abgetrennt, der nur "wegen seiner Verwandtschaft nach Situation
und Gedanken"[81] in diesen Kontext gehöre. Dieses Argument stützt
er auch inhaltlich, indem er auf den Widerspruch von V 19 (geheime
Mordpläne) und V 21b (offene Bedrohung) verweist[82]. Nun hat aber
Hubmann in seiner ausführlichen Strukturanalyse als m.E. schla-
gendes Argument für die Zusammengehörigkeit der beiden Textabschnitte auf die exakte Entsprechung der drei Glieder im Zitat der
Feinde V 19 und im Gottesspruch V 22f. hingewiesen[83]:

---

76 Diese Ausgrenzung der Texte ist seit W.BAUMGARTNER, Klagegedichte, üblich;
   freilich sollte man nicht übersehen, daß BAUMGARTNER formgeschichtlich deutlich zwischen den Einzeltexten differenziert.
77 P.WELTEN, Leiden, 137.
78 Cf. W.BAUMGARTNER, Klagegedichte, 1-5.
79 Cf. z.B. H.Graf REVENTLOW, Liturgie und prophetisches Ich, 205-260, bes.
   209f.; G.v.RAD, Theologie II, 209-214; A.H.J.GUNNEWEG, Konfession, 395-399.
80 Cf. W.BAUMGARTNER, Klagegedichte, 30-32.
81 Ebd. 33.
82 Ebd.
83 F.D.HUBMANN, Untersuchungen, 89; cf. auch seine Beobachtungen zum Wechsel
   des Gottesnamens (ebd. 82).

Jer 11,19b

*Laßt uns den Baum verderben in
seiner Blüte,
ihn ausrotten aus dem Lande der
Lebenden
und seines Namens' werde nicht
mehr gedacht!*

Jer 11,22.23a

*Die jungen Männer sollen durchs
Schwert sterben,
ihre Söhne und Töchter vor Hunger.*

Kein Überrest soll ihnen bleiben!

Dem Text wird also nur eine Interpretation gerecht, die seine offensichtliche Einheit, aber auch den Bruch, auf den Baumgartner hinweist, berücksichtigt. Gunnewegs Deutung, daß der Prophetenspruch 21ff. durch "den Vorbau von V 18-20 (...) jetzt als Erfüllung des Psalmgebets"[84] erscheine, geht hier m.E. in die richtige Richtung: prophetische Gattung und KE sind im Entsprechungsverhältnis verbunden. Diese Entsprechung aber ist exakt die für die Psalmen vom leidenden Gerechten typische Relationenentsprechung FEIND→BETER ≙ JAHWE→FEIND, so daß wir hier erstmals eine Rezeption der geprägten Vorstellung vom leidenden Gerechten außerhalb der Psalmen vor uns haben.

Wir können versuchen, diesen Vorgang noch etwas genauer zu rekonstruieren. Gehen wir davon aus, daß das Drohwort gegen die Männer von Anatot (21ff.) als das genuin prophetische Wort den Ausgangspunkt bildet (zu dem auch schon V 18 hinzugehört haben mag), so sind Vv 19 und 20 hinzugesetzt, um in äußerster Knappheit die Verfolgung Jeremias als Leiden des Gerechten zu kennzeichnen und das Gerichtswort gegen die Männer von Anatot als צדקה-Erweis Jahwes am leidenden Gerechten erscheinen zu lassen. Entsprechend wird in V 19a die völlige Arglosigkeit Jeremias betont: er ist der leidende Gerechte[85], den die Nachstellungen der Feinde unerwartet, weil unverschuldet treffen[86]. V 19b bringt dann - wie oben gezeigt - die Machenschaften so zur Sprache[87], daß V 22f. als angemessene Antwort Jahwes darauf im Sinne der צדקה-Konzeption erscheint, die in der Gottesprädikation von V 20: שפט צדק sogar explizit anklingt.

Eine entsprechende Untersuchung der übrigen 'Konfessionen' ist mir hier nicht möglich. Für unsere Fragestellung ist es aber auch hinreichend, an diesem einen Beispiel zu beobachten, wie prophetische Gattung und Psalmengattung zu einer einheitlichen Kompo-

---

84 A.H.J.GUNNEWEG, Konfession, 400f.
85 Cf. auch Jer 12,3; 18,20; 20,12.13.
86 Der von W.BAUMGARTNER, Klagegedichte, 33 angeführte Widerspruch zwischen heimlichen und offenen Mordplänen wird von hier aus erklärlich: Heimlichkeit und Hinterhältigkeit der Feinde sind feste Bestandteile der Tradition vom leidenden Gerechten, die einer Anpassung an die (in 21b noch durchscheinenden?) historischen Sachverhalte weder zugänglich ist noch ihrer bedarf, um 'wahr' zu sein.
87 Nicht von ungefähr mithilfe der Bildersprache der Psalmen.

sition verbunden sind mit dem Ziel, die Vorstellung vom leidenden
Gerechten in den prophetischen Aussagezusammenhang zu integrieren
und so den leidenden Propheten Jeremia als den 'leidenden Gerechten' darzustellen[88].

Setzen wir diesen Vorgang mit den Leidensaussagen der drei anderen Schichten des Jeremiabuches in Beziehung, so erscheint diese "Interpretation" von "Jeremias Geschick im Sinne jenes immer
schon exemplarischen Ich der Klagelieder"[89] nur konsequent: schon
die authentische Schicht steht mit den KE in Beziehung, im 'C-
Stoff' ist die Person Jeremia Paradigma der Unheilsbotschaft, im
'B-Stoff' läßt sich sein Weg als umfassende Leidensgeschichte verfolgen - hier nun wird dies alles verdichtet und theologisch gedeutet, indem die Vorstellung vom leidenden Gerechten zum Interpretament für Jeremias Person und Geschick wird.

Im Blick auf die Datierung[90] legt es sich von diesem Gesamtbefund her nahe,
die 'Konfessionen' für den spätesten Zuwachs zum Jeremiabuch zu halten (wofür
ja auch schon die Tatsache spricht, daß die Redaktion sie allen drei Schichten an- und eingegliedert hat). Freilich dürfte auch diese jüngste Schicht
in nicht allzugroßer zeitlicher Entfernung von Jeremia anzusetzen sein[91].
Neben der sachlichen Nähe zu den authentischen Aussagen Jeremias über sein
Leiden läßt sich dafür auch eine statistische Beobachtung anführen: Ruppert
hat in seiner Wortfelduntersuchung[92] insgesamt 26 terminologische Berührungen
zwischen den 'Konfessionen' und den Psalmen aufgeführt. Davon sind 20 bereits
in dem Textfeld belegt, das wir oben als möglicherweise vorexilisch ausge-
grenzt hatten. Bei aller gebotenen Vorsicht im Blick auf die Psalmendatier-
ung scheint mir dies immerhin ein Indiz für eine Entstehung der 'Konfessionen' in exilischer oder frühnachexilischer Zeit zu sein.

Die Beobachtungen am Jeremiabuch, insbesondere an den 'Konfessionen', sind für unsere diachrone Skizze deshalb besonders interessant, weil hier der Übergang von der 'Vorstellung' zur 'Tradition' vom leidenden Gerechten sichtbar wird: der Rezeptionsvorgang
in den 'Konfessionen' zeigt, daß der 'leidende Gerechte' hier
nicht nur als ein Motiv oder eine Denkfigur zur Artikulationshilfe
dient, sondern als eine selbständige, geprägte Größe mit einer besonderen Struktur und theologischen Konzeption in den prophetischen Kontext übertragen wird: der Prophet Jeremia ist für die
'Konfessionen' ein 'leidender Gerechter'.

---

88 Cf. P.WELTEN, Leiden, 145.
89 A.H.J.GUNNEWEG, Konfession, 399.
90 Zu den Lösungsvorschlägen im Laufe der Forschungsgeschichte cf. A.H.J.GUNNE-
   WEG, Konfession, 395-399; P.WELTEN, Leiden, 137-140.
91 Für den 'C-Stoff' hat dies H.WEIPPERT, Prosareden, 228f. überzeugend begründet; den 'B-Stoff' hat man von jeher in der Regel früh datiert, cf. z.B. H.
   KREMERS, Der leidende Prophet, 105-108.
92 Cf. L.RUPPERT II, 7.23.28.52.55.112.119.133.146.150.152.193.194.195.210.224.
   229.233.251.296.297.

1.4. Zwischenergebnis

Trotz aller Unsicherheiten bei der Datierung der alttestamentlichen Texte können wir davon ausgehen, daß die Vorstellung vom
leidenden Gerechten bereits in die vorexilische Zeit zurückgeht
und zu Beginn des Exils als geprägte, inhaltlich identifizierbare
Größe vorhanden war.

Die älteste greifbare Ausprägung liegt in den Klage- und Dankpsalmen des Einzelnen vor, in denen die Verarbeitung der Erfahrungen Israels und des einzelnen Israeliten mit Jahwe ihren Niederschlag gefunden hat und zwar so, daß im Kontext und unter Übernahme altorientalischer Sprach-, Denk- und Erfahrungsmöglichkeiten
eine besondere, jahwezentrierte Weise der Leidensartikulation entstand, die den allgemeinen altorientalischen Lebensbefindlichkei-
ten ebenso Rechnung trug wie den spezifischen israelitischen Erfah-
rungs- und Glaubenshorizonten.

Die daraus resultierende Traditionsbildung steht deutlich im
Kontext der sozialen Gegebenheiten Israels mit ihren entsprechenden Rechts- und Kultinstitutionen: diese sind für die literarische
wie auch für die soziologische Ausprägung des 'Typs' des leidenden
Gerechten eine entscheidende Voraussetzung. Das Licht, das die Sozialkritik der älteren Schriftprophetie auf die soziale Situation
des Israel der Königszeit wirft, konkretisiert dies insofern, als
es dazu nötigt, bei der Bestimmung des Kreises der leidenden Gerechten die sozialen Konturen mitzusehen. Schon in alten Psalmen
ist aber auch die Übertragung des geprägten 'Typs' auf ursprünglich wohl nicht betroffene soziale Schichten zu finden, etwa, wenn
in Ps 18 der König die Klage der bedrängten Gerechten aufnimmt.

Am deutlichsten ist die Übertragung der von den Psalmen bereitgestellten Vorstellung auf einen sekundären Trägerkreis im Jeremiabuch zu beobachten: Der Prophet Jeremia bedient sich der Form
und des Repertoires des KE und wird schließlich - in der konsequenten Weiterinterpretation durch seinen Tradentenkreis - selbst
zum 'leidenden Gerechten'.

Diese Adaption verbürgt die Ausprägung der Vorstellung als einer festen, übertragbaren, theologisch relevanten Größe und erlaubt es, von dieser Phase ihrer geschichtlichen Entwicklung an
von der 'Tradition vom leidenden Gerechten' zu sprechen.

2.Kapitel

DIE TRADITION VOM LEIDENDEN GERECHTEN
IN DER EXILSZEIT

2.1. Das dritte Klagelied

Threni 3 ist für unsere Skizze von besonderer Bedeutung, weil
zwei eher äußerliche Umstände einer klaren und eindeutigen Auswertung sehr entgegenkommen. Erstens läßt sich dieser Text - anders
als die bisher untersuchten - sehr viel sicherer datieren: von
dem, was darin überliefert ist, können wir annehmen, daß es im Jerusalem der Exilszeit[1] gedacht, gesprochen und verstanden worden
ist. Zweitens verbürgt die präzise akrostichische Anlage des Textes seine literarische Einheitlichkeit. Die in Klgl 3 vorliegende
Kombination von Gattungselementen des KE (Vv 1-25; 60ff.), DE
(52ff.), KV (42-47), von typisch weisheitlichen Wendungen (26-29)
und der "Klage über das zerstörte Heiligtum"[2] ist nicht erst Ergebnis redaktioneller Überarbeitung. Insofern vermittelt uns der
Text einen Eindruck davon, welch komplexe Traditions- und Gedan-
kenverbindungen Autoren des 6.Jh.s bereits zustandebringen und ihren Hörern zumuten konnten. Gleichzeitig nötigt der Befund dazu,
die Einzelaussagen im Zusammenhang der Denkbewegung des Gesamttextes zu interpretieren.

Aus der durch die Gattungskombination erreichten Vielfalt von
Gedanken und Motiven sind uns einige schon vertraut, andere kommen
hier erstmals in den Blick. Wie die Kommentare im einzelnen zeigen[3], sind die Feindklage-Elemente vor allem den Psalmen[4] und den
Konfessionen Jeremias verwandt. Daneben erinnert der an den weisheitlich-paränetischen Abschnitt angeschlossene Vers 30 in den
Worten

---

1 Wahrscheinlich eher in der zweiten Hälfte dieses Zeitraums, also um 550;
  cf. O.PLÖGER, HAT Klgl 149.
2 H.J.KRAUS, BK Klgl, 66; cf. ebd. 9-11, aber auch PLÖGERs Bedenken (aaO. 129).
3 Cf. H.J.KRAUS, aaO. und O.PLÖGER, aaO. jeweils zur Stelle.
4 Terminologische Berührungen lassen sich sowohl mit den oben ausgegrenzten
  (vermutlich) vorexilischen als auch mit (nach)exilischen Psalmen aufzeigen.
  Natürlich müssen nicht alle in Klgl 3 uns erstmals begegnenden Topoi der
  Psalmensprache erst hier ihren Ursprung haben, sondern kann auch vorexili-
  sches Material zugrundeliegen (das in den erhaltenen alten Psalmen nicht belegt ist). Vor allem dürfte aber die Erfahrung der Exilierung in Palästina
  wie im Exil selbst sehr schnell zu einer sehr großen Produktivität im Bereich der Klageartikulation geführt haben, die sowohl auf Klgl 3 als auch
  auf spätere Psalmen eingewirkt hat.

(Klgl 3,30) Er biete die Backe dem dar, der ihn schlägt (יִתֵּן לְמַכֵּהוּ לֶחִי)
stark an das (noch zu behandelnde) dritte Gottesknechtslied:

Jes 50,6:   Ich bot meinen Rücken denen dar, die mich schlugen
und meine Wange denen, die mich rauften
(גֵּוִי נָתַתִּי לְמַכִּים וּלְחָיַי לְמֹרְטִים);

vor allem aber nimmt Klgl 3 ausgesprochen viele Topoi und Gedanken
der prophetischen Verkündigung auf[5]. All diese Elemente sind mit
großer Sorgfalt, ja Kunstfertigkeit kombiniert[6].

Besonders wichtig aber ist, wie das Leiden im Zusammenhang mit
Jahwe und dem Ich des Gedichts gesehen wird. Hier geht Klgl 3 deutlich einen anderen Weg als die bisher untersuchten Texte, vor allem die Feindklagepsalmen. Doch es geht diesen anderen Weg in bewußter Rezeption dieser Psalmen. Eine knappe Rekapitulation des
Gedankengangs mag das verdeutlichen.

Der Text setzt ein mit einer langen Klage, die ganz im Stil der
Feindklage der Psalmen gehalten ist, nur daß der Feind eben nicht
der 'Feind' der Psalmen, sondern - Jahwe ist. Dieser (in Klgl 2,5
explizit ausgesprochene) Sachverhalt bildet die Ausgangsposition:
die JAHWE→BETER-Relation ist negativ. Entsprechendes gilt für die
BETER→JAHWE-Relation in V 18: an die Stelle der uns aus den Psalmen vertrauten Vertrauensaussage tritt ein explizites Mißtrauens-
votum: "Geschwunden ist mein Vertrauen auf Jahwe". Das Gedicht ne-
giert also in erstaunlicher Radikalität[7] die Basis, die der Artikulation des Leidens vor Gott bis dahin zugrundelag.

Freilich, es hält diese Negation nicht durch: Mit denselben Vo-
kabeln, mit denen im Refrain von Ps 42/43 (42,6.12;43,5) der Beter
seiner "gebeugten Seele" Hoffnung zuspricht, entschließt sich auch
in Klgl 3,20f. die "gebeugte Seele" zur Hoffnung: Hoffnung auf die
Gnadenerweise Jahwes (חסדי יהוה, 3,22).

Dieses Nebeneinander von Negation und Wiederaufnahme der צדקה-
Entsprechung markiert sehr exakt das Problem, um das es in der nun
folgenden theologischen Erörterung geht, die den zweiten, zentralen Teil des Gedichtes bestimmt. In ihr führt der Verfasser an,
was er von der weisheitlichen, vor allem aber von der prophetischen Tradition gelernt hat: Das rechte Verhalten im Leiden ist
Geduld und seine demütige Annahme (26-29), die hier denselben 'ak-

---

5 Cf. die Einzelnachweise bei H.J.KRAUS, BK Klgl, 59-68.
6 Beispielhaft etwa V 25 an der Nahtstelle zwischen KE und Weisheitstext: der
  Vers erscheint beim Lesen und Hören zunächst ganz selbstverständlich als Abschluß der Vertrauensaussage. Gleichzeitig ist er aber durch das טוב am Zei-
  lenanfang mit V 26f. zu einer Sinneinheit verbunden.
7 Zu vergleichen ist hier die meist in Frageform oder als irrige Vermutung angesprochene Möglichkeit des Vergessen- oder Verstoßenseins durch Jahwe in
  den Psalmen: cf. Ps 44,10.20.24; 13,2; 77,8.10 u.a.

tiven' Charakter gewinnt (30) wie im dritten Gottesknechtslied[8].
Und über der Tatsache, daß Gott nicht seinem Wesen nach die Menschen plagen will (33), darf nicht vergessen werden, daß er alles,
Gutes wie Böses, veranlaßt (34-38), ja, das Leiden des Gerechten
toleriert (34-36). Auch hier steht wieder die prophetische Tradition im Hintergrund[9], ebenso wie bei der unmittelbar folgenden
Aufforderung zur Volksklage (39-41), präziser: zum Sündenbekenntnis
als der Darbringung des Herzens vor Jahwe. Dieses Bekenntnis wird
als KV sofort explizit vollzogen (42-47): Die Sünde war die Ursache von Jahwes Zorn mit all seinen schlimmen Folgen für Israel,
das nun als Auswurf und Unrat inmitten der Völker dasteht (45-47)
und für Jerusalem, das ganz im Stil der großen Klagen von Klgl 1;
2 und 4 beweint wird (48-51).

Wir sehen: die Belehrung führt zur Sündenerkenntnis und zum expliziten Sündenbekenntnis - und erst, nachdem dieses erfolgt ist,
kann der Beter (erst seit 42ff. ist unser Text Gebet!) wieder in
der alten Weise beten. Und das tut er: 52-66 sind ganz konventio-
nell, die JAHWE→BETER- und die BETER→JAHWE-Relationen sind wieder
positiv, der Beter dankt seinem Gott für die (frühere) Bewährung
der Gemeinschaftstreue in Feindesnot, die er ihm - wohl durch ein
Heilsorakel[10] - erwiesen hat (52-61), woraus sich die Zuversicht
auf die Wende der gegenwärtigen Bedrängnis ergibt.

Nehmen wir diesen Text in seiner Einheitlichkeit ernst, konsta-
tieren wir also nicht nur den *Mischungs*charakter[11], sondern fragen
wir weiter nach der Intention der Kombination und nach der Funktion der Elemente für das Textganze, so können wir in ihm geradezu
die Weiterentwicklung gespiegelt sehen, die die Vorstellung vom
Leiden des Gerechten durchgemacht hat. Die Katastrophe von 587 hat
zu einer grundlegenden Krise geführt[12], in der das צדקה-Verhältnis
zerbrochen ist. Soll es dennoch weiterbestehen, bedarf es der theologischen Reflexion. Diese bedient sich der Argumente der Weisheit
und der prophetischen Tradition: die Einsicht in die eigene Sünde

---

8 Daß dieselbe Tradition vorliegt, legen nicht nur die oben angeführten Wort-
  lautübereinstimmungen nahe, sondern auch die Tatsache, daß beide Texte die
  Nähe des helfenden, gnädigen Gottes als Begründung anführen: Klgl 3,31f. im
  Blick auf das Verstoßensein und die Wiederannahme durch Jahwe, Jes 50,7f. im
  Blick auf seine Hilfe in der Auseinandersetzung mit den Feinden.
9 Cf. v.a. Am 3,6.
10 "Fürchte dich nicht" ist nach J.BEGRICH, Heilsorakel, 219 ein "wesentliches
  Moment des Heilsorakels".
11 Cf. J.BEGRICHs Analyse (H.GUNKEL/J.BEGRICH, Einleitung, 400f.).
12 In Klgl 2 ist dieser Aspekt *isoliert* greifbar: hier wird nur geklagt ohne
  jede Vertrauens- und Hoffnungsäußerung. Lediglich die Tatsache, daß in den
  Schlußversen 2,20-22 (der Beschreibung des Elends in seiner höchsten Steigerung) Jahwe überhaupt angeredet wird, läßt sich als ein Schritt auf ein
  Vertrauensverhältnis hin interpretieren.

läßt das verhängte Leiden als gerechtes[13] Werk Jahwes erscheinen, dem demütig, ja in aktiver Annahme sich zu beugen einzig angemessen ist. Die Hoffnung auf ein Ende der Heimsuchung ist begründet in der Treue, ja im Wesen Gottes. Nachdem er diese theologische Klärung vermittelt hat, kann der Text die alten Formen und Aussagen weiter bzw. wieder benutzen, kann er wieder einstimmen in die den intakten צדקה-Zusammenhang (der nun freilich neu verstanden ist) voraussetzenden Artikulationsmuster.

Von hier aus erklärt sich auch die zunächst problematisch erscheinende Verbindung von individueller und kollektiver Form. Hatte schon Kraus herausgearbeitet, "daß die individuelle Klage die verkündigende und belehrende Zielsetzung hatte, der versammelten Gemeinde zur Überwindung der Schuld und Anfechtung zu helfen"[14], so können wir daran anknüpfend im Blick auf den *Weg* des Klageliedes sagen: Jener Mann (V 1) von Klgl 3 stellt sich der Gemeinde als exemplarisches Ich gegenüber, dem die vertrauten Grundrelationen vom leidenden Gerechten sich ins Gegenteil verkehrt haben: Jahwe ist in die Rolle des Feindes eingetreten. Nachdem er sie so in den gemeinsamen Erfahrungshorizont hineingenommen hat, läßt er die Gemeinde an einem theologisch-'theoretischen' Lernprozeß teilhaben, in dem die Antwort auf das 'Problem' gesucht wird. Dadurch führt er sie konsequent zum Sündenbekenntnis, zu dem er sie in V 40f. (in direkter Anrede) auffordert und das sie in V 42-47 selbst artikuliert. Wie ein Spiegelbild zur einführenden Klage folgt nun wieder ein KE, diesmal aber ist es ganz 'in der Ordnung': die Negation der Relationen vom leidenden Gerechten ist aufgehoben, Jahwe steht nicht mehr in der Rolle des Feindes, sondern am 'richtigen' Platz im Relationengefüge. Und ebenso wie die Gemeinde zuvor an der Leidensartikulation des exemplarischen Ich partizipierte, so nimmt sie nun teil und gewinnt Anteil an der Rekapitulation der Heilszuwendung, die in V 52-61 breit ausgeführt Jahwes Hilfe für den leidenden Gerechten als Erfahrung beschreibt, aus der die Gewißheit der Vertilgung der Feinde auch in der Gegenwart folgt.

2.2. Die Gottesknechtslieder im Jesajabuch

Eine in vieler Hinsicht andere, aber doch vergleichbare Weise der Rezeption der Tradition vom leidenden Gerechten begegnet uns etwa gleichzeitig, vielleicht etwas später, im babylonischen Exil,

---

13 Cf. Klgl 1,18.
14 H.J.KRAUS, BK Klgl, 58.

dem anderen Schauplatz israelitischer Geschichte und Leidensver-
arbeitung, in den Gottesknechtsliedern bei Deuterojesaja[15].

Die Bezüge der Gottesknechts-Texte zu dem bisher untersuchten
Textfeld sind im dritten und vierten Lied[16] leicht greifbar. Für
das *dritte* hat Westermann[17] die Parallelität zu den Konfessionen
Jeremias überzeugend aufgewiesen[18], Kaiser[19] verweist darüber hinaus auf zahlreiche Psalmenanklänge[20], die durchweg Psalmen vom
leidenden Gerechten betreffen. Deutlich läßt sich aber auch zeigen, daß Jes 50,4-9 nicht einfach ein Psalm vom leidenden Gerechten *ist*; ähnlich wie in den Konfessionen Jeremias, ja stärker noch,
tritt der besondere Charakter des Leidens als des Leidens eines
Beauftragten zutage: V 4 betont Jüngerschaft und Offenbarungsempfang, so daß die in 5b.6 geschilderten Leidenserfahrungen als Leiden aufgrund dieses Auftrags erscheinen. Daraus resultiert dann
auch die deutlich aktivere Haltung: betont ist das allen Schlägen
mit Festigkeit begegnende Verhalten des Leidenden, nicht die Bos-
heit der Feinde. Mit dieser Differenz trifft es sich, wenn V 6
keinerlei "direkte Abhängigkeit von der Phraseologie der Klage"[21]
erkennen läßt. Der abrupte Übergang von V 6 und V 7 dagegen entspricht genau dem in den Psalmen geläufigen Wechsel von Klage zu
Vertrauens- und Rettungsaussage, durch den die FEIND→BETER- und
JAHWE→BETER-Relation in direktem Gegensatz zueinander zu stehen

---

15 Angesichts der trotz fast hundertjähriger intensiver Arbeit nach wie vor
offenen Forschungssituation bleibt jeder Versuch, die Gottesknechtsüberlieferung einigermaßen deutlich in unsere Skizze einzuzeichnen, problematisch.
Ich beschränke mich deshalb ganz auf die unser Thema berührenden Fragen und
versuche, ihnen v.a. durch vergleichende Textanalysen näherzukommen. Auf
mögliche Konsequenzen meiner Beobachtungen für die Interpretation des vierten Liedes kann ich abschließend nur hinweisen. - Zum Gang der Forschung
seit der 'Entdeckung' der Ebed-Jahwe-Lieder durch B.DUHM (1892) cf. v.a.
C.R.NORTH, Suffering Servant, 47-116. Seit O.KAISER, Der königliche Knecht
(1959), ist m.W. kein wirklich neuer umfassender Deutungsversuch mehr vorgelegt worden, der die historischen Fragen berücksichtigt. Stattdessen werden
die älteren Positionen in verschiedener Variation weitervertreten. Aus der
Not eine Tugend macht D.J.A.CLINES, I,He,We and They (1976), wenn er Jes 53
als (zeitlosen?) "Language Event" (53) interpretiert und sich so aller historischen Probleme entledigt.
16 Für die Abgrenzung der vier Texte ist von der seit DUHM meist vertretenen
auszugehen: Jes 42,1-4; 49,1-6; 50,4-9; 52,13-53,12 (B.DUHM, Jesaja, 19).
Zum 1. und 3. Lied cf. aber O.KAISER, Knecht, 14ff.; 67f.: Jes 42,1-9;50,4-11
17 C.WESTERMANN, ATD Jes 40-66, 184.
18 Vgl. *Jes 50,4* mit Jer 15,16; 18,20 — *Jes 50,5b* mit Jer 20,9 — *Jes 50,6a*
mit Jer 11,18.19; 15,15; 18,20.22; 20,10 — *Jes 50,6b* mit Jer 20,8; 15,10
— *Jes 50,7a* mit Jer 11,20; 20,12 — *Jes 50,8-9a* mit Jer 11,20; 20,12 —
Jes 50,9b mit Jer 20,11.
19 O.KAISER, Knecht, 71-79.
20 Cf. die Darstellung und Anmerkungen ebd. - KAISER führt sowohl vor- als
auch nachexilische Belege an (wobei seine Datierung nicht immer mit der oben
versuchten übereingeht, cf. ebd. 77). Doch sind die wichtigsten Repertoire-
und vor allem Strukturentsprechungen vorexilisch belegt.
21 O.KAISER, aaO. 73.

kommen. Dieser Umschlag im Duktus des Textes ist in Jes 50,6b.7
besonders fein gestaltet: Das 'Mein Herr Jahwe wird mir helfen'
(7a) markiert nicht nur sachlich, sondern auch syntaktisch eine
'Kehrtwende' des Textes, indem der ihm folgende Halbvers die Elemente des ihm vorangehenden wörtlich - im Chiasmus - wieder aufgreift:

Jes 50,6b   רָקֹק מִכְּלִמּוֹת הִסְתַּרְתִּי לֹא פָּנַי
7   וַאדֹנָי יְהוָה יַעֲזָר־לִי
             עַל־כֵּן בַּחֲלָמִישׁ פָּנַי שַׂמְתִּי עַל־כֵּן נִכְלָמְתִּי לֹא עַל־כֵּן

Daneben weist auch die Bezeichnung Jahwes als מצדיק (='Rechtfertiger') in V 8 auf die Psalmen hin: wie dort ist Jahwe auch hier der
dem Leidenden gegenüber seinen (in 8f. durch Rechtsterminologie
als Verkläger gekennzeichneten!) Feinden Recht Schaffende.

Um das - für die ganze Gottesknechtsüberlieferung wichtige - Phänomen des
leidenden Beauftragten besser zu erfassen, ist hier auf den Aspekt der Beauftragung kurz einzugehen. Denn mit der Bezeichnung eines Menschen als (Jahwes)
עבד bzw. mit der hier vorliegenden Rede vom Offenbarungsempfang verbindet
sich der Gedanke des Leidens ja durchaus nicht selbstverständlich. Vielmehr
bringt die עבד-Bezeichnung primär die Abhängigkeit[22] von Jahwe zum Ausdruck,
und zwar durchaus nicht als reine Niedrigkeitsaussage, sondern unter dem
doppelten Aspekt der gehorsamen Unterordnung unter Jahwes beauftragenden
Willen *und* der Vollmacht, die dem Beauftragten durch seinen Auftrag erwächst.
In dieser Weise bezeichnet das Alte Testament[23] vor allem von der deuterono-
misch-deuteronomistischen Traditionsbildung an am häufigsten Mose und David
und erst seit dem Exil auch die Propheten als Jahwes עבד. Dabei zeigen die
auf Mose bezogenen Texte, daß seine beiden zentralen Funktionen: die des Of-
fenbarungsmittlers, d.h. des Propheten, "mit dem Jahwe 'von Angesicht zu Angesicht' (vgl. Ex 33,11; Num 12,8) vertraut war"[24], ebenso wie die des Führers Israels (v.a. in den Landnahmekriegen im Ostjordanland[25]), durch den
עבד-Titel gedeckt sind. So läßt sich sowohl (auch im Blick auf David) eine
mosaisch-königliche als auch eine mosaisch-prophetische 'Knecht-Gottes'-
Linie ziehen, in deren Kontinuität auch die deuterojesajanische Bezeichnung
Israels als עבד יהוה (Jes 41,8f.; 44,1.2; 45,4 u.ö.) und der עבד der Gottesknechtslieder zu deuten sind. In beiden Linien sind nun aber weder historisch noch literarisch auffällige Leidensgestalten auszumachen[26]. Wohl aber
kommt es vor, daß diese 'Knechte' unter der Last ihres Auftrags zu klagen
beginnen, so z.B. Mose: *"Warum tust du so übel an deinem Knechte und warum
finde ich nicht Gnade vor deinen Augen, daß du mir die Last dieses ganzen
Volkes auflegst?"* (Num 11,11), doch sind diese Klagen nicht 'Wesensmerkmal'
des Knechts[27], vielmehr eher Ausdruck dafür, wie sehr er für den Auftrag
Jahwes mit seiner ganzen Person und Existenz einsteht. Daß diese Konzeption
einer die Existenz voll umfassenden Beauftragung das Prophetenbild Israels
spätestens seit der deuteronomistischen Zeit prägt, wurde im letzten Kapitel

---

22 Cf. dazu und zum folgenden: I.RIESENER, Der Stamm עבד; vor allem die syn-
   chronische Analyse der referentiellen Bedeutung (bes. 45) und die diachro-
   nische Betrachtung (bes. 184ff.235ff.270).
23 Cf. C.WESTERMANN, Art. עבד, THAT II, bes. 192f.
24 I.RIESENER, aaO. 187; cf. L.PERLITT, Mose als Prophet, 588-608, bes.592-601.
25 Cf. I.RIESENER, aaO. 188.
26 Zur Eliagestalt s.unten den Exkurs 2, S.82f.
27 Die einzige Ausnahme scheint mir Nu 12,3 vorzuliegen: hier wird in einer gewiß späten Notiz Mose als עני ("sanftmütiger als irgendein Mensch auf Erden") bezeichnet und damit in die Nähe eines 'leidenden Gerechten' gerückt.
   Doch wird diese Linie nirgends im AT weitergeführt.

schon deutlich: die dort am Selbstverständnis und an der Interpretation Jeremias beobachtete, immer stärker werdende Betonung des Leidens scheint mir
exakt der Schritt zu sein, den wir hier bei Deuterojesaja nun voraussetzen
müssen, um zu verstehen, wieso er erstmals den עבד Jahwes konstitutiv als
leidenden denken und beschreiben kann. Daß er so eine Aussagemöglichkeit gewinnt, die ihm in der Leidenssituation des Exils zu artikulieren erlaubt,
was er zu sagen hat, wird im folgenden noch zu zeigen sein.

Auch beim *vierten Gottesknechtslied* braucht der Einzelnachweis dafür, wie sehr es "mit der Gedankenwelt und weitgehend auch mit dem
Wortschatz der Klage"[28] zusammenhängt, angesichts der Untersuchungen z.B. Westermanns und Kaisers[29] hier nicht mehr geführt zu werden. Darüber hinaus ist der Umstand, daß Jes 53,11 den Knecht - in
direktem Bezug auf sein Leiden - ausdrücklich als צדיק bezeichnet,
schon von Ruppert[30] als Indiz dafür erkannt worden, daß der Text
den Knecht bewußt in den Kreis der 'leidenden Gerechten' stellen
will (und deshalb in den Bereich seiner - und unserer - Untersuchung gehört).

Allerdings unterscheidet sich Jes 52,13-53,12 sowohl in seiner
Form als auch in seiner Leidensdeutung von allen bisher betrachteten Texten. Bei der Analyse fällt als erstes auf, daß (anders als
etwa in den Psalmen, aber auch in Jes 50) das leidende Subjekt
hier nicht selbst redet. Stattdessen ist der Text als Jahwe-Rede
(52,13-15 + 53,11b.12 - 'Rahmen') mit einem eingeschalteten be-
kenntnisartigen Bericht Dritter (53,1-6 + 53,7-11a - 'Mittelteil')
formuliert[31]. Die Zusammengehörigkeit beider Teile liegt auf der
Hand; beide blicken zurück und in die Zukunft (der Knecht war nie-
drig und wird erhöht werden, bzw.: er hat gelitten, ist gestorben,
und er wird Nachkommen sehen und lange leben). Beide Teile deuten
seinen Tod als im guten Sinne wirksam für 'uns' bzw. 'die Vielen',
beide bezeugen den Knecht als unschuldig (53,9b) bzw. als צדיק
(11b).

---

28 O.KAISER, Knecht, 121.
29 C.WESTERMANN, ATD Jes 40-66, 208-217; O.KAISER, Knecht, 89-127.
30 L.RUPPERT I, 49.
31 Ich teile Jes 53,11 (anders als die Masoreten) nach dem 4.Wort (ישבע) und
nenne die sich ergebenden Teile der Einfachheit halber 53,11a (= 53,11aα
nach herkömmlicher Einteilung); 53,11b (= 53,11aβ.b).
Die Einteilung von Jes 52,13-53,12 in Unterabschnitte ist umstritten. Die
hier vorgeschlagene ergibt sich rein aufgrund der Subjekt- und Pronomina-
verteilung, die in eigentümlicher Weise wechselt:
52,12-15: Sprecher: 'ich'(Jahwe); spricht über 'er'(Knecht) und 'sie'(viele);
53,1-6:   Sprecher: 'wir'; spricht über 'ihn'(Knecht) und Jahwe;
53,7-11a: Sprecher: nicht explizit; spricht über 'ihn'(Knecht) und Jahwe;
53,11b.12:Sprecher: 'ich'(Jahwe); spricht über 'er'(Knecht) und 'sie'(viele).

Der Form nach läßt sich der Rahmen am ehesten mit Kaiser als
Heilsorakel[32] klassifizieren, der von ihm umschlossene Mittelteil
entzieht sich dagegen einer eindeutigen Gattungsbestimmung[33]. Begrich hat gezeigt, daß im Grunde an Klagelied und Danklied zu denken ist, daß aber schon wegen der Rede vom Leidenden in der 3.Per-
son diese Gattungen nicht rein vorliegen[34]. Offensichtlich sind
sie an die Redeperspektive des Rahmens angepaßt. Dieser erweist
sich dadurch als der dominierende Teil des Textes, während dem
Mittelteil eine dienende, illustrierende Funktion zukommt. Entsprechend sind auch die inhaltlichen Züge des *ganzen* Textes schon
im Rahmen enthalten: die Erhöhung des Knechtes aus Niedrigkeit und
Leiden ebenso wie die Sinnbestimmung seines (Todes-)leidens als
heilswirksam für die Vielen.
Von hier aus läßt sich der Textduktus so veranschaulichen:

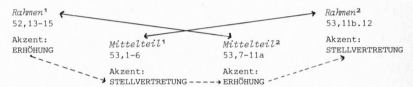

Rahmen[1]   *Rahmen*[2]
52,13-15   53,11b.12

Akzent: Akzent:
ERHÖHUNG   *Mittelteil*[1]   *Mittelteil*[2]   STELLVERTRETUNG
                53,1-6   53,7-11a

                Akzent: Akzent:
                STELLVERTRETUNG   ERHÖHUNG

Wir sehen: die inhaltlichen Elemente STELLVERTRETUNG und ERHÖHUNG
begegnen im Rahmen wie auch im Mittelteil in derselben (jedoch
chiastisch umgestellten) Zweiteilung. Dabei zeigt sich eine jeweils andere Akzentuierung: während im Rahmen nur summarisch und
nur in dem Maße vom Leiden die Rede ist, als dies im Blick auf die
eigentlichen Themen 'Erhöhung' und 'Heilswerk an den Vielen' unbe-
dingt nötig ist (52,14; 53,12b), ist im Mittelteil gerade das Leiden des Knechts das Thema. Der Mittelteil bringt also gegenüber
dem Rahmen keinen völlig neuen Gedanken hinzu, sondern hat die
Funktion, dem Leiden des Knechts Konturen und Gewicht zu geben.
Dies aber geschieht im Rückgriff auf das Sprach- und Vorstellungs-
repertoire der Tradition vom leidenden Gerechten, wobei in den
beiden Abschnitten 53,1-6 und 53,7-11a unterschiedliche Schwerpunkte zu erkennen sind:

---

32 O.KAISER, Knecht, 88. Problematisch ist freilich, daß KAISER die *Gattungs-*
bestimmung v.a. vom *Inhalt* des Textes her begründet und daß die typische
Einleitungsformel "Fürchte dich nicht ..." fehlt (nicht dagegen die Anrede
in der 2.Person, cf. das עליך in 52,14!). Insofern erscheint es angemessener,
von einer (möglicherweise aus der Form des Heilsorakels entwickelten) 'Heilsankündigung', 'Heilsproklamation' o.ä. zu sprechen.
33 J.BEGRICH, Studien zu Deuterojesaja, 52f.; O.KAISER, aaO. 88.
34 J.BEGRICH, aaO. 63-65.

In 53,1-6 wird das Leiden des Knechts im Blick auf die drei
daran beteiligten Größen 'Jahwe'/'der Knecht'/'Wir' gedeutet. Die
Parallelität zu den drei 'Subjekten' der Psalmen vom leidenden Gerechten: 'Jahwe'/'Beter'/'Feinde'[35] liegt auf der Hand, und wie
dort lassen sich auch in Jes 53,2-6 sämtliche Aussagen einer der
Relationen zwischen diesen drei Größen zuordnen. Doch ist die
Struktur, in der sie aufeinander bezogen sind, gegenüber den Psalmen entscheidend verändert. Das 'klassische' Gefüge der Relationsentsprechungen ist in sein Gegenteil verkehrt, wenn die an sich
positive Relation JAHWE→KNECHT gerade zu dem Zweck ins Negative
geführt wird, um die an sich negative Relation JAHWE→FEIND positiv
werden zu lassen. Entsprechend betont der Text selbst das Erstaunliche dessen, was er sagt[36] und spricht in seinem Schlußvers diesen Tausch der gewohnten Rollen explizit an:

*Jes 53,6: Wir alle gingen wie Schafe irre, wandten uns, jeder auf seinen Weg.
Aber Jahwe ließ ihn treffen das Vergehen von uns allen.*

53,7-11a setzt diesen Zusammenhang voraus, doch richtet sich
nun das Interesse ganz auf den *Weg* des Knechts als Leidensweg zur
Erhöhung (die wie in den Psalmen[37] in V 10 durch ו-adversativum
eingeleitet wird). Das Leiden kommt in Passivformulierungen zur
Sprache, in denen das Passivum divinum zumindest mitschwingt. Angesichts der in V 2-6 auf die Spitze getriebenen Relationsverkeh-
rungen ganz konsequent, findet das Leiden des Knechts darin seinen
Höhepunkt, daß Jahwe ihn unter den רשעים sein Grab finden läßt,
ihn, der sich doch gerade keiner Gewalttat (חמס) und keines Trugs
(מרמה) schuldig gemacht hat - beides Termini, die in den Psalmen
vom leidenden Gerechten zum festen Bestand der Feind-Charakteri-
sierung gehören. Auch die Beschreibung des Leidenswegs macht also
deutlich, daß der Knecht das Geschick erfährt und auf sich nimmt,
das eigentlich den Frevlern beschieden ist.

Die Aussage von V 10a, der Knecht habe "sein Leben als אשם eingesetzt" (שִׂים אָשֵׁם נַפְשׁוֹ), bringt das zuvor in der Sprache der Tradition vom leidenden Gerechten Entfaltete auf eine kurze Formel.
Wie der im Alten Testament singuläre Sprachgebrauch (mit שים) und
das Fehlen jeder kultischen Terminologie zeigen, ist hier nicht
speziell an ein Sünd*opfer* gedacht[38]; vielmehr geht es um die Ab-

---

35 Daß die 'Wir' von 53,2-7 ehedem auf die Seite der Feinde des Knechtes ge-
hörten, zeigen 53,3b.4b.6a!

36 Der Text ist vom Rahmen her als Ausdruck des Erstaunens der Völker und Könige eingeführt, denen Unerhörtes mitgeteilt worden ist; cf. außerdem jeweils den Beginn von 53,4 und 53,5.

37 C.WESTERMANN, ATD Jes 40-66, 215; cf. DERS., Loben Gottes, 52f.

38 Als Opfer terminus ("Wechselwort zu חטאה") erscheint אשם nach B.JANOWSKI,
Sühne, 257, auch erst in relativ späten Schichten von P als Ergebnis einer
allmählichen Entwicklung (cf. ebd. 258f.).

leistung der Schuldverpflichtung[39], die der Knecht stellvertretend
erbringt. Er tut dies durch den Einsatz und unter Preisgabe seiner
נפש, doch macht der Text zur Genüge deutlich, daß dabei nicht an
den isolierten Akt einer Hinrichtung, sondern an einen umfassenden Leidensweg gedacht ist, der den Knecht in seiner ganzen Existenz - auch in zeitlicher Dimension - betrifft und dessen letzte
Steigerung in Tod und Grab liegt. Ebenso wie in vielen Psalmen
(vgl. schon Ps 18,5f. als vorexilischen Beleg) bilden Leiden und
Tod einen einheitlichen, nicht qualitativ unterschiedenen Bereich[40],
und ebenso wie in vielen Psalmen besteht Jahwes Rettungshandeln
darin, aus diesem Bereich des Todes herauszuführen zu langem Leben[41]. Als Grund für solches rettende Handeln aber gibt der Text[42]
Jahwes Willen zur Zuwendung zum Leidenden an, die in den Psalmen
immer wieder erbeten wird. Dabei bietet Jes 53,10:

> *Aber Jahwe fand Gefallen (חפץ) an seinem Zerschlagenen,*
> *heilte den, der sein Leben zum Schuldopfer gab ...*

eine weitere Entsprechung zu Ps 18:

> *Er führte mich hinaus ins Weite, er riß mich heraus;*
> *denn er hatte Gefallen (חפץ) an mir ... (Ps 18,20).*

Fassen wir zusammen: das vierte Gottesknechtslied läßt sich als
Heilsankündigung beschreiben, die dem erniedrigten Knecht seine
Erhöhung zusagt und sein Todesleiden als rechtfertigend für die
Vielen deutet:

> יַצְדִּיק צַדִּיק עַבְדִּי לָרַבִּים וַעֲוֹנֹתָם הוּא יִסְבֹּל
> *Gerechtigkeit bewirken wird mein Knecht, der Gerechte, für die Vielen*
> *und ihre Verschuldung, er wird sie tragen (Jes 53,11b).*

Es entfaltet dieses Botschaft als eine Rede Jahwes, die unterbrochen wird von einer ihre beiden Hauptaussagen mit den Mitteln

---

39 Cf. die von R.KNIERIM herausgearbeitete "Grundsituation", die allen Bedeu-
   tungsaspekten von אשם zugrundeliegt: "es ist die aus einem Schuldiggeworden-
   sein resultierende Verpflichtung, die Schuldpflicht, Schuldverpflichtung,
   das Schuldverpflichtetsein oder die Haftpflicht" (R.KNIERIM, Art. אשם, THAT
   I, 254).
40 Vgl. unten S.61 und H.GESE, Tod, 40f.
41 Die oft diskutierte Alternative, ob der Knecht 'wirklich' tot war oder ob es
   sich nur um 'metaphorischen Sprachgebrauch' handle, ist m.E. unangemessen,
   wenn man das Wirklichkeitsverständnis des Textes ernstnimmt. Natürlich hat
   man auch in Israel den Unterschied zwischen einer Leiche und einem Schwer-
   kranken gekannt, aber er bildet eben nicht wie in unserem Bewußtsein die
   Achse im Koordinatensystem der Wirklichkeits- und Welterfahrung. Insofern
   bleibt man weit hinter dem Text zurück, wenn man die Rede vom Tod des Knechts
   ganz auf die Ebene der Sprache reduziert, die dann der 'Wirklichkeit' nur
   als 'Bild' zugeordnet werden kann, und geht entscheidend über ihn hinaus,
   wenn man die Wirklichkeit des Todes im heutigen Sinn unterstellt und dann
   daraus schließt, in Jes 53 sei schon eine 'Auferstehung der Toten' im Blick.
42 Zugrunde liegt hier die auch von C.WESTERMANN übernommene textkritische Rekonstruktion J.BEGRICHs und K.ELLIGERs, die mit dem geringsten Aufwand an
   Emendation auskommt, cf. C.WESTERMANN, ATD Jes 40-66, 205 Anm.8 und den
   Apparat des BHS.

der Tradition vom leidenden Gerechten kommentierenden Passage[43].
Durch sie gewinnt der Text einerseits sein charakteristisches Gepräge als außerordentlich intensiver Leidenstext, andererseits
wird die Erhöhungsaussage verstärkt, indem der Knecht einbezogen
wird in den Kreis der leidenden Gerechten, die ihrer Erhöhung gewiß sein dürfen. Aber auch für die Entwicklungsgeschichte der
Tradition vom leidenden Gerechten ist dieser Rezeptionsvorgang
von großer Bedeutung, erweitert er doch ihre Denk- und Aussage-
möglichkeiten um eine ganz neue Sinndeutung des Leidens[44]. So ist
das vierte Gottesknechtslied in der Tat ein neuartiger, außerge-
wöhnlicher und unverwechselbarer Text (was sich auch an seiner
Wirkungsgeschichte zeigen wird), und doch ist es kein 'erratischer Block' in der Landschaft der alttestamentlichen Traditionsbildung. Vielmehr läßt es sich durchaus dem Textfeld der Tradition vom leidenden Gerechten zuordnen, wenn auch als eine besondere, maßgeblich von anderen Traditionsbeziehungen mitgeprägte
Variante.

Der gerade skizzierte Vorgang der Traditionsaufnahme ist aber
nicht nur unter traditionsgeschichtlich-theologischem Aspekt interessant, sondern bietet m.E. auch Anhaltspunkte zur Lösung der historischen Fragen nach dem Situationskontext des Textes und nach
der Identität des 'Knechts'. Mehr als diese Anhaltspunkte mitzuteilen, ist allerdings im Rahmen dieser Arbeit angesichts der nach
wie vor kontroversen Forschungssituation[45] nicht möglich.

43 Es ist hier nicht der Ort zu klären, ob Rahmen und Mittelteil von vornherein
   verbunden waren oder ob es sich um einen literarischen Zuwachs handelt. Immerhin gibt es Indizien für letzteres, vor allem das im Rahmen fünfmal in
   fünf Versen vorkommende רבים, das im Mittelteil durch das כלנו (53,6) ersetzt
   ist; außerdem die Bezeichnung der Frevler durch רשעים (was der Tradition vom
   leidenden Gerechten gut entspricht) in 53,9, während im Rahmen von פשעים
   die Rede ist (53,12: 2mal); auch läßt sich der Rahmen ohne den Mittelteil
   bruchlos lesen, und es ließe sich der Chiasmus in der Anordnung der Teile
   dadurch erklären, daß so der Mittelteil jeweils mit dem Teil anschließt, den
   er gegenüber den Rahmenteilen vertritt (aus A-B wird A-B-A-B). Ließe sich
   dies durch genaue literarkritische Untersuchungen wahrscheinlich machen, so
   ergäbe sich noch ein zusätzliches Argument für die Annahme einer ganz bewußten Übernahme der Tradition vom leidenden Gerechten: in diesem Fall wäre
   es nämlich wahrscheinlich, daß an der Nahtstelle beider Texte in 53,11 das
   Wort צדיק (das aus metrischen Gründen wiederholt Gegenstand textkritischer
   Operationen war) redaktionell hinzugefügt ist, um den Knecht, wie dies der
   Mittelteil indirekt tut, auch explizit als leidenden Gerechten zu kennzeichnen.
44 Der Autor stellt ja nicht etwa zwei Textblöcke nebeneinander, dessen einer
   den Stellvertretungsgedanken anspricht, während der andere die Leidensaussagen der Tradition vom leidenden Gerechten 'rein' repräsentiert. Vielmehr
   sind beide Gedanken im Mittelteil zu *einem* einheitlichen Gedankengefüge verbunden.
45 Cf. neuerdings H.J.HERMISSON, Der Lohn des Knechts (1981); DERS., Israel und
   der Gottesknecht bei Deuterojesaja (1982); E.HAAG, Die Botschaft vom Gottesknecht (1983).

Dabei ist anzusetzen bei einer Beobachtung, die die vorgeschlagene Unterscheidung zwischen dominierendem 'Rahmen' und interpre-
tierendem 'Mittelteil' mit sich bringt: daß nämlich alle Aussagen,
die von dem Knecht eindeutig als Individuum sprechen, im Mittelteil stehen, während der Rahmen durch die Rede vom Erstaunen der
Völker und ihrer *Könige* eher nahelegt, daß ein Kollektiv (nämlich
Israel) gemeint ist. Bezieht man nun Mittelteil und Rahmen in der
vorgeschlagenen Weise aufeinander, so wird in Jes 52,13-53,12 also Israels (stellvertretendes) Leiden und die darauffolgende Erhöhung in den Kontext des Leidens und der Errettung des leidenden
Gerechten gestellt. Angewandt auf die Frage nach der Bestimmung
des Knechtes heißt das: er ist Israel, soweit es als צדיק leidet,
d.h. das gemeinschaftstreue, jahwetreue Israel, das unschuldig
oder doch jedenfalls über das Maß seiner Schuld hinaus am und im
Exil gelitten hat. Diese Deutung des Knechts scheint mir auch deswegen wahrscheinlich, weil sie sich im Blick sowohl auf die Gesamtheit der vier Lieder als auch auf den Kontext der deuterojesajanischen Situation und Theologie bewährt.

Denn die Frohbotschaft des Deuterojesajabuches: die Kunde von
der nahen Rückkehr Israels aus dem Exil, ist eingebunden in das
übergreifende Gesamtthema 'Gottes Recht'[46]. Es geht um die universale Aufrichtung des Rechtes Jahwes, um den Vollzug des Rechts-
streites mit den Götzen, denen gegenüber Jahwe - gerade durch die
Verwirklichung der Rückkehr seines Volkes - Recht behält[47]. Die
Gestalt des Gottesknechtes aber hat explizit mit diesem Vorgang
zu tun: sein Auftrag ist es, den משפט Jahwes hinauszutragen zu
den Völkern (42,1), damit sie ihn als Wahrheit begreifen und annehmen (42,3c). Dieser im ersten Lied von Jahwe proklamierte[48]
Auftrag wird im zweiten vom Knecht selbst in direkter Anrede an
die Völker entfaltet: seine Sendung besteht von Anbeginn an darin,
daß Jahwe sich durch[49] ihn, Israel, verherrlichen will. Hier nun
unterscheidet der Text zwischen Vergangenheit und Gegenwart: von
der Verherrlichung war zunächst nichts zu erkennen, und der Knecht
selbst hielt seinen Einsatz für vergebliches Vertun seiner Kräfte[50]

46 Cf. H.GÜNTHER, Gottes Knecht und Gottes Recht, bes. 5f.
47 Vgl. z.B. Jes 43,9-21.
48 Cf. dazu O.KAISER, Knecht, 17.
49 Zur Übersetzung von Jes 49,3 cf. O.KAISER, aaO. 52 und P.STUHLMACHER,
   Existenzstellvertretung, 424 Anm.46.
50 Auch dieser Gedanke hat im Deuterojesajabuch seine ihn illustrierende Entsprechung: Jes 40,27 zweifelt Israel daran, daß Jahwe seines Weges und seines Rechtes (משפט) achte und wird darauf hingewiesen, daß Jahwe bei aller
   Uneinsichtigkeit seines Tuns den Müden doch Kraft (כה) gebe. Hier scheint
   dieselbe Situation im Rückblick aufgenommen: Israel schien seine Kraft (כה)
   sinnlos zu vertun, dabei war sein משפט bei Jahwe.

(49,4a). Die Gegenwart erst ermöglicht die Einsicht in den wahren
Umfang seiner Aufgabe, die über das Heil Israels hinausweisend, es
überbietend, auf das universale Heil zielt. Was das zweite Lied
in diesem Nebengedanken andeutete, macht das dritte zum Thema: das
Leiden des Knechtes bei der Erfüllung seiner Aufgabe[51]. Es bedient
sich dazu, wie wir sahen, vor allem im Blick auf die 'Wende' von
der Leidensschilderung zur Aussage über die Gewißheit des helfenden Eingreifens Jahwes der Tradition vom leidenden Gerechten und
bringt so das Leiden als einen eigenen, wesentlichen Aspekt des
Knechtes zum Ausdruck: sein Weg wird gewissermaßen eingezeichnet
in die Koordinaten der Tradition vom leidenden Gerechten. Hierin
ist das dritte Lied 'Wegbereiter' des vierten, in dem der (im
dritten fehlende) Hauptaspekt der beiden ersten und der Leidensaspekt zu einer komplexen Summe verbunden werden. Dabei findet
die Frage, wie denn Israels Werk an den Völkern geschehen soll,
ebenso eine neue Antwort wie die nach Israels Leiden: Israels
Werk an den Völkern besteht hier nicht mehr nur darin, daß in seiner Rückführung aus dem Exil Jahwes Treue und damit sein Recht gegenüber den Götzen vor aller Welt offenbar wird (cf. 43,8ff.,
55,5), sondern auch in dem tieferen Sinne, daß die dieser weltweit sichtbaren Erhöhung vorangegangenen Leiden stellvertretend
zugunsten der Vielen erlitten wurden und so erst der Ermöglichungsgrund für das Heil der Völker sind[52]. Indem aber das Leiden Israels, als des Knechtes und צדיק, diese Sinndeutung erfährt,

---

51 Die kollektive Deutung des dritten Liedes (in dem auffälligerweise der Titel
   'Knecht' gar nicht vorkommt), ist wohl am ehesten problematisch. Man kann
   durchaus mit O.KAISER (Knecht, 68) an ein - dann paradigmatisch gedachtes -
   prophetisches Lied denken, doch sollte zu denken geben, daß schon in dem
   aufgrund der Vokabularentsprechungen als ein Seitenstück zum dritten Gottesknechtslied anzusehenden Text Jes 51,1-8 eindeutig Israel dazu ermuntert
   wird, angesichts des nahe bevorstehenden Gerichtshandelns Jahwes Schmähungen
   und Lästerungen nicht zu fürchten. Hier sind überdies auch zahlreiche Elemente des ersten Liedes im Kontext aufgenommen, was man als einen relativ
   frühen Hinweis auf eine durchgehend kollektive Deutung aller vier Lieder
   werten kann. (Zum Entsprechungszusammenhang vgl. z.B. Jes 50,9b mit 51,6.8;
   zum nachexilischen Charakter des Textes cf. C.WESTERMANN, ATD Jes 40-66,
   188-191).
52 Ein 'Gegenstück' zu diesem Gedanken liegt in dem Heilsorakel Jes 43,1-7 vor,
   in dem Jahwe Israel zusagt, er werde um seiner Liebe zu Israel willen
   "Ägypten als dein Lösegeld (כפר), Kusch und Saba an deiner Statt (תחתיך)"
   geben (נתן) (Jes 43,3). Auch hier geschieht Existenzstellvertretung der Völker füreinander: Jahwe gibt die Länder Nordostafrikas dem Kyros als Lösegeld, um Jakob-Israel auszulösen. Zur Deutung und zu den theologischen Implikationen dieses Textes (vgl. auch Jes 45,14) cf. W.GRIMM, Weil ich dich
   liebe, bes.241-253; B.JANOWSKI, Sühne, 169f. Es sei hier nur auf die Struk-
   turanalogie hingewiesen: Hingabe der Völker zugunsten Israels/Hingabe des
   Knechts 'Israel' (als Selbsthingabe: 53,10, aber gleichzeitig auch durch
   Jahwe: 53,6b) zugunsten der Völker, hingewiesen. Welcher sachliche Zusammenhang im deuterojesajanischen Gedankengefüge besteht, muß offen bleiben.

geht der Text auch über das hinaus, was bisher im Kontext des Leidens des צדיק gedacht und verstanden worden ist. Vergegenwärtigen
wir uns nun, was oben über den עבד ausgeführt wurde: daß er als
der Beauftragte Jahwes unter Einsatz seiner Existenz ein Amt an
anderen wahrnimmt, so läßt sich m.E. erkennen, wie es zu diesem
alle früheren Aussagen des ATs überbietenden neuen Gedanken kommen konnte: wie wir am Beispiel Jeremias sehen konnten, bot es
sich in der spätvorexilischen Situation an, den Existenzeinsatz
des Propheten in seinem Amt als umfassendes Leiden zu konkretisieren. Dieser Vorgang ist nun in der Situation des Exils nochmals
gesteigert: der עבד wird konstitutiv zum leidenden Gottesknecht.
Damit aber ist der Schritt vom Gedanken eines in seinem 'Amt' an
den Anderen Leidenden zu dem eines 'Leidenden zugunsten der Anderen' sehr klein, vor allem, wenn der Leidende ein Gerechter ist
und die צדקה-Konzeption dieser Tradition eine Antwort verlangt.
Das vierte Gottesknechtslied erscheint so als plausible Synthese
der Traditionen vom leidenden Gerechten und vom עבד als Beauftragten Jahwes. Das "צַדִּיק עַבְדִּי" von Jes 53,11b ist so 'Jesaja 53 in
nuce'.

   Trifft diese Deutung zu, so wird auch die kommunikative Funktion dieser Traditionsverbindung deutlich: die Texte sind antezipie-
rende Zusagen an das als 'Gerechter' leidende Israel und damit zutiefst paränetisch: hier geschieht Sinndeutung von Leiden, die
sich nicht darauf beschränkt, das *Problem* des Leidens zu lösen,
sondern angesichts der überwältigenden Größe und der unmittelbaren
Nähe des zugesagten Heils - geradezu als eine Art 'Überschuß' der
Heilszusage über das damit zu 'bewältigende' Maß an Leiden hinaus -
das Heil der 'Vielen', d.h. der Völker, mit in den Blick nehmen
kann. So sehr zu betonen ist, daß hier ein neuer, über das Bisherige hinausweisender Gedanke vorliegt, so wenig sollte man übersehen, daß diese neue paränetische Sinndeutung des Leidens ihre
sachliche Basis in dem 'Erfahrungswissen vom Heil' hat, dessen Verläßlichkeit die Tradition vom leidenden Gerechten wieder und wieder
bezeugt und so 'beweist'. Darin besteht die Nähe dieser Texte zu
Klgl 3, auch wenn Deuterojesaja so weit darüber hinausgeht.

   Wie wir wissen, ist die Rückkehr Israels aus dem Exil hinter
den Erwartungen Deuterojesajas schmerzlich zurückgeblieben. Und
so wundert es nicht, wenn die so viel 'realistischere' Sicht von
Klgl 3 die weitere Geschichte der Tradition vom leidenden Gerechten viel stärker prägt als die kühne Konzeption Deuterojesajas.
Selbst da, wo - wie an Tritojesaja noch zu zeigen sein wird - die
Fortschreibung der deuterojesajanischen Verkündigung in die

dürftige nachexilische Situation hinein versucht wird, finden wir
die Gottesknechtsüberlieferung mit ihren besonderen Gedanken nicht
aufgenommen. Die offensichtliche Falsifikation der Erhöhungsaussage durch die geschichtliche Wirklichkeit hat die allzu anspruchs-
volle Sinndeutung der Leiden des Exils hinfällig werden lassen.

So kann man vermuten, daß der für das Neue Testament später so
folgenreiche Text Jes 53 wohl in keiner späteren Phase der Geschichte Israels mehr hätte entstehen können. Denn nur in der offenen Situation des stärksten Leidensdrucks und der plötzlichen,
ganz nah und ganz real erscheinenden Aussicht auf die 'große' Rettung war das Hoffnungs- und Kräftepotential Israels groß genug für
die Frohbotschaft Deuterojesajas und deren wohl kühnsten Gedanken:
die Leiden der Frommen Israels als Ausübung eines יהוה-עבד-Amtes
an den Völkern zu verstehen und darin die Tradition vom leidenden
Gerechten in einem sie überbietenden Sinne erfüllt zu sehen.

3.Kapitel
DIE TRADITION VOM LEIDENDEN GERECHTEN
IN DEN NACHEXILISCHEN SCHRIFTEN DES ALTEN TESTAMENTS

3.1. Die Psalmen

Die mit dem Leidensthema befaßten Psalmen der exilischen und
nachexilischen Zeit weisen gegenüber den im 1.Kapitel untersuchten trotz der unverkennbaren terminologischen und sachlichen Kontinuität[1] eine ganze Reihe neuer Aspekte auf. Inhaltlich ergibt
sich vor allem dadurch ein sehr viel reicheres Bild, daß sich die
Tradition vom leidenden Gerechten mit anderen Vorstellungen und
Traditionen verbindet; aber auch die Intentionen und Funktionen
der Texte, in denen sie auftritt, werden vielfältiger. Dies sei
an einigen Beispielen verdeutlicht:

---

1 So bleiben die oben herausgearbeiteten 'Subjekte' und ihre 'Relationen'
weiterhin strukturbestimmend. Für das *Wortfeld* läßt sich diese Kontinuität
nachweisen, indem man RUPPERTs Beleglisten in seiner Wortfelduntersuchung
(L.RUPPERT II) nach vor- und nachexilischen Belegen untergliedert: in den
meisten Fällen sind die vorexilischen Termini auch nachexilisch weiter belegt. Daneben ist das nachexilische Wortfeld gegenüber dem vorexilischen
wesentlich erweitert, vor allem im Blick auf die Verwendungsbreite der רשע-
Äquivalente und -Unterbegriffe, die Terminologie für Gewaltanwendung und
Vernichtungsstreben der Feinde, die Ausdrücke für Stolz und Überheblichkeit,
Rechtsbeugung und Unterdrückung, das Motiv vom treulosen Freund (erstmals)
und die Breite des Bildergebrauchs (Tiere, Jagdtermini).

3.1.1. Die Reflexion auf die Sünde

Zahlreiche Texte verbinden die Leidensartikulation vor Gott mit
der Reflexion auf die Sünde des Beters. Sie schreiben so die schon
in Klgl 3 sichtbare Linie[2] fort und nehmen dabei theologische
Grundeinsichten auf, die - wie wir sahen[3] - auf die prophetische
Verkündigung zurückgehen und angesichts der Leiden der Exilszeit
zu festen Erfahrungsinhalten wurden. Trat der Beter der vorexilischen Psalmen in das Urbild des צדיק ein, um so die diesem צדיק-
Sein entsprechenden צדקה-Erweise zu erbitten und zu erlangen, so
beobachten wir in vielen späteren Texten nun einen komplexeren
Vorgang: die Sünde ist bewußt in die Artikulation des Leidens einbezogen, Jahwes צדקה-Erweis wird gleichwohl erbeten, nun aber als
Vergebung der Sünde und - erst daraus resultierend - Aufhebung des
Leidens. Dabei wird die Sünde nicht als punktuelle Übertretung,
sondern als großer Zusammenhang gesehen, in den der Mensch bzw.
das Volk über die aktuelle Situation hinaus verstrickt ist:

Ps 79,8 *Gedenke nicht unserer Vorfahren Schuld!* (עונת ראשנים)
Schnell komme dein Erbarmen uns entgegen, denn wir sind gar schwach.
 9 *Hilf uns, Gott unseres Heils, um deines Namens Ehre willen!*
Rette uns, vergib unsere Sünden um deines Namens willen!

Wie eine parallele Übertragung dieser Gedanken auf das Individuum
erscheint

Ps 25,7 *Der Sünden meiner Jugend gedenke nicht,*
nach deiner Gnade aber gedenke meiner -
um deiner Güte willen, o Jahwe!
 18 *Merke auf mein Elend und meine Mühsal*
und vergib mir alle meine Sünden![4]

Ausdrücklich bedacht wird die Verbindung der Vorstellung vom leidenden Gerechten mit der Reflexion auf die Sünde in Ps 32: erst
das Bekenntnis der Sünde und die darauf gewährte Vergebung (V 5)
führt zur Aufhebung des (Krankheits-)Leidens, das von Jahwe selbst
(V 4) aufgrund der verschwiegenen Sünde bewirkt worden war. V 6
setzt diese Erfahrung lehrhaft um in die allgemeine Aussage:

Ps 32,6 *Darum soll beten zu dir jeder* חסיד *zur Zeit der Bedrängnis*[5], *wenn*
dann gewaltige Wasser einherfluten, ihn werden sie nicht erreichen.

Durch das Sündenbekenntnis werden die 'klassischen' Relationsentsprechungen wieder ermöglicht. Wenn der Beter hier mit seiner Sünde vor Gott tritt, um die dem Gerechten zukommenden Heilserweise
zu erbitten, so liegt dem die Einsicht zugrunde, daß eben auch der
Gerechte[6] Sünder ist. Nur so erklärt es sich, wenn in einigen

---

2 Zur Chronologie cf. aber oben S.42 Anm.4.
3 Siehe oben S.43f.
4 Übersetzung und Textkritik nach H.J.KRAUS, BK Ps I, 349f.
5 Konjiziert mit BHS.
6 Cf. Ps 32,11: der Beter steht hier im Kreis der צדקים!

Psalmen Sündenbekenntnisse unmittelbar neben Selbstprädikationen
stehen, wie sie uns aus den Unschuldsbeteuerungen älterer Psalmen
bekannt sind[7].

In der Konsequenz dieser Reflexion begegnet in relativ späten
Psalmen eine weitere Steigerung des Sündenbewußtseins: Sünde wird
nicht nur nicht verschwiegen, sondern zum dominierenden Thema
(Ps 51) und als universaler Verstrickungszusammenhang verstanden[8]:

Ps 51,7 *Siehe, in Schuld bin ich geboren*
         und meine Mutter hat mich in Sünden empfangen.

   143,2 *Gehe nicht ins Gericht mit deinem Knechte,*
         kein Lebender ist ja vor dir gerecht (לֹא־יִצְדַּק).

Die Beter, die in diesen Psalmen den Erweis der צדקה Jahwes erbitten, können keine eigene צדקה, nicht einmal eine von Sünden
eingeschränkte, mehr ins Feld führen. "Die *iustificatio impii* kündigt sich hier an. Die sakrale Ermittlung der צדקה wird in sich
fragwürdig und strebt einer letzten Überwindung zu"[9]. Dem entspricht es, daß der Beter "nicht mehr aufgefordert (wird), das
Bild eines vollendeten Gerechten auf sich zu nehmen, sondern sich
in einem Urbild des zerschlagenen und hilflosen Geschöpfes wiederzufinden"[10]. Damit gelangt er aber auch zu einem "neuen, verinner-
lichten Verständnis des Leidens"[11], ja dieses Leiden kann selbst
als ein "Opferleiden des eigenen Lebens"[12], als eine Art 'verin-
nerlichte Toda' verstanden werden:

Ps 51,18 *Ja, du begehrst nicht ein Mahlopfer, daß ich es dir gäbe,*
          am Brandopfer hast du kein Wohlgefallen.

     19 *Gottesmahlopfer sind ein zerbrochener Geist, ein zerbrochenes*
        und zerschlagenes Herz verachtest du, Gott, nicht.[13]

Gleichwohl wird man nicht übersehen dürfen, daß auch diese Beter
in der Kontinuität der Tradition vom leidenden Gerechten stehen,
die auf Jahwes Treue und Hilfe setzen und die Aufhebung ihrer Bedrängnisse erbitten (cf. Ps 51,10.14.16), freilich aber so, daß
sie sie als Folge der Sünde zunächst akzeptieren, ja, Geist und
Herz vom Leiden sich zerschlagen lassen, um die Aufhebung der Bedrängnis als reinen Akt der Güte Gottes zu erhoffen.

---

7 Vgl. z.B. Ps 41,5 mit Ps 41,13 (תם, cf. Ps 7,9; 26,1.11); Ps 38,19 mit
  38,20.
8 Eine interessante akkadische Parallele zitiert H.J.KRAUS, BK Ps, 543; cf.
  auch W.BEYERLIN, Religionsgeschichtliches Textbuch, 62.
9 H.J.KRAUS, BK Ps, 1117; cf. P.STUHLMACHER, Gerechtigkeit Gottes, 130f.
10 P.STUHLMACHER, aaO. 131. Zu der hier vorliegenden Verbindung von Confessio
  und Doxologie zur "Exhomologese" cf. F.HORST, Doxologien, 162-165.
11 H.GESE, Herkunft des Herrenmahls, 120.
12 Ebd.
13 Übersetzung nach H.GESE, ebd.

3.1.2. Weisheit und Leiden

a) Ebenso wie in Klgl 3 die prophetische Tradition in Verbindung mit weisheitlich beeinflußten Wendungen zur Sprache kam, weisen auch einige der eben angesprochenen Psalmen deutlich Einflüsse der Weisheit auf. Diese bestehen sowohl in der Aufnahme weisheitlicher Formelemente[14] als auch in der Übertragung weisheitlicher Inhalte auf Elemente anderer Vorstellungs- und Denkzusammenhänge, etwa, wenn die Sünde der Torheit (Ps 38,6) und der Feind dem Toren (39,9) gleichgestellt werden. Vor allem aber wird in diesen Psalmen von Jahwe Belehrung erbeten: seine Heilszuwendung besteht in der Unterweisung über den rechten Weg (Ps 32,8f.;143,8). Ja, Ps 51,8 bittet sogar explizit um die Kundgabe der חכמה[15], die so als erstes Glied in der Reihe der auf das Sündenbekenntnis (V 7) hin erbeten Heilserweise zu stehen kommt: Weisheitskundgabe, Entsündigung und Aufhebung des Leidens stehen in einer Linie.

b) Ohne Verbindung mit der Sündenreflexion ist in Ps 34 die Vorstellung vom leidenden Gerechten in weisheitliches Denken einbezogen: der Toda-Psalm[16], in dem der Beter im Kreis der ענוים (V 3) seine Rettung preist, bedient sich von V 9b an der Formen und Inhalte weisheitlichen Denkens und Dichtens. יראת יהוה will der Beter lehren (V 12,cf.10), und er tut dies in V 13-18 unter Aufnahme 'klassischer' weisheitlicher Zusammenhänge[17]: wer gute Tage will, der verhalte sich gemeinschaftstreu[18]. Jahwe achtet auf die צדקים und errettet sie aus der Not. V 19 nun formuliert letztere Zusicherung noch einmal in auffälliger Parallelität zu Ps 51,19:

Ps 34,19 *Nahe ist Jahwe gebrochenen Herzen*
und hilft denen, die zerschlagenen Geistes[19],

---

14 Cf. z.B. die אשרי-Rufe in Ps 32,1f.; 33,12; 40,5; 41,2.

15 Interessant ist, daß in Ps 40,12 die schriftliche Tora an die Stelle dieser direkten Unterweisung tritt, bei gleichen Kontextelementen (vgl. Ps 51,18f. mit 40,7; 51,15.17 mit 40,10f.; 51,5.10 mit 40,13). - G.BRAULIK, Psalm 40 und der Gottesknecht, bes. 186f., hat darüber hinaus die in unserem Zusammenhang sehr aufschlußreiche Beobachtung gemacht, daß hier die prophetische Verkündigung, v.a. Deuterojesaja einschließlich der Gottesknechtslieder wohl als schriftliche Vorlage zugrundeliegt. So zeigt sich, daß es sich bei der Beziehung zwischen der Psalmen- und der prophetischen Tradition um einen *wechselseitigen* Austausch- und Beeinflussungsprozeß handelt; der Traditionsweg verläuft in diesem Fall z.B. von den älteren Psalmen zu Jes 53 und von dort (etwa zur Zeit Tritojesajas) in die nachexilische Psalmentradition 'zurück'.

16 Cf. die Anrede der Mitfeiernden in 34,3b.4.6.9a.

17 Cf. die bei H.J.KRAUS, BK Ps, 421f. angeführten Parallelen vor allem aus Prov und Sir und die dort erwähnte wörtliche Parallele zu 34,13 aus dem Ägypten Tutenchamons (ebd. 420 mit Verweis auf COUROYER).

18 Die Verse 14 und 15 enthalten die "*notae* des צדיק" (H.J.KRAUS, BK Ps, 421).

19 Übersetzung nach H.J.KRAUS, BK Ps I, 416f.

womit formal die weisheitliche Diktion der vorangehenden Verse ge-
wahrt ist, inhaltlich dagegen das oben angesprochene verinnerlich-
te Verständnis des Leidens zum Tragen kommt. Hierin berührt sich
der Text gleichzeitig eng mit der tritojesajanischen Verkündigung[20], die - wie noch zu zeigen sein wird - ihrerseits die Linie
prophetischer Tradition mit der vom leidenden Gerechten verbindet.
Die Gerechten von Ps 34 sind wie die von Ps 51 die Gebeugten, die
mit zerbrochenen Herzen und zerschlagenem Geist Jahwe gegenüber-
treten. Diese umfassende Bestimmung, die das Leiden als eine feste 'Begleiterscheinung' des Gerechten erscheinen läßt, kommt nun
auch in V 20 zum Ausdruck:

Ps 34,20 *Zahlreich sind des Gerechten Leiden, doch aus alledem rettet
ihn Jahwe.*

Die Leiden des Gerechten sind hier offensichtlich nicht mehr die
Ausnahme, sondern der Normalfall. Hierin besteht die Veränderung
der Lage gegenüber den vorexilischen Psalmen. Doch auch in dieser
neuen Lage gelten die alten Zusammenhänge weiter - nicht zuletzt
um dies auszusagen, dürfte das alte Weisheitsgut in der Psalmentradition vom leidenden Gerechten aufgegriffen worden sein.

    c) Aus weisheitlicher Beeinflussung ist es auch zu erklären,
wenn in einigen Psalmen über die Zeit nachgedacht wird, die zwischen der Leidens- und der Rettungserfahrung des Gerechten liegt.
Wurde die Rettung des Gerechten in den an die kultischen Institu-
tionen gebundenen Texten hic et nunc erwartet, so wird hier nun
die Zeitspanne, in der der Unrechtszustand besteht, ausdrücklich
thematisiert. So heißt es in Ps 37, einem Text, der am weisheitlichen Tun-Ergehen-Zusammenhang gegenüber dem Gerechten und dem
Frevler ungebrochen festhält:

Ps 37,10 *Nur noch kurze Zeit, dann ist der Gottlose verschwunden*[21],
und Ps 92 lehrt als weisheitliche Einsicht (V 7), den Zweck des
Wohlergehens der Gottlosen in ihrem endgültigen Vertilgtwerden zu
erkennen (V 8), während der צדיק auf ein seiner Gerechtigkeit entsprechendes Wohlergehen bis ins Alter zugeht. Ps 75 betont Jahwes
Freiheit, den Termin des - gewiß kommenden - Gerichtes selbst
festzusetzen (75,3): Tun und Ergehen treten zeitlich auseinander,
sie sind nicht mehr für jeden sichtbar "zwei Aspekte *einer* Sache"[22],
vielmehr wird ihr Zusammenhang über die Zeit hinweg theologisch
postuliert. Ps 94 kann in diesem Kontext das Gesetz als ein in der

---

20 Jes 57,15; 66,2. Vgl. unten S.75.
21 Cf. auch Ps 37,35f.
22 H.GESE, Krisis der Weisheit, 171.

Zeit der ausstehenden Gerechtigkeit Ruhe verleihendes Erziehungsmittel Jahwes (94,12f.) preisen, "bis dem Frevler die Grube ge-
graben wird".

d) Ebenso aber kann das Leiden selbst als Erziehungsmittel in
der Hand Jahwes gesehen werden, mit dem er den (relativ) Gerechten züchtigt. Häufigster Ausdruck dafür ist das sowohl in prophetischen als auch in Weisheitstexten oft begegnende יסר und sein
Derivat מוסר. Diese Züchtigung kann einerseits als Folge der Sünde, als Strafe gesehen werden[23], wie in Ps 39,12:

Ps 39,12 *Züchtigst du den Mann mit Strafen wegen Schuld (בְּתוֹכָחוֹת עַל־עָוֹן)
so zerstörst du wie die Motte seine Pracht* ...[24]

ebenso aber begegnet die Rede von der Züchtigung auch in solchen
Texten, die keinerlei Sünde des Beters thematisieren, sondern das
Leiden ganz bewußt als Leiden des unschuldigen Gerechten verstanden wissen wollen[25]. Die Funktion von Jahwes Pädagogik geht also
über 'Strafe' hinaus. Wie man z.B. an Ps 94 deutlich verfolgen
kann, weist die dauernde Erfahrung des Leidens den Beter immer
intensiver auf Jahwe (und seine Tora) und gibt ihm im Blick auf
seine schließliche Errettung immer größere Gewißheit (und zwar,
wie 94,14f. zeigt, sogar über die individuelle Errettung hinaus
auch auf Israels Heil). So hat das Gezüchtigtwerden durch Jahwe
auch den Charakter eines Läuterungsleidens, das die Bindung an
Gott bewährt und festigt.

e) Dabei ist in den Psalmen in der Regel die Lebenszeit des
Beters der selbstverständliche Rahmen, innerhalb dessen die צדקה-
Erweise Jahwes erwartet werden. Jahwe rettet aus der Todessphäre,
das ist alte Erfahrung[26], doch die Scheol selbst ist der Ort des
Abgeschnittenseins von Jahwes Offenbarung, "es gibt kein Heil im
Tod"[27].

An zwei Texten des Psalters - beide weisheitliche Psalmen vom
leidenden Gerechten - läßt sich jedoch erkennen, wie diese Beschränkung allmählich überwunden wird. Dies erscheint in der oben
gezeigten Linie durchaus konsequent: ereigneten sich die צדקה-

---

23 Solches Strafleiden ist nicht notwendig als sühnewirkend verstanden, sondern wohl nur als Folge der Sünde. Dieses Strafcharakters wegen gehört der
Text streng genommen nicht in unseren Gegenstandsbereich. Er ist dennoch
hier angeführt, weil die spätere rabbinische Theologie von Texten wie diesem her eine Sühnewirkung des Leidens für die eigenen Sünden und schließlich
auch der Leiden der Gerechten für die Sünden anderer (Israels) begründet und
weitergedacht hat (s. dazu unten Kap.7, bes. S.155-159.162).
24 Übersetzung nach H.J.KRAUS, BK Ps I, 451.
25 Cf. z.B. Ps 73,13f.; 94,12; 118,18.
26 Cf. Ps 9,14; 30,4; 33,19; 40,3; 56,14; 68,21; 88,5; 91,3; 116,3.8 u.a.;
dazu C.BARTH, Errettung vom Tode.
27 H.GESE, Tod, 41; cf. z.B. Ps 88,11-13; 115,17f. (6,6; 30,10).

Erweise im Rahmen der kultisch-institutionellen Rechtshilfe- und
Heilsorakel-Praxis ursprünglich als direkte Antwort auf das Gebet
(der Tun-Ergehen-Zusammenhang wurde unmittelbar in Kraft gesetzt),
so ließ sich später beobachten, daß die Entsprechung von Tun und
Ergehen zeitlich auseinandertrat, ohne daß die BETER←→JAHWE-Rela-
tion als positive aufgehoben wurde (das Vertrauen des Beters
blieb trotz seiner eigenen Sündenerfahrung und trotz der Erfahrung des dauernden Wohlergehens der Feinde und des eigenen Un-
glücks bestehen). Hier nun vollzieht sich ein entscheidender,
aber nicht unvermittelter Schritt in dieselbe Richtung: der leidende Gerechte traut der צדקה Jahwes seine Errettung aus dem Totenreich, besser: durch das Totenreich hindurch, zu[28]:

Ps 49,16 *Aber Jahwe wird meine Seele erlösen aus der Gewalt des Hades,*
         ja er entrückt mich;

Ps 73,24 *Du leitest mich nach deinem Rat,*
         und nachher entrückst du mich zur göttlichen Herrlichkeit.

In diesem Vertrauen wechselt für den Beter die Perspektive, aus
der er sein Leiden und das Wohlergehen der Feinde/Frevler betrachtet: beides wird sub specie finis gesehen (73,17), und da erweist
sich scheinbares Glück als schlüpfriger Grund und Täuschung (73,
18f.), dem der Weg der Gerechten, auch als Leidensweg:

Ps 73,14 *... und war ich doch geplagt allezeit,*
         und meine Züchtigung war jeden Morgen da ...,

vorzuziehen ist. Wer diese Zusammenhänge durchschaut, für den ist
jede aus dem Leiden sich ergebende Verbitterung Dummheit (cf. 73,
22), für den ist neben Jahwe nichts auf Erden wünschenswert (73,
25). Freilich führt die dieser Sicht zugrundeliegende Einsicht in
die Hinfälligkeit des Menschen vor Gott, die in mehreren Psalmen
ausgesprochen wird[29], nicht immer zu so sublimen Konsequenzen wie
in Ps 73. Daß auch eine so 'weltliche' Zuversicht daraus erwachsen kann wie in Ps 90:

---

28 לקח ist terminus technicus für die Entrückung Henochs (Gen 5,24) und Elias
   (2Kön 2,3.5); vgl. schon akkadisch *leqû* für die Entrückung des Utnapistim
   im Gilgameschepos. Ob man diese Vorstellung in ihrer ganzen Bildlichkeit
   auch in Ps 49 und 73 einzutragen habe, ist umstritten (cf. die bei H.H.
   SCHMID, Art. לקח, THAT I, 878f. angeführte Literatur und B.JANOWSKI, Sühne,
   171-173. M.E. wird bei der Frage allzuleicht übersehen, daß hier von 'Entrückung' nicht als von einem anderen, konkurrierenden Modell gegenüber der
   (damals noch gar nicht gedachten!) Auferstehung der Toten die Rede ist;
   vielmehr war das absolut gebrauchte לקח das einzige Sprachmuster, das schon
   ausgeprägt zur Verfügung stand, um diesem neuen Gedanken Ausdruck zu geben.
   (Als ein solches 'anderes' Modell *neben* der endzeitlichen Rettung erscheint
   die Entrückung später in 4Esra 6,26: hier gelten die Männer, "die den Tod
   nicht geschmeckt haben", als besondere Würdenträger.)
29 Cf. z.B. Ps 102,12; 103,14f.; 62,10; 39,6.12 usw.; dazu H.J.KRAUS, BK Ps
   III, 180f.

Ps 90,15 *Erfreue uns so viele Tage, wie du uns beugtest,*
so viele Jahre, wie wir Unglück litten
...
    17 *Das Werk unserer Hände wollest du fördern ...,*

zeigt die Breite von Möglichkeiten der weisheitlichen Rezeption
der Vorstellung vom Leiden des Gerechten.

3.1.3. *Die Errettung des Gerechten im Kontext des umfassenden Heilswaltens Jahwes*

Eine Erweiterung durch theologische Reflexion erfährt die Vorstellung vom leidenden Gerechten auch in solchen Psalmen, in denen Gottes Zuwendung zum Einzelnen mit der geschichtlichen Zuwendung zu Israel parallelisiert wird: die alte, früher aber noch
nicht bewußt artikulierte Einbindung des individuellen Gottesverhältnisses in den kollektiven Zusammenhang wird jetzt ausdrücklich dargestellt. So in Ps 66, in dem Hymnus und Danklied des
Volkes ins Danklied des Einzelnen aufgenommen sind: Hier tritt an
die Stelle des ein DE normalerweise einleitenden summarischen Lo-
bes[30] ein Gottes Macht preisender Hymnus. An der Stelle der Rekapitulation der Klage steht ein Rückblick auf Jahwes Walten an
Israel, der Elemente des KV und DV aufnimmt: das Leiden Israels
war von Jahwe veranlaßte Prüfung und Läuterung, auf die seine
Heilszuwendung folgte:

Ps 66,12 *Wir sind durch Feuer und Wasser gegangen,*
aber du hast uns herausgeführt ins Weite.

Gegenüber diesem Teil des Psalms ist der folgende, die eigentliche individuelle Toda artikulierende Teil auffällig knapp, die
Rettung des Beters wird nur genannt, nicht beschrieben: die Tat
Gottes am Einzelnen ist so eingebettet und aufgehoben in seinem
umfassenden Heilswalten.

Ps 147 schließlich integriert die Vorstellung vom leidenden Gerechten vollends in einen (weisheitlichen) Hymnus, indem er (ganz
ähnlich wie Ps 66 im Nacheinander seiner Teile) das Heilswalten
Jahwes an Israel, am Individuum und am Kosmos ineinssetzt:

Ps 147,2 *Jahwe baut Jerusalem auf, er sammelt die Versprengten Israels;*
     3 *er heilt, die gebrochenen Herzens sind und verbindet ihre Wunden;*
     4 *er bestimmt die Zahl der Sterne, ruft sie alle mit Namen.*

Diese - durch die Nennung der ענוים in V 6 noch verdeutlichte -
Einbeziehung des Heils für die leidenden Gerechten in den umfassenden[31] Lobpreis der Größe Jahwes ist einerseits ein Hinweis auf
die Wichtigkeit, die dieser Vorstellung im (kultischen) Leben Israels zukam, darüber hinaus unterstreicht sie die Verflechtung

---

30 Cf. C.WESTERMANN, Psalter, 63.
31 Cf. auch Ps 68,6f.

von Gemeinschaftstreue und Weltordnung: Jahwes Herrsein über die
Schöpfung, sein Eintreten für Israel und für die Gebeugten sind
Resultate ein und derselben Ursache, seiner Macht und Weisheit
(V 5).

Solche Zusammenschau der Heilserweise Jahwes am Individuum, an
Israel, ja am Kosmos, leitet auch den Beter des Toda-Liedes Ps 69,
wenn er in dem auf die ausführliche individuelle Klage (V 2-30)
folgenden Danklied (31-37) für die Rettung aus seiner Not nicht
nur sich selbst zum Lobpreis Jahwes aufruft (31), sondern auch
die mit ihm die Toda feiernde Gemeinde der Gebeugten und Gott Su-
chenden, d.h. des wahren Israel, einbezieht (33f.) und schließlich den ganzen Kosmos zum Gotteslob auffordert (35). Auch er
versteht seine individuelle Rettung als exemplarischen Erweis der
weltumspannenden צדקה Gottes. Und so veranlaßt ihn die Erfahrung
der eigenen Rettung, der Wiederherstellung des Zion und der Städte
Judas als der Wohnstatt des wahren Israel gewiß zu sein.

Eine weitere Steigerung in gleicher Richtung ist in dem -
schon apokalyptisch beeinflußten - Psalm 22 zu erkennen. Gese hat
im einzelnen genau gezeigt, wie dieser Psalm in seinen drei Kla-
gegängen das Leiden des Beters zum Ur-Leiden steigert, um im anschließenden Danklied die Rettung daraus als Einbruch der βασιλεία
τοῦ θεοῦ darzustellen, als "Urheilstat, die den Einbruch der
eschatologischen Erlösung markiert"[32].

3.1.4. Leiden um Jahwes willen

Psalm 44, ein KV und in der überlieferten Fassung wohl das
Endprodukt mehrfacher Aktualisierung[33], weist durch eine umfas-
sende Unschuldsbeteuerung (Vv 19-22) die (z.B. in Klgl 3 nach-
drücklich vertretene) Erklärung des Leidens aus der Abkehr des
Volkes von Jahwe als unzutreffend ab. Im Gegenteil erscheint hier
nun gerade die Zugehörigkeit zu Jahwe als Ursache des Leidens[34]:
Ps 44,23 *Denn um deinetwillen (עליך) werden wir getötet Tag für Tag,*
sind wir wie Schlachtschafe geachtet.
In dieser Variante der Tradition vom leidenden Gerechten ist die
Erfahrung, daß der Gerechte viel leiden müsse (cf. Ps 34,20), wei-

---

32 H.GESE, Psalm 22 und das Neue Testament, 192.
33 Cf. W.BEYERLIN, Innerbiblische Aktualisierungsversuche, 446-460. Freilich
   ist die dort vertretene Datierung in die Exilszeit trotz Anm.22 (ebd.458f.)
   problematisch und ist m.E. ein späteres Datum für die vorliegende Endgestalt sehr erwägenswert.
34 Cf. H.J.KRAUS, BK Ps, 484: "Das Leiden trifft die Volksgemeinde, weil sie
   zu Jahwe gehört. (...) Diese Deutung verknüpft die Einzigartigkeit der Erwählung mit dem Mysterium des Leidens des Gerechten".

ter theologisiert: das Leiden geschieht um Gottes willen. Der Gedanke des Martyriums wird erreicht[35] oder doch zumindest anvisiert.

Ps 69, der schon erwähnte Toda-Psalm, enthält denselben Gedanken, nun auf das Individuum bezogen:

Ps 69,8 *Denn um deinetwillen (עליך) trage ich Schmach,*
bedeckt Schande mein Angesicht.
   9 *Fremd bin ich geworden meinen Brüdern,*
ein Unbekannter den Söhnen meiner Mutter.
  10 *Denn der Eifer um dein Haus hat mich verzehrt,*
und die Schmähungen der dich Schmähenden sind auf mich gefallen.

Es liegt nahe, V 8a von V 10 her zu verstehen: der Beter setzt
sich für Jahwes Tempel(kult) ein und gerät wegen seines 'Engagements' für Jahwe in die Isolierung (V 9). So ist er den Schmähungen ausgesetzt, die eigentlich Jahwe gelten. Der Fromme stellt
sich vor seinen Gott und gerät ins Leiden für dessen Sache. Ein
Vergleich von V 8a: כי עליך נשאתי חרפה mit dem letzten Satz von
Jer 15,15: שאתי עליך חרפה *(ich trage Schmach um deinetwillen)* zeigt
deutlich, wie hier ein 'prophetisches' Element der Konfessionen
Jeremias in den Klagepsalm einwirkt: wie dort der Beauftragte Jahwes leidet, so leidet hier der leidende Gerechte, ohne daß von
einer besonderen Beauftragung die Rede wäre. Freilich ist dieses
sein Leiden auch kein 'subjektiver Alleingang'. Denn betont sieht
sich der Beter in V 7 im Kreis derer, die auf Jahwe hoffen und
ihn suchen, wobei vom Ausgang seiner Sache viel für sie abzuhän-
gen scheint. So hat man wohl in diesen 'Sympathisanten' eine besondere Gruppierung von Eiferern und 'Kämpfern' für Jahwe zu
sehen, die sich in der Kontinuität der ענוים und אביונים versteht
(cf. Vv 33f., in denen von demselben Kreis, jetzt als Toda-Gemeinde, die Rede ist).

In ähnliche Richtung weist schließlich Ps 139, dessen Beter
seine eigene Feindbedrängnis nur ganz indirekt anspricht (V 19b),
während er das Verhalten der Frevler gegenüber Jahwe breit entfaltet. Hier resultiert die FEIND→BETER-Relation überhaupt erst
aus der FEIND→JAHWE-Relation. Der Gerechte begreift sich als Mitkämpfer Jahwes:

Ps 139,21 *Sollte ich nicht hassen, Jahwe, die dich hassen,*
nicht verabscheuen, die sich gegen dich erheben?
   22 *Mit unbändigem Haß hasse ich sie,*
Feinde sind sie für mich.

---

35 So H.J.KRAUS, aaO. 484. - A.WEISERs Deutung, 'um deinetwillen' sage aus,
daß "in Gott Grund und Ziel des Leidens verborgen sind" (A.WEISER, ATD Ps,
242), greift m.E. in jedem Fall zu kurz.

3.1.5. *Die Toda als Traditionsmittelpunkt der Psalmen vom leidenden Gerechten*

Den vielfältigen gedanklichen Erweiterungen der Tradition vom leidenden Gerechten in den nachexilischen Psalmen entspricht es, wenn sich auch im Blick auf die Funktion der Texte kein völlig einheitliches Bild ergibt und alle einlinigen Versuche, einen einzigen kultischen oder nichtkultischen 'Sitz im Leben' für alle Texte zu erweisen, gewaltsam erscheinen.

Umso auffälliger ist es, daß in allen Fällen, in denen überhaupt deutliche Textsignale für einen bestimmten 'Sitz im Leben' vorhanden sind, diese durchweg in dieselbe Richtung weisen, nämlich auf die Toda[36]. Auch lassen sich alle gerade angesprochenen neuen Aspekte: die Reflexion auf die Sünde ebenso wie die weisheitlichen Erweiterungen, die Verinnerlichung des Leidens zur umfassenden Leidensexistenz und das Leiden um Jahwes willen im Toda-Zusammenhang belegen.

Insofern bekräftigen die Texte Geses aufgrund anderer Indizien gewonnene These, wonach sich die Laienfrömmigkeit in nachexilischer Zeit weitgehend auf die Toda konzentrierte[37] und legen die Annahme nahe, daß die Entwicklung und Tradierung der Tradition vom leidenden Gerechten im Rahmen dieser Institution ihren bevorzugten Ort hatte. Zwar muß durchaus nicht jeder der hier angesprochenen Psalmen ein Toda-Text sein, doch ist es wahrscheinlich, daß viele der Klagelieder des Einzelnen, auch wenn sie nicht in Verbindung mit einem Danklied überliefert sind, in der Toda ihren Ort hatten.

Die Annahme einer so lebendigen und im religiösen Leben Israels hervorragenden Institution als Traditionsmittelpunkt der Psalmen vom leidenden Gerechten macht es sehr begreiflich, daß sie - wie wir im einzelnen beobachtet haben - durch die Verbindung mit weisheitlichem und prophetischem Denken immer wieder neu dem Stand des theologischen Bewußtseins ihrer Zeit angepaßt wurden. Ebenso hilft sie zu erklären, was die kommenden Abschnitte zeigen werden: daß umgekehrt die Tradition vom leidenden Gerechten in nachexilischer Zeit wesentliche Bereiche der alttestamentlichen Traditionsbildung beeinflußt und verändert hat.

---

36 Cf. Ps 22,26f.; 32,11; 34,4.9; 40,10; 51,17-19; 64,10f.; 69,31-33; 73,28; 116,14.17f. Zur besonderen Stellung von Ps 50 und zu der dort erkennbaren Theologie der Toda cf. H.GESE, Psalm 50, bes. 69-73.
37 Cf. H.GESE, Herkunft, 117-122, bes.119f.; S.MITTMANN, Aufbau, 17-23; ferner die ebd. 18 Anm.48 genannten Arbeiten (v.a. F.CRÜSEMANN).

3.2. Das Buch Hiob

Wollen wir das Hiobbuch in unsere Skizze einzeichnen, so müssen wir zwischen seinen literarischen Schichten unterscheiden. Die Rahmenerzählung (Hi 1-2; 42,7-17) berichtet von Hiobs gottesfürchtigem Wandel, in dem er sich auch von den härtesten Leiden nicht beirren läßt, und von seiner Wiederherstellung aufgrund seines demütigen Verhaltens; daneben bieten die Szenen im Himmel eine Interpretation seiner Leiden als von Gott 'autorisierte' Versuchungen durch den Satan. Dieser pädagogische Aspekt des Leidens weist die Rahmenerzählung in ihrer überlieferten Endgestalt als relativ späte Bildung aus; es ist wahrscheinlich, daß das ältere, ihr zugrundeliegende "sogenannte Volksbuch vom gerechten Hiob"[38] die Hiobsgestalt als Beispiel rechten (=demütigen) Verhaltens im Leiden schilderte und daß diese Erzählung dann in verschiedenen Stadien ihre heutige Gestalt bekam[39]. Geht man den Ursprüngen des Hiob-Stoffs noch weiter nach, so findet man in der sumerischen und akkadischen Literatur zahlreiche Texte, die das demütige Leiden des Unschuldigen und seine Aufhebung thematisieren[40]. Gese hat von diesen Texten auf ein 'Klageerhörungsparadigma' als besondere Gattung geschlossen, das auch dem Volksbuch zugrundeliege. Von diesem Paradigma her, aber auch textimmanent aufgrund des Duktus der Handlung[41] hat er gezeigt, daß schon das Volksbuch eine "längere Klage Hiobs"[42] enthalten haben muß, an deren Stelle im heutigen Hiobbuch der Dialogteil und die Gottesreden getreten sind. Innerhalb des Dialogteils sind dann nochmals die Elihu-Reden als späterer Nachtrag anzusehen. Die verschiedenen Leidensverständnisse, die uns im Hiobbuch begegnen, sind diesen Stationen seiner Entstehungsgeschichte zuzuordnen.

3.2.1. Der Rahmen

Wie das ihm zugrundeliegende 'Klageerhörungsparadigma' setzt auch das 'Volksbuch' den Tun-Ergehen-Zusammenhang der altorientalischen Weisheit voraus[43]. Von hier aus ist die pädagogische Interpretation des Leidens in der Ausgestaltung des Rahmens als ein Versuch anzusehen, Gründe für das einstweilige Außerkrafttreten dieses Zusammenhangs anzugeben. An seiner grundsätzlichen Gültigkeit ändert das aber nichts.

3.2.2. Der Dialogteil

Ganz anders liegen die Dinge in den von diesem ganz am Tun-Ergehen-Zusammenhang orientierten Rahmen umgebenen Dialogteil: hier ist gerade dieser Zusammenhang zwischen Hiob und seinen Freunden strittig und wird von Hiob radikal in Frage gestellt[44]. Dies ge-

---

38 H.GESE, Lehre und Wirklichkeit, 71.
39 Cf. den Forschungsbericht von H.-P.MÜLLER, Hiobproblem, 39-43. - Daß die Hiobgestalt spätestens zur Exilszeit in Israel vorauszusetzen ist, zeigt Ez 14,14.20. Dazu W.ZIMMERLI, BK Ez, 320-323; M.NOTH, Noah, Daniel und Hiob.
40 Cf. A.KUSCHKE, Altbabylonische Texte, 69-76; H.GESE, Lehre und Wirklichkeit, 51-62; J.GRAY, Book of Iob, 251-269; H.D.PREUSS, Jahwes Antwort, 330-336; H.-P.MÜLLER, Hiobproblem, 49-57.
41 H.GESE, Lehre und Wirklichkeit, 73 in Auseinandersetzung mit G.FOHRER.
42 H.GESE, aaO. 73.
43 Ebd. 69.
44 Cf. E.KUTSCH, Grund und Sinn, 78-80; E.RUPRECHT, Leiden und Gerechtigkeit, 434-444.

schieht unter deutlicher Aufnahme weisheitlicher, juridischer
und 'psalmistischer' Sprache und Denkweise, entsprechend finden
sich in der Forschungsgeschichte denn auch drei (teils konkur-
rierend verstandene) Interpretationsmodelle[45]. Nun hat Westermann[46] gezeigt, daß sich der Dialogteil im ganzen als Vollzug
einer Klage beschreiben läßt, weshalb m.E. Müllers Empfehlung,
"die weisheitlichen und juridischen Motive des Dialogs in die
Grundstruktur einer eher psalmistischen Klage zu integrieren"[47],
als der den Texten angemessenste Interpretationseinstieg gelten
kann. Damit stellt sich das Hiobbuch als ein Seitenstück zur
Psalmentradition dar, sein Reden vom Leiden ist also nicht von
der Artikulation des Leidens in den Psalmen zu trennen. Interessanterweise bedienen sich *beide* Parteien: Hiob und die Freunde,
des Repertoires der Psalmen vom leidenden Gerechten. Was sich
zwischen ihnen abspielt, ist weitgehend eine 'interne' Auseinandersetzung innerhalb dieser Tradition[48]. Wie Westermann nachgewiesen hat[49], greifen die Argumente der Freunde kaum auf genuin
weisheitliche Schriften zurück, sondern vor allem auf weisheitliche Klagepsalmen (besonders Ps 73; Ps 37; Ps 109). Die dort fest-
stellbare Theologisierung der älteren Tradition begegnet auch
hier: der Tun-Ergehen-Zusammenhang wird als gültig vorausgesetzt,
das ihm entsprechende Los der Frevler und der Frommen als gültige
Erfahrung bekräftigt, die Reflexion auf die Sündhaftigkeit des
Menschen (4,17) und seine Nichtigkeit vor Gott (4,19) ist ebenso
vorhanden wie die Interpretation des unschuldigen Leidens als
Züchtigung durch Gott mit den entsprechenden Konsequenzen für das
rechte Verhalten des Leidenden (5,17). Demgegenüber bestreitet
Hiob den Tun-Ergehen-Zusammenhang als grundsätzlich gültige
Struktur: die weisheitlich-theologischen Versuche der Freunde,
sie zu stützen, sind ihm unzulängliche, falsche Lehre, die seiner

45 Cf. H.-P.MÜLLER, Hiobproblem, 76-98.
46 C.WESTERMANN, Aufbau des Buches Hiob, 34-38.
47 H.-P.MÜLLER, Hiobproblem, 100.
48 Es ist hier nicht möglich, die Rezeption der Terminologie und Motivik der
   Psalmen vom leidenden Gerechten im Hiobbuch genau zu belegen, zumal sich
   die Forschung bisher stark auf den formgeschichtlichen Aspekt der Beziehung
   zwischen Psalter und Hiobbuch beschränkt hat (cf. H.-P.MÜLLER, aaO. 82-91).
   Aufschlußreich ist z.B. die Beobachtung E.RUPRECHTs (Leiden und Gerechtigkeit, 435f.), daß Eliphas in Hi 4,10f. ein Heilsorakel zitiert, das ursprünglich die Befreiung von Feindbedrängnis ankündigt, obwohl Hiob in Hi 3
   gar keine Feindbedrängnis beklagt; hier kommt die Tradition vom leidenden
   Gerechten also als geprägtes Denk- und Sprachmuster zum Tragen: aufgrund
   ihres Eingebundenseins in den geläufigen Vorstellungsrahmen der Tradition
   'transportieren' deren Einzelelemente mehr als ihre bloß wörtliche Bedeutung
   und können deshalb auch in einer zunächst nicht adäquat erscheinenden Situation verstanden werden und ihre Funktion (hier: Trost) wirksam erfüllen.
49 C.WESTERMANN, Aufbau des Buches Hiob, 92-104.

Situation und Erfahrung nicht gerecht wird[50]. Hiob will die theo-
logisch-thetische Leidenserklärung der Freunde nicht akzeptieren.
So wie sie vom leidenden Gerechten reden, kann man es seiner Erfahrung nach eben gerade nicht. Vielmehr gilt:

Hi 12,4 *Zum Gespött wird seinem Nächsten der, der Gott anrief und den er*
erhörte; zum Gespött wird der Gerechte, der Fromme (צדיק תמים).

Die ausdrückliche Parallelsetzung des 'Gerechten' mit dem, 'der
Gott anrief und den er erhörte' zeigt, daß der Text ganz von der
Tradition vom leidenden Gerechten her gedacht ist. Aber Hiob
bringt sie zur Sprache, um sie zu verneinen: die dort geltenden
Relationsentsprechungen sind durch seine Erfahrung falsifiziert,
Hiob widerspricht und stellt die von den Freunden vertretene
Theologie umfassend in Frage. Etwa, wenn er den doxologischen
Aussagen Eliphas', die ganz ähnlich wie einige Psalmen das Ge-
schick des leidenden Gerechten in den umfassenden Zusammenhang
göttlicher Wohlordnung einbeziehen:

Hi 5,10 *(Gott,) ... der Regen spendet auf die Erde und Wasser auf die*
Fluren sendet,
   11 *daß er die Niedrigen hoch hinstelle, daß die Trauernden empor-*
steigen zum Glück (...)
   13 *der die Klugen in ihrer Arglist fängt, daß der Rat der Ver-*
schlagenen sich überstürzt ...

geradezu kontrapunktartig entgegnet:

Hi 12,14 *Siehe, er reißt nieder - wer baut wieder auf?*
er kerkert ein - wer tut wieder auf?
   15 *Siehe, er hält zurück die Wasser und schafft Dürre,*
er läßt sie los und sie verheeren die Erde. (...)
   17 *Die Ratsherren der Erde macht er zu Toren,*
und Richter läßt er zu Narren werden.

Oder wenn er von sich selbst in offensichtlicher 'negativer Rezeption' der aus den Psalmen wohlvertrauten Aussagen[51] feststellt:

Hi 30,20a *Ich schreie zu dir, doch du erhörst mich nicht.*

Die Tradition vom leidenden Gerechten, wie die Freunde sie
vertreten, ist bei Hiob also in eine Krise geraten. Das ist leicht
zu sehen. Schwieriger ist zu erfassen, was Hiob selbst positiv
vertritt und den Freunden entgegenzusetzen weiß. Hilfreich ist
hierzu Westermanns Einsicht in den Klagecharakter der Hiob-'reden'[52]: Hiob kann nicht umhin, sich bei aller Kritik an den Ausführungen der Freunde dennoch in der Klage der Psalmen vom leidenden Gerechten 'unterzubringen' und sein Leiden im Rahmen die-

---

50 Cf. v.a. Hi 12,1; 16,2-5.
51 Zum altorientalischen Kontext, in dem gerade die Aussagen vom 'Rufen' und
'Hören' stehen, cf. W.R.MAYER, "Ich rufe dich von ferne ...", 302-317.
52 C.WESTERMANN, Aufbau des Buches Hiob, 65-81.

ser Tradition zu artikulieren[53]. Freilich führt seine besondere
Situation zu einer besonderen Ausprägung: so treten in Hiobs Klagen die in den Psalmen vorherrschenden (und auch bei Hiob durchaus
vorhandenen[54]) Feindklagen und Leidensbeschreibungen zurück zugunsten der massiver als irgendwo sonst im Alten Testament formulierten Anklagen gegen Gott. Die Klage wird ganz auf die
BETER↔JAHWE-Relation verdichtet: cf. z.B. 16,12-14:

Hi 16,12 *Ich lebte ruhig, da zerbrach er mich, packte mich beim Nacken*
          und zerschmetterte mich; er stellte mich zum Ziele für sich auf;
     13   *seine Pfeile schwirren um mich her; erbarmungslos durchbohrt er*
          meine Nieren und schüttet meine Galle auf die Erde.
     14   *Bresche auf Bresche bricht er in mich, rennt wider mich an wie*
          ein Held.

Von daher verschiebt sich das 'Schaffe mir recht!' der Psalmen
zur Herausforderung Gottes zum Rechtsstreit. Hiob will von Gott
sein Recht, und sei es auch gegen Gott:

Hi 16,20b *Mein Auge blickt schlaflos zu Gott empor,*
     21a *damit er zwischen dem Manne und Gott entscheide ...*

Dabei ist Hiob gewiß, auch wirklich Recht zu bekommen; er hat
einen Zeugen im Himmel (16,19), und er dringt auf seine Anerkennung als Gerechter und zwar noch während seiner Lebenszeit (16,
22). Ja, seine Gewißheit reicht sogar so weit, daß Hiob über diese zeitliche Grenze hinaus an seinem Recht festhält:

Hi 19,25 *Ich weiß, daß mein Löser lebt, als letzter steht er auf über*
          dem Staub.
     26   *Und nachdem meine Haut so geschunden ist, werde ich ohne mein*
          Fleisch Gott schauen.
     27   *Ja, ich selbst werde ihn für mich schauen,*
          meine Augen sehen ihn und nicht ein Fremder,
          mögen auch meine Nieren in meinem Innern geschwunden sein.[55]

Ähnlich wie in Ps 49 und 73 begegnet uns also auch hier das
Überschreiten der Todesgrenze als Spitzenaussage einer bis zur
Gewißheit gesteigerten Hoffnung. War es dort das Vertrauen auf
Jahwes Heilswillen gegenüber dem Beter, so ist es hier Hiobs Recht,
worauf seine Gewißheit beruht. Doch kann man dies nur vordergründig
voneinander abgrenzen. Denn Hiobs ganze Hoffnung richtet sich (wie
19,27 und viele andere Stellen zeigen) darauf, Gott zu schauen.
Wenn er Gott schaut, so ist er gewiß, wird er sein Recht bekommen. Letzten Endes baut also auch Hiob auf Jahwes צדקה und steht

---

53 Ebd. 65: "Es sind die gleichen (Motive), die uns in den Klagepsalmen begegnen. Nicht ein einziges ist gänzlich ohne Parallele in den uns überlieferten
   Psalmen. Zwar weicht die Formulierung oft stark ab, und ein erheblicher Unterschied liegt darin, daß die Entfaltung der Motive der Klage im Hiobbuch
   durchweg breiter ist als in den Klagepsalmen; die Klage ist im Hiobbuch
   Dichtung geworden. Dennoch gilt das Gesagte; es ist die Klage, die die Beter der Psalmen klagen."
54 Cf. Hi 16.10: 17,1f.6; 19,13ff.; 30,1ff.12ff.
55 Zur Rekonstruktion cf. H.GESE, Tod, 44.

so eben doch in der Linie der leidenden Gerechten. Aber anders als
die Freunde, die den צדקה-Zusammenhang auch da postulieren, wo ihm
die Erfahrung widerspricht, und ihre Weisheit auf dieses Postulieren beschränken, verlangt Hiob die direkte, an seiner Person zu
vollziehende Einlösung. Hiob weicht nicht aus: die Relation BETER→
JAHWE wird mit dem ganzen Gewicht des Leidens belastet, um die Re-
lationsentsprechung JAHWE→BETER unmittelbar und ohne Abstriche zu
erlangen. Hiob läßt sich auf keinen Kompromiß ein: er will Gott
schauen. Und das Hiobbuch gibt ihm darin recht: Hiob schaut Gott.
Zwar nötigt ihn die Theophanie, zu widerrufen und zu bereuen[56]
(42,6); doch wird man Hiobs bis an die Grenzen der Blasphemie ge-
triebenes Beharren auf seiner und Jahwes צדקה darin nicht getadelt
finden. Anders wäre auch die Redaktion des Buches gegenüber den
Einzelaussagen bewußt sinnentstellend und in keiner Weise einleuchtend zu machen. Ist dies richtig gesehen, so kann man Hiobs
Position in der Tat als eine neue Variante im Traditionsfeld vom
leidenden Gerechten ansehen: Gegenüber der weisheitlichen Position
der Freunde auf der einen Seite, die der Empirie widersprechen und
die Theologisierung an der Wirklichkeit vorbei betreiben[57], und
gegenüber der blasphemischen Position seiner Frau, die ihn zum
Fluch gegen Gott auffordert, hält Hiob an der צדקה Gottes ohne jedes Verdrehen seiner Erfahrung fest und beweist darin eine seine
Existenz sehr viel wahrhaftiger und ganzheitlicher in die Gottesbeziehung einbeziehende Haltung[58]. Daß seine Restitution folgt und
er gerade den Freunden gegenüber von Gott ins Recht gesetzt wird,
ist von da aus völlig konsequent.

3.2.3. Die Elihu-Reden

Aus zwei Gründen sind die späteren, als Nachtrag zum Hiobbuch
verfaßten Elihu-Reden[59] für unsere Skizze wichtig.

Zum einen stehen sie in deutlicher Kontinuität zu den Freundes-
reden und präzisieren die schon dort angelegte pädagogische Deu-

---

56 Zu den weiteren Aspekten dieser Theophanie und der Gottesreden cf. H.D.
   PREUSS, Jahwes Antwort, bes. 336-343.
57 Cf. Hiobs Vorwürfe, daß die Freunde "für Gott Verkehrtes reden, ihn mit
   Trug verteidigen" und "hinterhältig für ihn Partei nehmen" (12,6.10): es
   geht hier tatsächlich schon um falsche Theologie!
58 M.E. weist diese an Hiobs Verhalten ('Glauben') orientierte Sicht zumindest
   in die richtige Richtung, sucht man danach, was das Buch letztlich als 'Antwort' auf das 'Hiobproblem' bietet. Jedenfalls scheint mir die Suche hier
   erfolgversprechender als in den weisheitlich-theologischen Aussagen des Buches. Insofern trifft auch H.D.PREUSS (Jahwes Antwort, 342f.: "Jahwe selbst
   ist die Antwort, und daher kann diese niemals nur eine Bestätigung des Fra-
   genden sein") m.e. nicht die Pointe des Hiobbuches.
59 Cf. G.FOHRER, KAT Hi, 40f.

tung des Leidens. So versteht Hi 33,19-22 das Leiden als eine der Weisen, in denen Gott zu den Menschen mahnend 'redet' (33,14):wie er durch Träume dem Menschen das Ohr öffnet (33,15-18), so mahnt er ihn durch Schmerz und Krankheit.

Zum anderen verbinden die Elihu-Reden das Leidensthema erstmalig mit dem Gedankenkomplex von Interzession und Lösegeld. Wenn der von Gott an den Rand des Todes geführte Mensch, so Hi 33, einen Engel hat, der sich seiner annimmt und für ihn zum 'Dolmetsch' (מליץ) wird, als der er ihm einerseits Belehrung vermittelt[60] und andererseits für ihn vor Gott eintritt, so führt das zur Wiederherstellung seiner צדקה. Das 'Plädoyer' des Engels vor Gott[61] aber lautet:

Hi 33,24b *Laß ihn los, daß er nicht zur Grube hinabsteigt,*
         ich habe ein Lösegeld (כפר) gefunden.

Der Text verheißt also eine rettende Fürsprache des "angelus intercessor"[62] vor Gott, wobei (angesichts der Grundintention der Elihu-Reden) impliziert ist, daß der Leidende sein Leiden als pädagogische Maßnahme Gottes annimmt. Diese Rettung erfolgt vermittels eines כפר, das der Engel 'gefunden hat' und vor Gott bringt. Fragen wir, worin dieses Lösegeld besteht, so ist weder an eine Leistung der Zahlung durch den Engel zu denken noch an die von Gott verhängten Leiden selbst: vielmehr ist es das demütige Tragen des Leidens, die Annahme der Züchtigung, die der Engel vor Gott mit dem Erfolg geltend machen kann, daß dieser die Züchtigungsleiden aufhebt (33,25) und das צדקה-Verhältnis, in dem die geläufigen Entsprechungszusammenhänge gelten, wiederherstellt:

Hi 33,26 *Er betet zu Gott - der ist ihm geneigt,*
         der läßt ihn schauen sein Angesicht mit Jauchzen,
         der läßt zurückkehren zum Menschen seine צדקה.

Dieselbe Deutung von כפר legt sich auch an der zweiten Stelle nahe, an der das Wort in den Elihu-Reden begegnet:

Hi 36,18 *Daß der Zorn dich nicht verführe unter der Züchtigung[63]*
         und die Menge des Lösegeldes dich nicht irremache.[64]

---

60 לְהַגִּיד לְאָדָם יָשְׁרוֹ: *um den Menschen das Gebührende mitzuteilen* kann durchaus so verstanden werden, daß der Engel dem Menschen Einsicht in den pädagogischen Sinn seines Leidens vermittelt und ihm so zu der Haltung verhilft, die dann als כפר gelten kann. נגד bezeichnet in Gen 41,24 das Deuten (eines Traums), in Jdc 14,12; 1Kön 10,3 das Lösen (eines Rätsels).
61 Adressat der Fürbitte ist nicht der Todesengel, sondern Gott selbst (cf. G.FOHRER, KAT Hi, 460).
62 B.JANOWSKI, Sühne, 149f.171. Cf. auch die ebd. 149 Anm.221f. angeführte Literatur, bes. die m.E. zurecht abgewiesene Deutungsalternative K.SEYBOLDs.
63 ב schließt an סות ein Präpositionalobjekt sonst nur in der Bedeutung '(aufreizen) gegen' an (GESENIUS-BUHL, 540), so daß FOHRERs Übersetzung nicht wahrscheinlicher ist als die Textänderung נספק → בשפק bzw. Annahme einer Bedeutung 'züchtigen' für ספק, die meiner Übersetzung zugrundeliegt.
64 Wörtlich: "dich nicht wende".

Auch hier ist weder an irgendein zu leistendes Lösegeld zu denken
noch können die Leiden selbst damit gemeint sein. Vielmehr ist es
- gerade angesichts des Parallelismus - am ehesten das geduldige
Ertragen der Leiden, das Hiob als Lösegeld für seine Sünde (auf
deren Vorhandensein Elihu strikt beharrt) erbringen soll. In diesen Kontext fügt sich auch Hi 36,21 gut ein: Hiob hat die Wahl
zwischen den Alternativen 'Hinwendung zum Frevel' (און) und 'Übernahme des Leidens' (עני).

Die Elihu-Reden fassen also Hiobs Leiden als erzieherische Maßnahme Gottes auf, durch die Hiob auf den rechten Weg zurückgebracht
werden soll und deren demütiges Ertragen als Sühne für seine Schuld
angerechnet wird, was die Restitution seines Gottesverhältnisses
als צדקה-Relation ermöglicht. Damit bleibt Elihu ebenso wie Hiobs
Freunde hinter der von Hiob selbst erreichten Problemsicht zurück:
sein Beitrag zur Lösung des 'Hiobproblems' ist theologisch "durch
die Hiobreden des Dialogs im vorhinein als unbrauchbar erledigt"[65].
Für unsere Skizze freilich gewähren die Elihu-Reden Einblicke in
die weisheitliche Konzeption der pädagogischen Leidenserklärung,
die sich mit der Interzessionsvorstellung verbindet und zu einer
nicht-kultischen Sühnevorstellung gelangt. Der Gedanke, daß Leiden
nicht darin aufgehe, Folge von Sühne zu sein, sondern geduldiges
Leiden auch ein Mittel zur Beseitigung der Sünde vor Gott sei,
wird hier - nachdem er ganz anders zentriert in der Gottesknechtsüberlieferung schon einmal gedacht wurde - wieder erreicht[66].

3.3. Tritojesaja und die 'Jesajaapokalypse'

Angesichts der großen literarkritischen und chronologischen Unsicherheiten[67]
lassen sich die beiden nachexilischen Teile des Jesajabuches nicht so präzis
in unsere Skizze einzeichnen, wie es zu wünschen wäre. Immerhin läßt sich
die sachliche Kontinuität aber exemplarisch aufzeigen und im Blick auf einige interessante Aspekte auswerten.

3.3.1. Tritojesaja

Jes 56-66 berührt sich an mehreren Stellen deutlich mit dem bisher untersuchten Textfeld. Schon Ruppert sieht in dem "teilweise

---

65 G.FOHRER, KAT Hi, 41.
66 In gewisser Weise wird dieser Gedanke in den alten Übersetzungen von Hi 42
   weitergeführt (s. dazu unten S.94f.).
67 Cf. zu Jes 24-27 das Referat der Forschungspositionen bei R.SMEND, Entstehung, 147. Für unsere Skizze genügt die Auskunft, daß der Text in jedem Fall
   vor 200 v.Chr., wahrscheinlich gegen Ende des 4.Jh.s entstanden ist. - Die
   Einheitlichkeit von Jes 56-66 ist seit B.DUHM immer wieder behauptet und bestritten worden (cf. R.SMEND, aaO. 155f.) mit entsprechenden Unsicherheiten
   in der Datierung. Für unsere Fragestellung reicht es hin, eine nachexilische
   Entstehung vor 300 anzunehmen.

mit Ps 12,2 (und Mich 7,2) verwandte(n) Klagewort" Jes 57,1f.,
"dem in 57,13b ein Vertrauenswort gleichfalls psalmenähnlichen
Charakters entspricht"[68], die Vorstellung vom leidenden Gerechten
belegt; darüberhinaus lassen aber auch die Zusagen der Zuwendung
Gottes an die Zerschlagenen, Demütigen und Gebeugten, die Elenden
mit gebrochenem Herzen und zerschlagenem Geist in Jes 57,15; 61,1
und 66,2 deutliche Bezüge in Wortlaut und Aussageintention zu Ps
34,19; 51,19 und 113,6f. erkennen[69].

   An Jes 57 läßt sich die Funktion der Traditionsbezüge exemplarisch verdeutlichen. Wie schon Westermann gesehen hat, wird durch
57,1f.+13b ältere Gerichtsprophetie "in Psalmworte gerahmt"[70]. Dieser Rahmen hat zunächst eine Kontrastfunktion: das Scheltwort gerät in die Spannung des für die Tradition vom leidenden Gerechten
bezeichnenden Relationengefüges von BETER ('Gerechter'), FEIND
(Frevler) und JAHWE. Die Angeredeten, Angeklagten stehen dabei in
der Rolle der Feinde des leidenden Gerechten[71], und dem ihnen an-
gedrohten Zunichtewerden steht wie in den Psalmen die (Land-)Zusa-
ge an diejenigen gegenüber, die auf Jahwe vertrauen. Damit leistet
der Text aber gleichzeitig 'Vorarbeit' für den zweiten Teil des Kapitels. Denn Jes 57,14 wiederholt die die deuterojesajanische Verkündigung einleitende Heilszusage von Jes 40,3f.[72], obwohl doch
deren betonter Hinweis auf die Rückkehr aus dem Exil 'wörtlich'
gar nicht mehr in die tritojesajanische Situation paßt. Vielmehr
ist hier das "Bahnen des Weges" zur Chiffre für Gottes Heilshandeln geworden, die sich nun ohne weiteres mit den Heilszusagen der

---

68 L.RUPPERT I, 5O (Druckfehlerkorrektur: "57" statt "53"); der Sache nach schon
   bei C.WESTERMANN, ATD Jes 4O-66, 255f. Die nächste Parallele ist Ps 37,9.11.
69 Auffällig sind zunächst die 'Querverweise' zwischen diesen Texten: Jes 57,15
   verbindet (wie Ps 113,6f.!) das Thronen Jahwes und seine Zuwendung zum Elenden miteinander, Jes 66,1a.2b stellt genau denselben Zusammenhang her und
   benutzt ihn in 66,1b.2a zur Relativierung der Bedeutung des Tempels, und
   zwar mit der gleichen Intention wie z.B. Ps 51: der ungeteilten, die ganze
   Existenz des Menschen ergreifenden Jahweverehrung (cf. auch Jes 66,3ff.).
   Mit Jes 61,1-3 steht Jes 57,18f. in deutlicher Verbindung.
   Die markantesten Elemente des Repertoires sind:
   דכא ,נדכאים   *Jes 57,15; cf. Ps 34,19;* דכא רוח; *außerdem zu* דכא: *Jes 53,10;*
                    Ps 72,4; 89,11; Hi 4,19; 6,9; Klgl 3,34; (Ps 94,5;143,3; Jes 3,15).
   שפל רוח ,שפלים   *Jes 57,15; cf. Spr 29,23; Ps 138,6; Hi 5,11.*
   ענוים ,עני   *Jes 61,1; 66,2; cf. Ps 18,28; 72,2; 74,19 u.ö.*
   נשברי לב   *Jes 61,1 = Ps 34,19; cf. Ps 51,19:* לב נשבר.
   שבוים   *Jes 61,1.*
   אסורים   *Jes 61,1; cf. Jes 49,9; Ps 146,7.*
   נבה רוח   *Jes 66,2; cf. Ps 51,19:* (לב) נדכה.
70 C.WESTERMANN, ATD Jes 4O-66, 255, cf. 259.
71 Cf. 57,4, wo Anklage erfolgt wegen der Verhöhnung der Gerechten von V 1, wobei Texte wie Ps 35,19-21 bis in die Terminologie hinein anklingen (רחב פה על
   im Alten Testament nur in Ps 35,21 und hier).
72 Cf. auch Jes 49,11f.; C.WESTERMANN, ATD Jes 4O-66, 261f. mit Verweis auf
   W.ZIMMERLI.

Tradition vom leidenden Gerechten an die "Demütigen und Gebeugten"
(15) verbinden läßt. Um ihretwillen, damit ihr Geist nicht ver-
schmachte vor ihm (16b), heilt Jahwe das in der Zeit des Zorns ge-
schlagene Israel und gibt ihm שלום (18f.). Auch hier tritt das Jahwe im Leiden zugewandt bleibende Israel in die Rolle des leidenden
Gerechten ein[73].

Bekanntlich besteht eine der Hauptintentionen Tritojesajas
darin, die großen deuterojesajanischen Verheißungen in die kümmer-
liche Realität des nachexilischen Palästina zu prolongieren[74]. An
Jes 57 läßt sich exemplarisch beobachten, *wie* das geschieht: Die
Rückkehr aus dem Exil hat die von den deuterojesajanischen Verheißungen geweckten großen Erwartungen nicht erfüllt; das Volk ist
zwar zurückgekehrt, doch der umfassende Heilszustand, der sich bei
Deuterojesaja mit dieser Heimkehr verband, ist spürbar ausgeblie-
ben. In dieser Situation greift Tritojesaja die Tradition vom leidenden Gerechten auf, in der das Elend des Gerechten und die Klage
gegen die Frevler von jeher verbunden und zur hoffnungsvollen
Heilszusage Jahwes für den Gerechten geführt wurden. Die in dieser
Tradition gegebene und erfahrene Zuwendung und Verheißung Gottes
ermöglicht eine Wiederaufnahme der Zusagen Deuterojesajas: die Gebeugten können auf Hilfe rechnen (57,15), die Geschlagenen auf Heilung (17f.). Die Tradition vom leidenden Gerechten bildet so ein
Zwischenglied zwischen den prophetischen Textgliedern 'Scheltrede'
und 'Heilszusage'. Dem Volk wird mit Hilfe der (vorexilischen)
Scheltrede (57,3-13a) sein Abtrünnigsein von Jahwe vorgehalten und
mit Hilfe der (deuterojesajanischen) Heilszusage Jahwes Rettungswil-
le zugesprochen (57,14ff.). Die Tradition vom leidenden Gerechten
(57,1-2.13b) ordnet beides einander zu: die Abtrünnigen stehen auf
der Seite der Feinde, die Demütigen und Geschlagenen auf der Seite
der Gerechten. Heilung, Trost und שלום werden letzteren zuteil, eben
weil - wie die Tradition vom leidenden Gerechten aus Erfahrung 'weiß'
- Jahwe mit den Demütigen und Geschlagenen ist. Die Intention dieser Rezeption ist so "Paränese"[75] als Paraklese im doppelten Sinne:
Ermahnung des Volkes und Tröstung der Leidenden und Trauernden.

Diese Beobachtungen können m.E. auch zu einer adäquaten Einschätzung der tritojesajanischen 'Prophetie' beitragen: die ältere Forschung, die Tritojesaja an Deuterojesaja zu messen pflegte

---

73 Daß den Frevlern in 57,20f. ein Geschick in genauer negativer Entsprechung
   angekündigt wird, verwundert angesichts der seit den Psalmen beobachteten
   Relationsentsprechungen nicht; ob die Verse ursprünglich zum Text hinzugehör-
   ten oder ein (aufgrund dieser Entsprechung sehr naheliegender) Nachtrag sind
   (cf. C.WESTERMANN, aaO. 263), kann für unsere Fragestellung offen bleiben.
74 Cf. R.SMEND, Entstehung, 155.
75 Das Stichwort gebraucht schon W.ZIMMERLI, Sprache Tritojesajas, 224.

und dann konstatierte, er bleibe "auf einer niedrigeren Stufe stehen"[76], verkennt, daß hier - wie D.Michel exemplarisch aufgezeigt
hat - nicht epigonenhaft beschränkte Prophetie vorliegt, sondern
der Übergang zu "schriftgelehrte(r) Auslegung"[77] vollzogen ist:
"Die Eigenart Tritojesajas besteht (...) darin, daß er nichts Neues bringen will, sondern das alte "Neue" entfaltet, es auf die Gegenwart appliziert"[78]. Für unsere Fragestellung bleibt festzuhalten, daß er sich zu dieser aktualisierenden Entfaltung der Tradition vom leidenden Gerechten bedient[79].

3.3.2. Jesaja 24-27

Die sogenannte Jesajaapokalypse, die in der neueren Forschung
zutreffender als "prophetische Kantate"[80] aus eschatologischen
Weissagungen und Liedern denn als Apokalypse bezeichnet wird, enthält aufgrund ihres streckenweise deutlich liturgischen Charakters
zahlreiche Berührungen mit den Psalmen. Ihnen ist hier nicht ausführlich nachzugehen. Stattdessen können wir uns auf Jes 25 beschränken, wo der Bezug zur Tradition vom leidenden Gerechten am
augenfälligsten ist. Das Kapitel ist eine Komposition aus vier
Teilen: 1-5; 6-8; 9(-10a?); 10(b?)-12, die gattungsmäßig und aufgrund ihrer sprachlichen Form leicht als ursprünglich unabhängig
voneinander zu erkennen sind. Es beginnt mit einem Danklied (25,
1-5): als Wundertat (פלא עשית) Jahwes wird in 25,1f. die Zerstörung
der feindlichen Stadt[81] gepriesen, wodurch sich Jahwe als

Jes 25,4   *eine Zuflucht (מעוז) für den Schwachen (דל),*
           eine Zuflucht für den Armen (אביון) in seiner Not (בצר)

erwiesen hat; damit verbunden ist in V 3 der Gedanke, daß die Völker (גוים) Jahwe deshalb fürchten und ehren (כבד hi.) werden. Fast

---

76 So exemplarisch R.ABRAMOWSKI, Zum literarischen Problem, 126.

77 D.MICHEL, Eigenart, 218, cf. 230.

78 Ebd. 218.

79 Auch in Jes 66,1-4 verstärkt die Aufnahme der Tradition vom leidenden Gerechten die Aktualität der großen, ganz stark deuterojesajanisch geprägten Vision
vom neuen Himmel und der neuen Erde (65,16b-25) in der kargen Situation: das
neue Jerusalem und die große שלום-Perspektive werden in der Gegenwart 'fest-
gemacht' - nicht am Tempel, sondern an den Demütigen, die zerschlagenen Geistes sind und in ungeteiltem Existenzbezug (sie "zittern zu Jahwes Wort hin")
zu Jahwe leben. Ihnen wendet Jahwe sein Angesicht zu. Angesichts dieser Intention Tritojesajas ist es nur konsequent, wenn er in Jes 61,1-3 seine Aufgabe beschreibt als Sendung, frohe Botschaft zu bringen den Armen, die zerbrochenen Herzens sind. Und zwar will er ihnen in der Gegenwart "Zierde statt
Erde, Freudenöl statt Trauerhülle, Lobgesang (!) statt Verzagtheit" (61,3)
bringen: es ist die Tradition vom leidenden Gerechten, die solche Antezipation des Heils in der Bedrängnis ermöglicht.

80 G.FOHRER, ZBK Jes-II, 3 in Aufnahme der Charakterisierung durch J.LINDBLOM
(1938); cf. G.FOHRER, Aufbau, 171.

81 Zur Frage der "feindlichen Stadt" cf. R.HANHART, Die jahwefeindliche Stadt,
152-163 (dort weitere Literatur).

alle diese inhaltlichen Elemente finden sich auch in Ps 86 (KE).
Das mag für so allgemeine Aussagen wie die Selbstbezeichnung des
Beters als עני ואביון (86,1), der "am Tag der Not" (86,7) zu Jahwe
ruft, nicht weiter verwundern. Auffällig aber ist es, wenn er im
Blick auf seine Rettung fortfährt:

> *Alle Völker (גוים), die du gemacht hast, werden kommen und vor dir anbeten,*
> *Herr, und deinen Namen ehren (ויכבדו.), daß du so groß bist und Wunder tust*
> (עֹשֵׂה נִפְלָאוֹת) *und du allein Gott bist.* (Ps 86,9f.)

Die Parallelität zu Jes 25 ist deutlich[82], so wenig man dabei an
literarische Abhängigkeit denken wird. Hier wie dort verbindet sich
die Tradition vom leidenden Gerechten mit der Vorstellung von der
Anbetung und Ehrung Jahwes durch die Völker. Die Tatsache, daß Ps
86 vom 'Kommen' der Völker redet, läßt aber noch weitere Schlüsse
zu: der Psalm ist vom Zion aus gedacht, so daß die Vorstellung genauer eine Zionswallfahrt der Völker vor Augen hat. Davon spricht
Jes 25,1-5 explizit nicht. Seltsamerweise ist dann aber in Jes 25,
6-8 die Weissagung vom eschatologischen Gastmahl, das Jahwe den
Völkern auf dem Zion (בהר הזה) bereitet, ohne weiteres angeschlos-
sen - eine Kombination, die nur dann einleuchtet, wenn in Jes 25,
1-5 eben doch ein Text wie Ps 86 'mitverstanden' worden ist. Das
aber läßt darauf schließen, daß die Tradition vom leidenden Gerechten (die Ps 86 in erster Linie prägt) die Formulierung und Komposition von Jes 25 beeinflußt hat. Dies wird noch dadurch bestätigt,
daß auch das von 25,1-5 her erreichte Zentrum des Kapitels: die
traditionsgeschichtlich höchst komplexe[83] Heilsverkündigung vom
eschatologischen Mahl für die Völker auf dem Zion, vom Abnehmen
der (Trauer-)Decke und Abwischen aller Tränen von einem jeden Antlitz und von der endgültigen Wegnahme aller Schmach[84] von Israel
(25,6-8) auf eine Aussage zuläuft, von der sich fast jedes Wort im
Textfeld vom leidenden Gerechten wiederfindet[85]:

Jes 25,9　*An jenem Tage wird man sprechen:*
　　　　　Siehe da, unser Gott, auf den wir hofften, daß er uns helfe!
　　　　　Das ist der Herr, auf den wir hofften. Laßt uns frohlocken und
　　　　　fröhlich sein ob seiner Hilfe!

Im ganzen ergibt sich also, daß die Tradition vom leidenden Gerechten - hier auf Israel als ganzes bezogen[86] - die prophetische

---

82 Vgl. noch die Bezeichnung der Feinde als עריצים in Jes 25,4f. und Ps 86,14;
　　ferner Ps 86,10b mit Jes 25,1a.
83 Zum Traditionshintergrund dieser Verse und ihrer Einzelelemente cf. P.WELTEN,
　　Vernichtung, 779-783; 787-789; H.WILDBERGER, Freudenmahl, 274-284; H.GESE,
　　Tod, 50f.; DERS., Gesetz, 75f.
84 חרפה; cf. dazu Ps 44,14; 69,8.10.11 u.a.
85 Jes 25,9b hat in Ps 118,24 in Satzbau und Wortwahl eine deutliche Parallele.
86 Die Unterscheidung zwischen dem 'wahren Israel' und 'Israel' als Gottes Volk
　　im Kreis der Heidenvölker gerät hier - in endzeitlicher Perspektive - aus
　　dem Blick.

Heilsansage rahmt und dadurch deutet: 25,6-8 verkündet in kaum
mehr zu steigernder Intensität den Inbegriff endzeitlichen Heils.
Die den Text rahmenden Teile lassen dieses Heil als Ergebnis eines
Rettungshandelns Jahwes erscheinen, wie er es am leidenden Gerechten wirkt; das auf Jahwe hoffende Israel wird einst angesichts
dieses umfassenden Heils seine Hoffnung bestätigt finden. Kaiser
spricht von einer "paränetische(n) Absicht (...), angesichts des
Widerspruches zwischen der tatsächlichen Lage des Judentums und der
unerhörten, ihm in Aussicht gestellten Veränderungen (...) in der
Form des proleptischen Liedes zu versichern, daß die auf Jahwe ge-
setzten Hoffnungen nicht vergeblich gewesen sein und die Stunde
ihrer Erfüllung gewiß kommen werden"[87].

Für unsere Skizze der Entwicklung der Tradition vom leidenden
Gerechten ergibt sich dadurch ein neuer Aspekt: indem die Tradition hier dazu dient, endzeitliche Verheißung in die Gegenwart
'hineinzuholen', verbindet sie gegenwärtiges Leiden nicht nur mit
zukünftigem Heil (das tat sie von jeher), sondern mit *endzeitlich*-
zukünftigem Heil und gewinnt so selbst eine eschatologische Perspektive: die Hoffnung der Leidenden auf Aufhebung ihres Leidens
tritt in den Kontext der Hoffnung auf Aufhebung *allen* Leidens. Diese Perspektive ermöglicht beides: einerseits, in der Rettung aus
eigener, konkreter Not den Einbruch des Gottesreiches in die Gegenwart zu erfahren[88], andererseits aber auch, die Heilshoffnung in
ein (zeitlich nah erwartetes) 'Jenseits' zu prolongieren - eine
Denkmöglichkeit, die in der Apokalyptik dann von entscheidender
Bedeutung sein wird.

3.4. Deutero- und Tritosacharja

Das Sacharjabuch[89] gibt uns in seinen drei Teilen (1-8; 9-11; 12-14) Auf-
schluß über den Anfang und die frühe Entwicklung des apokalyptischen Denkens
in Israel. Im ersten Teil, der die Apokalyptik als ein Folgephänomen der
Prophetie ausweist, in das weisheitliche Tradition stark einwirkt[90], spielt
unsere Fragestellung noch keine nennenswerte Rolle.

Anders, wenn sich in *Sacharja 9-11* mit der endzeitlichen Erwartung die Vorstellung des eschatologischen Kampfes verbindet. Dieser Kampf Gottes, bei dem er Israel gegen die 'Söhne Jawans', d.h.

---

87 O.KAISER, ATD Jes 13-39, 164.
88 Ganz ähnlich wie in dem etwa gleichzeitigen Ps 22 (cf. oben S.64).
89 Zum folgenden cf. v.a. H.GESE, Anfang und Ende der Apokalyptik. GESE datiert
   Sach 1-8 zu Beginn der Perserzeit, Sach 9-11 ist ein Anhang aus dem ausgehenden 4.Jh., Sach 12-14 ein weiterer Anhang aus dem 3.Jh. (cf. ebd. 222.225
   Anm.84).
90 Zum hohen Stellenwert dieser Entwicklung für die alttestamentliche Traditionsbildung als ganzer cf. H.GESE, aaO. 221.

die Griechen der Alexanderzeit, aufbietet (9,13) und in den er
selbst eingreift (9,14), bewirkt die endgültige Restitution Israels: das Land wird in seinem Reichtum und seiner Schönheit als von
Gott gesicherter Ort Israel gehören (9,10f.), und die 'losgekauf-
te' Diaspora (10,8) kehrt heim. Die Menschen freilich, die an diesem Kampf an Jahwes Seite teilnehmen, kämpfen nicht für sich
selbst, sondern für Jahwe, ja, sie werden seine Waffen (9,13), Israel wird sein Streitroß (10,3). Was hier ganz im Zeichen des Is-
rael-Jahwe-Verhältnisses beschrieben wird, erinnert stark an Texte
wie Ps 139 und Ps 118, in denen - aus der Perspektive der Betroffenen - ganz ähnliches gedacht wird: auch dort ist der Mensch Mit-
streiter, Mitkämpfer Gottes, wie überhaupt Sach 9f. etliche Sach-
und Wortlautparallelen zu Ps 118 erkennen läßt[91].

Legt es sich von daher nahe, Deuterosacharja nicht isoliert von
der Tradition vom leidenden Gerechten zu betrachten, so bestätigt
sich diese Sicht im Blick auf die Messiaserwartung in Sach 9,9f.:
der König, über den Zion frohlocken soll, ist צדיק (was man für
eine 'normale' Königsprädikation halten kann), als dieser aber ist
er auch נוֹשָׁע[92] und יָנָע: er ist "nicht Sieger aus eigener Kraft, es
ist der von Gott Errettete und Gerechtgemachte, er ist der 'Arme',
der schon seit der prophetischen Verkündigung des 8.Jahrhunderts
als einziger durch das göttliche Gericht hindurchgerettet wird"[93].
Ebenso wie uns oben diese alte עני-Konzeption als prophetisches
Gegenstück zu den alten Psalmen erschien, hat auch hier die Selbstdarstellung der Frommen, die - als spezielle Ausprägung der Tradition vom leidenden Gerechten - in den nachexilischen Psalmen ihre Bedrängnis als einen Kampf für und mit Gott (cf. Ps 118,12;
139,19-22) und ihre Errettung als gottgegebenen Sieg (Ps 118,15f.)
artikulieren, ihr prophetisch-apokalyptisches Gegenstück in der
messianischen Verheißung des עני-Königs und der endzeitlichen
Schlacht Gottes, in der er sich Israels als Waffe bedient.

Ein ähnlicher Vorgang ist in *Sacharja 12-14* zu beobachten. Auch
in dieser Textsammlung aus der Ptolemäerzeit geht es um den eschatologischen Kampf Jahwes gegen die Völker, in dem sie endgültig

---

91 Vgl. z.B. Ps 118,6f. mit Sach 10,5; Ps 118,10-12 mit Sach 9,1-6; Ps 118,15f.
   mit Sach 9,15; Ps 118,22 mit Sach 10,4; Ps 118,24 mit Sach 10,7; Ps 118,27
   mit Sach 9,16f.
92 Nifalpartizip von ישע *retten*; daß die passive Bedeutung erträglich war, zeigt
   die LXX-Umdeutung: σῴζων. ישע *ni.* gehört aber zum Repertoire vom leidenden
   Gerechten: cf. Ps 18,4; 80,4.8.20; 119,117; Jer 17,14.
93 H.GESE, Anfang und Ende der Apokalyptik, 224.

an Jerusalem scheitern werden (12,3; 14,10). Tritosacharja betont
dabei vor allem das Martyrium der in diesem siegreichen Kampf Getöteten: 12,10ff. beschreibt die große Totenklage für den "Durch-
bohrten", wobei Gese gezeigt hat, daß hier "mit größter Wahrscheinlichkeit (...) an das Kollektiv des gefallenen Juden gedacht ist, der das Martyrium der Endzeit erlitten hat"[94]. Vor allem aber wird nach 13,7-9 der Messias selbst mit den Seinen durch
das Martyrium gehen:

Sach 13,7 *Erhebe dich, Schwert, gegen meinen Hirten,*
  gegen den Mann meiner engsten Gemeinschaft -Spruch Jahwe Zebaoths-,
  schlage den Hirten, damit die Schafe sich zerstreuen,
  und ich will meine Hand kehren gegen die Kleinen (הצערים)[95].

Es sind die Wehen der Endzeit, in denen Gott selber sich gegen seinen Gesalbten und die Seinen wendet. An ihrem Ende steht ein neuer
Bundesschluß zwischen Gott und denen, die diesen großen Läuterungsprozeß[96] (13,8f.) durchgestanden haben. Er wird im Rückgriff auf
die klassische Bundesformel (cf. z.B. Hos 2,23) formuliert, der
aber - geradezu im Parallelismus membrorum - eine andere traditionelle Formulierung vorangestellt ist, deren Nähe zu den Psalmen
vom leidenden Gerechten offensichtlich ist[97]:

Sach 13,9b *Er (der 'Rest') wird meinen Namen rufen*
  und ich werde ihn erhören.
  Ich sage: mein Volk ist er
  und er wird sagen: Jahwe ist mein Gott.

Wir sehen: die Rettung aus dem Läuterungsfeuer der endzeitlichen
Wehen geschieht so, wie Jahwe den leidenden Gerechten aus seiner
Not errettet, oder - anders formuliert -: der 'Rest Israels' wird
identifiziert als die Schar der leidenden Gerechten.

Deutero- und Tritosacharja bereichern unsere Skizze also um einige entscheidende Aspekte. Sie sind einerseits als prophetisches
Gegenstück zu einigen Entwicklungen im Bereich der Psalmen aufschlußreich, ihrem Charakter als prophetisch-apokalyptischen Texten entsprechend gehen sie aber darüber noch hinaus: der Messias
als עני und die Konzeption des Endzeitkampfes, bei dem Israel Mitkämpfer Jahwes sein wird bzw. durch das Martyrium geläutert in den
neuen Bund eintritt, sind Gedanken, die zentrale apokalyptische
Inhalte und die Tradition vom leidenden Gerechten miteinander ver-

---

94 Ebd. 227.
95 צער *gering sein, klein sein* läßt sich nicht als terminus technicus der Tradition vom leidenden Gerechten erweisen; er meint m.E. hier den Kreis der
Märtyrer. Daß diese mit einem Ausdruck der Niedrigkeit (cf. aram. צער = 'be-
schimpfen' (GESENIS-BUHL 690) bezeichnet werden, weist auf einen sachlichen
Zusammenhang mit unserer Tradition hin.
96 Cf. Ps 66,10-12.
97 Cf. v.a. Ps 91,15; ferner Ps 3,5; 4,2; 34,5; 118,5 u.a.

binden. Die endzeitlichen Erwartungen kommen so in der Kontinuität
und im Rückgriff auf die Überlieferung zur Sprache, und die Tradition vom leidenden Gerechten öffnet sich einer neuen, ihre bisherige Begrenzung sprengenden Dimension.

Auch hier ist es wichtig zu sehen, daß dieser Schritt nicht unvermittelt,
sondern vorbereitet geschieht: Ps 49 und 73 haben ebenso wie Hi 19 die Grenze des individuellen Todes überschritten, jedoch noch keinerlei Konzeption
ausgeführt, in der das aufgrund des Ungenügens der Begrenzung neu gewonnene
'Terrain' beschrieben und vorstellungsmäßig verfügbar gemacht wäre. Ähnlich
läßt Ps 22 die Qualität des universalen Einbruchs des Gottesreichs spüren,
ohne daß eine geschichtliche Zuordnung geleistet würde. Das Sacharjabuch
nun legt den Akzent auf die Geschichte und leitet so über zu den eigentlichen Apokalypsen selbst, in denen all diese Aspekte dann zu umfassenden Konzeptionen verbunden begegnen.

EXKURS 1: Der 'leidende Gerechte'
und die Tradition vom gewaltsamen Prophetengeschick

Es ist hier kurz die von Steck in seiner Untersuchung über 'Israel und das
gewaltsame Geschick der Propheten'[98] dargestellte Tradition einzugehen, die aus
deuteronomistischen Wurzeln heraus selbständig neben der vom leidenden Gerechten ausgeprägt wurde, sich aber sachlich mit dieser berührt und bisweilen verbindet.
Sie begegnet erstmals in Neh 9,26, also noch im Alten Testament, und ist
dann sowohl im antiken Judentum als auch im Urchristentum tradiert und weiterentwickelt worden. Neh 9,26:
*Aber sie wurden ungehorsam und lehnten sich auf wider dich und kehrten deinem
Gesetz den Rücken und brachten deine Propheten um, die sie vermahnten, um sie
zu dir zurückzuführen, und verübten überaus Lästerliches.*
Steck hat gezeigt, daß diese Aussagen in den Traditionsraum der deuteronomistischen Anklage- und Bußaussagen gehören, in denen die Halsstarrigkeit Israels
gegenüber Jahwe Thema ist[99]. Die Abweisung der Propheten Jahwes ist hier *ein*
Element in der Reihe der Verfehlungen Israels. Dabei ist die Tradition ganz an
Israel als Subjekt der Sünde, nicht aber am Propheten als Leidendem interessiert
und deshalb keineswegs mit der vom leidenden Gerechten ineinszusetzen[100].
Ein Zusammenhang besteht jedoch durch den gemeinsamen Bezug auf die Prophe-
tenverfolgung: wie im Blick auf das Leiden der Armen die prophetische Sozialkritik und die Tradition vom leidenden Gerechten als Komplemente aus je anderer
Perspektive erschienen, so lassen sich auch Texte wie die Konfessionen Jeremias
mit der Prophetenverfolgungsaussage in Beziehung bringen, wobei die älteren
prophetischen Überlieferungen über (Amos und) Jeremia die sachliche Voraussetzung für beide Traditionen lieferte. Die im Kontext deuteronomistischer Theologie nur konsequente Pointe: daß Israel generell seine Propheten verfolge, ja
töte, geht freilich über diese Überlieferungen und vor allem auch über die
historischen Fakten weit hinaus. Sie dürfte ihrerseits wiederum einer der Gründe für die Entstehung der zahlreichen späteren Prophetenviten und -legenden mit
ihren ausmalenden Schilderungen von Prophetenleiden und -martyrien sein. Einige
dieser Texte greifen in Aussageperspektive und Stilisierung auf die Tradition
vom leidenden Gerechten zurück[101].

---

98 O.H.STECK, Israel, bes. 60-80.
99 Cf. 2Kön 17,7-20; O.H.STECK, aaO. 65ff.
100 Cf. O.H.STECK, aaO. 256.
101 Davon gehört nur das MartJes in den uns interessierenden Zeitraum (s. unten
    S.130f.); zum späteren Material (insbes. Vitae Prophetarum) cf. O.H.STECK,
    aaO. 247-252; K!BERGER, Auferstehung, 50-52.

Steck sieht im deuteronomistischen Geschichtsbild ("dtrGB") den grundlegenden "theologischen Vorstellungsrahmen"[102] für fast alle Schriften des "palästi-
nensischen Spätjudentums". Von daher postuliert er, daß auch "die Vorstellung
vom Leiden des Gerechten ohne die Tradition des dtrGB gar nicht zu verstehen
(sei); in dieser hat jene ihren Rahmen und Ort"[103]. Diese Sicht ergibt sich
aber nur, wenn man die zwischentestamentlichen Belege von den alttestamentlichen isoliert[104]. Tut man dies nicht, kann man keineswegs von einer Verwurzelung der Tradition vom leidenden Gerechten in der deuteronomistischen Theologie
ausgehen, sondern allenfals gewisse Konvergenzen zwischen dem "dtrGB" und einigen Texten vom leidenden Gerechten feststellen[105]. Man ist dann auch nicht zu
der merkwürdigen Annahme genötigt, die deuteronomistische Theologie hätte
gleichzeitig, aber strikt getrennt, die am Täter orientierte Geschicktradition
und die Tradition vom leidenden Gerechten hervorgebracht.

EXKURS 2: Die alttestamentliche Eliaüberlieferung

und die Tradition vom leidenden Gerechten

Angesichts der in späteren Texten häufiger begegnenden Bezeichnung Elias
als 'Gerechter'[106] und der - freilich seltenen - Belege, in denen Elia als Leidensgestalt erscheint[107] sei hier festgehalten, daß das Alte Testament die
Eliagestalt nirgends als Leidenden mit den Mitteln der Tradition vom leidenden
Gerechten kennzeichnet.
Vielmehr sind die Eliageschichten[108] 1Kön 17 - 2Kön 2 mit einem ganz anderen
Interesse gestaltet: wo immer Elia in eine ihn bedrohende Situation gerät, geschieht dies, um ihn als vollmächtigen Gottesmann zu kennzeichnen, der bei allen seinen 'Auftritten' von Jahwe gedeckt wird, was dieser durch Wundertaten an
ihm erweist[109].
Erst die literarkritische Analyse läßt erkennen, daß in 1Kön 19 noch ein
anderes Leidensverständnis durchscheint. Denn nur dort bringen der redaktio-
nelle Übergangspassus[110] 1Kön 19,1-3a (in dem davon die Rede ist, daß Elia sich
vor Isebel fürchtet und flieht) und die daran anschließende, wohl alte[111] "Szene Elia unter dem Ginster"[112] (19,3b-6) Elia als leidendes Subjekt in den Blick.
Er ist erschöpft und wünscht sich den Tod:
1Kön 19,4 *Es ist genug! So nimm nun, Herr, mein Leben hin,*
        denn ich bin nicht besser (stärker) als meine Väter.

---

102 O.H.STECK, aaO. 189.
103 Ebd. 255.
104 STECK übernimmt die "Vorstellungskontur" (aaO. 254 Anm.6) von D.RÖSSLER, Ge-
    setz und Geschichte, 88ff., dessen Untersuchung allein die "Theologie der jü-
    dischen Apokalyptik und der pharisäischen Orthodoxie" (Untertitel) zum Ge-
    genstand hat. In den alttestamentlichen Bezügen sieht STECK lediglich ein
    Einwirken der "Topik der Klagepsalmen" (aaO. 255 Anm.6 mit Verweis auf D.
    RÖSSLER, aaO. 89 Anm.2).
105 Vgl. z.B. den Gedanken der Prolongation der Errettung in den Psalmen mit der
    nach O.H.STECK, aaO. 255 für das deuteronomistische Geschichtsbild bezeich-
    nenden Vorstellung, daß "der Unheilsstatus Israels von 587 bis zur eschato-
    logischen Wende" andauere.
106 Cf. vor allem das rabbinische Material; dazu unten S.155 und R.MACH, Zaddik,
    bes. 242.244 (Anhang II).
107 Cf. J.JEREMIAS, Art. Ἡλ(ε)ίας, ThWNT 2, bes. 941-943; K.BERGER, Auferstehung
    42-101.
108 Cf. neben den Kommentaren v.a. G.FOHRER, Elia (1957; ^{2}1968); O.H.STECK, Über-
    lieferung und Zeitgeschichte (1968); G.HENTSCHEL, Eliaerzählungen (1977).
109 Cf. z.B. 1Kön 17,7ff., bes. 24; 2Kön 1,9ff.
110 Cf. G.FOHRER, Elia, 38; G.HENTSCHEL, Eliaerzählungen, 65-69.
111 So O.H.STECK, Überlieferung, 27 gegen G.FOHRER, Elia, 37.
112 O.H.STECK, aaO. 24.

Ähnlich wie Mose in Num 11,15[113] klagt Elia hier als Jahwes Beauftragter, der
die ihm aufgegebene Last nicht mehr tragen kann. Diese Klage steht der des leidenden Gerechten insofern nahe, als sie Klage eines Individuums mit positiver
Jahwebeziehung ist, doch ist sie so einfach strukturiert, daß die typische Re-
lationsentsprechung der Tradition vom leidenden Gerechten mitsamt der ihnen zugrundeliegenden צדקה-Konzeption fehlen. Wenn Elias Klage, wie in der neueren
Forschung angenommen, überlieferungsgeschichtlich auf "frühprophetische Kreise"[114] zurückweist, so wäre darin die von Westermann[115] als frühe Stufe der
Klage postulierte 'Klage des Mittlers/Propheten' greifbar, von der sich die
Tradition vom leidenden Gerechten durch ihre komplexe Struktur unterscheidet.

Im Rahmen der uns überlieferten Eliaerzählung hat diese Klage kaum Gewicht,
selbst in 1Kön 19 wird Elia vor allem als der durch Jahwes Wundertaten starke
Gottesmann[116] gezeichnet. Als solcher gleicht er aber gerade nicht dem leidenden Gerechten, sondern viel eher Gestalten wie Daniel in der Löwengrube oder
den Männern im Feuerofen aus den Legenden von Dan 1-6[117]: auch dort dient das
Leiden von vornherein nur dazu, Gottes Wundermacht zu demonstrieren und ist somit kein wirkliches Leiden mehr. Derartige Texte gehören deshalb auch nicht zum
Gegenstandsbereich unserer Untersuchung.

3.5. Zwischenergebnis

Die Linien der nun vorliegenden Skizzierung des alttestamentlichen Textfeldes vom leidenden Gerechten lassen sich überblicksweise so zusammenfassen:

Die vorexilisch in ihrer Grundstruktur in den Psalmen festzumachende Vorstellung beginnt spätvorexilisch, spätestens im Exil,
den Charakter einer übertragbaren, auch in andere Traditionsbereiche hineinwirkenden Tradition anzunehmen. Diese hat als Identifi-
kationskennzeichen klare Konturen: Leiden wird artikuliert im Rahmen fester Relationsentsprechungen zwischen Jahwe, dem Leidenden
und dem Feind/Frevler; im Blick auf das diese Struktur an der
sprachlichen Oberfläche repräsentierende Wortfeld, aber auch auf
die Funktion im Kontext des Kommunikationszusammenhangs weist sie
dagegen eine relativ große Weite und Flexibilität auf.

Der Weg, den sie in nachexilischer Zeit durchläuft, läßt sich
als ein Prozeß beschreiben, in dem sie mit anderen Traditionen in
eine wechselweise Beziehung eintritt: Im Bereich der Psalmen zieht
die Tradition vom leidenden Gerechten andere, vor allem prophetische und weisheitliche Traditionen an und verbindet sich mit ihnen

---

113 S. oben S.47. Cf. G.v.RADs Hinweis, referiert bei O.H.STECK, aaO. 27 Anm.2;
auch Jon 4,3.8 gehört hierher. Für die Szene in 1Kön 19 ist jedoch noch zu
berücksichtigen, daß in der Wüste von Beerscheba ganz ähnliches auch Hagar
widerfuhr (Gen 21; cf. O.H.STECK, aaO. 27 Anm. 3 mit Hinweis auf H.GUNKEL):
der Text ist also eine komplexe Verbindung, in der (Lokal-?) Traditionsgut
auf Elia übertragen und mit der Klage des Beauftragten verbunden ist.
114 O.H.STECK, aaO. 27 Anm.1.
115 C.WESTERMANN, Struktur und Geschichte, 292.
116 Vgl. z.B. die Verdoppelung der Stärkung durch den Engel (1Kön 19,5b.7).
117 So andeutungsweise schon O.PLÖGER, KAT Dan, 26.

zu einem vielfältig nuancierten Traditionsgeflecht, das - wohl in weitgehender Bindung an die Institution der Toda - die nachexilische Psalmenfrömmigkeit zu einem großen Teil mitträgt. Umgekehrt wirkt die Tradition vom leidenden Gerechten in andere Traditionsbereiche - wieder vor allem den prophetischen und weisheitlichen - hinein, wodurch in der stark von Leiden geprägten geschichtlichen Situation Israels neue Artikulations- und Verarbeitungsweisen von Leid ermöglicht werden. Im Bereich der prophetischen Schriften wirkt sie dabei an dem Prozeß mit, in dem die israelische Prophetie die Apokalyptik aus sich heraussetzt: die endzeitlichen Erwartungen werden mit Hilfe der Tradition vom leidenden Gerechten artikuliert.

Die diachrone Skizze läßt uns die Tradition vom leidenden Gerechten so als den 'roten Faden' innerhalb eines komplexen Traditionsgeflechtes verfolgen, dessen sapientiale und eschatologische Komponente im Laufe der Entwicklung mehr und mehr in den Vordergrund treten.

Indem die diachrone Skizze nun in den - vom Danielbuch abgesehen - deutero- und außerkanonischen Bereich der jüdischen Literatur übergeht, wird es nötig, die Darstellungsweise zu ändern. Denn mit dem Übergang ins zweite Jahrhundert beginnt sich das Textfeld - das gerade in den beiden vorangehenden Jahrhunderten eine Engführung aufwies, erheblich zu weiten. Dadurch nimmt nicht nur die Materialfülle zu, sondern auch die Variationsbreite des Charakters der Texte und der darin angesprochenen Aspekte unseres Themas. Hinzu kommt die Vielfalt der Sprachen, in denen die Texte uns heute greifbar sind - oft nur in später Übersetzung, ohne daß die hebräische oder griechische Urfassung erhalten ist -, wodurch die Textanalyse erschwert und die Möglichkeiten zum präzisen Textvergleich eingeschränkt sind. Schließlich weitet sich der geographische Raum, aus dem die Texte stammen, was die Zuordnung zu historisch-soziologischen Gegebenheiten kompliziert, ebenso wie die Fragen literarischer Einflußbeziehungen. All dies nötigt zu einem exemplarischen Vorgehen: es ist nicht möglich, das Textfeld Text für Text in unsere Skizze einzuzeichnen und so den ganzen Nuancenreichtum der Leidensdeutung und das Verhältnis aller Texte zueinander sichtbar werden zu lassen. Stattdessen werden thematisch und überlieferungsgeschichtlich zusammengehörige Texte zu Textgruppen gebündelt und die wichtigsten Beobachtungen ausgewertet.

Dabei wird sich zeigen, daß die zwischentestamentlichen Texte die am Alten Testament gewonnenen Linien weitgehend weiterführen. Der bisher sichtbare 'Trend' der Entwicklung, in der der sapientialen und eschatologischen Komponente mehr und mehr Gewicht zukommt, setzt sich fort: die großen Gedankenkreise 'Weisheit' und 'Apokalyptik' prägen einzeln oder in Verbindung miteinander nahezu alle Texte, in denen die Tradition vom leidenden Gerechten fortan begegnet.

In der ältesten Schicht des Textfeldes, an der Nahtstelle von Altem Testament und antikem Judentum, lassen sich diese beiden Komponenten im Sirachbuch und in der Danielapokalypse deutlich und wegweisend für ihre weitere Entwicklung greifen. Deshalb werden diese beiden Schriften im 4.Kapitel gesondert untersucht. Dadurch ergeben sich für die Untersuchung der Folgetraditionen im 5.Kapitel gewisse Konturen und interessante Vergleichsmöglichkeiten.

4.Kapitel

DIE TRADITION VOM LEIDENDEN GERECHTEN IM ÜBERGANG VOM ALTEN TESTAMENT IN DIE ZWISCHENTESTAMENTLICHE LITERATUR

4.1. Das Leidensverständnis des Sirachbuches

Obwohl das Leidensthema im Sirachbuch, dem Grundtext zwischentestamentlicher Weisheitsliteratur, nur ein untergeordneter Aspekt[1] innerhalb einer umfassenden weisheitlichen Konzeption ist, ergeben sich doch zwei für unsere Skizze wichtige Beobachtungen:

a) Sir 2,1-11 stellt uns die oben[2] angesprochene Konzeption des Läuterungsleidens so deutlich vor Augen, wie sie in den weisheitlichen Psalmen noch nicht zu erkennen war. Der Jahwe in Gottesfurcht dienende Weise gerät in Anfechtung (πειρασμός) in Form von Leiden. In diesen "Wechselfällen des Elends" (ἐν ἀλλάγμασιν ταπεινώσεως) gilt es, sich geduldig zu zeigen, denn

im Feuer wird Gold geprüft (δοκιμάζεται) und gottgefällige Menschen im Ofen des Elends (ἄνθρωποι δεκτοὶ ἐν καμίνῳ ταπεινώσεως - Sir 2,5).

Verweist uns der Vergleich des Geprüftwerdens durch Jahwe mit der Läuterung von Metallen auf alte weisheitliche Tradition z.B. Spr 17,3:

Wie der Schmelztiegel das Silber und der Ofen das Gold, so prüft Jahwe die Herzen,

so fällt doch auf, daß dort eine Prüfung durch *Leiden* weder erwähnt noch gemeint war. Der Vergleich gewinnt bei Ben Sira also einen neuen Sinn, offensichtlich war in seiner Situation das Leiden des Weisen von besonderer Aktualität[3]. Die für diese Prüfungen nötige Geduld gewinnt der Weise, indem er sich Gottes Rettungshandeln an den früheren Geschlechtern (2,10) vor Augen führt: an ihnen hat sich Gott als der Barmherzige und Gnädige erwiesen, der Sünden vergibt und in der Zeit der Bedrängnis rettet (σῴζει ἐν καιρῷ θλίψεως, Sir 2,11). Die Berührungen mit den Psalmen vom leidenden Gerechten (vor allem mit weisheitlich geprägten) sind leicht zu erkennen[4]: hier wie dort liegt derselbe 'Erfahrungsrahmen' zugrun-

---

1 Wie sehr sich das Interesse des Buches auf den rechten, gesetzestreuen Wandel (und nicht besonders auf das *Leiden*) des Gerechten richtet, zeigt sich, wenn im 'Lob der Väter' Hiob charakterisiert wird als einer, "der die Wege der Gerechtigkeit einhält" (Sir 49,9), sein Leiden dagegen unerwähnt bleibt.
2 S. oben S.61.(67.72f.).
3 Dafür spricht auch die Plazierung des Textes gleich zu Beginn des ermahnenden Teils. Zum *Phänomen* des Prüfungsleidens vgl. schon den Hiobrahmen.
4 Vgl. Sir 2,6 mit Ps 37,5; Sir 2,8 mit Ps 34,10; Sir 2,10 mit Ps 37,25; Sir 2,11 mit Ps 103,8.

de, wobei im Sir der Aspekt der *Rettung* des leidenden Gerechten aus der Not in den Vordergrund des Interesses tritt.

Auch die weisheitliche Konzeption des Prüfungs- und Läuterungs- leidens ist also eine Synthese von Traditionen: das Phänomen des Leidens des Weisen wird durch den traditionell-weisheitlichen Ge- danken der Prüfung durch Jahwe gedeutet, die Gewißheit der Erret- tung des geduldig Leidenden artikuliert der Text im Rückgriff auf die Tradition vom leidenden Gerechten. Bei alledem hat diese Kon- zeption deutlich eine *zeitlich vorübergehende* Not im Auge, deren er- folgreiches Durchstehen (und der damit verbundene Lohn: 2,8) dem Leidenden selbst zu Lebzeiten[5] zugute kommt.

> Die strikte 'Diesseitigkeit' der weisheitlichen Unterweisung Ben Siras er- scheint an vielen Stellen bewußt betont[6] - ebenso wie die - als Vergeltungs- lehre[7] ausgestaltete - Entsprechung von Tun und Ergehen. In beidem bezieht Ben Sira unter Rückgriff auf die ältere Weisheit eine Position, die im Ver- gleich mit anderen seiner Zeit als 'Rückschritt' erscheinen mag; doch sei an Hengels[8] Hinweis erinnert, daß die polemische Kraft und damit die Lei- stungs- und Wirkungsfähigkeit des Sirachbuches gerade auch auf dieser seiner konservativen Solidität beruht.

Eine weitere Variante des Erziehungsleidens findet sich in Sir 22, 27-23,6: hier wird das Leiden mit der Sünde des Weisen in Beziehung gebracht und erscheint so als Züchtigungsmittel. Wieder steht ein traditionell-weisheitlicher Topos am Anfang: die (Selbst-)"Mahnung, den Mund zu zügeln"[9] (22,27). Diese verbindet sich nun mit einem in direkter Anrede an Jahwe formulierten Gebet (23,1-6), in dem es heißt:

Sir 23,2 *Hätte ich doch eine Geißel für mein Denken*
  und für mein Herz eine Zuchtrute,
  daß sie meiner Verfehlungen nicht schonte
  und meine Sünden nicht zuließe,
 3 *damit meine Vergehen sich nicht mehren*
  und meine Verirrungen nicht zahlreich werden,
  und ich vor meinen Widersachern strauchle
  und mein Feind sich über mich freue!

Wir sehen: die Züchtigung hat die doppelte Funktion, begangene Sün- den zu strafen und künftigen vorzubeugen. Die Aufnahme des Feind- Topos rückt auch dieses Leidensverständnis in den Kontext der Tra- dition vom leidenden Gerechten. Denn wenn der Beter aufgrund sei- ner Sünde fürchtet, sein Feind werde über ihn triumphieren, so ist das gleichsam die Kurzfassung eines Kettenschlusses, der sich der Relationsentsprechungen vom leidenden Gerechten bedient: Ist die

---

5 Sir 2,9c ist wie 17,26b "vom griechischen Glossator im Sinne einer Hoffnung auf das ewige Leben ergänzt" (M.HENGEL, Judentum und Hellenismus, 274 Anm. 280); cf. auch die dort genannte Literatur.
6 Cf. M.HENGEL, aaO., 274; Belege ebd. 274 Anm.280.
7 Ebd. 258-260; Belege ebd. 259 Anm.236.
8 Cf. ebd. 259.
9 V.RYSSEL, in: KAUTZSCH I, 345.

BETER→JAHWE-Relation (durch die Sünde) negativ, so entspricht dem
eine negative JAHWE→BETER-Relation; dieser wiederum entspricht es,
daß sich die negative FEIND→BETER-Relation ungehindert am Beter
auswirken kann.

Zu der in Sir 2 und 23 durchscheindenden Beziehung des Sirach-
buchs zur Tradition vom leidenden Gerechten paßt es, daß es im Anhang (Sir 51) ein Danklied enthält (51,1-12), das die Rettung aus
Feindbedrängnis mit den 'klassischen' Mitteln der Psalmen vom leidenden Gerechten preist - gleichsam als lebendiger Vollzug dessen,
was Sir 2,6-11 empfiehlt.

b) Der zweite für unsere Skizze wichtige Punkt trifft in das
Zentrum der Theologie des Sirachbuches. Denn der große Spannungs-
bogen, den das Buch von der traditionell-weisheitlichen Bestimmung
der Weisheit als Gottesfurcht (Sir 1) bis zu seinem Zielpunkt: dem
Lob der Väter (Sir 44-50), beschreibt, kulminiert in Sir 24, dem
großen Loblied der Weisheit, in dem sie sich als mit der Tora Jahwes identisch zu erkennen gibt[10]. Diese ausdrückliche תורה-חכמה-
Ineinssetzung[11] war uns der Sache nach ja schon in einigen Psalmen[12] begegnet, sie ist in den im nächsten Kapitel zu untersuchenden Texten dann oft vorausgesetzt: Toratheologie und Weisheit verschmelzen[13], der Weise und Gesetzestreue werden identisch. Für unsere Skizze ist Sir 24 insofern besonders wichtig, weil hier auf
der begrifflichen Ebene nachzuvollziehen ist, wie der komplexe,
stark an der Tora orientierte צדיק-Begriff zustandekommt, in dem
die Gestalt des Weisen, des Gottesfürchtigen, des auf Gott vertrauenden Gerechten mit der des Gesetzestreuen verschmelzen. Schon in
Ps 119,22f.41f.51f. ist *dieser* צדיק als leidender Gerechter gezeichnet, und künftig wird im leidenden Gerechten immer wieder der um
der Tora willen angefeindete Gesetzestreue zu erkennen sein. So
ist wohl auch die Variante der Mitkämpfer-Jahwes-Konzeption[14] in
Sir 4,28:

*Bis zum Tode kämpfe für die Gerechtigkeit (LXX: ἀλήθεια (!) hebr.: צדק),
und Jahwe wird für dich kämpfen,*

---

10 Zur thematischen Anlage des Sir cf. J.HASPECKER, Gottesfurcht, 87ff.; zur
   Zentralstellung von Kap.24 ebd. 167f.
11 Cf. schon Dtn 4,6; zur Konzeption der "Tora-Weisheit" cf. M.KÜCHLER, Weisheitstraditionen, 33-61, bes. 50f.; E.JACOB, Sagesse et religion chez Ben Sira,
   83-98, bes. 93ff.
12 Cf. z.B. Ps 94,12; 37,31; 40,9.
13 Cf. M.KÜCHLER, Weisheitstraditionen, 43: "Die Identifikation geschah eindeutig auf Kosten der traditionellen 'Weisheit', welche zur Umschreibung der
   Tora wurde, nicht umgekehrt". Die Tendenz zielt also nicht auf eine weisheitliche Interpretation der Tora (cf. aber G.v.RAD, Weisheit, 316).
14 Vgl. auch oben S.64f.78-80.

auf einen Kampf der Gesetzestreuen gegen die Gesetzesgegner zu deuten – ein Gedanke, der sich dann in der makkabäischen Erhebung als ausgesprochen wirksam erweist[15].

4.2. Die Danielapokalypse

Als jüngster alttestamentlicher Text[16], gleichwohl zeitlich und sachlich schon im Kontext der 'zwischentestamentlichen' jüdischen Literatur, ist die Danielapokalypse (Dan 7-12) der apokalyptische 'Basistext' des antiken Judentums.

Unser Thema betreffen vor allem einige Verse der letzten Vision: 11,33-35 und 12,1-3. Sie stehen im Kontext einer umfassenden Endzeitdarstellung, deren zeitgeschichtliche Bezüge deutlich sind: 11,2-39 bietet einen "große(n) Geschichtsüberblick (...), der dann anschließend 11,40-12,3 in 'Weissagung' übergeht"[17]. Unser Text verweist uns also in seinem ersten Teil, in dem von Leiden die Rede ist, auf die Situation Israels unter Antiochus IV.Epiphanes, im zweiten bietet er dann gleichsam die endzeitliche 'Fortschreibung' des Geschicks dieser Leidenden.

Dan 11,32 *Und die, die zum Frevel am Bund bereit sind, wird er durch Ränke*
zum Abfall bewegen, die aber, die Gott kennen, werden fest bleiben
und entsprechend handeln.

33 *Die Weisen im Volk (עם משכילי) werden vielen zur Einsicht verhelfen,*
und sie werden zu Fall kommen durch Schwert und durch Flamme, durch
Verschleppung und durch Beraubung (בחרב ולהבה בשבי ובבזה) für
einige Zeit.

34 *Und während sie zu Fall kommen, wird ihnen eine kleine Hilfe zuteil,*
und es werden sich ihnen viele anschließen in Heuchelei.

35 *Und von den משכילים werden einige zu Fall kommen, um unter ihnen*
eine Prüfung vorzunehmen und (sie) zu läutern und weißzuwaschen
bis hin zur Endzeit (denn noch dauert es eine bestimmte Zeit).

Es ist aufschlußreich, daß die Leidenden hier als משכילים bezeichnet werden: einerseits verweist dies ebenso wie ihre erste Funktionsangabe: יבינו in den weisheitlichen Traditionskontext[18], andererseits erlaubt der Ausdruck eine historische Identifikation des angesprochenen Kreises: es sind chasidische Gesetzeslehrer ("mit der chasidischen 'Elite' identisch"[19]), die hier ins Martyrium ge-

---

15 S. unten S.123ff.

16 Über die Datierung der Schlußfassung zwischen 167 und 164 v.Chr. dürfte Einigkeit bestehen, cf. z.B. R.SMEND, Entstehung, 223.

17 M.HENGEL, Judentum und Hellenismus, 337. Bei der Interpretation des Textes zu berücksichtigen ist freilich, daß dieser Wechsel dem Leser gerade *nicht* deutlich werden sollte: der Text gibt sich ja als durchgehende Prophezeiung vom Exil her.

18 Cf. Spr 10,5; 14;35; 15,24; 17,2 u.ö.; Hi 22,2 begegnet שׂכל in Parallele zu צדק und המם; doch schon Am 5,13 steht es im Kontexkt der Verfolgung des צדיק und אביון.

19 M.HENGEL, Judentum und Hellenismus, 329 Anm.474; cf. O.PLÖGER, KAT Dan, 30. 165.

hen. Die historischen Einzelheiten: die zeitweise Entlastung in
der Verfolgung durch den makkabäischen Widerstand (34a)[20] und der
(damit verbundene) Zulauf auch einer falschen Anhängerschaft (34b)
brauchen uns nicht weiter zu beschäftigen. Wichtig ist, daß hier
die an Jahwe festhaltenden 'Weisen' zu Beginn des - wie der Kontext zeigt, durch die 'weltpolitischen' Machtkämpfe eingeleiteten - endzeitlichen Kampfes gewaltsamer Verfolgung ausgesetzt sind,
in der sich erweisen wird, wer endgültig zur wahren Schar der
משכילים gehört. Das Martyrium wird zum Prüfstein, an dem sich wahre und geheuchelte Jahwegefolgschaft scheiden. Dabei wird die Verfolgung selbst summarisch knapp katalogartig aufgeführt (33b). Die
Darstellung läßt an ein eher passives Leiden denken: anders als
die Makkabäer (von denen noch zu reden sein wird) sind die verfolg-
den Weisen 'Mitkämpfer Jahwes' nur insofern, als sie ihre Gesetzes-
lehre beharrlich der Propaganda und den das Gesetz verletzenden,
'gottlosen' Neuerungen des Antiochus entgegensetzen (32; cf. 1Makk
1,10ff.). Also keine heroischen Kämpfer, sondern eher "das wahre
Israel (...), das im passiven Ausharren dem Handeln seines Gottes
nicht vorgreifen will, umso glühender aber dieses Eingreifen erwartet, das mit der Vernichtung des Antiochus zugleich das Ende
der Zeit eröffnet"[21].

Dieses Ende wird dann in Dan 12,1-3 beschrieben:

1 *Und in jener Zeit wird auftreten Michael, der große Fürst,*
  er, der für die Kinder deines Volkes schützend eintritt.
  Und es wird eine Notzeit sein, wie es sie nie gab,
  seitdem es Völker gibt bis zu jener Zeit.
  Aber in jener Zeit wird dein Volk gerettet werden,
  jeder, der sich aufgezeichnet findet im Buch.

2 *Und viele von denen, die im Erdenstaub schlafen, werden erwachen,*
  diese zum ewigen Leben, jene zu Schmach und ewigem Abscheu.

3 *Doch die* משכילים *werden glänzen wie der Glanz der Himmelsfeste,*
  sie, die 'Rechtfertiger' der Vielen, wie die Sterne in Zeit und Ewigkeit.

Es ist auffällig, wie knapp und komprimiert - im Vergleich etwa zu
den Schilderungen der 'voreschatologischen' Kämpfe der Herrscher
bis hin zu Antiochus - hier geredet wird: Michael erhebt sich,
eine Zeit der צרה (LXX: ϑλῖψις) ungekannten Ausmaßes bricht an,
aus der das wahre Israel errettet wird. Viele Tote werden auferweckt, einige[22] zu ewigem Leben, einige zu ewigem Abscheu, die

---

20 Cf. O.PLÖGER, aaO. 165; A.BENTZEN, HAT Dan, 83.
21 O.PLÖGER, aaO. 165.
22 Demgegenüber meint B.J.ALFRINK, Idée, 355-381, bes. 368, אלה...אלה teile
   nicht die Auferstandenen in zwei Gruppen ein, sondern stelle die Gruppe der
   Geretteten, die im Buch stehen und zum Leben auferstehen, der Gruppe der in
   der Endzeitschlacht Vernichteten gegenüber, die nicht im Buch stehen und
   nicht auferstehen, sondern tot bleiben zu ewigem Abscheu. Eine zunächst be-
   stechende Deutung, doch kommt die zweite Gruppe im Text nirgends explizit vor.

Märtyrer von 11,33ff. werden außerordentlich verherrlicht. Kein
Kampf wird geschildert, die geschichtlichen Abläufe sind aufs Wesentliche verdichtet. Das Wesentliche aber ist a) die Errettung
des wahren Israel[23] aus der endzeitlichen צרה und b) die Aufer-
weckung der zum wahren Israel gehörenden Toten zum ewigen Leben.
Die Danielapokalypse rezipiert hier die Jesajaapokalypse, die in
Jes 26,19 den Gedanken des den Tod überwindenden Handelns Jahwes
erstmals (freilich noch ohne anschauliche Spezifizierung) in *diese
bestimmte* Vorstellung gefaßt hatte[24]. Indem sie dabei Jes 26,19 mit
Jes 66,24 kombiniert[25], gelangt die Danielapokalypse, die ältere
Vorstellung konkretisierend und erweiternd, zur Konzeption einer
Auferstehung mit 'doppeltem Ausgang': der einen zum ewigen Leben,
der anderen zum ewigen Abscheu.

> Man pflegt hier auf die aktuelle Situation der chasidischen Gemeinschaft zu
> verweisen[26], in der angesichts des Martyriums der Chasidim und der vielen
> Abtrünnigen außerhalb der Bewegung "a religious need"[27] für diese 'negative'
> Erweiterung bestand. So richtig dies ist, so ist doch auch daran zu erinnern,
> daß in der Tradition vom leidenden Gerechten von Anfang an die Relationen
> JAHWE→BETER und JAHWE→FEIND (im Plus/Minus-Verhältnis) einander entsprechen,
> daß schon Texte wie Ps 69,29 höchsten Wert auf die endgültige Vernichtung
> des Feindes legen, daß dann z.B. in Ps 58 die Ebene einer konkreten
> FEIND↔BETER-Relation völlig aufgegeben ist zugunsten der allgemeinen Ebene
> der Opposition GERECHTER/GOTTLOSER (cf. Ps 58,11!, wobei der Psalmist primär
> am Gericht über den Gottlosen interessiert ist) und daß schließlich in Ps
> 139 die Beteuerung des fast militanten Hasses gegen die Gottlosen die Jahwe-
> Doxologie beschließt[28]: daß also die Auferstehungskonzeption der Danielapo-
> kalypse gegenüber der in die Apokalyptik weisenden Entwicklungslinie der
> Tradition vom leidenden Gerechten nur konsequent ist. Dieses Bild wird be-
> stätigt durch die gleich zu erörternde Tatsache, daß unser Text sprachlich
> an Tritojesaja anknüpft, dessen Bezug zur Tradition vom leidenden Gerechten
> oben schon aufgezeigt wurde.

Die Auferstehung der Toten ist also in der Danielapokalypse deutlich Gerichtsgeschehen[29]. Dies verwundert nicht angesichts der bis

---

23 Das 'Volk, soweit es im Buch eingetragen ist', ist das 'wahre Israel' als die
   Schar derer, die sich nicht versündigt haben (cf. Ex 32,32f.), d.h. die
   צדיקים (so wörtlich Ps 69,29). - Zur Vorstellung des 'Buches' vgl. auch Ps
   139,16; Mal 3,16; Jes 4,3; 56,5; cf. P.WELTEN, Art. Buch/Buchwesen II, TRE
   VII, 274; H.WILDBERGER, BK Jes 1-12, 157f.; (zum zwischentestamentlichen
   Textbereich) P.VOLZ, Eschatologie, 290-292.
24 Cf. H.GESE, Tod, 51ff.; H.C.C.CAVALLIN, Life, 106f.; R.MARTIN-ACHARD, Mort,
   106ff.
25 S. dazu unten S.92.
26 So z.B. N.W.PORTEOUS, ATD Dan, 144: "Unter dem Druck der Verfolgung jedoch
   (...) scheint er empfunden zu haben, daß Gott Gerechtigkeit üben müsse einerseits gegenüber den Märtyrern um des Glaubens willen und auf der anderen Seite gegenüber den Abtrünnigen."
27 G.W.E.NICKELSBURG, Resurrection, 19.
28 S. dazu oben S.65.
29 Cf. G.W.E.NICKELSBURGs Bezeichnung von Dan 12,1-3 als "judgement scene"
   (aaO. 39). NICKELSBURG ordnet Dan 12 auch AssMos 10; Jub 23,27-31 und TestJud
   25 als "related" (ebd. 28) zu. Die ersten beiden Texte hält er für "contempo-
   rary documents", die in derselben historischen Situation dieselbe Theologie
   vertreten. AssMos 10 bezieht sich auf das Gericht über Israel und die Heiden,
   Jub 23 auf die Knechte Jahwes. Zu TestJud 25 s. unten S.121f.

jetzt betrachteten Texte, in denen das Verhältnis von Rechtshandeln und gnädigem Rettungshandeln Gottes von jeher unlöslich verbunden war. Dan 12,3 nun läßt die משכילים, die durch das Gericht -
und das heißt in ihrem Falle: durch die Läuterung des Martyriums
und die 'Gerechtsprechung' in der Auferweckung zum Leben - hin-
durchgegangen sind, einer besonderen Erhöhung teilhaftig werden:
sie, die viele 'zur Gerechtigkeit geführt' (מצדיקי הרבים) haben,
werden leuchten wie die Sterne. Man könnte versucht sein, die den
Weisen zugesprochene gerecht machende Funktion auf ihr Martyrium
zu beziehen und eine Sühnekonzeption zu vermuten, doch legt 11,33
nahe, an die (Gesetzes)lehre zu denken, die viele zur rechten
Einsicht und damit zur Gerechtigkeit geführt hat. Gleichwohl ist
festzuhalten, daß es eben diese Gerechtigkeit stiftende Funktion
war[30], die die משכילים ins Martyrium gebracht hat und ihnen nun zu
ihrer besonderen Erhöhung verhilft.

Es ist schon in der älteren Kommentierung[31] des Danielbuches
gesehen worden, daß die מצדיקי הרבים in Dan 12,3 auf Jes 53,11:
יצדיק צדיק עבדי הרבים zurückweisen. H.L.Ginsberg hat dann zu zeigen versucht, daß es dabei nicht nur um die Aufnahme eines Motivs
geht, sondern "that the author of Dan xi-xii has simply identified
the Servant of Isa lii 13 - liii 12 with the Maskilim (...) of his
day, and the Many of the said passage with the Many of Dan xi 33,
etc."[32] und daß somit Dan 12 als die älteste (erhaltene) Interpretation des leidenden Gottesknechtes anzusehen sei. Beleg dafür
sind neben der 'Rechtfertigung der Vielen' die Verwandtschaft der
Erhöhung: vgl. Jes 52,13b: 'er wird erhöht werden' und 53,11: 'er
wird (Licht)[33] sehen' mit Dan 12,3: 'sie werden glänzen wie die
Sterne'[34], vor allem aber die vielen weiteren Anklänge[35] an das
Jesajabuch in Dan 11/12. Selbst die Benennung der משכילים ist in
dem "יַשְׂכִּיל עַבְדִּי" von Jes 52,13 vorgegeben[36].

---

30 Diese 'aktive' Rolle der Leidenden übersieht O.H.STECK, Israel, 254: "daß
   den Weisen solches Geschick zuteil wird, liegt daran, daß sie Israeliten
   sind und über Israel das seit 587 andauernde Unheil lastet".
31 Cf. A.BENTZEN, HAT Dan (1937; ²1953), 85 und die dort angeführte ältere
   Literatur.
32 H.L.GINSBERG, Oldest Interpretation, 402.
33 So mit beiden Jesjahandschriften aus Qumran (1QJes$^{a.b}$) und LXX.
34 M.HENGEL, Qumrān und der Hellenismus, 367, weist darauf hin, daß Dan 12 die
   Auferstehung mit dem "typisch hellenistischen Motiv der astralen Unsterblichkeit" verbindet (cf. auch DERS., Judentum und Hellenismus, 358f.). Dadurch erklärt sich die Veränderung des 'Licht sehen' zum 'Leuchten'; interessant ist, wie hier Jes 53 in die geläufige Vorstellung des Verfassers 'hin-
   einübersetzt' wird.
35 Vgl. v.a. Dan 11,37 mit Jes 10,12; Dan 11,45 mit Jes 14,24; Dan 11,10.40f.
   mit Jes 8,7f.; Dan 11,36b mit Jes 10,5ff.23ff.
36 H.L.GINSBERG, Oldest Interpretation, 403, verweist auf C.C.TORREYs Interpretation von יַשְׂכִּיל עַבְדִּי in Jes 52,13 als 'mein Knecht, der Weise'. - Es ist

Ginsbergs These ist dann von L.Ruppert[37] und G.N.E.Nickels-
burg[38] weitgehend aufgenommen worden, vor allem letzterer hat in
einer ausführlichen traditions- und formgeschichtlichen Untersuchung, die auch das Textfeld rings um die Danielapokalypse mit
einschließt, den deutlichen Bezug von Dan 12 zum Jesajabuch gezeigt, insbesondere zu den Gottesknechtsliedern und zu Tritojesaja. Wichtig ist dabei die oben schon angesprochene Beobachtung,
daß auch die 'Auferstehung zum ewigen Abscheu' auf einer solchen
Übernahme beruht: die in den letzten Worten des Jesajabuches auf
die *Leichen* der Abtrünnigen bezogene Vorstellung, daß sie zu fort-
dauerndem Abscheu im Hinnomtal dem Gewürm und dem Feuer überlassen
seien (Jes 66,24) - als Gegenbild zur fortdauernden vollkommenen
Jahveverehrung in Jerusalem (66,20-23) -, wird hier in die Auferstehungsvorstellung aufgenommen: die Auferstehung wird das einlö-
sen, was schon am Ende des Jesajabuches als Konsequenz des Gerichts
Jahves vorgestellt wurde.

Fassen wir zusammen: die für die apokalyptische Konzeption des
Danielbuches wichtige Vorstellung einer Auferstehung der Toten hat
in der Tradition vom leidenden Gerechten eine wesentliche Voraussetzung. Sie knüpft an die nach dem Exil zunehmend zu beobachtende
Verbindung von prophetischen Geschichts-, Endzeit- und Gerichts-
aussagen mit der Rettungsaussage der Tradition vom leidenden Gerechten an. Diese war schon in der späten alttestamentlichen
Schicht eschatologisiert worden, hier nun ist der - für das weitere jüdische Denken äußerst folgenreiche - Schritt in den apokalyptischen Bereich getan. Die Geschichte tritt in ihre letzte Phase
ein, in der Gott mit den Seinen den Endkampf heraufführt, der mit
dem Endgericht abschließt: in diesem Gericht wird sich sowohl an
den Knechten Gottes und an den Gerechten als auch an ihren Feinden
eben die צדקה bewähren, die sich von jeher mit der Tradition vom
leidenden Gerechten verband.

---

gut möglich, daß die Chasidim Jes 53 tatsächlich so verstanden. Dies ist dann
ein interessantes Beispiel für die produktive Rezeption im Traditionsprozeß:
sie semantische Unschärfe von שכל (*'gedeihlich ausrichten'/'Einsicht haben'*)
erlaubt die Übertragung des Alten auf die neue Situation oder besser: das
Sich-Unterbringen bzw. Sich-Wiederfinden in den älteren Texten.
37 L.RUPPERT I, 56.
38 G.W.E.NICKELSBURG, Resurrection, 11-27, bes. 20-26; cf. H.C.C.CAVALLIN,
Life, 27.

4.3. Akzentuierungen der Tradition vom leidenden Gerechten in
     der Septuaginta und 11Qtg Hiob

Zum Abschluß dieses den Übergang vom Alten Testament in das zwischentestamentliche Textfeld skizzierenden Kapitels sei - wenn auch nur hinweisartig -
die Rolle der LXX für die Tradition vom leidenden Gerechten angesprochen,
deren wirkungsgeschichtliches Gewicht nicht unterschätzt werden sollte.

Wichtig ist die LXX für uns natürlich in erster Linie dadurch,
daß sie in ihrem über den masoretischen Kanon hinausgehenden
Schriften einen großen Teil der für unsere Fragestellung aufschlußreichen zwischentestamentlichen Texte tradiert, und zwar in naht-
loser Ununterschiedenheit vom genuin alttestamentlichen Textfeld:
die Tradition selbst macht uns so die Relativität der Kanongrenze
bewußt und legt eine Fortschreibung der ganz an den sachlichen und
historischen Zusammenhängen der Traditionsentwicklung orientierten
diachronen Skizze nahe.

Bemerkenswert sind aber auch die von Ruppert exemplarisch herausgearbeiteten[39] Differenzen, die die LXX im Bereich unseres
Textfeldes gegenüber M aufweist. Sie sind hier nicht im einzelnen
zu rekapitulieren, festgehalten sei aber die sie bestimmende Tendenz, den Gegensatz zwischen dem ἀσεβής und dem δίκαιος gegenüber
M zu verschärfen und in erster Linie als religiösen aufzufassen.
Hierdurch kommt es (v.a. im Hiob- und Spruchbuch) zu einer Verschiebung der inhaltlichen Füllung von δίκαιος gegenüber den zugrundeliegenden צדיק- bzw. נקי-Prädikationen des leidenden Gerechten, in der die forensische zugunsten einer sehr viel allgemeineren, "theologische(n) Bedeutung"[40] zurücktritt. In eine ähnliche
Richtung weist die Beobachtung, daß der schon in M (cf. Ps 9/10;
37) in der Tradition vom leidenden Gerechten verankerte Aspekt des
Leidens des *Armen* stärker in den Vordergrund tritt: die Bedrängnis
der armen Gerechten durch die gottlosen Reichen gilt geradezu als
typische Situation[41]. Schließlich weist Ruppert darauf hin, daß in
Jes 3,10; 53,11 und 57,1 LXX auch schon Einflüsse einer Märtyrer-
theologie erkennbar sind[42]. Diese Akzentverschiebungen (in denen
in vielen Fällen textlich oder sachlich schwierige Texte in Anpassung an den historischen Bezugsrahmen der LXX: die Lebenswirklichkeit der alexandrinischen Judenschaft im 2.Jh.v.Chr., vereindeu-
tigt werden) haben, wie wir sehen werden, durchweg Entsprechungen
in den gleich zu behandelnden zwischentestamentlichen Texten.

---

39 Cf. L.RUPPERT I, 56-69.
40 Ebd. 69.
41 Cf. ebd. 65f.
42 Cf. ebd. 59-63.69.

Über diese eher pauschalen Verweise hinaus ist hier nur auf einen einzelnen 'Fall' genauer einzugehen, nämlich auf die *LXX-Übersetzung von Hi 42,8*, deren besondere Akzentuierung sich in dem alten
Hiobtargum aus Qumran weiterverfolgen läßt[43]. In Hi 42,7ff. fordert Gott die Freunde Hiobs auf, über die Darbringung eines Brand-
opfers hinaus auch noch Hiobs Fürbitte zu erbitten, nur dann soll
ihr frevelhaftes Reden vergeben werden. Der hebräische Text ist dabei in V 8b/9b ganz an Hiobs Restitution interessiert: Gott will
nur *sein* Antlitz erheben, d.h. nur sein Gebet erhören. Auf diese
Weise wird von den Freunden verlangt, offen anzuerkennen, daß Hiob
recht hat, um so seine durch ihre Reden verletzte Ehre wieder her-
zustellen (cf. bes.42,8b). Die Erhörung der Fürbitte teilt 9b dann
knapp und ganz an Hiob orientiert mit: וַיִּשָּׂא יְהוָה אֶת־פְּנֵי אִיּוֹב.
Die LXX nimmt hier nun einige Veränderungen vor. Zunächst wird
verdeutlichend klargestellt, daß sich die Freunde *an Hiob* schuldig
gemacht haben:

Hi 42,8b: οὐ γὰρ ἐλαλήσατε ἀληθὲς κατὰ τοῦ θεράποντός μου Ιωβ.
                denn ihr habt nicht recht geredet gegen meinen Knecht Hiob.[44]

Vor allem aber tritt in LXX der Akt der Vergebung Gottes an den
Freunden in den Vordergrund, der (sogar zweimal: V 9b und 10a) explizit zur Sprache kommt: Hi 42,9b: καὶ ἔλυσεν τὴν ἁμαρτίαν αὐτοῖς
διὰ Ιωβ (cf. V 8b: δι' αὐτόν). Gott vergibt den (an Hiob schuldig
gewordenen) Freunden um Hiobs willen: hier geschieht also Vergebung, weil Gott sein positives Verhältnis zu Hiob, das Hiob fürbittend für seine Freunde einsetzt, auch an diesen wirksam sein
läßt[45].

Dabei hat das "διὰ Ιωβ" m.E. die Gesamtexistenz des Gerechten
Hiob im Auge: nicht nur, weil (von Hiob) *Fürbitte* geleistet wurde,
wird vergeben, sondern eben um *Hiobs* willen, d.h. um der Geltung
seiner Person willen. Dies bestätigt die Übersetzung der Stelle
in 11QtgHi, in der explizit von der Gebetserhörung die Rede ist
und *daneben* noch von der Vergebung um Hiobs willen:

---

43 Zum Hiobtargum von Qumran (11QtgHi) cf. B.JONGELING/C.J.LABUSCHAGNE/A.S. van
   der WOUDE, Aramaic Texts from Qumran I, 3-11 (Einleitung); 72 (Text von Kol
   38); zum Verhältnis von M, LXX und Targumfassung: E.PUECH/F.GARCIA, Remarques,
   bes. 403.406; zum Problem der Kurzfassung des Hiobschlusses in 11QtgHi:
   E.KUTSCH, Epilog, bes. 142f.
44 Dagegen M: "... weil ihr nicht recht *von mir* geredet habt *wie* mein Knecht
   Hiob" (Hi 42,8b).
45 Zur Deutung der LXX- und Targumversion cf. P.STUHLMACHER, Existenzstellvertretung, 423 Anm.41; B.JANOWSKI, Sündenvergebung.

11QtgHi 38,2f: wšm' '(1)h' bqlh dy 'yywb wšbq (3) lhwn ḥt'yhwn bdylh
"Und G(o)tt hörte auf die Stimme Hiobs
und vergab ihnen ihre Sünden um seinetwillen."[46]

Hier wäre das "um seinetwillen" m.E. entbehrlich, wollte der Text
nicht betonen, daß die Fürbitte um der Geltung Hiobs bei Gott willen erhört wird. Was aber hat Hiob solche Geltung bei Gott verschafft? Vom Kontext des Hiobbuchs her kommt nur sein *Gerecht-Sein*
in Frage, an dem Hiob unbeirrt auch im Leiden, eben als der leidende Gerechte festhielt. Insofern kommt faktisch - wenn auch
noch auf sehr mittelbare Weise - das Leiden des Gerechten anderen
(konkret: den Freunden, die an ihm schuldig geworden sind[47]) zugute. Wohlgemerkt: Dies hat nichts mit 'stellvertretender Sühne' zu
tun, auch ist noch nicht explizit davon die Rede, daß Hiobs *Leiden*
zugunsten der Freunde 'angerechnet' würde. Aber ein erster Schritt
auf die Denkfigur "Interzession des leidenden Gerechten für den
Schuldigen" hin deutet sich an. Im weiteren Gang der diachronen
Skizze wird darauf zurückzukommen sein[48].

5.Kapitel

DER LEIDENDE GERECHTE IM ANTIKEN JUDENTUM PALÄSTINAS

UND DER DIASPORA (AUSSER QUMRAN)

5.1. Apokalypsen

5.1.1. Das äthiopische Henochbuch

Die uns als "apokalyptisches Sammelwerk"[1] vorliegenden Henoch-
überlieferungen thematisieren das Leiden des Gerechten in solcher
Breite, daß es ganz angemessen ist, wenn die Redaktion dem ganzen
Buch eine 'Segensrede' voranstellt, mit der Henoch

---

46 Dasselbe Wort: *bdylh* (vokalisiert: *b^{e}dîlǝh*) verwendet auch der Propheten-
   targum von Jes 53,4.6.12, um die Sündenvergebung "um seintwillen" (d.h. um
   des messianischen Gottesknechts willen) auszusagen. Cf. dazu K.KOCH, Messias
   und Sündenvergebung, bes. 134f.137.145f.
47 So nach LXX (s.oben); in 11QtgHi ist der Text nicht erhalten (Kol 37 bricht
   nach Hi 42, 6a ab, Kol 38 setzt bei Hi 42,9b wieder ein (cf. E.KUTSCH, Epilog,
   139.148).
48 S. unten S.117.
 1 O.EISSFELDT, Einleitung, 837. - Zur Entstehungs- und Redaktionsgeschichte
   cf. ebd. 838-841; L.ROST, Einleitung, 103-105. Im folgenden sind v.a. Texte
   aus dem 'paränetischen Teil' (äthHen 91.92.94-105) heranzuziehen, den ROST
   (aaO. 104f.) ins 1.Jh., EISSFELDT (aaO. 839) genauer ins erste Drittel des
   1.Jh.s v.Chr. datiert. Die anderen Teile dürften entweder älter oder nur wenig jünger sein, weshalb wir auf weitere chronologische Differenzierungen
   verzichten können. Gegen J.T.MILIK (Books of Enoch, 96), der äthHen 37-71
   erst um 270 n.Chr. ansetzt, cf. M.A.KNIBB, Date, 345-359.

die auserwählten Gerechten (ἐϰλεϰτοὺς διϰαίους) segnete, die am Tage der
Trübsal (εἰς ἡμέραν ἀνάγϰης) vorhanden sein werden, wenn man alle gottlosen
Sünder beseitigt (äthHen 1,1)[2].

Die schon in diesem ersten Satz angesprochene Frontstellung zwischen 'Gerechten' und 'Gottlosen' beherrscht dann das ganze Buch,
und wenn die griechische Version anstelle von 'gottlose Sünder'
'Feinde' (ἐχθροί) liest, so legt es sich nahe, darin den uns aus
den bisher behandelten Texten schon vertrauten Gegensatz fortge-
schrieben zu sehen. Allerdings ist die Art und Weise, wie hier geredet wird, in vielem verschieden von dem, was uns ihm Rahmen der
Tradition vom leidenden Gerechten bisher begegnete, und so sind
Kontinuität und Neuakzentuierung kurz aufzuzeigen.

Die dem äthHen zugrundeliegende apokalyptische Konzeption[3]
gleicht in vielem der des Danielbuches, nur daß sie sie in jeder
Hinsicht an Ausführlichkeit und Universalität der Themenstellung
überbietet. Was Henoch über die Zukunft der Gerechten und Gottlosen mitteilt, steht im Kontext vergleichbarer Mitteilungen über
die himmlischen Geheimnisse des Engelfalls und des Menschensohns,
über Gang und Ziel der Weltgeschichte, aber auch über astronomi-
sche und geographische Rätsel. Dieser enzyklopädische Charakter,
in dem sich ein hoher weisheitlicher Anspruch geltend macht[4], und
die damit verbundene Art der Diktion unterscheiden äthHen recht
deutlich von den bisher behandelten Texten.

Ein zweiter Differenzpunkt liegt in der Art, wie das Verhältnis
des Leidenden zu Gott gedacht ist: nur in Kap 1 als direktes per-
sonales Gegenüber, sonst schaffen die Engel oder der Menschensohn
als vermittelnde, für Gott tätige Zwischenglieder eine deutliche
Distanz.

Schließlich fällt eine zum Dualismus tendierende Darstellungsweise auf: der Gegensatz von Gerechten und Sündern[5], Weg des Friedens und Weg des Todes (94,1ff.), Segen und Fluch, Weisheit und
Torheit (98,9), vor allem aber der zeitlich gesehen - freilich
noch nicht als Zwei-Äonen-Schema formulierte[6] - Unterschied von
gegenwärtigem/vergangenem Leiden und künftiger Freude geben dem
Buch ein eigenartiges Gepräge.

2 Deutsche Textbelege hier und im folgenden (vgl. aber Anm.27) nach G.BEER,
  in: KAUTZSCH II, 236-310); griechische nach M.BLACK, Apokalypsis Henochi
  Graece (PVTG III, 19-44).
3 Cf. J.THEISOHN, Der auserwählte Richter, bes. 29.202f.
4 Cf. auch äthHen 42 im Blick auf Sir 24 und die Bezeichnung des paränetischen
  Teils als "vollständige Lehre der Weisheit" (92,1).
5 Eine Spezifizierung dieser Opposition hinsichtlich ihrer Begrifflichkeit und
  (sozialen) Konkretion gibt G.W.E.NICKELSBURG, Riches, 326ff. anhand von
  äthHen 92-105.
6 Vgl. unten S.101-103.

Doch läßt sich m.E. gerade an diesem Denken in Gegensätzen zeigen, daß und wie die Tradition vom leidenden Gerechten wirksam ist. Denn die im äthHen dominierende Konfrontation des Ergehens des Gerechten mit dem des ihn bedrängenden Frevlers und die Ansage des Heils für den Gerechten und des Unheils für den Sünder lassen sich ja durchaus mithilfe des BETER - FEIND - JAHWE - Relationengefüges der Psalmen beschreiben. Dabei ergeben sich zwei besondere Akzente:

a) Während der Aspekt des Relationengefüges, der die positive Zuordnung Jahwes zum Gerechten und die negative gegenüber dem Sünder/Gottlosen als Entsprechung zur Bedrängnis des Gerechten durch den Gottlosen anspricht, stark betont ist, tritt die BETER - JAHWE-Relation zurück. Sie wird ganz auf die Bezeichnung "der Gerechte" verdichtet: der Gerechte ist zum Typ geworden; daß sich seine Gerechtigkeit am Gesetz bewährt, läßt sich erschließen[7], doch hat der Text kein Interesse daran, dies weiter auszuführen.

b) Das Wirksamwerden der Relationsentsprechungen gemäß der Tradition vom leidenden Gerechten wird im äthHen erst und nur im Endgericht erwartet. Auf diese Weise wird die bereits an einigen Psalmen aufgewiesene[8] Prolongation des צדקה-Erweises Jahwes über die Lebenszeit des Beters hinaus zum Regelfall. Der Text bringt den Gedanken der 'Verzögerung' selbst zum Ausdruck (äthHen 47,1f.):

> In jenen Tagen wird das Gebet der Gerechten und das Blut des Gerechten vor den Herrn der Geister aufsteigen. In diesen Tagen werden die Heiligen, die oben in den Himmeln wohnen, einstimmig fürbitten, beten, loben, danken und preisen den Namen des Herrn der Geister wegen des Bluts der Gerechten und (wegen) des Gebets der Gerechten, daß es vor dem Herrn der Geister nicht vergeblich sein möge, daß das Gericht für sie vollzogen, und der Verzug (desselben) für sie nicht ewig dauere.[9]

Unter den im Text erwähnten 'Gebeten der Gerechten' wird man sich wohl nichts anderes als Klagepsalmen vorzustellen haben. Deren ursprüngliche Intention aber, unmittelbare Hilfe Jahwes zu erhalten, ist hier aufgegeben: die Gebete sind aufgehoben und werden erst am Tage des Endgerichts vor Jahwe gebracht, eine Vorstellung, die die ehedem für die Tradition vom leidenden Gerechten grundlegende Erfahrung, daß Jahwe hört, wenn der Gerechte schreit, zerdehnt - auch darin spiegelt sich der oben festgestellte Verlust an Unmittelbarkeit im JAHWE-BETER-Verhältnis.

Es ist nun noch etwas näher auf die apokalyptische Konzeption einzugehen, in die die Tradition vom leidenden Gerechten im äthHen

---

7 Cf. z.B. äthHen 99,2.
8 S. oben S.61f. - Dort war diese Prolongation eine theologische Grenzaussage.
9 So nach G.BEER, in: KAUTZSCH II, 263. J.A.KNIBB, Enoch, II,133 geht damit ganz überein, nuanciert jedoch an der entscheidenden Stelle etwas anders: "and (that) their patience may not have to last for ever".

hineingestellt ist und mit der sie sich verbindet. Wie in der Danielapokalypse läuft auch im äthHen die Weltgeschichte auf eine
eschatologische Drangsalszeit zu[10], ebenso wie dort ist das eschatologische Geschehen mit der himmlischen Inthronisation des Menschensohns verbunden[11], hier wie dort ist die Auferstehung der Toten ein wesentlicher Bestandteil des Gerichtsgeschehens[12]. Anders
als die Danielapokalypse legt äthHen großes Gewicht auf die Schilderung des Ergehens des Gerechten und des Gottlosen im Endgericht,
in dem sich eine 'Umkehrung der Verhältnisse'[13] vollzieht: die
Gottlosen werden in die Hände der Gerechten gegeben zur Rache[14];
in den künftigen Äon werden sie nicht eingehen[15]- während die Gerechten seiner durch Auferstehung (oder Verwandlung) teilhaftig
werden[16]. Die Genugtuung der Gerechten an den Gottlosen ist dabei
verschieden dargestellt, als direkte Rachehandlung während des
Hereinbrechens des jüngsten Tages:

98,12   *Wisset, daß ihr in die Hände der Gerechten gegeben werdet; sie*
        werden euch die Hälse abschneiden und euch erbarmungslos töten;

ebenso aber auch als Freude beim Zuschauen an deren Gericht:

62,11f. *Die Strafengel werden sie in Empfang nehmen, um an ihnen Rache dafür*
        zu nehmen, daß sie seine Kinder und Auserwählten mißhandelt haben. Sie
        werden für die Gerechten und seine Auserwählten ein Schauspiel abge-
        ben; sie werden sich über sie freuen, weil der Zorn des Herrn der Gei-
        ster auf ihnen ruht, und sein Schwert sich an ihrem (Blute) berauscht
        hat.[17]

Das Ergehen der Gerechten im kommenden Äon wird ebenfalls breit
geschildert; zum einen negativ: keine Bedrängnis und Trübsal[18],
zum anderen positiv: ein herrliches Los, Lebenstage ohne Ende, Leben im Licht der Sonne und des ewigen Lebens[19], Frieden mit Gott[20],
Teilhabe am Lebensbaum[21], Licht, Freude, Frieden und Erben des

---

10 Cf. äthHen 93,8ff.; 90,16f.; ferner die Bezeichnung des Gerichtstags als
   Tag der Trübsal/des Kummers/der Not (z.B. äthHen 1,1; 100,7 u.ö.).
11 Cf. äthHen 45,3; 46,3-6.
12 Cf. äthHen 51; 103,4; 104,2 u.ö.
13 Sehr gut deutlich wird diese oft auch im Textduktus der entsprechenden Abschnitte, z.B. äthHen 96.
14 Cf. äthHen 91,12; 98,12.
15 Die Vorstellungen sind hier uneinheitlich: nach äthHen 22,11 bleiben sie in
   der Scheol, meist aber ist an ihre endgültige Vernichtung gedacht, cf. z.B.
   äthHen 48,9.
16 Auch hier finden sich verschiedene Vorstellungen: Umwandlung der Lebenden
   und Auferstehung der Toten aus der Erde, der Scheol und der Gehenna (äthHen
   50;51); Auferstehung vom (Todes-)Schlaf (91,10; 92,3); Weiterleben der Geister (103,48); Umwandlung in Engel im Himmel (51,4); Leben auf einer von
   Sünde befreiten Erde (45,4; 51,5).
17 Cf. äthHen 27,3f.; 48,9.
18 Cf. z.B. äthHen 25,6; 53,7.
19 Cf. äthHen 58,2-4.
20 Cf. äthHen 1,8.
21 Cf. äthHen 25,4.

Landes[22], die Gerechten werden Weisheit empfangen[23], sie werden
Tischgemeinschaft haben mit dem Menschensohn und mit dem Kleid der
Herrlichkeit Gottes bekleidet[24], sie werden - hier liegt deutlich
eine Ausweitung der besonderen Verherrlichung der משכילים von Dan
12 auf alle Gerechten vor - leuchten wie die Sterne:

104,2 *Denn zuerst wart ihr der Schande durch Unglück und Not preisgegeben
(ἐπαλαιώθετε ἐν τοῖς κακοῖς καὶ ἐν ταῖς θλίψεσιν), aber nun werdet ihr wie
die Lichter des Himmels leuchten und scheinen; die Pforte des Himmels
wird euch aufgetan sein.*

ÄthHen thematisiert das Leiden des Gerechten also konsequent in
der Perspektive des endzeitlichen Gerichtsgeschehens. Von hier aus
werden die oben herausgearbeiteten Akzente der Rezeption der Tradition vom leidenden Gerechten verständlich, vor allem auch daß
der ihr ursprünglich eigene Charakter der Klageartikulation fast
ganz verlorengeht. Die Notwendigkeit zur Klage ist aufgehoben angesichts der Gewißheit des umfassenden Heils aufgrund des Endgerichts. Der Trost für die Leidenden ist Trost über den Tod hinaus
und kann so auch Trost für die Sterbenden sein:

102,5 *Trauert nicht, wenn eure Seele in großer Trübsal, in Jammer, Seufzen
und Kummer in die Unterwelt hinabfährt, und euer Leib zu eurer Lebzeit
nicht erlangte, was eurem Wert entsprach, sondern nun an einem Tage
(sterbt), an dem ihr den Sündern gleich wurdet.*

Die einzige Ausnahme im Blick auf das Fehlen von Klagetexten
bildet ein im Rahmen der besonders strukturierten Kapitel 102-104[25]
begegnendes vielleicht älteres[26] Klagegedicht in äthHen 103, das
bezeichnenderweise als Zitat kenntlich und mit einer negativen
Einleitung in den Zusammenhang eingesetzt ist[27]:

103,9 *Sagt nicht, ihr, die ihr gerecht seid in eurem Leben:
"Während der Tage der Not hatten wir Mühsal auszustehen,
und wurden wir verzehrt,
und sind wir wenige geworden,
und einen Helfer fanden wir nicht.*
   10 *Zerschlagen sind wir und zugrundegegangen
und wir sind hoffnungslos geworden,
auch hinfort keine Rettung zu erfahren von Tag zu Tag.*
   11 *Wir hofften, Haupt zu werden - Schwanz sind wir geworden;
wir mühten uns ab mit Arbeit und haben keinen Lohn empfangen;
wir sind die Beute der Sünder geworden,
die Gesetzesverächter legten uns das Joch auf.*

---

22 Cf. äthHen 5,7.
23 Cf. äthHen 91,10.
24 Cf. äthHen 42,14-16.
25 Cf. die Strukturuntersuchung bei G.W.E.NICKELSBURG, Resurrection, 114f.: äth
   Hen 102,4-103,4 / 103,5-8 / 103,9-104,6 / 104,7-8 sind jeweils gleich aufgebaut; cf. DERS., Riches, 331f.
26 Cf. L.RUPPERT I, 145ff., bes. die wortstatistische Untersuchung 151f.
27 Die von BEER bei der Übersetzung aus dem Äthiopischen vorgenommene Umsetzung
   der 1.Person in die 3.Person ist nicht zu halten (cf. auch L.RUPPERT I,
   140ff.). - Ich folge im Zitat dem griechischen Text in eigener Übersetzung.
   Textschäden sind in V 12f. anhand der Vorschläge BONNERs behoben (C.BONNER,
   The Last Chapters of Enoch in Greek, 67.93); gegenüber M.A.KNIBB, Enoch II,
   240f. bestehen einige für unsere Textauswertung unerhebliche Abweichungen.

12 *Die (uns) beherrschen, unsere Feinde, treiben uns und umzingeln uns.*
13 *Wir suchten, wohin wir fliehen könnten vor ihnen,*
   damit wir Atem schöpften.
   (Aber wir fanden keinen Ort, wohin wir fliehen
   und vor ihnen sicher sein konnten.)"

Auffällig ist schon die formale Struktur des Textes, wie sie die
griechische Version deutlich zu erkennen gibt: die katalogartige
Anreihung von Verben in der 1.Person Plural bewirkt eine sehr intensive und gedrängte Darstellung der Leidenssituation. Diese ist
des näheren gekennzeichnet als eine lang andauernde (10) Verfolgung der Gruppe der Gerechten durch die Gesetzesverächter (11), es
handelt sich also um ein Leiden um der Gottesbeziehung willen.
Auch wenn der Text - wie es Ruppert wahrscheinlich gemacht hat[28] -
pharisäischer Tradition entstammt und erst sekundär in diesen apokalyptischen Kontext gelangte, so dürfte er doch eben deshalb hier
eingesetzt sein, weil er die umfassende Leidenssituation derer,
die durch die Paränese des äthHen angesprochen werden sollten,
treffend kennzeichnete. Die Entgegensetzung von Gottlosen und Gerechten im äthHen könnte so - jedenfalls im paränetischen Teil -
die Auseinandersetzung der jüdischen Religionsparteien im 1.Jh.
v.Chr. spiegeln.

    In dieser Situation ergaben sich die Notwendigkeit und die Mög-
lichkeit, die Tradition vom leidenden Gerechten in die apokalyptische, zum Dualismus tendierende Konzeption einzuzeichnen. Das wesentliche Novum dieser Rezeption besteht in der Verlagerung der
Rettung[29] des leidenden Gerechten ins Endgericht. Diese deutete
sich schon in der Danielapokalypse (dort jedoch ohne besondere Betonung des Leidens) an und ist ein wichtiger Schritt in der Geschichte unserer Tradition. Wie wir sahen, hat sie ihre sachliche
Wurzel schon in den nachexilischen Psalmen: hier war der Gedanke
der zeitlichen Prolongation des צדקה-Handelns Jahwes schon gedacht,
und angesichts des 'Trends' der Tradition zur Eschatologisierung,
den wir auch schon im Alten Testament beobachten konnten, erscheint
diese Entwicklung nur konsequent. Auf der anderen Seite führt die
Einzeichnung in den Dualismus zweier Äonen zu einer tiefgreifenden
Veränderung der Funktion und Intention des Traditionsgebrauches.
Denn das mit der Tradition vom leidenden Gerechten verbundene Moment der *Erfahrung* erfolgter Rettung des Gerechten, auf die sich
die Hoffnung auf ein künftiges Rettungshandeln Jahwes gründet, ist
hier transzendiert zur *Vision*: Henoch schaut das künftige Los der
Gerechten im 'Jenseits'; der Erfahrungsrahmen der Tradition vom

---

28 Cf. L.RUPPERT I, 155f.
29 Cf. äthHen 99,10.

leidenden Gerechten, der den Leidenden von vergangener (tradier-
ter) Rettungserfahrung her auf künftige Rettungserfahrung zugehen
ließ, wird aufgegeben zugunsten einer rein an der Zukunft des (nahen) eschatologischen Gerichtes orientierten Rettungsverheißung.
Solche Akzentverschiebung ist aufgrund der Situation gesteigerter
kollektiver Leiderfahrung um der Gesetzestreue willen[30] verständlich. Aus dieser Situation ergibt sich noch eine andere Akzentverschiebung: das *Leiden* des Gerechten, das - wie wir sahen - im
Laufe der Ausbildung der Tradition mehr und mehr vom Ausnahmefall
zur geläufigen Erfahrung, ja zur Regel wurde, ist hier - faktisch[31]
- zum Kennzeichen des Gerechten geworden.

5.1.2. Weitere Apokalypsen (slavHen; 4Esra; syrBar)

In den späteren jüdischen apokalyptischen Texten wirkt und entwickelt sich
die dem äthHen eigene apokalyptische Konzeption kontinuierlich weiter. Es
sind hier nur die wichtigsten Linien anhand einiger Textbeispiele anzudeuten:

Das *slavische Henochbuch*[32] gibt der Problematik des Leidens des Gerechten nicht so breiten Raum wie das äthHen, dem es sonst oft nahesteht; gleichwohl hat sie großes sachliches Gewicht: Leiden ist
geradezu das erste Kennzeichen der Gerechten. So betont slavHen
9,1ff. z.B. zuerst, daß sie "in ihrem Leben Ungemach erdulden und
gekränkt werden", erst danach, daß sie Gerechtigkeit üben und Gutes tun. Dementsprechend bildet die Ermahnung, Leiden zu ertragen,
auch ein festes Motiv der Paränese, die im Rahmen des hier nun explizit ausgebildeten Dualismus der zwei Äonen[33] das künftige Heil
der gegenwärtigen Leidensexistenz gegenüberstellt (slavHen 50,2-5):

2 *Verbringt nun, meine Kinder, eure Tage in Geduld und Sanftmut, damit ihr die
  künftige Welt erbet!*
3 *Jeden Schlag, jede Wunde, Hitze und böses Wort, das euch trifft, ertraget um
  des Herrn Gottes willen!*

---

30 Cf. RUPPERTs Versuch, die in den Weherufen 96,8; 98,13.14; 100,7; 95,7 zum
   Ausdruck kommende "Siegeszuversicht" (I,156) auf die Entmachtung der Saddu-
   zäer beim Regierungsantritt Alexandras (76 v.Chr.) zurückzuführen und den
   paränetischen Teil des äthHen dadurch genauer zu datieren. In der Tat ließe
   ein solcher plötzlicher Hoffnungsimpuls die Entstehung des Textes plausibler
   erscheinen, doch bleibt dies derzeit nur Vermutung (cf. L.RUPPERT I, 155-157).
31 L.RUPPERT I, 154 weist freilich (in Abweisung von D.RÖSSLER, Gesetz und Geschichte, 90) darauf hin, daß ein "Dogma" vom notwendigen Leiden des Gerechten hier noch nicht gedacht und formuliert sei. Doch ist es m.E. dorthin nur
   noch ein kleiner Schritt: Gerechtsein ohne Leiden steht jedenfalls im äthHen
   nirgends in Rede.
32 Das slavHen ist recht sicher in die letzten Jahrzehnte vor 70 n.Chr. zu datieren und gehört dem hellenistischen Judentum Ägyptens an (L.ROST, Einleitung, 84), vielleicht ist aber die kürzere (Belgrader) Rezension palästinisch
   (cf. J.H.CHARLESWORTH, Pseudepigrapha, 104). Zum äthHen besteht keine literarische Abhängigkeit, doch dürften oft dieselben Traditionen zugrundeliegen,
   die "früh selbständig weiterentwickelt worden" sind (L.ROST, aaO. 83).
33 Cf.slavHen 61,2; 66,6f. (G.N.BONWETSCH, Die Bücher der Geheimnisse Henochs,
   51.56). - Beide Stellen fehlen in der kürzeren Rezension (s. Anm.32) und darum auch in P.RIESSLER, Altjüdisches Schrifttum.

4 *Könnt ihr auch Vergeltung üben, so vergeltet doch nicht dem Nächsten! Denn*
  sonst vergilt euch der Herr und ist am großen Gerichtstag der Rächer.
5 *Verlieret Gold und Silber um des Bruders willen! Dann erhaltet ihr am*
  Gerichtstag einen unerschöpflichen Schatz. [34]

Diese Konsequenz des Verzichts auf Widerstand und Vergeltung war
im äthHen noch nicht explizit gezogen; sie dokumentiert eine Erweiterung des Reflexionsstandes, der wir im Zusammenhang der Test
XII nochmals begegnen werden. Auffällig am slavHen ist zudem seine hellenisierte Sprachgestalt. Sie kommt u.a. darin zum Ausdruck,
daß die Leiden katalogartig aufgereiht werden (slavHen 66,6):

> *Wandelt, meine Kinder, in Langmut, in Sanftmut, in Mißhandlung, in Kümmernis,*
> *in Glauben (Treue), in Gerechtigkeit, in Verheißung, in Schwachheit, in Ge-*
> *scholtenwerden, in Schlägen, in Versuchungen, in Beraubung, in Blöße, ein-*
> *ander liebend, bis daß ihr hinausgeht aus diesem Äon der Schmerzen, damit*
> *ihr Erben werdet des endlosen Äons.* [35]

Die erst in nachpaulinischer Zeit entstandenen[36] Apokalypsen
4Esra und *syrische Baruchapokalypse* setzen die dualistische Linie fort,
wobei die der Henochüberlieferung eigene Komplexität des Bildes
vereinfacht und schematisiert wird - und damit auch die Antwort
auf die Frage des Leidens des Gerechten[37]. Die dualistische Konzeption des *4Esra* ist im Grundzug sehr einfach (4Esra 7,11-14)[38]:

> *(Nach Adams Fall) ward die Schöpfung gerichtet: Da sind die Wege in diesem*
> *Äon schmal und traurig und mühselig geworden, elend und schlimm, voll von Ge-*
> *fahren und nahe an großen Nöten; die Wege des großen Äons aber sind breit und*
> *sicher und tragen die Früchte des Lebens. Wenn die Lebenden also in diese*
> *Engen und Eitelkeiten nicht eingegangen sind, können sie nicht erlangen, was*
> *ihnen aufbewahrt ist.*

In diesem Äon "voll Trauer und Ungemach" (4,27) gilt es, einen
"Schatz guter Werke"[39] zu erwerben und sich zu bewähren im Halten
des Gesetzes. Dies führt aber angesichts der Schlechtigkeit der
Welt geradezu automatisch zu Leiden und Not. So heißt es von den
verstorbenen Gerechten, deren Seelen den sterblichen Körper hinter
sich gelassen haben (4Esra 7,89):

---

34 Übersetzung nach P.RIESSLER, Altjüdisches Schrifttum, 468.
35 Zitiert nach der Übersetzung von G.N.BONWETSCH, Henoch, 56 (vgl. Anm.33).
36 Beide Texte sind etwa um 100 n.Chr. entstanden, 4Esra wohl etwas früher als
   syrBar; dazu und zum Verhältnis beider cf. A.F.J.KLIJN, JSHRZ V, 112-114
   (Einleitung zur syrBar); cf. L.ROST, Einleitung, 93f.97. ROST nimmt als Ent-
   stehungsort pharisäische Kreise in Jerusalem an, für 4Esra evtl. Rom; cf.
   auch J.H.CHARLESWORTH, Pseudepigrapha, 84.112.
37 Cf. die ausführliche Untersuchung beider Texte durch L.RUPPERT I, 157ff.
   167ff.; besonders hingewiesen sei auf die dort (165) belegte Beziehung zur
   deuteronomistischen Tradition: 4Esra 7,79; 8,57 verbindet die Tradition vom
   Prophetengeschick mit der vom leidenden Gerechten (s. oben Exkurs 1, S.81f.).
38 Zitate aus 4Esra in der Übersetzung von H.GUNKEL, in: KAUTZSCH II, 352-401;
   aus syrBar nach A.F.J.KLIJN, JSHRZ V,123-184; cf. B.VIOLET, Apokalypsen,
   1ff.203ff.
39 Cf. 4Esra 7,77; 8,33; daneben (in 8,33-36 unmittelbar damit verbunden!) betont 4Esra aber auch die Barmherzigkeit Gottes dem gegenüber, "der keinen
   Schatz von guten Werken hat" (8,36).

Damals, als sie noch darinnen lebten, haben sie dem Höchsten unter Mühsalen
gedient und haben stündlich Gefahren erduldet um das Gesetz dessen, der es
gegeben, vollkommen zu halten.

Deshalb werden ihnen nun die sieben Freuden zuteil, deren eine darin besteht, (4Esra 7,96)

daß sie auf die Enge und die vielen Mühsale hinblicken, wovon sie erlöst sind,
und auf die Weite, die sie ererben sollen in seliger Unsterblichkeit.

4Esra interpretiert die Leiden des Gerechten also als notwendige[40]
Begleiterscheinungen des gerechten Wandels in der schlechten Welt.

Die *syrische Baruchapokalypse* ist 4Esra in vielem ähnlich[41], aufs
ganze gesehen ist ihr Blick stärker auf das besondere geschichtliche
Geschick Israels gerichtet[42]. Die dualistische Grundkonzeption ist
dieselbe: dieser Äon ist für die Gerechten "ein Kampf und Mühe bei
vieler Anstrengung", der künftige ihr "Kranz in großer Herrlichkeit" (15,8). Israels Geschichte steht im Zeichen des Unheils und
dadurch wachsender Bedrängnis (32,5), die Drangsale der Endzeit
treiben die Eskalation dann auf den Höhepunkt (32,6; 68,25f.). Wer
sie aber in gerechtem Wandel durchsteht, wird belohnt:

48,50 *Denn wahrlich – wie ihr in dieser kurzen Zeit in dieser Welt, in der*
ihr lebt, viel Mühen ertragen habt, so werdet ihr in jener Welt, die
ohne Ende ist, das große Licht empfangen.

51,12 *Dann wird Vortrefflichkeit* (Ryssel: *"Herrlichkeit") bei den Gerechten*
noch größer sein als bei den Engeln.

So ist das Leiden[43] hier nicht mehr nur ein Kennzeichen der Gerechten, sondern geradezu *das* Kennzeichen geworden, so daß es für die
Gerechten die Gewißheit des himmlischen Lohns impliziert. Es ist
so "Erwählungsbestätigungsleiden"[44]. Von daher ist es nur konsequent, wenn die Gerechten gern das Ende erwarten und furchtlos aus
diesem Leben gehen (14,12f.). Überboten wird diese Haltung noch
in syrBar 52,5:

Und die Gerechten – was sollen sie jetzt tun? Erfreut euch an dem Leiden,
das ihr jetzt leidet! Denn warum schaut ihr (danach) aus, daß eure Feinde
untergehen? Bereitet eure Seelen vor auf das, was für euch zubereitet ist,
und macht eure Seelen fertig für den Lohn, der für euch bereitliegt!

Hier wird die Vorfreude auf den künftigen Äon so beherrschend, daß
sie nicht nur die Not erträglich macht, sondern sie sogar selbst
schon zur Lust werden läßt[45].

---

40 Cf. W.HARNISCH, Verhängnis und Verheißung, bes. 240ff.318ff. (auch zu syrBar).
41 Cf. die Zusammenstellung der Parallelen in der Einleitung zur syrBar von
   V.RYSSEL, in: KAUTZSCH II, 405.
42 Dies zeigt schon ein Vergleich der 'Problemstellungen', die beide Texte in
   ihrer Einleitung erkennen lassen: 4Esra fragt nach dem Woher der Sünde in der
   Welt usw., syrBar geht es um das Geschick Jerusalems usw.
43 Weitere Belege zum Leidensthema stellt A.F.J.KLIJN, aaO. 115, zusammen.
44 L.RUPPERT I, 177.
45 Zum Motiv der 'Freude im Leiden' cf. W.NAUCK, Freude im Leiden, bes. 73-79
   und RUPPERTs kritische Weiterführung (L.RUPPERT I, 176-179).

5.2. Die Weisheit Salomos

Bei der Einzeichnung der Weish, des zweiten großen Weisheitsbuchs[46] der
zwischentestamentlichen Literatur, in unsere Skizze können wir uns auf einige wichtige Linien beschränken und ansonsten auf Rupperts ausführliche Untersuchung "der 'passio iusti' im Weisheitsbuch"[47] verweisen. Textlich können wir uns auf Weish 1-5 konzentrieren[48].

Auch die Weish redet vom Leiden des Gerechten stets in der betonten Gegenüberstellung des Gerechten und des Gottlosen (meist:
ἀσεβής), ebenso sind im Kontext die Gegensätze von Leben und Tod,
Unsterblichkeit und Todverfallenheit konstant präsent[49]. Das Verhältnis der in diesen Kontext eingebundenen Leidensaussagen zu den
bisher herausgearbeiteten Belegen der Tradition vom leidenden Gerechten ist nicht einheitlich: neben den beiden 'szenischen'
Textabschnitten 2,10-20 und 5,1-13, in denen eine Geschichte vom
leidenden Gerechten und seinen Feinden im apokalyptischen Kontext
entfaltet wird, finden wir in 3,5f. eine an Sir 2 erinnernde Deutung des Leidens als Prüfung.

Die sowohl im Blick auf diese Spannung, aber auch in der historischen Zuordnung plausibelste Sicht, die sich zudem bestens in
unsere bisherige Skizze einfügen läßt, hat m.E. Ruppert dadurch
erreicht, daß er Weish 2,12-20; 5,1-7 als ein literarisch älteres
'Diptychon'[50] vom Kontext abhebt[51], das durch diesen (und damit
auch durch Weish 3) kommentiert und in die Situation und Gedankenwelt des Verfassers integriert wird.

5.2.1. Das 'Diptychon' Weish 2,12-20 und 5,1-7

Betrachtet man das 'Diptychon' für sich, so erkennt man sofort
die wechselseitige Entsprechung der beiden Teile:
Weish 2,12-20 berichten - als wörtliche Rede der Feinde stilisiert[52] - von den Anschlägen der Feinde gegen den Gerechten (2,12.

46 Cf. O.EISSFELDT, Einleitung, 814. - Zu den Einleitungsfragen cf. ebd. 812-816;
   L.ROST, Einleitung, 41-44.
47 L.RUPPERT I, 103; cf. 70-105.
48 Zur Gliederung der Weish cf. ebd. 71 (im Anschluß an A.G.WRIGHT); zum Leidensverständnis in den übrigen Texten der Weish ebd. 101-103.
49 Cf. Weish 1,12-16; 2,23f.; 3,13-18; 4,7f.; 5,15f.
50 Wenn RUPPERT den Text im Anschluß an M.PHILONENKO so bezeichnet (cf. L.RUP-
   PERT I, 87 mit Anm.336; III, 23), so darf das nicht zu dem Mißverständnis
   führen, daß diese beiden 'Seiten' isoliert konzipiert gewesen sein müßten:
   durchaus möglich ist z.B., daß ein ursprünglich vorhandener Mittelteil zwischen ihnen bei der Übernahme in Weish ersetzt wurde.
51 Cf. L.RUPPERT I, 87ff. Nach RUPPERT (ebd. 81) ist 2,12 im ersten Halbvers
   nachträglich aufgefüllt. Die diesen - für uns nicht sehr wichtigen - Sachverhalt kennzeichnende Notierung: "2,12*-20" ist im folgenden nicht übernommen: "2,12-20" meint also RUPPERTs 'Diptychon'.
52 RUPPERT trägt mit seiner Interpretation m.E. der Tatsache zu wenig Rechnung,
   daß der ganze Text des 'Diptychons' aus der Perspektive der Gerechten gedacht ist, die auch dann nicht immer ganz 'getarnt' sind, wenn Teile des

17-2O), die ihm mit Hohn und Qual (2,19: ὕβρει καὶ βασάνῳ) begegnen, ja, ihn zu schmählichem Tod (2,2O) verurteilen, weil sie seinen Anspruch, Knecht Gottes (2,13: παῖς θεοῦ) zu sein - was sie
mit 'Sohn Gottes' (2,18: υἱὸς θεοῦ) gleichsetzen -, nicht akzeptieren. Auch sind sie über die aus dem Anspruch des Gerechten resultierende Kritik an ihrem eigenen gesetzlosen Wandel (2,12b.14)
verärgert. Die Verfolgung wird von ihnen gleichzeitig als 'Test'
angesehen, mit der sie sich des Gerechten nicht nur entledigen,
sondern auch seinen Anspruch falsifizieren wollen.

In Weish 5,1-7 ist dann ein Szenenwechsel erfolgt: auch wenn
4,18-2O nicht der ursprüngliche Kontext ist, dürfte es sich um eine endzeitliche Gerichtssituation handeln, in der nun der Gerechte
mit aller Zuversicht (5,1: ἐν παρρησίᾳ πολλῇ) denen gegenübertritt,
die ihn damals verurteilt hatten und nun ihrerseits verurteilt
werden. Sie geraten außer sich wegen der nicht für möglich gehaltenen Rettung des Gerechten und bekennen - wieder in wörtlicher
Rede - ihren Irrtum und ihre Gesetzlosigkeit (5,3-7).

Es ist schon seit Dalman[53] immer wieder aufgefallen, wie stark
dieser Text an das vierte Gottesknechtslied (Jes 52,13-53,12) anknüpft. So betont auch Wolff, daß im Blick auf Weish 5,1ff. "von
einer wirklichen Deutung des Knechtes gesprochen werden muß"[54].
Die Nähe beider Texte äußert sich in einer ganzen Reihe von Berührungen, vor allem aber ist das Bekenntnis der Verfolger des Gerechten in 5,3-7 bezeichnend: hier "klingt Zeile um Zeile an Jes
53 an und schreitet genau mit dem alten Text fort"[55]. Darüber hinaus hat Ruppert aber auch auf die auffällige Häufung von Anklängen
an Ps 94 (93 LXX) aufmerksam gemacht[56], einen weisheitlichen Psalm
vom leidenden Gerechten. Das 'Diptychon' ist also ganz deutlich
von der Tradition vom leidenden Gerechten geprägt und bestimmt: es
nimmt sie unter besonderer Akzentuierung der Gottesknechtsüberlieferung aktualisierend auf. Als geschichtlichen Ort dieser Aktualisierung nimmt Ruppert[57] die Situation der Auseinandersetzung zwi-

Textes den Feinden in den Mund gelegt werden. Schon die Benennung des Leidenden als 'Gerechter' wäre ein Zugeständnis, daß er recht hat; ebenso ist
2,14 Referat des Sachverhalts aus der Sicht des Gerechten, von hier aus auf
ein "schlechtes Gewissen" (L.RUPPERT I, 79) der Gegner zu schließen, erscheint mir unbegründet.
53 Cf. G.DALMAN, Der leidende und sterbende Messias, 31f. und die bei G.W.E.
NICKELSBURG, Resurrection, 61 Anm.47 und L.RUPPERT I, 71f. mit Anm.274-278
genannten neueren Forschungen.
54 H.W.WOLFF, Jesaja 53 im Urchristentum, 46. - WOLFF hält Weish 5,1ff. für den
ältesten derartigen Beleg; demgegenüber ist aber auf Dan 12 (s. oben Kap.4.2;
bes. S.91) zu verweisen.
55 H.W.WOLFF, aaO. 46.
56 L.RUPPERT I, 77f.
57 Cf. die eingehende Einzelargumentation ebd. 89-95.

schen Sadduzäern und Pharisäern im Palästina zur Zeit Alexander
Jannaios (103-76 v.Chr.) an, aus der umfassende Verfolgungen von
Pharisäern bezeugt sind. Neben guten historischen Gründen sprechen dafür auch seine philologischen Beobachtungen, die eine hebräische Urfassung des 'Diptychons' vermuten lassen, die dann vom
Verfasser der Weish übersetzt wurde[58]. Setzen wir diesen historischen Hintergrund voraus, ergibt sich für die Rezeption der Tradition vom leidenden Gerechten dreierlei:

a) Der Text 'findet' die verfolgten Pharisäer in dem Gottesknecht der Tradition vom leidenden Gerechten 'wieder'. Er setzt
die Tradition ein, um die Erfahrung der Erniedrigung durch die
übermächtigen Feinde in die Perspektive des Leidens des Knechtes
und seiner kommenden Erhöhung zu stellen: die Erhöhung der jetzt
Verfolgten wird ihren Anspruch, Knecht Gottes zu sein, verifizie-
ren! Auch hier ist der 'Knecht' wieder ein Kollektiv, das man als
das 'wahre Israel' bezeichnen kann, wie es sich ja schon für Jes
53 nahelegte und dann bei der ersten Übertragung auf die משכילים
in Dan 12 deutlicher zu erkennen war.

> Rupperts 'Umweg' über den "hingerichtete(n) Pharisäer und Toralehrer Jose
> ben Joëser (als) Prototyp der unter Alexander Jannaios um 88 v.Chr. gekreu-
> zigten 800 Pharisäer", der "als solcher Modell für den leidenden Gerechten
> des 'Diptychons' gestanden haben"[59] könnte, erscheint mir unnötig: daß sich
> die Pharisäer dieser Zeit als das wahre Israel empfanden und (als solches im
> 'Gottesknecht' wiederfanden) ist in der angesprochenen Situation verständ-
> lich und viel wahrscheinlicher[60].

b) Das Verfahren der Rezeption zeigt, daß die an der Gottesknechtsüberlieferung herausgearbeitete besondere Spitze des *stellvertretenden* Leidens - wie schon in Dan 12 - auch hier nicht mit
übernommen wird. Die Rezeption konzentriert sich vielmehr auf Jes
53,3.6 und übergeht dabei 53,4f. Freilich läßt der Text des 'Diptychons' es offen, ob die Einsicht der Feinde in das Recht des
Knechtes womöglich doch noch zu ihrer Rettung führen kann.

c) Das Motiv der Furcht (5,2: φόβος) und Seelenangst (5,3:
στενοχωρία πνεύματος) der Gottlosen beim Erscheinen des Gerechten
legt es ebenso wie dessen offensichtlich körperliche Erscheinungs-
weise (5,1) nahe, die oben angesprochene Gerichtssituation - ähnlich wie im äthHen - mit der Auferstehung von den Toten verbunden
zu sehen, die uns als von den Sadduzäern bestrittenes Charakteri-
stikum der pharisäischen Lehre ja auch bekannt ist[61]. Möglicher-

---

58 Cf. ebd. 85f.87f.
59 Ebd. 94. RUPPERT ist zur Suche nach einer solchen individuellen Leidensgestalt als Vorbild nur genötigt, weil er Jes 53 individuell auf den Propheten
   deutet.
60 Cf. R.MEYER, Art. Φαρισαῖος, ThWNT 9,19,22ff.
61 Cf. Josephus, Bell 2,165; Ant 18,16 und L.RUPPERT I, 91.

weise war in der ursprünglichen Fassung in einem heute verlorenen
Teil zwischen den beiden 'Seiten' des 'Diptychons' von dieser Auferstehung die Rede, (er wäre dann bei der Übernahme ins Weisheitsbuch bewußt ersetzt worden); wichtiger für uns ist, wie die Gottesknechtstradition im 'Diptychon' mit dem Auferstehungsdenken verbunden ist. Deutlicher noch als in Dan 12 tritt der Gerechte durch
die Auferstehung von den Toten in die Rolle des erhöhten Knechtes
ein, dem gegenüber die ehemaligen Feinde (wie in Jes 53) ihren
Irrtum eingestehen[62]. Das Geschehen der Auferstehung wird als
σωτηρία bezeichnet (5,2), womit die LXX im Gottesknechtstext[63] Jes
49,6 und in zahlreichen Psalmen[64] das hebräische ישועה ('Hilfe')
wiedergibt. Die Auferstehung ist also als der göttliche Rechts-
und Gnadenakt der Tradition vom leidenden Gerechten verstanden.
Daß die Gerechten unter die υἱοὶ θεοῦ gerechnet werden (5,5),
weist sie als Engel[65] aus. Interessant ist dabei, daß die υἱοὶ
θεοῦ in 5,3 im Kontext des 'Diptychons' den υἱὸς θεοῦ von 2,18
aufnehmen, der wiederum auf den παῖς θεοῦ (2,13) zurückweist[66]. An
der Linie (jetzt umgekehrt betrachtet) vom (leidenden) Gottesknecht
über den Sohn Gottes (als Bezeichnung für (das wahre) Israel)[67]
zum durch Auferstehung und Endgericht zum Himmelswesen erhöhten
Gottessohn läßt sich exemplarisch ablesen, wie die Tradition vom
leidenden Gerechten zu ihrer apokalyptischen Ausprägung gelangt
durch den Nachvollzug, vielleicht besser: Neuvollzug des Überlieferten in einer veränderten Situation.

5.2.2. Die Kommentierung und "Umakzentuierung"[68] des 'Diptychons' in Weish 1-5

Sind Charakter und ursprünglicher Ort des 'Diptychons' im Vorhergehenden richtig bestimmt, so läßt uns die überlieferte LXX-

---

62 Wie in Jes 53 äußert sich das in Verwunderung und Selbstkritik, der positive
   Gedanke des 'für uns' fehlt.
63 Ebenso in den auf die Gottesknechtslieder bezogenen Kontexten Jes 49,8;
   52,7.10.
64 Nach HATCH/REDPATH, 1331, steht σωτηρία in den Psalmen stets für ישע-Derivate
   (17x für יְשׁוּעָה, 9x für תְּשׁוּעָה, 8x für יֵשַׁע/יֶשַׁע).
65 Cf. M.HENGEL, Sohn Gottes, 70. - Daß der Gottesknecht zum Engelwesen erhöht
   wird, ist im übrigen auch in Dan 12,3 schon angedeutet, wenn man die in Apk
   1,26 explizit greifbare Gleichsetzung 'Stern'='Engel' hier schon voraussetzen darf.
66 Eine gewisse 'Brücke' bildet dabei 2,16, wo das 'Ende des Gerechten' (also
   der Leidensaspekt) mit dem 'Gott zum Vater haben' im synthetischen Parallelismus steht.
67 Auf diesen Zusammenhang kann hier nicht ausführlich eingegangen werden, cf.
   aber M.HENGEL, aaO. 37, v.a. die dort Anm.46 genannte Stelle Jer 31,20, wo
   - wie in Weish vorausgesetzt - davon die Rede ist, daß Jahwe sich seines
   Sohnes (hier: Ephraim) erbarmen muß.
68 L.RUPPERT I, 95-100, hat diese "Umakzentuierung des Themas der übernommenen
   Quelle im Kontext des Weisheitsbuches" (95) ausführlich (und differenziert

Form der Weish nun auch noch seine Transposition in die hellenistische Diaspora Alexandriens greifen. Diese ist vor allem in zweierlei Hinsicht aufschlußreich:

a) Zum einen geht es in der Sapientia Salomonis nicht mehr um
die Frontstellung zwischen zwei jüdischen Religionsparteien, sondern um die zwischen "libertinistischen Gottlosen"[69] und jahwetreuen Gerechten (die die alte weisheitliche Gegenüberstellung des
törichten Gottesleugners[70] und des auf Gott achtenden Weisen fortführt). Im ersten Teil des Buches ist zwischen diesen Fronten -
darin liegt die Parallele zwischen dem ursprünglichen und dem sekundären Ort des 'Diptychons' - die Frage strittig, ob die Existenz des Menschen über den Tod hinaus fortdauere, ob er also sub
specie mortis oder sub specie iudicii sein Leben einzurichten habe, wobei dieses Fortdauern in der Weish als Unsterblichkeit der
Seele und nicht als leibliche Auferstehung gedacht ist[71]. Es geht
also um eine Frage der rechten Lehre, nicht um die aktuelle Bewältigung einer Verfolgungssituation. Der Gerechte wird darum auch
im umfassenderen Sinn unserer Tradition als leidender Gerechter
gekennzeichnet, indem in Weish 2,10 der Aspekt der Armut und
Schwachheit gegenüber dem 'Diptychon' 'nachgetragen' wird[72]:

> *Vergewaltigen wir den armen Gerechten (πένητα δίκαιον), schonen wir die*
> *Witwe nicht!*
> *Scheuen wir uns nicht vor dem Silberhaar des hochbetagten Greises!*

Von hier aus werden dann Stärke und Schwachheit geradezu zu Prin-
zipien, in deren Einschätzung sich der Gerechte und der Gottlose
voneinander unterscheiden (Weish 2,11):

> *Unsere Stärke sei der Maßstab für die Gerechtigkeit,*
> *denn die Schwäche erweist sich als unbrauchbar.*
> (ἔστω δὲ ἡμῶν ἡ ἰσχὺς νόμος τῆς δικαιοσύνης τὸ γὰρ ἀσθενὲς ἄχρηστον
> ἐλέγχεται.)

An diesen Satz schließt der erste Teil des 'Diptychons' an, so daß
die Verfolgung des Gerechten als Wirksamwerden eben dieses Prin-
zips des selbstmächtigen, Gottes Schutzgebot übertretenden Sich-
Durchsetzens des Stärkeren erscheint und die eschatologische Rettung des Gerechten im zweiten Teil des 'Diptychons' als dessen
Falsifikation.

---

für die verschiedenen Bereiche Weish 2,10f.12aßb / 2,21-24; 4,20; 5,14-23:
"Kommentar des Weisen" (97) / 3,1-12 / 3,13-4,6; 4,7-20) dargestellt. Hier
sind lediglich die für uns wichtigen Punkte in der Perspektive unserer Fragestellung angeführt.

69 L.RUPPERT I, 96; cf. Weish 1,16-2,11.
70 Cf. Ps 14,1; 53,2.
71 Cf. Weish 3,4; 4,14, d.h. Stellen aus dem Mittelteil zwischen den 'Seiten'
   des 'Diptychons', der evtl. einen älteren Auferstehungstext ersetzt.
72 L.RUPPERT I, 96, sieht von Weish 2,10 her den Gerechten in Weish überhaupt
   zum "schwache(n) Opfer sozialer Unterdrückung" uminterpretiert, doch stützt
   der Kontext dies m.E. nicht in genügendem Maße.

b) Zweitens erfährt das 'Diptychon' in Weish 3, also zwischen
seinen beiden 'Seiten' eine zusätzliche Deutung mit Hilfe der
weisheitlichen Denkfigur des Läuterungsleidens. Dabei bedient sich
der Text derselben Vorstellung wie in Sir 2[73], die er aber gemäß
der eben angesprochenen Konzeption apokalyptisierend umprägt
(Weish 3,5-9):

5 *Nach einer geringen Züchtigung werden sie große Wohltaten empfangen,*
  denn Gott hat sie geprüft und hat sie seiner wert gefunden.
6 *Wie Gold im Schmelztiegel hat er sie erprobt*
  und wie ein Ganzopfer hat er sie angenommen.
7 *Zur Zeit der Heimsuchung werden sie hell leuchten*
  und wie Funken über Stoppeln dahinfahren.
8 *Sie werden Völker richten und über Nationen herrschen,*
  und über sie wird herrschen der Herr auf ewig.
9 *Die sich auf ihn verlassen, werden die Wahrheit erkennen,*
  und die in Liebe Treuen werden bei ihm verbleiben,
  denn Gnade und Barmherzigkeit wird seinen Auserwählten zuteil.

Liest man diesen Textabschnitt im Zusammenhang, so erkennt man
leicht, wie sich hier die weisheitliche Ausprägung der Tradition
vom leidenden Gerechten und der apokalyptische Gedankenkreis verbinden: durch die in 3,7.8 eingebrachten Vorstellungen vom endzeitlichen Leuchten[74] der Gerechten und ihrem Gericht über die
Völker gewinnt der ganze Text ein endzeitliches Gepräge. Das Prüfungsleiden führt zur Beglückung post mortem; die von der Tradition vom leidenden Gerechten her vorbereitete[75] Rede vom Opfer
(3,6) im Leidenskontext beschreibt das Eintreten der Seelen der
Gerechten (cf. 3,1) in die göttliche Sphäre; in 3,9 schließlich
werden die Heilserweise Jahwes als zukünftige Güter verheißen, wobei z.B. die Zusage in 3,9b, daß der Jahwetreue "bei ihm bleiben"
werde, ganz deutlich auf die Hoffnung der Psalmbeter zurückweist,
im Tempel bleiben und Jahwe dort immer nahe sein zu dürfen.

Blicken wir auf diesen an Weish 1-5 rekonstruierten Prozeß im
ganzen, so können wir uns an der in den Einzelstücken sichtbaren
'Apokalyptisierung' der Tradition klarmachen, wie theologisch Neues im Nach- und Neuvollzug des Alten gewonnen, ja erarbeitet wurde; an der Verbindung des 'Diptychons' mit seinem Kontext läßt
sich beispielhaft erkennen, wie die Tradition durch das Aufeinan-
der-Beziehen und gegenseitige Deuten ihrer verschiedenen Varianten

---

73 S. oben S.85f. - Neben das δοκιμάζειν von Sir 2 tritt hier noch πειράζειν
   als terminus des Versuchens, der dem Gedanken der 'Versuchung' nahesteht.
74 Cf. Dan 12,3 und oben S.107 zu Weish 5,5 mit Anm.65.
75 Cf. Ps 51,18; ὁλοκάρπωμα ist in der LXX 4x Äquivalent für עלה. Der Gedanke,
   daß Gott die leidende Seele wie ein wohlgefälliges Opfer aufnimmt, scheint
   mir auf dem, daß ein zerbrochener Geist das eigentliche, Gott wohlgefällige
   Opfer sei, aufzuruhen. Er öffnet sich aber schon dem späteren Verständnis,
   daß das Leiden als Opfer gelten und wirken kann.

die situationsgebundene Eindeutigkeit aufhebt und zu neuen, in
veränderten Situationen leistungsfähigen, komplexen Ausprägungen
und Texten gelangt.

Nur hinweisartig ist auf eine Beobachtung einzugehen, die für die Einbettung
der Tradition vom leidenden Gerechten in die größeren Zusammenhänge frühjü-
discher und antiker Literatur aufschlußreich ist. Ruppert ist aufgefallen,
daß das 'Diptychon' über die Bezüge zum vierten Gottesknechtslied hinaus
auch eine gewisse Ähnlichkeit mit der biblischen Josephsgeschichte (v.a.
Gen 37) hat, vor allem im Blick auf die Abfolge der Einzelmotive im Gang der
Erzählung. So hält er es für möglich, daß sich der Verfasser des 'Diptychons'
"von der Josephserzählung zur Zeichnung des angefeindeten, später aber erhöhten Gerechten (hat) anregen lassen"[76]. Unabhängig von Ruppert findet sich
die gleiche Beobachtung auch bei Nickelsburg, der jedoch gezeigt hat, daß
die Gemeinsamkeiten in der Struktur nicht auf einer direkten Beziehung zu
Gen 37ff. beruhen, sondern auf ein literarisches Schema zurückweisen, das
beiden Texten zugrundeliegt und im antiken Schrifttum seit dem 5.Jh.v.Chr.
belegt ist. In diesem Typ der "Story of the Persecution and Exaltation of
the Rightous Man"[77], in der bestimmte inhaltliche und motivliche 'Stationen'
in einer bestimmten Reihenfolge erscheinen[78], sieht Nickelsburg geradezu eine besondere weisheitliche "Gattung"[79]. Ihr sind neben der Josephsgeschichte
im jüdischen Bereich die (auf den Elephantine-Papyri des 5.Jh.s v.Chr. überlieferte[80]) Ahiqar-Geschichte[81], das Esther-Buch, die Geschichte von den
drei Männern im Feuerofen und Daniel in der Löwengrube (Dan 3-6) und die Susannageschichte in den LXX-Zusätzen zum Danielbuch[82] zuzuordnen. Wie Nickelsburg zeigt[83], wird das vierte Gottesknechtslied bei seiner Rezeption in
Weish 2 und 5 diesem "Wisdom Tale"[84] in mehrerer Hinsicht angenähert, ohne
freilich ganz darin aufzugehen. Diese Anpassung mag auch ein Motiv dafür
sein, daß der Stellvertretungsgedanke von Jes 53 nicht 'mitrezipiert' wurde:
er hätte im 'Wisdom Tale' keinen Ort gehabt.

5.3. Die Psalmen Salomos

Die Konzeption des Läuterungs- und Erziehungsleidens, der wir seit den Psalmen immer wieder, vor allem in weisheitlichen Kontext begegnet sind, ist für
die PsSal stärker als für alle bisher behandelten Texte prägend. Da die enge
Verbindung dieses Textfeldes[85] zu dem bisher untersuchten im ganzen und in
vielen Einzelheiten offensichtlich ist[86], können wir uns hier auf einige we-

---

76 L.RUPPERT I, 77.
77 G.W.E.NICKELSBURG, Resurrection, 48.
78 Cf. die Tabelle ebd. 56f.
79 Cf. ebd. 48.58ff.
80 Cf. J.H.CHARLESWORTH, Pseudepigrapha, 75f.
81 Zur Ahiqar-Überlieferung cf. M.KÜCHLER, Weisheitstraditionen, 319-413; zur
   geographischen und chronologischen Verteilung bes. den Überblick ebd. 413.
82 Die Susannageschichte weist als einzige der hier genannten Texte deutliche
   Züge der Tradition vom leidenden Gerechten auf. Cf. L.RUPPERT I, 70.
83 Cf. G.W.E.NICKELSBURG, Resurrection, bes.66.
84 Zum 'Wisdom Tale' cf. ebd. 48-68, zur Struktur bes. die Tabelle 56f.
85 Ob die PsSal auf einen einzigen Verfasser zurückgehen, ist sehr zweifelhaft
   (cf. S.HOLM-NIELSEN, JSHRZ IV (Einleitung), 58f.); auch von der Entstehungs-
   zeit her dürften sich die verschiedenen Psalmen auf mehrere Jahrzehnte um die
   Mitte des 1.Jh.s v.Chr. verteilen (ebd. 58), doch können wir davon ausgehen,
   daß sie "alle demselben Kreis und theologischen Boden entstammen" (O.H.STECK,
   Israel, 170 Anm.4).
86 Cf. S.HOLM-NIELSEN, aaO. 57 und die in seiner Textkommentierung angemerkten
   Einzelbelege, die vor allem die Verbindung zu den Psalmen und Hiob belegen
   (vgl. bes. PsSal 15; 18,2; 2,33-25).

nige Texte und Sachpunkte beschränken, in denen die PsSal unsere Skizze präzisieren und weiterführen.

a) Zunächst ist wieder auf die Gegenüberstellung von Gerechten
und Sündern hinzuweisen, die auch für die meisten der PsSal kennzeichnend[87] ist. Die Gerechten sind dabei als Gottesfürchtige (2,
33), Fromme (ὅσιοι[88]) und Knechte (2,37: δοῦλοι) gekennzeichnet,
auffällig oft aber auch als die, die Gott "beständig anrufen"[89].

Im Gegensatz zu diesen an der engen Beziehung von Jahwe und Beter orientierten Aussagen treten die Hinweise auf seine Gesetzestreue stark zurück[90]. Vielmehr wird die Sünde des Gerechten ausdrücklich thematisiert, z.B. PsSal 9,7:

Gerechte wirst du segnen, und du strafst nicht für das,
was sie gesündigt haben; und deine Güte (gilt) reuigen Sündern.[91]

Bei diesem Bild des 'relativ Gerechten', das sowohl auf (das wahre)
Israel im ganzen als auch auf den einzelnen Gerechten angewandt
wird, setzt die Leidensdeutung an. Die Leiden des Gerechten haben
die uns schon von Sir 22f. her bekannte pädagogische Funktion am
Beter, im Bezug auf geschehene Sünde ebenso wie im Blick auf seinen künftigen Weg.

Dabei lassen die PsSal recht genau erkennen, wie diese Konzeption des Erziehungsleidens im einzelnen gedacht ist. So in
PsSal 13,7-12:

13,7 *Denn die Züchtigung des Gerechten (,der) in Unwissenheit (gesündigt hat)*
und die Vernichtung des Sünders sind nicht eins.
8 *Im Verborgenen wird der Gerechte gezüchtigt,*
daß der Sünder sich nicht über den Gerechten freue.
9 *Denn er wird den Gerechten ermahnen wie einen geliebten Sohn,*
und seine Züchtigung ist wie (die) eines Erstgeborenen.
10 *Denn der Herr wird schonen seine Frommen,*
und ihre Übertretungen wird er durch Züchtigung tilgen
(ἐξαλείφει ἐν παιδείᾳ).
11 *Denn das Leben der Gerechten (währt) in Ewigkeit;*
die Sünder aber werden ins Verderben fortgerissen,
und ihrer soll nicht länger mehr gedacht werden;
12 *aber die Barmherzigkeit des Herrn über die Frommen,*
und seine Barmherzigkeit über die, die ihn fürchten!

Die wichtigste Aussage dieses Textes ist gewiß die, daß Jahwe die
Übertretungen der Frommen durch Züchtigung tilgt (13,10): das Leiden hat also eine sündentilgende, d.h. sühnende[92] Funktion.

---

87 Cf. aber die genaue Differenzierung bei S.HOLM-NIELSEN, aaO. 56f.
88 LXX hat ὅσιος in den Psalmen in 24 (von 26) Fällen als Äquivalent für חסיד.
89 PsSal 2,36; 9,6 u.ö.; cf. dazu PsSal 6 ganz.
90 Cf. aber PsSal 14,2.
91 Cf. auch PsSal 13,10. - Übersetzung hier und im folgenden nach S.HOLM-NIEL-
SEN, aaO.
92 Wenn man die (von RAHLFS als Textlesart gebotene) geringe Textänderung GEB-
HARDTs übernehmen kann, ist solches Sühnen durch Leiden in PsSal 3,8 sogar
explizit zu belegen: "(der Gerechte) sühnt (ἐξιλάσατο) durch Fasten und
durch Demütigung der Seele (ταπεινώσει ψυχῆς)"; doch lesen alle HSS ψυχήν
("und demütigt seine Seele"). Ταπείνωσις ist LXX-Äquivalent für עני. - In

Wie im Alten Testament ist dabei die Möglichkeit zur Sühne ausdrücklich auf
die unwissentlich begangenen Übertretungen begrenzt: PsSal 13,7 (wie auch
3,8) benützt mit dem Stichwort ἄγνοια exakt den Terminus, der in der LXX[93]
das שגגה wiedergibt, mit dem die unwissentliche und daher sühnbare Sünde
(חטא בשגגה) bezeichnet wird[94].

Wie vor allem der Übergang von 13,10 auf 11 zeigt, zielt das Züch-
tigungshandeln Jahwes ebenso wie in Weish 3 auf die endzeitliche
Errettung: die Gerechten werden des ewigen Lebens teilhaftig, zu
dem sie nach PsSal 3,12 auferstehen (ἀναστήσονται).

Die endzeitliche Erwartung verbindet sich (nur) in PsSal 17 und 18 mit der
Hoffnung auf einen Messias, der in PsSal 17 als davidischer König gekennzeichnet ist. PsSal 18 spricht auch in diesem Zusammenhang die Züchtigung
an: in den Tagen des Messias werden dem kommenden Geschlecht die Wohltaten
Jahwes erwiesen "unter dem züchtigenden Stab des Gesalbten des Herrn" (18,7:
ὑπὸ ῥάβδον παιδείας χριστοῦ κυρίου). Der Messias hat eine pädagogische Aufgabe mit dem Ziel, "einen jeden anzuleiten in Werken der Gerechtigkeit in
Gottesfurcht, um sie alle vor dem Herrn darzustellen" als ein "gutes Geschlecht in Gottesfurcht in den Tagen der Barmherzigkeit" (18,8f.). Wir
brauchen hier nicht zu klären, wie sich diese messianische Konzeption zu den
Endzeiterwartungen der übrigen PsSal verhält[95] - in jedem Fall können wir
festhalten, daß sich in den PsSal die Vorstellung des Erziehungsleidens so
weit verselbständigt (d.h. sich von der Funktion, Leidenserfahrung zu verar-
beiten, löst), daß sie sogar die (vielleicht recht späte) Messiaserwartung
mitbestimmt.

b) Dieses Bild läßt sich ergänzen im Blick auf PsSal 10:

10,1 *Wohl dem Mann, dessen der Herr gedenkt mit Prüfung,*
     und der durch die Zuchtrute vom bösen Weg abgeschirmt ist,
     um von der Sünde gereinigt zu werden, daß er (sie) nicht vermehre.
   2 *Wer den Rücken für Schläge bereithält, wird gereinigt werden,*
     denn gütig ist der Herr gegen die, die Züchtigung aushalten.
   3 *Denn durch Züchtigung will er die Wege der Gerechten gerade*
     machen und nicht verdrehen,
     und die Barmherzigkeit des Herrn ist über denen,
     die ihn lieben in Wahrheit.
   4 *Und der Herr wird gedenken seiner Knechte in Barmherzigkeit,*
     denn das Zeugnis (ist) im Gesetz eines ewigen Bundes
     (ἡ γὰρ μαρτυρία ἐν νόμῳ διαθήκης αἰωνίου),
     das Zeugnis des Herrn (ist) auf den Wegen der Menschen in Heimsuchung
     (ἡ μαρτυρία κυρίου ἐπὶ ὁδοὺς ἀνθρώπων ἐν ἐπισκοπῇ).

Auch hier hat das Erziehungsleiden deutlich eine sühnende Funktion
("Reinigung"[96] - καθαρίζεσθαι), und zugleich eine vorbeugende, vor
künftiger Sünde bewahrende (1c). Der Text weist in V 2 auf Jes 50,
6 zurück[97], und ein Vergleich läßt uns die Kontinuität und Neuakzentuierung erkennen. War es dort der intakte צדקה-Zusammenhang

---

jedem Fall ist von der Sache her eine Sühnung der Übertretungen durch Leiden im Blick.
93 Cf. Lev 5,18; 22,14 (Aquila auch: Lev 4,2.22).
94 Cf. B.JANOWSKI, Sühne, 254.
95 Cf. z.B. PsSal 15.
96 Cf. PsSal 9,6f.; 3,8; 18,5.
97 Er stimmt mit Jes 50,6 LXX in den Worten νῶτον εἰς μάστιγας wörtlich überein; da die PsSal aber ursprünglich hebräisch verfaßt waren (cf. S.HOLM-
   NIELSEN, JSHRZ IV, 53), war LXX sicher nicht Vorlage; über den Grad der
   Übereinstimmung im hebräischen Urtext sind nur Mutmaßungen möglich.

zwischen Jahwe und dem Knecht, der ihn seine Leiden willig tragen
und ihn des positiven Ausgangs seiner Sache sicher sein ließ, so
sind es hier die willig ertragenen Leiden, die den Beter erwarten
lassen, daß Jahwe in seiner Barmherzigkeit den צדקה-Zusammenhang
wieder herstelle: das Leiden, in der Tradition vom leidenden Gerechten der Ort, an dem Jahwe seine צדקה (als Gemeinschaftstreue
mit dem Aspekt der Gerechtigkeit und Gnade) erwies, wird selbst
zum Gnadenerweis.

Von diesem Verständnis her verwundert es nicht, wenn in 13,4
Jahwes Bundeszeugnis, die Tora, parallelisiert wird mit dem Zeugnis
Jahwes, das er in der Heimsuchung der Menschen auf ihren Wegen
gibt. Die ἐπισκοπή, mit der Jahwe die Menschen in ihrem Leben begleitet, ist hier geradezu ein zweites Offenbarungsmittel neben
der Tora geworden[98]. So zeigt auch dieser Text - wie in PsSal 13,9
die Interpretation der Züchtigung als einer Erziehungsmaßnahme des
Vaters an seinem geliebten Sohn[99] - eine ausgesprochene Hochschätzung des Züchtigungsleidens als eines (mit der Gabe der Tora vergleichbaren) Gnadenerweises.

c) Dieser Hochschätzung des pädagogisch gedeuteten Leidens ent-
spricht eine im Vergleich mit älteren Texten deutlich veränderte
Haltung des Leidenden. Aushalten (ὑπομένειν) wird ihm zum hohen
Ziel[100], und so bittet er, Jahwe möge "Murren und Ungeduld in
Trübsal" von ihm entfernen (16,11) und ihm die Kraft geben, seine
Züchtigung zu akzeptieren:

16,12 *Stärkst du meine Seele, wird mir genügen, was mir zugemessen.*
   13 *Denn wenn du nicht Kraft gibst, wer kann (da)*
      Züchtigung in Armut aushalten?

Am prägnantesten ist in diesem Zusammenhang der Gedanke, daß der
Gerechte Jahwe in seinen Gerichten "rechtfertigt"[101], d.h. ihm
Recht gibt - im Gegensatz zum Sünder, der in der gleichen Situati-
on sein Leben, den Tag seiner Geburt, der Mutter Wehen verflucht
(3,9). Hier äußert also der Sünder genau das, was in Jer 20,14f.;
Hi 3,3f. im Munde des leidenden Gerechten begegnete. Wir sehen:
Der Weg von der offenen Klage zum Lobgebet im Leiden, bei dem die
Klage verstummt, hat in den PsSal seine erste Station. Zwar kennen
und artikulieren die PsSal auch noch die ursprüngliche Klage des

---

98 Dieselbe Parallelisierung von Leiden und Tora läßt sich auch noch in PsSal
   14,1 beobachten: *Treu ist der Herr denen, die ihn lieben in Wahrheit, die*
   seine Züchtigung aushalten, die in der Gerechtigkeit seiner Gebote wandeln,
   in dem Gesetz, das er uns auferlegte zu unserem Leben.
99 Cf. PsSal 18,4; der Gedanke begegnet schon in Spr 3,11f., wo diese Züchtigung als Strafe gedacht wird.
100 Cf. PsSal 14,15.
101 Cf. PsSal 3,3; 9,2.

leidenden Gerechten, doch zeigt ein Gedicht wie PsSal 5, das besonders viele dieser traditionellen Züge aufweist, wie der Beter
diese immer wieder geradezu korrigierend mit Demutsäußerungen
durchsetzt (cf. 5,4b.7.17)[102].

d) Versuchen wir abschließend, das nun gewonnene Bild unter Berücksichtigung der geschichtlichen Situation der Texte zusammenzufassen. Historisch gehören die PsSal ins Palästina (evtl. Jerusalem) um die Mitte des 1.Jh.s v.Chr., also in eine Zeit, die nicht
mehr und noch nicht wieder von spektakulären Religionsverfolgungen
gekennzeichnet ist, sondern von der harten ökonomischen Bedrängnis
durch die römischen Tribute und den inneren Auseinandersetzungen
zwischen den polarisierten jüdischen Parteiungen[103]. Ist auch eine
sichere Zuordnung der Texte zu einer bestimmten Partei nicht möglich[104], so gibt es doch "keinen Zweifel, daß sie innerhalb des
Judentums der pharisäischen Geistesrichtung am nächsten stehen"[105]
In dieser Situation kontinuierlich elender Lebensverhältnisse des
Volks wie auch des Einzelnen wird in Anknüpfung an die eschatolo-
gisierte und sapientialisierte Tradition vom leidenden Gerechten
der Gedanke der Erziehung durch Jahwe zum Hauptgedanken der Leidensdeutung. Die Züchtigung durch seinen Gott begleitet[106] den
Frommen durch sein Leben.

Die PsSal sind in dieser Situation Texte zur *Ermutigung*: sie versichern den Leidenden für den Fall, daß er seine Leiden willig
trägt und aushält, der Barmherzigkeit Gottes, die in der Tilgung
seiner Übertretungen und in der eschatologischen Gabe des ewigen
Lebens besteht.

Durch die starke Betonung der Sünde gewinnen sie gleichzeitig
den Charakter einer *Theodizee*: jedes Handeln Gottes ist gerecht angesichts der Sünde des Beters bzw. Israels (cf. 9,2!).

Die dritte Funktion der Texte liegt in der *Ermahnung*: sie zielt
auf den Gesetzesgehorsam, daneben aber auch auf eine Haltung, die
gehorsam und demütig alles annimmt, was Gott schickt und das Leiden als Gnadenerweis Jahwes versteht. Die Kontinuität zur Tradition vom leidenden Gerechten ist bei alledem nicht zu übersehen;
freilich erscheint die hier vorliegende Ausprägung - gerade in

---

102 Auch hier liegt wieder die alte Tradition der Exhomologese vor, s. oben
    S.58 mit Anm.10.
103 Cf. A.GUNNEWEG, Geschichte Israels, 166f.; zu den Maßnahmen des Pompejus
    im einzelnen bieten H.G.KIPPENBERG/G.A.WEWERS, Textbuch, 31-35 interessante
    Dokumente.
104 Cf. J.H.CHARLESWORTH, Pseudepigrapha, 195.
105 S.HOLM-NIELSEN, JSHRZ IV, 51.
106 S. oben zu PsSal 19,4; ebenso die in PsSal 11,12f. genannte Armut als Züch-
    tigungsmittel, dazu S.HOLM-NIELSEN, aaO. 96 (zu 13a).

der Konsequenz, mit der sie den dritten der eben genannten Aspekte
verfolgt - als eine extrem enggeführte Rezeption, die eine - am
ehesten der Position der Freunde Hiobs vergleichbare - Sicht ein-
seitig aufnimmt. Anders als die meisten der bisher behandelten
Texte wollen die PsSal ins Leiden einüben und ein positives Verhältnis zu Leiden und Armut als zu Züchtigungsmitteln Jahwes vermitteln. In dieser Perspektive ist dann sogar die messianische
Zeit als eine höchste Stufe solcher Erziehung gedacht, in der der
züchtigende Messias die Seinen zur Vollkommenheit führt.

5.4. Die Testamente der zwölf Patriarchen

In den TestXII sprechen vor allem TestJud 21-25, TestJos 1-2 und TestBenj
3-5 unser Thema an. Alter und Ort dieser Texte sind seit langem umstritten[107], doch läßt sich seit Beckers detaillierter Untersuchung[108] präziser
argumentieren als früher. Denn indem Becker nicht nur die christlichen Interpolationen von den jüdischen TestXII scheidet, sondern auch innerhalb der jüdischen Schrift eine ältere Grundschrift rekonstruiert und von ihr die in
einem längeren Zeitraum hinzugewachsenen jüdischen Ergänzungen abheben kann,
ergibt sich ein differenzierter, vom ersten Drittel des 2.Jh.s v.Chr. bis
ins 1.Jh. n.Chr. reichender Entstehungsprozeß[109], in dem sich die Einzeltexte (mehr oder weniger sicher) orten lassen. Becker hat außerdem die weite
Teile der TestXII kennzeichnende hellenistische Prägung herausgearbeitet, ohne
daß damit jedoch über die geographische Lokalisierung endgültig entschieden
wäre[110].
     Die oben genannten Texte ordnet Becker verschiedenen Schichten und Bear-
beitungsstadien der TestXII zu. Dadurch ermöglicht er neben ihrer Datierung
vor allem auch, die oft verwirrenden Kontextbezüge zu durchschauen, was unserer Skizze sehr zugutekommt.

5.4.1. Testament Benjamin 3-5

Als einziger der drei Texte enthält TestBenj 3-5 Verse, die bis
in die Grundschrift zurückreichen. Nach Becker[111] bilden TestBenj
1,2-2,5 + 3,6-8 den Grundstock des ersten Teils des Testaments. In
2,1ff. rekapituliert Benjamin ein Gespräch mit Joseph über die Umstände seines Verkaufs; in 3,6-8 berichtet er dann, Joseph habe

---

107 L.ROST, Einleitung, 108. Zu den Positionen vor J.BECKER cf. O.EISSFELDT,
    Einleitung, 858-862 (von den dort genannten v.a. J.T.MILIK; E.F.SUTCLIFFE;
    A.DUPONT-SOMMER; M.de JONGE) und die ausführliche Forschungsgeschichte bei
    J.BECKER, Untersuchungen, 129-158.
108 J.BECKER, Untersuchungen zur Entstehungsgeschichte der Testamente der zwölf
    Patriarchen (1970).
109 Cf. ebd. 376. Die christlichen Interpolationen sind erst seit dem 2.Jh.
    n.Chr. erfolgt (ebd. 375f.).
110 Ob die - von BECKER (aaO. 374) ausdrücklich als Hypothese vorgetragene -
    Lokalisierung der TestXII nach Ägypten wirklich plausibler ist und Palästina
    wegen der mangelnden "geographischen Kenntnisse des heiligen Landes" wirk-
    lich sicher ausscheidet, bleibt m.E. - v.a. angesichts der Qumranfunde -
    fraglich. Wir brauchen dies hier nicht weiter zu diskutieren, weil für uns
    lediglich wichtig ist, daß diese Texte in Palästina bekannt gewesen sein
    dürften, was die Qumranfragmente nahelegen.
111 J.BECKER, aaO. 247; cf. 256.

sich an Jakob gewandt mit der Bitte, für die Brüder zu beten, daß
"der Herr ihnen ihr Verhalten nicht als Sünde anrechne" (3,6), worauf Jakob erwidert habe[112]:

3,7 *"O, gütiges Kind, du hast das Innere deines Vaters Jakob besiegt!" Und er
     nahm ihn in die Arme und herzte ihn zwei Stunden lang und sagte:*
  8 *"Erfüllen soll sich an dir die Prophetie des Himmels, die besagt:
     Der Unschuldige wird für Gesetzlose befleckt werden
     und der Sündlose wird für Gottlose sterben!"*
  (Πληρωθήσεται ἐπὶ σὲ ἡ προφητεία οὐράνιος ἣ λέγει ὅτι
   ὁ ἄμωμος ὑπὲρ ἀνόμων μιανθήσεται καὶ
   ὁ ἀναμάρτητος ὑπὲρ ἀσεβῶν ἀποθανεῖται.)

Fragen wir nach Traditionsbezügen[113], so erinnert 3,8 unmittelbar
an Jes 53. Obwohl jede wörtliche Entsprechung zur LXX fehlt[114], ist
doch der Sache nach TestBenj 3,8 eine Kurzfassung[115] des in Jes 53
geschilderten Vorgangs, die dessen Struktur in dem (dort fehlenden)
ὑπέρ genau erfaßt. Insofern ist Jes 53 tatsächlich der 'Text', der
mit der 'Prophetie des Himmels' gemeint ist.

Von der Linienführung des ursprünglichen Kontextes her ist 3,8
mit Becker direkt auf den in 3,6 angesprochenen Vorgang der Fürbitte für die Brüder zu beziehen: Joseph setzt sich ein für die
Vergebung der an ihm begangenen Sünden der Brüder, und Jakob sieht
im Vollzug dieser Fürbitte und ihrer Erhörung durch Gott jene
'Prophetie des Himmels' erfüllt, d.h. inhaltlich: das Leiden des
Unschuldigen wirksam für die Schuldigen. Dieser Zusammenhang ist
nur plausibel, wenn Joseph "sein unschuldiges Leiden als Sühne
für die Brüder einsetzen will, damit von ihnen die Strafe abge-
wandt wird"[116]. Ist dies richtig gesehen, so wird hier im Zuge unserer Betrachtung zum ersten Mal der Gedanke des stellvertretenden

---

112 Zitate aus den TestXII in der Übersetzung von J.BECKER, JSHRZ III, 32-138.
    Zur Textrekonstruktion des schwierigen Verses TestBenj 3,8 cf. J.BECKER,
    Untersuchungen, 51-57: die armenische Überlieferung (A) bietet den vor-
    christlichen Text mit dem Ansatzpunkt für die christliche Interpolation,
    die in den griechischen HSS c,β überliefert ist: *Erfüllen wird sich über
    dir die Prophetie des Himmels über das Lamm Gottes und den Heiland der Welt,
    daß ein Unschuldiger für Gesetzlose dahingegeben werden wird und ein Sünd-
    loser für Gottlose sterben wird durch das Blut des Bundes für das Heil der
    Völker und Israels und daß er Beliar und seine Diener vernichten wird.* Vgl.
    die griechischen Texteditionen von M.de JONGE, PVTG I (1964); I/2 (1978)
    und R.H.CHARLES, Greek Versions (1908), der auch eine Rückübersetzung von
    A ins Griechische bietet (218f.).
113 Die Debatte über die Deutung und Ausdeutung dieses Verses soll hier nicht
    referiert werden. Cf. den Exkurs in W.POPKES, Christus traditus, 47-55.
114 Die Lesart παραδοθήσεται (c,β) statt μιανθήσεται ist wohl nicht ursprüng-
    lich, sondern eher bewußte Angleichung an Jes 53,6.12 LXX.
115 Die Schwierigkeit, daß der Aspekt des 'Beflecktwerdens' in Jes 53 fehlt
    (was die griechischen Versionen durch Textänderung beheben) löst sich durch
    J.JEREMIAS' Hinweis (Art. παῖς θεοῦ, ThWNT V, 685 Anm.241), daß schon bei
    Aquila und im Targum das 'durchbohrt' (מחלל) von Jes 53,5 als 'entweiht'
    wiedergegeben ist, ein Verständnis, das auch hier zugrundeliegen mag.
116 J.BECKER, Untersuchungen, 55.

Leidens von Jes 53 explizit rezipiert, und zum ersten Mal ist es
individuell gedacht.

Diese neue Variante vom leidenden Gerechten hat ihre Vorgeschichte. Erinnern wir uns an die Versionen des Hiobbuchs[117], so
war in Hi 42 M eine Fürbitte Hiobs für seine 'Freunde' Voraussetzung für die Vergebung ihrer Schuld. Wir sahen dann, daß in der LXX
und im Qumrantargum die Vergebung explizit 'um seinetwillen' erfolgte: die (durch das rechte Verhalten im Leiden) positive Gottesbeziehung des Betenden begann, für die Sündenvergebung eine
Rolle zu spielen. Hier nun begegnet der Fürbittegedanke wieder und
wird von Jakob mit der Denkfigur von Jes 53 gedeutet. Damit sind
zwei Elemente der Tradition vom leidenden Gerechten zu einem neuen
verbunden: der Gedanke, daß der Leidende für den an ihm schuldig
gewordenen (fürbittend) eintritt, zieht den Gedanken des Eintretens des Gerechten für den Ungerechten von Jes 53 an sich, wodurch
Jes 53 erstmals auf ein Individuum übertragen und erstmals überhaupt im Blick auf das Stellvertretungsmotiv aufgenommen wird. Die
Tradition vom leidenden Gerechten gewinnt dadurch einen neuen Aspekt: das Leiden des Einzelnen ist stellvertretendes Leiden im
Sinne einer Sühne für fremde Sünde.

Zur Präzisierung unserer Skizze sei hier noch dreierlei festgehalten:
a) Ist der Bezug von Jes 53 vom TestBenj bewußt hergestellt, so bestätigt
sich darin unsere Sicht, daß die Gottesknechtsüberlieferung von der Tradition
vom leidenden Gerechten nicht isoliert werden darf, sondern in diesen Traditionsrahmen integriert ist. Die Übertragung auf Joseph, den die TestXII
durchweg als Gerechten charakterisieren, der aber kein besonderes Amt an
Israel versieht, zeigt in aller Deutlichkeit, daß der Gottesknecht auch 'nur'
unter dem Aspekt des leidenden Gerechten gesehen werden konnte. Von daher ist
es auch unnötig (und resultiert aus einer falschen Isolierung von Jes 53) in
TestBenj 3,8 den Messias ben Joseph angekündigt zu sehen[118].
b) Obwohl TestBenj 3,8 vom *Tod* des Sündlosen für den Gottlosen redet, ist
weder dort noch irgendwo sonst im Umkreis ein *Todes*geschick Josephs überliefert, auf das diese Redeweise zuträfe. Man kann die Lösung mit Becker darin
suchen, daß die wiederholte Lebensgefahr und das Sklavendasein Josephs eine
so starke Lebensminderung bedeuteten, "daß man sagen kann, Joseph lebte im
Stande des Todes"[119]. Wichtiger erscheint mir noch, daß sich die Texte diese
'Unschärfe' von Leiden und Tod zunutze machen, um auch literarisch den 'Typ'
des leidenden Gerechten - besonders da, wo er im Sinne von Jes 53 stilisiert
ist - durch den Parallelismus membrorum von Leiden und Sterben zu kennzeichnen. Dadurch können sie die Aussage vom Sterben auch auf leidende Gerechte
übertragen, die nicht 'wirklich' gestorben sind. Dies ist wichtig im Blick
auf die Märtyrertradition, die hier anknüpfen kann.
c) Lohse und Becker nähern sich der Deutung von TestBenj 3,8 jeweils von den
Märtyrerberichten der Makkabäerbücher her und interpretieren den Text dann

---

117 S. oben S.94f.
118 J.JEREMIAS, aaO. 685: "Wir haben in TestB 3,8 wahrscheinlich den ältesten
    Beleg für die Erwartung eines Messias aus dem Stamme Joseph vor uns". Diese
    These ist (aus anderen Gründen) weitgehend abgelehnt worden, cf. E.LOHSE,
    Märtyrer, 86; W.POPKES, Christus traditus, 49-53; M.RESE, Überprüfung, 24ff.;
    J.BECKER, Untersuchungen, 53 mit Anm.4.
119 J.BECKER, aaO. 56.

auf diesem Hintergrund[120]. Dadurch entsteht der Eindruck, als sei der Gedanke
des stellvertretenden (Sühne-)todes, den sie als Bewältigungsversuch der
Märytererproblematik der Makkabäerzeit sehen[121], hier auf Josephs Leiden
übertragen. Nimmt man Beckers Datierung von TestBenj 3,8 aber ernst, so ist
dieser Text älter als 2Makk, so daß sich die Entwicklung des Sühnetodgedan-
kens anders - und m.E. viel organischer - darstellt: Wie oben gezeigt, ist
schon von der LXX und dem QtgHi her der Gedanke der Fürbitte des Leidenden
für die an ihm schuldig Gewordenen vorgegeben, der nun mit dem Stellvertretungsgedanken verbunden zum stellvertretenden Sühneleiden sich weiterentwickelt. Die Aussagen über den Sühnetod der Märtyrer stehen dann in der Kontinuität dieser Sühneleidensaussage, die noch ganz unapokalyptisch und 'un-
dogmatisch' zustandegekommen ist und nun im Kontext der in der Apokalyptik
neu gewonnenen Anschauungen weiterwirkt[122].

Es fügt sich gut zu unserem Verständnis von 3,6-8, wenn die erste
Bearbeitung des TestBenj um diesen Text ein paränetisches Rahmen-
stück legt[123], das in 3,1 dazu auffordert, die Gebote zu bewahren,
"indem ihr den guten und frommen Mann Joseph nachahmt (μιμούμενοι)"
und in 4,1ff. gerade des guten Mannes "Gesinnung der Barmherzigkeit" (4,1) herausstellt, die sich darin äußert, sich aller, auch
der Sünder (4,2) zu erbarmen:

4,4 *Auch wenn sie über ihn zum Bösen planen, so besiegt er, das Gute tuend,*
     das Böse, da er von Gott beschirmt wird.

Worin dieses Gute besteht, lehrt 4,3b-5; die segensreichen Folgen,
nämlich der Gesinnungswandel der bösen Menschen, werden anschlies-
send in 5,1ff. beschrieben. Der Abschnitt schließt:

5,4 *Denn wenn jemand einen frommen Mann schlecht behandelt, tut er Buße.*
     Denn der Fromme erbarmt sich über den Schmähenden und schweigt.
  5 *Und wenn jemand eine gerechte Seele verrät, betet der Gerechte.*
     Und wenn er für kurze Zeit erniedrigt wird, so erscheint er nach nicht
     langer Zeit strahlender, wie Joseph, mein Bruder, gewesen ist.

Hier ist der 'konventionelle' Gedanke der Tradition vom leidenden
Gerechten, daß Gott ihn auf sein Gebet hin erhört (5,5) verbunden
mit dem neuen, der sich aus 3,6-8 ergibt: in 4,3 gewinnt der Gerechte aus dem Bewußtsein, von Gott beschirmt zu werden[124], die

---

120 Ebd. 55, zur Sache: E.LOHSE, Märtyrer, 66-78 im Verhältnis zu 78-87.
121 E.LOHSE, aaO. 67; J.BECKER, aaO. 55.
122 Dieser Gedankengang sollte nicht mißverstanden werden, als sei die Vor-
    stellung eines stellvertretenden (Sühne-)Sterbens auf einen einzigen, wo-
    möglich diesen Ursprung zurückzuführen und seien alle Belege in linearer
    Abhängigkeit voneinander zu sehen. M.HENGELs Untersuchung (Atonement bes.
    4-32) zeigt vielmehr eindrücklich, in welch breitem antiken Horizont dieser
    Gedanke steht. Gleichwohl scheint es mir beachtenswert, daß wir hier eine
    im Alten Testament verwurzelte, allmählich deutlicher werdende Linie ver-
    folgen können, und zwar unabhängig von der Märtyrertheologie. Daß diese
    Gedankenlinie in ihrer Struktur der neutestamentlichen Konzeption sehr viel
    näher steht, sei hier nur zu bedenken gegeben.
123 TestBenj 3,1 + 4,1-5,5 (cf. J.BECKER, aaO. 247f.). TestBenj 3,2 + 3,3-5
    sind dann noch später zugewachsen. Die Beziehung auf Joseph in 3,1 und 5,5
    sind redaktionell (ebd. 248).
124 Die noch späteren Verse 3,3-5 steigern den Gedanken des Behütetseins des
    Gerechten geradezu bis zur Leidensimmunität aufgrund des Schutzes Gottes,
    solange der Gerechte an Gottes- und Nächstenliebe festhält.

Kraft, dem Bösen mit Gutem zu begegnen und so das Böse zu überwinden. Ebenso ist die Reaktion des Gerechten in 5,4 darauf gerichtet, den Ungerechten durch den Verzicht auf Widerstand und Ertragen der Schmähung zur Buße zu führen. Das Leiden führt zum Erbarmen über den, der es verursacht: der Text zeigt so gleichsam
die Praxis der Haltung, die in 3,6-8 im Blick auf Gottes Vergebung in Rede stand, denn der Verzicht auf Vergeltung und Widerstand setzen dieselbe freiwillige Außerkraftsetzung bzw. Umkehrung
des Tun-Ergehen-Zusammenhangs voraus, die auch den Stellvertretungsgedanken bestimmt. Wie weit diese Paränese im Blick auf die
Haltung zum Feind von der 'klassischen' Tradition vom leidenden
Gerechten sich entfernt hat, braucht nicht betont zu werden. Der
von Becker schon für den Grundstock der TestXII als wesentliches
theologisches Moment herausgearbeitete Gedanke der Nächstenliebe[125] ist hier wirksam, ja, der Übergang zur Feindesliebe deutet
sich schon an.

> Eine gewisse Parallele zu diesen Gedanken findet sich in TestJos 17-18: auch
> hier wird dazu aufgefordert, dem, der Böses zufügen will, durch Gutestun be-
> tend zu begegnen (18,2), ebenso stellt sich Joseph selbst als Beispiel für
> diese Haltung gegenüber den Brüdern hin (17,4): der vom Leiden befreite lei-
> dende Gerechte wird zum Mitleidenden derer, die ihn einst leiden ließen
> (TestJos 17,7):
>
> *Ihr Leben (war) mein Leben, und jedes ihrer Leiden (war) mein Leiden;*
> *und jede ihrer Krankheit(en) (war) meine Schwachheit. ... ich war unter*
> *ihnen wie einer der Geringsten (ὡς εἷς ἐλαχίστων).*

5.4.2. Testament Joseph 1-2

Sprachliche und inhaltliche Gründe weisen die erste Hälfte des
TestJos als relativ jungen Text aus. Wie Becker gezeigt hat, bieten TestJos 1,3-10,4 von Kapitel 2 an einen nach hellenistischen
Formprinzipien gestalteten "Tugendagon"[126], also eine Schilderung
des Tugendkampfes Josephs um die Erhaltung und Bewahrung seiner
Keuschheit. "Über die Herkunft der Darstellungsweise kann kein
ernster Zweifel bestehen. Von der hellenistischen Moralphilosophie,
die die übertriebene und einseitige hohe Bewertung des athletischen Kampfes in der Arena kritisierte, wurde dieser Kampf zum
Bild des Lebenskampfes im Sinne popularphilosophischer Maximen
verwendet und ist so in die jüdisch-hellenistische und christliche
Paränese eingedrungen und der je eigenen Absicht dienstbar gemacht
worden"[127]. Den Hauptteil des romanhaften[128] Werkes bilden die

125 Cf. J.BECKER, Untersuchungen, 380ff.
126 Ebd. 234; cf. 228-239.
127 Ebd. 233.
128 Cf. ebd. 235f. und die dort von K.KERENYI übernommene Charakterisierung der
    hellenistisch-orientalischen Romanliteratur.

zehn Versuchungen[129], mit denen Gott Joseph durch die Ägypterin
prüfen läßt. Vorangestellt ist ein poetisches Stück, das *inhaltlich*
die Tradition vom leidenden Gerechten in dem Nacheinander von Leiden und Hilfe, Erniedrigung und Erhöhung deutlich aufnimmt[130], das
sich dabei aber einer ganz neuen Form bedient: einer katalogartigen
Aufreihung, die man als 'antithetischen Leidenskatalog' bezeichnen könnte[131]. TestJos 1,3ff.:

3 *Ich sah in meinem Leben den Neid und den Tod,*
  aber ich irrte nicht durch die Wahrheit des Herrn.
4 *Meine Brüder, sie haßten mich   - aber der Herr liebte mich.*
  Sie wollten mich töten   - aber der Gott meiner Väter bewahrte mich.
  In eine Grube ließen sie mich hinab - aber der Höchste führte mich heraus.
5 *Ich wurde als Sklave verkauft   - aber der Herr über alles hat mich befreit.*
  In Gefangenschaft wurde ich gebracht - aber der Herr selbst ernährte mich.
6 *Allein war ich   - aber Gott tröstete mich.*
  In Krankheit lag ich   - aber der Herr besuchte mich.
  Im Gefängnis war ich   - aber der Erretter begnadete mich.
7 *In Verleumdung war ich   - aber er verteidigte mich.*
  In bitteren Worten der Ägypter   - aber er riß mich heraus.
  Im Neid der Mitsklaven   - aber er erhöhte mich.

In 2,1f. wird der Katalog kurz unterbrochen, um - an der biographisch 'richtigen' Stelle die "schamlose Frau" einzuführen[132], gegen die Joseph "kämpfen" (ἀγωνίζεσθαι) mußte. Der Katalog wird
dann weitergeführt und gemäß der Tradition vom leidenden Gerechten
gedeutet. TestJos 2,3ff.:

3 *Ich wurde eingekerkert, ich wurde*⎤ ⎧*aber der Herr gab, daß der Gefangenen-*
  geschlagen, ich wurde verspottet ⎦.-⎩*wärter Erbarmen zeigte.*
4 *Der Herr läßt nämlich die, die ihn fürchten, nicht im Stich:*
  nicht in Dunkelheit noch Fesseln, noch Notlagen, noch Schwierigkeiten.
5 *Denn Gott schämt sich nicht wie ein Mensch, noch zagt er wie ein Menschen-*
  kind, noch ist er schwach oder verzagt wie ein Erdgeborener.
6 *An allen Orten ist er gegenwärtig, und auf vielfältige Weise tröstet er.*
  (Nur) kurz entfernt er sich, zu erproben der Seele Sinn.
7 *In zehn Versuchungen fand er mich erprobt, und in diesen allen erwies*
  ich Geduld. Denn ein starkes Heilmittel ist die Geduld, und viel Gutes
  gibt die Ausdauer.

Hieran schließt sich die Reihe der zehn Versuchungen an, die in
TestJos 10 mit einem Lob der Geduld abgeschlossen wird.

---

129 Cf. die Übersicht bei J.BECKER, aaO. 234f. und DERS., JSHRZ III, 119 (Anm.
    zu TestJos 2,7).
130 Die Handlungen Gottes stellen dabei zum Teil alttestamentlich schon zusam-
    mengestellte Liebeswerke dar, cf. Jes 58,6; Hi 31,17-20 und das weitere bei
    J.FRIEDRICH, Bruder, 166(-168) aufgeführte Material.
131 Kontext und Sprechweise (bes. das Nacheinander der ἐν-Glieder in TestJos
    1,5b-7) deuten darauf hin, daß die Katalogform einem hellenistisch gepräg-
    ten Milieu entstammt (J.BECKER, JSHRZ III, 25: "ägyptischer Hellenismus"),
    freilich sind die καί-(statt ἀλλά-Antithesen eher als Semitismen anzusehen.
    So ergibt sich eine interessante Verbindung traditionell jüdischen Inhalts
    mit hellenistischer Sprachstruktur.
132 Zur Feinheit der Komposition cf. J.BECKER, Untersuchungen, 232.

Für unsere Skizze ist TestJos 1-2 vor allem seiner hellenistischen Gestalt wegen wichtig: Jüdisches Denken, von der Tradition
vom leidenden Gerechten geprägt und mit dem Gesetzesthema verknüpft[133], wird in ein hellenistisches Sprach- und Vorstellungsmuster umgesetzt. Davon bleiben auch die Inhalte nicht unbeeinflußt,
wie die - gegenüber den bisher angesprochenen Vergleichstexten
recht anders geartete Konzeption von 'Prüfungsleiden' zeigt: die
Abwendung Gottes (als die das Leiden auch hier verstanden ist) geschieht im TestJos nicht aufgrund einer Sünde oder um der Sünde
vorzubeugen, sondern nur, damit der Gesetzestreue in "der Seele
Sinn" (2,6) geprüft werde und sich als in jeder Hinsicht der Versuchung gewachsen erweisen kann. Daß der so Geprüfte sich vor allem seiner μακροθυμία und ὑπομονή rühmt, liegt ganz auf dieser
Linie.

5.4.3. Testament Juda 21-25

Auch die für unser Thema wichtigen Stellen des TestJud (21,6-9
und 25,4f.) sind erst nachträglich in die Grundschrift eingefügt.
Wieder ist Beckers Rekonstruktion hilfreich: zur Grundschrift gehören in TestJud 21-25 lediglich 23,1-5, ein sogenanntes "SER-
Stück"[134], das den Abfall des Volkes und seine - wieder in Katalog-
form artikulierte (23,3) - Bestrafung ankündigt, um ihm dann für
die Zeit der Reue Gottes Erbarmen zuzusagen. Um dieses SER-Stück
sind allerlei jüngere Texte gruppiert, darunter eben auch 21,6-9
und - als eine Art eschatologisches Gegenstück dazu - 25,4f.
In dem literarkritisch schwierigen[135] ersten Text wird Judas
Königtum einem Meer verglichen, in dem "Gerechte und Ungerechte
umhergetrieben" werden, die einen als Beute, während die anderen
"raubend reich werden" (21,6). Die hier zum Ausdruck kommende
Scheidung und Klassifikation Israels in zwei Lager, die schließlich auf eine Verfolgung *aller* Gerechten hinausläuft (21,9), setzt
die Bedrängnis der Gerechten so allgemein voraus, daß hier wieder
die Wirkungsgeschichte der Tradition vom leidenden Gerechten spürbar ist. Wichtiger ist der zweite Text, der auf das SER-Stück folgt
und nun Israels Heil im Blick hat. Es handelt sich um ein dualisti-

---

133 Cf. TestJos 2,2 und die Versuchungskapitel passim.
134 Diese im Aufriß an den Stationen *Sünde - Exil - Rückkehr* (*Sin-Exile-Return*)
   orientierten Stücke sind für die TestXII typisch. Cf. J.BECKER, Untersuchungen, 172-177; zum zugrundeliegenden deuteronomistischen Geschichtsbild:
   O.H.STECK, Israel, 149ff.
135 Cf. J.BECKER, aaO. 318: Der Text gleicht "von Haus aus mehr einer Ablage-
   rung verschiedensten Gerölls als einer planvollen Rede". Cf. auch M.PHILO-
   NENKO, Interpolations, 5.

sches, unmessianisches Quellenstück[136], das im Kontext der apokalyptischen Erwartungen Israels auch die Restitution der leidenden
Gerechten zusagt:

25,4 *Und die in Trauer starben, werden in Freude auferstehen,*
und die um des Herrn willen Armen werden reich werden.
Und die um des Herrn willen starben, werden aufgeweckt werden
zum Leben.[137]

Wir sehen: auch hier erscheint wieder die Auferstehung zum Leben
als Steigerung des Heilshandelns Jahwes an seinen Gerechten. Dabei
verweist das doppelte διὰ κύριον auf die Figur des 'Leidens um
Jahwes willen', die uns schon in den Psalmen begegnete. Vom Kontext her scheint - anders als dort - jedoch nicht ein exklusiver
Kreis von Eiferern und Märtyrern im Blick. Dies läßt darauf
schließen, daß sich die ursprünglich speziellere Vorstellung des
'Leidens um Jahwes willen' inzwischen zu einem literarischen 'pat-
tern' verfestigt hat, das dann auch über den ursprünglichen besonderen Kreis hinaus auf die leidenden Gerechten angewandt werden
kann.

5.5. Die Märtyrerüberlieferung der Makkabäerbücher und andere
Märtyrertexte

Die Martyrien der Frommen im Zuge der Religionsverfolgungen unter Antiochus IV. Epiphanes, wie sie im zweiten und vierten Makka-
bäerbuch[138] überliefert sind, werden erst jetzt, gegen Ende des
Kapitels, angesprochen, weil in diesem Strang der Überlieferung
keine so direkte Beziehung zur Tradition vom leidenden Gerechten
besteht wie in den bisher behandelten Texten. Vielmehr besteht
hier ein besonderes Verhältnis, das sich m.E. leichter erfassen
läßt, wenn man sich den Makkabäerbüchern von den übrigen zwischentestamentlichen Texten her nähert, auf die die Tradition vom leidenden Gerechten sehr viel direkter eingewirkt hat.

Da die Märtyrertexte und die in ihnen enthaltenen Vorstellungen
ohne Zweifel für die jüdischen und urchristlichen Leidensdeutungen
wichtig sind, ja in der Forschung oft als konstitutiv für die Deu-

---

136 J.BECKER, aaO. 324.
137 Einige griechische HSS fügen vor dem letzten Satz ein: *Und die in Armut*
(lebten), werden gesättigt werden, und die in Schwachheit (waren), werden
stark gemacht werden. Zum sekundären Charakter cf. J.BECKER, aaO. 324. -
Diese (nicht erkennbar christliche) Erweiterung bestätigt, daß das 'Leiden
um des Herrn willen' voll in die Tradition vom leidenden Gerechten integriert ist.
138 1Makk bietet nur eine summarische Notiz über diese Vorgänge (1Makk 1,41-64),
ohne sich an der Frage des *Leidens* besonders interessiert zu zeigen.

tung des Leidens Christi und christlichen Leidens angesehen werden[139], ist es in jedem Fall nötig, das Verhältnis dieser Texte
und Vorstellungen zur Tradition vom leidenden Gerechten zu klären.

5.5.1. Das 2.Makkabäerbuch

Mit dem 2Makk haben wir erstmals im Gang unserer Untersuchung
Geschichtsüberlieferung vor uns, d.h. eine ganz andere Textsorte
mit anderer kommunikativer Funktion und Intention. Dabei handelt
es sich nicht (wie z.B. beim 1Makk) um eine an die alttestamentliche Geschichtsüberlieferung anknüpfende Art der Geschichtsbetrach-
tung[140], sondern um eine "aufs tiefste von dem Geiste der hellenistischen pathetischen Geschichtsschreibung"[141] beeinflußte Darstellung. Dies gilt besonders für die grundlegende älteste Schicht
des Buches, dem Auszug aus dem Geschichtswerk des Jason von Kyrene[142], aber auch die Einleitung und die eingeflochtenen Kommentie-
rungen des Epitomators, ja selbst die später nachgetragenen Partien weisen Züge solcher pathetischen Historiographie auf[143]. Das
2Makk ist also von seiner rhetorischen Gestaltung her ein hellenistischer Text, gleichwohl zeigen die genauen historischen De-
tailkenntnisse und vor allem viele der theologischen Anschauungen[144], daß es um seiner Substanz willen nach Palästina zu lokalisieren ist.

Im folgenden können wir uns auf 2Makk 6 und 7 beschränken[145],
auf Jason zurückgehen[146] dürften hiervon 6,1-11.18-31, im ersten
Teil ein knapper Bericht über die Maßnahmen der Seleukiden, "um
die Juden zu zwingen, vom väterlichen Glauben abzugehen" (6,1) und
über einzelne, geradezu protokollmäßig festgehaltene 'Fälle', in
denen der Widerstand zum Märtyrertod führte. Im zweiten Teil wird
dann wesentlich ausführlicher das Martyrium des greisen Eleasar
geschildert, der gezwungen werden sollte, Schweinefleisch zu essen
und trotz aller Lockungen und Folterungen bis in den Tod hinein
widerstand.

---

139 Cf. v.a. O.MICHEL, Prophet und Märtyrer (1932); E.LOHSE, Märtyrer (1955).
140 Zur Charakterisierung der Betrachtungsweise im 1Makk (auch im Vergleich mit
    dem 2Makk) cf. E.BICKERMANN, Gott der Makkabäer, 27-35.
141 O.EISSFELDT, Einleitung, 784; cf. dazu E.BICKERMANN, aaO. 147.
142 Zu Jason cf. M.HENGEL, Judentum und Hellenismus, 176-183.
143 Zur Abgrenzung der drei Schichten cf. C.HABICHT, JSHRZ I, 173.175-177.
    HABICHT datiert das Werk Jasons auf die Zeit zwischen 160 und 152 (so auch
    M.HENGEL, aaO.180f.) und die Tätigkeit des Epitomators in das Jahr 124 v.Chr.
144 Cf. M.HENGEL, aaO. 178f.
145 Am Martyrium des Razis (2Makk 14,37-46) wäre ähnliches zu zeigen wie an
    2Makk 6,18ff. und 2Makk 7.
146 Vielleicht liegen die Dinge noch etwas komplizierter, cf. C.HABICHT, JSHRZ I,
    232f. (zu 31).

Die Art, wie das 2Makk den Leidenden charakterisiert und sein
Leiden deutet, unterscheidet sich deutlich von allem, was uns bisher begegnete. Typisch z.B. 6,19: Eleasar "zog den ruhmvollen Tod
(τὸν μετ' εὐκλείας θάνατον) einem Leben in Verachtung (τὸν μετὰ
μύσους βίον) vor"[147]; überhaupt wird die Gesetzestreue Eleasars
vor allem unter dem Aspekt seiner Würdigkeit, Vortrefflichkeit und
Tapferkeit gesehen: er will der Jugend ein "edles Beispiel hinter-
lassen, wie man bereitwillig und aufrecht für die ehrwürdigen und
heiligen Gesetze stirbt" (6,28). Im Begriff zu sterben, "seufzte
er auf und sprach: 'Dem Herrn (...) ist bekannt, daß ich, der ich
dem Tode hätte entgehen können, harte körperliche Pein unter der
Geißel ertrage, sie jedoch aus Gottesfurcht in meiner Seele gern
erdulde'" (6,30). Dieses Sterben, so der Schlußsatz des Textes, war
"ein Beispiel des Edelmutes (ὑπόδειγμα γενναιότητος) und ein denkwürdiges Zeichen von Mannestugend (μνημόσυνον ἀρετῆς, 6,31).

Die Stilisierung[148] zeigt: hier wird in ganz anderen Kategorien
nicht nur gesprochen, sondern auch gedacht - weder von der Struktur der Aussagen noch von der Haltung des Leidenden her sind An-
knüpfungspunkte zur Tradition vom leidenden Gerechten gegeben.

Zwischen den beiden Teilen der Jason-Überlieferung findet sich
in 6,12-17 nun ein reflektierender Einschub von der Hand des Epitomators[149], also aus größerem zeitlichen Abstand von den Ereignissen:

6,12 *Ich bitte (παρακαλῶ) nun die Leser dieses Buches, nicht mutlos zu werden*
      wegen der Unglücksfälle (διὰ τὰς συμφοράς), sondern zu bedenken, daß die
      Strafen (τιμωρίαι) nicht zum Verderben, sondern zur Erziehung (πρὸς
   13 *παιδείαν) unseres Volkes bestimmt sind. Denn schon dies ist ein Zeichen*
      großer Gnade, daß den Gottlosen (δυσσεβοῦντες) keine lange Zeit freie
      Bahn gelassen wurde, sondern daß sie bald ihren Strafen verfielen.
   14 *Denn während der hochherzige Herr auch bei anderen Völkern mit der Züch-*
      tigung wartet, bis sie selbst zur Erfüllung ihrer Verfehlungen gelangen,
   15 *so hat er in unserem Fall nicht ebenso entschieden, damit er sich nicht,*
      wenn wir zum Ende der Verfehlungen gelangt seien, danach an uns räche.
   16 *Deshalb entzieht er uns nie sein Erbarmen, sondern er verläßt sein Volk*
      nicht, auch wenn er es unter Leiden erzieht (παιδεύων (...) μετὰ
   17 *συμφορᾶς). Dies soll nur zur Beherzigung kurz gesagt sein, jetzt aber*
      kommen wir zum Bericht zurück.

Diese 'geschichtstheologische' Deutung der Leiden durch den Epito-
mator ist bemerkenswert, nimmt sie doch - wenn auch im hellenistischen Sprachgewand - die Konzeption des Erziehungsleidens auf. Leiden geschieht zur Erziehung des Volkes. Die nähere Ausführung in
V 13 führt - jedenfalls, wenn man die Kontextbeziehung zu den Märtyrerleiden ernst nimmt - zu Schwierigkeiten: denn der Vers zeigt,

---

147 Übersetzung hier und im folgenden nach C.HABICHT (JSHRZ I, 229-233).
148 Die Belege ließen sich vermehren: cf. v.a. 2Makk 7,18.23-25.27.
149 Cf. C.HABICHT, JSHRZ I, 171.230.

daß der Text die Märtyrer nicht für Gerechte hält, sondern für
Gottlose[150], die erst durch das Leiden zu Gerechten werden. Was
Israel von den Völkern unterscheidet, ist, daß Gott ihm solch ein
'rechtzeitiges' Strafleiden ermöglicht. Diese Vorstellung ist -
wie man im Vergleich mit der Konzeption des Erziehungsleidens in
der Traditionslinie von der alten Weisheit über Sir und Weish zu
den PsSal feststellen kann - der Tradition vom leidenden Gerechten
nur sehr mittelbar zuzuordnen.

Daß sie für 2Makk aber richtig erkannt ist, zeigt die in der
jüngsten Schicht dem Buch zugewachsene Überlieferung vom Martyrium
der sieben Brüder und ihrer Mutter, 2Makk 7. Auch hier gilt - wie
beim Eleasarmartyrium - das Interesse der vorbildlichen Tapferkeit
der Märtyrer[151]; daneben aber auch ihrem endzeitlichen Geschick[152]:

2Makk 7,9 ... *der König der Welt wird uns, die wir für seine Gesetze*
             gestorben sind, auferstehen lassen zu ewigem Leben.[153]

Interessanterweise findet sich aber auch die gerade angesprochene
Konzeption des Erziehungsleidens in diesem Kontext wieder: die
Brüder beteuern, daß sie "um unserer selbst willen, da wir gegen
Gott gefrevelt haben", leiden (7,18), deutlicher noch:

7,32f. *Denn wir müssen unserer eigenen Verfehlungen wegen leiden* (ἡμεῖς γὰρ
        διὰ τὰς ἑαυτῶν ἁμαρτίας πάσχομεν). *Wenn aber unser lebendiger Gott*
        zum Zwecke der Züchtigung und Erziehung (χάριν ἐπιπλήξεως καὶ
        παιδείας) *eine kurze Zeit erzürnt gewesen ist, so wird er sich seinen*
        Knechten auch wieder versöhnen (καταλλαγήσεται τοῖς ἑαυτοῦ δούλοις).

Ihr Leiden aber führt sie zur Teilhabe an der Verheißung:

7,36   *Denn unsere Brüder sind zwar jetzt, indem sie eine kurze Pein für das*
        immerwährende Leben erduldet haben (βραχὺν ὑπενέγκαντες πόνον) *unter*
        Gottes Verheißung (ὑπὸ διαθήκην θεοῦ) *gefallen, du (Antiochus) aber*
        wirst im Gericht Gottes die gerechten Strafen deiner Überhebung
        davontragen.

Das Leiden der Märtyrer dient also zur Tilgung ihrer Sünde. Dies
ist nicht mit Sühneterminologie ausgedrückt, auch wird betont, daß
sie um ihrer *eigenen* Verfehlungen willen leiden, also nicht stellvertretend als Sündlose für die Sünden Anderer. Allerdings deutet
sich der Gedanke einer Stellvertretung leise an, wenn der jüngste
der Brüder für Israel Fürbitte hält:

7,37   *Ich aber will so wie meine Brüder Leib und Seele hingeben für die*
        väterlichen Gesetze und will dabei Gott anrufen, er möge dem Volk
        bald gnädig werden und dich (d.i. Antiochus) mit Prüfungen und
        Zuchtruten eingestehen lassen, daß er allein Gott ist,

---

150 In 2Makk 8,33 bezeichnet δυσσέβεια die Abtrünnigkeit der Apostaten - die
    'harte' Übersetzung ist also durchaus angemessen.
151 Cf. 2Makk 7,5.12.20-21.29.39.
152 Im Vergleich dazu cf. 2Makk 6,26: dort ist vom Gericht nach dem Tode die
    Rede, ohne daß von Auferstehung gesprochen würde.
153 Cf. außerdem 2Makk 7,11.14.23.29.36.

7,38 *mit mir aber und meinen Brüdern möge er den Zorn des Allmächtigen*
zum Stillstand kommen lassen, den er mit Recht auf unser ganzes
Volk geworfen hat.

Trotz der - vor allem durch die hellenistische Stilisierung ver-
ursachten - bleibenden Differenz sind in 2Makk 7 (anders als in
2Makk 6) gewisse Berührungspunkte mit der Tradition vom leidenden
Gerechten nicht zu übersehen, so in der Selbstprädikation als 'seine Knechte' (7,33), im Gegenüber der leidenden Brüder und ihres
'Feindes' Antiochus, vor allem aber darin, daß hier im Leiden die
Hoffnung artikuliert wird auf die (endzeitliche) Aufhebung des
Leidens. Daß die Ursache des Leidens im Gesetzesgehorsam liegt,
stellt die Märtyrer in die Nähe der 'um Jahwe willen' Leidenden
der Psalmen. Doch ist es wohl nicht von ungefähr, daß in 2Makk 7
keine Psalmen zitiert werden, stattdessen das Moselied von Dtn 32,
das streckenweise einem Psalm vom leidenden Gerechten nahekommt,
vor allem aber seine Bindung an das Gesetz betont.

Das Abschiedswort des ersten der Brüder lautet:

7,6 *Der Herr unser Gott sieht auf uns und wird sicherlich Erbarmen mit uns*
haben, so wie Mose in seinem offen protestierenden Gesang[154] klargemacht
hat, als er sprach: 'Er wird sich seiner Knechte erbarmen'.[155]

Wie auch in den Abschiedsworten aller übrigen Brüder ist hier die
Auferstehung im Blick. Das Moselied, das den Knechten Erbarmen zusagt, wird eschatologisiert und auf die Auferstehung gedeutet. Diesem Phänomen sind wir aber bisher schon wiederholt begegnet: die
Rettung des leidenden Gerechten wurde eschatologisiert, so daß die
Auferstehung, die das endzeitliche Gerichtshandeln Jahwes einlei-
tet, zum Rechtsakt Jahwes an seinem Gerechten wurde. So auch hier:
das 'Recht schaffen' des Moseliedes wird in der Auferstehung der
Märtyrer-Knechte erfolgen. Die Märtyrerüberlieferung des 2Makk
schlägt so in ihrer jüngsten Stufe doch noch eine deutliche Brücke
zur Tradition vom leidenden Gerechten.

---

154 Das διὰ τῆς κατὰ πρόσωπον ἀντιμαρτυρούσης ᾠδῆς bezieht sich - in leichter
    Umakzentuierung hinsichtlich des Gegenübers in der Märtyrersituation - auf
    Dtn 31,21: *Und wenn dann viel Unglück und Not sie treffen wird, so soll die-*
    ses Lied vor ihnen Zeugnis ablegen (LXX: ἡ ᾠδή αὕτη κατὰ πρόσωπον
    μαρτυροῦσα).
155 Dtn 32,36: *Denn Recht schaffen wird der Herr seinem Volke*
                und über seine Knechte sich erbarmen;
                er sieht, daß alle Kraft dahin ist
                und daß es aus ist mit den Unmündigen und Mündigen.

5.5.2. Das 4.Makkabäerbuch

Das 4Makk, das wir uns in der 1.Hälfte des 1. nachchristlichen Jh.s[156] (am ehesten in Syrien oder Kleinasien[157]) entstanden denken können, ist literarisch vom 2Makk abhängig[158]. Gerade deshalb ist es für unsere Untersuchung aufschlußreich (und obwohl nicht mehr aus vorchristlicher Zeit, heranzuziehen).Die Weiterverarbeitung von 2Makk besteht einerseits in einer Präzisierung dort 'angelegter' Gedanken, zum anderen bietet sie die berichteten Begebenheiten nochmals in einer völlig veränderten Form mit einem ganz anderen kommunikativen Interesse dem Leser dar, wodurch auch die Leiden aus einer anderen Perspektive gesehen und neu gedeutet werden. Denn im 4Makk stehen die Leidensberichte nicht wie im 2Makk im Kontext einer Geschichtsüberlieferung, vielmehr dienen sie im Rahmen einer Diatribe[159] über die Frage: "Ob die fromme Vernunft Selbstherrscherin der Triebe"[160] sei, als geschichtlicher Beweis für die Richtigkeit dieses philosophischen Lehrsatzes[161]. Dies wirkt sich vor allem auf die Darstellungsweise aus: der hellenistische Charakter ist noch erheblich stärker als in 2Makk; 4Makk ist "mit rhetorischem Schmuck geradezu überhäuft"[162]. Inhaltlich ist die Prägung durch hellenistisch-popularphilosophische Motive, vor allem im Blick auf die Tugend- und Affektenlehre, gleichfalls sehr stark, ohne daß sich aber 4Makk einer bestimmten zeitgenössischen Schulrichtung zurechnen ließe[163]. Vielmehr setzt 4Makk Vernunft und (am Gesetzesgehorsam orientierte) Frömmigkeit gleich[164], wodurch diese 'Philosophie' überall eine deutlich jüdische Handschrift trägt. In diesem Rahmen nun werden die Marty-

---

156 Cf. E.BICKERMAN, Date, 280f.; so auch L.ROST, Einleitung, 82; L.RUPPERT I, 108; E.LOHSE, Märtyrer, 69 Anm.2. Für eine spätere Datierung (1.Drittel des 2.Jh.s) tritt im Anschluß an A.DUPONT-SOMMER neuerdings wieder U.BREITEN-STEIN, Beobachtungen, 179, ein.

157 Cf. Argumente und Positionen bei L.RUPPERT I, 107.226 (Anm.9); U.BREITEN-STEIN, aaO. 175.

158 Cf. U.BREITENSTEIN, aaO. 92 Anm.1.

159 So seit E.NORDEN, Antike Kunstprosa, 416-420; zur Debatte um den Begriff in der heutigen Klassischen Philologie cf. G.SCHMIDT, Art. Diatribai, KP II, 1577f.

160 εἰ αὐτοδέσποτός ἐστιν τῶν παθῶν ὁ εὐσεβὴς λογισμός - Übersetzung hier und im folgenden nach A.DEISSMANN, in: KAUTZSCH II, 152-177.

161 Cf. 4Makk 1,1 und 1,12; durchgeführt sind die ὑπόθεσις in 1,13-3,18 und die ἱστορία in 3,19ff.

162 U.BREITENSTEIN, Beobachtungen, 179.

163 Cf. ebd. 131-133; dort auch das Referat der Auseinandersetzung zwischen I. HEINEMANN und M.POHLENZ über die Zuordnung zur stoischen (Poseidonius!) oder peripathetischen Philosophie.

164 Cf. ebd. 168.

rien des 2Makk sehr weitschweifig 'wiedererzählt'[165] und mit Reden
der Märtyrer durchsetzt. Entsprechend der 'Themenfrage' des 4Makk
richtet sich dabei das Interesse ganz auf die feste Haltung der
Märtyrer: Leidensschilderung und Standhaftigkeit der Leidenden
sind bis zur Übertreibung gesteigert, um die fromme Vernunft als
Herrin der Affekte zu erweisen:

9,27 *Als sie aber vor der Folterung auf die Frage, ob er (das verbotene*
     Schweinefleisch) essen wolle, die Antwort voll Adel vernommen hatten,
  28 *krallten ihm die Pantherbestien in der ganzen Gegend von den Nackensehnen*
     nen bis zum Kinn die eisernen Hände ins Fleisch, zogen an und rissen ihm
     die Kopfhaut ab. Er jedoch ertrug voll Stärke diesen Schmerz und sprach:
  29 *'Wie süß ist doch, in jeder Form, der um der Frömmigkeit unserer Väter*
     willen erlittene Tod!'

Und so können am Schluß in der Rückschau auf das Ganze die Märtyrer geradezu in einer 'Siegerehrung' gefeiert werden:

17,11 *Ja wahrhaftig, ein göttlicher Kampf war es, der von ihnen gekämpft wurde.*
   12 *Die Kampfespreise hatte die Tugend ausgesetzt, und diese fällte die Ent-*
      scheidung nach der (von den Kämpfern an den Tag gelegten) Ausdauer. Der
      Sieg war die Unvergänglichkeit in einem lange dauernden Leben.
   13 *Eleasar war der Vorkämpfer, die Mutter der sieben Knaben stand ringend*
   14 *dabei, während die Brüder kämpften. Der Tyrann war der Gegner im Kampfe,*
   15 *die Welt und die Menschheit waren die Zuschauer. Siegerin aber blieb die*
      Gottesfurcht, die dann ihren Athleten den Kranz reichte.
   16 *Wer sollte sie nicht anstaunen, die Athleten der göttlichen Gesetzgebung?*
      Wer sollte vor ihnen nicht erbeben?

Angesichts dieser Akzentuierung ist verständlicherweise der Gedanke, daß das Leiden seine Ursache auch in der Sünde des Märtyrers
haben könnte, fallengelassen[166]: sie sterben unschuldig um Gottes
willen[167]. Stattdessen gewinnt der Gedanke der Stellvertretung
größeren Raum. So wird jetzt die Fürbitte des jüngsten der Brüder
von 2Makk 7 dem Eleasar in den Mund gelegt und verdeutlichend erweitert um den Gedanken sühnender Stellvertretung:

6,28 *Sei gnädig deinem Volke, laß dir an der Strafe (δίκη) genug sein, die*
  29 *wir für sie (ὑπὲρ αὐτῶν) (erbringen). Mache zu ihrem Reinigungsopfer*
     mein Blut und nimm als eine Lebenshingabe für sie mein Leben (καθάρσιον
     αὐτῶν ποίησον τὸ ἐμὸν αἷμα καὶ ἀντίψυχον αὐτῶν λαβὲ τὴν ἐμὴν ψυχήν).

Ähnlich werden am Schluß die Martyrien insgesamt gedeutet:

17,22 *Sind sie doch gleichsam eine Lebenshingabe für die Sünde des Volkes.*
   23 *Durch das Blut jener Frommen und durch das Sühnemittel ihres Todes*
      hat die göttliche Vorsehung das bedrängte Israel gerettet.

Im Vergleich mit 2Makk 7,38 sind diese Aussagen als Weiterführung
des dort nur angedeuteten Stellvertretungsgedankens erkennbar, die
ihn präzisierend ausdeutet. Wichtig ist hier die Aufnahme kulti-

---

165 Dies gilt sowohl umfangsmäßig als auch im Blick auf die Variation im Wort-
    schatz, cf. dazu den Anhang I bei U.BREITENSTEIN, aaO. 181-188, vor allem
    das dort aufgelistete "fast unerschöpflich(e) Foltervokabular" (181).
166 4Makk 10,10 redet zwar von παιδεία, stellt ihr aber sofort die ἀρετὴ θεοῦ
    zur Seite, wodurch der von 2Makk übernommene Gedanke der Erziehung ent-
    sprechend umgedeutet wird.
167 Cf. 4Makk 9,8 (δι' ὅν = διὰ θεόν).

scher Vorstellungen: das Blut wirkt - gut hellenistisch[168] - als
Mittel kultischer Reinigung (6,29), Blut und Tod sind Sühnemittel[169] (*17,23:* ἱλαστήριον). Dabei ist gleichzeitig an stellvertretende Strafübernahme gedacht (*6,28:* δίκη), von wo aus das in beiden
Texten begegnende ἀντίψυχον, das profangriechisch den Einsatz des
Lebens für einen anderen meint[170], zu deuten ist. Wichtig ist weiter, daß das 4Makk den Erfolg dieser Sühnung ganz konkret im Erfolg der makkabäischen Bewegung greifen zu können meint (17,20f.).

Im ganzen ist festzuhalten, daß das 4Makk vor allem den der
Tradition vom leidenden Gerechten fremdesten Zug des 2Makk aufgreift und verstärkt: die Heroisierung des Leidenden.

> Es ist nun interessant, daß das Schlußkapitel 4Makk 18 in V 10-19 eine Auf-
> zählung alttestamentlicher Gestalten enthält, die von Abel über Isaak, Jo-
> seph, den Eiferer Pinhas und die drei Männer im Feuerofen bis zu Daniel in
> der Löwengrube reicht, verbunden mit einer Reihe von Schriftzitaten zum Lei-
> dens- und zum Auferstehungsthema, darunter auch Ps 34,20a. Hier ist, wie
> Ruppert[171] im einzelnen gezeigt hat, ein schriftgelehrter Nachweis dafür ge-
> sucht, daß der Leidensweg der "schriftgemäß(e) Weg der Gerechten"[172] sei.
> Nun fällt auf, daß viele dieser Gestalten gegenüber den biblischen Texten,
> in denen von ihnen berichtet ist, erst nachträglich als leidende Gerechte
> gedeutet werden. Diese Übertragungen sind ein Beweis für die große inter-
> pretatorische Wirksamkeit unserer Tradition zur Zeit des 4Makk. Ist die
> Stelle - wie Ruppert annimmt - eine "palästinensisch-pharisäische"[173] Inter-
> polation in den hellenistischen Text, so zeigt sich hierin der Versuch, die
> Märtyrertradition für die Tradition vom leidenden Gerechten zu vereinnahmen
> oder besser: den im 2Makk zu beobachtenden Brückenschlag zwischen beiden
> Traditionen auch vom 4Makk aus vorzunehmen.

5.5.3. Himmelfahrt Moses

Im Zusammenhang mit der Märtyrerüberlieferung ist auch auf die
AssMos hinzuweisen, die wahrscheinlich in der Zeit zwischen 6 und
30 n.Chr. in Judäa entstanden ist[174]. In AssMos 9,6ff. fordert
Taxo seine Söhne auf:

> "... laßt uns lieber sterben als die Gebote des Herrn, des Gottes unserer
> Väter, übertreten! Denn wenn wir das tun und so sterben, wird unser Blut
> vor dem Herrn gerächt werden."[175]

Diese Aussage ist ein Beleg dafür, daß die Märtyrertradition auch
im Palästina zur Zeit Jesu präsent gewesen sein dürfte. Freilich
fehlt jeder Hinweis auf eine sühnende Funktion des Martyriums; der

---

168 τὸ καθάρσιον ist im klassischen Griechisch belegt als terminus technicus
    für eine Opfergabe zur Aufhebung von Unreinheit, von daher dann auch in der
    Bedeutung 'Sühne' (Belege bei LIDDELL-SCOTT, 851).
169 Zu den Text- und Übersetzungsvarianten cf. das zusammenfassende Referat bei
    P.STUHLMACHER, Exegese, 326-328.
170 Belege bei LIDDELL-SCOTT 166 (Lucian; Dio Cassius).
171 Cf. L.RUPPERT I, 109-114.
172 Ebd. 111.
173 Ebd. 113.
174 Cf. E.BRANDENBURGER, JSHRZ V, 60 (Einleitung zur AssMos).
175 Zitiert in der Übersetzung BRANDENBURGERs (ebd. 68-81).

Text ist viel stärker der apokalyptischen Linie der Tradition vom
leidenden Gerechten verbunden, wenn er auf die Rache des unschuldig, um des Gesetzesgehorsams willen vergossenen Blutes abhebt. Dem
entspricht es, wenn in der sich anschließenden Schilderung der
Aufrichtung der universalen Gottesherrschaft (AssMos 10,1-10) dem
leidenden Israel die Erhöhung und Inthronisation am Sternenhim-
mel[176] zugesagt wird, von wo aus es voll Freude auf seine Feinde
auf der Erde hinabschaut (10,8-10).

Gerade im Vergleich mit dem 4Makk und den gleich noch zu skizzierenden Aussagen des Josephus zeigt die AssMos, daß die Märtyrertradition neben ihrer dort greifbaren, vor allen an griechischen
Idealen orientierten Ausgestaltung, die sie relativ weit von der
Tradition vom leidenden Gerechten entfernt, sich durchaus auch auf
sie[177] zubewegen und sich mit ihr verbinden konnte.

5.5.4. Das Martyrium Jesajas

Ebenfalls nur hinzuweisen ist hier auf die als Teil der (christlichen Kreisen im letzten Drittel des 1.Jh.s zuzuweisenden[178])
Schrift AscJes überlieferte ältere jüdische Legende MartJes[179].
Wir können uns dabei ganz auf die - in ihrer Komposition etwas
wirr erscheinende[180] - Schilderung des Martyriums konzentrieren[181]
(5,1-14), das Jesaja aufgrund seiner Unheilsprophetie (cf. 4,6)
und Kritik an Jerusalem und an "Judas und Jerusalems Fürsten" (4,
10) trifft.

Jesajas Gegenspieler Balkira bezichtigt Jesaja der Lügenprophe-
tie und intrigiert gegen ihn bei König Manasse, der Jesaja verhaften
und zersägen läßt. Hinter diesem Vorgang aber steht Beliar, der
"Platz (nahm) im Herzen Manasses"[182] und in Balkira einen direkten
Exponenten hat[183]. Von hier aus gewinnt der Bericht des Martyriums

---

176 Cf. äthHen 104,2-6, aber auch Dan 12,3 und Jes 52,13; 53,11.

177 Cf. zur Verbindung zur Märtyrertradition die zahlreichen in BRANDENBURGERs
    Anmerkungen zur Übersetzung gebotenen Verweise vor allem auf 2Makk; zur Ver-
    bindung zur Apokalyptik die auf äthHen (bes. 104,2-6). Als Anklang an die
    Tradition vom leidenden Gerechten könnte man auch noch AssMos 12,12 anfüh-
    ren, wonach es unmöglich sei, daß Gott Israel gänzlich ausrotte oder verlas-
    se (cf. Klgl 3,31; Ps 94,14).

178 Cf. E.HAMMERSHAIMB, JSHRZ II, 19 (Einleitung zu MartJes).

179 Zu den Einleitungsfragen und Versionen cf. ebd. 18-20; O.H.STECK, Israel
    245. Für genauere Angaben zu Milieu und Alter fehlt jeder Anhalt im Text.
    - Zitate im folgenden in HAMMERSHAIMBs Übersetzung (JSHRZ II, 23-32).

180 Die Abfolge der einzelnen Phasen des Martyriums ist keineswegs einsichtig,
    mehrmals scheinen Neueinsätze vorzuliegen (cf. 5,2.6.11) usw.

181 Die Rede von der "Verfolgung der Gerechten" in MartJes 2,5 weist auf 2Kön
    21,16 zurück und ist (wie die Einbindung in den Lasterkatalog zeigt) ganz
    an der Schuld der 'Täter' interessiert.

182 MartJes 5,1; cf. 4,11.

183 Cf. MartJes 5,3 (dazu E.HAMMERSHAIMBs Anm.3b).

auch den Charakter einer Versuchungsgeschichte durch den Teufel:
Beliar (5,4) und Balkira (5,8) wollen Jesaja veranlassen zu widerrufen, der aber flucht ihnen (5,9).

Auffällig sind die Interpretamente seines Todes: einerseits erinnert die Szenerie des Leidens inmitten der ihn verhöhnenden
Feinde (= Lügenpropheten: 5,2.12) an das Leiden des Gerechten, andererseits betont Jesaja - ganz wie z.B. 2Makk 6,30; 7,9; 4Makk
10,4 - daß Balkira ihm "nicht mehr als die Haut seines Fleisches
nehmen" kann (5,10)[184]. Daneben wird das Todesgeschick aber auch
als von Gott zugemessenes Los[185] verstanden, worin der Aspekt des
'Beauftragten Gottes' sich auswirkt. Schließlich gibt die in 5,7
angedeutete und in MartJes 5,14

*Und Jesaja schrie weder, noch weinte er, als er zersägt wurde, sondern sein
Mund redete mit dem Heiligen Geist, bis er in zwei Teile zersägt war,*

explizit ausgesprochene Vorstellung, daß Jesaja 'außer sich' d.h.
an seinem Leiden letztlich unbeteiligt war, diesem Martyrium nochmals einen ganz besonderen Charakterzug. Es ist hier nicht zu prüfen, ob diesem Aspektreichtum des MartJes, der eher den Eindruck
einer Addition als einer geschlossenen Komposition macht, auch li-
rarkritisch eine Schichtung des Textes entspricht: Brüche und Wi-
dersprüche[186] deuten darauf hin. In jedem Fall ist festzuhalten,
daß das MartJes eine Prophetentötung unter Berücksichtigung des
leidenden Subjekts (und damit anders als die Prophetengeschicktra-
dition[187]) schildert und in der Figur des leidenden Jesaja dabei
verschiedene Züge der Leidensartikulation aus dem bisherigen Feld
unserer Untersuchung miteinander verbindet.

5.5.5. *Josephus*

Von hier aus ist nun abschließend - wenn auch nur als Markie-
rung einer Perspektive ins letzte Drittel des 1.Jh.s hinüber - auf
Josephus einzugehen, dessen Geschichtswerk schon aufgrund der
Gleichheit der Textsorte, ebenso aber auch im Blick auf die Art
und Weise, wie er vom Leiden redet, am ehesten an das 2Makk erinnert[188].

---

184 Vgl. außerdem noch MartJes 5,3-8 mit 4Makk 5,5ff.; MartJes 5,9 mit 4 Makk
    9,24; 10,10f.; 12,11ff. (cf. O.H.STECK, Israel, 247 Anm.1). - Vgl. Mt 10,28.
185 Vgl. die Rede vom (nur) für ihn von Gott gemischten Becher (5,13).
186 Vgl. 5,6 mit 5,11; 5,7 mit 5,9.
187 Zum Verhältnis des MartJes zu dieser Tradition cf. O.H.STECK, Israel, 245-
    247. Wichtig ist in unserem Zusammenhang vor allem, daß hier - ebenso wie
    dann später verallgemeinernd in den Vitae Prophetarum (cf. dazu ebd. 247-
    250) - vom gewaltsamen Prophetengeschick in der Perspektive und Sprechweise
    der Märtyrertradition die Rede ist (s. auch oben Exkurs 1, S.81f.).
188 Schon A.SCHLATTER, Märtyrer, 238, weist darauf hin, daß hier die "Überlie-
    ferung über die Martyrien dieselben Züge wie in der syrischen Zeit" behält.

Auch er betont immer wieder die Bereitschaft von Juden zu Leiden und Tod "für das Gesetz der Väter"[189], aber auch für die Freiheit[190] und "für das jüdische Volk" (Ant 13,1.6), freilich ohne
den Martyrien eine weitergehende theologische Deutung, etwa als
Sühneleistung, zu geben. Vielmehr kommt es ihm vor allem darauf
an, das Ehren- und Ruhmvolle eines solchen Sterbens hervorzuheben
und die Märtyrer von der gemeinen Masse abzusetzen, die "ihr na-
türliches Leben über alles" schätzt und "das Sterben auf dem Kran-
kenbett einem ehrenvollen Tode vor(zieht)"[191]. Ἀρετή und εὐτολμία
(Bell 7,342), Standhaftigkeit, Tapferkeit und Unbeugsamkeit[192] der
Juden, vor allem aber immer wieder ihre edle Entschlossenheit, den
Tod der Knechtschaft vorzuziehen[193], sind die hervorstechenden Züge, mit denen diese Leidenden beschrieben werden, nicht zuletzt,
um dadurch jedem hellenistisch gebildeten Heiden - und somit den
Adressaten, für die Josephus schreibt - Respekt für sein Volk ab-
zunötigen, entspricht dessen Verhalten doch ganz den Idealen seiner Bildung und Kultur[194]. Dieses Zusammenrücken jüdischer und
griechischer Denk- und Vorstellungswelt findet auch darin seinen
Ausdruck, daß Josephus die Erwartung einer postmortalen Existenz,
die er mehrfach mit den Schilderungen der Leidens- und Todesbe-
reitschaft verknüpft[195], ganz im griechischen Sinne als Befreiung
der unsterblichen Seele aus dem Gefängnis des Körpers beschreibt[196],
wobei er die Übereinstimmung mit den Vorstellungen der Griechen
ausdrücklich betont[197].

Neben den Schilderungen solch 'aktiven' Leidens treten dann
noch die oft minutiösen Beschreibungen der Leiden im Kriege und

---

189 Bell 1,650; cf. 2,6: "für die väterlichen Gesetze" (ὑπὲρ τῶν πατρίων νόμων);
    cf. Ant 15,288 (θνήσκειν πρὸ τῶν κοινῶν ἐθῶν).
190 Cf. Bell 3,357 - dort in direktem Bezug zu den 'väterlichen Gesetzen' (356);
    Ant 12,433; 13,5. In Bell 3,363.365 scheinen die Losungen: καλὸν ἐν πολέμῳ
    θνήσκειν und καλὸν γὰρ ὑπὲρ τῆς ἐλευθερίας ἀποθνήσκειν regelrecht Zitate
    zu sein und verweisen deutlich auf griechisch-römische Ideologeme. Cf.
    M.HENGEL, Atonement, 8-14 mit Anm.19-51.
191 Bell 1,650; cf. 7,341f.
192 Cf. auch Ant 18,23ff. über die Tapferkeit der Zeloten; Bell 2,150-153 über
    die Essener.
193 Cf. z.B. Bell 7,336.
194 Am deutlichsten kommt diese Intention wohl in Ap 1,42f. zum Ausdruck, wenn
    Josephus dort die Bereitschaft *jedes* Juden, freudig für die Tora zu sterben,
    unterstreicht und auf die Fülle von Zeugnissen über Qualen und Tod der
    Märtyrer verweist, um dann (rhetorisch) zu fragen, welcher Grieche denn
    wohl dazu bereit gewesen wäre.
195 Cf. Bell 2,154-158 (in direktem Anschluß an die Beschreibung der Haltung
    im Leiden: *"Unter Schmerzen lächelnd und der Folterknechte spottend gaben
    sie freudig ihr Leben dahin in der Zuversicht, es wieder zu empfangen"* (153);
    7,344-355.
196 Cf. Bell 2,154f.: εἱρκταῖς τοῖς σώμασιν.
197 Cf. Bell 2,155: *In Übereinstimmung mit den Söhnen der Griechen tun sie dar...*

unter der Willkür der Gewaltherrscher, deren Höhepunkt man wohl in
der Beschreibung der Zustände im ausgehungerten Jerusalem während
der Belagerung durch Titus sehen kann[198], gipfelnd in der Erzählung von der Mutter, die ihr eigenes Kind tötet, brät und ißt[199].

Bei alledem fehlt aber jede deutliche Anknüpfung an die Tradition vom leidenden Gerechten. Allenfalls in der Rede des Eliazar
auf Masada (Bell 7) lassen sich gewisse, freilich recht allgemeine Bezüge entdecken, und zwar in expliziter Negation: in ihrer
Verzweiflung sind die letzten Widerstandskämpfer des römischen
Krieges der Meinung, Gott habe "das von ihm einst geliebte Volk
der Juden längst zum Untergang bestimmt" (7,327), hat er ihnen
doch jede Hoffnung auf Rettung (7,331: ἐλπὶς τῆς σωτηρίας) selbst
zunichtegemacht, um sie ganz dem Zorn über alle ihre Untaten aus-
zusetzen und sie so zu strafen (cf. 7,332).

5.6. Das Testament Hiobs, Joseph und Aseneth, Philo

5.6.1. Das Testament Hiobs

Das ins hellenistische Judentum zu lokalisierende[200] TestHi erlaubt uns, den
an der Märtyrertradition der Makkabäerbücher gewonnenen Einblick in die hellenistische Weise der Leidensdarstellung und -deutung noch etwas zu präzisieren. Das Buch ist ein in Testamentform gefaßter erzählender Midrasch[201]
zum biblischen Hiobbuch, das dem Verfasser in der LXX-Form vorlag[202]. Unsere
Untersuchung kann sich von daher auf die Umakzentuierung und besondere Stilisierung, die der Midrasch im Vergleich zu seiner Vorlage erkennen läßt,
beschränken.

Sofort fällt auf, daß die oben am Hiobbuch herausgearbeitete
Vielschichtigkeit des Leidensverständnisses, die vor allem im offenen Gegeneinander verschiedener Positionen zum Ausdruck kam,
hier eingeebnet ist zu einer einlinigen Betonung des vorbildlichen
Dulders Hiob[203]. "Die Geduld als Tugend Hiobs ist schon Hi 1,21;
2,10 angelegt, in der LXX-Übersetzung weiter herausgearbeitet;

---

198 Cf. Bell 6,193-219.
199 Bell 6,204-212. In 211 bezeichnet sie es selbst als ἐμὴ θυσία, wodurch der
   blasphemische und makabre Charakter ihres Handelns, aber auch ihr an jeder
   εὐσέβεια verzweifelnder Zustand verdeutlicht wird.
200 Das TestHi muß zwischen dem 1.Jh.v.Chr. und dem 2.Jh.n.Chr. entstanden sein,
   eine genauere Datierung ist nur vermutungsweise möglich (cf. B.SCHALLER,
   JSHRZ III, 311f.; J.H.CHARLESWORTH, Pseudepigrapha 135); seine genaue Heimat
   innerhalb des hellenistischen Judentums der Diaspora muß ebenfalls offenbleiben. Zu der neuerdings von M.PHILONENKO wieder versuchten "Herleitung
   aus dem Kreis der als ägyptischer Ableger der palästinischen Essener geltenden Therapeuten" (B.SCHALLER, aaO. 309; cf. M.PHILONENKO, Testament, 21ff.)
   vgl. SCHALLERs überzeugende Gegenargumente (aaO. 309-311).
201 Cf. B.SCHALLER, aaO. 313.
202 Cf. ebd. 306f.
203 Cf. TestHi 1,5: hier stellt er sich selbst vor als Ιωβ ἐν πάσῃ ὑπομονῇ
   γενόμενος.

aber erst im T(est)H(i) konsequent in den Vordergrund gestellt"[204].
Diese Geduld bewährt Hiob nun nicht (wie im biblischen Buch) in
einem Leiden, das ihn subjektiv unerwartet trifft, vielmehr besteht Hiobs Leiden hier in (ihm im Zusammenhang seiner Bekehrung
(TestHi 3,1-7) schon vorausgesagten (4,4)) Anfeindungen Satans, der
damit auf Hiobs Eifer im Kampf gegen den heidnischen Götzenkult
reagiert. Die vom Hiobrahmen her vorgegebene Satanfigur wird so
in die Vorstellung des für Jahwe eifernden und um seinetwillen
leidenden Gerechten aufgenommen. Hiob kämpft für Jahwes Sache und
gerät dadurch zwangsläufig ins Leiden. Der Satan prüft also nicht
den Gerechten, sondern er bekämpft ihn um seiner Jahwezugehörig-
keit willen. Hiob gerät so in die Nähe der Märtyrer, von denen ihn
einzig die Zusicherung Jahwes unterscheidet, daß Satan ihn nicht
zu Tode bringen kann (4,4).

In der Stilisierung des Kampfes zwischen Hiob und dem Satan
treffen wir nun wieder auf das uns schon vertraute hellenistische
Repertoire[205]:

4,10 *Denn du wirst sein wie ein Wettkämpfer (ἀθλητής), der Schläge austeilt*
und Schmerzen erträgt und (am Ende) den (Sieges)Kranz empfängt. Dann
wirst du erkennen: gerecht und zuverlässig und mächtig ist der Herr, er
gibt Kraft seinen Auserwählten.

Diese Vorstellung des athletischen Kampfes[206] ist geradezu ein
Leitmotiv des TestHi, am ausführlichsten findet sie sich in der
Rede Satans, als er seine Niederlage eingestehen muß:

27,2 *Siehe, Job, ich gebe auf und weiche von dir zurück, obgleich du von*
Fleisch bist, ich aber ein Geist bin. Du bist in mancherlei Plagen gera-
3 *ten, ich aber bin in großer Bedrängnis. Du warst wie ein Athlet, der mit*
einem anderen Athleten kämpfte. Und sie brachten sich gegenseitig zu Fall.
Und der, der oben zu liegen kam, brachte den unter ihm liegenden zum
Schweigen, seinen Mund mit Sand verstopfend, und brach ihm jedes Glied.
4 *Während der es aber mit Standhaftigkeit ertrug und nicht aufgab, schrie*
5 *der Obenliegende (am Ende) doch noch laut auf. So auch du, Job, du hast*
unten gelegen und wurdest gepeinigt, aber du hast schließlich doch den
Sieg davongetragen über meine Kampfkünste, die ich gegen dich angewandt habe.

Wie Schaller im einzelnen nachgewiesen hat, bildet diese Kampf-
schilderung exakt das griechische Pankration ab, den "als Höhepunkt athletischer Wettbewerbe angesehenen 'Allkampf'"[207], dessen
metaphorischer Gebrauch bei Philo, Marc Aurel und Panaitios belegt

─────────────

204 D.RAHNENFÜHRER, Testament des Hiob, 85. Cf. seinen Hinweis (ebd.), daß es
    gerade dieser Zug des unschuldigen, geduldig ertragenen Leidens Hiobs, nicht
    aber der seines Zweifels und Rechtsstreites war, der die altkirchliche Ty-
    pologie 'Hiob/Jesus' ermöglichte (Belege ebd.). - Zur LXX cf. G.GERLEMANN,
    Studies in the LXX I, 53ff., sowie Hi 2,9a; 6,11; 7,3.16; 14,14; 19,26 in
    der LXX-Fassung.
205 Zitate in der Übersetzung von B.SCHALLER, JSHRZ III, 325-374. Griechischer
    Text nach S.P.BROCK, Testamentum Iobi, PVTG II, 19-59.
206 Cf. dazu im einzelnen B.SCHALLER, JSHRZ III, 239f. Anm.10a.
207 B.SCHALLER, aaO. 347.

ist[208]. Das TestHi nimmt also ein geläufiges Bild auf und wertet
es im folgenden paränetisch aus:

27,7 *Meine Kinder, so bleibt nun auch ihr geduldig in allem, was euch*
trifft; denn besser als alles (andere) ist die Geduld.

Das TestHi nimmt also eine doppelte Übertragung vor: es 'judai-
siert' das Bild des Pankration, das im stoischen Denken den Le-
benskampf, aber auch das Streben nach Tugend (zu der auch die
ὑπομονή gehört) veranschaulicht, indem es es benutzt, um Hiobs
Ausharren im Kampf des bekehrten Jahwetreuen gegen dessen Feind
Satan auszudrücken. Gleichzeitig überträgt es den leidenden Gerechten Hiob in die hellenistische Vorstellungswelt und verändert
dabei auch sein in der Geschichte der Tradition verankertes Er-
scheinungsbild: zwar ist er auch hier der Gerechte, der im Leiden
an Gott festhält, doch gewinnt er in diesem Festhalten mehr und
mehr den Charakter des aufrechten, ungebrochenen und unerschütter-
lichen Leidenden, der sich und seine Situation beherrscht. Gegenüber der biblischen Hiobgestalt im Kontext der Psalmen vom leidenden Gerechten ist dies eine wesentliche Akzentverlagerung.

Neben dieser stoisierenden Umprägung hat das TestHi die Hiob-
figur aber auch noch in einen apokalyptischen Rahmen gestellt, indem es Hiobs Restitution mit der Auferweckungsvorstellung verbindet:

4,6 *Doch wenn du ausharrst, mache ich deinen Namen berühmt unter allen Ge-*
7 *schlechtern der Erde bis zum Ende der Welt. Und ich werde dir deinen Besitz*
wiedererstatten, und es wird dir doppelt wiedergegeben werden, damit du
8 *erkennst: (Gott) sieht die Person nicht an, er vergilt Gutes jedem, der*
auf ihn hört. Du wirst auferweckt werden bei der Auferweckung.

Wichtig ist hier vor allem das Nebeneinander von irdischer Wiederherstellung und himmlischer Erhöhung[209], während in den bisher behandelten Texten stets die Auferstehung - als endzeitliche Wiederherstellung - als *Ersatz* der irdischen gedacht war. Ursache für
die Kombination dürfte einmal der überlieferte Hiobstoff sein: das
Motiv der doppelten Erstattung dessen, was Hiob verloren hatte,
ist zu fest mit ihm verbunden, als daß man es ersetzen könnte. Auf
der anderen Seite ist diese Kombination der Aussagen ein Hinweis
auf eine von der palästinischen sehr verschiedenen Situation, deren
weitaus geringerer 'Leidensdruck' die Hoffnung auf irdische צדקה-
Erweise noch zuließ, so daß die endzeitliche Hoffnung auf Erhöhung

---

208 Ebd.
209 Cf. die 'Himmelfahrt' der Seele (während der Leichnam begraben wird) in
   TestHi 52; auf die Verschiedenheit der im TestHi aufgenommenen Endzeitvor-
   stellungen ist hier nicht einzugehen. Zur Vorstellung, daß die Gebeine der
   Gerechten in der Erde ruhen, während ihr Geist viel Freude hat (als Zuschauer beim Gericht über ihre Feinde) cf. auch Jub 23,30f.

des Gerechten durch Addition und nicht durch Substitution erfolgen
konnte.

5.6.2. Joseph und Aseneth

Hinzuweisen ist auch auf die ebenfalls hellenistische romanar-
tige[210] Schrift 'Joseph und Aseneth'[211], in der sich im Blick auf
die Gestalt der Aseneth eine deutliche Parallele zum TestHi findet.

Aseneth, die Ägypterin und spätere Gemahlin Josephs, wird be-
kehrt (JosAs 11) und zerstört daraufhin ihre Götterbilder. Dies
hat zur Folge, daß der Teufel sie intensiv befeindet (12,9f.).
Auffallend ist nun, daß Aseneth in dem Gebet, in dem sie all dies
berichtet und beklagt, zahlreiche Elemente der Tradition vom leidenden Gerechten aufnimmt, um ihre Bedrängnis zu schildern und ihr
Vertrauen zu artikulieren (12,11-14).

Wir können hier denselben Vorgang wie im TestHi in umgekehrter
Richtung beobachten. Verleiht das TestHi dem 'klassischen' leidenden Gerechten Hiob die Züge eines Neubekehrten, der um seines gegenüber den Heiden aktiv vertretenen Bekenntnisses willen verfolgt
wird, so tritt in JosAs Aseneth, die Neubekehrte und aktiv Beken-
nende in die Tradition vom leidenden Gerechten ein, indem sie ihre
Situation mithilfe der 'klassischen' Aussagemittel dieser Tradition artikuliert und deren Zusagen auf sich überträgt.

5.6.3. Philo von Alexandrien

Schließlich ist auf das Werk Philos einzugehen[212]. Das seine
Schriften weitgehend bestimmende Interesse, "Juden und Heiden den
Weg zu wahrer Gotteserkenntnis und tugendhaftem Leben zu weisen"[213],
das sich vor allem in der Verbindung des biblischen Gottes-, Welt-
und Menschenbildes mit dem der griechischen Philosophie (insbesondere mit stoischen Tugendidealen) äußert, ist auch für seine Aussagen zum Thema Leiden bestimmend. Kennzeichnend für den Menschen
ist nach Philo, daß ihn "Krankheiten, Alter und Tod mit der übrigen Menge freiwilliger und unfreiwilliger Mißgeschicke bedrängen,

---

210 Cf. H.HEGERMANN, Griechisch-jüdisches Schrifttum, 174; J.H.CHARLESWORTH,
    Pseudepigrapha, 137 ("haggadic midrash on Genesis 41:45"); D.SÄNGER, Anti-
    kes Judentum, 1 mit Anm.1.
211 Textausgaben (P.BATTIFOL (1889/90); M.PHILONENKO (1968); C.BURCHARD (1979)
    und Übersetzungen stellt D.SÄNGER, aaO. 222f. zusammen (dort 229ff. auch
    weitere Literatur). Stellenangaben im folgenden nach der Einteilung der
    deutschen Übersetzung von P.RIESSLER, Altjüdisches Schrifttum, 497-538.
212 Da eine Darstellung und Interpretation des philonischen Leidensverständnis-
    ses bislang fehlt und hier nicht geboten werden kann, sind nur einige exem-
    plarische Beobachtungen mitzuteilen, vor allem um das Verhältnis der An-
    schauungen Philos zum bisher untersuchten Textfeld zu verdeutlichen.
213 B.SCHALLER, KP 4, 774.

beunruhigen und verfolgen"[214], was ihn zu der Einsicht führt, daß
allein Gott das Tun (ποιεῖν) zukommt, "das ein Geschöpf sich nicht
zuschreiben darf, und dem Geschöpf nur das Leiden" (πάσχειν)[215].
Wer ihre Unausweichlichkeit erkannt hat, kann angemessen auf die
über ihn hereinbrechenden Leiden reagieren, nämlich sie "ertragen,
ihnen entgegentreten und sich ihnen entgegenstemmen, indem er seinen Geist kräftigt und festigt durch seine Standhaftigkeit und
Ausdauer, diese mächtigen Tugenden" (Cher 78).

Es ist in unserem Zusammenhang nun ausgesprochen interessant,
daß Philo diese ganz an Vernunft und Tugend orientierten Aussagen
auch und gerade aus alttestamentlichen Texten vom leidenden Gerechten zu entwickeln versucht. So deutet er z.B. Ps 23,1 ("Der
Herr ist mein Hirte, mir wird nichts mangeln") zunächst auf die
Ordnung des Weltalls, die von der rechten Vernunft (ὀρθὸς λόγος)
als Gottes eingeborenem Sohn wie von einem Hirten geleitet wird[216].
Ebenso gilt der Vers aber für "jedes Einzelwesen": "unmöglich kann
jemand an dem, was ihm zukommt, Mangel erleiden unter der Leitung
Gottes, der vollkommene Güter in Fülle allen Wesen darzureichen
pflegt" (Agr 53). Damit enthält "das genannte Lied" eine "herrli-
che Anregung zur Frömmigkeit", zeigt es doch, daß die Seele, "die
von Gott geweidet wird, daher das Eine und Einzige besitzt, von
welchem alles abhängt", alles anderen unbedürftig ist und darum
den wahren, "sehenden"[217] Reichtum hat, während der sich gegen Gottes Herrschaft sträubende Mensch trotz all seines äußeren "blinden"
Reichtums in Wahrheit in Mangel und Armut lebt (Agr 54).

Derselben verinnerlichenden und vergeistigenden Umdeutung auf
die Ebene einer philosophischen Tugendlehre unterzieht Philo auch
die Feindklagen der Tradition vom leidenden Gerechten. So zitiert
er Ps 80,7 ("Du hast uns unseren Nachbarn εἰς ἀντιλογίαν gesetzt")
und deutet diese Feindklage des KV auf "alle, die nach rechter Einsicht (ὀρθὴ γνώμη) Verlangen tragen" und im Streben nach Tugend
sich "den Nachbarn der Seele entschieden widersetzen, indem sie
die Lüste rügen, mit denen sie unter einem Dache wohnen, rügen die

---

214 Cher 75. - Übersetzung hier und im folgenden nach der deutschen Ausgabe ed.
    L.COHN/I.HEINEMANN u.a.; auf Anmerkungen der Übersetzer wird verwiesen durch
    "Werke" unter Angabe des Übersetzers; Textzitate nach der griechischen Aus-
    gabe ed. L.COHN/P.WENDLAND.
215 Cher 77; cf. den unmittelbar vorangehenden Beispielsfall: Pharao gemäß
    Ex 15,19.
216 Cf. Agr 50ff.
217 Als sehenden/scharfblickenden Reichtum, worunter Philo hier den Besitz des
    ἓν καὶ μόνον versteht, bezeichnet er auch den "Überfluß an Tugenden" (Abr
    25) im Gegensatz zum "blinden Reichtum" als dem Besitz an Herrschaft und
    Macht. Das Gegensatzpaar findet sich schon bei Plato (Nomoi 631c); cf.
    Philo, Werke IV, 123 Anm.2 (I.HEINEMANN) und I,101 Anm.1 (J.COHN).

Begierden, die Feigheit und die Furchtsamkeit, mit denen sie zusammenleben, beschämen die Schar der Leidenschaften und der Laster,
ja, sogar die ganze Sinnlichkeit rügen, die Augen wegen des Gesehenen ..." usw. (Conf 52). Dieser innere Kampf hat seine Entsprechung nach außen in der philosophischen Auseinandersetzung: so
deutet Philo Ps 30,19 ("Es mögen verstummen die trügerischen Lippen") als Bitte um göttlichen Beistand gegen "die scheinbar glaublichen Spitzfindigkeiten der Sophisten" (Conf 39), die der Beter
mangels rhetorischer Schulung nicht zu widerlegen im Stande ist.
Auch Jeremias Klage (Jer 15,10) wird - in bezeichnender Veränderung
der LXX-Fassung[218] - zum Zeugnis für die unversöhnliche Feindschaft
jedes Weisen gegenüber allen Schlechten, gegen die er einen Verteidigungskampf statt mit militärischen Waffen mit Vernunftgründen
(λογισμοί) führt (Conf 44f.).

Liegt also das Phänomen der notvollen Leidensbedrängnis von
außen (das - wie wir sahen - für viele zwischentestamentliche
Texte kennzeichnend ist) außerhalb des Interesses der bisher angesprochenen Schriften Philos, so kommt er in seinem Spätwerk doch
noch darauf zu sprechen, nämlich in den beiden Schriften, die er
im Rückblick auf das Judenpogrom von Alexandria (38 n.Chr.) und
auf seine Teilnahme an der jüdischen Gesandtschaft an Gaius Caligula (40 n.Chr.) verfaßt hat (Flacc; LegGai).

Hier ist zunächst hinzuweisen auf die zwar nicht von Emotionen,
aber doch von theologischen Erwägungen völlig freien Schilderungen
der grausamen Verfolgungen (Flacc 41-96; LegGai 120-137), deren
Ursachen ganz aus der "eingeborenen", uralten Feindschaft und Mißgunst der Ägypter und der Unfähigkeit und Böswilligkeit des dem
Pöbel nicht wehrenden Statthalter Flaccus[219] bzw. aus der Hybris
des sich für einen Gott haltenden Kaisers[220] erklärt werden. Einen
Bezug zur Gottesbeziehung der Leidenden stellt Philo nur mittelbar
her, wenn er wiederholt betont, daß die Juden es vorzögen, "für
der Väter Gesetze zu sterben"[221], wobei für Philo dieses Eintreten
für das Gesetz sowohl durch dessen göttlichen Ursprung (cf. 210f.)
als auch durch den "Freiheitsdrang" (215) und das allgemein-sittliche Interesse motiviert ist, kein "Stück uralter Tradition"
preiszugeben (117). Philo verbindet diese Leidens- und Todesbe-

---

218 Cf. Werke V, 113 Anm.4 (E.STEIN) zu Conf 44.
219 So akzentuiert in Flacc; cf. v.a. 29f.; 35.
220 So akzentuiert in LegGai; cf. z.B. 162; 201; 348: "Neuerungssucht und Überheblichkeit" als "Quellen unermeßlichen Leidens".
221 So LegGai 215; cf. 117: "... gewohnt, den Tod auf sich zu nehmen ..."; 208;
    209: "daß die Juden (...) lieber tausendmal sterben (...) als daß sie das
    Begehen einer verbotenen Tat zulassen".

reitschaft mit dem Unsterblichkeitsgedanken[222], den er aber nicht
wie die an Dan 12 anknüpfende Tradition als Auferstehung, sondern
ganz griechisch als ἀθανασία, als Lohn der ἀρετή, denkt[223].

Die einzige Stelle, an der Philo eine theologische Sinndeutung
unverschuldeten Leidens versucht, findet sich - soweit ich sehe -
in LegGai 195f. Sie stellt bezeichnenderweise auch eine der wenigen der Tradition vom leidenden Gerechten nahestehenden Aussagen
Philos dar und ist darüber hinaus ein gutes Beispiel für das Verschmelzen von jüdischer Theologie und griechischem Tugendideal:
Dem Ansinnen, die Delegation hätte, als ihr die Erfolglosigkeit
ihrer Mission klar war, angesichts der Todesgefahr abreisen sollen,
hält Philo entgegen (LegGai 195):

> *Entweder hast du nicht das echte Empfinden eines Angehörigen des edlen Ge-*
> *schlechts, oder du hast nicht Erziehung und Bildung durch die heiligen*
> *Schriften genossen. Menschen aus wahrhaft edlem Geschlecht verlieren nie die*
> *Hoffnung. Auch erfüllen unsere Gesetze den mit fester Zuversicht, der sich*
> *nicht bloß oberflächlich mit ihnen befaßt. Vielleicht bedeutet unsere Heim-*
> *suchung eine Prüfung der heutigen Generation, wie sie zur Tugend steht und*
> *ob sie gelernt hat, Schrecken mit starkem Herzen und kühlem Verstand in ih-*
> *ren Entschlüssen zu ertragen, und nicht vorher zu wanken. Alles, was aus*
> *Menschenhand kommt, geht dahin. Mag es dahingehen! Bleiben soll in den See-*
> *len unzerstörbar die Hoffnung auf Gott, den Retter, der sein Volk aus Not*
> *und Verzweiflung oft befreite!*

Philo verbindet hier mit der Vorstellung des Leidens als Prüfung
(der Tugend!) den Gedanken der Hoffnung auf den Gott Israels.
Letzterer bestimmt auch die Psalmen, die die Juden von Alexandrien
(nach Philo) auf die Kunde von der Verhaftung des Flaccus spontan
gebetet haben: in dem erfahrenen "Erbarmen und Mitleid" Gottes,
der ihre "dauernden und unendlichen Leiden gemildert" hat, sehen
sie, die aus ihren Häusern vertrieben, ihrer Heimat beraubt und
verfolgt wurden, "sichere Hoffnungen" auf weitere Besserung vorgezeichnet: denn den "gemeinsamen Feind des Volkes" (τὸν κοινὸν
ἐχθρὸν τοῦ ἔθνους) hat Gott erniedrigt und so "ganz nahe, fast im
Blick der Unterdrückten" ein deutliches Zeichen dafür gesetzt, daß
in Kürze die ἐπέξοδος zu erhoffen sei[224]. Daß hier die im Dankge-
bet rekapitulierte Klage, die Feindfigur und die Betonung der
Hoffnung auf das über die das Gebet veranlassende Rettung noch
hinausgehende, größere zukünftige Heil auf die Tradition vom leidenden Gerechten zurückverweisen, braucht nicht eigens gezeigt zu
werden. Wie sehr Philo sie im Kontext der griechischen Vorstel-

---

222 Cf. LegGai 117; 369; 192: "ein ruhmvoller Tod für die Verteidigung der Ge-
    setze ist eine Art Leben", cf. Werke VII, 224 Anm.2 (F.W.KOHNKE) mit Hin-
    weis auf Euripides, fr. 638.
223 Cf. auch LegGai 91. Zum griechisch-römischen Hintergrund cf. Werke VII, 205
    Anm.1 und das Werke VII, 198 Anm.2 (F.W.KOHNKE) angeführte Material von
    Tyrtäus bis Cicero.
224 Cf. Flacc 121-124.

lungswelt denkt, zeigt sich daran, daß er die hier als persönliche
Tat Gottes gedeutete Entmachtung des Flaccus ebensogut als Werk der
ruchlose Taten bestrafenden δίκη bezeichnen kann (Flacc 104). So
schildert Philo denn auch die Ermordung des Flaccus als eine Vergeltung seiner Taten[225]: δίκη "wollte, daß dieser eine Körper ebenso viele Schläge empfing, wie Juden widerrechtlich ermordet worden
waren" (Flacc 189). Gleichzeitig aber ist dieses Werk der vergel-
tenden Gerechtigkeit auch ein Werk der heilsamen Zuwendung Gottes
an Israel: "Indem auch Flaccus solches erlitt, wurde er zum un-
trüglichen Beweis dafür, daß Gottes Beistand dem Volk der Juden
nicht versagt ist"[226].

6.Kapitel
DIE TRADITION VOM LEIDENDEN GERECHTEN
IN DEN QUMRAN-TEXTEN

Die Qumrantexte werden nur deshalb in einem selbständigen Kapitel behandelt,
weil unsere Skizze dadurch an Präzision und Konkretion gewinnen kann. Denn
die archäologisch und paläographisch gesicherte Tatsache, daß die bei Chirbet
Qumran gefundenen Texte einer einzigen Bibliothek angehörten, bedeutet, daß
die darin zu lesenden Aussagen auch historisch auf engstem Raum nebeneinander
ihren Ort hatten. Hinzu kommt, daß wir dank der intensiven neueren Forschung
- trotz aller offener und kontroverser Fragen - ein historisch und theologisch klareres Bild von der Qumrangemeinde haben als von den übrigen Gruppierungen des antiken Judentums. Dies erlaubt uns, viele der Texte in den
Lebenszusammenhang einzuzeichnen, der sie hervorgebracht hat und aus ihm
heraus zu verstehen.
    Dabei ist zwar grundsätzlich zu berücksichtigen, daß "der Qumrangemeinde
eine Gesamtgeschichte von reichlich 200 Jahren zukommt"[1], in der mit theologischen Entwicklungen und Verschiebungen zu rechnen ist. Allerdings dürften
die entscheidenden Weichenstellungen hinsichtlich des Selbstverständnisses
der Gemeinde (und damit auch ihres Leidensverständnisses) schon früh erfolgt
sein. Dies zeigt sich auch daran, daß die für uns entscheidenden Texte aus
1QH und 1QS, aber auch die Hermeneutik der Pescharim, bis in die Frühzeit
der Gemeinde zurückreichen, auch wenn sie zum Teil nur in jüngeren Hand-
schriften überliefert sind[2].

---

225 Cf. Flacc 175: Flaccus erwartet die Ποιναί.
226 So Philos die Schrift beschließendes Votum (Flacc 191).
 1 H.LICHTENBERGER, Studien zum Menschenbild, 15. Die Wirksamkeit des 'Lehrers
   der Gerechtigkeit' beginnt mit großer Wahrscheinlichkeit 153/2 v.Chr., die
   Qumransiedlung wurde 68 n.Chr. von den Römern zerstört.
 2 1QS stammt aus hasmonäischer Zeit (cf. H.LICHTENBERGER, aaO. 34 mit Anm.116);
   von den Hodajot-HSS aus 4Q zumindest eine aus späthasmonäischer Zeit (ebd. 28
   Anm.91), die anderen aus herodianischer Zeit (cf. zu 1QH[a] ebd. 28). Zu den Pescharim s. unten S.147 mit Anm.35).

6.1. Die Hodajot

Unter allen Qumrantexten weist die in 1QH überlieferte Sammlung[3] von Liedern mit Abstand die größte Nähe zu unserem Traditionsfeld auf. Ein Blick in Carmignacs Materialsammlung[4] genügt, um
zu erkennen, wie stark diese Lieder in Aufbau und Sprache von den
Psalmen vom leidenden Gerechten geprägt sind. Für die Auswertung
ist es sinnvoll, mit G.Jeremias[5] zwischen 'Lehrer-Hodajot' (deren
Beter der 'Lehrer der Gerechtigkeit'[6] ist) und 'Gemeinde-Hodajot'
(die "innerhalb der Gemeinde entstanden (sind), ohne daß ein individueller Autor historisch greifbar wäre"[7]) zu unterscheiden.

6.1.1. Die 'Lehrer-Hodajot'

Wie Ruppert[8] im einzelnen gezeigt hat, "tritt der *Lehrer der Gerechtigkeit' bewußt* in die Reihe der leidenden Gerechten des Psalters
ein", aber auch "in die Fußstapfen des Jeremia"[9]. Dies ist durch
zahlreiche Anklänge und Zitate zu belegen[10], die nicht nur die -
oben postulierte[11] - Zusammengehörigkeit der Psalmen und der Konfessionen Jeremias bestätigen, sondern zugleich auch die Position

---

3 Cf. H.LICHTENBERGER, aaO. 27-29 unter Berufung auf E.L.SUKENIK/N.AVIGAD
  (ebd. 27 Anm.83) und H.STEGEMANN (ebd. 29 Anm.94).
4 Cf. J.CARMIGNAC, Theologie des Leidens, bes. 324-329.
5 Nach G.JEREMIAS, Lehrer, 171, sind 1QH 2,1-19; 2,31-39; 3,1-18; 4,5-5,4;
  5,5-19; 5,20-7,5; 7,6-25; 8,4-40 'Lehrerlieder' (zur Abgrenzung im einzelnen
  cf. H.LICHTENBERGER, Studien, 30 Anm.99). JEREMIAS argumentiert u.a. wortsta-
  tistisch (cf. die Tabellen aaO. 172f.) und arbeitet dabei signifikante Unterschiede im Sprach- und Bildgebrauch beider Liedgruppen heraus.
6 Zum 'Lehrer der Gerechtigkeit' cf. neben G.JEREMIAS' grundlegender Monogra-
  phie H.STEGEMANN, Entstehung der Qumrangemeinde, bes. 198-252. Nach STEGE-
  MANN ist der Lehrer der Gerechtigkeit nicht der Gründer der Gemeinde, sondern kam zusammen mit seinen mit ihm vom Jerusalemer Tempel vertriebenen
  (priesterlichen) Anhängern in eine aus der chasidischen Bewegung herrührende
  Laiengemeinde, in der er als (Hoher)priester Führungsanspruch erhob. Dies
  führte zur Spaltung und zur Auseinandersetzung der 'Lehrergemeinde' mit dem
  vom 'Lügenmann' geführten anderen Gemeindeteil. Der Lehrer der Gerechtigkeit
  beanspruchte, daß mit ihm "der 'Gottesbund' aus Jerusalem gewichen war und
  seine neue Stätte in der Qumrangemeinde gefunden hatte" (H.LICHTENBERGER,
  aaO. 16).
7 H.LICHTENBERGER, aaO. 30.
8 L.RUPPERT I, 124-127.
9 Ebd. 126f. (Kursivierung original).
10 Cf. L.RUPPERT I, 125f. und 232 Anm.120.121.124f. Die wichtigsten und deutlichsten Zitate: Ps 64,4 in 1QH 5,13; Ps 41,10 in 1QH 5,23f.; Ps 22,16 in 1QH
   5,31. Eine Fülle weiterer Belege findet sich auch bei G.JEREMIAS, Lehrer,
   180-255 in den Fußnoten der Einzelexegesen sowie in den Hodajot-Kommentierungen von J.CARMIGNAC, S.HOLM-NIELSEN, M.DELCOR; J.LICHT (cf. H.LICHTENBERGER,
   aaO. 69 (Anm.8).246-253. - Außerdem weist L.RUPPERT nach, daß 12 für die Lehrerlieder charakteristische Begriffe, die im übrigen Alten Testament nicht
   oder sehr selten vorkommen, in den Konfessionen Jeremias (und zwar verstreut
   über die Einzeltexte) begegnen, worin "bewußte Anspielungen" (L.RUPPERT I,
   126) in 1QH gesehen werden müssen.
11 S. oben S.38f.

markieren, in der sich der Lehrer der Gerechtigkeit im Blick auf
die Tradition vom leidenden Gerechten sieht. Er betont seinen Auftrag, indem er auf Jeremia zurückgreift[12], gleichzeitig hält er
aber auch daran fest, daß dieses Leiden des Beauftragten im umfassenden Kontext des Leidens des Gerechten verstanden werden muß.
In 1QH 5,5-19 läßt sich das Verhältnis von Beauftragung und Leiden
des Gerechten wohl am genauesten greifen: Der Beter berichtet im
Anschluß an den summarischen Lobpreis (Z.5/6) von einer Situation
der Bedrängnis durch "Löwen, die bestimmt sind für die Söhne der
Schuld" (7). Er fährt fort (1QH 5,7.8):

> *Du versetztest mich in Grauen mit vielen Fischern, die das Netz ausbreiten
> auf der Wasserfläche und (mit) den Jägern für die Söhne des Unrechts.* [13]

Lichtenbergers Vorschlag[14], die 'Jäger' und 'Fischer' von Jer 16,16
her als Heiden zu deuten, die als "Strafwerkzeuge Gottes für die
Sünden der Menschen" tätig sind und aufgrund des Parallelismus die
'Löwen' (die ja in den Psalmen ein geläufiges Bild für die Feinde
sind) als politische Machthaber in derselben Funktion, ist beste-
chend konkret, trifft er doch exakt die Lage des Lehrers der Gerechtigkeit vor seinem Auszug aus Jerusalem: Die Vorgänge um die
widerrechtliche Einsetzung[15] des Nichtzadokiden Jonathan zum Hohepriester durch Alexander Balas (153/52 v.Chr.), in der man einen
Kompromiß mit dem Hellenismus sehen konnte, werden als Heimsuchung
Gottes empfunden, durch die die Söhne des Unrechts gemäß ihrer
Schuld 'gefangen' werden. In dieser Situation (שם) widerfährt dem
Beter, daß er nicht nach seiner Schuld (mit)gerichtet wird. Vielmehr (1QH 5,8.9):

> *Da hast du mich "zum Recht bestellt"*[16] *(למשפט יסדתני), hast der Wahrheit Rat in
> meinem Herzen gestärkt, und daraus*[17] *(folgt) der Bund für die, die ihn suchen.*

Derselbe Vorgang ist gemeint, wenn es wenig später heißt (1QH 5,11):

> *... denn du hast mich verborgen vor den Menschenkindern, und hast dein Gesetz
> in (mir) geborgen (bi)s zur Zeit der Offenbarung deiner Hilfe an mir.*

Die Zitate zeigen: die Autorisierung des 'Lehrers der Gerechtigkeit', in der Jahwe ihn zum Rechtswahrer[18] einsetzt, ja sein Gesetz

---

12 Vgl. auch die Kennzeichnung der Gegner "durch Titulaturen", die "diese in
die Nähe von Pseudopropheten bringen" (L.RUPPERT I, 126 (Belege ebd. 232
Anm.122) mit Jer 23 (Jeremias Kampf mit den Falschpropheten).
13 Die Zitate beruhen hier und im folgenden auf der Übersetzung von J.MAIER (in:
J.MAIER/K.SCHUBERT, Qumran-Essener). Sie sind aber anhand der Texteditionen
überprüft und an einigen Stellen (v.a. in der Wiedergabe der Tempora) verändert, zum Teil mit E.LOHSE, Qumrantexte.
14 H.LICHTENBERGER, Studien, 62.
15 Cf. M.HENGEL, Judentum und Hellenismus, 410f.
16 H.LICHTENBERGER, aaO. 63.
17 Zu den Lese- und Deutungsproblemen von 1QH 5,9 cf. H.LICHTENBERGER, aaO. 63 mit
Anm.14.
18 Cf. H.LICHTENBERGER, aaO. 64.

in ihm birgt und so seinen Bund an seine Person bindet, ist fest
eingebunden in den Traditionszusammenhang vom leidenden Gerechten:
in der Bedrängnis erfährt der Lehrer der Gerechtigkeit nicht nur
Hilfe, sondern auch die Einsetzung in seine Funktion. Die empfange-
ne Hilfe deutet er wieder unter expliziter Aufnahme der Tradition
als Hilfe am leidenden Gerechten (1QH 5,12-16):

12 *Denn in meiner Bedrängnis hast du mich nicht verlassen,*
   mein Schreien gehört in der Bitternis meiner Seele,
13 *und du hast entschieden (ודנה = Recht verschafft) und getilgt*
   meinen Schmerz auf mein Seufzen.
   Du rettestest des Elenden Leben an der Stätte der Löwen,
   deren Zunge scharf wie ein Schwert.
14 *Und du, mein Gott, hieltest ihre Zähne geschlossen, damit sie*
   das Leben des Elenden und Geringen nicht zerreißen (...)
15 *(?) das Leben deines Knechtes.*

Es folgt dann eine doppelte Deutung dieser Tat Gottes:

15 *Um dich mächtig zu erweisen an den Menschen, hast du wunderbar an dem*
16 *'Armen' gehandelt, brachtest ihm in den Schmelzof(en wie G)old in Werken*
   des Feuers und wie Silber, geläutert im Blasebalgofen, zu siebenfacher
   Reinigung.

Auch der Lehrer der Gerechtigkeit also wendet das Bild von der
Läuterung des Metalls auf sein Leiden an; daneben aber betont er,
daß die Errettung ein Machterweis Gottes gegenüber den Menschen
ist. Beide Aspekte begegnen in den Hodajot öfter und sind die
grundlegenden Antworten auf die Frage nach dem Zweck des Leidens
des Gerechten in Qumran[19].

Die Läuterung aber bewirkt beim Lehrer der Gerechtigkeit - wie
in den Psalmen - Widerstandskraft gegen das darauf noch folgende
Leiden: 1QH 5,17-19 stellen von daher den Drangsalen, die "den
ganzen Tag" des Beters "Seele bedrücken", die Berufung auf das erfahrene Rettungshandeln Jahwes am Armen gegenüber.

1QH 5 zeigt, wie eng die Beauftragung des Lehrers der Gerechtigkeit mit der Hilfe am leidenden Gerechten verknüpft ist. Letzen-
endes fällt beides zusammen. Dabei sieht sich der Lehrer durchaus
nicht von vornherein als 'gerecht'; er ist Sünder und weiß sich
mit unter das Gerichtsverhängnis gestellt. Indem er aber auf sein
Rufen hin erhört wird, erfährt er, daß er 'gerecht' ist, eben weil
Jahwe den Gerechten rettet[20]. Wir sehen: eine der entscheidenden
Wurzeln des Selbstverständnisses und damit der theologischen Konzeption des Lehrers der Gerechtigkeit liegt in der Erfahrung der
Errettung aus der Feindbedrängnis, die sich - wenn unsere Konse-

---

19 Cf. J.CARMIGNAC, Theologie des Leidens, 333f. Er verweist für das Leiden als
   Läuterung auf 1QH 17,22; 2,13f.; Frgm 2,8; 9,23-25.33; (vgl. außerdem 1QM
   16,15; 17,8; 4Qflor 2,1; 1QS 1,17; 8,4); für das Leiden um der Ehre Jahwes
   willen auf 1QH 1,33f.; 2,24f.; 7,24; 9,6-8.13.
20 Cf. vor allem den Gebrauch des Terminus דין (Zeile 13)!

quenz aus Lichtenbergers Deutung zutrifft - konkret an den Ereignissen um die Einsetzung Jonathans zum Hohepriester durch Alexan-
er Balas im Jahre 153/2 festmachen läßt. Hier hat sich der Lehrer
der Gerechtigkeit als leidender Gerechter erfahren und daraus die
Konsequenz gezogen, daß er, an dem Jahwe festhält, der Repräsentant des Bundes ist und damit der Heilsbringer für die, die den
Bund suchen.

> 1QH 4 bestätigt diese Deutung. Auch dieses Lied spricht (in 4,27.28) die
> Heilsfunktion des Lehrers an den Vielen (רבים!) an,um daran anschließend
> - gerahmt durch die das gleiche Motiv der Ehre Gottes in seinem Rettungs-
> handeln aufgreifenden Sätze 4,28/29 und 4,38 - auf des Lehrers Rettung ein-
> zugehen: diese beschreibt es in 33-37 durch eine ausführliche Notschilderung,
> die ihrer Terminologie nach einer Krankheitsschilderung der Psalmen ähnelt,
> doch ist das nur Stilisierung: es geht um die Bedrängnis durch den Frevler,
> in der der Beter sich angesichts seiner Sünde verloren gibt. Da aber gedenkt
> er Jahwes starker Hand mit der Fülle seines Erbarmens:
> *Da richtete ich mich auf und erhob mich, und mein Geist hielt Stand vor der*
> *Plage. Denn ich stützte mich auf deine Gnade und die Fülle deines Erbarmens,*
> *denn du vergibst (תכפר) und rein(igst den Mensche)n durch deine Gerechtig-*
> *keit von der Verschuldung* (1QH 4,36).
> Hier ist die צדרה als gnädiges Gerichtshandeln Jahwes an den Seinen explizit
> angesprochen. Dem Bericht von Jahwes צדקה-Erweis am Lehrer der Gerechtigkeit
> steht aber in 30-33 eine Reflexion voran, die festhält, daß der Mensch von
> sich aus gerade keine צדקה hat (30) und daß er angewiesen ist auf Gottes
> Erbarmen[21]:
> *Aber der Wandel des Menschen ist unstet, außer, Gott hat es ihm durch den*
> *Geist bereitet, den Wandel zu vervollkommen für die Menschen, auf daß alle*
> *Seine Werke erkennen die Kraft Seiner Macht und die Fülle Seines Erbarmens*
> *gegen alle Söhne Seines Wohlgefallens* (1QH 4,31-33).
> Wie in 1QH 5 verbindet der Lehrer der Gerechtigkeit also auch hier das
> 'Selbstportrait' seiner Funktion mit der Berufung auf die Erfahrung seiner
> Rettung durch Jahwe, in der Sündenvergebung und Stärkung in der Bedrängnis
> zusammengedacht sind.

Stärker noch kennzeichnen die anderen Lehrer-Hodajot den Lehrer
der Gerechtigkeit als Leidenden bei der Ausübung seiner ihm von
Jahwe übertragenen Funktion, wobei sie dann auf die Konfessionen
Jeremias zurückgreifen, z.B. in 1QH 5,22-24:

> *Ich wurde (...) zu einem Gegenstand von Streit und Hader für meine Freunde,*
> *von Eifer und Zorn für die, die in meinen Bund eingetreten waren, von Mäkeln*
> *und Tadeln für alle, die sich um mich versammeln. Au(ch die, die) mein Brot*
> *(aß)en, haben die Ferse gegen mich erhoben.* (Vgl. Jer 15,10).

Dieser bewußte Gebrauch der Tradition erscheint auf der Folie des
eben Gezeigten durchaus plausibel: der leidende Gerechte, von Jahwe
bestätigt und mit seiner Funktion betraut, tritt in die Fußstapfen
Jeremias als des 'Prototyps' des als Funktionsträger leidenden Gerechten. Dabei bleibt die Tradition vom leidenden Gerechten, wie
sie vor allem durch die Psalmen repräsentiert ist, für die Struktur dominierend, so daß das 'Lehrer'-Leiden als eine besondere,

---

21 H.W.KUHN, Enderwartung, 27ff. hat die 'Niedrigkeitsdoxologie' und 'Elendsbe-
schreibung' als besondere, in den Hodajot mehrfach belegte Gattungselemente
genau analysiert; cf. auch H.LICHTENBERGER, Studien, 73-93.

aber in sie integrierte Variation anzusehen ist. Gleichzeitig ist
aber die Leidensbeschreibung trotz dieser starken Verankerung in
der Tradition so individuell geprägt, daß die Gestalt des Lehrers
deutlich erkennbar bleibt. Die Lehrer-Hodajot sind so Beispiele
dafür, daß die biographische Komponente des je eigenen Leidens
sehr wohl erhalten bleiben kann, wenn der Leidende in die Tradition vom leidenden Gerechten eintritt.

6.1.2. Die 'Gemeinde-Hodajot'

Gerade im Blick auf diese individuelle Zeichnung der Lehrerlieder erscheinen die Gemeinde-Hodajot als deren späterer Reflex: so
hat Ruppert z.B. gezeigt, wie in 1QH 2,20-30 die Leidensaussagen
der Lehrer-Hodajot im Sinne einer "Demokratisierung"[22] aufgenommen
werden. Die situationsgebundenen Leidensaussagen werden geradezu
zu Zustandsbeschreibungen verallgemeinert. Dabei wird "das Festhalten des Beters an Gottes Bund"[23] (der im Lehrer der Gerechtigkeit repräsentiert war und nach dessen Tod in der Gemeinschaft als
seiner "Pflanzung" verblieb) als der eigentliche Anlaß für das
Leiden erfahren und ist gleichzeitig der Grund, der den Beter seiner Rettung sicher sein läßt (1QH 2,21-23):

21 *Gewalttäter suchten mein Leben, da ich festhalte an Deinem Bund.*
22 *Sie, eine Gemeinschaft des Trugs und Belials Gemeinde, erkennen nicht,*
23 *daß von Dir her mein Stand und Du mich in Deiner Gnade errettest, daß*
   von Dir aus mein Schritt.

Auch die doppelte Sinndeutung des Leidens des Lehrers wird in die
Gemeinde-Hodajot übertragen: einerseits z.B. in 1QH 2,23f.:

Sie aber sind (mit deiner Zulassung)²⁴ gegen meine Seele versammelt,
auf daß Du dich verherrlichst durch das Gericht an den Gottlosen und
dich mächtig erzeigst an mir vor den Menschenkindern; denn durch Deine
Gnade ist mein Stand (vgl. oben 1QH 5,12f.),

wobei übrigens deutlich wird, daß Jahwes Verherrlichung am Beter
genau wie in den Psalmen gedacht ist: dem Gericht über die Feinde
(die Jahwe in ihr eigenes Unglück rennen läßt[25]) entspricht die
Erhöhung des Gerechten. Andererseits ist auch die Deutung des Leidens als Erziehung in den Gemeindeliedern wieder aufgenommen und
zwar in dem der 'Läuterung' verwandten Gedanken der 'Zurechtweisung' durch Jahwe: in 1QH 9,9.24.33 ist von der תוכחת die Rede[26],

---

22 L.RUPPERT I, 129, cf. 128-131.
23 H.LICHTENBERGER, aaO. 61.
24 מאהבכה ist sekundär in den Text nachgetragen (s. Anm.25).
25 Der Gedanke der auf den Frevler zurückfallenden bösen Tat ist hier prädesti-
   natianisch weitergedacht: der Nachtrag (s. Anm.24) "mit deiner Zulassung"
   unterstreicht das: Jahwe läßt den Bösen gewähren, damit er sich an seinen
   Auserwählten (cf. 9,29-31) mächtig erweisen kann.
26 Der Terminus wird in 1QpHab 5,10 auch auf den Lehrer der Gerechtigkeit angewandt; man darf also hier nicht zwischen Lehrer und Gemeinde trennen.

die der Beter ausdrücklich als "gerechte Zurechtweisung" (9,33) bezeichnet. Sie steht in engem Bezug zu seiner Sünde, so daß man die
- an die alttestamentliche Exhomologese[27] anknüpfende - Formulierung von 1QH 9,10:

Ich erwählte das Gericht über mich (ואבחרה במשפטי)
und stimmte meinen Plagen zu

als Interpretament dafür heranziehen kann: das Leiden ist von der
Sünde verursacht und so Gerichtsgeschehen am Beter; indem Jahwe
ihn aber errettet, ist es auch Erweis des positiven Ausgangs des
Gerichts. So kann es dann zu einer ganz positiven Sicht des Leidens kommen (1QH 9,24-25):

Und es wird[28] mir Deine Zurechtweisung zur Freude und Wonne
und meine Plagen zur Heilung (...)
meiner Gegner Verachtung zur Ehrenkrone
und mein Straucheln zu ewiger Stärke.

Angesichts der verschiedenen Nuancierungen, in denen uns das Erziehungsleiden im antiken Judentum bisher begegnete, sei hier festgehalten, daß die Hodajot das Leiden nirgends als ein Mittel der
Sünden*tilgung* ansehen. Zwar sind Leiden, Sünde, Gericht und Vergebung in engem Bezug aufeinander gedacht, doch so, daß der von Gott
Erwählte (cf. 9,29f.) durch das Gericht des Leidens hindurch allein durch das Erbarmen Gottes gerettet wird. Die Leidenserfahrungen bewirken eine Läuterung des Frommen, seine Schuld vor Gott be-
gleichen kann er aber mit seinem Leiden nicht. Vielmehr ist die
schon in den Psalmen beobachtete Einsicht in die nur relative, in
jeder Hinsicht unzureichende Gerechtigkeit auch des gerechtesten
Menschen[29] aufs schärfste betont: der Beter erfährt sich als leidenden Gerechten gerade unter der Prämisse, daß er Sünder ist, dem
das Leiden verdientermaßen zukommt, der aber von Gott errettet
(= gerecht gemacht) wird sola gratia um der Ehre Gottes willen.

Das Heil, das der Beter dadurch erlangt, versteht er - auch
dies ist im Vergleich mit dem gleichzeitigen jüdischen Schrifttum
festzuhalten - als *gegenwärtig* an sich wirksam. Daß und inwiefern es
gleichwohl eine eschatologische Dimension hat, wird noch zu zeigen
sein.

6.2. Der Pescher zu Psalm 37 (4QpPs 37 = 4Q171)

Die gewichtige Rolle der Tradition vom leidenden Gerechten bestätigen auch die in Qumran gefundenen Fragmente eines Kommentars

---

27 S..oben S.58 mit Anm.10.
28 Der Vers ist ohne finites Verb formuliert, die Übersetzungen weichen im Tem-
   pus (E.LOHSE: "wurde"; J.MAIER: "wird (dann)") stark voneinander ab.
29 Cf. 1QH 9,14-16!

zu Ps 37. Wenn auch die Passagen fehlen[30], von denen die interes-
santesten Einzelaufschlüsse zu erwarten wären, beweisen diese Texte doch, daß in Qumran Psalmen vom leidenden Gerechten auch als
Texte präsent[31], ja Gegenstand theologischer Arbeit waren, und geben uns einen Eindruck davon, wie sie verstanden worden sind.

> Auf die übrigen Pescharim von Qumran[32] (v.a. den Habakuk- und den Nahumkom-
> mentar) ist hier nicht einzugehen, auch wenn 1QpHab über die näheren Umstän-
> de der Verfolgung des Lehrers der Gerechtigkeit Aufschlüsse gibt[33]. Wichtig
> ist die allen Pescharim gemeinsame Hermeneutik: die Texte werden auf die Ge-
> genwart der Gemeinde als Endzeit gedeutet[34]. Dieses Auslegungsprinzip führt
> der Habakuk-Pescher auf den Lehrer der Gerechtigkeit selbst zurück[35].

4Q171 deutet entsprechend das von Ps 37 vorgegebene Gegenüber von
Gerechten und Gottlosen auf die Gemeinde von Qumran und ihre Feinde. Der Text wird also ganz aktuell verstanden, zum Teil, indem er
auf Geschehnisse in der jüngeren Geschichte dieser Gemeinde gedeutet wird, zum Teil als Ansage des bald eintretenden Geschicks. So
deutet 4Q171,1-2,18-20 die in Ps 37,14f. angesprochene Bedrohung
des "Demütigen und Armen" (עני ואביון) auf die Angriffe gegen "den
Priester und die Männer seines Rats"; wieder gilt die Verfolgung
als Läuterungsleiden: "zur Zeit der Läuterung (בעת המצרף), die
über sie gekommen ist".

Interessant ist die Deutung der "Demütigen (ענוים), die das
Land erben" von Ps 37,11 auf den עדת אביונים, d.h.

*die Gemeinde der Armen, die die Zeit der Qual auf sich genommen haben, die ge-
rettet wurden aus allen Fallen Belials; danach werden sie sich ergötzen (an)
allen (...?) des Landes* (4Q 171,1-2,9f.)

Ebenso wird die Gemeinde der Armen beim "Gericht über die Gottlo-
sigkeit zusehen" (4Q171,3-11,11 zu Ps 37,34), womit der Fall des
Gottlosen von Ps 37 in eine (End-)Gerichtsvorstellung hineintrans-
poniert ist[36]. Diesem Verständnis der Gemeinde der Armen als endzeitlicher Gemeinde ist nun im Blick auf die Gemeinderegel von
Qumran (1QS) noch weiter nachzugehen.

---

30 Nach H.STEGEMANN, Pešer, 270, sind ca. zwei Drittel des Textbestandes erhalten, leider nur allzu selten größere geschlossene Partien. Cf. die Ausgabe
   (mit Tafeln) von E.J.ALLEGRO, DJD V, 42-50, nach der die Texte im folgenden
   auch notiert sind.
31 Hinzuweisen ist auch auf die zahlreichen *Abschriften* biblischer Psalmen in
   Qumran cf. G.KLINZING, Umdeutung, 96 Anm.20.
32 Cf. H.LICHTENBERGER, Studien, 38-40.
33 In unserem Zusammenhang cf. v.a. 1QpHab 1,12; 5,3-12; 8,2; 9,1f.
34 Zur Hermeneutik der Pescharim cf. H.LICHTENBERGER, Studien, 154-158 und die
   dort (154 Anm.1) angegebene Literatur.
35 1QpHab 2,5-10; 7,4f.; cf. H.LICHTENBERGER, aaO. 39. Die überlieferten Pescharim sind in die römische Zeit zu datieren, sie fußen aber auf älterer
   Auslegungstradition.
36 Zur Mitwirkung der Auserwählten am Gericht über Israel und die Völker cf.
   auch 1QpHab 5,3-6.

6.3. Die Gemeinderegel (1QS)

Die Gemeinderegel (die schon aufgrund der ganz anderen Gattung eine ganz andere Weise, über das Leiden zu reden und auch einen geringeren Stellenwert des Leidensthemas als die bisher untersuchten Texte erwarten läßt) bietet uns v.a. die Möglichkeit, die grundlegenden Koordinaten der Gemeindekonzeption aufzuzeigen, in denen 'Leiden' seinen Ort hat.

Am aufschlußreichsten ist hier zunächst 1QS 3,20-25:

> *In der Hand des Fürsten der Lichter liegt die Herrschaft über alle Söhne des Rechts (בני צדק), auf den Wegen des Lichtes wandeln sie. In der Hand des Engels der Finsternis liegt alle Herrschaft über die Söhne des Unrechts, auf den Wegen der Finsternis wandeln sie. Durch den Engel der Finsternis geschehen die Verführungen aller Söhne des Rechts, all ihre Sünden, ihre Vergehen, ihre Verschuldung und ihre treulosen Taten geschehen durch seine Herrschaft, gemäß Gottes Geheimnis bis zu seiner Zeit. All ihre Plagen und die Zeiten ihrer Bedrängnisse (וכול נגיעיהם ומועדי צרותם) (kommen) durch die Herrschaft seiner Anfeindung. Alle Geister seines Loses (suchen) die Söhne des Lichtes zu Fall zu bringen, doch der Gott Israels und der Engel seiner Wahrheit hilft allen Söhnen des Lichts.*

Der Text[37] bestätigt zum einen durch die Bezeichnung des Leidenden als בני צדק, daß es auch hier um 'Leiden des Gerechten" - wieder im Sinne des (relativ gerechten) Anhängers der Gerechtigkeit - geht, vor allem aber ordnet er das Leiden einer streng durchgeführten dualistischen Konzeption zu: Licht und Finsternis, Recht und Unrecht[38] stehen sich mit ihren himmlischen und menschlichen Repräsentanten als zwei Mächte gegenüber. Sünde ist in diesem Kontext so gedacht, daß Belial auch über die Lichtsöhne partiell und zeitweise Macht gewinnt[39], ebenso ist das Leiden eine Wirkung seiner Anfeindungen, durch die die Söhne des Lichts zu Fall gebracht werden sollen, wovor Gott sie aber bewahrt.

Diese Deutung ist gegenüber den bisher besprochenen Qumrantexten keine völlig neue. Vielmehr ist es dasselbe Läuterungs- und Erziehungsleiden, das nun im dualistischen Denkrahmen von 1QS erscheint[40]: Leiden ist eine Bewährung des Gerechten in der Ausein-

---

37 In einer Abbreviatur ist derselbe Gedanke schon in 1QS 1,17 angesprochen, also im Rahmen der einführenden Grundbestimmungen des Bundesschlusses beim Eintritt in den Jaḥad.

38 Die Reihe der Gegensätze läßt sich in 1QS noch erheblich erweitern: z.B. Gutes und Böses, Gott (bzw. Michael) und Belial usw. Vor allem ist auch 1QM hier heranzuziehen. Cf. P.v.d.OSTEN-SACKEN, Gott und Belial, bes. 73ff.116ff.; H.LICHTENBERGER, Studien, 190-200.

39 Cf. H.LICHTENBERGER, aaO. 191 (und 162).

40 H.LICHTENBERGER (aaO. 195f.) weist zurecht auf signifikante Unterschiede zwischen den Dualismus-Konzeptionen von 1QM und 1QS auf der einen und 1QH auf der anderen Seite hin. Doch scheint es mir problematisch, angesichts von Stellen wie 1QH 2,22 ("Belials Gemeinde" - H.LICHTENBERGER, 60: "nichtsnutzige Bande" -) die Hodajot für völlig "undualistisch" (ebd. 196) zu halten. Die Gemeindehodajot zeigen zumindest schon eine gewisse Offenheit zum Dualismus hin. In unserem Zusammenhang interessant ist daran, daß diese Öffnung zu einer dualistischen Interpretation der Tradition vom leidenden Gerechten an den "ethischen Dualismus" (ebd. 196 Anm.49) anknüpfen kann, der ihr in der Gegenüberstellung von "Frommen und Frevlern" (ebd.) schon vom AT her eigen ist. 1QS 3,23 bringt in seiner dualistischen Denk- und Sprachstruktur also durchaus dasselbe Läuterungsleiden zur Sprache, das uns in 1QH schon begegnete.

andersetzung mit der jahwefeindlichen Macht, bei der Jahwe ihm
selbst beisteht.

Vergleichen wir diese dualistische Konzeption mit denen, die
uns bisher, besonders in den Apokalypsen, begegneten, so fällt auf,
daß der dort zur Zwei-Äonen-Lehre sich entwickelnde zeitliche Dualismus von (schlechter) Gegenwart und (guter) Zukunft in Qumran
völlig fehlt[41]. Vielmehr erfährt die Gemeinde gerade in der Rettung aus dem Leiden das heilsame Handeln des an ihr schon in der
Gegenwart (als der Zeit der Herrschaft Belials[42]) wirkenden Gottes.
Diese präsentischen Heilserfahrungen aber sind eingebunden in die
eschatologische Perspektive des endgültigen Sieges der Söhne des
Lichts über die Söhne der Finsternis[43]. So ist auch für die Gemeinderegel das eschatologische Heil als gegenwärtig gedacht[44].
Mitten in der endzeitlichen Auseinandersetzung, die im Dualismus
zur Sprache gebracht wird, hat der Jaḥad mit seinen Leiden seinen
Ort und seine Funktion[45].

Diese der Qumrangemeinde ihrem Selbstverständnis nach eigene Funktion sei
kurz skizziert: Wie oben schon gesehen, beanspruchte der Lehrer der Gerechtigkeit, Repräsentant des Bundes Jahwes zu sein, der mit ihm aus Jerusalem
gewichen und in Qumran seinen neuen Ort gefunden hat. In der Folge tritt die
Gemeinde, geführt von den sadokitischen Priestern, in diese Rolle ein: der
Jaḥad von Qumran ist die "Gemeinschaft des ewigen Bundes" (יחד ברית עולם
- 1QS 5,5); dieser Bund steht - wie vor allem die Damuskusschrift betont - in
Kontinuität zum Sinaibund, indem aus dem 'heiligen Rest' der Jahwetreuen die
'neue Pflanzung' der Qumrangemeinde hervorgeht[46]. Inhaltlich ist für diesen
Bund das Gesetz als Bundesverpflichtung das wesentliche Kriterium: von daher
ist die Gemeinde genauso יחד בתורה (1QS 5,2)[47]. Die Funktion der Gemeinde
besteht also darin, in genauer Gesetzesobservanz, die in 1QS im einzelnen
geregelt ist[48], den Bund zu bewahren. Sie ist damit das wahre Israel, in dem
der Gesetzesgehorsam "exklusiv im Unterschied und in Abhebung von den Frevlern"[49] verwirklicht ist. Angesichts der Tatsache, daß dieses Selbstverständnis der Gemeinde auf (ehemalige) Jerusalemer Priester zurückgeht, impliziert
die Rede vom Bund sogleich, daß die Gemeinde auch als der Tempel verstanden
und bezeichnet[50] wird, der an die Stelle des entweihten Jerusalemer Heilig-

---

41 Ebenso fehlt eine eindeutige Auferstehungskonzeption. Zwar ist eine "lebendi-
ge Jenseitshoffnung" (H.LICHTENBERGER, aaO. 229) anzunehmen, doch ist Genau-
eres weder von den Texten noch vom archäologischen Befund her deutlich. Cf.
ebd. 219-224.227-230; G.W.E.NICKELSBURG, Resurrection, 144-169.
42 Cf. H.LICHTENBERGER, aaO. 195; erst eschatologisch wird das Böse vernichtet
und die Zeit der Herrschaft Belials abgeschlossen sein.
43 Cf. z.B. 1QS 3,12-14; 1QM 13.
44 Für die Hodajot hat H.W.KUHN, Enderwartung und gegenwärtiges Heil, diesen
Sachverhalt im einzelnen dargestellt; in 1QS ist er schwieriger zu greifen,
cf. aber z.B. 1QS 3,24f.; 11,12f.
45 Cf. 1QS 5,2.
46 Cf. CD 1,4ff. und H.LICHTENBERGER, Studien, 203f.
47 Cf. auch CD 20,10.13: בית התורה und H.LICHTENBERGER, aaO. 200-207.
48 Zur besonderen Akzentuierung, die eine für die Qumrangemeinde typische Ge-
setzespraxis nach sich zieht, cf. H.LICHTENBERGER, aaO. 201.
49 H.LICHTENBERGER, aaO. 201.
50 G.KLINZING, Umdeutung, 50-93, hat den Nachweis dafür aufgrund von Belegen
aus 1QS, CD und 1QpHab im einzelnen geführt.

tums getreten ist. Diese Bezeichnung ist aber keine bloße Etikettierung,
sondern Teil des umfassend kultisch geprägten Selbstverständnisses der Gemeinde, in dem kultische Reinheit und Sühne im Vordergrund stehen. Auch hier
besteht der Anspruch, die kultischen Funktionen, die im verunreinigten Heiligtum nicht mehr wahrgenommen werden können, exklusiv und vollgültig zu
übernehmen. Im Blick auf die kultische Reinheit führt dies zu einer Übertragung priesterlicher Reinheitsanforderungen auf die Gesamtgemeinde[51]; im Blick
auf die Sühne ergibt sich dagegen die Notwendigkeit, die nur in Jerusalem
möglichen Opfer zu ersetzen. Dabei greift die Qumrangemeinde auf die prophetische Kritik an einem Opferverständnis 'ex opere operato' zurück, aber auch
auf die im Kontext unserer Skizze schon zitierten Todapsalmen, "in denen der
Lobpreis als Opfer verstanden und der 'zerbrochene Geist' anstelle des Opfers
wohlgefällig genannt wird"[52], und gelangt zu einem Sühneverständnis unter Verzicht auf kultische Sühnemittel: "in der willigen Unterwerfung unter die
göttlichen Gebote innerhalb der Gemeinde werden durch den Geist, den Gott
der Gemeinde gibt, die Sünden des Menschen gesühnt"[53]. Von hier aus übernimmt die Gemeinde auch die eigentlich dem Tempel zukommende, über die individuelle Sühne hinausgreifende Funktion, "Sühne für das Land" zu wirken[54].

In diesem Kontext ist in der Gemeinderegel aber auch das Leiden in
den Zusammenhang der Sühne gerückt: in 1QS 8 heißt es - ursprünglich wohl im Blick auf die Funktion der Gesamtgemeinde[55] -, diese
bestehe darin,

2 *Treue (אמה) zu üben, Gerechtigkeit und Recht*
  und gütige Liebe und demütigen Wandel, einer gegen den anderen;
3 *Treue (אמונה) zu wahren im Lande*
  mit festem Sinn und zerbrochenem Geist (רוח נשברה)
  und Sünde zu sühnen (לרצת עוון)

---

51 Cf. ebd. 106-143.
52 Ebd. 105; cf. 97; zum Lobpreis als Opfer cf. ebd. 95f. und 1QS 9,4f.26;
   10,8.14.22.
53 H.LICHTENBERGER, Studien, 211; cf. B.JANOWSKI, Sühne, 264f.
54 Cf. 1QS 5,6; 8,6.10; 9,4. - Dieses Selbstverständnis der Gemeinde als Tempel,
   der das Land entsühnt, gewinnt durch die *Tempelrolle* weiter an Kontur. Deren
   Sühneauffassung geht deutlich von realiter vollzogenen Opfern aus und scheint
   so mit den anderen Qumrantexten in Spannung zu stehen. Nun hat aber H.LICH-
   TENBERGER, Atonement and Sacrifice, 159-167, bes. 165, gezeigt, daß in
   11QTemple der "ideale" Tempel angesprochen ist, wie er nach Gottes Willen
   eigentlich hätte sein müssen, aber in Jerusalem weder durch Salomo noch nachexilisch realisiert wurde (cf. auch J.MAIER, Tempelrolle, 67f.). 11QTemple
   befristet die Zeit, in der Jahwe seine Ehre über diesem Tempel wohnen läßt,
   "bis zum Tag des Segens, an dem ich neu schaffe mein Heiligtum": es gibt also noch einen dritten, eschatologischen Tempel. Die Qumrangemeinde lebt so
   in der Spannung zwischen dem real existierenden 'falschen' Jerusalemer Tempel und dem nicht existierenden 'richtigen' Tempel und wirkt gewissermaßen
   als Interimslösung im Vorgriff auf den Kult, wie er einst dem eschatologischen Tempel eigen sein wird, in der oben entfalteten Weise Sühne. Von daher
   gewinnt der Jahad den Charakter des vorläufigen Tempels, der den Bund bewahrt, bis Jahwe sich den eschatologischen Tempel schaffen wird. Dieses Bild
   läßt sich übrigens von 4QpPs 37 her stützen, in dem der Gemeinde der Armen
   verheißen wird, daß sie schließlich den Zion besitzen und sich an Jahwes
   Heiligtum erfreuen werde, also nach Jerusalem zurückkehren werde.
55 G.KLINZING, Umdeutung, 51f., vertritt mit recht überzeugenden Argumenten die
   Uneinheitlichkeit von 1QS 8 und sieht v.a. die Verbindung von 8,1f.10ff. zum
   übrigen als sekundäre Rahmung an. Dadurch werden die für uns wichtigen Aussagen 8,3f. auf die in 8,1 genannten fünfzehn besonderen Funktionsträger bezogen, wodurch sich das Verständnis ändert. Hat KLINZING recht, so sind beide Stadien der Überlieferung je für sich in die Betrachtung einzubeziehen.

4 *durch Recht-Tun und Läuterungs-Not (צרת מצרף)*
  und mit allen zu wandeln in dem Maße der Wahrheit
  und in der Ordnung der Zeit.[56]

Ist dies der Fall, so ist die Gemeinschaft von Qumran

5 *ein Kreis des Allerheiligsten für Aaron, wahrhafte Zeugen fürs Recht (משפט)*
  und Erwählte des (göttlichen) Willens (רצון), um zu entsühnen das Land
  (לכפר בעד הארץ) und an den Frevlern Vergeltung zu üben.

1QS 8,4 rechnet das Läuterungsleiden unter die Sühnemittel: indem
die Gemeinde Recht tut und leidet, trägt sie Sündenschuld ab[57].
Ein Blick auf 1QS 3,6-9 und 9,4, wo allein der rechte Wandel als
Sühnemittel angesprochen wird, weist die Nennung des Leidens als
sachliche Ergänzung aus: sie trägt einen Gedanken nach, der sich
vom oben angesprochenen Charakter des Läuterungsleidens her nahelegt. Denn dieses Leiden entstand ja gerade, weil Belial die Söhne
des Lichts angreift, ist also eine Art Nebenerscheinung des Recht-
Tuns. Also darf es auch hier nicht von ihm isoliert werden: die
Leiden der Gemeinde sind im Kontext des (sie provozierenden) rechten Wandels Sühnemittel. Sie weisen die Söhne des Lichts als solche aus, ein Eigenwert als selbständiges Sühnemittel scheint mir
in 1QS daraus aber nicht ableitbar[58]. Freilich bleibt festzuhalten,
daß der Gedanke hier überhaupt erstmals klar (und in kultischem
Bezug) formuliert ist, womit eine Basis gelegt ist, von der aus er
in späteren Texten verselbständigt werden kann[59]. (Eine derartige
Rezeption zeigt dann, wie eine in ihrem ursprünglichen Kontext or-
ganisch entstandene und formulierte Vorstellung zu ganz anderen

---

56 Übersetzung hier nach G.KLINZING, aaO. 102.
57 G.KLINZING, aaO. 103, weist darauf hin, daß die (nur hier vorkommende) Wendung רצה אוון in Jes 40,2 (dort *ni*.) für die Sündentilgung durch das von Israel durchgestandene Exil steht, worin er eine bewußte Parallelisierung der
   Nöte der Qumrangemeinde mit dem Sünden abtragenden Exilsleiden sieht, zumal
   Jes 40,3 (also der Folgevers) in 1QS 8,13 zitiert wird. - Die Wendung findet
   sich im AT sonst nur noch (in Bezug auf den Frondienst Israels) in Lev 26,41.
   43 (dort *qal*).
58 Josephus berichtet (Bell 2,144), daß die Essener viele der wegen ihrer Verfehlungen Ausgestoßenen, die dann in der Wüste fast zugrunde gegangen waren,
   wieder aufgenommen haben, "indem sie die bis zur Todesgrenze erlittene Qual
   als hinreichend für ihre Verfehlungen erachteten" (ἱκανὴν ἐπὶ τοῖς ἁμαρτήμασιν
   αὐτῶν τὴν μέχρι θανάτου βάσανον ἡγούμενοι). Hier scheint dem Leiden in der
   Tat eine selbständige Sühnefunktion zugemessen zu sein. Ein Blick auf die Re-
   gelung der Wiederaufnahme zeitweilig Ausgeschlossener in die Gemeinschaft
   (1QS 7,18-21) zeigt indes, daß dabei die Umkehr, deren Ernst in einer zwei-
   jährigen Probezeit unter Beweis zu stellen war, der eigentlich wichtige Punkt
   war, so daß die Strafe weit mehr eine erziehende und zur Buße führende Funktion hat als eine sühnende. Entsprechend wird man auch in den von Josephus
   geschilderten 'Ausnahmen' die erlittene Qual als Buße, nicht aber als Sühne
   anzusehen haben.
59 Cf. G.KLINZING, aaO. 104 mit Verweis z.B. auf Mekh zu Ex 20,23: *Beliebt sind*
   Leiden, denn wie die Opfer Wohlgefallen erwerben, so erwerben Leiden Wohlge-
   fallen (s. dazu unten Kap.7).

theologischen Implikationen führt, sobald sie aus diesem ihrem Kontext herausgehoben und verselbständigt wird.)

> Trifft Klinzings literarische Analyse zu[60], so ist 1QS 8,2-5 sekundär auf die
> "zwölf Männer und drei Priester" (1QS 8,1) gedeutet worden, die "vollkommen
> sind in allem, was offenbart ist in dem ganzen Gesetz", also eine besondere
> Gruppe innerhalb der Qumrangemeinde, vielleicht ihre Leitung. Dadurch könnte
> man in die Sühneaussage einen stellvertretenden Charakter hineinlesen, ja,
> Vermes hat sogar eine Anspielung auf den Gottesknecht Deuterojesajas darin
> erkennen wollen[61]. Doch ist demgegenüber Zurückhaltung geboten: zum einen
> besteht auch hier die Koppelung von Recht-Tun und Leiden, die ein solches
> Verständnis ohnehin stark relativiert, außerdem vermißt man die Angabe, zu
> wessen Gunsten stellvertretend gelitten wird, deren Fehlen angesichts der
> Einmaligkeit dieser Aussage in den Qumranschriften unverständlich wäre. So
> sind die "Fünfzehn" wohl eher Leute, die die Funktion der Gemeinde besonders
> intensiv ("vollkommen") wahrnehmen, Garanten dafür, daß die Gemeinde als Ganze
> "fest steht", ohne daß dabei an Stellvertretung gedacht wäre. Freilich ist
> auch hier nicht auszuschließen, daß sekundäre Rezeption den Gedanken eines
> stellvertretenden Sühneleidens in diese Aussagen hinein- und dann aus ihnen
> herauslas.

6.4. Der leidende Messias aus Aaron? (4QAhA)

In einem (leider immer) noch unveröffentlichten aramäischen Fragment aus Höhle 4Q, das Starcky 1963 beschrieben hat[62], ist die Rede von einer "figure eschatologique", die Starcky als den "grand prêtre de l'ère messianique"[63] identifiziert, den Messias aus Aaron. Er wird als offenbarende und lehrende Gestalt (Z.3) beschrieben, mit dessen Wirksamkeit "die Finsternis von der Erde vergeht" (Z. 4/5). Als erste Aussage steht dem voran:

4QAhA I,Z.2   *Und er entsühnt alle Söhne seiner Generation*
                (wykpr 'l kol bny drh).

Dieser Heilsbringer aber gerät in die Anfeindungen derer, die "in seinen Tagen in die Irre gehen" (Z.7):

4QAhA I,Z.6/7   *Ersonnenes ersinnen sie gegen ihn,*
                und alles Schändliche reden sie gegen ihn (...)
                und (in) Betrug und Gewalttat befindet er sich
                (šqr whms mqmh).

Man wird Starckys angekündigte Veröffentlichung aller Fragmente dieser Handschrift im Zusammenhang abwarten müssen, um weitere Aufschlüsse, vor allem auch über die von ihm angenommene Beziehung

---

60 S. oben S.150 Anm.55.
61 Beleg, Referat und Gegenargumentation bei G.KLINZING, aaO. 104 (mit Anm.64)
   und 57ff.
62 J.STARCKY, Les quatre étapes du messianisme, 492. - Prof. M.Hengel hat mir
   freundlicherweise Einsicht in die ihm von Abbé Starcky überlassene Tran-
   skription des Textes von 4QAh(aronique) A 1 I, in begleitende briefliche
   Mitteilungen Starckys und in eine Übersetzung des Textes durch Prof. H.Gese
   gewährt, aus der ich hier zitiere. - Inzwischen ist er selbst auf diesen
   Text eingegangen (M.HENGEL, Atonement, 58f.), den auch K.BEYER, Aramäische
   Texte (1984), noch nicht enthält.
63 J.STARCKY, Quatre étapes, 492.

zu den Gottesknechtsliedern[64], zu gewinnen. In jedem Fall aber ist
aufgrund dieses Fragments schon deutlich, daß hier eine eschatologische Gestalt sehr ähnlichen Anfeindungen ausgesetzt ist wie
einst der Lehrer der Gerechtigkeit, die Kontinuität des Leidens[65]
besteht vom Lehrer der Gerechtigkeit über die Gemeinde bis zu ihren eschatologischen (Erlöser?)gestalten[66]. Da die Leidensaussagen
über den Lehrer und die Gemeinde in der Tradition vom leidenden
Gerechten verwurzelt sind, ist diese Kontinuität für unsere Skizze
von großer Bedeutung: anders als in denjenigen jüdischen Schriften,
die im Dualismus von 'diesseitigem' Leiden und 'jenseitiger' Erret-
tung/Erhöhung den Menschensohn-Messias eindeutig 'jenseits' des
Leidensäons ansiedelten, ist hier im Zuge der besonderen dualistischen Konzeption mit ihrer präsentisch-eschatologischen Sicht der
Messias in die Leidenssituation mit hineingenommen. Er tritt in
sie ein und nimmt aus ihr heraus seine Funktion[67] wahr. Der (erhaltene) Text verzichtet dabei auf jede Deutung dieses Leidens: es
ist also weder als stellvertretendes Leiden noch als ein Sühnemittel gekennzeichnet. Fest steht aber, daß es sich aus dem Vollzug
einer Funktion an einer weitgehend jahwefeindlichen Welt ergibt,
so daß der Messias als das letzte Glied der Reihe vom Leidenden
erscheint, die seit dem Lehrer der Gerechtigkeit als leidende Gerechte, nämlich als Erwählte Jahwes, die den Anfeindungen Belials
ausgesetzt waren, für Jahwes Bund eingetreten sind.

---

64 Cf. dazu auch M.HENGEL, Atonement, 58: "there could well be a reference".
65 Nach J.Starckys Mitteilung (brieflich an Prof.Hengel) ist in einem anderen,
   kleineren Fragment (N⁰. 5) derselben Handschrift (vielleicht aus derselben
   Kolumne) in Z.1 und 3 das Wort mkʾb (*die, die leiden lassen*) stehengeblieben
   (cf. Ps 69,30; Hi 5,18).
66 Wäre das sich hier andeutende Bild durch weitere Textbelege zu sichern, so
   fiele dadurch auch Licht auf so schwierige und umstrittene messianische (?)
   Stellen wie 1QH 3,9f., in denen der Messias aus David als גבר הצרה ("Mann
   der Bedrängnis") bezeichnet wird (so K.SCHUBERT, cf. J.MAIER/K.SCHUBERT,
   Qumran-Essener, 105f.; anders O.BETZ, Geburt der Gemeinde, bes. 138f.; cf.
   die oben S.141 Anm.10 erwähnten Hodajot-Kommentierungen zur Stelle. Zum Mes-
   sianismus von Qumran cf. die von J.FITZMYER, The Dead See Scolls - Major
   Publications, 114-118, zusammengestellte Literatur.
67 Diese besteht in priesterlichem Handeln (Lehre und Entsühung), wobei aber
   wohl auch die Vernichtung der Finsternis als ein Akt kultischer Reinigung
   (doch gesteigert: mit Feuer statt Wasser und "bis an die Enden der Erde"!)
   vorgestellt ist (Z.3f.).

7.Kapitel

DER 'LEIDENDE GERECHTE' IN DER RABBINISCHEN THEOLOGIE

In unserer diachronen Skizze hat dieses Kapitel eine andere Funktion als die bisherigen. Denn die rabbinischen Texte können zur Rekonstruktion der *Voraussetzungen* der frühen neutestamentlichen Leidensaussagen kaum beitragen. Die in ihnen greifbare "Leidenstheologie"[1] ist zeitlich eher neben als vor den neutestamentlichen Texten anzusetzen, in der Hauptsache dürfte sie sogar erst später als diese ausgeprägt worden sein[2]. Gerade die für sie bezeichnenden, gegenüber der früheren Traditionsentwicklung neuen Aussagen tragen der Katastrophe des Jahres 70 n.Chr., insbesondere der durch den Verlust des Tempels notwendig werdenden Neuzentrierung des jüdischen Lebens, deutlich Rechnung.

Trotzdem lohnt es sich, auf dieses Textfeld wenigstens kurz 'hinüberzuschauen', gerade weil die darin anzutreffende Rezeption der Tradition vom leidenden Gerechten sich signifikant von der christlichen unterscheidet, die uns bei Paulus begegnen wird. Dadurch gewinnen wir einerseits die Möglichkeit, die neutestamentlichen Aussagen im Vergleich mit den rabbinischen zu profilieren, vor allem aber sehen wir, daß die Fortschreibung des bisher dargestellten Traditionskontinuums in ganz unterschiedlicher Weise erfolgen konnte und tatsächlich auch erfolgte: die christliche Rezeptionslinie ist weder die einzig mögliche noch die einzig wirkliche.

Der begrenzten Funktion des Kapitels entspricht die Beschränkung auf einige wenige typische Züge, die nur grob eine Perspektive markieren. Dabei folge ich stärker als sonst der Sekundärliteratur[3], eine eigenständige Quellenuntersuchung würde über den Rahmen des hier Möglichen bei weitem hinausgehen.

Kontinuität zwischen der Tradition vom leidenden Gerechten und den rabbinischen Aussagen besteht vor allem in zweierlei Hinsicht: a) sprechen viele rabbinische Texte die Überzeugung v.a. der älteren Tradition vom leidenden Gerechten nach, daß der Gerechte mit großer Gewißheit auf die positive Zuwendung Gottes im Sinne eines Schutzes auf seinen Wegen rechnen kann; und b) knüpfen die Deutungs- und Bewältigungsversuche des Leidens des Gerechten an die Denkfigur des Erziehungsleidens an.

1 Zum Terminus cf. W.WICHMANN, Leidenstheologie, 9-15.
2 Zu dieser Verhältnisbestimmung von rabbinischen und neutestamentlichen Texten cf. J.NEUSNER, Verwendung, bes. 305. Aufgrund umfangreicher Detailforschungen (cf. ebd. 308f. Anm.25) fordert NEUSNER die jüdische und christliche Rabbinistik zur Revision vieler ehedem geläufiger historischer Annahmen und zu einer methodisch differenzierteren Auswertung des rabbinischen Materials bei der Rekonstruktion der 'Umwelt des NT' auf. - Im Blick auf die *Leidens*-thematik ist schon 1930 W.WICHMANN zu dem Ergebnis gekommen, daß die für das rabbinische Schrifttum kennzeichnende "Leidenstheologie in *der* Generation ihre größte Bedeutung bekommt, die die Zerstörung des Tempels in Jerusalem und damit das Ende der priesterlichen Sühnehandlungen erlebt hat" (aaO. 14, Hervorhebung original).
3 Cf. v.a. W.WICHMANN, aaO. 51-80. 81-97 (Textanhang); R.MACH, Zaddik, bes. 90-98.133.147-166; E.LOHSE, Märtyrer, bes. 29-32.38-110; ferner E.SJÖBERG, Gott und die Sünder, bes. 97-105; 169-175. - Texteditionen: cf. Literaturverzeichnis.

a) Die Fürsorge Gottes für den Gerechten wird vor allem im
Blick auf die 'klassischen' Gerechten der Frühzeit Israels: Abraham, Isaak, Jakob, Joseph, Mose und Elia vielgestaltig erzählt,
ohne aber darauf beschränkt zu sein. Vielmehr kann auch sehr grundsätzlich behauptet werden, daß Gott mit den Gerechten ist, sie auf
ihren Reisen von Engeln begleiten läßt, für ihren Ruhm und ihre
Ehre eintritt, für ihren Lebensunterhalt und ihre Sicherheit sorgt
und ihnen ihre Wünsche erfüllt[4]. Daß Gott die Gerechten niemals
länger als drei Tage in Not lasse[5], ist ein mehrfach belegtes, geläufiges rabbinisches Postulat.

b) Dieser Fürsorge und Zuwendung steht auf der anderen Seite
eine außergewöhnliche Strenge Gottes gerade gegenüber dem Gerechten gegenüber, die er in Züchtigungs- und Erziehungsleiden wirksam werden läßt. Hier ist vor allem die Verwandtschaft mit Gedanken aus den PsSal mit Händen zu greifen[6], Wichmann hat darüber
hinaus auch auf Verbindungen zu 2Makk 6,12-17 und zur syrBar aufmerksam gemacht[7].

Den kennzeichnenden Denkrahmen der meisten[8] rabbinischen Leidensaussagen bildet die Konzeption der beiden Äonen (העולם הזה/
העולם הבא), die vor allem unter dem Aspekt des diesseitigen und
jenseitigen Lohnes in den Blick kommt:

"Weder die Gerechten noch die Frevler erhalten in dieser Welt etwas von dem,
was ihnen eigentlich zukommt, sondern erst 'morgen', bis Gott auf dem Rich-
terthrone sitzen wird. Dann wird er mit jedem einzelnen ins Gericht gehen
und ihm geben, was ihm gebührt. Dem vollkommenen Gerechten (צדיק גמור) wird
der Lohn einer Gebotserfüllung erst im Jenseits ausgezahlt; dem vollkommenen
Frevler (רשע גמור) wird jedoch der Lohn für das Erfüllen eines leichten Gebotes (denn die Erfüllung eines schweren Gebotes ist ja von einem vollkommenen Frevler kaum zu erwarten) bereits im Diesseits entrichtet. Andererseits
wird von einem vollkommenen Frevler eine Gesetzesübertretung erst im Jenseits
eingefordert (נפרע), von einem vollkommenen Gerechten wird dagegen die Übertretung eines leichten Gebotes schon in dieser Welt eingefordert, und zwar
sühnt der Gerechte die Schuld durch sein Leiden."[9]

4 Cf. R.MACH, Zaddik, 90-93 und das dort in den Anm. angeführte Material.
5 Cf. BerR 91,9 (ed. J.THEODOR: 1129; Übers. H.FREEDMAN: 843); MHGBer 42,17
  (ed. M.MARGULIES: 726) und R.MACH, Zaddik, 90f.
6 Cf. W.WICHMANN, Leidenstheologie, 6f. und oben S.110-115.
7 Zu 2Makk cf. W.WICHMANN, aaO. 18-21, zu syrBar ebd. 32-42. S. oben S.123-126
  bzw. S.103.
8 Die im folgenden skizzierten rabbinischen Anschauungen sollten trotz ihrer
  zentralen Bedeutung nicht zu einer einheitlichen Auffassung der rabbinischen
  Theologie verabsolutiert werden. Zu deren Darstellung wäre ein zeitlich und
  räumlich differenziertes, sehr nuancenreiches Spektrum von Meinungen auszu-
  breiten. Besonders hingewiesen sei auf die von den 'herrschenden' Ansichten
  stark abweichenden Lehren des babylonischen Amoräers Raba (†352) und des
  Tannaiten Jannai (um 225), außerdem auf die Vorstellung eines Prüfungsleidens, bei dem die Treue des Gerechten einer Belastungsprobe oder Prüfung
  ausgesetzt wird, um seine Segnung durch Gott vor aller Welt zu legitimieren
  (cf. dazu R.MACH, aaO. 97f.).
9 R.MACH, aaO. 35f. mit Verweis auf SifDev §§ 307.324 (ed. L.FINKELSTEIN: 345.
  375f.) und MTann, ed. D.HOFFMANN, 187.201.

Gott bringt also "das Leiden über die Gerechten in dieser Welt,
damit sie die zukünftige Welt erben können"[10]. Im Vergleich mit
den früheren Konzeptionen von Erziehungs- und Züchtigungsleiden
tritt bei den Rabbinen der weisheitliche Gedanke des erziehenden
Zurechtbringens durch eine schmerzhafte Zurechtweisung (im Sinne
eines Erfahrung vermittelnden 'Lernprozesses') mehr und mehr zurück. Stattdessen gewinnt eine stärker am Gericht im Sinne einer
(auch quantitativ angemessenen) Vergeltung der Gebotserfüllungen
und -übertretungen interessierte Konzeption an Boden. Beispielhaft für diese Akzentverschiebung ist es etwa, wenn PesR 43,181a
ausdrücklich aus Spr 27,21 das geläufige Bild der Läuterung von
Gold und Silber in Feuer und Schmelztiegel aufgreift, und diesem
Text entnehmen zu können meint, daß Gott - wie der Goldschmied
das Metall nicht länger als nötig dem Läuterungsprozeß aussetzt -
die Gerechten "einen jeden nach seinem Rang und seinen Taten"[11]
leiden läßt. Die schon in 2Makk 6,14f. angedeutete, in den PsSal
dann deutlicher erkennbare sühnende Funktion des Leidens wird zum
ausgeführten theologischen Lehrstück: den Gesetzeserfüllungen entspricht der Lohn, den Übertretungen Strafe; die Leiden des Gerechten sind 'vorgezogene' Strafleiden, die seine geringfügigen Verfehlungen bereits im Diesseits sühnen[12], so daß ihm das volle Maß
seines Lohnes im Jenseits bleibt[13]. Insofern sind die Leiden Anlaß
zur Freude, oder - mit der Schule des rabbinischen Kronzeugen dieser Deutung, Rabbi Aqiba (†135)[14], gesprochen -: sind die Züchtigungen liebenswert. Das Wohlergehen der Frevler dagegen belohnt
ihnen ihre wenigen Gebotserfüllungen schon jetzt, um sie jeder An-
wartschaft auf die zukünftige Welt zu berauben[15].

Daß solches Sühnen von Schuld durch Leiden kultischer Sühne
ebenbürtig oder sogar überlegen ist - und das heißt in der Situation nach der Tempelzerstörung in erster Linie: daß es als wirksamer Ersatz für letztere gelten kann, wird von den Rabbinen ver-

---

10 R.MACH, aaO. 94.
11 Ebd. (cf. bes. Anm.4).
12 Cf. ebd. 97.
13 Wohlergehen im Diesseits würde für den Gerechten bedeuten, daß er von seinem
   Anteil an der zukünftigen Welt etwas wegnimmt. Cf. hier besonders die von
   R.Schim^Con b.Jochai (um 150) und R.Chanina b.Dosa (um 70) erzählten Ge-
   schichten mit eben diesem Skopus: TanB pekude 7 (ed. S.BUBER), ShemR (Wilna)
   52,3,82b; Taan 25a (bei R.MACH, aaO. 95).
14 Zu Aqiba cf. H.L.STRACK, Einleitung, 125; W.WICHMANN, Leidenstheologie, 56-
   64; zu seiner Schule ebd. 64-69.
15 Zur 'ethischen' Konsequenz dieser Vorstellung: EkhaRbti (zu Klgl 1,5), bei
   W.WICHMANN, aaO. 83 (Nr.5), wonach R.El^Cazar b.Çadoq seinen Vater, der von
   heidnischen Ärzten geheilt worden war, drängte, ihnen ihren Lohn in diesem
   Äon zu geben, "damit sie nicht ein Verdienst um dich haben in jenem Äon".

schiedentlich durch Schriftbeweis bekräftigt[16]. SifDev 6,5 betont
dabei, daß Züchtigungen mehr als Opfergaben begütigen, "weil die
Opfergaben an seinem Vermögen und die Züchtigungen an seinem Leibe"[17] erfolgen, und wirft so ein Licht auf das zugrundeliegende
Sühneverständnis, das vor allem die (quantifizierbare) Ebenbürtig-
keit der Ersatzleistung im Auge hat. Der Psalmenmidrasch bietet zu
Ps 118,18 (also einer für die Tradition vom leidenden Gerechten
zentralen Stelle) u.a. folgende Auslegung: "Die Züchtigungen sind
mehr liebenswert als die Opfergaben; denn Sündopfer und Schuldopfer
sühnen nur für dieselbe Übertretung, wie es heißt (Lev 1,4): 'Und
es wird gütig aufgenommen ihm zur Versühung'. Aber die Züchtigungen
sühnen für alles. Das wollen die Worte sagen: 'Fürwahr, gezüchtigt
hat mich Jahwe'"[18].

Wem Gott die Möglichkeit eröffnet, in dieser Weise zu sühnen
und wem er sie vorenthält, entscheidet sich nach Meinung vieler
Rabbinen "nach der Mehrheit" seiner Taten: "Sind die Verdienste in
Mehrheit, die Übertretungen aber in Minderheit, so werden die letzteren im Diesseits eingefordert. Sind jedoch die Übertretungen in
Mehrheit, dann wird der Lohn der wenigen Verdienste im Diesseits
gegeben"[19]. Auch hier spielt also der quantitative Aspekt eine
große Rolle; freilich gibt im Falle des Gleichgewichts beider Waag-
schalen Gottes Gnade den Ausschlag. Auch lassen sich durchaus rabbinische Belege anführen, die entgegen der Maxime: "der Einzelne
wird nach seiner Mehrheit gerichtet"[20] vor allem von Ex 33,19 her
die Möglichkeit einräumen, daß Gott denen, die keinen Schatz von
Verdiensten haben, "umsonst" aus seinem eigenen Schatz gibt; darüber hinaus betonen eine ganze Reihe von Texten, daß selbst der Ge-
rechteste auf Gottes Gnade angewiesen bleibt[21].

Indem die Rabbinen davon ausgehen, daß die Leiden bei der Auf-
rechnung von Gebotserfüllungen und -übertretungen das Gewicht der
letzteren vermindern und dadurch auf der Seite der Verdienste positiv zu Buche schlagen, ergibt sich für sie die Möglichkeit, den
Leiden, die der Gerechte über das Maß seiner Schuld hinaus leidet,
ebenso wie seinen Verdiensten stellvertretende Sühnewirkung zuzu-

---

16 Bei W.WICHMANN, aaO. 86f. (Nr.11a.g); cf. E.LOHSE, Märtyrer, 31; zu den diesem Beweis zugrundeliegenden hermeneutischen Regeln (Middoth) cf. H.L.STRACK,
   Einleitung, 96ff. und die bei P.STUHLMACHER, Verstehen, 249f. (zu § 5) angeführte Literatur.
17 Bei W.WICHMANN, Leidenstheologie, 86.
18 Ebd. 87.
19 R.MACH, Zaddik, 37; cf. tQid I,14 (ed. S.ZUCKERMANDEL), yPea 16b; ySan 27c
   (Venedig 1553).
20 tQid I,14 (bei R.MACH, aaO. 37).
21 Cf. R.MACH, aaO. 39f.

sprechen[22]. Diese vermag vor allem Strafe und Gericht von Israel
abzuwenden: so soll Rabbi J^ehuda der Patriarch (um 250) 13 Jahre
lang an Zahnschmerzen gelitten haben, dafür aber sei während dieser Zeit weder eine Wöchnerin in Palästina gestorben noch habe es
dort eine Fehlgeburt gegeben[23].

Es ist nun noch kurz auf zwei Aspekte einzugehen, die sich mit
den rabbinischen Anschauungen über den *Tod des Gerechten* verbinden[24].

c) Nach MMish 10,1,33a und BerR (P.225) scheiden die Gerechten
nicht eher "von der Welt, bis ihnen Gott alle ihre Sünden vergeben
hat"[25]. Von hier aus kommt der Dauer der Todeskrankheit einige Bedeutung zu: so gilt der Tod nach mehr als siebentägigem Kranken-
lager als gutes Zeichen für den Sterbenden und erscheint der Tod
durch Dysenterie (חולי מעיים), dem meist ein 10-20tägiges sehr
schmerzhaftes Leiden vorausgeht, als der 'klassische' Tod des Gerechten[26].

d) Vor allem aber sprechen die Rabbinen dem Tod generell (wie
dem Leiden) Sühnkraft zu, wenn er willig und in bußfertiger Haltung[27] - oder womöglich freiwillig[28] - erfolgt. Diese sühnende
Funktion betrifft wieder zunächst die eigenen Sünden[29], wobei wieder durch genaue kasuistische Quantifizierungen die Proportionen
der einzelnen Sühneinstrumente bestimmt und mit der Schwere des
Vergehens in Beziehung gebracht werden[30]. Sind aber, wie wir oben
sahen, im Falle des Gerechten schon vor seinem Tode alle Sünden
vergeben, so liegt es nahe, auch seinem Tod - ebenso wie den
'überschießenden' Leiden - stellvertretende Sühnkraft zuzusprechen. In tannaitischer Zeit wird diese Sühne fast ausschließlich
der lebenden Generation, d.h. 'diesseitig' angerechnet, vom Ende
des 2.Jh.s an finden sich dann zunehmend Belege dafür, daß die

---

22 Zu den Kriterien für die Unterscheidung von Leiden als Strafe für eigene
   Schuld von stellvertretend wirksamen Leiden cf. R.MACH, aaO. 133.
23 Cf. yKil (Venedig 1553) 32b; cf. R.MACH, aaO. 133 und E.LOHSE, Märtyrer, 32
   mit Anm.3.
24 Umfassend dazu R.MACH, aaO. 147-166; zum Sühneaspekt v.a. E.LOHSE, aaO.78-87.
25 R.MACH, aaO. 158.
26 Cf. ebd. 156-158.
27 Cf. E.LOHSE, Märtyrer, 32-37.38-54, bes.52.
28 Cf. ebd. 54-58.
29 Cf. ebd. 38-46, v.a. im Blick auf die Konsequenzen für die Todesstrafe.
30 Cf. die breit belegte Lehre R.Jischma^cels (bei E.LOHSE, aaO. 35f. zitiert
   nach tYom V,6), in der es u.a. (ebd. 36) heißt: *"Läßt sich aber jemand die
   Entweihung des göttlichen Namens zuschulden kommen und kehrt um, so hat weder die Umkehr die Kraft, Aufschub zu bewirken, noch der Versöhnungstag die
   Kraft, zu sühnen, sondern die Umkehr und der Versöhnungstag sühnen ein Drittel und die Leiden an den übrigen Tagen des Jahres sühnen ein Drittel und
   der Tod wischt weg (d.h. sühnt völlig). Denn es heißt: 'Diese Missetat soll
   nicht gesühnt werden, bis daß ihr sterbet' (Jes 22,14). Das lehrt, daß der
   Tod (die Schuld) tilgt".*

stellvertretende Kraft des Sühnetodes auch in die jenseitige Welt
hinüberreiche[31]. Verdienste, Leiden und Tod der Gerechten kommen
so Israel als ganzem zugute[32], dies gilt sowohl im Rückblick auf
die Erzväter und die großen Gerechten der israelischen Geschichte
als auch von den jeweils gleichzeitigen Gerechten; Rabbi Schim[C]on
b.Jochai (um 150) soll sogar von sich selbst gesagt haben, seine
Verdienste reichten aus, um seine Generation vor dem Strafgericht
Gottes zu bewahren[33].

Schon diese grobe Skizze zeigt, daß man die rabbinischen Leidensdeutungen durchaus als Fortschreibung der Tradition vom leidenden Gerechten ansehen kann, die dabei freilich einer deutlichen
Umakzentuierung unterliegt: beherrschend wird der Gedankenkreis
von Gebotserfüllung und -übertretung, von Verdienst, Lohn und Strafe, von Erstattung und Einfordern der Taten durch Gott, dessen
quantitative Komponente großes Gewicht hat. Daß die Rabbinen innerhalb der Tradition vom leidenden Gerechten vor allem an die
Vorstellung des Züchtigungsleidens anknüpfen, liegt nahe, und der
Schritt zur ausgeführten Sühneleiden-Konzeption, in der die Züchtigungen verrechenbar werden, ist durchaus folgerichtig, trägt er
doch der geschichtlichen Situation Rechnung, in der das um seine
zentrale Sühneinstitution beraubte Israel neuer Wege der Lebens-,
Leidens- und Sündenbewältigung bedurfte. Von der Geschichte der
Tradition vom leidenden Gerechten her gesehen erscheint ihre rabbinische Rezeption freilich als sehr partiell und die dabei vorgenommene Neuakzentuierung als nochmalige verengende Zuspitzung
auf ein ganz an der 'Abrechnung' Gottes orientiertes Welt- und
Selbstverständnis.

EXKURS 3: Die Tradition von der Aqedat Jiṣḥaq
und die Tradition vom leidenden Gerechten

Angesichts der immer wieder neu unternommenen Versuche, die frühesten Deutungen des Todes Jesu mit der sich an die Überlieferung von der Opferung Isaaks
(Gen 22) anschließenden jüdischen Tradition von der Aqedat Jiṣḥaq (="Bindung
Isaaks") in Beziehung zu setzen und angesichts der dabei postulierten Verbindungen zwischen Jes 53 und der Aqeda-Tradition ist das Verhältnis dieser

---

31 Cf. E.LOHSE, Märtyrer, 104 mit Anm.8.9.
32 Aufschlußreich sind auch die Schriftbeweise für die sühnende Kraft des Todes
   der Gerechten, z.B.: *"Der vom Tode Mirjams handelnde Abschnitt der Schrift
   (Num 19) befindet sich deshalb in der Nähe der Vorschriften über die rote
   Kuh (Num 18), weil sowohl die Asche der roten Kuh als auch der Tod der Gerechten sühnende Kraft besitzen"*. (R.MACH, Zaddik, 153 mit Anm.3.4; zu den
   hermeneutischen Prämissen dieses Beweises cf. ebd. Anm.2).
33 Cf. Suk 45b; yBer (Venedig 1553) 13b, 54 und E.LOHSE, Märtyrer, 103f.

- für das spätere Judentum hochbedeutsamen[34] - Tradition zur Tradition vom leidenden Gerechten hier kurz zu erörtern.

Gubler hat die Forschungsdebatte erst kürzlich aufgearbeitet[35] und den gegenwärtigen Problemstand ausführlich referiert[36], so daß wir uns darauf beschränken können, die - meist unbekannten - ältesten Belege dieser Tradition
kurz zu referieren und auszuwerten.

a) Die *biblische Erzählung*[37] von der Opferung Isaaks in Gen 22 berührt das
Leidensthema überhaupt nicht: sie zeigt sich allein am Gehorsam Abrahams als
des Trägers der Verheißung interessiert.

b) Auch der m.W. älteste Beleg einer Rezeption von Gen 22, ein bei Euseb
überliefertes Fragment des im 2.Jh.v.Chr. schreibenden alexandrinischen Exegeten *Demetrios*[38], bietet nur eine geraffte Wiedergabe der Geschichte, die nirgends über Gen 22 hinausgeht.

c) In *Jub* 17f. dagegen erhält die (sonst kaum veränderte) Geschichte eine
- an das Hiobbuch erinnernde - deutende Rahmung[39], die die Aqeda in die Reihe
der zehn Erprobungen Abrahams stellt und gleichzeitig als das ursprüngliche,
erste Passaopfer[40] ausweist. Auch hier fehlt aber noch jeder Hinweis darauf, daß
die Aqeda für Abraham oder Isaak mit Leiden verbunden wäre.

d) Auch die erheblich ausführlichere Nacherzählung, Erörterung und allegori-
sche Deutung der Aqeda-Erzählung durch *Philo*[41] (Abr 167-207) bleibt ganz an der
Festigkeit des Glaubens und Gehorsams Abrahams interessiert und beläßt Isaak
völlig in seiner passiven Rolle. Abrahams Verhalten wird psychologisierend nach-
empfunden und als Überwindung aller verwandtschaftlichen Liebe und Zärtlichkeit
(170), in der jede körperliche und seelische Erschütterung unterdrückt wird
(175),gepriesen. So betont Philo auch, daß Abraham wie ein Priester selbst die
Opferhandlung begonnen habe und vielleicht sogar den Sohn in Stücke zergliedert hätte (cf.
Lev 1,6) den Sohn in Stücke zergliedert hätte (198). Daß Gott dem zuvorkam,
deutet Philo als eine Rückgabe des ihm dargebrachten Geschenks, mit der Gott
"den Darbringer für seine fromme Hingebung belohnt". Die Opferhandlung wird
ihm, "obwohl sie unvollendet blieb, als eine vollkommene und vollständige ange-
schrieben und verewigt" (177).

e) Erst in der Version des *Josephus* (Ant 1, 222-236) tritt die Isaakfigur
aus ihrer rein passiven Rolle heraus und gewinnt eigenes Gewicht. Abraham sagt
ihm, daß er das Opfer sein werde, Isaak stimmt dem mit Freuden zu und nimmt es
freiwillig auf sich, weil es ἄδικον wäre, nicht zu gehorchen (232). Gott aber,
der kein Gefallen an Menschenblut hat und keineswegs dem Vater seinen Sohn in
einem solchen Akt von ἀσέβεια (233) rauben, sondern Abraham nur prüfen wollte,
versichert um ihrer Bereitwilligkeit und Frömmigkeit willen beide seiner künftigen Fürsorge. "Und sie leben glücklich, da Gott ihnen in allen ihren Unter-
nehmungen gnädig half" (236).

---

34 Cf. L.JACOBS, Art. Akedah, EJ 2,480-484; zur mittelalterlichen Auslegung
   jetzt ausführlich R.-P.SCHMITZ, Aqedat Jisḥaq.
35 M.L.GUBLER, Deutungen, 336-338; cf. ergänzend R.-P.SCHMITZ, aaP. 7-10. - Die
   bis ins 19.Jh. zurückreichende Debatte war zunächst eine innerjüdische, erst
   nach 1945 begann ein jüdisch-christlicher Dialog.
36 M.L.GUBLER, aaO. 338-375, cf. seitdem noch R.J.DALY, Soteriological Significance; P.R.DAVIES/B.D.CHILTON, Aqeda; M.HENGEL, Atonement, 61-63.
37 In der überlieferten Endfassung (Gen 22 M) - zum Problem elohistischer Redaktion und überlieferungsgeschichtlicher Vorstufen cf. R.KILIAN, Isaaks Opferung, 21-125; anders H.Graf REVENTLOW, Opfere deinen Sohn, 21-77.
38 Cf. N.WALTER, JSHRZ III, 282 (Einleitung) und 284 (Text: F₁); für den von
   WALTER nicht ausgeschlossenen Fall, daß das Fragment auf Alexander Poly-
   histor zurückgeht (cf. ebd. 281 Anm.1 und 284 Anm.4a), ergibt sich eine Datierung in die Mitte des 1.Jh.s v.Chr. (cf. N.WALTER, JSHRZ I, 93).
39 Cf. v.a. Jub 17,16-18; 18,12a; 18,13 (Identifikation Moria = Zion); 18,18f.
40 Nach Jub 18,18 hat Abraham ein Fest zum Gedächtnis der Aqeda gestiftet, wobei die Datierung (17,15) der Opferung auf den 3.Tag nach dem 12.Nisan genau
   den Passatermin trifft (cf. M.L.GUBLER, Deutungen, 353). Zur Zuordnung der
   Aqeda zum Passa, Rosch Haschana und Jom Kippur cf. ebd. 345-348 und die dort
   angeführte Literatur.
41 Die beiden anderen Erwähnungen der Aqeda bei Philo: Migr 140ff.160; Imm
   4,6-7, lassen keine Schlüsse auf ihre Deutung zu.

f) Ist Isaak nach Josephus bewußt zur Aqeda bereit, um Gott und seinem Vater gehorsam zu sein und kein ἄδικον zu tun, so scheint in *4Makk* 13,12 genau die-selbe Vorstellung zugrundezuliegen, wenn es heißt, er sei geduldig bereit gewesen, sich διὰ τὴν εὐσέβειαν schlachten zu lassen. Freilich gewinnt dieses Bild im Kontext des 4Makk einen ganz neuen Sinn, indem es als Vorbild für die Standhaf-tigkeit der makkabäischen Märtyrer dient[42]. Isaak wird zum Beispielfall[43] dafür, wie man die um Gottes willen auferlegten Leiden unerschrocken erträgt (4Makk 16,20) und gerät in eine Linie mit so heroischen Figuren wie Daniel in der Lö-wengrube und den drei Männern im Feuerofen (16,21). In konsequenter Weiterfüh-rung dieser Vereinnahmung der Aqeda für die Martyriumsparänese stellt auch der das 4Makk beschließende schriftgelehrte Zusatz[44] in 18,11 den als Brandopfer dargebrachten Isaak (cf.: τὸν ὁλοκαρπούμενον Ἰσαακ[45]) in die lange Reihe der ermordeten, gefangenen und zum Tode verurteilten Gerechten, die von Abel über Joseph und viele andere bis hin zu Daniel reicht und deren Leiden u.a. mithilfe von Ps 34,20 als schriftgemäß ausgewiesen werden.

g) Einen anderen Aspekt gewinnt die Aqeda in dem (zwischen 76 und 132 n.Chr. geschriebenen[46]) *Liber Antiquitatum Biblicarum* des Pseudo-Philo hinzu, der drei-mal (seltsamerweise jedoch nicht bei der Schilderung der Vita Abrahams) auf sie zu sprechen kommt. In LibAnt 18,6 steht zunächst Abrahams Gehorsam im Vorder-grund ("weil er nicht widersprach, wurde die Darbringung in meinem Angesicht wohlgefällig"), der Text fährt dann aber unmittelbar fort: "et pro sanguine eius elegi istos". Auch wenn die Zusammenstellung des Blut- (d.h. Sühne-)Aspekts mit der Erwählung (statt Vergebung) weiterer Klärung bedürfte, ist in jedem Fall deutlich, daß die Aqeda hier Israel (=istos) zugutekommt. Dieser Gedanke könnte auch in dem schwierigen[47] Text LibAnt 32,1-4 enthalten sein, in dem die aktive Rolle Isaaks im Vordergrund steht: er nimmt seinen Opfertod freiwillig auf sich und preist sich selbst: "erit autem mea beatitudo super omnes homines" (32,3), wobei freilich offenbleiben muß, ob beatitudo im Sinne von 'Segen' (der über al-le Menschen kommt) oder als Isaaks eigene Glückseligkeit (die die aller Menschen übertrifft) zu verstehen ist[48]. LibAnt 40,2 schließlich betont nochmals die Freiwilligkeit und freudige Bereitschaft zur Aqeda: "sich freuend stimmte er (Isaak) zu, und es war (der), der dargebracht wurde, bereit und (der), der dar-brachte, fröhlich" (et erat qui offerebatur paratus et qui offerebat gaudens). h) Eine Art 'Zwischensumme' der Aqeda-Tradition liegt im *palästinischen Targum* zu Gen 22 vor, das sowohl in Codex Neofiti als auch - noch ausgeprägter - im Fragmententargum die biblische Vorlage um mehrere der bisher verstreut beobachteten neuen Aspekte erweitert[49]. So trägt der Targumist in Gen 22,8 die aktive Rolle Isaaks in den Text ein: Abraham sagt ihm, er werde das Opfer sein, und er wirkt freiwillig daran mit. Deutlicher noch die Erweiterung zu 22,10: Isaak bittet seinen Vater, ihn sorgfältig zu binden, damit er nicht im Augen-blick seines Leidens zappelt und so das Opfer ungültig und für die kommende Welt wertlos macht. In einer Vision sieht er dann die Engel aus dem Himmel her-austreten, um "die beiden einzigen Gerechten auf Erden" zu beobachten: "Der eine tötet, und der andere wird getötet. Der Tötende zögert nicht, und der, der getötet wird, bietet seinen Nacken dar". Das Targum trägt hier also sowohl den Leidensaspekt als auch die Deutung als gültiges Opfer ein, dessen Anrechnung in der zukünftigen Welt erfolgen soll. Außerdem gibt die Engelvision und

---

42 Cf. G.VERMES, Scripture and Tradition, 198: "Isaac is the proto-martyr".
43 Cf. auch 4Makk 7,14 ("isaakische Vernunft") und 14,20 (Parallelisierung der Mutter der 7 Märtyrer mit Abraham).
44 S. dazu oben S.129.
45 Daß das Opfer hier als wirklich vollzogen vorgestellt ist, ist möglich, aber der Formulierung nicht mit Sicherheit zu entnehmen.
46 Cf. C.DIETZFELBINGER, JSHRZ II, 91. Zitate aus LibAnt in der Übersetzung DIETZFELBINGERs (ebd. 146f.194f.211f.); lateinischer Text nach G.VERMES, Scripture and Tradition, 199f.201f.
47 Zur Interpretation cf. G.VERMES, aaO. 199-201.
48 Cf. C.DIETZFELBINGER, JSHRZ II, 194 Anm.3d; M.HENGEL, Atonement, 62 mit Anm.42.43.
49 Cf. die bei G.VERMES, aaO. 194f. zitierte Fassung des Fragmententargums, die er (in den Anmerkungen) mit Codex Neofiti vergleicht.

-audition, der Isaak (!) allein gewürdigt wird, dem Vollzug der Aqeda besonderes Gewicht. Daß der Schlußsatz der Engelrede bis in die Syntax hinein der gerade zitierten Formulierung aus LibAnt 40,2 ähnelt, läßt einen Traditionszusammenhang vermuten. Die gewichtigste Ergänzung des Targums gegenüber Gen 22 M
aber bildet ein langes Gebet (22,14), in dem Abraham Gott bittet, der Kinder
Isaaks in künftigen Notzeiten um der Bindung ihres Vaters willen zu gedenken
und ihnen Befreiung, Sündenvergebung und Rettung aus der Not zu gewähren. Was
im LibAnt noch relativ zurückhaltend und allgemein sich andeutete: die heilsame Kraft der Aqeda, ist hier im Sinne einer sündenvergebenden Wirksamkeit
ausgeführt: Gott rechnet Isaaks Bindung zugunsten Israels an[50].

   Damit ist das umfassende Bild der Aqeda Jiṣḥaq erreicht, das für die weitere
jüdische Wirkungsgeschichte maßgeblich geblieben ist. Wie verhält es sich zur
Tradition vom leidenden Gerechten? Gewiß sind in 4Makk 18 und im TgGen Bezüge
nicht zu übersehen, doch kann man schon angesichts der - außer in 4Makk stets
betonten - Sonderrolle Isaaks die Aqeda-Tradition nicht einfach in die vom leidenden Gerechten integrieren. Vor allem scheinen mir die Versuche, den stell-
vertretenden/sühnenden Charakter der Aqeda Jiṣḥaq von Jes 53 herzuleiten[51], auf
dieser Stufe der Traditionsentwicklung ganz unwahrscheinlich. Zum einen fehlt
jedes deutliche Textsignal dafür, zum anderen spricht die allmähliche Entwicklung dieses Gedankens (vgl. den Schritt vom LibAnt zum TgGen) weniger für eine
schriftgelehrte Assoziation[52] als für eine aus der sachlichen Problematik der
Überlieferung entspringende theologische Erarbeitung. Denn Heilsbedeutung
spricht ja schon Gen 22 M der Aqeda zu (22,16-18: um der Aqeda willen sollen
Abraham und seine Nachkommen gesegnet werden). Als Versuche, diese Verheißung
im Kontext der theologischen Denkvoraussetzungen (vor allem der pharisäischen
Richtung) des antiken Judentums adäquat zu artikulieren, sind sowohl die in
LibAnt greifbare 'Operationalisierung' der Aqeda (das Blut Isaaks, d.h. das
sichtbar und meßbar Gott Dargebrachte, gewinnt als der konkrete Ausdruck der
Tat Abrahams besonderes Gewicht und wird als 'Realgrund' der Erwählung gesehen)
als auch die betonte Eintragung und Sündenvergebung im Targum plausibel, stellte die von Gott gewährte Sühne und Vergebung doch das selbstverständliche Zentrum aller Heilszuwendung Gottes an die Seinen dar.

   Von hier aus erscheint es mir auch wahrscheinlicher, daß das im Targum greifbare, für die spätere Zeit dann richtungweisende Verständnis der Aqeda als Sühne wirkend für Israel nicht älter ist als die frühe Christologie, sondern frü-
hestens gleichzeitig (in seiner vollen Ausprägung wohl sogar erst nach 70) entstanden ist. Gegen die - angesichts der völlig unsicheren Datierung targumischer
Einzelüberlieferungen[53] keineswegs durch den Verweis auf das TgGen zu sichernde -
Frühdatierung Vermes[54] spricht m.E. vor allem das Fehlen jeder Sühnedeutung der
Aqeda in 4Makk. Angesichts des Interesses dieser Schrift an der Sühnkraft des
Märtyrertodes bliebe dies völlig unverständlich, wäre die Sühnewirkung der Aqeda wirklich Allgemeingut jüdischen Denkens im 1.Jh. gewesen, das sich schon
seit der Zeit der makkabäischen Märtyrer entwickelte.

   Daß diese Entwicklung der Aqedatradition gleichwohl eine *selbständige jüdische* Leistung darstellt, sollte man angesichts des Fehlens antichristlich-apolo-
getischer Züge[55] in dieser Phase ihrer Geschichte nicht bestreiten. So ist weder für die Ausprägung der frühen Christologie der Aqeda-Tradition noch umgekehrt für die Entstehung der Aqeda-Tradition der Christologie eine entscheidende
Rolle zuzusprechen.

50 Cf. auch TMi 7,20: *"Rechne uns die Bindung Isaaks an, der auf dem Altar vor
   dir gefesselt wurde"* (bei E.LOHSE, Märtyrer, 91 Anm.6).
51 Cf. v.a. G.VERMES, aaO. 202-204; R.A.ROSENBERG, Jesus, Isaac and the
   "suffering servant" (kritisch dazu: M.L.GUBLER, Deutungen, 337).
52 Cf. G.VERMES, aaO. 204.
53 Cf. die sehr vorsichtigen Auskünfte bei E.WÜRTHWEIN, Text, 81 und R.SMEND,
   Entstehung, 30.
54 Cf. G.VERMES, aaO. 204: zwischen der Mitte des 2.Jh.s v.Chr. und "the
   beginning of the Christian era".
55 Allenfalls die dunkle Wendung in LibAnt 32,3: "quia non erit aliud" könnte
   man als Behauptung der Einzigartigkeit der Aqeda in betonter Absage an die
   Christologie deuten. Cf. C.DIETZFELBINGER, JSHRZ II, 195 Anm.3c.

i) Es ist hier nicht möglich, die in *rabbinischen Texten* ausgesprochen dicht belegte und vielgestaltige weitere Entwicklung der Aqeda-Tradition darzustellen. Außer auf die Beobachtung Lohses, daß sie auf dieser späteren Traditionsstufe zunehmend als "antichristliche Typologie"[56] neutestamentlichen christologischen Aussagen bis in Einzelheiten entspricht, ist in unserem Zusammenhang darauf hinzuweisen, daß sie dabei auch eine zunehmende Annäherung an die Tradition vom leidenden Gerechten erkennen läßt. So wird der Leidensaspekt verstärkt und unterstrichen (der gefesselte Isaak "sperrte seinen Mund auf mit Weinen und schrie mit großem Geschrei"[57]), Isaaks Opfer wird nicht nur als vor Gott gültig, sondern als wirklich vollzogen beschrieben (teils durch den Verlust eines Viertels seines Blutes[58], teils durch seinen Tod[59]). Von hier aus kommt es dann auch zur Deutung seiner Rückerstattung in der Weise der Auferstehung vom Tod[60].

8.Kapitel

SYNCHRONE SKIZZE: DER STAND DER TRADITIONSBILDUNG
ZUR ZEIT DER ENTSTEHUNG DES NEUEN TESTAMENTS

Die Geschichte der Tradition vom leidenden Gerechten steht uns nun im Umriß vor Augen. Die diachrone Skizze versuchte, den Prozeß nachzuzeichnen, in dem Israel ein frühes Grundmodell theologischer Leidensartikulation durch die Geschichte hindurch fortentwickelte und unter Aufnahme anderer Traditionen zu einem sein theologisches Selbstverständnis tief prägenden, umfassenden Geflecht von Leidensdeutungen erweiterte, das sich schließlich in der jüngeren jüdischen Literatur zu einem noch breiteren Spektrum auffächerte.

Dabei ist eine Vielfalt durchaus unterschiedlicher Einzelkonzeptionen sichtbar geworden, gleichzeitig aber auch deren Verwurzelung in einer gemeinsamen Traditionsbasis. In immer wieder neuen Variationen begegneten uns bestimmte Strukturmuster, Begriffe und Denkfiguren, und bei aller Verschiedenheit ihres Kontextes und ihres kommunikativen Interesses schwang in der semantischen Tiefe fast aller untersuchten Texte die Grundvorstellung mit, daß Gott seine heilsame, rettende צדקה erweist am erniedrigten leidenden Gerechten.

---

56 Cf. E.LOHSE, Märtyrer, 91f.
57 Yalq zu Gen 22,9 (1 § 101), bei Bill. 3,688.
58 Cf. v.a. MekhSh (ed. D.HOFFMANN) 4; TanWayyera, § 23; weiteres Material und Erläuterungen zum "Blut Isaaks" bei G.VERMES, aaO. 205f.
59 Cf. v.a. die Rede von der "Asche Isaaks", z.B. Ber 62b; bTaan 16a; cf. die Fülle weiterer Belege (die aber nur zum Teil die Tötung als real vollzogen unterstellen) bei S.SPIEGEL, The Last Trial, 38-44.
60 Cf. PRE 31 (16b); LeqT (ed. S.BUBER) 161; weiteres Material bei S.SPIEGEL, aaO. 28-37. Cf. schon die Andeutung dieses Verständnisses in Hebr 11,18f. - Zur weiteren Rezeptionsgeschichte der Aqeda cf. v.a. S.SPIEGEL, aaO., insbesondere die eindrückliche Redeweise von den "vielen Aqedot" während der Judenverfolgungen der Kreuzzugszeit (R.Ephraim b.Jakob von Bonn, 12.Jh.), ebd. (143-152) 152.

Legen wir nun abschließend einen synchronen Schnitt auf der Zeitebene der 1.Hälfte des 1.Jh.s n.Chr., um den Stand der Traditionsbildung zur Zeit der entscheidenden Weichenstellungen für die Entstehung des Neuen Testaments zu überblicken, so kommt in der ihn
beschreibenden synchronen Skizze den damals neuesten, 'aktuellen'
Schriften naturgemäß das größte Gewicht zu. Allerdings gilt es
auch die Eigenartgen der jüdischen Traditionskultur zu bedenken,
in der die 'älteren' Texte nicht einfach durch die 'jüngeren', ak-
tuelleren ersetzt, sondern neben ihnen sorgfältig weitertradiert
werden. In den Kreisen, die die jüngeren Texte hervorbrachten, waren die älteren, vor allem die alttestamentlichen, mit Sicherheit
präsent und lebendig, wobei davon auszugehen ist, daß sie vielfach
- unter Umständen auch über ihren ursprünglichen Sinn hinausgehend
oder gar gegen ihn - im Sinne der jüngeren interpretiert wurden.

> Die deutlichste Bestätigung für dieses 'lebendige Traditionskontinuum' bie-
> ten die Qumranfunde in dem Nebeneinander von Abschriften der alttestament-
> lichen Texte, eigenen theologischen Neubildungen und von Pescharim, in denen
> die 'alten' Texte im Sinne der 'neuen' gedeutet wurden. Ebenso zeigt aber z.
> B. auch der Anhang zu 4Makk, daß die die Märtyrertradition pflegenden Kreise
> auf die 'alten' Geschichten zurückgriffen und sie im Sinne ihres Leidensver-
> ständnisses deuteten und 'wiedererzählten'[1].

In der synchronen Skizze kommt also dasselbe Material, das wir in
der diachronen Untersuchung im Nacheinander seiner Entwicklung
skizzierten, auf einer Ebene nebeneinander zu stehen. Dabei bilden
die in den jüngeren, um die Zeitenwende herum entstandenen Texten
enthaltenen Inhalte gleichsam Kristallisationskerne, um die herum
sich die älteren Texte gruppieren, auf die hin sie gelesen und
verstanden wurden.

Diese inhaltlichen Kristallisationskerne, denen sich das ganze
Feld der Aussagen zuordnen läßt, die uns in den verschiedenen Texten in verschiedener Ausprägung begegnen und die von daher als konstitutiv für die theologische Bewältigung des Leidensthemas im 1.
Jh.n.Ch. sein dürften, sind folgende:

a) Gerade aufgrund der Problemstellung, vor die das *Leidens*phänomen jede Theologie stellt, hat das *apokalyptische Gottes- und Weltbild*
seit dem 2.Jh. erheblich an Gewicht gewonnen - zur Zeit unseres
Querschnitts steht seine Entwicklung zwischen der im äthHen greifbaren spekulierenden Ausmalung des Endgerichts und des Jenseits-
bereichs als Ort der auferstandenen Gerechten und der dann in den
späteren Apokalypsen vollends ausgeprägten Zwei-Äonen-Konzeption.
Der ihm zugrundeliegende Haupttopos: das über die Todesgrenze hinausgehende Heilshandeln Jahwes am Gerechten, sei es als 'Unsterb-

---

1 Cf. 4Makk 18,1O im Verhältnis zu 18,11-19.

lichkeit der Seele', sei es als Auferstehung der Gerechten von den
Toten (bzw. aller Toten zum Gericht mit doppeltem Ausgang), ist
dabei im Blick auf das Gesamtfeld der Texte der wirksamste Gedanke.
Er findet auch Eingang in von Haus aus nicht apokalyptische Text-
bereiche, die in der weisheitlichen Tradition stehend das Leiden
der Gerechten vor allem als ein Erziehungshandeln Jahwes am Gerechten verstanden wissen wollen.

   b) Solches *Erziehungsleiden* begegnet gerade in den jüngeren Texten vom leidenden Gerechten in großer Breite und vielfältiger Ausprägung, so daß in der synchronen Skizze mehrere derartige 'pädagogische' Konzeptionen nebeneinander stehen, die sich in Nuancen,
zum Teil aber auch recht grundlegend unterscheiden:

   Dem konservativen Verständnis einer Erziehung zum rechten Leben,
dem ein entsprechendes Ergehen entspricht (wie wir es im Sir fanden
und das wir uns auch zur Zeit des Paulus noch durchaus wirksam denken müssen[2]) stehen eine ganze Reihe von Ansätzen zur Seite, die
das eigentliche Zeil des göttlichen Erziehungshandelns durchweg in
eine endzeitliche Perspektive rücken: dabei kann die Züchtigung
durch Gott ohne direkten Bezug zur Sünde des Leidenden gedacht sein
als eine Prüfung der Gottesbeziehung[3], die endzeitlich von Gott
'honoriert' wird, sie kann aber auch in fast ausschließlichem Bezug
zur Sünde gesehen werden, dabei eine reinigende, sündentilgende
Funktion erhalten[4] und so zur Voraussetzung dafür werden, daß der
durch Leiden gereinigte Gerechte im Endgericht bestehen kann. Nochmals ganz verschieden davon ist der Befund in Qumran, wo das Leiden in einer als Endzeit gedachten Gegenwart als Läuterung des
Einzelnen und des wahren Israel im Kampf mit Belial und seinen
Mächten verstanden wird.

   c) Dieser Vorstellung des leidenden Mitkämpfers Jahwes, dessen
Kampf vor allem in seinem eigenen gesetzestreuen Wandel besteht,
steht in der *Märtyrertradition* das Bild des leidenden Gerechten zur
Seite, der um dieser Gesetzestreue willen leiden und sein Leben
lassen muß[5]. Auch diese Tradition ist auf der Zeitebene unseres
synchronen Querschnitts in einer Entwicklung begriffen, die vom

---

2 Dies belegen z.B. die Handschriftenfunde des hebräischen Sir in Qumran und
  Masada sowie die Berühungen der Positionen des Sir mit denen des (späteren)
  Sadduzäismus (zu beidem cf. L.ROST, Einleitung, 48f.).
3 Cf. Weish 3; TestJos 2ff.
4 Cf. PsSal 10 und 13.
5 Interessant im Blick auf das Verhältnis der Märtyrertradition und der in
  Qumran vertretenen Positionen ist der Bericht des Josephus (Bell 2,152f.),
  der den essenischen Märtyrern im Römischen Krieg unter Rückgriff auf die
  Stilisierung der Makk dieselbe tapfere Haltung bescheinigt wie den Makka-
  bäer-Märtyrern.

2Makk zum 4Makk führt, in der das Bild des heroischen Märtyrers
vollends ausgeprägt wird, dessen Züge weitgehend hellenistischen
Idealen entsprechen.

d) An mehreren Stellen unserer synchronen Skizze lassen sich
schließlich Punkte markieren, an denen der Gedanke einer *stellvertretenden Wirksamkeit des Leidens* sich andeutet oder sogar explizit auf-
taucht[6].

e) Auch die *Messiaserwartung* wird in dieser Zeit im Kontext des
Leidensthemas artikuliert: hier stehen sich der züchtigende Messias
von PsSal 18 und - vielleicht - der leidende Messias von Qumran
(4QAhA) gegenüber.

Die als Resultat der diachronen Skizze begriffene synchrone
Skizze zeigt uns, daß die Tradition vom leidenden Gerechten zur
Zeit der Entstehung des Neuen Testaments geradezu Allgemeingut des
Judentums war, daß sie aber von den verschiedenen Gruppierungen
mit ihrer je anders akzentuierten Frömmigkeit und ihren unterschiedlichen Heils- und Endzeiterwartungen in verschiedenen sozialen und
ökonomischen Kontexten verschieden realisiert wurde. So liegt es
auch nahe, daß jeder neue theologische Versuch, im Kontext des antiken Judentums Leiden zu artikulieren und zu bewältigen, zunächst
auf dieses Spektrum von Leidensdeutungen gewiesen war und in der
Rezeption einer oder mehrerer bestimmter Positionen aus der Breite
dieses Spektrums Ausdrucksmittel und Denkmuster dafür finden konnte.

---

6 Cf. TestBenj 3; 2Makk 7; 4Makk 6 und 17.

Teil B

ASPEKTE DER REZEPTION DER TRADITION VOM LEIDENDEN GERECHTEN

IN DER VORPAULINISCHEN ÜBERLIEFERUNG DES NEUEN TESTAMENTS

Bevor wir uns - im zweiten Hauptteil der Untersuchung - den Paulusbriefen zuwenden, ist zunächst noch ein Blick auf die vorpaulinischen Überlieferungs- ‚elemente des Neuen Testaments zu werfen. Denn es ist für die Einschätzung und das Verständnis der paulinischen Rezeption ja nicht unerheblich, ob er als erster die Tradition vom leidenden Gerechten in den christlichen Denk- kontext übertrug oder ob schon die ältesten nachösterlichen Gemeinden (an deren Überlieferung er ja bewußt anknüpfte) 'Leiden' im Kontext dieser Tra- dition bedachten, und schließlich: wie sich die Verkündigung des voröster- lichen Jesus, sein Leidens- und sein Jüngerverständnis, zu der bisher erar- beiten Traditionsfolie verhalten.

Natürlich können wir diesen Fragen hier nicht umfassend nachgehen, so loh- nend eine ausführliche Untersuchung sowohl für die Interpretation vieler Einzeltexte als auch für das Gesamtbild der vor- und frühnachösterlichen Überlieferung wäre. In unserem Zusammenhang kann und muß es genügen zu prü- fen, ob und von welcher Überlieferungsstufe an eine Rezeption der Tradition vom leidenden Gerechten vor Paulus nachzuweisen ist. Ihr ist dann gegebenen- falls so weit nachzugehen, daß von den paulinischen Textuntersuchungen aus auf konkrete Sachverhalte zurückverwiesen werden kann.

Dieser Arbeitsgang gehört noch zum *ersten* Hauptteil der Untersuchung, weil es nach wie vor um die *traditionsgeschichtlichen Voraussetzungen* der Paulus- briefe geht. Er bildet darin einen *eigenständigen* Teil, um nicht vorschnell den Anschein zu erwecken, als führe nur ein einziger Weg von der alttesta- mentlich-jüdischen Tradition zu Paulus, nämlich der über diese 'urchristli- che Brücke'. In welchem Maße die paulinische Rezeption urchristlich vermit- telt ist und in welchem Maße er direkt auf die Tradition zurückgriff, wird erst an den Paulustexten selbst zu klären sein.

9.Kapitel

DIE TRADITION VOM LEIDENDEN GERECHTEN

IN DER JESUSÜBERLIEFERUNG

Die 'Rückfrage nach Jesus' gehört gegenwärtig (wieder einmal) zu den kon- troversesten Themen der Exegese. Angefangen von den methodischen Grundsatz- entscheidungen bis hin zu zahllosen Einzelproblemen stehen sich ganz unter- schiedliche Auffassungen gegenüber; im Blick auf die Frage, wie Jesus sein Leiden und seinen Tod verstanden hat, sind die Unsicherheiten[1] (und der Streit) besonders groß. Unsere Frage gar: wie es Jesus mit der *Tradition* vom leidenden Gerechten gehalten[2], stellt uns schon aus methodischen Gründen[3] vor große Schwierigkeiten.

---

1 Cf. M.HENGEL, Sühnetod, 20: "Wirkliche historische *Sicherheit* ist in diesem
  dunklen Bereich des urchristlichen Gründungsgeschehens kaum zu erhalten".
2 Cf. L.RUPPERT III, 60-71.
3 Das beweiskräftigste Kriterium der Echtheitsprüfung, die "Unableitbarkeit",
  ist auf die Frage nach dem Traditionsgebrauch per definitionem nicht anwend-

Über Wahrscheinlichkeitsurteile ist also gegenwärtig nicht hinauszukommen, doch scheint mir ein differenziertes Bild auf der Basis begründeter Wahrscheinlichkeit allemal besser, als der Frage auszuweichen. Vor allem aber ist m.E. innerhalb der synoptischen Überlieferung durchaus eine hinreichend breite Basis von Texten vorhanden, deren Authentizität unbestritten ist oder aufgrund differenzierter überlieferungsgeschichtlicher Untersuchungen als wahrscheinlich gelten kann, um stichprobenweise[4] zu prüfen, ob schon diese älteste Überlieferungsschicht Beziehungen zur Tradition vom leidenden Gerechten erkennen läßt.

9.1. Die Gottesreichsverkündigung Jesu

Fragen wir zunächst nach Jesu Verkündigung der βασιλεία τοῦ θεοῦ in Wort und Handeln, so zeigen uns schon so grundlegende Aussagen wie die drei *Seligpreisungen* der Feldrede, daß Jesus seine Hinwendung zu den Niedrigen, Elenden und Außenseitern im Kontext der Tradition vom leidenden Gerechten denkt und artikuliert. Denn wenn er nach Lk 6,20f. die βασιλεία τοῦ θεοῦ den Armen (πτωχοί) zuspricht und den Hungernden und Weinenden, daß sie satt werden und lachen, so überträgt er - wie ein Blick auf den oben zitierten[5] Text TestJud 25,4 zeigt - offensichtlich Verheißungen, die in der apokalyptischen Linie der Tradition vom leidenden Gerechten den Gerechten gelten, auf die Adressaten seiner Verkündigung. Dieser Vorgang ist in zweierlei Hinsicht bemerkenswert:

Zum einen wird zwischen den Gerechten der Tradition und den Adressaten der Jesusverkündigung ein zunächst keineswegs plausibel erscheinender Zusammenhang hergestellt, besteht doch nach der übereinstimmenden Auskunft der Evangelien der Kreis um Jesus keineswegs aus 'Gerechten' im Sinne der Tradition und schon gar nicht im Sinne des zeitgenössischen pharisäischen Verständnisses. Nun zeigen aber Texte wie Mk 2,15-17, in denen Jesus seine Gemeinschaft mit den (explizit als ἁμαρτωλοί bezeichneten) religiösen und gesellschaftlichen Außenseitern vorgeworfen wird, daß Jesus gerade diese in die Gottesgemeinschaft ruft und sie (die diesem Ruf folgen) aus ihrer sie von Gott trennenden ἁμαρτωλός-Existenz befreit - positiv formuliert: sie in den Stand von 'Gerechten' versetzt, indem er ihnen den Zugang zu Gott eröffnet. Auf der Basis dieser

---

bar, allenfalls so, daß wir nach der Unableitbarkeit der Art und Weise fragen, *wie* Jesus die Tradition aufgreift. (Zum Unableitbarkeitskriterium cf. R.BULTMANN, Synoptische Tradition, 291; E.KÄSEMANN, Problem, 205; N.PERRIN, Was lehrte Jesus wirklich, bes. 32ff.).

4 Nur darum geht es: im folgenden soll nicht Jesu Stellung zur Tradition vom leidenden Gerechten dargestellt, sondern nur geprüft werden, ob (und nur übersichtsweise: in welchen Bereichen seiner Verkündigung und wie) er sie aufgegriffen hat.

5 S. oben S.122.

'Rechtfertigung' wird verständlich, daß die von Jesus gerufenen
Armen und Elenden in die Rolle der Gerechten der Tradition eintreten können. Ein zweites kommt hinzu: was in TestJud 25 ausdrücklich für die Auferstehung und die Zeit danach verheißen wird, ist
in Lk 6,20f. eine - in der Weise von Jes 61,1-3[6] - schon in die
Gegenwart hineinreichende, direkt mit dem Verkündigungsakt wirksam
werdende Zusage, gerade weil sie denen gilt, denen nach dem herrschenden Verständnis eine solche Zusage gar nicht gelten kann: die
ihnen verheißene 'Umkehrung der Verhältnisse' ist also darin schon
wirksam und erfahrbar, daß nicht den Gerechten, sondern den mit
leeren Händen vor Gott stehenden gerechtfertigten Außenseitern die
βασιλεία zugesagt wird.

Derselbe Vorgang läßt sich auch an Jesu Zuwendung zu den Leidenden in *Heilung und Sündenvergebung*[7] illustrieren, in denen die durch
Jesu Person schon in die Gegenwart hineinwirkende βασιλεία dadurch
erfahrbar wird, daß die צדקה-Erweise Gottes nicht nur endzeitlich
verheißen, sondern den Leidenden durch Jesus als den von Gott Be-
vollmächtigten unmittelbar zuteil werden. Auch hier gilt die Zuwendung aber nicht 'Gerechten', vielmehr ist sie ihrer Intention
nach vor allem ein Gemeinschaft mit Gott stiftender Akt, der sich
betontermaßen gerade an solche Menschen richtet, die nach der herrschenden Frömmigkeitsauffassung als unrein aus der Sakral- und So-
zialgemeinschaft zu entfernen sind[8].

Eine bemerkenswerte Verarbeitung von Elementen der Tradition
vom leidenden Gerechten durch Jesus findet sich auch in der *Rede
vom Weltgericht* (Mt 25,31-46)[9]. Neben den deutlichen Bezügen zu den
Endgerichtsszenen des äthHen[10] besteht vor allem eine doppelte Verbindung zum TestJos: einerseits zu dem oben zitierten antitheti-

---

6 Cf. auch Ps 126,4-6 im Vergleich mit Lk 6,20f.
7 Auf die von P.FIEDLER, Jesus und die Sünder, wieder aufgeworfenen Fragen
  nach Jesu Sündenvergebung (bes. 103ff.271) und die Rolle der Sünder innerhalb des Adressatenkreises Jesu ist hier nur hinzuweisen. Seine Rekonstruktion des Anspruchs und Wirkens Jesu bildet einen nützlichen Kontrast zu man-
  chem undifferenzierten Klischee, bleibt aber m.E. im einzelnen wie im ganzen
  sehr fragwürdig. Aber auch, wenn Jesu Zuwendung zu den Sündern tatsächlich
  nur im *Angebot* des Heils und einem bloßen "Offensein" für sie (276) bestanden
  haben sollte, käme auch schon in diesem Verhalten eine 'Umkehrung der Verhältnisse' zum Ausdruck.
8 Cf. die das essenische und pharisäische Ideal illustrierenden Texte mit den
  'einschlägigen' Listen: 1QSa 2,4-9; 11QTemple 45,11-18; 48,10-17 und Mischna
  Ḥagiga 1,1 im Vergleich v.a. mit Mt 11,5.
9 Wie J.FRIEDRICH, Gott im Bruder, 271-292, gezeigt hat, geht die Rede "im Wesentlichen auf Jesus selbst zurück" (ebd. 298).
10 Cf. ebd. v.a. 128ff.150-164.

schen Leidenskatalog TestJos 1,3ff.[11], andererseits zu Josephs
Ausspruch in TestJos 17,7.:

> ... *jedes ihrer (=der* Brüder) *Leiden (war) mein Leiden;*
> *(...) ich war unter ihnen wie einer der Geringsten.*[12]

Lesen wir Mt 25,31-46 auf der Folie der Tradition vom leidenden
Gerechten, so wird uns deutlich, daß die Pointe des Textes (die
bis heute ihren Eindruck auf den Hörer nicht verfehlt) vor allem
in den ganz unerwarteten Rollen der beteiligten Subjekte besteht:
die barmherzige Hilfe, die im TestJos *Gott* dem leidenden Gerechten
erweist, gewährt hier der Mensch seinem geringsten Bruder (und
wird dadurch - unbeabsichtigt - zum "Gerechten"); der Menschen-
sohn-Weltenrichter identifiziert sich mit dem leidenden Gerechten
(vgl. TestJos 17,7f. mit Mt 25,40) und erweist sich als der 'wirkliche' Empfänger der barmherzigen Liebe der Menschen. Wir sehen:
Jesus spitzt in diesem Text die auch sonst für seine Lehre typische enge Verknüpfung von Gottes- und Nächstenliebe nochmals zu[13].
Er tut dies, indem er auf Elemente der Tradition vom leidenden Gerechten zurückgreift und diese - in erstaunlicher Souveränität -
neu zueinander in Beziehung setzt.

Nur hinweisartig ist hier auf die in der neueren Forschung stark beachtete[14]
weisheitliche Prägung der Verkündigung Jesu einzugehen. Deren Kontinuität zu
den im Alten Testament verwurzelten und seitdem breit entfalteten jüdischen
Weisheitstraditionen[15], aber auch "den endzeitlich motivierten Bruch mit der
traditionellen, fest institutionalisierten Weisheit des zeitgenössischen Judentums"[16] haben Gese, Hengel und Küchler mit erstaunlich ähnlichen Ergebnissen untersucht[17].
 Wichtig in unserem Zusammenhang ist vor allem Mt 11,25f. (Lk 10,21): hier
hat Jesu rechtfertigender Zuspruch der Gottesherrschaft an die Armen und
Leidenden in der (exklusiven!) Offenbarung der Weisheit an die Unmündigen
(νήπιοι = פתים)[18] eine Parallele[19], die durch die Bezeichnung der Jesu Botschaft (und die Johannestaufe) annehmenden Menschen und damit der wahren Weisheit

---

11 Siehe oben auf S.120. Die Übereinstimmung reicht bis in die Reihenfolge der Glieder hinein. Auch nach J.FRIEDRICH, aaO. 166-172 liegt eine "geprägte Vorstellung" (170) zugrunde, die er breit belegt. V.a. Soṭa 14a (ebd. 170f.) ist aufschlußreich: hier wird vom Menschen ein Handeln in direkter Analogie zum Handeln Gottes gefordert.
12 Siehe oben S.119; nach J.BECKER, Untersuchungen, 242, liegt keine christliche Interpolation vor.
13 Beides wird identisch, cf. J.FRIEDRICH, aaO. 299: "Gott in Jesus zu lieben
heißt den notleidenden Menschen zu lieben".
14 Cf. die bei M.KÜCHLER, Weisheitstraditionen, 600-672 verzeichnete Literatur,
v.a. F.CHRIST, Jesus Sophia (1970) und D.ZELLER, Die weisheitlichen Mahn-
sprüche bei den Synoptikern (1977).
15 Cf. z.B. das Quellenverzeichnis bei M.KÜCHLER, aaO. 593ff.
16 M.HENGEL, Jesus als messianischer Lehrer, 152 (Druckfehlerkorrektur: "endzeitlich" statt "endzeitlichen"); cf. M.KÜCHLER, aaO. 576.
17 H.GESE, Die Weisheit, der Menschensohn und die Ursprünge der Christologie,
cf. bes. 98ff.; M.HENGEL, Jesus als messianischer Lehrer; M.KÜCHLER, Frühjüdische Weisheitstraditionen, cf. bes. 553-592. Die drei Arbeiten erschienen
fast gleichzeitig 1979.
18 Vgl. Ps 116,6 und von da aus Ps 19,8; 119,130 und 11QPs 154, Kol 18,3-6.
19 Zur Echtheit des Logions cf. M.HENGEL, aaO. 153; H.GESE, aaO. 98.

"Recht gebenden" Zöllner und Sünder als "Kinder der Weisheit"[20] bestätigt
wird. Wie Jesus die elenden ἁμαρτωλοί rechtfertigt und an die Stelle der
'Gerechten' stellt, so hier die Unmündigen an die Stelle der 'Weisen'. Die
Parallelität beider Vorgänge überrascht angesichts des schon alttestamentlich gegebenen festen Zusammenhangs von 'Gerechten' und 'Weisen' kaum; angesichts der Selbstbezeichnung der pharisäischen Schriftgelehrten als חכמים[21]
stellt Mt 11,25f. dieselbe Provokation dar wie die Gerechtmachung der Sünder
angesichts des Strebens der Pharisäer, צדיק zu sein. Voraussetzung ist jedesmal die von Jesus schon jetzt vollzogene 'Umkehrung der Verhältnisse',
die für die apokalyptische Linie der Tradition vom leidenden Gerechten konstitutiv ist: "In einem apokalyptischen Dualismus tritt der vermeintlichen
Weisheit dieser Welt die wahre Weisheit gegenüber, die die Einfältigen, die
Armen und die Sünder, die Verachteten und die Elenden ergreift"[22].

9.2. Jesu Existenzstellvertretung für die Vielen

Auf die Frage, wie Jesus sein eigenes Geschick verstanden und
erklärt habe, läßt sich beim derzeitigen Stand der Forschung am
ehesten von Mk 10,45 her eine Antwort geben:
    ... *der Menschensohn ist nicht gekommen, bedient zu werden, sondern zu dienen*
    und sein Leben zu geben als Lösegeld für die Vielen.
    ... ὁ υἱὸς τοῦ ἀνθρώπου οὐκ ἦλθεν διακονηθῆναι ἀλλὰ διακονῆσαι καὶ δοῦναι τὴν
    ψυχὴν αὐτοῦ λύτρον ἀντὶ πολλῶν.

Unter Abwägung der von ihm aufgearbeiteten umfangreichen und von jeher kontroversen Forschung hält Pesch[23] Mk 10,45 für eine "sekundäre Bildung" aus
dem "hellenistischen Judenchristentum"[24]. Demgegenüber hat Stuhlmacher in
einer differenzierten Untersuchung[25] gezeigt, daß die Echtheit des Logions
nicht nur möglich, sondern vom Stand unserer Kenntnis her sogar historisch
wahrscheinlich ist. Das Kernargument neben der schon von Jeremias[26] aufge-
zeigten Rückübersetzungsmöglichkeit ins Hebräische und Aramäische ist dabei
die von Grimm[27] beobachtete enge Anlehnung an Jes 43,3ff., die Mk 10,45 viel
stärker prägt als die (von der Forschung längst erkannte und meist betonte)
Berührung mit Jes 53,11f. Jes 43,3ff., d.h. die (oben schon angesprochene[28])
Rede davon, daß Jahwe Menschen (אדם) und Völker aus freier Liebe hingibt
(מֵאֲשֶׁר יָקַרְתָּ... אֲנִי אֲהַבְתִּיךָ) als Lösegeld (כפר) für Israel (תַּחְתֶּיךָ) bzw. (תַּחַת נַפְשֶׁהּ),
"spielt aber im urchristlichen Schriftbeweis keine tragende Rolle"[29], so daß
eine Herleitung aus schriftgelehrter urchristlicher Produktion unwahrscheinlich wird.

Wie Stuhlmacher gezeigt hat, verbindet Mk 10,45 drei jeweils vom
AT zu erhellende Gedanken miteinander: die Menschensohngestalt
(Dan 7, äthHen), den Gedanken der Existenzstellvertretung (Jes 43)
und den Gedanken der Wirksamkeit solcher Stellvertretung "für die

---

20 Cf. Lk 7,31-35/Mt 11,16-19 im Zusammenhang mit Lk 7,29 und Mt 21,31f. - Zur
   Deutung im einzelnen cf. M.HENGEL, aaO. 153-155.
21 M.HENGEL, aaO. 153.
22 H.GESE, aaO. 99.
23 Cf. R.PESCH, HThK Mk, II, 162-167.
24 Ebd. 164.
25 P.STUHLMACHER, Existenzstellvertretung für die Vielen, bes. 420-423.
26 J.JEREMIAS, Theologie, 277f. - JEREMIAS hält λύτρον für eine freie Wiedergabe
   des אשם von Jes 53,10. Cf. dazu aber P.STUHLMACHER, aaO. 417f.
27 W.GRIMM, Weil ich dich liebe, bes. 231-277.
28 Siehe oben S.54 Anm.52.
29 P.STUHLMACHER, aaO. 422.

Vielen" (Jes 53). Dabei findet die der Menschensohn-Konzeption der
Daniel-(und Henoch-)Apokalypse fremde Vorstellung einer stellvertretenden Lebenshingabe Anhalt in Jes 43, wo von der Hingabe des
"Menschen"[30] die Rede ist; die Nähe von Jes 43 und 53 zueinander
ist oben[31] schon gezeigt worden.

Jesus verbindet dies alles zu dem Gedanken einer stellvertretenden Hingabe des Menschensohns für die Vielen, durch die die
Menschensohnvorstellung der Apokalypsen bewußt verändert wird, wie
der Text ausdrücklich festhält: "nicht, um bedient zu werden[32],
sondern um zu dienen".

Aus der Perspektive des von uns abgeschrittenen Traditionsweges
läßt sich der 'Denkweg' dieser Aussage gut nachvollziehen. Die Verwurzelung im Textfeld der Tradition vom leidenden Gerechten ist in
der Aufnahme des "für die Vielen" von Jes 53,11f. am deutlichsten
gegeben, die Stellvertretung des Gottesknechts wird von Jes 43 her
als Lösegeld, das Gott aus freier Liebe gibt, verstanden. Die Bezeichnung des von Jahwe Hingegebenen in Jes 43 als אדם und die dem
Gottesknecht von Jes 53 zugesagte (im Judentum der Jesuszeit fast
notwendigerweise endzeitlich verstandene) "rechtfertigende Rechtfertigung"[33] und Erhöhung weisen, wenn man sie miteinander verbindet, auf den zum endzeitlichen Richter und König eingesetzten
בן־אדם, woraus sich in der Identifikation mit dem stellvertretend
hingegebenen אדם-Gottesknecht der Gedanke des leidenden Menschensohnes ergibt. Von daher hat unser Traditionsfeld wesentlichen Anteil an der jesuanischen Menschensohn-Konzeption, ohne daß dieser
leidende Menschensohn 'nur' ein leidender Gerechter wäre. Denn der
erhöhte Menschensohn der Apokalypsen ist ja in ihr mitgedacht und
trägt so die messianische[34] Komponente in die Tradition vom leidenden Gerechten ein.

Daß dieser 'Denkweg' keine wirklichkeitsfremde Konstruktion ist, sondern
durchaus im Bereich der historischen Möglichkeiten nicht erst der hellenistischen Gemeinde, sondern schon des vorösterlichen Jesus selbst liegt, kann
man angesichts der großen Breite und Wirksamkeit der Tradition vom leidenden
Gerechten im gesamten Bereich des antiken Judentums kaum bestreiten. Hengels
speziell an der Vorstellung des stellvertretenden Sühnetodes orientierte (der
unseren zum Teil parallellaufende) Untersuchung[35] ergibt zudem, daß auch die
in Mk 10,45 vorliegende Akzentuierung, die den Stellvertretungs- und Sühne-

---

30 Ursprünglich generisch verstandenes אדם (1QJes[a]: האדם!); cf. im einzelnen
   P.STUHLMACHER, aaO. 422 mit Anm.39.40 und W.GRIMM, aaO. 254.
31 Siehe oben S.54f. mit Anm.52.
32 Zum Dienst der Engel und Völker am Menschensohn cf. P.STUHLMACHER, aaO.
   419f. (dort Belege und weitere Literatur).
33 Jes 53,11; s.dazu oben S.51-54 und unten S.180.
34 Zum messianischen Charakter der Menschensohnfigur (= Richter + König) cf.
   H.GESE, Messias, v.a. 142-145; cf. äthHen 48,10; 52,4.
35 M.HENGEL, Sühnetod; cf. die erweiterte Neufassung: DERS., Atonement.

gedanken so stark betont, nicht als eine erst nachösterlich mögliche Denkfigur angesehen werden darf. Darüber hinaus ist mit ihm darauf hinzuweisen,
daß es eine "festgeprägte 'Messiasdogmatik'" vor dem 1.Jh.n.Chr. noch gar
nicht gibt, sondern "eher ein(e) Pluralität messianischer Motive"[36] (von denen möglicherweise 4QAhA in eine ähnliche Richtung wie Mk 10,45 weist[37]).
Aus alledem folgt, daß die in Mk 10,45 zu beobachtende Interpretation des
messianischen Menschensohns mithilfe der Tradition vom leidenden Gerechten
durchaus als Jesu "persönliches Werk"[38] in Betracht kommt. Das Verhältnis
von schöpferischer Innovation[39] und Traditionsanknüpfung ist bei dieser ein-
schneidenden Neukonzeption der Menschensohnfigur auf der Basis der Tradition
im übrigen sehr gut vergleichbar mit anderen derartigen 'Neukonzeptionen'
auf der überkommenen Traditionsbasis, die gemeinhin auf Jesus selbst zurück-
geführt werden, z.B. im Blick auf die Tora und die βασιλεία τοῦ θεοῦ. In der
Sache konvergiert Mk 10,45 voll mit der Gottesreichsverkündigung Jesu in
Wort und Tat, indem sie die dort in der Begegnung mit Jesus zugesprochene
und erfahrene Teilhabe an der βασιλεία auch theologisch-objektiv realisiert:
durch die Hingabe des Menschensohns schafft Gott selbst die Voraussetzung
dafür, daß die dem Ruf Folgenden im Gericht des Menschensohns bestehen
können und der βασιλεία τοῦ θεοῦ teilhaftig werden.

Neben Mk 10,45 trägt auch der Maschal Mk 9,31a

Der Menschensohn wird ausgeliefert werden in die Hände der Menschen

die Züge authentischen Jesusgutes[40]; liest man ihn von Mk 10,45
her, so ist die Pointe des Rätselspruchs gut zu erkennen.

Außerdem finden wir als eine selbständige[41] Parallele zu Mk
10,45 im Bericht von Jesu Abschiedsmahl (Mk 14,22-25) wieder die
Rede von der Hingabe für die Vielen (hier: ὑπὲρ πολλῶν) im Rückgriff auf Jes 53,12. Auch hier ist im Kern mit authentischer Überlieferung zu rechnen[42]. Jesus übt bewußt Existenzstellvertretung
für die Vielen, die er - analog Mk 10,45 - durch eine am Leiden
des Gerechten, genauer: des Gottesknechtes, orientierte Deutung
seines Todes zur Sprache bringt. Obwohl Mk 14,22-25 im Blick auf
unsere Fragestellung nicht über das schon an 10,45 Gezeigte hinausgeht, sei der Text hier ausdrücklich angesprochen, weil es sich
um das Kernstück der vormarkinischen Passionsgeschichte handelt,
auf die noch zurückzukommen sein wird.

Auch hier ist abschließend wieder auf die weisheitliche Linie der Verkündigung Jesu hinzuweisen. Denn ebenso wie die Zusage der Gottesherrschaft an

36 Cf. M.HENGEL, Atonement, 58 (hier zitiert nach dem mir von Prof.Hengel
   freundlicherweise überlassenen deutschen Manuskript).
37 Siehe oben S.152f.
38 P.STUHLMACHER, Existenzstellvertretung, 425.
39 M.HENGEL, Sühnetod, 137.
40 Cf. J.JEREMIAS, Theologie, 268: Das Logion sieht "in seiner Unbestimmtheit
   nicht nach einer *ex-eventu*-Formulierung" aus und weist trotz seiner Kürze
   drei der für Jesus typischen Stilformen auf. Mit JEREMIAS halte ich Mk 9,31a
   für den "alte(n) Kern", der hinter den Leidensweissagungen Mk 8,31; 9,31;
   10,33f. steht, die in ihrer vorliegenden Gestalt nachösterliche Spätformen
   sind.
41 Anders M.HENGEL, Sühnetod, 146, der vermutet, Mk 10,45 gehöre wie Mk 14,22-25
   historisch in den Zusammenhang des Abschiedsmahls Jesu.
42 Cf. R.PESCH, HThK Mk, II, 362; DERS., Abendmahl und Jesu Todesverständnis,
   83-89.

die Armen[43] hat auch seine Reaktion auf die Ablehnung seiner Verkündigung
durch die herrschenden Kreise Israels ein solches 'weisheitliches Pendant':
in den (ebenfalls Q zuzurechnenden) Logien Lk 11,49-51/Mt 23,34f. ("Weis-
heitswort"[44]) und Lk 13,34f./Mt 23,37-39 ("Jerusalem-Wort"[45]) stellt Jesus
die Abweisung seiner Verkündigung in den Kontext der als Boten der Weisheit
Gottes[46] verstandenen Propheten: in der Verfolgung und Tötung der Propheten
und Weisheitsboten, die im Rückblick auf die deuteronomistische Tradition
vom gewaltsamen Prophetengeschick angesprochen wird[47], offenbart sich dieselbe Halsstarrigkeit, mit der auch das Heilsangebot, das in Jesu Verkündigung ergeht, zurückgewiesen wird. Es spricht für das Alter der Überlieferung[48], daß in keinem der Logien in der Rede von der Prophetentötung Jesu Geschick als *Todes*geschick explizit angesprochen wird[49]. Von daher wird man
diese vor allem auf die Auseinandersetzung um die Gottesreichsverkündigung
bezogenen Logien als jesuanische Basis ansehen können, auf der die späteren
Deutungen des Todes Jesu als gewaltsamem Prophetengeschick[50] aufruhen.

9.3. Leiden in der Nachfolge Jesu

Im Blick auf die Frage, ob und wie Jesus auch schon das Leiden seiner Jünger
- als Erfahrung oder als absehbare Möglichkeit - im Gespräch mit ihnen thematisiert hat, ergibt sich ein merkwürdiger Befund. Einerseits ist es historisch völlig unwahrscheinlich, daß er, der er selbst spätestens seit der
Hinrichtung des Täufers mit seiner unter Umständen tödlichen Verfolgung rechnen mußte und - wie wir sahen - schließlich wohl auch seinen Weg nach Jeru-
salm bewußt als Weg in den Tod gegangen ist, entsprechende Gespräche mit seinen Jüngern, für die doch ein ähnliches Geschick nicht auszuschließen war,
nicht geführt haben sollte; andererseits ist aber eine methodisch sichere
Rekonstruktion authentischer Einzelüberlieferung in diesem Bereich besonders
schwierig, weil der Verdacht, daß spätere Erfahrungen der Gemeinde zur nachträglichen (Um-)Formulierung solcher Aussagen bzw. zur erst nachträglichen
Verbindung echter Jesuslogien mit entsprechenden Zusammenhängen wegen der
hier vorliegenden Thematik so gut wie nie völlig ausgeräumt werden kann.

So muß es z.B. offen bleiben, ob Jesu Logien vom 'unbehausten Menschensohn' (Mt 8,20) wirklich als Antwort auf die Nachfolgeankün-
digung eines Jüngers geäußert wurde und die aus Mt 8,19f. insgesamt herauszulesende Kennzeichnung der Nachfolger als Heimatlose

---

43 Siehe oben S.170f.
44 Cf. F.CHRIST, Jesus Sophia, 120ff. M.HENGEL, Jesus als messianischer Lehrer,
   156f.
45 Cf. F.CHRIST, aaO. 126ff.; M.HENGEL, aaO. 157-159.
46 Zu diesem Verständnis, das die z.B. in PsSal 18,6f. greifbare Identifikation
   von Weisheit und Geist Gottes voraussetzt, cf. M.HENGEL, aaO. 166-177.
47 Siehe oben den Exkurs 1, S.81f.
48 Cf. M.HENGELs Erwägungen (aaO. 159): Jesus, vorösterlicher Jesuskreis oder
   die früheste Gemeinde.
49 Damit ist nicht ausgeschlossen, daß Jesus mit einem solchen Geschick gerechnet hat. Aber die Logien sind nicht als Todesprophetie formuliert, vielmehr steht die Schuld und Halsstarrigkeit Israels im Vordergrund. Erst Lukas
   verschiebt durch die Zusammenstellung des Jerusalem-Wortes mit Lk 13,33 (über
   dessen Authentizität hier nicht zu handeln ist) diesen Akzent.
50 Cf. v.a. die Hinzusetzung von Mk 12,10f. zu Mk 12,1-9: auch hier ist eine
   (möglicherweise) vorösterliche Aussage, die ganz an der Haltung Israels gegenüber der Verkündigung Jesu interessiert war (die Tötung des Sohnes ist
   bei Mk ganz im Zeichen des Hinauswerfens aus dem Weinberg gesehen (12,8), Mt
   21,39/Lk 20,15 drehen die Reihenfolge um!), nachösterlich auf das Geschick
   Jesu zielend verstanden. - Zur Deutung des Todes Jesu als Prophetengeschick
   cf. M.L.GUBLER, Deutungen, 10-33; zur Forschungsgeschichte ebd. 24-94.

und immer Gefährdete mit Jesu Logien wirklich impliziert war, obwohl das sich daraus ergebende Bild faktisch höchstwahrscheinlich
völlig zutrifft. Die von Theißen im Blick auf das urchristliche
Wandercharismatikertum angesprochene "Entsprechung von Jesus und
seinen Nachfolgern"[51] dürfte auch hinsichtlich der von ihm postulierten soziologischen "Strukturhomologie"[52], die in "Heimatlosig-
keit", "Familienlosigkeit", "Besitzlosigkeit" und "Schutzlosig-
keit"[53] besteht, auch auf den Jüngerkreis zutreffen. Wie rigoros
Jesus im Blick auf die Zumutungen, die er an die Nachfolgewilligen
stellte, verfuhr, zeigt Mt 8,21f.[54]; daß daraus Anfeindungen für
die Jünger erwuchsen, liegt auf der Hand.

Wenn derartige Erfahrungen in der synoptischen Tradition so gut
wie fehlen[55], so deshalb, weil diese im Blick auf die Zeit vor
Ostern sich auffallend konsequent auf die Nachzeichnung des Weges
Jesu konzentriert.

Als ein Text, der relativ sicher auf Jesus selbst zurückgeht,
kann aber Mt 10,38 gelten: *wer nicht sein Kreuz nimmt und mir nachfolgt,
ist meiner nicht wert.* Wie Stuhlmacher gezeigt hat[56], kann diese Variante des Wortes vom Kreuztragen vor allem deshalb als älteste - und
als echt - gelten, weil sie im Gegensatz zu den anderen noch nicht
auf Jesu Kreuzigung verweist. Will das Wort aussagen, daß Nachfolge bedeute, "sich an ein Leben zu wagen, das ebenso schwer ist wie
der letzte Gang eines zum Tode Verurteilten"[57], so verlangt Jesus
damit die Bereitschaft, seinen eigenen, auf den möglicherweise
tödlichen Konflikt zulaufenden Weg "wagemutig mitzugehen, also Jesu Konflikt mit durchzustehen, und zwar in äußerster Leidensbereitschaft bis hin zum Tode"[58]. Verbinden wir diese Forderung Jesu

---

51 G.THEISSEN, Soziologie der Jesusbewegung, 28.
52 Ebd.
53 Cf. ebd. 16-20. THEISSEN zeigt hier (20) unter Hinweis auf Epiktet, Diss III,
   22,46-48 Parallelen zu den kynischen Wanderphilosophen auf, die nachweislich
   unter Vespasian verfolgt wurden (Sueton, Vespasian, 10). - Zur Kritik an
   THEISSEN, v.a. auch in diesem Punkt, cf. W.STEGEMANN, Wanderradikalismus,
   bes. 111-115.
54 Cf. M.HENGEL, Nachfolge und Charisma, bes. 6-17, zum Leidensaspekt 87-89.
55 Die einzige Ausnahme bildet die matthäische Aussendungsrede (Mt 10), doch
   sind die ausdrücklichen und ausführlichen Aussagen über *Leiden*erfahrungen
   (10,17ff.) hier erst nachösterlich eingetragen (gewissermaßen als Konkretion
   des sicher alten Bildworts 10,16), während die älteren Aussagen über die Abweisung der Jünger (10,14f.) weniger an deren Geschick als an dem Schuldig-
   sein der Abweisenden interessiert sind.
56 P.STUHLMACHER, Achtzehn Thesen, 523; zum Verhältnis von Mk 8,34Par., Lk 14,27
   und Mt 10,38 cf. die dazu in fast allen Punkten konträre Sicht R.PESCHs
   (HThK Mk, II, 59-61).
57 J.JEREMIAS, Theologie, 232; zum Vorrang dieser Deutung vor denen M.HENGELs
   und E.DINKLERs cf. P.STUHLMACHER, Achtzehn Thesen, 523f.
58 P.STUHLMACHER, aaO. 524.

an seine Jünger, den in der Nachfolge und wegen der Nachfolge ihnen
widerfahrenden Anfeindungen nicht auszuweichen, mit seiner - gewiß
authentischen - Aufforderung zur Feindesliebe und zum Gewaltver-
zicht (cf. Mt 5,38ff.43ff.), so gewinnt das Bild der "wie Schafe unter Wölfe" gesandten Jünger (Lk 10,3 Par.) schon für den vorösterlichen Jüngerkreis historisch Kontur, und zwar eine Kontur, die sich
mit dem geläufigen Bild des leidenden Gerechten stark berührt: die
Bindung an Jesus (in die die Jahwebeziehung der Tradition hier
transponiert ist), führt geradezu zwangsläufig zu Anfeindungen und
Leiden, die aber aufgrund der mit dieser Bindung verbundenen Zusage (des Reiches Gottes) ausgehalten werden können. Von daher kann
man einen Text wie die aus Lk 6,22f. rekonstruierbare[59] Q-Fassung
der 'letzten' Seligpreisung, der auch von seiner Struktur und Terminologie her die Verbindung zur (apokalyptischen Ausprägung der)
Tradition vom leidenden Gerechten erkennen läßt, wenn wohl auch
nicht in jeder Einzelheit seiner Formulierung, so doch in der Sache in den Jesuskontext zurückführen:

> *Selig seid ihr, wenn euch die Menschen hassen und euch ausschließen und schel-*
> *ten und Schlechtes über euch reden um des Menschensohnes willen. Freut euch*
> *und jubelt! Denn euer Lohn ist groß im Himmel. Denn genauso haben ihre Väter*
> *die Propheten behandelt.*

Ist das Motiv von der Verfolgung der Propheten kein sekundärer Nachtrag, so
hat es hier (und sonst auf der - sicher frühen - Stufe der Traditionsbildung,
in der es nachgetragen wurde) eine interessante Brückenfunktion. Zum einen
zeigt es, daß die ursprünglich nur am 'Täter' interessierte deuteronomistische Traditon[60] durchaus auch in die Perspektive des Verfolgten 'gewendet'
werden konnte, um so das in der Tradition vom leidenden Gerechten ja schon
von Jeremia an mit aufgenommene Phänomen des Leidens des Propheten als des
Beauftragten Jahwes auszusagen. Zum anderen ergibt sich angesichts des Um-
stands, daß Jesus auch schon die Abweisung seiner eigenen Botschaft im Rückgriff auf die Prophetenverfolgungsaussage artikuliert hat, eine durchgehende
Reihe von leidenden Beauftragten, die die alttestamentlichen Propheten, Jesus
und seinen Jüngerkreis in eine Linie stellt.

Betrafen die bis jetzt angesprochenen Aussagen vor allem das Verhältnis der Jünger Jesu zu ihrer 'Umwelt', so findet sich auch
schon im ursprünglichen Jesuskontext eine Entsprechung dazu im
Blick auf ihr Verhältnis untereinander. Die mit der apokalyptischen
Ausprägung der Tradition vom leidenden Gerechten ebenso wie mit Jesu Gottesreichsverkündigung konvergierende Aussage von den "Ersten,
die Letzte sein werden", hat wohl schon er selbst[61] in der Weise
auf den Jüngerkreis angewandt, wie es Mk 9,35 zum Ausdruck bringt:
in der Forderung nach Machtverzicht und gegenseitigem Dienst. In
dieselbe Richtung weist in Mk 10,42-44 das im Widerspruch mit allen
weltlichen Machtstrukturen profilierte, umfassende Bild der Gemein-

---

59 Cf. A.POLAG, Fragmenta Q, 32.
60 Siehe oben den Exkurs 1, S.81f.
61 Cf. R.PESCH, HThK Mk, II, 105.164.

schaft der miteinander solidarischen, einander dienenden (freiwillig) Schwachen, das ebenfalls auf Jesus zurückgehen wird[62].

9.4. Zusammenfassung

Unsere Stichproben legen es nahe, in einigen (relativ sicher)
authentischen Logien Jesu eine Rezeption der Tradition vom leidenden Gerechten anzunehmen: sowohl in Jesu Reich-Gottes-Verkündigung,
als auch im Verständnis seines eigenen Leidens und Sterbens und in
seinem Jüngerbild sind Züge des 'leidenden Gerechten' zu erkennen.
Jesus verbindet diese Traditionsübernahme mit ausgesprochen sou-
veränen neuen Akzentsetzungen, wobei sich jedoch Rezeption und
Innovation plausibel aufeinander beziehen lassen. Der 'Denkweg' Jesu ist neu, doch er bleibt nachvollziehbar und im Rahmen des in der
vorösterlichen Situation historisch Möglichen.

Wir werden im folgenden sehen, daß diese die Tradition vom leidenden Gerechten aufnehmenden Logien gleichzeitig die Basis bilden,
auf der die älteste nachösterliche Traditionsbildung aufruht und
von der aus die Gemeinde unter produktiver Verarbeitung der Ostererfahrungen und ihres eigenen nachösterlichen Erfahrungs- und Le-
benskontexts eigene Aussagen zu artikulieren beginnt.

10.Kapitel
ZWISCHEN JESUS UND PAULUS

10.1. Die vormarkinische Passionsüberlieferung und das
Herrenmahl

Wie stark die synoptischen Passionsberichte[1] an Psalmen vom leidenden Gerechten anknüpfen ist von jeher gesehen und - in unterschiedlicher Weise - für die Deutung dieser Berichte fruchtbar gemacht worden[2]. Im Zuge der jüngeren Erforschung des Markusevange-
liums[3] hat sich ergeben, daß diese Orientierung an der Tradition

---

62 Dafür spricht vor allem die Texten wie Röm 13,1-7 widersprechende, kritische
   Haltung gegen die staatlichen Machthaber.
1 Zu den verschiedenen Versuchen, die Passion Jesu im Zusammenhang der Vorstellung vom leidenden Gerechten zu deuten, cf. M.L.GUBLER, Deutungen, 95-205.
2 Cf. zu den Konsequenzen für die Einzelexegese die Kommentare und zur grundsätzlichen Deutung des Schriftbezugs der Passion z.B. M.DIBELIUS, Formgeschichte, 185ff.; L.GOPPELT, Typos, 120-127; R.BULTMANN, Synoptische Tradition, 303-308; E.LINNEMANN, Studien zur Passionsgeschichte, 152-157.
3 Cf. den ausführlichen Exkurs 'Die vormarkinische Passionsgeschichte' bei
   R.PESCH, HThK Mk, II, 1-27, der neben Forschungsbericht (7-10) und Biblio-
   graphie (25-27) die Ergebnisse seiner eigenen Einzeluntersuchungen (cf.ebd.2)

vom leidenden Gerechten schon der ältesten vormarkinischen Passionsüberlieferung[4] eigen ist, für deren Entstehung in der aramäischsprechenden Jerusalemer Urgemeinde in den Jahren vor 37 n.Chr. Pesch bedenkenswerte Argumente anführt[5].

Auf die Einzelheiten der "atl. Substruktur"[6], die in der vormarkinischen Passionsüberlieferung aufgrund der Zitate und Anspielungen erhoben werden kann, ist hier nur ganz summarisch und anhand weniger Beispiele einzugehen. Die ausführliche Zusammenstellung offensichtlicher und möglicher Berührungen bei Pesch[7] zeigt, daß sich diese durchaus nicht auf Ps 22 und 69 beschränken, sondern darüber hinaus noch 19 weitere Psalmen (insgesamt über 100 Stellen), sodann Jes 50 und 52/53 (10 Stellen); Weish 2+5 (7 Stellen) und Sach 9-14 (5 Stellen) betreffen.

Abgesehen davon, daß diese Streuung über einen so weiten Teil des in der diachronen Skizze angesprochenen Textfeldes seine dort behauptete Kohärenz als 'Tradition' (einschließlich des z.B. von Ruppert nicht zur 'passio iusti' gerechneten Textkomplexes Sach 9-14) bestätigt, zeigt uns das Nebeneinander gerade von Bezügen zur Gottesknechtsüberlieferung (sowie Sach 9ff.) und zu den Psalmen vom leidenden Gerechten, daß das Leiden und der Tod Jesu in der urchristlichen Traditionsbildung mithilfe der Tradition vom leidenden Gerechten *unter Einschluß* der Gottesknechtstradition (und der עני‎-Messias-Konzeption von Sach 9) gedeutet und artikuliert wurde. Dies bedeutet zum einen, daß eine isolierte Deutung im Sinne einer passio iusti unter Ausschluß dieser über die Psalmen und Weish 2+5 hinausgehenden Ausprägungen des 'leidenden Gerechten' nicht angemessen ist[8], zum anderen aber auch, daß man die Deutung als lei-

---

im Zusammenhang darstellt. Zur genauen Abgrenzung des Textumfangs cf. ebd.12; zum Verhältnis dieser Texte zu den - im Anschluß an L.RUPPERT verstandenen - "passio iusti-Traditionen" ebd. 13f.

4 Ich halte PESCHs Annahme einer umfassenden vormarkinischen Passionsüberlieferung (über deren genaue Abgrenzung man nicht immer mit ihm einig sein muß!) ihrer philologisch-textanalytischen, überlieferungsgeschichtlichen und urchristentumsgeschichtlichen Plausibilität wegen für die derzeit leistungsfähigste Problemlösung. Natürlich sind seine Rekonstruktionen umstritten, cf. z.B. als krasse Gegenbilder den Sammelband: The Passion of Mark, ed. W.H. KELBER (dazu R.PESCH, aaO. II, 10) und W.SCHMITHALS, ÖTK Mk, I, v.a. 44-51; zur Orientierung U.LUZ, Markusforschung, 641-655. - Zur Kritik und Antikritik jetzt: R.PESCH, Das Evangelium in Jerusalem, bes. 116-123.

5 Cf. R.PESCH, aaO. II, 20-22.

6 Ebd. 13.

7 Ebd. 13f.

8 An diesem Punkt verleitet RUPPERTs Bezeichnung der passio iusti als "Modell" zur "theologischen Bewältigung des Karfreitagsgeschehens als eines Skandalons" (L.RUPPERT, Skandalon, 328; cf. L.RUPPERT III, 58f.) zur Vereinfachung des Vorgangs und damit zur Unterinterpretation der Passionsgeschichte. Jesus ist weder 'nur' der gekreuzigte Messias, dessen Tod durch das 'Dogma' der passio iusti verständlicher zu machen ist, noch 'nur' ein leidender Gerech-

dender Gerechter keinesfalls der des stellvertretenden Sühnetodes
oder des leidenden Messias entgegenzusetzen braucht[9]. Die Tradition vom leidenden Gerechten schließt diesen besonderen Leidenden
nicht aus: aufgrund ihrer Geschichte bietet sie vielmehr Ansatz-
punkte, die in der Figur des stellvertretend leidenden Messias-
Menschensohnes aufgenommen und zu einer neuen, über den bisherigen
Stand der Tradition hinausgehenden, gleichwohl aber in ihr angelegten Bedeutung geführt werden. Die Passionsüberlieferung gewinnt
durch diesen Rückgriff auf die Tradition die Möglichkeit der Artikulation des Todes Jesu in ihrer ganzen theologischen Tragweite
und ihrem ganzen menschlichen Ernst: der Messias tritt ein in die
Reihe der leidenden Gerechten und schafft als der einzige wirklich
Gerechte den Sündern Gerechtigkeit, indem er diese Leiden im Gehorsam gegen den Vater bis in die letzte Konsequenz auskostet.

Setzen wir diese Deutung des Todes Jesu durch die früheste Gemeinde mit dem in Beziehung, was wir über Jesu eigenes Leidensverständnis für wahrscheinlich halten können, so erweist sie sich als
dessen konsequente Ausgestaltung. Daß Jesus als Menschensohn-Messias sein Leben gibt zugunsten der Vielen, wird innerhalb des von
uns schon alttestamentlich eruierten umfassenden Verständnisses
der Tradition vom leidenden Gerechten bis in die Einzelheiten des
berichteten Geschehens hinein expliziert.

Daß Ps 22 dabei eine besondere Rolle spielt[10], sei ausdrücklich
betont. Wie wir oben sahen[11], kommt in Ps 22 "eine bestimmte *apoka-*

---

ter, der nachträglich christologisch interpretiert wäre. Vielmehr ist die
Tradition vom leidenden Gerechten schon über die Gottesreichsverkündigung an
die Armen und Leidenden mit Jesus verbunden und enthält schon selbst die An-
satzpunkte für die Möglichkeit, die Gestalt Jesu mit der Besonderheit ihres
Anspruchs und ihrer Funktion in ihr 'unterzubringen'.

9 M.HENGELs Einwände (Sühnetod, 15f.) gegen die Deutung der (markinischen) Passion vom "Motiv des 'leidenden Gerechten'" (15) her, sind berechtigt, wenn
   sie sich gegen den Versuch richten, mithilfe dieses Motivs eine "unmessiani-
   sche Deutung" (15) der Passion aufzuweisen. Doch wird man den Texten m.E.
   ebensowenig gerecht, wenn man im Gegenzug annimmt, der Traditionsbezug selbst
   sei in der Passionsüberlieferung gar nicht wirklich intendiert. So kann ich
   HENGEL nicht folgen, wenn er behauptet, "die wenigen (sic!) Leidenspsalmen"
   wie Ps 22 und 69 seien als "exklusiv *messianische* Psalmen nicht anders als
   Ps 110 und Ps 118" verstanden worden (15). Durch diese Sicht geht m.E. die
   Pointe der Zitation verloren, die doch gerade diesen Punkt: daß der Messias-
   Menschensohn vor aller Augen als der leidende Gerechte dasteht, zur Sprache
   bringen soll. Durch den Rückgriff auf die Tradition vom leidenden Gerechten
   ist die "unverwechselbare einzigartige Bedeutung" (ebd. 15) des Leidens Jesu
   gerade *nicht* gemindert, im Gegenteil: sie wird in aller Schärfe deutlich, ja
   überhaupt erst aussagbar. Diese Einzigartigkeit geht in der Tat verloren,
   wenn man Jesus zum 'bloßen' leidenden Gerechten macht, sie wird aber auch
   erheblich abgeschwächt, wenn man die Messianität betonend der von den Texten
   eben auch betonten Aussage keinen Raum gibt, daß dieser Messias eintritt in
   die Reihe der leidenden Gerechten, indem er (für die Vielen) leidet.

10 Cf. R.PESCH, HThK Mk, II, 13; H.R.WEBER, Kreuz, 60; zur Deutung außerdem
   H.GESE, Psalm 22, 193-196.

11 Siehe oben S.64.

lyptische Theologie zu Worte, die in der an einem Einzelnen sich vollziehenden Errettung aus der Todesnot die Einbruchstelle der βασιλεία τοῦ θεοῦ sieht: die Bekehrung der Welt, ausdrücklich mit dem
βασιλεία-Theologumenon begründet, die Auferstehung der Toten, wenn
auch noch sehr zurückhaltend konzipiert als Erlösung zur kultischen Teilhabe an Jahwe, und die Verkündigung dieser Heilstat in
alle Zukunft"[12]. So stellt auch die Spitzenaussage der ältesten
Deutung des Golgatageschehens den Bezug zwischen Jesu βασιλεία-
Verkündigung und seinem Tod her: "der zur tiefsten Leiderfahrung
gesteigerte Tod führt mit dem aus dem Tod herausrettenden Gotteshandeln zum Einbruch der eschatologischen βασιλεία τοῦ θεοῦ. Derjenige, der diese βασιλεία in seinem Leben verkündet hat, führt
sie in seinem Tod herbei"[13].

Die Art und Weise, wie hier Tod und Auferstehung ineins gedacht
werden, ist in unserem Zusammenhang besonders wichtig. Von der Tradition des leidenden Gerechten her ist uns der Gedanke der Auferstehung als rettender צדקה-Erweis Jahwes am leidenden Gerechten
schon geläufig. Konnte dieser Gedanke in Ps 22 zur Zeit Jesu durchaus mitverstanden werden, so wird die Verbindung der Auferstehung
des einzelnen leidenden Gerechten mit dem Einbrechen der eschatologischen βασιλεία erklärlich. Diese 'Ableitung' deckt sich aber im
Ergebnis genau mit dem von Jes 53,11 ausgehenden Denkweg des Sühnetodes Jesu: auch hier ist die Erhöhung des Knechtes im apokalyptischen Denkkontext als Auferstehung vorzustellen, die seine 'Rechtfertigung' durch Gott und damit die Wirksamkeit der von ihm er-
brachten Sühne impliziert. Diese bewirkt aber wiederum die Vergebung der Sünden und schafft den dadurch Gerechtgemachten die Voraussetzung zum Eintritt in die βασιλεία. Die beiden beherrschenden
Varianten der Tradition vom leidenden Gerechten in unserem Kontext,
Jes 53 und Ps 22, haben also einen gemeinsamen Zielpunkt: die als
Auferstehung gedachte Erhöhung des leidenden Messias und das damit
verbundene Anbrechen der βασιλεία τοῦ θεοῦ. Sobald der Messias im
Rahmen der Menschensohntradition gedacht ist, bietet es sich aber
förmlich an, die Auferstehung des leidenden Messias mit der Einsetzung zum Menschensohn-Richter zu identifizieren, mit der von der
Tradition her ebenfalls der Anbruch der Gottesherrschaft verbunden
ist. Auch wenn es "keine jüdische Lehre von der Einsetzung zum Messias und Menschensohn durch die Auferstehung und Erhöhung eines
Toten"[14] gab: hier konnte sie gewonnen werden im Versuch, die Ein-

---

12 H.GESE, Psalm 22, 192 (Hervorhebungen dort).
13 Ebd. 196.
14 M.HENGEL, Sühnetod, 15.

zigartigkeit des Todes Jesu im Kontext der überlieferten Verste-
hensmodelle zur Sprache zu bringen. Es ist von daher wohl kein Zufall, wenn wir an dem von Pesch rekonstruierten Einsatzpunkt der
vormarkinischen Passionsüberlieferung (Mk 8,27ff.) alle genannten
Aspekte auf engstem Raum beieinander finden: Petrus bekennt Jesus
als den Christus, und Jesus präzisiert diese Rede durch die Übertragung[15] der Tradition vom leidenden Gerechten auf den Menschensohn-Messias (Mk 8,31):

Und er fing an, sie zu lehren, der Menschensohn müsse viel leiden
(...) und getötet werden und nach drei Tagen auferstehen.
Καὶ ἤρξατο διδάσκειν αὐτοὺς ὅτι δεῖ τὸν υἱὸν τοῦ ἀνθρώπου πολλὰ παθεῖν
(...) καὶ ἀποκτανθῆναι καὶ μετὰ τρεῖς ἡμέρας ἀναστῆναι.

Dieses "knappst(e) Summarium der Passion Jesu"[16], das (nachösterlich![17]) am Anfang der vormarkinischen Passionsüberlieferung steht,
enthält so in nuce nicht nur die 'Stationen', sondern auch alle
wichtigen theologischen Implikationen des Ursprungssinns der Passion Jesu.

Welchen 'Sitz im Leben' hatte die vormarkinische Passionsüberlieferung? Sehen
wir den Bericht von Jesu Abschiedsmahl als ihr (authentisches) Kernstück an,
so liegt es nahe, daß die Passionsgeschichte mit ihrer das Leiden und den
Tod Jesu vergegenwärtigenden Funktion[18] im Kontext der Herrenmahlsfeier ihren
'Sitz im Leben' hatte. Nun hat Gese vorgeschlagen, als Ursprung des Herrenmahls die "Toda des Auferstandenen"[19] anzunehmen, in der nach dem Tod Jesu
"die Mahlgemeinschaft der Jünger"[20] fortgesetzt wurde. Jeremias hat dem
widerraten mit Argumenten, die nicht einfach von der Hand zu weisen sind[21].
So ist als Ursprung des Herrenmahls (und der 'Einsetzungsworte') am ehesten
das Abschiedspassa Jesu mit seinen Jüngern anzunehmen. Das nachösterliche
Problem der notwendigen Loslösung des Herrenmahls vom Passatermin und die
damit verbundene Transformation des einmaligen Abschiedspassa zu einem Er-
innerungsmahl der Gemeinde führt nun aber zu einer Neukonzeption der Mahlgemeinschaft. In ihr hat die Passionsüberlieferung ihren Ort, und für sie
scheint mir Geses Vorschlag völlig plausibel: im eschatologischen Dankmahl
für die Auferstehung des leidenden Gerechten Jesus wird Jesu Passion im Rahmen der 'Klage' als Passionsbericht reproduziert. Dessen Ausgestaltung mithilfe gerade der wesentlichen Toda-Psalmen 22 und 69 gewinnt von daher nochmals eine neue Begründung.

15 Wie L.RUPPERT III, 65f. zeigt, ist es gut möglich, daß Mk 8,31 auf Ps 34,20
   rekurriert. Zur Deutung der "drei Tage" vgl. die rabbinische Vorstellung,
   "daß Gott seine Gerechten beziehungsweise Israel nicht länger als drei Tage
   in Not läßt" (ebd. III, 64) cf. auch K.LEHMANN, Auferweckt, 231-241, bes.
   236; R.PESCH, HThK Mk, II, 52; s. dazu oben S.155.
16 L.RUPPERT III, 65.
17 Cf. ebd. - Der verschlüsselte jesuanische Kern der Leidensweissagungen Mk
   9,31a (s.oben S.173) wird hier mithilfe der Tradition vom leidenden Gerechten unter Einbeziehung der Ostererfahrungen gedeutet. Dabei spielt möglicherweise auch der 'Schrifthintergrund' von 1Kor 15,4 (Hos 6,2; Jon 2,1ff.; s.
   unten S.183f.) mit hinein.
18 Diese Funktion bleibt in der textpragmatischen Analyse von D.DORMEYER, Der
   Sinn des Leidens Jesu, erstaunlicherweise nahezu unberücksichtigt, obwohl
   gerade hieran Textpragmatik (zumal im Kontext der Handlung Abendmahl) sich
   beispielhaft explizieren ließe.
19 H.GESE, Herkunft des Herrenmahls, 122; cf. DERS., Psalm 22, 199.
20 H.GESE, Psalm 22, 198.
21 J.JEREMIAS, Dankopfermahl, 64-67.

10.2. Die christologischen Überlieferungen aus vorpaulinischen
      Gemeinden

Die aus den Paulusbriefen rekonstruierbare vorpaulinische For-
meltradition[22], in der uns neben der Passionsüberlieferung ein
zweiter Strang der frühesten Deutung des Todes Jesu erhalten ist,
ist für uns besonders wichtig, weil hier die soteriologische Deutung des Todes Jesu ganz in den Vordergrund tritt. Wengst hält sie
- vor allem deshalb - für "eine Leistung hellenistisch-judenchrist-
licher Gemeinden"[23].

Nun hat aber der bisherige Gang unserer Untersuchung gezeigt -
und Hengels Studien bestätigen es aufs neue[24] -, daß vom Vorkommen
des Stellvertretungs- und Sühnegedankens durchaus nicht sicher auf
eine Entstehung im hellenistischen Milieu geschlossen werden kann,
so daß die Ursprungsfrage damit nicht entschieden ist. Daß in jedem Fall die hellenistisch-judenchristliche Gemeinde Antiochiens
eine wichtige Station auf dem Überlieferungsweg dieser Traditons-
stücke darstellt, nämlich die, an der Paulus sie wahrscheinlich
kennenlernte, ist deutlich; es fragt sich nur, ob dieser Weg sich
noch weiter zurückverfolgen läßt. Dem ist hier nicht umfassend
nachzugehen; für unser Thema unentbehrlich ist jedoch die Frage
des sachlichen Verhältnisses zwischen diesen (die paulinische
Christologie tragenden) Formeln und der Tradition vom leidenden
Gerechten sowie der von ihr beeinflußten Jerusalemer Überlieferung[25]. Dem sei exemplarisch an 1Kor 15,3-5; Röm 3,25.26a und Phil
2,6-11 nachgegangen.

---

22 Zur Identifikation dieses Formelgutes cf. z.B. P.VIELHAUER, Geschichte,
   14-22. Zur Unterscheidung von 'Dahingabeformel' (z.B. Röm 4,25; 8,32a),
   'Selbsthingabeformel' (z.B. Gal 1,4; 2,20); 'Sterbensformel' (z.B. 1Kor 15,3;
   Röm 5,6) und 'Sühneformel' (Röm 3,24-26) sowie zu den Detailfragen cf. K.WENGST,
   Christologische Formeln, 55-104; zur Kritik an WENGSTs traditions- und überlieferungsgeschichtlichen Schlüssen cf. M.HENGEL, Atonement, 3.64 (cf. DERS.,
   Sühnetod, 141). Zum Motiv der Dahingabe W.POPKES, Christus traditus, bes.
   193-204. Zur neueren Forschung cf. M.L.GUBLER, Deutungen, (206).212-230.
23 K.WENGST, Formeln, 104.
24 Cf. M.HENGEL, Sühnetod, 136ff.; DERS., Atonement, 57ff.
25 Es geht bei dieser Frage nicht darum, eine Verankerung allen vorpaulinischen
   Materials in der Jerusalemer Tradition zu erweisen oder zu suggerieren. Entscheidend ist einzig die Überlieferungskontinuität, zunächst sachlich: handelt es sich um Innovationen ohne sachlichen Anhalt in der ältesten Überlieferung oder um Variationen, Neuakzentuierungen und Weiterentwicklungen
   innerhalb eines kohärenten, wenn auch strukturierten Feldes?, sodann überlieferungsgeschichtlich: läßt sich dieser sachliche 'Weg' der Überlieferung
   urchristentumsgeschichtlich nachzeichnen und gewährt dieser Nachvollzug womöglich Auskünfte über die näheren Umstände und die Motivation der Formulierung und Überlieferung der Texte?

10.2.1. 1Kor 15,3-5

1Kor 15,3-5 faßt in vier kurzen ὅτι-Sätzen das εὐαγγέλιον (15,1)
zusammen, das Paulus empfangen hat und das die Grundlage (15,3: ἐν
πρώτοις) seiner Verkündigung bildet. Die vier Glieder schildern
sachlich aber nicht den Ablauf von vier gleichberechtigten 'Stationen', das zweite und vierte sind vielmehr verifizierende Nebenglie-
der[26] zum ersten und dritten. Dies wird auch die syntaktische Parallelität bestätigt:

Sachaussage	Schrifthinweis	empirisches Verifi-kationselement
ὅτι Χρ. ἀπέθανεν ὑπὲρ τῶν ἁμαρτιῶν ἡμῶν	κατὰ τὰς γραφὰς	καὶ ὅτι ἐτάφη
καὶ ὅτι ἐγήγερται τῇ ἡμέρᾳ τῇ τρίτῃ	κατὰ τὰς γραφὰς	καὶ ὅτι ὤφθη Κηφᾷ...

Das hier zusammengefaßte Kerygma besteht also in seinem Kern im
'Tod Jesu für unsere Sünden' und seiner 'Auferweckung am dritten
Tage'. Beides ist κατὰ τὰς γραφὰς geschehen. Dieser vom Text selbst
behauptete[27] Schriftbezug hat die Exegese von jeher vor Probleme
gestellt[28]. Liegt für die erste Todesaussage Jes 53 relativ nahe[29],
so ist für die Auferweckungsaussage vereinzelt auf Jon 2,1f.[30], vor
allem aber auf Hos 6,2: ... ἐν τῇ ἡμέρᾳ τῇ τρίτῃ ἀναστησόμεθα ...
verwiesen[31] worden, was wohl angesichts der fast zitathaften wörtlichen Übereinstimmung das wahrscheinlichste sein dürfte, obwohl
eine messianische Deutung von Hos 6,2 nicht gerade naheliegt.

Für unseren Zusammenhang ist indes entscheidend, daß sowohl Jon
2,1 (Jon 2,1f.11 rahmen einen (Toda-)Psalm vom leidenden Gerechten (2,3-10)) als auch Hos 6,1f.(Hos 6,1-3 ist ein kollektiver Aufruf zur Buße) den Gedanken der Rettung bzw. Aufrichtung am dritten
Tage von der Prämisse her denken, daß Gott die Seinen in Not und
Leiden nicht verläßt. Dabei ist in beiden Texten Gott selbst der-

---

26 Cf. auch E.SCHWEIZER, Erniedrigung und Erhöhung, 89f.

27 K.WENGSTs Annahme (Formeln, 100), "der Schriftbezug in 1Kor 15,3 (sei) sekundär", kann hier unberücksichtigt bleiben, weil er in jedem Fall vorpaulinisch ist. Sie enthebt uns nicht der Schwierigkeiten zu ergründen, wie er
gemeint gewesen ist.

28 Cf. M.L.GUBLER, Deutungen, 221-223 (dort die Positionen von K.WENGST, F.HAHN,
J.ROLOFF, H.PAHL, M.D.HOOKER, K.LEHMANN, H.CONZELMANN). Ältere Literatur bei
H.CONZELMANN, KEK 1Kor, 302f.- Die häufigen (cf. M.L.GUBLER, aaO. 222f. mit
Anm.46) Versuche, die Präpositionalwendungen aus dem Schriftbeweis auszuklam-
mern, stellen m.E. eine unwahrscheinliche, allzu einfache Problemlösung dar.

29 Cf. z.B. C.WESTERMANN, ATD Jes 40-66, 208. - Der Versuch des Nachweises eines
genaueren (wörtlichen) Bezuges gelingt jedoch nicht; cf. K.WENGST, Formeln,
100f. in Auseinandersetzung mit dem Versuch von B.KLAPPERT.

30 H.LIETZMANNs Verweis (HNT Kor, 77) auf Mt 12,40, wo Jon 2,1f. zitiert ist,
zeigt, daß diese Stelle durchaus als Vorhersage der Auferstehung Jesu interpretiert werden konnte, m.E. aber doch wohl erst im Zuge einer christologisch
orientierten 'relecture' des Alten Testaments, die schon einen gewissen
Stand der Bekenntnisbildung voraussetzt, wie er in vorpaulinischer Zeit noch
kaum gegeben war.

31 Cf. H.CONZELMANN, KEK 1Kor, 302 mit Anm.73; H.LIETZMANN/W.G.KÜMMEL, HNT Kor,
77 (cf. 191); weitere Literatur bei P.STUHLMACHER, Das paulinische Evangelium, 271 Anm.1.

jenige, der auch in die Not hineinführt (cf. Jon 2,4; Hos 6,1).
Liest man Hos 6,1f. vom unmittelbar voranstehenden Passus 5,15 her,
so steht sogar explizit der Vorsatz Gottes dahinter, Israel durch
die Not zu nötigen, sich seiner zu erinnern und umzukehren. Auch
die fast wörtliche Übereinstimmung von Hos 6,1 und Hi 5,18 lassen
an ein Züchtigungsleiden denken (cf. Hi 5,17). Den von Gott selbst
gewirkten Leiden aber steht in all diesen Texten betont Gottes rettendes und heilendes Aufrichten der Geschlagenen gegenüber, das
vor allem auf die Wiederteilhabe an der Gemeinschaft mit ihm zielt
(in Jon 2 auf den Tempel bezogen; in Hos 6 umfassender: Israel
darf wieder "leben vor ihm").

Liegt Hos 6,2 in 1Kor 15,3 zugrunde - und ein näherliegender
Beleg ist nirgends auszumachen -, so offensichtlich um eben dieses
Gedankens willen, daß Gott die Seinen in Not und Gottferne (=Tod[32])
neu belebt und nicht länger als eine kurze Zeitspanne alleinläßt[33].

1Kor 15 ordnet also den beiden Grundelementen der christlogi-
schen Paradosis: 'Tod für uns' und 'Auferweckung' zwei auf den ersten Blick recht weit auseinanderliegende Schriftstellen zu. Dieser zunächst hermeneutisch gewaltsam erscheinende Vorgang verliert
seine Härte, wenn man die Affinität berücksichtigt, die beide Texte zur Tradition vom leidenden Gerechten aufweisen. Sie äußert sich
grundlegend im Nacheinander von (von Gott bewirkter) Erniedrigung
und Erhöhung bzw. von Not und Rettung, Leiden und Leben ohne Mangel. Wichtig ist daran vor allem, daß dem aus Hos 6,2 zitierten
Gedanken der Sache nach derselbe Grundgedanke zugrundeliegt wie
der Erhöhungsaussage von Jes 53,10-12. Die Aussage von der Auferweckung am dritten Tage kann so als konkretere und zeitgemäßere[34]
präzisierende Variation der Erhöhungsaussage an deren Stelle treten und so die bezeugten Aussagen über Jesus Christus in den In-
terpretationsrahmen dieses Grundgedankens stellen.

---

32 Daß die spätere jüdische Auslegung die in Hos 6,2 vorliegenden Parallelformulierung (M: יקמנו ונחיה לפניו‎; LXX: ἀναστησόμεθα καὶ ζησόμεθα ἐνώπιον
   αὐτοῦ) auf die eschatologische Totenauferweckung bezog, belegt P.STUHLMACHER,
   Das paulinische Evangelium, 271 Anm.1 unter Hinweis auf Bill. I, 747; BerR
   66,1; EstR 9,2; bSan 97a. Den Gedanken, daß Jesu Auferweckung Prolepse der
   allgemeinen eschatologischen Auferweckung sei, hier einzubringen, um eine gedankliche Brücke von Hos 6,2 zu 1Kor 15 zu schlagen (cf. ebd.), erscheint
   mir freilich unnötig, der Zusammenhang läßt sich m.E. direkter und organischer erklären (s. das folgende).
33 Cf. auch die oben (S.155 u.181 m.Anm.15) angesprochene geläufige rabbinische
   Aussage, daß Gott die Gerechten nicht länger als drei Tage in Not sein lasse.
34 Man kann die Auferstehungsaussage geradezu als eine 'Modernisierung' der Zusage von Jes 53,10b ansehen, der Knecht werde Nachkommen sehen und lange leben, in der den (in der diachronen Skizze dargestellten) Erweiterungen und
   Umakzentuierungen des Vorstellungsrahmens Rechnung getragen wird.

Die den Schrifthinweisen von 1Kor 15 zugrundeliegende schriftgelehrte Arbeit ist also nicht so willkürlich wie sie zunächst erscheint, sondern nachvollziehbar und im Blick auf ihr Ziel: das in
Jesu Tod und Auferstehung geschehene Handeln Gottes auf das in der
Schrift zum Ausdruck kommende Gotteshandeln zu beziehen, sogar
sachgemäß. Sie verweist uns für das Verständnis von Tod und Auferstehung Jesu auf das in den γραφαί bezeugte Handeln Gottes zurück,
wie es die - Jes 53 mit umgreifende - Tradition vom leidenden Gerechten zum Ausdruck bringt.

1Kor 15,3-5 in dieser Weise auf der Folie der Tradition entstanden zu sehen und zu verstehen, erscheint mir zutreffender als die
Annahme einer soteriologischen und darum 'hellenistischen' Formel,
die von einer (vermeintlich) nicht-soteriologischen Deutung Jesu
als leidenden Gerechten zu isolieren wäre. Im Gegenteil verweist
uns die Formel m.E. auf dieselbe Traditionsgrundlage, die auch die
Inhalte und Denkweise der vormarkinischen Passionsüberlieferung
mitprägt, so daß nichts dagegen spricht, sie ihrem Ursprung nach
zur Jerusalemer Überlieferung zu rechnen, wo sie als knappe Zusammenfassung desselben Kerygmas, das in der Passionsüberlieferung
rekapitulierend entfaltet wurde, durchaus auch eine Funktion gehabt haben kann.

10.2.2. Röm 3,25.26a.

Röm 3,25.26a spricht unter den vorpaulinischen Traditionsstücken
die Deutung des Todes Jesu als Sühne am deutlichsten an. Der Text
überbietet in seiner minutiös ausgeführten sühnetheologischen Ausdeutung die ὑπέρ-Aussagen der übrigen vorpaulinischen Formeln und
läßt sie der Sache nach als Abbreviaturen dieser Konzeption erscheinen[35]:

25 ... (Χρ.᾽Ιη.), ὃν προέθετο ὁ θεὸς ἱλαστήριον (...)
                ↑ἐν τῷ αὐτοῦ αἵματι
       └εἰς ἔνδειξιν τῆς δικαιοσύνης αὐτοῦ
          ↑διὰ τὴν πάρεσιν τῶν προγεγονότων ἁμαρτημάτων
26a   ↑ἐν τῇ ἀνοχῇ θεοῦ ...

25 ... *welchen Gott eingesetzt hat als 'Hilasterion' (...)*
                ↑*in seinem Blut*
       └*zum Erweis seiner Gerechtigkeit*
          ↑*durch den Erlaß der vorher geschehenen Sünden*
26a   ↑*in der Geduld Gottes ...*

---

35 Die Schreibweise des Textes verdeutlicht, wie sich die Satzglieder aufeinander beziehen, cf. im einzelnen auch U.WILCKENS, EKK Röm I, 190-197.

Nachdem[36] die von Stuhlmacher[37] und Gese[38] vertretene Deutung des Textes auf
dem Hintergrund der Jom-Kippur-Tradition bes. Lev 16, neuerdings neutesta-
mentlich von Wilckens[39] und alttestamentlich im Zusammenhang einer umfassenden Untersuchung des alttestamentlichen Sühnedenkens von Janowski[40] bestätigt
worden ist, können wir davon ausgehen, daß unter dem ἱλαστήριον der platten-
artige Aufsatz der Lade im Allerheiligsten des Tempels: die כַּפֹּרֶת, zu verstehen ist, d.h. "der in der Form einer 'reinen Ebene' gefaßte Ort der Gegenwart
Gottes in Israel"[41].

Der Text sagt dann im wesentlichen aus, Gott selbst habe Jesus Christus
in dessen gewaltsamem Tod, in dem dieser stellvertretend sein Leben hingege-
ben hat[42], öffentlich eingesetzt zum Ort der Sühne und Gottesbegegnung. Der
Tod Jesu, um deswillen die zuvor geschehenen Sünden erlassen werden (können[43]), ist so ein Erweis der צְדָקָה Gottes. Bei alledem ist wichtig, daß der
Tod Jesu nicht einfach als kultischer Akt einer Opferhandlung gedacht ist,
sondern als das öffentliche Einsetzen zum wahren (statt des im nachexilischen
Tempel nur gedachten) ἱλαστήριον: der Gekreuzigte ist der Sühneort und Ort
der Präsenz Gottes. "Da die Identität Gottes unter dem gekreuzigten Menschen
Jesus sich so erweist, daß Gott selbst sich in den Tod am Kreuz hingibt, vollzieht sich in der stellvertretenden Lebenshingabe des Gottessohnes, in seinem
Tod 'für uns', die Sühne für die Welt."[44]

Die theologische Leistung dieses Textes ist eine doppelte: zum
einen interpretiert er den Tod Jesu mit kultischen Kategorien. Jesus ist in seinem Tod als die wahre כפרת eingesetzt: der Stellver-
tretungs- und Sühnegedanke wird dadurch - m.E. erstmals im vollen
Sinne - konsequent und eindeutig auf die kultische Sühneinstitution des Tempels bezogen (d.h. auf einen der wichtigsten[45] und wirksamsten Bezugspunkte des religiösen Lebens und der Theologie im
damaligen Israel), die im großen Blutritus des Jom Kippur ihren
höchsten Ausdruck fand. Doch damit nicht genug: der Tod Jesu wird
ja nicht einfach mit einem kultischen Opfer verglichen oder als
ihm gleichwertig bezeichnet, vielmehr wird dieser Tod als die Neu-
einsetzung einer öffentlichen כפרת proklamiert, in der der die prie-
sterschriftliche Sühnetradition von je her wesentlich bestimmende
Gedanke, daß Gott, indem er selbst die Sühne vollzieht[46], dem Menschen ermöglicht, ihm nahe zu sein, erst zu seiner umfassenden,
endgültigen Realisierung gelangt. Die Sühne, die am Großen Versöh-

---

36 Zur kontroversen Interpretationsgeschichte cf. den Bericht bei P.STUHLMACHER,
  Exegese, 315-317; 318 Anm.15-23; M.L.GUBLER, Deutungen, 224-229.
37 P.STUHLMACHER, aaO. 318-333; v.a. in Auseinandersetzung mit E.LOHSE, Märtyrer
  und Gottesknecht, 149-154 und DERS., Die Gerechtigkeit Gottes in der paulinischen Theologie, 220f.
38 H.GESE, Die Sühne, bes. 100-106.
39 U.WILCKENS, EKK Röm I, 182-243, bes. 190-196 (dort weitere Literatur).
40 B.JANOWSKI, Sühne, 350-354.
41 Ebd. 347 (Zitat im Zitat: H.GESE, Sühne, 103).
42 Die Rede vom Blut Jesu ist vom Alten Testament her ganz auf die Lebenshingabe zu konzentrieren, cf. B.JANOWSKI, aaO. 241-247. Zum Stellvertretungsgedanken, der sachlich hier mitgedacht ist, cf. U.WILCKENS, aaO. 195f.
43 Zur Wirksamkeit des Tun-Ergehen-Zusammenhangs in der alttestamentlichen Sühnetradition cf. B.JANOWSKI, aaO. 131f.358f. und U.WILCKENS, aaO. 236f.243.
44 B.JANOWSKI, aaO. 354.
45 Cf. P.STUHLMACHER, Exegese, 329; U.WILCKENS, aaO. 238.
46 Cf. B.JANOWSKI, Sühne, 353; zur Grundlegung seiner Analyse von Lev 17,11 cf.
  ebd. 242-247.

nungstag hinter dem Vorhang des Allerheiligsten und vermittelt
durch den Hohenpriester Israel zuteil wird und die Sündenschuld
eines Jahres von ihm nimmt, wird in Röm 3,25f. in jeder Hinsicht
entschränkt: der Tod Jesu ist die ohne priesterliche Vermittlung
'zugängliche'[47] כפרת, in der ein- für allemal Sühne für die Sündenschuld der Welt[48] gewirkt ist. Damit aber ist der kultische
Vollzug der Sühne in die in Christus gewirkte Sühne hinein aufgehoben im doppelten Sinne: der Sache nach ist sie in ihrem höchsten,
umfassendsten Sinn realisiert, wodurch sich aber das kultische Ri-
tual im Tempel erübrigt.

Fragen wir nun wieder nach dem sachlichen und geschichtlichen
Verhältnis dieser Konzeption zu dem in der Kontinuität der Tradition vom leidenden Gerechten stehenden bisher betrachteten Textfeld, so schließt sie - obgleich sie selbst keine Anklänge an diese Tradition aufweist - insofern bündig daran an, als Röm 3,25.26a
sachlich exakt die nachösterliche Konsequenz aus Mk 10,45 und den
Abendmahlsworten darstellt: Jesu Deutung seiner Lebenshingabe als
כֹּפֶר für die Vielen fordert geradezu dazu heraus, das Verhältnis
zu der vom Terminus כִּפֶּר geprägten Jom-Kippur-Konzeption des Jerusalemer Tempels zu klären. Versucht man dies, so ist - unter Berücksichtigung des umfassenden Anspruchs Jesu[49], der nachösterlich
durch seine Auferstehung als von Gott bestätigt gelten konnte -
kaum eine sachgemäßere 'Übersetzung' möglich als die hier vorliegende, die den endgültigen und universalen Charakter der in Jesu
Tod und Auferstehung vollzogenen Sühne mit ihrer schon alttestamentlich vorgegebenen Wesensbestimmung verbindet. Wir haben also
in dieser Traditionsformel eine im jüdischen Lebenskontext ausgesprochen revolutionär und provozierend wirkende (und wohl auch
Teilen des Urchristentums allzu radikal erscheinende) Position vor
uns, die sich jedoch gleichzeitig als weiterführende Ausgestaltung
der im Kontext der Tradition vom leidenden Gerechten von Jesus
selbst entwickelten Deutung seines Todes begreifen läßt.

Zusammen mit Mk 10,45 dürfte auch die Tempelreinigungsüberlieferung (cf. Mk
11,15-19par.) bei der Ausprägung der in Röm 3,25.26a greifbaren Deutung seines Todes eine Rolle gespielt haben. Denn Jesu Vorgehen gegen die Händler
und Wechsler (cf. Mk 11,15-17) ist ja nicht eine partielle Kritik an bestimm-

47 Paulus konkretisiert dies dann in konsequenter Weiterführung durch den Zusatz
   διὰ πίστεως.
48 Im Blick auf die Frage, ob die alte Begrenzung des Heils auf Israel schon
   hier oder erst in der paulinischen Rezeption der Formel aufgehoben ist (cf.
   den paulinischen Zusatz 3,26b und den paulinischen Kontext von Röm 3), bleiben Unsicherheiten. Immerhin fehlt aber in der Formel jeder Hinweis auf Israel, so daß sie zumindest offen ist für die universale (Weiter)interpreta-
   tion.
49 In Mk 10,45 kommen dieser Anspruch und die damit verbundene Tragweite in der
   Menschensohn-Bezeichnung zum Ausdruck.

ten Mißständen der Opferpraxis, sondern - jedenfalls auf der Folie des es
deutenden Zitats[50] aus Jes 56,7 - eine die ganze Tempelpraxis aufgrund des
in Jes 56 entworfenen eschatologischen 'Gegenbildes' in Frage stellende De-
monstration[51]. Sie bildet zudem einen wesentlichen Grund für Jesu Verfolgung
(cf. Mk 11,18).

Auffälligerweise finden wir aber bei Markus in der Tempelreinigungsszene
keinen direkten Bezug zur Tradition vom leidenden Gerechten (abgesehen davon,
daß der Text kompositorisch mit der Geschichte vom Einzug Jesu als ׳נy-Mes-
sias[52] verbunden ist). In Joh 2,1 ist dieser Bezug dagegen deutlich gegeben:
die Tempelreinigung wird mit dem Reflexionszitat aus Ps 69,10 ("Der Eifer
für dein Haus wird (!) mich verzehren") explizit mit der Tradition vom leidenden Gerechten verbunden und im Anschluß daran mit dem ausdrücklichen Gedanken der *Ersetzung* des Jerusalemer Tempels durch Jesus verknüpft.

Ist Röm 3,25.26a also eine Formel, die die Deutung des Todes Jesu
als stellvertretende Lebenshingabe bewußt in der Konfrontation zum
Jerusalemer Tempelkult artikuliert, wozu sie sich durch Jesu eigene Stellung zum Tempel legitimiert sieht[53], so läßt sie sich mit
ziemlicher Sicherheit dem Kreis der judenchristlichen 'Hellenisten',
d.h. dem "(als Muttersprache) Griechisch sprechen(den)"[54] Jerusalemer Gemeindeteil zuordnen, deren - gerade im Blick auf den Tempel und das (Ritual-)Gesetz - "agressive Verkündigung (...) in den
griechischsprachigen Synagogen Jerusalems zur Lynchjustiz an ihrem
Führer Stephanus und zur Vertreibung der Gruppe führte"[55]. Ob die
überlieferte Gestalt der Formel noch in Jerusalem oder erst in An-
tiochien geprägt wurde, kann offenbleiben; wichtiger ist, daß die
darin ausgesagte Position schon in Jerusalem vertreten wurde, kam
es doch zum ersten (uns bekannten) Martyrium, weil Stephanus eben
diese in Röm 3,25.26a ausformulierten Konsequenzen aus Jesu Verkündigung, Tod und Auferstehung zog und kompromißlos vertrat, während der aramäischsprechende Gemeindeteil mit seiner eher "tempel-
freundlichen"[56] Position "von diesen Vorgängen offenbar kaum be-
troffen"[57] war.

---

50 Der Kontext des Zitats: Jes 56,1-8, ist bei seiner Deutung zu berücksichtigen: hier nämlich wird die Praxis des wahren Gotteswillens zum Kriterium der
   Teilhabe am (endzeitlichen) Haus Gottes gemacht, wodurch die Ausschlußbestim-
   mungen gegenüber Fremdlingen und Verschnittenen aufgehoben werden. Nur wenn
   man diese Pointe mithört, ist das Zitat überhaupt sinnvoll auf Jesu Handeln
   zu beziehen; ferner legt die Rede von der 'Lehre' (Mk 11,17) es nahe, daß an
   mehr gedacht ist als an die isolierten Zitate.
51 Cf. M.HENGEL, War Jesus Revolutionär?, 15f.
52 Mk 11,1-11. - Die Rezeption von Sach 9 ist deutlich, ohne daß ein wörtliches
   Zitat vorläge; interessant ist, daß an Stelle dessen Ps 118,25f. zitiert
   wird - also aus dem Psalm vom leidenden Gerechten, dessen Verbindung mit
   Sach 9 uns schon oben (S.79) beschäftigte - und daß dieses Zitat mit einer
   David-Messias-Aussage verbunden ist.
53 Cf. auch M.HENGEL, Geschichtsschreibung, 64.
54 M.HENGEL, Zwischen Jesus und Paulus, 161.
55 M.HENGEL, Geschichtsschreibung, 64.
56 R.PESCH, HThK Mk, II, 198.
57 M.HENGEL, Geschichtsschreibung, 66.

10.2.3. Phil 2,6-11

Den Traditionshintergrund des von Paulus in Phil 2,6-11 zitierten Christushymnus[58] hat Hofius[59] eingehend untersucht. Die dort
von ihm im einzelnen aufgewiesene "alttestamentliche Präformati-
on"[60] des Hymnus fügt sich reibungslos in den Kontext unserer bisherigen Befunde. Er erkennt v.a. zwei Traditionskomponenten: die
erste ist in der Denklinie von Ps 86, vor allem aber auch von Ps
69 und Ps 22 vorgezeichnet, "die in der Errettung eines einzelnen
Frommen aus der Sphäre des Todes die Offenbarung der eschatologischen Königsherrschaft Gottes erkennt und als Echo auf diesen Einbruch der βασιλεία τοῦ θεοῦ die universale Huldigung vor dem Retter und Weltkönig erwartet"[61]. Hinzu tritt als *zweite* Komponente
das vierte Gottesknechtslied Jes 52,13-53,12, auf das "die Gegenüberstellung von äußerster Erniedrigung und Erhöhung, die Freiwilligkeit der Erniedrigung, die Erwähnung des Gehorsams und des Todes"[62] zurückweisen und das über den Gesamtzusammenhang der Verkündigung Deuterojesajas (cf. das Zitat von Jes 45,23 in Phil 2,10)
wiederum mit dem Gedanken der eschatologischen Königsherrschaft
Gottes (und damit mit der ersten Komponente) verbunden ist. Sind Gedankengang und Skopus des Hymnus in ihrem Zentrum von diesen beiden
Komponenten bestimmt, so kommt in der Präexistenzaussage noch eine
aus weisheitlicher Tradition herzuleitenden "Ausweitung"[63] hinzu.

Dieser von Hofius erhobene Befund gewinnt m.E. im Kontext unserer traditionsgeschichtlichen Skizze nochmals an Plausibilität.

---

58 Auf die vielen Detailfragen der Forschung und die entsprechend "uferlose
   Literatur" (P.VIELHAUER, Geschichte, 41) ist hier nicht einzugehen. E.LOH-
   MEYER (Kyrios Jesus, 1928, cf. auch DERS., KEK Phil, 90-99) hat den vorpau-
   linischen Charakter des Hymnus zuerst erkannt; cf. außerdem v.a. E.KÄSEMANN,
   Kritische Analyse (1950) und den die Hauptfragen und -positionen referieren-
   den Exkurs bei J.GNILKA, HThK Phil, 131-147. Auch die vielverhandelte Frage,
   ob θανάτου δὲ σταυροῦ in Phil 2,8b paulinischer Zusatz (so meist seit LOH-
   MEYER) oder Bestandteil des ursprünglichen Hymnus sei (so neuerdings wieder
   O.HOFIUS, Christushymnus, 3-17), kann in unserem Zusammenhang offenbleiben.
59 O.HOFIUS, Christushymnus (bes. 67-74).
60 Ebd. 67.
61 Ebd. 69 mit Verweis auf H.GESE, Psalm 22, 192ff.
62 J.JEREMIAS, Art. παῖς θεοῦ, ThWNT 5,708f., zitiert nach O.HOFIUS, aaO. 70.
   - Angesichts des (immer wieder gegen JEREMIAS ins Feld geführten) Fehlens
   hinreichend deutlicher sprachlicher Anklänge ist zu betonen, daß es nicht
   um den Nachweis einer literarischen Vorlage, sondern von Phänomenberührungen
   geht, d.h. um semantische Übereinstimmungen, denen nicht notwendig Übereinstimmungen an der sprachlichen Oberfläche entsprechen. Es mag für unsere
   Sicht der engen Zusammengehörigkeit von Gottesknechts- und Psalmentradition
   sprechen, wenn einige der vermißten Schlüsselbegriffe von Jes 53 durch Wechselbegriffe aus der (Psalmen)tradition vom leidenden Gerechten ersetzt sind
   (z.B. παῖς/δοῦλος; παραδιδόναι/ταπεινοῦν).
63 O.HOFIUS, Christushymnus, 73. Zur sachlichen und traditionsgeschichtlichen
   Frage der Praeexistenzchristologie cf. M.HENGEL, Der Sohn Gottes, 104ff.;
   E.SCHWEIZER, Erniedrigung und Erhöhung, 99f.

Denn das für die Christologie des Hymnus kennzeichnende Ineinan-
dergreifen von Gottesknechts- und Psalmentradition ist ja keineswegs die Verbindung zweier einander fremder Traditionen, sondern
vielmehr die zweier verschiedener Linien eines umfassenden, kohärenten Traditionskomplexes, der auch mit der weisheitlichen Tradition schon von jeher in einer engen (Wechsel-)Beziehung steht.
Ebenso beobachteten wir auch schon in der Verkündigung Jesu eine
Verbindung dieser drei Traditionslinien, so daß der Philipperhymnus
als eine theologisch reflektierte Beschreibung des 'Weges' Jesu
gelten kann, die in deutlich nachösterlicher Perspektive die Linien
derselben Traditionen fortschreibt und auszieht, die für Jesu eigene Verkündigung und Selbsterkenntnis schon prägend waren.

> Diese Rekonstruktion des Traditionshintergrundes mag unvollständig sein. So
> würde eine genaue Untersuchung der Begrifflichkeit des Textes an einzelnen
> Stellen (z.B. im Blick auf den μορφή-Gedanken) wohl auch in den hellenisti-
> schen Traditionskontext weisen. Ihrer Funktion und ihrem Gewicht nach dürften
> sich aber in jedem Fall die Verbindungen zu Deuterojesaja, den Psalmen und
> zur jüdischen Weisheitstheologie als die dominierenden erweisen.
> Von daher erscheint mir eine Lokalisierung[64] in ein griechischsprachiges (und
> insofern auch 'hellenisiertes'), gleichwohl aber in erster Linie alttestament-
> lich-jüdisch geprägtes Milieu am wahrscheinlichsten, das zudem in lebendiger
> Beziehung zu den Tradenten der Jesusüberlieferung gestanden haben dürfte.

10.3. Leidensnachfolge zwischen Jesus und Paulus

Während wir uns von der Deutung des Leidens und Todes *Jesu* durch
die ersten Gemeinden ein recht präzises Bild machen können, ist eine klare Auskunft darüber, wie diese Gemeinden ihr *eigenes* Leiden
artikulierten und verstanden, sehr viel schwieriger.

Wohl wissen wir aus der Apostelgeschichte um das Faktum von Verfolgungen: schon früh (d.h. zwischen 31 und 33 n.Chr.) wurde Stephanus von fanatischen Eiferern gesteinigt, sein Kreis verfolgt und
vertrieben (Act 7,57-8,3). Auch sind uns aus der kurzen Amtszeit
Agrippas I. (41-44 n.Chr.) Aktionen gegen die Jerusalemer Gemeinde
berichtet, die in der Hinrichtung des Zebedaiden Jakobus ihren Höhepunkt fanden (Act 12,1-5). Indes sind die Texte der Acta, denen
wir diese Fakten entnehmen, deutlich redaktionell geprägt. Wir haben also über die Art und Weise, wie die Betroffenen ihr Geschick
trugen und wie die Gemeinden diese Vorgänge aufnahmen, durchstanden
und theologisch verarbeiteten, keine authentischen Nachrichten,
ebensowenig wie über Leid und Not derjenigen Individuen und Gemeinden, die die Apostelgeschichte nicht im Blick hat.

---

64 So auch O.HOFIUS, aaO. 67 Anm.39; cf. das Referat der zahlreichen Vorschläge
   der Forschung bei J.GNILKA, HThK Phil, 147 mit Anm.88.

Allerdings gibt es Indizien dafür, daß die Gemeinde ihre Leiden
in sachlicher Kontinuität zu Jesu Logien über das Leiden der Jünger
gedeutet hat. Dafür spricht schon die Tatsache, daß sich in der
synoptischen Überlieferung authentische Jesuslogien zu diesem Thema und frühe[65] Formulierungen der Gemeinde kaum unterscheiden lassen. Soweit ich sehe, läßt sich kein einziger einschlägiger Text
namhaft machen, der *mit Sicherheit* erst nach Ostern (aber noch vor
Paulus) *ganz* in der Gemeinde gebildet worden wäre (obwohl keineswegs auszuschließen ist, daß die synoptischen Evangelien solche
Texte enthalten). Dies erklärt sich am besten, wenn die frühe nachösterliche Gemeinde die sie treffenden Leiden zu verstehen und auszudrücken suchte, indem sie die entsprechende Jesusüberlieferung
weitertradierte und fortschrieb[66].

Solche Fortschreibung dürfte in den verschiedenen Kreisen und Schichten der
ältesten Jesusanhängerschaft aufgrund der sozialen Unterschiede[67] und den
je verschiedenen Erfahrungen von Anfeindung verschieden akzentuiert gewesen
sein: auf dem Land anders als in Jerusalem, und hier in der aramäischsprechenden Gruppierung anders als in der griechischsprechenden. Ein genaues
Bild davon darf man sich als Ergebnis der gegenwärtig neu in Gang gekommenen
Erforschung des nachösterlichen Wandercharismatikertums[68] und (damit eng
verknüpft) der Theologie der Logienquelle[69] erhoffen; in unserem Zusammenhang sei nur durch einige Beispiele eine gewisse Linie angedeutet:

a) Gehen wir davon aus, daß gemäß den oben angesprochenen Überlegungen Stuhlmachers[70] Mt 10,38 die älteste (und authentische)
Fassung des Wortes vom Kreuztragen ist, so gilt für Mk 8,34, daß
hier das ursprüngliche λαμβάνειν τὸν σταυρόν in αἴρειν τὸν σταυρόν
geändert worden ist. Αἴρειν aber ist in Mk 15,21 der Terminus, mit
dem das Tragen des Kreuzes Jesu durch Simon von Kyrene ausgesagt
wird. Dies ist ein Indiz dafür, daß die Rede vom Kreuztragen der
Jesusjünger mit dem Kreuz Jesu in Verbindung gebracht werden soll,
was auch dadurch bestätigt wird, daß die "Spruchfolge von der Kreu-
zesnachfolge"[71] in der Komposition der vormarkinischen Passionsgeschichte unmittelbar mit der ersten Leidensankündigung verbunden
ist: auf die Zurechtweisung des Petrus, der Jesu Kreuzigung vermeiden möchte, folgt unmittelbar die Aufforderung zur Kreuzesnach-

---

65 Im Blick auf die späteren Gemeindebildungen, z.B. die eschatologische Rede
   Mk 13, die R.PESCH, HThK Mk, II, 287, recht plausibel zu Beginn des Jüdischen
   Krieges (66 n.Ch.) datiert, wäre die Frage neu zu stellen.
66 Cf. auch A.SATAKE, Leiden der Jünger, 4-19, bes. 16.
67 Cf. G.THEISSEN, Soziologie der Jesusbewegung, 47-56.
68 Cf. G.THEISSEN, Wanderradikalismus; DERS., Soziologie der Jesusbewegung, bes.
   14-32; L.SCHOTTROFF/W.STEGEMANN, Jesus von Nazareth, bes. 54-88; W.SCHOTT-
   ROFF/W.STEGEMANN (ed.), Der Gott der kleinen Leute, II, bes. 94ff.
69 Cf. bes. die Arbeiten von D.LÜHRMANN, P.HOFFMANN, S.SCHULZ und A.POLAG (zusammengestellt und in den wesentlichen Thesen skizziert bei A.POLAG, Christologie, 1-32, bes. 1 mit Anm.1; 9f.17.23.30-32).
70 Siehe oben S.175; cf. P.STUHLMACHER, Achtzehn Thesen, 523.
71 R.PESCH, HThK Mk, II, 57.

folge auch der Jünger. *Die nachösterliche Fortschreibung des vorösterlichen Logions geschieht hier also so, daß das Leiden der Nachfolger dem Leiden Jesu angenähert und von der Passion Jesu her verstanden und ausgedeutet wird.*

b) Ein ganz ähnlicher Befund ergibt sich bei einer Untersuchung der Komposition von Mk 10,41-45, deren genaue Datierung freilich schwierig ist[72]. Wie wir oben schon sahen, gehört Mk 10,45 mit Sicherheit ursprünglich nicht zum Kontext, sondern ist ein (wie auch 10,42-44 authentisches[73]) Logion aus einem anderen Zusammenhang.

Die nachösterliche Zusammenstellung und sachliche Kausalverknüpfung (10,45: γάρ) läßt nun den Existenzstellvertretung für die Vielen übenden Menschensohn als Vorbild für die von Jesus geforderte Jüngerhaltung des Machtverzichts und gegenseitigen Dienstes erscheinen. Ergebnis ist eine christologisch motivierte Gemeinderegel: In der Gemeinde Jesu Christi sollen nicht die geläufigen weltlichen Machtstrukturen gelten, sondern in diametralem Gegensatz dazu soll der Dienst aneinander das Verhalten bestimmen, weil (im doppelten Sinne: als Begründung und Ermöglichungsgrund) der sein Leben für die Vielen hingebende Menschensohn in exemplarischem Dienst seinen Nachfolgern vorangegangen ist.

Auch hier hat Jesu Leiden also *Modellcharakter für die Gemeinde,* Modell freilich nicht im Sinne einer Nachahmung, sondern *im Sinne einer sachlichen Entsprechung.*

c) In vergleichbarer Weise schreibt auch die Logienquelle die Jesusüberlieferung in die nachösterliche Lebenssituation fort, wenn sie die ursprünglich selbständige[74] Seligpreisung der Verfolgten (Lk 6,22f.) mit der dreigliedrigen "Großen Seligpreisung"[75] (Lk 6,20b.21) zu einer Einheit verbindet. Die Seligpreisung der um Jesu willen Verfolgten erscheint als wesentlicher Bestandteil, ja als Spitzensatz der programmatischen Heilsverkündigung Jesu: die Figur des Armen, Weinenden und Hungernden verschmilzt mit der des verfolgten Jüngers zu einem Gesamtbild.

Diese Linie läßt sich dann weiter verfolgen in der Komposition und inhaltlichen Erweiterung der Seligpreisungen in der Bergpredigt: unter deutlicher Aufnahme der ersten und letzten Seligpreisung (Mt 5,3.11) entwirft Matthäus das Bild des "um der (neuen) Gerechtigkeit(spraxis) willen" Verfolgten und zeichnet so das für sein Christentumsverständnis kennzeichnende Profil des 'leidenden Gerechten'.

---

72 R.PESCH, ebd. 159f., rechnet die Zebedaidenfrage Mk 10,35-40(.41) mit den sich anschließenden Logien 10,42-44.45 nicht zur vormarkinischen Passionsgeschichte, sondern bringt die Formulierung (bzw. Komposition) des ganzen Textes 10,35-45 mit der Hinrichtung des Zebedaiden Jakobus (44 n.Chr.) in Zusammenhang. - Freilich ist zu erwägen, ob die Verbindung von 10,42-44 mit 10,45 nicht schon älter sein kann; 10,42-45 wären dann als Einheit mit der Zebedaidenfrage verknüpft worden.
73 Siehe oben S.148 und 177 mit Anm.62. - Auch wenn man mit R.PESCH, aaO. 164, Mk 10,42-44 für eine sekundäre Bildung auf der Basis des authentischen Logions Mk 9,35 hält, ändert sich nichts an der Deutung der *Verbindung* von 10,42-44 mit 10,45, auf die es in unserem Zusammenhang allein ankommt.
74 Dies ist schon an der besonderen syntaktischen Struktur deutlich erkennbar. Cf. auch A.POLAGs Rekonstruktionsversuch (Fragmenta Q, 32).
75 A.POLAG, Fragmenta Q, 23.

ZWEITER HAUPTTEIL

DIE PAULINISCHE REZEPTION
DER TRADITION VOM LEIDENDEN GERECHTEN

TEIL A

TEXTUNTERSUCHUNGEN

VORÜBERLEGUNGEN

Zum Zusammenhang der beiden Hauptteile der Untersuchung

Wir sind (in Teil I.A.) der Geschichte der Tradition vom leidenden Gerechten von ihren vorexilischen Anfängen bis in die neutestamentliche Zeit nachgegangen und haben den Prozeß ihrer allmählichen
Aufweitung und Auffächerung verfolgt.

Wir haben dabei im einzelnen gesehen, wie sie im Kontext konkreter geschichtlicher (Problem-)Situationen und geistesgeschichtlicher Entwicklungen im
wechselseitigen Austausch mit anderen Traditionsbereichen immer wieder zu
neuen Akzentuierungen gelangte und sich unter Wahrung der Kontinuität zu ihrer älteren Basis neue Sprach- und Vorstellungsmöglichkeiten erschloß bzw.
zu deren Erschließung beitrug: erinnert sei hier nur an die zentrale Rolle
der Tradition vom leidenden Gerechten in der deuterojesajanischen Gottes-
knechts-Überlieferung und bei der Ausbildung der jüdischen Auferstehungsvor-
stellung(en). Als Resultat dieses Prozesses stand schließlich das breite
Spektrum von Leidensverständnissen und -deutungen vor uns, das sich trotz
seiner Breite und trotz aller Differenzen im Detail als ein kohärentes Spektrum darstellte, nicht zuletzt, weil die Texte in der Regel ihre Verbindung
zu den älteren Traditionsschichten deutlich erkennen ließen.

Wir haben dann (in Teil I.B.) gesehen, daß grundlegende Struk-
tur- und Inhaltselemente der Tradition vom leidenden Gerechten -
wenn auch in eigenartiger Umprägung - schon die βασιλεία-Verkündi-
gung Jesu prägen und auch den Denk- und Sprachraum mitbestimmen,
in dem er die ihn als den messianischen Menschensohn treffenden
Anfeindungen bis hin zu seinem Todesgeschick artikulierte und deutete. In nachösterlich reflektierter Fortschreibung dieser Ansätze
hat dann die Urgemeinde den Tod und die Auferstehung des in die
Rolle des leidenden Gerechten eingetretenen Messias Jesus im Rückgriff auf dieses Traditionsfeld zur Sprache gebracht, einerseits
'narrativ' in der Passionsüberlieferung, andererseits in ihren
Formeln und Liedern.

Von hier aus ist nun der Schritt zu Paulus zu tun. Wir wissen,
daß seine Verkündigung (und davon nicht zu unterscheiden: sein eigenes Verständnis dessen, was 'Christus' im Blick auf Gott und
Mensch bedeutet) trotz aller Differenzen mit den Jerusalemer Auto-
ritäten in entscheidenden Grundaussagen auf der Überlieferung der
Gemeinden von Jerusalem und Antiochia beruht (cf. nur 1Kor 15,3a),
von denen einige eine enge Beziehung zur Tradition vom leidenden

Gerechten aufweisen. Andererseits wissen wir, daß Paulus als pha-
risäisch erzogener Jude eine intensive theologische Schulung erhalten hat, die ihm den Zugang zu weiten Bereichen jüdischer Tradition eröffnete.

Gerade dieses Nebeneinander von schriftgelehrter jüdischer Bildung und der Teilhabe an den offensichtlich schnell wachsenden und
auch schon früh ein erstaunliches theologisches Niveau erreichen-
den urchristlichen Überlieferungen (cf. nur Phil 2,6-11!) scheint
mir für die Rezeption der Tradition vom leidenden Gerechten bei
Paulus sehr wichtig. Der in den folgenden Kapiteln zu entfaltende
Reichtum an theologischen Sprachmöglichkeiten in Verbindung mit
einer klaren christologischen Bezogenheit seiner Aussagen dürfte
sich gerade dieser Verbindung verdanken.

Zum Vorgehen der Untersuchung und zur Anlage der Darstellung

Die Untersuchung soll nicht nur belegen, daß Paulus die Tradition vom leidenden Gerechten aufgreift, sondern auch zeigen, wie
und mit welcher Intention er es tut und welche Aufschlüsse für die
Interpretation der Paulusbriefe sich daraus ergeben.

Dies erfordert, den Stellenwert der Leidensaussagen im Argumentationsgang des Briefs sehr genau zu berücksichtigen; ebenso müssen wir das Gewicht der Tradition vom leidenden Gerechten im jeweiligen Einzeltext möglichst genau erfassen, um eine einseitige Betonung dieser Tradition bei der Interpretation zu vermeiden. Deshalb sind die folgenden Textuntersuchungen in einem *Drei*schritt angelegt: zunächst wird jeweils nach *Strukturen* gefragt, um mithilfe
der Auswertung der Sprachelemente, die jeden einzelnen Text prägen
und seinen Argumentationsduktus steuern, den mit ihm intendierten
Kommunikationsvorgang in seiner 'Logik' zu rekonstruieren. Die Frage nach den aufgenommenen *Traditionen*, insbesondere nach der vom leidenden Gerechten, ist dann erst ein zweiter Schritt, der mithilfe
des in der Strukturuntersuchung gewonnenen Bildes differenziert
durchgeführt werden kann. Beide Schritte zusammen ermöglichen es,
die Aussageabsicht des Textes ganzheitlich zu erfassen und die Art
und Weise, wie sie realisiert wird, zu beschreiben: *Interpretation.*

Die Briefe werden in chronologischer Reihenfolge untersucht, ohne jedoch die
Teile der Korintherkorrespondenz voneinander zu trennen: 1Thess - 1 Kor -
2Kor - Phil - Röm. Die wenigen Äußerungen des *Galaterbriefs* zum Thema sind
nicht in einem besonderen Kapitel, sondern jeweils im Zusammenhang mit vergleichbaren Aussagen in den anderen Briefen besprochen[1].

---

1 Siehe unten S.237 (Gal 4,13f.); S.320 (Gal 5,11; 6,12); S.246 (Gal 6,17).

11.Kapitel
DER ERSTE THESSALONICHERBRIEF

Strukturen

Das Leidensthema begegnet explizit nur in Kap.1-3. Entsprechende Textsignale[1] legen folgende Untergliederung nahe[2]:

Erster Gedankengang: 1,2 - 2,16   Zweiter Gedankengang: 2,17 - 3,13
    a) 1,2-10   d) 2,17-20
    b) 2,1-12   e) 3,1-5
    c) 2,13-16   f) 3,6-13.

Die Tatsache, daß alle sechs Unterabschnitte durch entsprechende
Schlußformulierungen in eine eschatologische Perspektive gerückt
werden[3], bestätigt nicht nur diesen Gliederungsvorschlag, sondern
weist zugleich 1Thess 1-3 im ganzen als homogenen Text aus. Während
die Struktur des zweiten Gedankengangs sich geradezu selbstverständlich aus den Phasen des Berichteten ergibt, weist der erste
eine komplizierte (in der Forschung nicht immer als einleuchtend
empfundene[4]) Argumentationsstruktur auf, auf die hier zunächst
einzugehen ist.

Die deutliche Parallelität der Unterabschnitte a) und c) gibt
dem Text den Charakter eines ringförmigen Argumentationsgangs: der
Ausgangsgedanke von 1,2-10 wird in 2,13-16 wieder neu erreicht[5].
Im 'Zwischenteil' 2,1-12 fallen zwei Strukturcharakteristika be-
sonders auf: zum einen die οὐ...ἀλλά-Antithese[6], zum anderen die
'Perforation' des im Aorist gehaltenen Gedankengangs durch eine
Kette von beglaubigenden Präsensformulierungen[7], die die Zeit der
Anwesenheit des Paulus in Thessalonich laufend vergegenwärtigen.
Da beide schon in 1,5 begegnen und auch inhaltlich deutlich ein

---

1 Vor allem die einschlägigen Konjunktionen und die ἀδελφοί-Anrede.
2 Die an 'Leitworten' orientierte Untersuchung von K.THIEME, Struktur, bes.
  451-453, kommt abgesehen von der Zuordnung von 2,13 zu demselben Ergebnis.
3 Cf. 1,10 (τῆς ὀργῆς τῆς ἐρχομένης); 2,12 (εἰς ... βασιλείαν καὶ δόξαν);
  2,16 (ἡ ὀργή εἰς τέλος); 2,19f. (ἐν τῇ ... παρουσίᾳ ... ἡ δόξα ... καὶ ἡ
  χαρά); 3,5 (εἰς κενόν); 3,13 (ἐν τῇ παρουσίᾳ τοῦ κυρίου ...).
4 So ist für W.SCHMITHALS, Paulus und die Gnostiker, 89ff., die Doppelung von
  1,2 und 2,13 einer der Hauptgründe für seine literarkritischen Operationen
  am 1Thess und 2Thess. Cf. aber dazu W.MARXSEN, ZBK 1Thess, 27.
5 Cf. Εὐχαριστοῦμεν τῷ θεῷ ... ἀδιαλείπτως (1,2 = 2,13); μιμηταί ... ἐγενήθητε
  (1,6 = 2,14); außerdem den parallelen Schlußaspekt des göttlichen Zornge-
  richts (ὀργή: 1,10; 2,16).
6 Fünf der insgesamt 13 οὐ ... ἀλλά-Verbindungen des 1Thess entfallen auf
  2,1-12.
7 2,1 - 2,2 - 2,5 - 2,9 - 2,11: οἴδατε - οἴδατε - οἴδατε - μνημονεύετε -
  οἴδατε. Cf. auch 2,5: θεὸς μάρτυς.

Bezug zwischen 1,5 und 2,1-12 besteht, kann man 2,1-12 als Entfaltung von 1,5 ansehen, der Unterabschnitt b) ist also in a) fest
verankert. Ebenso nimmt Abschnitt c) in 2,13 die Antithesenreihe
von 2,1-12 summierend in sich auf ("nicht Menschen- sondern Gotteswort"), wodurch die Kohärenz des ganzen Textes unterstrichen
wird.

Von hier aus läßt sich der *Argumentationsduktus* nachzeichnen: Paulus berichtet von seinem Dank an Gott für den guten Stand der Gemeinde und ihre (daran erkennbare) ἐκλογή, die er unter zwei Aspekten entfaltet[8]: Sie *erweist sich* darin, daß "unser Evangelium
nicht allein im Wort geschah, sondern auch in Kraft und heiligem
Geist und voller Gewißheit, wie ihr wißt, welcher Art wir gewesen
sind bei euch um euretwillen" (1,5 - ausgeführt dann in 2,1-12);
sie *bewirkt* , daß "ihr unsere und des Herrn μιμηταί geworden seid,
indem ihr das Wort in großer Bedrängnis mit der Freude des heiligen Geistes aufgenommen habt" (1,6). Diese Wirkung wird durch das
Zeugnis anderer Gemeinden beglaubigt (1,7-9), denen die Thessalonicher als Vorbild gelten in ihrer konsequenten Hinwendung zu dem
wahren Gott und in der Erwartung des auferweckten Christus, der
- und damit folgt die eschatologische Schlußwendung - uns aus dem
kommenden Zorngericht (ὀργή) errettet (1,10).

. Die 1,5 entfaltende Rekapitulation der εἴσοδος des Paulus
schließt sich an: er kam gezeichnet von den Leidenserfahrungen aus
Philippi nach Thessalonich, und dennoch verkündigte er unerschrok-
ken (cf. 2,2: ἐπαρρησιασάμεθα) das Evangelium ἐν πολλῷ ἀγῶνι. Gerade darin (2,3: γάρ) erweist sich das Evangelium als von Gott ihm
anvertraut und nicht von Menschen mit menschlichen Intentionen gemacht (2,3f.). Diesem Charakter des Evangeliums entsprechen auch
das persönliche Verhalten und die Lebensweise des Paulus in Thessalonich und sein Verhältnis zur Gemeinde: so geschah seine Verkündigung unter Verzicht auf Unterhalt und unter Übernahme der daraus
resultierenden täglichen Arbeit und Mühe sowie unter Verzicht auf
eigene Autorität und Ehre. Ἤπιος[9] wie eine Mutter hat er der Gemeinde liebend Anteil an sich selbst gegeben, wie ein Vater hat er
sie ermahnt zu einem Wandel, der - hier kommt das Argument wieder
zur eschatologischen Schlußwendung - sie ihrer Berufung zur Teilhabe an Gottes βασιλεία und δόξα würdig macht.

---

8 Cf. die Parallelität von τὸ εὐαγγέλιον ... ἐγενήθη (1,5)
              und   ὑμεῖς   ... ἐγενήθητε (1,6).
9 Zu dem immer wieder verhandelten textkritischen Problem, ob ἤπιος oder
  νήπιος zu lesen sei, cf. B.M.METZGER, Text des Neuen Testaments, 235-237 und
  DERS., A Textual Commentary, 629f. Obwohl NESTLE-ALAND in der 26.Auflage nun
  νήπιος liest, halte ich angesichts der überzeugenden Gründe METZGERs am Text
  der 25.Auflage fest.

2,13-16 kann von daher die Danksagung von 1,2 wiederholen und
ihre Berechtigung damit begründen, daß die Thessalonicher diesen
gerade entfalteten Charakter des paulinischen Evangeliums richtig
begriffen und es nicht als Menschenwort, sondern als Gotteswort
angenommen haben. Und ganz ähnlich, wie er in 1,6 auf die Opposi-
tionen von 1,5 folgte, ist auch hier der Mimesis-Gedanke ange-
schlossen: Diesmal werden die Thessalonicher als μιμηταί der judäischen Christengemeinden angesprochen, sie erleiden von ihren
Volksgenossen dasselbe wie jene von den Juden; diese ihre Verfolgung steht dadurch aber auch in einer Linie mit der Tötung Jesu
und der Propheten sowie mit der Verfolgung des Paulus und der Behinderung der Heidenmission, mit der - und damit folgt auch hier
der eschatologische Schlußgedanke - die Juden das Maß ihrer Schuld
erfüllt und ihre Preisgabe an das Zorngericht Gottes (ὀργὴ εἰς
τέλος) besiegelt haben.

Mit dem betonten ἡμεῖς von 2,17 wechselt die Perspektive: hatte
der erste Gesprächsgang die ἐκλογή der Gemeinde vor allem im
Blick auf deren eigene Belange entfaltet, so kommt sie im zweiten
nun unter dem Aspekt der Belange des Paulus zu Sprache. Der Aussageduktus ist ganz an den drei Phasen des Berichteten orientiert:
Paulus sieht sich vom Satan, der ihn um seinen "Ruhmeskranz" bei
der Parusie des Herrn bringen will, daran gehindert, nach Thessalonich zu reisen (d); er sendet darum Timotheus, um zu verhindern,
daß die Gemeinde durch die Bedrängnisse am Glauben irrewerde und
so dem Versucher erliege, wodurch die Mühen des Paulus zunichte
würden (e). Gewissermaßen in Parenthese (durch das doppelte οἴδατε
(3,3b.4a) gekennzeichnet) fügt Paulus auch hier einen Rückverweis
auf seine Verkündigung 'vor Ort' ein: schon dort hatte er von den
nun eingetroffenen Leiden gesprochen. Schließlich (f) berichtet er
über seine Reaktion auf die guten Nachrichten bei Timotheus' Rückkehr, die ihn bei all seiner Bedrängnis wieder zum Leben gebracht
haben und über seine Hoffnung auf ein Wiedersehen. Ein wiederum an
der Parusie des Herrn orientierter Segenswunsch (nun wieder für
die Gemeinde) schließt den ganzen ersten Briefteil ab (3,12f.).

Traditionen

Abgesehen davon, daß Paulus an mehreren Stellen unseres Textes
kürzere Formulierungen verwendet, die in der frühchristlichen Mission schon fest geprägt vorlagen[10] - so vor allem die (schon auf

---

10 Cf. die Triaden 'Glaube/Liebe/Hoffnung' (1,3; cf. 1Kor 13,13; Röm 5,1-5;
   Gal 5,5f.) und 'Werk/Mühe/Geduld' (1,3; cf. Apk 2,2) sowie das Traditions-
   zitat 1,9b.10 (cf. W.MARXSEN, ZBK 1Thess, 35.40 und die nächste Anm.).

jüdische Wurzeln zurückgehende) monotheistische Missionsformel[11] in 1,9 - sind bei der Frage nach der Aufnahme von Tradition vor allem der "Cynic background"[12] von 2,1-12 und die 'Prophetenver-folgungs-Tradition' in 2,13-16 anzusprechen. Auffällig ist dabei zunächst, daß beide Traditionen ganz punktuell aufgenommen werden: nur in den genannten Textbereichen sind sie jeweils greifbar, die-se aber prägen sie in ausgesprochen starkem Maße.

a) Der kynisch-stoische[13] Hintergrund von 2,1-12 ist zuletzt von Malherbe anhand einer vor allem die Reden des Dion Chrysosto-mos (ca. 40-120 n.Chr.)[14] heranziehenden Untersuchung aufgewiesen worden[15]. Die dort angeführten reichen Belege zeigen, daß die von Paulus vorgenommene Abgrenzung seiner Verkündigung sachliche und terminologische Entsprechungen in den Auseinandersetzungen hat, wie sie in den Reden Dions überliefert sind, in denen der wahre Philosoph sich von den "Schmeichlern, Goëten und Sophisten"[16] ab-grenzt. Am stärksten beherrscht von diesem 'Muster' zeigen sich die negativen (von Paulus zurückgewiesenen) οὐ-Glieder der Anti-thesen von 2,3-7 (hier finden sich durchweg Entsprechungen[17]); so-dann spielt die παρρησία (cf. 2,2) im Kynismus eine entscheidende Rolle[18]; schließlich ist die Frage nach βάρος und ἠπιότης (cf. 2,7) des rechten Philosophen ein verbreitetes Thema der popularphiloso-phischen Auseinandersetzung[19].

---

11 Seit M.DIBELIUS (HAT Thess, 6f.) ist der Traditionscharakter von 1Thess 1,9f. immer wieder bestätigt worden, cf. die bei P.VIELHAUER, Geschichte, 28 Anm.49 und K.WENGST, Formeln, 29f. Anm.10 angeführte Literatur. P.VIELHAUER, aaO. 29, verfolgt die Formel bis ins hellenistische Judenchristentum zurück, mir erscheint es darüber hinaus sehr wahrscheinlich, daß sie schon eine jüdische Vorgeschichte hatte.

12 A.J.MALHERBE, "Gentle as a Nurse", 204.

13 Diese Bezeichnung erscheint mir angesichts der von A.J.MALHERBE, aaO. 205-217, zusammengestellten Belege (u.a. auch Epiktet, Seneca) sowie der Musonios-Schülerschaft Dions (cf. H.DÖRRIE, Art. Dion, KP 2,60) angemessener als eine Reduktion auf den Kynismus allein. Cf. auch M.POHLENZ, Stoa, I, 355 ("freund-nachbarliche Beziehungen zwischen Kynikern und Stoikern") u. 360 (zu Dion).

14 Cf. W.ELLIGERs Einleitung zu seiner Übersetzung: Dion Chrysostomos, Sämtli-che Reden, v.a. XI-XVII; die besonders 'ergiebige' Alexandrinische Rede (Or 32) ist zwischen 108 und 112 n.Chr. zu datieren (cf. A.J.MALHERBE, aaO. 205 Anm.4 im Anschluß an W.WEBER).

15 A.J.MALHERBE, aaO. 203-217; cf. auch E.v.DOBSCHÜTZ, KEK 1Thess, 105f. mit Hinweis auf Epiktet, Diss III,22; M.DIBELIUS, HNT 1Thess, 6-9.

16 Or 32,11.

17 Zu 1Thess 2,1: κενός vgl. z.B. Or 31,30, und A.J.MALHERBE, aaO. 207 Anm.5.
            2,3: πλάνη vgl. Or 4,33.35 und MALHERBE 206f. Anm.7.
                 ἀκαθαρσία, δόλος vgl. Or 32,11f.; cf. MALHERBE 214.
            2,5: λόγος κολακείας vgl. Or 48,10 und MALHERBE 206f. Anm.7.
                 πρόφασις πλεονεξίας   ⎤ vgl. Or 32,11f. und MALHERBE
                 ζητοῦντες ἐξ ἀνθρώπων δόξαν⎦ 206.207 (mit Anm.2).214.

18 Cf. H.SCHLIER, Art. παρρησία, ThWNT 5,872,11-50.

19 Cf. A.J.MALHERBE, aaO. 208-214. So rühmt z.B. Moschion dem Epiktet nach, er sei von stattlicher Erscheinung, sanfter Rede und mildem Charakter gewesen (... τὴν δὲ ὁμιλίαν ἤπιος, τὸν δὲ τρόπον ἥμερος - Text im Anhang der Epiktet-Edition von H.SCHENKL, 495, Nr.3).

Angesichts der weit zurückreichenden Tradition kynischer und
stoischer Theorie und Praxis können wir davon ausgehen, daß die
(bei Dion ja erst Jahrzehnte nach Paulus greifbaren) Themen und
Argumente auch schon in der paulinischen Situation geläufige Be-
wertungskriterien darstellten, nach denen seine Hörer die Wander-
lehrer ihrer Zeit zu beurteilen gewohnt waren. Paulus bedient sich
daher ein Stück weit derselben Argumentationsmuster wie Dion, um
seine Arbeit "vom Tun unlauterer Goeten"[20] zu unterscheiden. Auch
der Gedanke des παρρησιάζεσθαι ἐν τῷ θεῷ, das trotz aller Leidenserfahrungen die Verkündigung des Evangeliums ermöglicht (2,1), ist
der Aussage Dions auffallend parallel, ein Gott habe ihm Mut gemacht (θαρρῆσαι), trotz des zu erwartenden Gespötts und Zorns der
Menge zu reden[21]; ebenso kann Epiktet fragen, warum denn ein Kyniker, der sich in allem als Freund und Diener der Götter, als Mit-
regent des Zeus verstehe, "nicht freimütig zu reden den Mut haben
solle" (διὰ τί μὴ θαρρήσῃ παρρησιάζεσθαι)[22].

Nun darf man aber nicht übersehen, daß Paulus den Grundgegensatz 'nicht den Menschen, sondern Gott gefallen' auch in Gal 1,10
verwendet. Dort greift er offensichtlich einen entsprechenden Vorwurf seiner 'judaisierenden' Gegner auf, die in der gesetzeskri-
tischen Verkündigung eine Gottes Anspruch herabsetzende Rücksichtnahme auf menschliche Wünsche sehen. Zu dieser Frontstellung paßt
es, daß Paulus in 1Thess 2,4 nicht einfach von 'Gott' redet, sondern unter Rückgriff[23] auf Jer 11,20; 12,3 von "Gott, der die Herzen prüft". Er bezieht so den Aspekt des Gerichtes Gottes in die
Betrachtung ein, dem er (wie der Jeremia der Konfessionen) das Urteil anheimstellt.

Überhaupt ist festzuhalten, daß Paulus in den positiven Gegen-
gliedern der Antithesen deutlich eigene Akzente setzt. So weist
auch die inhaltliche Füllung des ἤπιος-Seins in 2,8 über die sto-
isch-kynische Vorstellung hinaus: gilt sie dort als "synonym for
φιλάνθρωπος"[24], so hier als eine durch die Liebe zu der besonderen
Gemeinde motivierte Selbstpreisgabe. Diese besteht u.a. darin, daß
Paulus auf jede Belastung der Gemeinde verzichtend neben der Verkündigung seinen Lebensunterhalt unter "Fleiß und Schweiß"[25] selbst
erarbeitet. Schließlich erhält die auch bei Dion[26] belegte (väter-

20 M.DIBELIUS, HNT 1Thess, 9.
21 Dion, Or 32,21f.
22 Epiktet, Diss III, 95f.
23 Cf. auch Jer 17,10; 20,12.
24 A.J.MALHERBE, Gentle, 211 (Akzentfehlerkorrektur).
25 So die treffende Übersetzung von κόπος καὶ μόχθος durch M.DIBELIUS, HNT
   1Thess, 8.
26 Vgl. 1Thess 2,11f.: ἕνα ἕκαστον ὑμῶν ... παρακαλοῦντες
   mit Dion, Or 77/78,38: παρακαλῶν ... ἰδίᾳ ἕκαστον ἀπολαμβάνων ...

liche) Ermahnung eines jeden Einzelnen dadurch einen deutlich anderen Akzent, daß Paulus eben nicht zu einer vernunftgemäßen Lebensweise, sondern zu einem der Berufung in die βασιλεία und δόξα
Gottes würdigen Wandel aufruft; auch hier liegt die Differenz vor
allem in der eschatologischen Perspektive der paulinischen Rede.

1Thess 2,1-12 geht also auf populäre kynisch-stoische Kriterien
ein, um dadurch die paulinische Evangeliumsverkündigung negativ gegen allerlei zeitgenössisch geläufige Scharlatanerie abzugrenzen
und sie positiv als einen Vorgang auszuweisen, der auch an diesen
Wertmaßstäben gemessen als respektabel gelten kann. Gleichzeitig
überschreitet Paulus aber diese Kriterien und verbindet sie mit
eigenen Akzenten jüdischer Prägung.

Welche Konsequenzen ergeben sich aus diesem Befund für die Frage nach den
Gegnern des Paulus in Thessalonich und nach deren konkreten Vorwürfen, gegen
die er sich in 1Thess 2,1-12 wehrt?

Act 17 zeigt, daß bei der Gründung der Gemeinde vor allem von Seiten der
Juden heftiger Widerstand geleistet wurde, auf den auch 1Thess 2,2 Bezug
nimmt. Auch die oben angeführte Parallelität zu Gal 1,10 weist in dieselbe
Richtung und läßt an jüdische Intrigen denken, die die aus Gottesfürchtigen
sich rekurrierende[27] Gemeinde irritiert hätten. Typisch jüdische Kritik, d.
h. vor allem an der Gesetzes- und Messiasfrage ansetzende inhaltliche Argumente sind freilich in 1Thess 2 nicht erkennbar. Nun berichtet aber Act 17,5
auch davon, die Juden hätten "schlechte Leute, die auf dem Markt umherzuste-
hen pflegen" an ihren Aktivitäten gegen Paulus und seine Anhänger beteiligt.
Ebenso ist 1Thess 2,14 von Anfeindungen der Gemeinde durch "eure eigenen
Volksgenossen" (ὑπὸ τῶν ἰδίων συμφυλετῶν) die Rede. Sie steht also (zumindest
auch) in einer Auseinandersetzung mit 'Griechen', wozu der Goëtie-Verdacht und
-Vorwurf paßt.

Man braucht auch den 'hellenistisch' argumentierenden Widerstand nicht
künstlich vom 'jüdischen' zu trennen, wenn man sich das historische Erschei-
nungsbild der hellenistischen Synagoge und der sich von ihr lösenden Chri-
stengemeinde nur konkret genug vor Augen führt. So läßt sich das Ineinander
populär - hellenistischer und jüdischer Argumentationsmuster ohne weiteres
im Rahmen einer Auseinandersetzung zwischen den bei der Synagoge verbliebe-
nen und den zu Paulus hin abtrünnig gewordenen Gottesfürchtigen vorstellen.
Angesichts der gemeinsam erlebten Begleitumstände seines Auftretens konnte
Paulus von denen, die er nicht zu überzeugen vermochte, ohne weiteres als
Goët verdächtigt werden, der sich mit unlauteren Motiven an den Sympathisanten der Synagoge vergriffen habe. Motivation und Argumentation der die Christen anfeindenden "Volksgenossen" lassen sich so plausibel erklären. Das sich
dabei ergebende Bild der Gottesfürchtigen, die ihre Bindung an die Synagoge
unter Zuhilfenahme der Argumentationsmuster hellenistischer Bildung und Zivilisation verteidigen, scheint mir überdies auch im Blick auf andere Paulusbriefe aufschlußreich.

b) In 2,13-16 ist eindeutig die deuteronomistische Prophetenverfolgungs-Tradition aufgenommen, und zwar in einer Paulus vom
hellenistischen Urchristentum her überlieferten, bereits verchrist-
lichten Ausprägung, in der in jedem Fall der Tod Jesu schon mit
der Prophetentötung verbunden ist[28]; wahrscheinlich sind aber auch

---

27 Nach Act 17,4 bestand die erste Gemeinde aus einigen Juden, einer "großen
Menge von den gottesfürchtigen Griechen" (σεβομένων Ἑλλήνων πλῆθος πολύ)
und "nicht wenigen von den vornehmen Frauen".
28 Cf. O.H.STECK, Israel, 274.

schon die (wirkungsgeschichtlich so verhängnisvolle und heute un-
erträgliche) pauschale Bezeichnung der Juden als "Gott nicht gefal-
lend und allen Menschen feindlich"[29] und vielleicht sogar die Ergänzung der 'Liste' von Verfehlungen der Juden um den Vorwurf der
Behinderung der Heidenmission vorpaulinisch vorauszusetzen.

Für unsere Fragestellung wichtig ist in jedem Fall, daß die ursprünglich (gemäß der von Steck herausgearbeiteten deuteronomistischen Grundstruktur[30]) an den Tätern orientierte Tradition bei Paulus von der Seite der Verfolgten her in den Blick genommen und in
den Kontext eingebettet wird: die Thessalonicher leiden dieselben
Leiden wie die Gemeinden in Judäa. Diese 'Umwendung' der Prophetenverfolgungs-Tradition in die Perspektive der Leidenden war uns im
Bereich der Jesusüberlieferung[31] in Lk 6,22f. schon begegnet: dort
bekräftigte die Prophetenverfolgungsaussage die Tradition vom leidenden Gerechten, indem sie die um Jesu willen Verfolgten in dieselbe Front mit den verfolgten Propheten stellte. Wurde dort die
Prophetenaussage auf den Jüngerkreis (bzw. nach Steck: auf "Prediger, die 'den Propheten' entsprechend an Israel wirken"[32]) übertragen, so kommt es hier durch die Einbeziehung der Gemeinden zu einer
den ursprünglichen Traditionsrahmen aufsprengenden Erweiterung:
das Geschick der angefeindeten Thessalonichergemeinde ebenso wie
das der verfolgten Judäergemeinden wird mit der Tötung Jesu, der
Tötung der Propheten und der Verfolgung des Paulus in eine Linie
gerückt.

Diese 'Demokratisierung' der Prophetenverfolgungs-Tradition
wird verständlich, wenn man sie im Bezug zur Tradition vom leidenden Gerechten sieht, die in ihrer apokalyptischen Ausprägung den
Gedanken betont, daß die Zugehörigkeit zu Jahwe angesichts der Jah-
wefeindschaft der diesem Äon verhafteten Menschen geradezu zwangsläufig ins Leiden führt. Von hier aus gesehen erscheint die Tradition vom gewaltsamen Prophetengeschick als ein die Tradition vom
leidenden Gerechten bestätigender 'Sonderfall': die Prophetenver-
folgungen erweisen, daß schon in der Vergangenheit die Zugehörigkeit zu Jahwe ins Leiden führte.

Dann aber ist es nur folgerichtig, wenn denen, die solche Verfolgung und damit den Kampf gegen Gott durchführen, das Endgerichts-
geschick der Feinde des leidenden Gerechten gemäß der apokalypti-

---

29 Cf. ebd. 274f.; O.MICHEL, Fragen, 56f.
30 Siehe oben den Exkurs 1, S.81f.
31 O.H.STECK, Israel, 284f., rechnet Lk 6,22f. lieber dem frühen palästinischen
   Urchristentum zu; in unserem Zusammenhang ergäben sich dadurch keine wesentlich anderen Ergebnisse.
32 O.H.STECK, aaO. 283.

schen Ausprägung der Tradition angekündigt wird: die όργή είς
τέλος (wie - nach TestLev 6,11 - schon die Abraham und Israel ver-
folgenden Sichemiten sich die όργή τοῦ θεοῦ είς τέλος zugezogen
hatten).

Paulus greift also in 1Thess 2,13-16 ein urchristliches Über-
lieferungsstück auf, das die deuteronomistische Prophetenverfolgungs-Tradition christologisch und im Blick auf die Heidenmission
ergänzt hat. Indem er sie in seinem Brief 'demokratisierend' auf
die Gemeinde überträgt, wendet er sie in die Perspektive der Tradition vom leidenden Gerechten um und gewinnt so einen die Leiden
der Gemeinde (als der Jesusanhänger), seine eigenen Leiden und den
Tod des Kyrios Jesus zusammenfassenden Interpretationszusammenhang.

> Auf den gerade in jüngerer Zeit vielbehandelten Gedanken der 'Judenpolemik'
> in 1Thess 2,15f. ist hier nicht ausführlich einzugehen. Nach dem Bisherigen
> ist deutlich, daß die όργή θεοῦ diejenigen Juden (und nur diese) trifft, die
> sich durch die Tötung Jesu, die Verfolgung der Gemeinden und des Paulus so-
> wie durch die Behinderung der Heidenmission als 'Feinde' der 'Gerechten' und
> damit Gottes erwiesen haben. Insoweit ist die όργή Gottes über die die Chri-
> sten verfolgenden Juden im Kontext der Tradition vom leidenden Gerechten eine
> konsequente Folgerung.
>   Doch gibt der Text darüber hinaus noch zu erkennen, daß bestimmte urchrist-
> liche Kreise - historisch wohl am ehesten die Träger der antiochenischen Mis-
> sion - in der Situation der Verfolgung durch die Juden schon vor Paulus die
> in der deuteronomistischen Prophetenverfolgungs-Tradition vorliegende jüdi-
> sche Selbstkritik aufgegriffen, verchristlicht und ihrerseits gegen die Juden
> gewendet haben, wobei sie sie mit den Parolen des antiken Antisemitismus ver-
> bunden haben[33]. Paulus hat diese Aussagen in 2,15b mitübernommen; im Duktus
> seines Textes haben sie zwar kein entscheidendes Gewicht mehr, so wie über-
> haupt das Verhältnis von Juden und Christen nicht Thema ist und von Paulus
> sonst weit differenzierter angegangen wird. Gleichwohl bleibt das höchst pro-
> blematische[34] "Resultat bestehen, daß der Anklang an die antijüdische Pole-
> mik des Heidentums nicht vermieden wird"[35].

Interpretation

Verbinden wir die Beobachtungen zu Struktur und Aussageduktus
von 1Thess 1,2-2,16 mit denen zur Traditionsverarbeitung, so wird
die Funktion der oben beschriebenen ringförmigen Argumentation völlig deutlich: was Paulus in 1,2-10 ein erstes Mal entfaltet: die

---

33 Cf. W.MARXSEN, ZBK 1Thess, 49; cf. Est 3,8.13LXX; Josephus, Ap 1,310; 2,121.
   148; Tacitus, Hist 5,4-5; Juvenal, Sat 14,103-104; weitere Belege bei M.
   DIBELIUS, HNT 1Thess, 29-31 ("Beilage").
34 Daß Paulus hier in den antijüdischen Chor einstimmt, ist natürlich auch als
   emotionale Reaktion auf die ihm von seiner Berufung an (schon in Damaskus:
   2Kor 11,32f./Act 9,24f.) vorzugsweise von Juden (vgl. auch 2Kor 11,24) treffende Verfolgung zu sehen, was man bei der Bewertung dieses Vorgangs nicht
   vergessen sollte. Sie zeigt, daß es Paulus durchaus nicht immer gelang, dem
   Bild von 1Kor 4,12b.13a zu entsprechen. Bedenklich ist jedoch die eminent
   theologische Redeweise, die unversehens zu einem theologischen Antijudaismus
   gerinnt, schlimmer noch, daß dieser theologische Antijudaismus in einem me-
   chanischen Biblizismus immer wieder einem "christlichen" Antijudaismus und
   Antisemitismus die Argumente geliefert hat.
35 O.MICHEL, Fragen, 57 Anm.16.

ἐκλογή der Thessalonicher im Blick auf ihre Ursachen und Auswirkungen, wird in 2,1-16 verifizierend und präzisierend nochmals entwickelt. Das paulinische Evangelium (das - nach 1,9b - die Thessalonicher zur Abkehr von den εἴδωλα und zur Hinwendung zum Dienst
am wahren Gott und zum Glauben an Jesus als den Retter aus dem
Endgericht geführt hat)[36], bestand - so die Grundthese von 1,5f. -
nicht aus Worten allein, sondern Gott selbst ist darin wirksam gewesen, so daß es die Gemeinde zu μιμηταί des Apostels und des Herrn
in der Bedrängnis gemacht hat (und damit gleichzeitig zum τύπος
für andere Gemeinden).

Paulus verifiziert den ersten Teil dieser Grundthese, indem er
der Gemeinde ihre eigenen Erfahrungen mit ihm und seinem Evangelium ins Gedächtnis ruft und im Rekurs auf die ihnen geläufigen kynisch-stoischen Kriterien reflektiert: seine Verkündigung bleibt
hinter den Ansprüchen, die an eine wahre, d.h. nicht nur menschliche, sondern göttliche Lehre gestellt werden können, nicht zurück. Im Gegenteil: in der παρρησία des Apostels trotz seiner "vorher in Philippi gelittenen" Leiden und in dem ganzen Auftreten des
Paulus hat sich dieses Evangelium als Gottes Wort erwiesen, freilich des Gottes, der - wie die das Traditionsmuster überschreiten-
den Argumentationselemente deutlich machen - die Herzen prüft und
in seine βασιλεία und δόξα ruft und so gerade durch die Betonung
des eschatologischen Aspekts als der Gott Israels erkennbar ist.

War in dem Stichwort καλεῖν (2,12) schon ein Rückverweis auf
die ἐκλογή des Eingangsverses zu erkennen, so setzt 2,13 mit der
Wiederaufnahme des εὐχαριστοῦμεν nochmals bei diesem Anfang an,
nimmt aber das Ergebnis des gerade beschriebenen 'empirischen Be-
weisgangs' (2,1-12) summierend auf: das Evangelium ist λόγος ἀκοῆς
παρ'ἡμῶν τοῦ θεοῦ und darin οὐ λόγος ἀνθρώπων ἀλλὰ (...) λόγος
θεοῦ. Unmittelbar hieran schließt Paulus nun das Leidensthema an:
eber dieser λόγος θεοῦ ist wirksam, wenn die Thessalonicher zu
μιμηταί derer werden, die unter den Anfeindungen der Feinde Gottes
leiden. Wie die deutliche Parallelformulierung des Mimesis-Gedan-
kens in 1,6 und 2,14 zeigt, geht es beidemal um dasselbe Phänomen:
Paulus kann es das eine Mal als Mimesis seiner selbst und des Herrn
beschreiben, das andere Mal als Mimesis der judäischen Gemeinden
im Kontext der 'demokratisierten' und in die Perspektive der Tra-

---

36 Wenn Paulus in 1Thess 1,9.10 seine eigene Missionsverkündigung in einer zum
urchristlichen Formelgut gehörenden Kurzfassung zusammenfaßt (s. oben S.200
Anm.11), so haben diese Verse nur die Funktion der Vergegenwärtigung der bekannten Sachaussagen des Evangeliums, während die Aussagen in 1,5f. in diesem Kontext für die Gemeinde neu sind, und darum auch der Explikation be-
dürfen. Für die Hörer liegt also auf ihnen der Ton.

dition vom leidenden Gerechten gewendeten Prophetenverfolgungs-
tradition. 2,14ff. ist also eine 1,6 präzisierende Erläuterung:
das Leiden der Gemeinde steht in einer Sachkontinität mit den
apostolischen Leiden und den Leiden Jesu, damit aber gleichzeitig
im Kontext des kontinuierlichen Leidensgeschicks all derer, die
auf Gottes Seite stehen und deshalb angefeindet und verfolgt wurden und werden. Die Mimesis der Thessalonicher ist also nicht eine
bewußte Nachahmung eines bestimmten individuellen Vorbildes, sei
es des Apostels, sei es Jesu, sondern das Eintreten, ja, das Hin-
eingeraten in die Situation des um Gottes willen Angefeindeten und
Verfolgten und damit das Eintreten in die Front (und Tradition) der
um Gottes willen Leidenden, die die verfolgten Propheten der Vergangenheit mit den ἐν Χριστῷ Verfolgten der Gegenwart verbindet.
Gerade darin, daß es in diese Front stellt, erweist sich das Evangelium als wirksames Wort Gottes, als gültige ἐκλογή zum Heil, der
die ὀργὴ εἰς τέλος für die Feinde gegenübersteht. Wie sehr Paulus
an dieser eschatologischen Entgegensetzung der Fronten gelegen ist,
zeigt wieder die Argumentationsstruktur: die ὀργὴ εἰς τέλος (2,16)
ist der große Kontrapunkt zur Rettung ἐκ τῆς ὀργῆς τῆς ἐρχομένης
(1,10) durch Jesus[37].

Von eben dieser endzeitlichen Perspektive ist auch der zweite
Gedankengang, 2,17-3,13, geprägt. Ging es in 1,2-2,16 um die
ἐκλογή der *Gemeinde* zur endzeitlichen δόξα, so jetzt um die δόξα des
Apostels bei der Parusie seines Herrn. Sie besteht in seinem Missionswerk, das der Satan zu behindern trachtet. Paulus denkt hier
ganz deutlich in den Kategorien des endzeitlichen Gegeneinanders
der von Gott Erwählten und Beauftragten auf der einen, des Satan
auf der anderen Seite und sieht in den ganz konkreten Hindernissen
bei seinen Reiseplänen[38] diesen Kampf sich vollziehen. Ebenso wie
in der Qumrangemeinde[39] sind also auch für Paulus θλίψεις Versuchungen des Versuchers (cf. 3,5), mit denen die Schar derer, die
sich zu Gott halten, zu Fall gebracht werden soll. Angesichts dieses 'Interesses' des Satan ergibt sich die faktische Unausweichlichkeit des Leidens für die, die auf Gottes Seite stehen. Von daher kann Paulus in 3,3f. formulieren: εἰς τοῦτο κείμεθα[40] und

---

37 Die von Kontext und Thema her im Grunde unmotivierte 'Judenpolemik' von
    2,15f. könnte auch um dieser Wirkung als Kontrapunkt willen aufgenommen sein.
38 Cf. den nicht beweisbaren, aber doch recht plausiblen Konkretisierungsver-
    such W.MARXSENs (ZBK 1Thess, 15f.), der zeitgeschichtlich(Claudius-Edikt) und
    missionschronologisch (Illyrien-Reise) einleuchtend zeigt, wie Paulus in die
    geschilderte Situation geraten sein könnte, die ihn dann nötigte, Timotheus
    nach Thessalonich zu senden.
39 Siehe oben S.148f.
40 Philologisch ist nicht zu entscheiden, ob Paulus hier nur seine oder auch
    die Bedrängnisse der Thessalonicher meint. Man sollte beide Möglichkeiten

darauf verweisen, daß sich darin Notwendiges und von ihm von vornherein Angekündigtes vollzieht. So ist es auch mehr als ein bloß
persönliches Votum, wenn Paulus sich auf die Nachrichten des Timotheus vom guten Stand der Gemeinde hin "in aller Not und Bedrängnis getröstet" (3,7) sieht und formuliert: ζῶμεν ἐὰν ὑμεῖς
στήκετε ἐν κυρίῳ (3,8): der Satan ist in Thessalonich nicht zum
Ziel gekommen und hat die δόξα und den "Ruhmeskranz" des Paulus
nicht zerstören können. Das aber heißt: im eschatologischen Kampf
auf Leben und Tod ist Paulus nicht zu Fall gekommen.

Es ist bei der Auslegung des 1Thess häufig aufgefallen, daß Paulus im ersten Teil des Briefes[41] die Christologie auffallend stark
zurücktreten läßt und ihren soteriologischen Gehalt ganz auf die
durch die Auferstehung Jesu verbürgte Rettung aus dem künftigen
Zorngericht reduziert. Ebenso fällt auf, daß die Rechtfertigungs-
terminologie in 1Thess 1-3 völlig fehlt. Gleichwohl ist deutlich,
daß das Phänomen der Rechtfertigung durch Jesu Tod in 1Thess 1-3
im Gedanken der ἐκλογή mit vorausgesetzt ist, die - wie wir sahen -
im Grunde das Thema des ganzen Textes ist. Darin steht der 1Thess
einem wesentlichen Aspekt der Jesusverkündigung[42] besonders nahe:
auch dort ist es Jesu Ruf in die βασιλεία Gottes, der die Gerufenen zu 'Gerechten' macht, und auch dort führt dieser Ruf in eine
'Nachfolge', die aufgrund der Anfeindungen durch die Feinde Gottes
zunächst in die Bedrängnis führt. 'Leidende Gerechte' sind die
Thessalonicher also in einer sehr ähnlichen Weise wie die Jesusanhänger der 'ersten Generation' (auch wenn der bei Jesus ebenso
wichtige Aspekt: daß vor allem die Armen, Leidenden und Unterprivilegierten berufen werden, und die dadurch sich ergebende Kontinuität zur alttestamentlich-jüdischen Tradition vom leidenden Gerechten nicht im Blick ist).

Fassen wir zusammen: Obwohl Paulus in 1Thess 1-3 betont wenig
mit expliziten Traditionsverweisen auf das Alte Testament arbeitet,
zeigt sich das Leidensverständnis des Briefes doch in wesentlichen
Punkten von der Tradition vom leidenden Gerechten her gedacht: insbesondere gewinnt der Text durch sie die Möglichkeit, den sachlichen Zusammenhang der Leiden der Gemeinde, des Apostels und Jesu
deutlich zu machen und sie als - in der endzeitlichen Situation
faktisch notwendige - Folge der Zugehörigkeit zu Gott verständlich
zu machen: die Evangeliumsverkündigung des Apostels erweist sich

---

nicht gegeneinander ausspielen, doch spricht m.E. mehr dafür, daß er *primär*
an seine eigenen Schwierigkeiten denkt, die die Gemeinde veranlassen könnten,
ihn und sein Evangelium nicht mehr anzuerkennen.
41 Cf. aber 1Thess 4,14 und 5,10!
42 Siehe oben S.168f.

ebenso wie das 'Stehen im Herrn' der Gemeinde gerade dadurch als
wirklich und wahr, daß sie Anfeindung erfahren und sich in der
Situation der Anfeindung bewähren.

12.Kapitel

DER ERSTE KORINTHERBRIEF

In diesem Kapitel haben wir uns vor allem mit 1Kor 4,6-13 zu beschäftigen,
dem für unsere Fragestellung eindeutig instruktivsten Text des ganzen Briefes. In ihm kommt das Leidensthema nicht nur zum ersten Mal, sondern auch
am ausführlichsten zur Sprache. Zudem erlaubt die Einbindung des Textes in
den - literarkritisch unproblematischen[1] - Kontext (1,10-4,21) wichtige
Rückschlüsse auf den theologischen Ort des Leidensthemas bei Paulus.

12.1. 1.Korinther 1-4

Um der für das Verständnis von 1Kor 4,6-13 entscheidend wichtigen Kontextbeziehung gerecht zu werden, sind hier zunächst der Gedankengang und die
Traditionsbezüge von 1Kor 1,10-4,5 zu untersuchen. Denn 1Kor 4,6-13 bildet
den (rhetorisch entsprechend hervorgehobenen) gewichtigen Schlußpunkt der
ausführlichen Argumentation, die in 1,10 bei den Parteiungen in Korinth ansetzt und der Gemeinde in ständigem Bezug auf dieses Problem die Bedeutung
des Kreuzes Christi und die daraus resultierende richtige Einschätzung des
'Status' der Apostel und ihrer selbst klar zu machen sucht. Die sich an
4,6-13 anschließenden Schlußverse 4,14-21 behandeln denselben Lehr- und Lern-
vorgang dann noch einmal unter dem Aspekt der persönlichen Beziehung des
Apostels zur Gemeinde.

12.1.1. 1.Korinther 1,10-4,5

Strukturen

Die Gliederungssignale[2] in 1Kor 1-4 zeigen, daß der Text in der
Abfolge seiner Unterabschnitte zunächst den in 1,17 formulierten
Grundgegensatz von σοφία und σταυρός unter drei verschiedenen

---

1 M.W. wird die ursprüngliche Einheit von 1,10-4,21 nirgends bestritten. Cf.
  die Übersicht über die verschiedenen literarkritischen Hypothesen bei H.CON-
  ZELMANN, KEK 1Kor, 13-15; seither W.SCHENK, Briefsammlung, 219-243. Auch der
  jüngste und weitgehendste Vorschlag von W.SCHMITHALS (Briefsammlung, bes.
  188 Anm.70) sieht 1,1-4,21 als einheitlichen "Brief D" innerhalb der in 9
  Briefe zu zerlegenden "Briefsammlung", die in 1Kor und 2Kor überliefert ist.
2 Gliederungssignale sind vor allem die ἀδελφοί-Anrede in 1,10.11.26; 2,1;
  3,1; 4,6, außerdem ergibt sich aus den Beobachtungen zum Person-Gebrauch
  eine Sonderstellung von 1,18-25: hier fällt die Ich/Wir ↔ Ihr-Relation des
  Briefes völlig aus, der Text ist dadurch gleichsam als 'Grundsatzerklärung'
  jenseits dieser Kommunikationsbeziehung gekennzeichnet. Ähnlich fehlt in
  2,6-16 das angeredete Gegenüber ganz, wodurch sich ein vom Kontext spürbar
  verschiedener Charakter des Textes ergibt, dem auch eine inhaltliche Sonderstellung entspricht. Während 1,18-24 aber so fest im Kontext verankert ist,
  daß durch die Stildifferenz eine besondere Betonung erreicht wird, ist 2,6-
  16 eher ein exkursartiger Nebengedanke, den J.WEISS treffend als "Einlage"
  bezeichnet (KEK 1Kor, 52). Somit ergibt sich folgende Gliederung: 1,10 (Thema) / 1,11-17 / 1,18-25 / 1,26-31 / 2,1-5 mit 'Einlage' 2,6-16 / 3,1-4,5 /
  4,6-13 / 4,14-21.

Aspekten entfaltet (1,18-25; 1,26-31; 2,1-5(-16) - bezeichnend
sind jeweils bestimmte Gegensatzpaare), um dann in 3,1-4,5 in einem
nochmals bei den Parteiungen ansetzenden Gedankengang das zuvor
Ausgeführte an der Funktion von Apollos und Paulus zu exemplifi-
zieren.

> Auffällig ist dabei die enge Verknüpfung von theologischer Belehrung und sie
> illustrierender und konkretisierender Applikation. So veranschaulicht z.B.
> 1,26ff. die theologischen Darlegungen seines Kontexts anhand einer 'empiri-
> schen' Darstellung der soziologischen Zusammensetzung der korinthischen Ge-
> meinde (cf. bes. 1,26); umgekehrt durchbricht 3,19-21a den mit der konkreten
> Arbeit des Apollos und des Paulus befaßten Abschnitt 3,5-23 durch eine kom-
> primierte Zusammenfassung des in 1,18-31 ausführlich dargelegten theologi-
> schen Gehalts.

Außerdem sind die vier regelmäßig auf die Unterabschnitte ver-
teilten, jeweils durch γέγραπται kenntlich gemachten Schriftver-
weise (1,19; 1,31; 2,9; 3,19) dominierende Charakteristika des Textes[3].

Der *Aussageduktus* von 1Kor 1-4 ist grob skizziert folgender: Paulus setzt ein (*1,10-17*) bei den ihm durch die Leute der Chloë be-
kanntgewordenen Informationen, wonach sich die korinthische Gemeinde in Paulus-, Apollos-, Kephas- (und Christus?[4])-Anhänger aufge-
spalten hat (1,12). Er sieht darin sein Evangelium mißverstanden
und verkannt (cf. 1,13): die Gruppenbildung ist gleichsam Symptom
eines 'falschen Bewußtseins', dem Paulus nun den wahren Charakter
seines Evangeliums entgegenstellt, indem er es im Gegensatz zur
σοφία des (menschlichen) λόγος profiliert.

Dies geschieht zunächst (*1,18-25*) in einem theologisch-thetischen,
programmatischen Gedankengang. Das Wort vom Kreuz vollzieht die
Scheidung von Verlorensein und Gerettetwerden, indem es den einen
μωρία, den anderen aber δύναμις θεοῦ ist[5]. Mit dem Evangelium hat
Gott so die Weisheit der Welt (gemäß Jes 29,14)[6] destruiert. Die
beiden mit ἐπειδή eingeleiteten Sätze 1,21f. entfalten dies in doppelter Weise:

a) zunächst im Blick auf Gott: das Unvermögen des Kosmos, ihn
durch die Weisheit zu erkennen, beantwortet Gott mit seiner "Aktion

---

3 Ein weiteres alttestamentliches Zitat (2,16 = Jes 40,13) ist auffälligerweise
  - obwohl wörtlich aus LXX zitiert - nicht mit γέγραπται gekennzeichnet, s.
  dazu unten S.221.
4 Zum Problem der 'Christuspartei' in Korinth cf. die bei W.G.KÜMMEL, Einleitung, 236 mit Anm.8-14 angeführten Positionen seit F.C.BAUR. Der Frage ist
  in unserem Zusammenhang nicht nachzugehen.
5 Das Gegensatzpaar μωρία / δύναμις θεοῦ läßt σοφία und δύναμις θεοῦ geradezu
  als austauschbar erscheinen, was 1,24 bestätigt. In 2,4 gilt dann dasselbe
  für πνεῦμα.
6 Die Schriftbezüge von 1Kor 1-3 werden im nächsten Abschnitt im Zusammenhang
  untersucht werden.

der Rettung"[7] durch die Torheit des Kerygmas, das den Heilsweg des
Glaubens eröffnet;

  b) sodann im Blick auf den Vollzug dieses Kerygmas: es steht
gleichermaßen im Widerspruch zum 'Erwartungshorizont' der Juden
wie der Griechen, die Zeichen bzw. Weisheit wollen, stattdessen
aber Christus als den *Gekreuzigten* verkündet bekommen - dies muß ihnen, wenn sie an ihren Wertmaßstäben festhalten, als Skandalon bzw.
Torheit erscheinen; wenn sie aber der κλῆσις folgen (cf. 1,24), ist
ihnen dieser Christus δύναμις θεοῦ bzw. θεοῦ σοφία. Die im vorhergehenden Text angebahnte, hier nun explizit erreichte Parallelisierung von δύναμις und σοφία führt Paulus im folgenden Vers noch einmal generalisierend aus: das μωρὸν τοῦ θεοῦ ist weiser als die
Menschen, und das ἀσθενὲς τοῦ θεοῦ ist stärker (ἰσχυρότερον) als
die Menschen. Mit μωρία und σοφία verhält es sich also genau so
wie mit ἀσθένεια und ἰσχύς: das von der Welt als töricht und
schwach Abgewiesene ist, wenn es "Gottes" ist, weiser und stärker
als das von der Welt als weise und stark Anerkannte.

  1,26-31 setzt mit einer empirischen Verifikation eben dieser the-
tischen Aussagen von 1,18-25 ein: an der soziologischen Struktur
der Gemeinde ist abzulesen, daß Gottes κλῆσις nicht den Wertmaßstäben der Welt entsprechend erfolgt (wobei wieder genau dieselben
Gegensatzpaare wie zuvor gebraucht werden):

Es gibt nicht viele	*sondern Gott erwählte sich*	*damit er zuschanden mache*
σοφοί	τὰ μωρά	τοὺς σοφούς
δυνατοί	τὰ ἀσθενῆ	τὰ ἰσχυρά
εὐγενεῖς	τὰ ἀγενῆ καὶ τὰ ἐξουθενημένα	
	→ τὰ μὴ ὄντα	→ τὰ ὄντα

Wir sehen: der Text setzt jedesmal bei den jedermann vor Augen stehenden 'Befunden'[8] an und gibt diese dann als Auswirkung eines 'Hand-
lungsprinzips' Gottes zu verstehen, bis hin zu der ganz allgemeinen
Spitzenaussage, daß Gott τὰ μὴ ὄντα erwähle, um τὰ ὄντα zu vernich-
ten. Konsequenz dieses Vorgangs aber ist, daß jeder Ruhm gegenüber
Gott unbegründet ist. Anteil an Christus (als der wahren σοφία Gottes, die Paulus fast beiläufig durch die Zuordnung von δικαιοσύνη,

---

7 H.CONZELMANN, KEK 1Kor, 61.
8 Hinter der Trias σοφός/δυνατός/εὐγενής wird seit J.MUNCK (1954) oft eine Formel vermutet, deren Ursprung und Bedeutung sehr verschieden bestimmt wird.
 Eine Übersicht über diese Versuche bietet W.WUELLNER, Ursprung und Verwendung, 165-168. Seine eigene Deutung (168-184) erscheint mir v.a. insofern
 problematisch (und im Blick auf den Text ganz unwahrscheinlich), als sie die
 soziale Komponente bewußt ausblendet. Zu dieser cf. G.THEISSEN, Soziale
 Schichtung, bes. 232-234; 267ff.; DERS., Die Starken und die Schwachen, bes.
 286-289.

ἁγιασμός und ἀπολύτρωσις inhaltlich näher bestimmt[9]) hat niemand
aufgrund eigenen Vermögens, sondern nur "aus Gott" (1,30: ἐξ
αὐτοῦ), so daß man sich - gemäß Jer 9,22f. - nur des Herrn rühmen
kann.

Auch *2,1-5* hat eine den Grundgedanken von 1,18ff. illustrierende und verifizierende Funktion, jetzt im Blick auf das Auftreten
und die Verkündigung des Paulus in Korinth. Der Text stellt dabei
einen Entsprechungszusammenhang her zwischen dem paulinischen
"Zeugnis von Gott", das auf den Gekreuzigten allein zielt, und seinem Auftreten "nicht mit hohen Worten und Weisheit"[10], sondern ἐν
ἀσθενείᾳ καὶ ἐν φόβῳ καὶ ἐν τρόμῳ πολλῷ. Und wie in 1Thess 1 erweist dieses Auftreten des Paulus, daß sein Kerygma nicht in Über-
redung durch Weisheitsworte, sondern im Erweis des Geistes und der
Kraft besteht: nicht menschliche Weisheit, sondern Gottes Kraft
sind so auch die Basis des Glaubens der Gemeinde.

> Auf diese Weise ergibt sich in 1,18-2,5 aus dem in 1,17 gesetzten Gegeneinan-
> der von Weisheit und Kreuz ein konzentrisches Feld einander entsprechender Ge-
> gensätze, das sich unter kontinuierlicher Erweiterung durch den ganzen Text
> durchhält: der Grundgegensatz von σταυρός und σοφία setzt die von ἀσθένεια
> und ἰσχύς, μωρός und σοφός, ἀγενής und εὐγενής, τὰ μὴ ὄντα und τὰ ὄντα, σοφίας
> λόγος und πνεῦμα/δύναμις aus sich heraus. Sie alle bringen dasselbe Wirkungs-
> prinzip göttlichen Handelns zur Sprache, das für das Kerygma des Paulus von
> wesentlicher Bedeutung ist.

An 2,1-5 schließt sich in *2,6-16* eine "Einlage"[11] an, die die erkenntnismäßigen Voraussetzungen der paulinischen Verkündigung der
Weisheit Gottes zusammenhängend entwickelt und in zwei Gedankengängen einbringt. Der erste (2,6-9) formuliert grundsätzlich: die
θεοῦ σοφία ἐν μυστηρίῳ ist als die verborgene, präexistente Weisheit Gottes σοφία nur für die τέλειοι; von denen aber, die diesen

---

9 Der liturgische Charakter dieser Trias läßt auf die Aufnahme vorpaulinischer
  (Tauf-)Tradition schließen (cf. E.KÄSEMANN, Taufliturgie, 45; P.STUHLMACHER,
  Gottes Gerechtigkeit, 185). Ob es sich freilich um ein "hymnische(s) Zitat"
  (E.KÄSEMANN, Gottesgerechtigkeit, 182) in dem strengen Sinne handelt, daß
  auch die Reihenfolge der Begriffe vorgegeben ist, oder ob eine speziell auf
  den korinthischen 'wunden Punkt' zielende Umstellung der ἀπολύτρωσις an den
  Schluß erfolgt ist, bleibt zu erwägen.
10 H.LIETZMANN, HNT Kor, 10.
11 J.WEISS, KEK 1Kor, 52; s. oben S.208 Anm.2. - M.WIDMANN, Einspruch, bes.
  45-50, hält 1Kor 2,6-16 für eine sekundäre Glosse, "welche die enthusiastische Gruppe in der korinthischen Gemeinde als Entgegnung zum Brieforiginal
  dazuschrieb und die dann beim späteren Abschreiben in den Paulustext eingefügt wurde" (ebd. 46). So elegant dies die Schwierigkeiten beseitigt (cf.
  bes. ebd. 52f.), so sehr wird man bei der 'lectio difficilior' bleiben müssen, solange sich keine *textkritischen* Indizien ergeben oder ein Verstehen
  des überlieferten Textes unmöglich ist. - In einer gleichzeitig publizierten
  Arbeit hat zudem U.WILCKENS gerade umgekehrt die engen Bezüge herausgearbeitet, die 1Kor 2,6-16 trotz seiner unbestrittenen Sonderstellung mit dem Kontext verbinden, v.a. mit 2,1-5, aber auch mit 1Kor 1 (U.WILCKENS, Zu 1Kor
  2,1-16, bes. 506f.513f.).

Äon beherrschen[12], wird sie nicht erkannt. Beweis dafür ist die
Kreuzigung des Herrn der δόξα[13]. Vielmehr handelt es sich in dieser Weisheit Gottes um eine - gemäß der apokalyptischen Tradition,
die Paulus hier zitiert[14] - von diesem Äon her schlechthin unge-
kannte Qualität des Heils. Der zweite Gedankengang (2,10-16) stellt
sodann heraus, daß diese Weisheit Paulus als ihrem Verkündiger
durch das πνεῦμα offenbart ist, das als πνεῦμα θεοῦ allein Erkenntnis der 'Tiefen Gottes' ermöglicht. Von daher wird die paulinische
Verkündigung auch nur von den πνευματικοί richtig erfaßt, den
ψυχικοί (wieder ein neues Gegensatzpaar![15]) dagegen bleibt sie Torheit. Der Kreis der Argumentation schließt sich, wenn Paulus über
den Gedanken der Souveränität des πνευματικός und ein Zitat aus
Jes 40,13 darauf zurückkommt, daß er diesen Geist, der jetzt als
νοῦς Χριστοῦ bezeichnet wird[16], "hat".

Mit *3,1-4* erreicht der Text wieder die Redeebene des Wir-Ihr und
leitet unter Auswertung der 'Einlage' 2,6-16 auf die Parteienfrage
zurück. Hatte Paulus den Korinthern bisher die beiden gegeneinan-
derstehenden Bereiche vor Augen gestellt, in denen das Evangelium
erkannt bzw. verkannt wird, so wendet er ihren Blick nun auf die
konkreten Vorgänge, an denen sie selbst beteiligt sind: Die Parteiungen in der Gemeinde sind Symptom des nur menschlichen, falschen Verstehens; die Parolen Ἐγώ εἰμι Παύλου bzw. Ἐγώ Ἀπολλῶ
usw. und der Streit darum erweisen, daß die Korinther σαρκικοί,
"Menschen" sind und die σοφία Gottes im Kreuz Jesu in ihrem Wesen
noch nicht begriffen haben.

Solchen falschen Vorstellungen stellt Paulus in *3,5-4,5* positiv
am Beispiel des Apollos und seiner selbst gegenüber, wie das Verhältnis von Gott, Christus, Apostel und Gemeinde im Kontext seines
Evangeliums angemessen zu bestimmen ist. Apollos und Paulus sind
διάκονοι Gottes an der Gemeinde und wirken gemäß der ihnen von Gott

---

12 Die alte Frage, ob an irdische Machthaber (so seit Theodoret, cf. U.WILCKENS,
   aaO. 508f.) oder dämonische Mächte (so seit Origenes, cf. J.WEISS, KEK 1Kor,
   53f.; H.CONZELMANN, KEK 1Kor, 79) gedacht sei, scheint mir keine wirkliche
   Alternative. Daß an die konkreten Vorgänge der Passion Jesu gedacht ist, ist
   von 2,8 her ganz deutlich. Gleichwohl geht es um die Äonen-'bereiche', in
   denen das Zusammenwirken und Identischwerden von widergöttlichen "Mächten"
   und politischen "Machthabern" als ihren Exponenten zusammengehören. Cf. schon
   A.SCHLATTERs Hinweis (Bote, 111) auf die Vorstellung von den himmlischen
   Fürsten der Völker und seine Unterscheidung zwischen der griechischen Dämo-
   nenvorstellung und ihrem jüdischen Pendant (ebd. 114f.); siehe auch unten
   S.214 Anm.19 und S.221 Anm.51.
13 Cf. die unmittelbar voranstehende Aussage, Gott habe die Weisheit vor aller
   Zeit εἰς δόξαν ἡμῶν ausersehen. Zum Traditionshintergrund s.u. S.221 Anm.51.
14 Siehe unten S.216ff.
15 Siehe unten S.219ff. und 241.
16 Νοῦς hier = πνεῦμα, bewirkt durch das Zitat nach LXX; cf. J.WEISS, KEK 1Kor,
   69; H.CONZELMANN, KEK 1Kor, 87.

gegebenen Gabe. Die Bilder von der Pflanzung und vom Hausbau
(3,6-9. 9-13/-17) verdeutlichen dies. Dabei betont Paulus im Hinblick auf den Dienst an der Gemeinde die Einheit und Gleichwertig-
keit des Werks, das Paulus und Apollos - wenn auch in verschiedener Funktion - vollbringen und dessen Gelingen sich nicht ihnen,
sondern allein Gott verdankt. Was die 'persönliche' Relation des
διάκονος zu Gott betrifft, können freilich beide mit einem ihrem
je eigenen κόπος entsprechenden Lohn rechnen[17]. Das Bild von der
Gemeinde als Haus Gottes weiterführend stellt Paulus in 3,16f. dem
konstruktiven Werk der Apostel noch ein negatives Gegenbild gegenüber: ist die Gemeinde der heilige Tempel Gottes (=Haus Gottes),
so hat der, der sie verdirbt, mit seinem eigenen Verderben durch
Gott zu rechnen.

3,18-4,5 greifen nochmals auf 1,18ff. zurück und fassen zusammen: Ausgangspunkt ist wieder der σοφός-μωρός-Gegensatz, jetzt für
die Aufforderung, im Blick auf diesen Äon μωρός zu werden um der
wirklichen σοφία willen, weil die Weisheit dieser Welt - gemäß Hi
5,12f.; Ps 94,11 - Torheit vor Gott ist. Damit entfällt die Möglichkeit, sich "eines Menschen zu rühmen", d.h. die Apostel zu
Parteihäuptern zu machen. Vielmehr gilt - in Umkehrung der korinthischen Parolen[18] -, daß alles (Paulus, Apollos und Kephas ein-
geschlossen) der Gemeinde zu Diensten ist, sie aber Christus,
Christus aber Gott. 4,1ff. beschließt den Abschnitt mit einer zusammenfassenden Antwort auf die Fragen von 3,5: die Apostel sind
Diener Christi und Haushalter der Geheimnisse Gottes. Ausschließlich an dieser Aufgabe sind sie zu messen, wobei das Urteil keinem menschlichen Gericht, sondern dem Herrn allein zusteht, der
es bei der Parusie fällen wird.

Traditionen

a) Die auffälligsten Traditionsbezüge in 1Kor 1,18-4,5 sind zweifellos
die vier ausdrücklich als solche gekennzeichneten Schriftzitate in 1Kor 1,19;
1,31; 2,9 und 3,19.

---

17 Das zweite Bild ist zunächst völlig parallel zum ersten gedacht, wenn es auf
das *eine* Fundament abhebt, auf dem *alle* aufbauen; es betont dann aber stärker als das erste (cf. aber 3,8b) die Verschiedenheit der Qualität solcher
Arbeit (cf. βλεπέτω πῶς ἐποικοδομεῖ: 3,10b), die im endzeitlichen Gericht
offenbar werden wird und für das Maß bzw. Ausbleiben des Lohnes bestimmend
ist. - Zu den Implikationen von ἐποικοδομεῖν cf. P.VIELHAUER, Oikodome, bes.
79-82; siehe auch unten zu Röm 15,1-6 (S.361).
18 Die Genitivformulierungen sind wohl kein Zufall: Vergleiche 1Kor 3,21b-23:
(Παῦλος + Ἀπολλῶς + Κηφᾶς =) πάντα ὑμῶν, ὑμεῖς δὲ Χριστοῦ, Χριστὸς δὲ θεοῦ
mit den korinthischen Parolen (1Kor 1,12):
ἐγὼ μέν εἰμι Παύλου, ἐγὼ δὲ Ἀπολλῶ, ἐγὼ δὲ Κηφᾶ, ἐγὼ δὲ Χριστοῦ.

1Kor 1,19. Paulus zitiert wörtlich Jes 29,14 LXX und ersetzt dabei lediglich κρύψω verschärfend durch ἀθετήσω, das in Ψ 32,10 in einem ganz ähnlichen Zusammenhang begegnet[19]. Die Einbettung in den paulinischen Argumentationsgang ist insofern auffällig, als das Zitat trotz des Anschlusses mit γάρ an 1,18 streng genommen nicht dessen Aussage begründet, sondern erst im Kontext der folgenden Sätze eine plausible Funktion in der Argumentation bekommt. Es stützt also den Gesamtgedanken von 1,18-25 und nicht allein 1,18.

Ein Blick auf den Kontext des Zitats im Jesajazusammenhang (der LXX) zeigt, daß sich die Berührungen keineswegs auf Jes 29,14 beschränken. Vielmehr heißt es in Jes 29,13-21 (übersetzt nach LXX):

13 Und der Herr sprach: Es nähert sich mir dieses Volk: mit ihren Lippen verehren sie mich, ihr Herz aber ist weit weg von mir; vergeblich verehren sie mich, indem sie Menschensatzungen und -lehren lehren. 14 Darum, siehe, werde ich fortfahren, dieses Volk zu verändern und werde sie 'umkrempeln' (μεταθήσω) und werde zunichte machen die Weisheit der Weisen und die Einsicht der Einsichtigen werde ich verbergen. 15 Wehe denen, die in der Tiefe Pläne schmieden und nicht durch den Herrn. Wehe denen, die im Verborgenen Pläne schmieden und deren Werke in der Finsternis sind und die sagen werden: Wer hat uns gesehen und wer wird uns erkennen oder das, was wir tun? 16 Wird man euch nicht wie Töpferlehm achten? Spricht denn etwa das Gebilde zum Bildner: Nicht du hast mich gebildet!, oder das Machwerk zu dem, der es gemacht hat: Nicht mit Verstand hast du mich gemacht! ? 17 Ist es nicht (nur) mehr ein Kleines, und es wird umgewandelt sein (μετατεθήσεται) der Libanon (in einen Zustand) wie der Berg Karmel, und der Berg Karmel wird zum Waldland gerechnet werden? 18 Und an jenem Tage werden die Tauben Schriftworte hören, und die Augen der Blinden im Dunkel und in der Finsternis werden sehen. 19 Und die Armen werden frohlocken um des Herrn willen in Freude, und die Hoffnungslosen unter den Menschen werden erfüllt werden mit Freude. 20 Dann wird der Gesetzlose verschwunden sein und zunichte geworden der Hochmütige, und ausgelöscht sind die, die Gesetzloses tun in Schlechtigkeit 21 und die die Menschen zur Sünde veranlassen in ihrer Rede: (diejenigen), die alle in den Toren die Untersuchung Führenden zum Ärgernis machen und die Gerechten zusammen mit den Ungerechten 'zur Seite richten'.

Der 'Entzug' der Weisheit der Weisen ist also in Jes 29 ein Teil der Antwort Gottes auf die falsche, nicht aufrichtige Gottesverehrung des Volkes und den Versuch, durch die Verkehrung seiner Lehre zu Menschensatzungen die Weisheit zu eigenem, gottlosem Planen[20] zu mißbrauchen, womit sich der Mensch über Gott, seinen Schöpfer, überhebt. Gott reagiert darauf mit der Ankündigung einer umfassenden Umkehrung der Verhältnisse, die so unvorstellbar und wunderbar sein wird wie wenn der klassische 'Obstgarten' Palästinas, der Karmel, und das (Ur-)Waldgebirge Libanon ihre Rollen tauschten. Sie geschieht im Entzug der Weisheit der Weisen und ebenso in der "Belehrung und Bekehrung"[21] der "Tauben und Blinden"[22], schließlich

---

19 Aufschlußreich ist vor allem, daß sowohl in Ps 33,10 als auch in Jes 29,15 ausführlich von den gottlosen Plänen (βουλή) die Rede ist, in Ψ 32,10 sogar von βουλαὶ ἀρχόντων (s. dazu oben S.212 Anm.12 und S.219f.).
20 Siehe die vorige Anmerkung!

in der Aufrichtung der Armen und Ärmsten (πτωχοί, ἀπηλπισμένοι)
und der Vernichtung ihrer Bedränger, die den Gerechten um sein
Recht bringen (cf. 29,21). Es besteht also schon in Jes 29 ein innerer Zusammenhang zwischen dem Zunichtewerden der gegen Gott sich
auflehnenden Weisheit, der Eröffnung der Gotteserkenntnis an die
"Tauben und Blinden" und der Heilszuwendung Gottes zu den leidenden Gerechten. Es ist ein und derselbe, das Bestehende umkehrende
endzeitliche Akt Gottes, in dem dies alles geschieht[23].

Die in 1Kor 1,18ff. verbundenen Gedanken sind in Jes 29 also
schon weitgehend vorgegeben: das menschliche Unvermögen, mithilfe
der Weisheit Gott zu erkennen[24], das Zunichtewerden der Weisheit
durch einen Akt Gottes und vor allem die Verbindung des σοφία-
Aspekts mit dem ἀσθενής-ἰσχύς-Gegensatz, der in 1,26ff. ganz konkret auf die Sozialstruktur der Gemeinde appliziert wird. So ist
anzunehmen, daß Paulus Jes 29,14 in diesem ihm vom Kontext her zukommenden umfassenden Sinn verstanden und 'gemeint' hat, als er den
Text zitierte: im Kreuz Jesu, in seinem Kerygma und in der entste-
henden Gemeinde aus Unterprivilegierten sieht er Gott in eben der
Weise wirksam, wie es Jes 29 endzeitlich zusagt.

1Kor 1,31. Daß eine derartige Einbeziehung des Kontextes der zitierten Schriftstelle kein dem paulinischen Schriftgebrauch un-
sachgemäßes Verfahren ist, zeigt 1Kor 1,31 mit aller Deutlichkeit.
In der paulinischen Argumentation stellt das Zitat die zusammenfassende Konsequenz der beiden vorangehenden Gedanken dar, daß
sich niemand vor Gott rühmen kann und daß Gott es ist, der das
Heil (cf. die inhaltliche Erweiterung der σοφία um δικαιοσύνη,
ἁγιασμός und ἀπολύτρωσις in 1,30!) allein wirkt. Aus beidem folgt:
wer sich rühmt, kann sich nur des Herrn rühmen. Ein Blick auf Jer
9,22f. (LXX):

Τάδε λέγει κύριος   Μὴ καυχάσθω ὁ σοφὸς ἐν τῇ σοφίᾳ αὐτοῦ,
                    καὶ μὴ καυχάσθω ὁ ἰσχυρὸς ἐν τῇ ἰσχύι αὐτοῦ,
                    καὶ μη καυχάσθω ὁ πλούσιος ἐν τῇ πλούτῳ αὐτοῦ,

(23)   ἀλλ' ἢ   ἐν τούτῳ
                    καυχάσθω ὁ καυχώμενος συνίειν καὶ γινώσκειν

                                       ὅτι ἐγώ εἰμι κύριος ποιῶν
                                       ἔλεος καὶ κρίμα καὶ δι-
                                       καιοσύνην ἐπὶ τῆς γῆς
            ὅτι ἐν τούτοις τὸ θέλημά μου,
     λέγει κύριος

---

21 Cf. O.KAISER, ATD Jes 13-39, 221.
22 Cf. dazu auch Jes 29,9-12, von wo aus auf Verstockung geschlossen werden
   könnte. Wichtig ist jedenfalls, daß die Belehrung von Gott denen eröffnet
   wird (und sie sich ihr auch öffnen), denen sie vorher verschlossen war.
23 Wir hatten oben (S.170f.) gesehen, daß Jesu Verkündigung einen ganz ähnlichen
   Zusammenhang zwischen der Zuwendung zu den Armen und der Weisheitsvermitt-
   lung an die Unmündigen herstellt. Paulus versteht den Christus offensicht-

zeigt, daß der *Kontext* des Zitats bis in terminologische Details im
paulinischen Text wiederzufinden ist, während die fünf zitierten Wörter selbst nur eine Abbreviatur der Jeremiavorlage darstellen. Indem Paulus das (in seine Argumentation nicht passende) Sich-
Rühmen der *Erkenntnis* Gottes als des Barmherzigen und Gerechten zum
καυχᾶσθαι ἐν κυρίῳ umformuliert, verschiebt er den Sinn von Jer
9,23 um eine nicht ganz unwesentliche Nuance[25] und spitzt das Zitat auf eine neue Aussageintention hin zu. Die Beziehung zwischen
1Kor 1 und Jer 9 beschränkt sich also keineswegs auf das kurze,
nicht einmal wörtliche Zitat, sondern besteht in einer umfassenden
Kongruenz der paulinischen mit der jeremianischen Argumentation:
beide betonen, daß Weisheit, Kraft und Reichtum kein Anlaß zum
Rühmen sein können und richten den Blick ihrer Hörer auf Gott als
den in seiner Gerechtigkeit Barmherzigen[26]. Jer 9,22f. bestätigt
also von seinem Gesamtsinn her den paulinischen Gedankengang und
legitimiert die ausdrückliche Kennzeichnung von 1,31 als Schriftzitat auch in der vorliegenden, den paulinischen Intentionen an-
gepaßten Form.

1Kor 2,9. Die schon in der altkirchlichen Tradition umstrittene
Frage nach der Textvorlage von 1Kor 2,9 ist hier nicht nochmals
nach allen Seiten hin zu erwägen[27]. Der Annahme einer vor allem
auf Jes 64,3; 65,16, evtl. außerdem Jes 52,15 und Ps 30,20 zurück-

---

lich ganz in diesem Kontext und greift zur Artikulation dessen auf die Tradition vom leidenden Gerechten zurück.

24 Vgl. die ganz ähnlichen Aussagen zum Gesetz in Röm 8,3.

25 Die Tatsache, daß 1Clem 13,1 Jer 9,33f. (fast) wörtlich nach LXX zitiert, in
den fünf bei Paulus zitierten Wörtern aber gegen LXX mit diesem übereinstimmt,
könnte auf einen vom heutigen abweichenden Textbestand in der ihnen vorliegenden LXX-Tradition zurückgehen. Wahrscheinlicher ist aber, daß der 1Clem
hier auf 1Kor 3 zurückgreift, was sich auch durch die Wendung ποιήσωμεν τὸ
γεγραμμένον (ebd.) erhärten läßt, die sich mit dem μὴ ὑπὲρ ἃ γέγραπται von
1Kor 4,6 berührt.

26 Wenn C.WOLFF, Jeremia im Frühjudentum und Urchristentum, zu dem Ergebnis
gelangt, in den Paulusbriefen finde sich "kein Anhalt dafür, daß das Jere-
mia-Buch überhaupt benutzt wurde" (ebd. 142), so scheint mir dies angesichts
solcher Kongruenz fragwürdig: zumindest müßte die "prägnante Zusammenfassung" des "alttestamentlichen Gedankens" (ebd. 139), die Paulus in 1Kor 1,19
stattdessen benutzt haben soll, mehr vom jeremianischen Zusammenhang enthalten haben als nur den zitierten Wortbestand, m.E. auch mehr als 1Sam 2,10
LXX. Hinzu kommt die offensichtlich an Jer 20,9 orientierte Aussage 1Kor
9,16. Freilich betont C.WOLFF (aaO. 139f.) völlig zurecht, daß die Jeremia-
tradition z.B. gegenüber der (deutero)jesajanischen Traditionslinie auffällig zurücksteht, was angesichts der in der diachronen Skizze festgestellten
Nähe der Jeremiafigur und des -buches zur Tradition vom leidenden Gerechten
überrascht: daß "Jeremia Paulus' großes Vorbild geworden" sei (K.H.RENGS-
TORF, Art. ἀπόστολος, ThWNT 1,440), läßt sich an den Texten nicht in dem
Maße erhärten, wie man es angesichts der Ähnlichkeit der Figuren vermuten
könnte.

27 Cf. die Übersichten bei H.CONZELMANN, KEK 1Kor, 81f. mit Anm.70-78; E.FA-
SCHER, THNT 1Kor 1-7, 126; zur Sache O.MICHEL, Paulus und seine Bibel, 33-37.

weisenden alttestamentlichen Zitatenkombination ist m.E. die Herleitung aus einem verschollenen Apokryphon, nach altkirchlicher
Tradition aus einer Elia-Apokalypse[28] vorzuziehen, weil "die formalen Berührungen zwischen 1.Kor.2,9 und Jes.64,4 LXX durchaus
nicht ausreichen, um die kirchliche Tradition, hier liege ein apokryphes Zitat vor, zu erschüttern"[29].

Neben der aufschlußreichen Einsicht, daß Paulus in diesem Falle apokryphes apokalyptisches Material ununterschieden von allgemein anerkannten heiligen Schriften (des späteren kanonischen Alten Testaments) mit καθὼς γέγραπται, also als autoritative heilige
Schrift, zitiert, erlaubt die Stelle wegen des verlorenen ursprünglichen Kontextes nur beschränkte Aufschlüsse. Immerhin fällt auf,
daß alle vorgeschlagenen alttestamentlichen Ableitungsversuche auf
solche Texte verweisen, die der Tradition vom leidenden Gerechten
zugehören oder zumindest nahestehen[30]. Auch die Bezeichnung der
Gott zugehörigen Frommen als "die, die Gott lieben" begegnet (vor
allem in den PsSal) als terminus technicus[31], in PsSal 10,3; 14,1
in direktem Kontext der Tradition vom leidenden Gerechten. So
spricht vieles dafür, daß das Zitat ursprünglich ebenfalls in diesem Gedankenkreis verwurzelt war und die Funktion hatte, den 'Gerechten' das sie endzeitlich erwartende Geschick als ein Heil von
schlechthin ungekannter Qualität anzukündigen.

> Bestätigt wird diese Vermutung durch die "von Paulus sicher unabhängig(e)"[32]
> Parallele LibAnt 26,13, in der eben diese Verwendung vorliegt: Gott verheißt
> dem Kenas, er werde am Tage der letzten Heimsuchung die (verdeckten) Steine
> wegnehmen, "von dem, was kein Auge gesehen und kein Ohr gehört hat und in
> das Herz des Menschen nicht aufgestiegen ist, bis geschehe etwas Derartiges
> in der Welt. Und die Gerechten werden nicht des Lichtes der Sonne entbehren
> und nicht des Glanzes des Mondes, weil das Licht der ganz wertvollen Steine
> ihr Licht sein wird"[33].

Paulus führt das Zitat - wie die Einleitung mit ἀλλά zeigt - als
Gegensatz in seine Argumentation ein. Sinnvoll beziehen läßt es

---

28 Die altkirchliche Basis dafür ist Origenes' Mt-Kommentar (zu Mt 27,9); be-
   stätigend Ambrosiaster, ablehnend Hieronymus.
29 O.MICHEL, aaO. 36.
30 Jes 52,15 (s.oben S.49) bringt das Motiv der Wunderbarkeit des leidenden
   Gottesknechts zum Ausdruck; Jes 64,3 preist Gottes Werke, die er (als Machterweis gegenüber seinen Feinden) an denen getan hat, die seines Erbarmens
   harren, wobei diese in 64,4 mit den ποιοῦντες τὸ δίκαιον parallelisiert
   werden. Ebenso steht Gottes "die früheren Bedrängnisse" aufhebende Treue gegenüber seinen "Knechten" in Jes 65,16 ganz im Kontext des Traditionsfeldes
   vom leidenden Gerechten.
31 Cf. PsSal 4,25; 6,6; 10,3; 14,1; Sir 1,10.
32 C.DIETZFELBINGER, JSHRZ II, 178 Anm.13g zu LibAnt 26,13.
33 Übersetzung von C.DIETZFELBINGER, aaO. 178. - Kenas antwortet (23,14): "Siehe, wieviel Gutes Gott den Menschen getan hat ...", worin M.PHILONENKO,
   Quod oculus non vidit, 51f., zurecht ein Indiz dafür sieht, daß die Paulus
   und Ps-Philo gemeinsame Überlieferung auch den zweiten Teil des paulinischen
   Zitats (1Kor 2,9b) schon mitenthalten habe.

sich dabei nur auf das οὐδείς von 2,8: "keiner derer, die diesen
Äon beherrschen, hat (Gottes Weisheit) erkannt, (...) vielmehr
gilt: was kein Auge gesehen und was kein Ohr gehört hat und was
an keines Menschen Herz gelangt ist, das hat Gott denen bereitet,
die ihn lieben".

Trifft die oben vermutete Traditionszuordnung zu, bezieht Paulus also in 1Kor 2,9 ein Zitat, das ursprünglich das künftige Heil
im Sinne der apokalyptischen Ausprägung der Tradition vom leidenden Gerechten zusagte, auf die verborgene Weisheit Gottes, die er
aktuell verkündet (2,7!). Diese aber ist nach 1,30 identisch mit
dem gekreuzigten Christus als δικαιοσύνη, ἁγιασμός und ἀπολύτρωσις
'für uns'. Paulus setzt durch das Zitat also das schlechthin unge-
kannte eschatologische Heil der apokalyptischen Tradition mit eben
diesem gekreuzigten Christus und dem von seinem Kreuz ausgehenden
Heil gleich: wer das Kreuz begreift - und zwar richtig begreift,
wie es nur ein τέλειος kann -, der hat die verborgene Weisheit Gottes begriffen und hat Anteil an dem ihm von Gott vor allen Äonen
bereitgestellten Heil.

1Kor 3,19f. Wie 3,18ff. die Thematik von 1,18ff. summierend wieder aufnimmt, so haben auch die Schriftzitate von 3,19f. große
Ähnlichkeit mit dem von 1,19. Hi 5,12f. ist in 1Kor 3,19 "plasti-
scher und drastischer gestaltet"[34] als in der LXX[35]; Ps 94,11 dagegen ganz wörtlich nach LXX zitiert, lediglich ἀνθρώπων ist
durch das besser passende σοφῶν ersetzt.

Auch hier sind die ursprünglichen Kontexte der Zitate zum Verständnis hilfreich. Die auffällig starken Berührungen zwischen Ps
94 und der Eliphasrede Hi 4-5 als ganzer[36] zeigen, daß schon auf
der alttestamentlichen Ebene ein enger Traditionszusammenhang besteht. Wieder wird deutlich, daß Paulus nicht einfach passende
'Sprüche' des Alten Testaments unabhängig von ihrem Ort im (Tradi-
tions-)Kontext heranzieht, vielmehr ist der beide Texte verbindende
Traditionszusammenhang gleichsam mitzitiert und auch im paulinischen Zusammenhang weiter lebendig. Wichtig ist auch, daß sowohl
Ps 94 als auch Hi 4-5 selbst schon konfrontierenden, ja polemi-

---

34 E.FASCHER, THNT 1Kor 1-7, 141. Gegenüber LXX ist in 1Kor 3,19 καταλαμβάνων
   durch δρασσόμενος ("beim Schopf packen" (ebd.)) und φρόνησις verschärfend
   durch πανουργία (Arglist) ersetzt.
35 Nach B.SCHALLER, Hiobzitate, 21-26, benutzte Paulus "eine revidierte Septua-
   gintafassung des Hiobbuches" (26). Von daher kann man bei Abweichungen von
   der uns überlieferten LXX nicht einfach auf paulinische Umakzentuierungen
   schließen.
36 Vgl. Hi 5,15 mit Ps 94,16; Hi 5,17 / Ps 94,12; Hi 5,19-21 / Ps 94,17-19;
   ferner Hi 4,7; 4,17; 5,11 mit Ps 94,15.

schen Charakter haben: beidemal stehen die Klugen, Starken und Gewalttätigen den schwachen, geringgeachteten und in Not geratenen,
aber schließlich von Gott nicht verlassenen Gerechten gegenüber.
Auch hier also greift die paulinische Polemik gegen die 'Weisheit'
auf das Textfeld der Tradition vom leidenden Gerechten zurück und
bezieht von ihr her ihre Kraft und ihren Stellenwert.

Überblicken wir die vier von Paulus eigens als solche gekennzeichneten Schriftbezüge, so ergibt sich eine den Text 1Kor 1-4 in
den entscheidenden Phasen seines Weges begleitende Folie, auf die
er sich begründend zurückbezieht. Diese Folie ist erstaunlich ho-
mogen: die zitierten Texte sind nicht nur durchweg auf die Weis-
heitsthematik bezogen[37], sondern sie verbinden diese Thematik auch
mit dem Problemkreis des Niedrigen/Schwachen/Armen und seiner Widersacher und stehen so in enger Verbindung mit der Tradition vom
leidenden Gerechten. Sie alle betreffen - auch im paulinischen Kontext - das Verhältnis zwischen Gottes Zuwendung zum Menschen und
des Menschen Stellung vor Gott; sie setzen dabei übereinstimmend
den Akzent auf Gottes Souveränität, mit der er die gegen ihn sich
richtende Weisheit verwirft und das Heil den zu ihm Gehörigen übereignet, so daß sie es seiner freien Tat ganz allein verdanken.

b) *Zum Traditionshintergrund der 'Einlage' 1Kor 2,6-16.* Wie wir gerade sahen, steht das Zitat von 1Kor 2,9 mit den beiden vorangehenden Schriftbezü-
gen thematisch und traditionsgeschichtlich in einer Linie, so daß die 'Einlage' 2,6-16 nicht nur durch Stichwortverknüpfung, sondern auch durch diesen
Traditionszusammenhang fest in den Kontext integriert ist.
    Indes lassen die Besonderheiten der Redeweise und des Inhalts von 2,6-16
erkennen, daß Paulus hier noch andere Tradition aufnimmt. Auffällig ist insbesondere der πνευματικός-ψυχικός-Gegensatz, der im Neuen Testament nur hier
und in 1Kor 15 begegnet[38].
    Auf ihn und auf die Aussage, daß Jesus *unerkannt* von den 'Archonten' ge-
kreuzigt worden sei, pflegen sich vor allem immer wieder diejenigen zu berufen, die in 1Kor 2,6-16 "der Gnosis verwandte Züge"[39] erkennen. So kann Bultmann unter Berufung auf diesen Text feststellen, Paulus teile den Erlöser-
mythos der Gnosis[40]; ebenso spielt der Text bei Wilckens' Versuch[41], "die
korinthischen Gnostiker als Vertreter eines Sophia-Christus-Erlöser-Mythos
zu erweisen"[42], eine entscheidende Rolle. Zuletzt hat Winter in seiner (erheblich differenzierteren) ausführlichen Untersuchung[43] diese Linie zu veri-
fizieren versucht. Er kommt zu dem Ergebnis, "daß sich die Antithese

---

37 Die 'Erkenntnis'-Terminologie legt dies auch für das Zitat in 1Kor 2,9 nahe.
38 Zu 1Kor 2,6-16 cf. die jüngste Forschungsübersicht bei M.WINTER, Pneumatiker, 3-55.208-210; seitdem noch E.E.ELLIS, 'Weisheit'; M.WIDMANN, Einspruch
   und v.a. U.WILCKENS, Zu 1Kor 2,1-16.
39 E.HAENCHEN, Art. Gnosis und NT, RGG³, 2,1652; cf. R.WILSON, Gnosis, 50f.
40 R.BULTMANN, Exegetische Probleme, 315.
41 U.WILCKENS, Weisheit und Torheit, cf. bes. 89ff. In seinem Aufsatz von 1979:
   Zu 1Kor 2,1-16, hat WILCKENS die in diesem Buch von 1959 vertretene Sicht
   in vielen Punkten grundlegend revidiert (cf. bes. 537).
42 W.SCHMITHALS, Gnosis, 132.
43 M.WINTER, Pneumatiker und Psychiker in Korinth (1975).

πνευματικός-ψυχικός, wie sie von Paulus verwendet wird, nur von der gnostischen Vorstellungswelt und Begrifflichkeit aus verstehen läßt"[44].

Etwa gleichzeitig und unabhängig davon hat jedoch Pearson[45] in seiner Untersuchung der ψυχικός-πνευματικός-Terminologie gezeigt, daß das Begriffs-
paar durchaus nicht notwendig auf gnostischen Einfluß verweist, sondern -
ebenso wie das in gleiche Richtung weisende Paar τέλειος-νήπιος - im hellenistischen Diasporajudentum, wie es uns in den Schriften Philos greifbar ist,
einen festen Ort hat[46]. Das in 1Kor 2,11 ausgedrückte Erkenntnisprinzip
'Gleiches durch Gleiches' ist ohnehin Allgemeingut antiker Philosophie, auch
Philos[47]. In jedem Falle liegt es nahe, die Benutzung der dem paulinischen
Sprachgebrauch nicht entsprechenden Terminologie darin motiviert zu sehen,
daß Paulus die Sprache und 'Logik' des Gegenübers aufnimmt, das er kriti-
siert. 1Kor 2,6-16 ist so "Paul's own statement, yet it must be regarded
incorporating the terminology of the opponents, albeit in a manner which
Paul can use in his own argumentation"[48].

Folgen wir Pearson (dessen Sicht mir sowohl historisch als auch im Blick
auf die Gesamtintention von 1Kor 1-4 und auf 1Kor 15 am ehesten einleuchtet[49]), so stellt sich die Position der Korinther von ihrem jüdisch-helle-
nistischen Hintergrund her etwa so dar: "The opponents of Paul in Corinth
were teaching that they had the potentiality of becoming πνευματικοί them-
selves by virtue of the πνευματικός nature given them by God, and that by a
cultivation of Wisdom they could rise above the earthly and 'psychic' level
of existence and anticipate heavenly glory."[50] Gegen diese Position, in der
sich die Korinther als τέλειοι und πνευματικοί den νήπιοι und bloß ψυχικοί
überlegen fühlen, führt Paulus an, daß sie sich gerade dadurch als νήπιοι
und ψυχικοί erweisen, daß sie den Gekreuzigten nicht als die σοφία θεοῦ erkannt haben (was an den Parteiungen und Rivalitäten klar ablesbar ist). Umgekehrt zeigt Paulus, daß seine eigene Position auch innerhalb des 'Krite-
rienrahmens' seiner Kritiker überzeugend vertreten werden kann. Die inhaltliche Spitze dieser eigenen Position aber ist der gekreuzigte κύριος τῆς

---

44 Ebd. 230; cf. auch 205f.

45 B.A.PEARSON, The Pneumatikos-Psychikos Terminology in 1Corinthians (1973).

46 Zu πνεῦμα/ψυχή cf. ebd. bes. 18-21. Die "πνευματικός-ψυχικός terminology
arises in the context of a Hellenistic-Jewish exegesis of Genesis 2.7"
(ebd. 82), in der die (sterbliche) ψυχή vom dem (unsterblichen) πνεῦμα
(≙ πνοή ζωῆς) unterschieden wird (cf. ebd. 17-26, bes. 18f.).
Zu τέλειος/νήπιος cf. ebd. 27ff. PEARSON zeigt, daß τέλειος kein terminus
technicus der hellenistischen Mysterienreligionen ist (diese sind:
τετελεσμένος, τελεσθείς, τελούμενος, Gegenbegriff: ἀμύητος (ebd. 28; cf.
101 Anm.7). Bei Philo begegnet τέλειος/νήπιος gerade nicht "in the 'mystery'
passages" (ebd. 28).

47 Cf. H.CONZELMANN, KEK 1Kor, 84f. mit Anm.99-103; B.A.PEARSON, aaO. 39. -
Auch M.WINTER, Pneumatiker, 96-157, geht ausführlich auf Philo ein, sieht
dessen Sprachgebrauch aber als unmittelbare Vorstufe des gnostischen und
paulinischen an; "direkter Hintergrund" seien erst die gnostischen Texte
(ebd. 206).

48 B.A.PEARSON, aaO. 38. So schon E.KÄSEMANN, Meditation, 267: "Der Apostel
bekämpft die christlichen Enthusiasten gleichsam mit ihren eigenen Waffen
und auf dem von ihnen gewählten Felde". Cf. auch M.WINTER, aaO. 209-211(-232).

49 Zu 1Kor 15 s.unten S.241. - Die Ursprungsfrage ist hier nicht ausführlich
zu erörtern. WINTERs Untersuchung zeigt, daß die Terminologie von 1Kor 2,
6-16 ein relativ breites Feld von Texten berührt, von der "Apokalyptik" (cf.
aaO. 56ff.) über Qumran (61ff.) und Philo bis zur Gnosis hin, wobei zwischen
diesen Bereichen Einflußbeziehungen bestehen dürften. Versucht man die Position der korinthischen Kritiker in dieses Feld einzuzeichnen, scheint mir
angesichts des Ursprungs der korinthischen Gemeinde in der Diasporasynagoge
und angesichts der Tatsache, daß 'Gnosis' im umfassenden Sinne des gnostischen Mythos keineswegs aufweisbar ist, die Bezugnahme auf die hellenistisch-
jüdische Position zutreffender. Bei der konkreten Interpretation von 1Kor
2,6-16 gelangt WINTER zu fast denselben Ergebnissen wie PEARSON.

50 B.A.PEARSON, aaO. 39.

δόξης[51], in dem die von Gott für die Seinen vor allen Äonen εἰς δόξαν ausersehene Weisheit offenbar wird und damit das Heil, das Gott "denen, die ihn lieben" bereitet hat. Paulus verfährt hier also mit seinen Kritikern ganz ähnlich, wie er in 1Thess 2,1-12 auf gegnerische Einwände reagierte: er nimmt deren Sprache und Argumente auf und weist so nach, daß seine Verkündigung ihren Kriterien standhält. Gerade dabei aber zeigt er ihnen, daß diese Kriterien den eigentlichen Kern seines Evangeliums in seiner neuen Qualität gar nicht erfassen, weil es die geläufigen Maßstäbe menschlicher Weisheit überschreitet. Paulus geht so gleichzeitig auf die Gegner zu und nötigt sie ihrerseits, über ihre Position hinauszukommen: sein Vorgehen dürfte so vor allem 'pädagogisch' motiviert sein[52].

c) *Das Schriftzitat aus Jes 40,13 in 1Kor 2,16*, also am Ende der 'Einlage', ist nicht explizit als solches gekennzeichnet. Es fügt sich zwar insofern in den Kontext der vier oben untersuchten, als es Gottes Souveränität unterstreicht, vor der alle menschliche Weisheit verstummen muß. Doch ist es seiner Funktion nach nicht wie diese auf das grundsätzliche Verhältnis von Gott und Mensch bzw. göttlicher und menschlicher Weisheit bezogen, sondern ganz auf das Thema der 'Einlage': es unterstreicht die Unabhängigkeit des πνευματικός vom Urteil anderer, die ihm durch die Teilhabe am schlechthin unabhängigen πνεῦμα Gottes zukommt. Es ist also - auch dies im Gegensatz zu den vier anderen Schriftzitaten - ein Satz, den auch die Korinther selbst äußern könnten. Seine Spitze erhält er erst dadurch, daß Paulus lapidar hinzufügt: ἡμεῖς δὲ νοῦν Χριστοῦ ἔχομεν, wodurch er in das 'Wertsystem' der Korinther den νοῦς Χριστοῦ (der sich ganz vom Kreuz her definiert) einbringt und ihnen so unter Anknüpfung an ihre eigenen Denkschemata den Anspruch seines λόγος σταυροῦ vor Augen führt.

12.1.2. 1.Korinther 4,6-13

Strukturen

1Kor 4,6-13 dürfte einer der rhetorisch wirksamsten Texte der Paulusbriefe sein. Wie ich unten zu zeigen versuche, erzielt er diese Wirkung vor allem durch die häufige Anreihung gleich strukturierter Elemente (z.B. gleich gebaute Sätze, gleiche Satztypen, Wörter der gleichen Wortklasse in dersel-

---

51 Κύριος τῆς δόξης ist im äthHen eine geläufige Gottesprädikation, cf. 22,14 (dort auch griechisch belegt!); 40,3. Aufschlußreich ist vor allem äthHen 63,2: *Gepriesen sei er, der Herr der Geister, der Herr der Könige, der Herr der Mächtigen, der Herr der Herrscher, der Herr der Herrlichkeit und der Herr der Weisheit!*, nicht nur wegen der Zusammenordnung von δόξα und σοφία, sondern auch, weil es die Mächtigen und Könige sind, die diese Doxologie sprechen und (im Kontext) beklagen, daß sie den Herrn nicht erkannt und auf ihre eigene Kraft vertraut hätten. Die Vorstellung des von den ἄρχοντες dieses Äons nicht erkannten und anerkannten Herrn der Herrlichkeit und Weisheit ist also im apokalyptischen Kontext vorgegeben, sie ist in 1Kor 2 auf den Messias Jesus als die Weisheit Gottes übertragen (cf. den 'Menschensohn'-Kontext von äthHen 62, der die 'Nachbarschaft' der Phänomene schon in der Tradition belegt!). 1Kor 2,8 von hier her gedacht zu sehen, erscheint mir wesentlich plausibler als die Annahme, der gnostische Mythos des unerkannten Erdenaufenthalts des Erlösers liege hier partiell oder ganz zugrunde.

52 Diese Sicht erscheint mir auch angemesser als die von E.E.ELLIS, 'Weisheit', 109-128 (cf. DERS., Exegetical Patterns, 213-217), der in 1Kor 2,6-16 einen "vorpaulinischen Midrasch" (ebd. 127) erkennen zu können meint und dessen τέλειος- und διακρίνειν-Sprachgebrauch von Qumran her zu illustrieren versucht. Abgesehen davon, daß das von ELLIS als Äquivalent zu τέλειος angeführte תמים in Qumran umfassend auf den "Wandel" des Frommen bezogen ist, in 1Kor 2,6ff. dagegen ganz auf den Erkenntnisaspekt, ist seine Lösung vor allem dadurch problematisch, daß er die ψυχικός-πνευματικός-Terminologie nicht berücksichtigt.

ben grammatischen Form usw.). In der Gesamtstruktur ergeben sich dadurch
mehrere voneinander verschiedene, in sich aber völlig homogene Blöcke. Der
Text wirkt dadurch im ganzen abwechslungsreich, die Einzelblöcke sind je für
sich sehr einprägsam. Lediglich die beiden den ersten und zweiten Hauptgedanken des Textes einführenden Sätze (4,6 und 4,9) haben eine andere Struktur, wodurch sie - gleichsam als grundlegende Thesen - ebenfalls auffallen.

6 Ταῦτα δέ, ἀδελφοί, μετεσχημάτισα εἰς ἐμαυτὸν καὶ Ἀπολλῶν δι' ὑμᾶς,
  ἵνα ἐν ἡμῖν μάθητε τὸ μὴ ὑπὲρ ἃ γέγραπται,
  ἵνα μὴ εἷς ὑπὲρ τοῦ ἑνὸς φυσιοῦσθε κατὰ τοῦ ἑτέρου.

7
  τίς γάρ σε διακρίνει;
  τί δὲ ἔχεις ὃ οὐκ ἔλαβες;
    εἰ δὲ καὶ ἔλαβες,
  τί καυχᾶσαι ὡς μὴ λαβών;

8
  ἤδη κεκορεσμένοι ἐστέ,
  ἤδη ἐπλουτήσατε,
  χωρὶς ἡμῶν ἐβασιλεύσατε·
  καὶ ὄφελόν γε ἐβασιλεύσατε,
  ἵνα καὶ ἡμεῖς ὑμῖν συμβασιλεύσωμεν.

9 Δοκῶ γάρ,
  ὁ θεὸς ἡμᾶς τοὺς ἀποστόλους ἐσχάτους ἀπέδειξεν ὡς ἐπιθανατίους,
   ὅτι θέατρον ἐγενήθημεν τῷ κόσμῳ
    καὶ ἀγγέλοις
    καὶ ἀνθρώποις

10
  ἡμεῖς μωροὶ διὰ Χριστόν,   ὑμεῖς δὲ φρόνιμοι ἐν Χριστῷ
  ἡμεῖς ἀσθενεῖς,   ὑμεῖς δὲ ἰσχυροί·
  ὑμεῖς ἔνδοξοι,   ἡμεῖς δὲ ἄτιμοι.

11 ἄχρι τῆς ἄρτι ὥρας
  καὶ πεινῶμεν
  καὶ διψῶμεν
  καὶ γυμνιτεύομεν
  καὶ κολαφιζόμεθα
  καὶ ἀστατοῦμεν

12
  καὶ κοπιῶμεν ἐργαζόμενοι ταῖς ἰδίαις χερσίν·
  λοιδορούμενοι εὐλογοῦμεν,
  διωκόμενοι ἀνεχόμεθα,

13
  δυσφημούμενοι παρακαλοῦμεν·
  ὡς περικαθάρματα τοῦ κόσμου ἐγενήθημεν
  πάντων περίψημα
ἕως ἄρτι.

             ⨯= *Chiasmus*

Neben dieser rhetorisch wirksamen Struktur ist die starke Bindung
des Textes an das Vorangehende auffällig. Zwar ist er durch den
deutlichen Neueinsatz in 4,6 klar als eigenständige Einheit erkennbar, doch greift er immer wieder auf 1,10-4,5 zurück und gewinnt
so den Charakter eines summierenden Höhepunkts der ersten vier Kapitel des 1Kor.

Mit dieser Kontextverbundenheit ist eines der Hauptprobleme der
Auslegung angesprochen: nämlich die adäquate Erfassung der Bezüge
von 4,6. Drei Fragen sind zu beantworten: Worauf bezieht sich ταῦτα?

Was bedeutet hier μετασχηματίζειν? Was ist mit τὸ μὴ ὑπὲρ ἃ
γέγραπται gemeint?

Trägt man der semantischen Struktur von μετασχηατίζειν: daß etwas in die Gestalt eines anderen gebracht werde, Rechnung, so besagt V 6a, daß das mit ταῦτα Angesprochene in den vorangehenden
Ausführungen über Apollos und Paulus indirekt zur Sprache gekommen
sei. Ausdrücklich von Paulus und Apollos (und nicht von den Aposteln insgesamt oder von Paulus allein) war die Rede in dem Abschnitt 3,5ff., der die Frage "was Apollos und Paulus denn seien",
explizit zum Thema hat (3,5!). Die wesentlichen Antworten auf diese Frage waren, daß Apollos und Paulus διάκονοι seien (3,5, cf.4,1),
daß das Gelingen ihres Werks nicht ihnen, sondern Gott allein zu
verdanken sei (3,7), wenngleich ihnen unterschiedliche Gaben ver-
liehen sind, denen entsprechend sie Unterschiedliches vollbringen
und unterschiedlichen Lohn empfangen im Gericht (3,10-15); daß sie
nicht Parteihäupter seien, sondern als Diener Gottes der Gemeinde
Christi dienen (cf. 3,22). Der Skopus all dieser Aussagen ist: sie
sind nichts aus sich selbst, nicht ihrer kann man sich rühmen.

4,6 behauptet also, daß in den konkret an der Praxis des Paulus
und Apollos orientierten Aussagen 3,5ff. auch noch etwas anderes
zur Sprache gekommen sei, eben das, was mit ταῦτα gemeint ist. Genau dies ergab aber auch unsere Strukturuntersuchung von 1Kor
1,10-4,5, in der sich 3,5ff. als eine veranschaulichende Anwendung
der theologischen Belehrung von 1,18ff. darstellte[53]. Deren mithilfe der Schriftzitate eindringlich bekräftigte Grundaussage: daß
Gott im Kreuz Jesu die menschliche Weisheit,das Starke in der Welt
außer Kraft gesetzt habe, um das Törichte, das Schwache zu erwählen, wird 'konkretgemacht' an Apollos und Paulus, die "nichts"
sind, weil allein Gott etwas ist (3,7), die als διάκονοι und
συνεργοί Gottes ihren Dienst an der Gemeinde tun und das Urteil
darüber (und den Lohn dafür) ganz Gott überlassen. Μετασχηματίζειν
ordnet also die konkreten Aussagen über den 'Status' des Paulus
und Apollos der vorangehenden theologischen Belehrung zu, und beschreibt so die oben schon mehrmals beobachtete 'Methode' des Paulus: theologische Grundsatzaussagen greifbar und anschaulich zu
machen an dem für die Gemeinde aktuellen und konkreten Fall. Paulus spricht von dieser didaktischen Funktion selbst: der Zweck des
μετασχηματίζειν, sagt er, sei, daß "ihr an uns lernt das 'Nicht
hinaus über das, was geschrieben ist'". Was aber meint er mit dieser Formulierung?

---

53 Siehe oben S.209.

Auf diese Frage haben die Ausleger gewöhnlich viel Scharfsinn und vor allem
Phantasie verwandt. Ergebnis ist ein breites Spektrum von Interpretations-
vorschlägen[54], angefangen von der Deutung als Aufforderung zu schriftgemäßem
Wandel über die Vermutung, es sei von einem schriftlichen Gemeindestatut die
Rede bis hin zu dem wohl spitzfindigsten Versuch, das Problem textkritisch
aus der Welt zu schaffen und auf ein raffiniertes Abschreiberversehen zurückzuführen[55]. In der Tat wird man auf dem heutigen Stand unseres Wissens (vor
allem über die korinthische Gemeinde) keine völlige sichere Lösung erreichen
können.

Versuchen wir unter Verzicht auf Spekulationen über besondere Parolen in Korinth usw. eine Deutung auf der Basis des im 1Kor Vorliegenden und Greifbaren, so nötigt uns die Tatsache, daß γέγραπται
in 4,6 schon zum fünften Mal im Duktus des Briefes begegnet, zu der
Frage, ob sich ein Zusammenhang herstellen läßt zwischen den stereotyp mit diesem Wort eingeleiteten Schriftzitaten in 1Kor 1-4
und dem Aussagesinn von 4,6.

Nun haben wir oben gesehen, daß die vier Schriftzitate eine
einheitliche, inhaltlich homogene Folie bilden, die die Argumentation von 1,18ff. in ihrem sachlichen Kern untermauert: die an der
Annahme oder der Ablehnung des Kerygmas vom gekreuzigten Christus
aufbrechende Alternative zwischen dem Selbstruhm des auf seine eigene Weisheit und Stärke bauenden Menschen und dem, der von Gott
sein Heil erwartet, stellt sich schon in der Schrift; und schon
dort antwortet Gott darauf, indem er den Menschen radikal auf seine Grenzen weist. Nimmt man 4,6 von hier aus in den Blick, so ergibt sich ein plausibler Sinn: Paulus hat die theologische Lehre,
die er in 1,18ff. entfaltet hat, um der Gemeinde willen (δι' ὑμᾶς)
an sich und Apollos exemplifiziert, damit sie an diesem Beispiel
(ἐν ἡμῖν) lernen, was es heißt, nicht über das in den Schriftzitaten "Geschriebene" hinauszugehen, d.h. sich nicht über die nach
der Aussage dieser Texte von Gott gesetzte Beschränkung menschlichen Geltungsstrebens hinwegzusetzen.

Kann man von V 6a sagen, er beschreibe die 'Methode' der paulinischen Argumentation, so gibt V 6b gleichsam ihr 'Lernziel' an,
während V 6c auf die praktische Konsequenz solchen Lernens hinweist: in einer Gemeinde, die den in der Schrift gebotenen, in der
Christusverkündigung radikal unterstrichenen (cf. 1,22-25) und am
Fall des Paulus und Apollos exemplifizierten Verzicht auf mensch-

---

54 Eine Übersicht bis 1950 gibt P.WALLIS, Auslegungsversuch, 506f. - Cf. bes.
   A.SCHLATTER, Die korinthische Theologie, 155-157; O.LINDTON, "Nicht über das
   hinaus, was geschrieben steht", 425-437; dazu L.BRUN, Schriftnorm, 453-456;
   der im folgenden vorgeschlagenen Deutung am nächsten kommt M.D.HOOKER, 'Beyond the Things Which Are Written', 127-132.
55 So öfter seit J.M.S.BALJONs Novum Testamentum Graece (1898); neuerdings wieder bei W.SCHMITHALS, Gnosis, 115 Anm.1.

liche Weisheit und Stärke begriffen hat, werden aus der Überschät-
zung von Menschen resultierende Rivalitäten unmöglich.

Traditionen

Trifft die gegebene Bestimmung der Kontextbezüge von 4,6 zu, so
stellt dieser Vers ausdrücklich eine Beziehung zu der in den Zitaten aufgenommenen Traditionsfolie her, die - wie wir sahen - zur
Tradition vom leidenden Gerechten deutliche Verbindungen aufweist.
Sowohl Jes 29 als auch Hi 5 und Ps 94 zeigten, daß Gottes Einschrei-
ten gegen die sich gegen ihn auflehnende Weisheit im Zusammenhang
mit dem Leiden des Gerechten gedacht ist, und zwar im Sinne der
Scheidung der Fronten coram deo: die Weisen gehören mit den Starken und Gewalttätigen auf die eine, gegen Gott stehende und von
ihm abgewiesene Seite, auf der anderen stehen die demütigen, armen,
leidenden und um ihr Recht gebrachten Gerechten, denen er sich zuwendet. Wenn Paulus in 4,6ff. seine Darlegung von Status und Funktion der Apostel nun auf den Leidensaspekt zuspitzt, so scheint
das genau auf der Linie zu liegen, die sich von diesen Traditionsbezügen her nahelegt. Dieser Eindruck bestätigt sich, wenn man die
Beziehung von 1Kor 4,6-13 zur Tradition vom leidenden Gerechten
untersucht.

Den ersten Berührungspunkt bietet bereits 4,8: Sättigung, Reichwerden und Herrschen sind im apokalyptischen Kontext der Tradition
vom leidenden Gerechten mit der Auferstehung den Gerechten gegebene endzeitliche Güter. Am nächsten[56] steht unserem Text der oben
schon zitierte aus TestJuda 25,4 in seiner (nicht erkennbar christ-
lich) erweiterten Fassung[57]:   *vgl. 1Kor 4,8:*

... καὶ οἱ ἐν πτωχείᾳ διὰ κύριον πλουτισθήσονται,   ἐπλουτήσατε (2)
    καὶ οἱ ἐν πενίᾳ χορτασθήσονται   κεκορεσμένοι (1)
    καὶ οἱ ἐν ἀσθενείᾳ ἰσχύσουσι ...   ἐβασιλεύσατε (3)

Der Vorwurf, schon zu Reichtum, Sattheit und Herrschaft gelangt zu
sein, gewinnt angesichts dieses Traditionsbezuges seine volle
Schärfe. Die Korinther nehmen vorweg, was gemäß der Tradition vom
leidenden Gerechten Gott erst endzeitlich für die Seinen ersehen
hat. Es ist also nicht nur die überhebliche Meinung, "nichts mehr
nötig zu haben an geistlicher Kost"[58], die Paulus den Korinthern
vorwirft, sondern viel umfassender: der eigenmächtige Griff nach
dem von Gott den 'Armen' bereiteten Heil.

---

56 Weitere Texte: äthHen 45,6; Weish 3,8; 5,15f.
57 Der Vergleich soll nicht etwa literarische Abhängigkeit, sondern Traditions-
   verbindungen zeigen. Analoge Beziehungen dürften auch zu den Seligpreisungen der Q-Überlieferung bestehen. (Text nach de JONGE, PVTG I/2, 78).
58 So W.BAUER, Wörterbuch 879.

Conzelmanns[59] Hinweis auf die philosophische (besonders stoische) Vorstellung, daß dem Weisen alles gehöre und er König sei[60]
ist wichtig insofern, als er die terminologische Nähe der popular-
philosophischen und der jüdisch-christlichen 'Lehren' veranschaulicht. So wenig wir unterschätzen sollten, welche Anknüpfungsmög-
lichkeiten und Verstehenshilfen sich daraus ergeben, so wenig sind
doch auch die Möglichkeiten des Mißverständnisses und die Notwendigkeit der präzisen Abgrenzung zu übersehen. So kann man m.E. den
paulinischen Text weder seiner Motivation noch seiner Formulierung
nach aus der stoischen Gedankenwelt herleiten, es sei denn, man
nimmt eine bewußte Eschatologisierung durch Paulus an oder meint,
sie sei ihm gewissermaßen automatisch unterlaufen, weil ihm "der
eschataologische Sinn selbstverständlich"[61] sei. Dagegen läßt sich
V 8 als ganzer mitsamt der damit von Paulus intendierten Pointe
im Kontext der Tradition vom leidenden Gerechten verstehen, die
Paulus hier gegen die ähnlichen, aber gerade darum umso deutlicher
der Abgrenzung bedürftigen 'Töne' der Popularphilosophie ins Feld
führt.

Ähnliches gilt für die Leidensaussagen von V 9-13. Auch hier
weisen die Kommentare auf die griechischen Parallelen hin, die sich
in dem "Bild vom Kampf des Philosophen als einem Schauspiel für die
Welt"[62] (V 9), in den Peristasenkatalogen der Diatribe[63] (V 11f.)
und in einigen (περι)κάθαρμα- und περίψημα-Belegen[64] aufweisen
lassen.

Für das Bild vom θέατρον wird seit Lietzmann[65] immer wieder vor
allem Seneca, De providentia 2,7-11 herangezogen, wonach der Weise,

---

59 Cf. H.CONZELMANN, KEK 1Kor, 106f.
60 Cf. v.a. PlutMor 472; Epiktet, Diss III, 22,63.
61 H.CONZELMANN, aaO. 107.
62 Ebd.
63 Ebd. 108 Anm.43.
64 Ebd. 109 Anm.49.
65 H.LIETZMANN, HNT Kor, 20. Der dort zitierte Abschnitt aus Seneca, De providentia 2 enthält nur einige der im Vergleich mit 1Kor 4,9 aufschlußreichen
   Aussagen. Darum sei hier ein ausführliches Zitat (in der Übersetzung von M.
   ROSENBACH) gegeben (Philosophische Schriften I, 8-11):
   *(2,7) Du wunderst dich, wenn der Gott, ganz und gar von Liebe zu den Guten
   durchdrungen, der sie möglichst charaktervoll und vortrefflich will, ein
   Schicksal ihnen zuweist, an dem sie sich üben sollen (exerceantur)? Ich
   aber wundere mich nicht, wenn er einmal den raschen Entschluß faßt, große
   Männer mit einer Heimsuchung (cum aliqua calamitate) ringen zu sehen.
   (8) Uns bedeutet es zuweilen ein Vergnügen, wenn ein unerschütterlicher
   junger Mann ein auf ihn losstürzendes wildes Tier mit einem Jagdspieß ab-
   fängt, wenn er eines Löwen Ansturm unerschrocken aushält, und desto erfreu-
   licher ist dieser Anblick, je charakterfester seine Haltung bei der Tat war.
   Nicht sind das Dinge, die der Götter Blick auf sich lenken können, da sie
   knabenhaft und Zeitvertreib menschlichen Leichtsinns. Siehe, ein Schauspiel,
   würdig, daß der gesammelt seinem Werk hingegebene Gott darauf achte, siehe
   ein Paar von Kämpfern, würdig des Gottes: ein tapferer Mann, einem schlimmen Geschick gegenübergestellt, zumal, wenn er es gar herausgefordert hat.*

indem er sich im Kampf mit dem widrigen Geschick bewährt, ein Gott
würdiges und wohlgefälliges Schauspiel (spectaculum) biete; ähnlich ist der Kyniker bei Epiktet ein θέαμα im Kampf mit den Peristasen (cf. bes. III, 22,59).

Das Verhältnis dieser Vorstellung zu 1Kor 4,9 wird jedoch von jeher völlig
verschieden beurteilt: das Spektrum reicht dabei vom Postulat einer direkten
Übernahme[66] über die Meinung, Paulus habe sie in sehr freier Weise nachge-
ahmt[67] bzw. er habe sie in sein Weltbild übertragen und im Sinne seiner
Eschatologie abgewandelt[68] und den Versuch einer grundsätzlichen Unterscheidung "between picture and content", die nur "(f)rom a formal point of view"[69]
von einer Beziehung zu sprechen erlaube, bis hin zur völligen Leugnung jeden
Einflußverhältnisses[70].

Ein Textvergleich zeigt, daß sich die Beziehungen im Grunde ganz
auf die θέατρον/θέαμα/spectaculum-Berührung an der sprachlichen
Oberfläche der Texte beschränken, während sich die Kontextelemente
und vor allem die Aussageintentionen der Texte völlig unterscheiden. In den stoischen Texten geht es um einen ἀγών als spectaculum
dignum, bei Paulus gerade nicht. Als ἔσχατοι und ἐπιθανάτιοι stellen die Apostel gerade ihre Recht- und Ehrlosigkeit in den Augen
der Welt unter Beweis, nicht ihre Standhaftigkeit, die in 1Kor 4
überhaupt nicht angesprochen ist. So ist in jedem Fall festzustellen, daß die ἀγών-Vorstellung in 1Kor 4,9 so gut wie ganz aus dem
Blick gerät, ja, es ist zu erwägen, ob Paulus das θέατρον überhaupt vom ἀγών-Motiv her versteht, oder ob er es nicht allein zur

---

(Ecce spectaculum dignum ad quod respiciat intentus operi suo deus, ecce
par deo dignum: vir fortis cum fortuna mala compositus, utique si et provo-
cavit.) (9) *Nicht sehe ich, sage ich, was auf Erden Iuppiter Schöneres finden könnte (...) als Cato zu sehen, wie er, auch als seine Partei mehrfach
geschlagen worden war, um nichts weniger zwischen den Trümmern des Staates
stand - aufrecht (und sprach: ...* Es folgt Catos Rede, in der er seinen
Selbstmord ankündigt und begründet). (11) *Klar ist mir, mit großer Freude
haben die Götter zugesehen, während jener Mann, der leidenschaftlichste
Richter seiner selbst (...) philosophische Abhandlungen sogar in der letzten
Nacht las, während er das Schwert in die ehrwürdige Brust stieß (...) und
seine hocherhabene Seele, derer es nicht würdig war, vom Schwert befleckt
zu werden, mit der Hand in die Freiheit führte.* Sogar das Mißlingen des
ersten Selbstmordversuchs wird so erklärt: (12) *(...) nicht war es den unsterblichen Göttern genug, ein einziges Mal Cato zu sehen (...) nicht nämlich sucht man beim ersten Mal den Tod mit solchem Mut wie beim zweiten.
Warum sollten die Götter nicht gerne sehen, wie ihr Zögling (alumnus) ein so
leuchtendes und denkwürdiges Ende nahm. (...)*
Nach Epiktet, Diss III, 22,58f. hat Diogenes seinen Kampf mit dem Fieber
für beachtenswerter gehalten als die Olympischen Wettkämpfe und sich der
Peristasen gebrüstet und verlangt, als Schaupiel von den Vorübergehenden betrachtet zu werden (ὅς γε ἐνεκαλλωπίζετο ταῖς περιστάσει καὶ θέαμα εἶναι
ἠξίου τῶν παριόντων). Cf. auch Diss II, 19,25 (dort ebenfalls θέαμα) und
Seneca, Epistulae morales, 64.

66 So wohl H.LIETZMANN, HNT Kor, 20, der auf keinerlei Differenz aufmerksam
   macht.
67 So C.CLEMEN, nach A.BONHÖFFER, Epiktet und das NT, 170.
68 H.CONZELMANN, KEK 1Kor, 108.
69 V.C.PFITZNER, Paul and the Agon Motif, 189.
70 A.BONHÖFFER, Epiktet und das NT, 170 Anm.1.

Steigerung des Aspekts der Niedrigkeit der Apostel verwendet[71]:
sie sind nicht mehr als die Kriegsgefangenen, Schwerverbrecher und
Sklaven[72], die bei den Gladiatorenkämpfen unter den Blicken der
Massen ihr Leben lassen müssen und der tiefsten Verachtung preisgegeben sind.

In diesem Falle kann man das Bild vom θέατρον aber ohne weiteres
als eine 'Modernisierung', d.h. eine den institutionellen Gegebenheiten der paulinischen Zeit und der korinthischen Umwelt ange-
paßte Fortschreibung des alten Gedankens ansehen, daß der Leidende
zum Paradigma des öffentlichen Spotts wird, wovon die Tradition
vom leidenden Gerechten in Ausdrücken wie משל und נגינה öfter redet. Schon in den Psalmen[73] ist dieses Motiv mehrfach greifbar, so
etwa in Ps 69,12: *Ich werde ihnen zum Spottlied (משל),*
13   *es schwatzen von mir, die im Tore sitzen,*
von mir singen die Zecher beim Saitenspiel.

Wichtig ist dabei, daß auch die allgemein als markantester Differenzpunkt[74] zur stoischen Vorstellung betonte Tatsache, daß es
nach Paulus Gott selbst ist, der die Apostel - geradezu demonstra-
tiv[75] - in ihre Niedrigkeit hineinstellt, in der Tradition vom leidenden Gerechten bereits begegnet. So explizit in Ps 44,15:

Du machtest uns zum משל *unter den Heiden,*
daß die Völker den Kopf über uns schütteln.

Auch in dem (zuvor zitierten) Ps 69 geht es um Schmähungen, die um
Jahwes willen zu tragen sind, wobei schon alttestamentlich nicht
scharf zu unterscheiden ist zwischen dem, der um Jahwes willen ge-
schmäht wird und dem, den Jahwe zum Spottlied werden läßt (und dadurch zum Spottlied macht) - man vergleiche nur Jer 20,7b.8b.

Schon diese wenigen Belege[76] zeigen, wieviel näher die in 1Kor
4,9 gegebene Beschreibung des Apostelstandes der Tradition vom lei-

---

71 Ähnlich A.SCHLATTER, Bote, 158f.
72 Cf. A.NEUMANN, Art. Gladiatores, KP 2,803,36ff.
73 Cf. Ps 22,7; 31,12.
74 G.KITTEL, Art. θέατρον, θεατρίζομαι, ThWNT 3,43, verweist darauf, bei Paulus seien "Erinnerungen an Hiob" wirksam (Z.12), das θέατρον sei "ein jämmer-
   liches und verachtetes" (Z.15f.), vor allem aber liege "aller Nachdruck auf
   dem θεός ἀπέδειξεν aus v 9a" (Z.16).
75 Cf. das ἀποδείκνυμι in 4,9a.
76 Eine ganze Anzahl von Einzelbeobachtungen weisen darüber hinaus noch in dieselbe Richtung. Cf. den Hinweis P.BACHMANNs (KNT 1Kor, 190) auf äthHen 9,1
   (die Erzengel sehen vom Himmel aus das Elend der Gerechten); G.KITTELs Hinweis auf Hiob (s.Anm.74): Satan (also einer der (gefallenen) 'Söhne Gottes')
   und die Freunde (Menschen) schauen zu; außerdem äthHen 62,11 (die Bestrafung
   der Gottlosen ist den Gerechten im Endgericht ein erfreuliches Schauspiel);
   zu ἔσχατοι: äthHen 103,11 (zitiert oben S. 99): *Schwanz sind wir geworden*
   (cf.Dtn 28,13.44); zu ἐπιθανάτιος: Bel et Draco, 31f. (Daniel wird wie ein
   ἐπιθανάτιος den Löwen vorgeworfen), wichtiger erscheint mir noch, daß in Ps
   79,11 und 102,21 die Bewohner Zions als 'Todgeweihte' (בני תמותה, LXX:
   τεθανατωμένοι) bezeichnet werden, für die Jahwes Hilfe erbeten wird.

denden Gerechten steht als der stoischen Vorstellung vom spectaculum dignum des wahren Philosophen.

Auch für den Katalog von Verben in der 1.Person Plural, die die
Entbehrungen und Leiden der Apostel schildern, pflegt man in erster Linie auf die Peristasenkataloge der kynisch-stoischen Diatribe zu verweisen. Nun haben wir oben - vor allem aufgrund von
Schrages Untersuchung - schon gesehen[77], daß von der bloßen Stil-
figur des 'Peristasenkatalogs' nicht ohne weiteres auf eine 'Verwandtschaft' mit dem stoischen Belegmaterial geschlossen werden
kann, sondern eine Prüfung von Fall zu Fall nötig ist. Sie ergibt
für den Katalog von 1Kor 4, daß seine nächste Parallele in äthHen
103 vorliegt: nur hier findet sich eine ähnliche Aufreihung von
Verben in der 1.Person Plural, die überdies durch mehrere inhaltliche Überschneidungen und eine vergleichbare Intention des Textes
(nämlich Leiden im Sinne einer umfassenden Leidensexistenz als
Ausdruck der Niedrigkeit zu artikulieren) deutliche Vergleichspunk-
te anbietet[78].

Wenn Paulus diesen Katalog in 4,12b.13a durch drei weitere Verben in der 1.pl. fortführt, die nun aber positive Reaktionen auf
die (in den hinzugefügten Passiv-Partizipien angesprochenen) Verfolgungen enthalten, so geht er dadurch vollends über den formalen
Rahmen und die Intentionen der hellenistischen Peristasenkataloge
hinaus. Während nämlich die stoischen Kataloge durchweg nur die
'interne' Reaktion des Stoikers im Blick haben, d.h. die Wirkung
der Leiden auf ihn selbst, wird hier nun das Verhältnis des Leidenden gerade zu denen, die ihn leiden lassen, angesprochen. Zwar
erfährt m.W. auch keiner der Kataloge aus dem Traditionsbereich
vom leidenden Gerechten eine derartige nahtlose Fortschreibung,
doch ist das, was im 1Kor gegenüber der Stoa neu zur Geltung kommt,
in der Sache - wie wir oben am slavHen und den TestXII im einzelnen sehen konnten[79] - schon in der Tradition vom leidenden Gerechten vorgegeben, in einem Fall sogar in unmittelbarer Verbin-

---

77 Siehe oben S.9 mit Anm.50.
78 Zu diesem Peristasenkatalog s.oben S.99f. Die engste Berührung ist die zwischen äthHen 103,11: ἐκοπιάσαμεν ἐργαζόμενοι und 1Kor 4,12: κοπιῶμεν
   ἐργαζόμενοι. Vgl. auch die καί-Reihung und den Aspekt des dauernden Leidens
   im Sinne einer 'Leidensexistenz' ("Tag für Tag": äthHen 103,10), dem bei
   Paulus das seine ganze Erfahrung umfassende "bis jetzt" (1Kor 4,9.13) entspricht. Ferner die Einzelaspekte des 'Letzter-Seins' (äthHen 103,11/1Kor
   4,9), des 'Keinen-Ort-Habens' (äthHen 103,13/1Kor 4,11), evtl. auch
   ἐγενήθημεν κατάβρωμα ἀμαρτωλῶν (äthHen 103,11) / περικαθάρματα τοῦ κόσμου
   ἐγενήθημεν (1Kor 4,13).
79 S.o.S.101f.118f. Wichtig ist dabei zu sehen, daß hier -wie oben gezeigt- der
   Gedanke des Verzichts auf Widerstand, dessen Wurzeln wir schon in Klgl 3,30/
   Jes 50,6 greifen konnten, umakzentuiert wird, indem er von der Nächstenliebe (als 'Feindes'liebe) her motiviert wird.

dung mit einem Katalog: slavHen 50 fügt der Aufreihung von erlit-
tenen Feindseligkeiten die Mahnung an, sie um des Herrn willen zu
ertragen und trotz bestehender Möglichkeit auf Vergeltung zu verzichten. Dieser Verzicht nähert sich dann in TestBenj 4f. der Grenze zur aktiv-positiven Reaktion gegen den Feind: der "gerechte
Mann" hat Erbarmen auch mit den Sündern, selbst wenn sie gegen ihn
Böses im Sinn haben; er "erbarmt sich des Lästerers ($\lambda o\acute{\iota}\delta o\rho o\varsigma$/5,4)
und schweigt" - und wirkt so als überzeugendes, zur Buße führendes
und das Böse mit Gutem überwindendes Beispiel[80]. Wir haben oben
gesehen, daß dieser den Gedanken der Nächstenliebe in der Tradition vom leidenden Gerechten Raum gebende 'Traditionszweig' für
die jesuanische Konzeption der Feindesliebe von großer Bedeutung
ist; dieselbe Verbindung von Nächsten-/Feindesliebe und Leidens-/
Nichtigkeitsexistenz liegt hier vor, wenn die erste der drei Wendungen (die so klar an Lk 6,28 anklingt, daß man hier einen Rückgriff auf ein Herrenwort annehmen kann)[81], mit den beiden anderen
(an TestBenj 4 erinnernden) Sätzen verbunden ist: "Jesu Gebot"[82]
wird von Paulus im Kontext eben der Tradition verstanden und aufgenommen, in der es ursprünglich verwurzelt ist. Daß auch in 12b.
13a der Akzent ganz auf der Niedrigkeit und der Machtlosigkeit
liegt, ergibt sich über den Traditionsbezug hinaus auch aus dem
nahtlosen Anschluß an die Leidensaussagen von 11f. Durch die Schilderung der (für 'normale' Begriffe unerwarteten) Reaktion der Apostel[83] kommt vor allem zum Ausdruck, daß diese ihre Erniedrigung

---

80 In diesem Zusammenhang sei auf Röm 12,17-21 verwiesen. Dort ist der Gedanke
   des Vergeltungsverzichts deutlich mit dem der Feindesliebe verbunden; beide
   zusammen sind - ganz wie in TestBenj 4 - vom "Überwinden des Bösen durch das
   Gute" (12,21) motiviert. E.KÄSEMANNs Feststellung, daß man ebensogut die Vergeltung als die Agape als Thema der Verse ansehen könne (HNT Röm, 337) bestätigt dies: der in Röm 12 zu beobachtende enge Bezug beider Aspekte ergibt
   sich m.E. gerade daraus, daß sie schon in dem angesprochenen 'Zweig' der Tradition vom leidenden Gerechten fest verbunden sind.
81 Cf. H.LIETZMANN, HNT Kor, 20: "ein Herrenwort (wird) stillschweigend zitiert", ähnlich J.WEISS, KEK 1Kor, 112; H.CONZELMANN, KEK 1Kor, 109: "eine
   allgemein urchristliche Forderung, die sich aus dem Wesen des Glaubens selbst
   ergibt".
82 A.SCHLATTER, Bote, 160.
83 Zur genauen Bedeutung der drei Verben cf. am klarsten J.WEISS, KEK 1Kor,
   112f. Das von ihm ebd. Anm.2 angeführte Zitat aus Epiktet, Diss I, 9,12.16f.
   (nicht 19!) verdeutlicht sehr schön die erstaunliche Nähe und dennoch erhebliche Differenz der stoischen und der paulinischen Position. Die Stoiker
   leiden unter den Unzulänglichkeiten leiblichen Existierens (Notwendigkeit
   der Ernährung, Körperpflege usw., v.a. aber unter dem dadurch sich ergebenden Zwang zum Kontakt mit anderen Menschen), was sie aber aushalten
   ($\dot{\alpha}\nu\acute{\epsilon}\chi\epsilon\sigma\theta\alpha\iota$ in Diss I, 9,12.16!) im Gedanken an die von Gott erwartete bal-
   dige (cf. 9,17: $\dot{o}\lambda\acute{\iota}\gamma o\varsigma$ ... $\chi\rho\acute{o}\nu o\varsigma$) Erlösung aus dem Leib. Diese Erwartung
   setzt den Philosophen in den Stand, die Abhängigkeiten, denen er durch die
   Leiblichkeit ausgesetzt ist, zu ignorieren und so schon im Leib (wohin ihn
   Gott ja gestellt hat!) Unabhängigkeit zu erlangen; nur das hält ihn vom
   Selbstmord zurück. - Paulus begreift sein Leiden ebenfalls im Bezug auf die

akzeptieren[84], wodurch sie in den Augen der Welt womöglich noch
verächtlicher erscheinen.

Von hier aus ergeben sich auch Anhaltspunkte für die Deutung
von περικάθαρμα und περίψημα in der Schlußaussage V 13b.

In erstaunlicher Parallelität bieten beide Begriffe mehrere Möglichkeiten
der Akzentuierung bei ihrer Deutung. Neben der gegenständlichen Bedeutung
('Kehricht', 'Abschaum', 'Abfall'[85]) sind sie Wechselbegriffe für die Bezeichnung[86] der sogenannten φαρμακοί, d.h. von Menschen, die bei den - in
einigen ionischen Städten und in Athen belegten - jährlichen Menschenopfern
zur Entsühung der Stadt in einer bestimmten Zeremonie rituell getötet wurden[87]. Dadurch kommt es zu der Bedeutung 'Sühnopfer', 'Sündenbock', 'Lösegeld'. Da diese Opferung freiwillig erfolgen mußte und sich dazu in der Regel nur die "Mißgestalteten", "denen die Natur eine feindliche Stiefmutter
gewesen", "die Elendesten"[88] bereit fanden[89], wurden beide Wörter auch zu
Schimpfwörtern, die "dem tiefsten Grad der Verachtung Ausdruck geben"[90].
In der LXX begegnen beide Termini nur je einmal: περικάθαρμα ist in Spr 21,18
Äquivalent für כפר, und auch περίψημα hat in Tob 5,18 die Bedeutung 'Löse-
geld', so daß sich von hier aus eine den Stellvertretungsaspekt betonende
Deutung nahelegen könnte. Doch finden sich andererseits in der griechischen
Literatur zahlreiche Belege, in denen die Begriffe unter völliger Absehung
von solchen Implikationen als demütigende Schimpfwörter oder als Ausdruck der
Selbstdemütigung verwendet werden[91].

Läßt der allgemeine Sprachgebrauch also mehrere Deutungen zu, so
sind wir für die Frage, wie Paulus die Begriffe verstanden wissen
will, auf seinen Text selbst angewiesen. Daß er nicht nur eine
"Selbstdemütigung" zum Ausdruck bringen wolle, sondern daß ihm
"das Bild des als verächtlich geltenden, stellvertretend für eine
Gesamtheit sich zum Tode hingebenden περίψημα"[92] vorschwebe, hat
vor allem Stählin zu zeigen versucht. Seine Argumente sind v.a.

Zukunft (cf. 1Kor 4,8), doch kommt es ihm - in 1Kor 4 ganz besonders - darauf an, die Gegenwart nicht mithilfe einer Erlösungslehre zu überspringen.
Daraus resultiert aber eine von der stoischen ganz verschiedene Haltung, die
sich sowohl am Selbstbewußtsein des Apostels (er *ist* derzeit *wirklich* 'der
letzte') als auch an seiner positiven Hinwendung zum 'Feind' ablesen läßt.

84 J.WEISS, KEK 1Kor, 113 spricht von "freiwillige(r) Demütigung", was insofern
   mißverständlich ist, als der Aspekt des "θεὸς ἡμᾶς ἀπέδειξεν" von 4,9 dabei
   verloren gehen könnte.

85 Eine begriffliche Differenzierung zwischen περίψημα und περικάθαρμα ist nur
   künstlich möglich (περιψάω = *abwischen, abschaben*; das Wort gehört also
   schon von seinem Ursprung her ins semantische Feld καθαρός). Schon die alte
   Tradition erklärte beide für Synonyma; cf. G.STÄHLIN, Art. περίψημα, ThWNT
   6,84,9 mit Anm.10.11.

86 In dieser besonderen Bedeutung ist περίψημα explizit erst bei dem Lexiko-
   graphen Photios (9.Jh.) und in der Suda (10.Jh.) bezeugt; cf. aber G.
   STÄHLIN, aaO. 84f.

87 Cf. H.USENER, Stoff, 255-258; G.STÄHLIN, aaO. 84-87; F.HAUCK, Art. καθαρός
   κτλ. περικάθαρμα, ThWNT 3,434,7-13.

88 So die Bezeichnungen der Tradition, cf. H.USENER, aaO. 258 Anm.136.

89 H.USENER (aaO. 257) berichtet (unter Hinweis auf Hipponax, Frgm.7), daß sie
   zuvor guter "Verpflegung mit Weißbrot, Feigen und Käse (...) wie ein Opfer-
   tier der Weide ein Jahr lang sich erfreuen durften", was ihnen "den Rest von
   Liebe zum Leben auf(wog)".

90 H.USENER, aaO. 288; Belege auch bei J.WEISS, KEK 1Kor, 114.

91 Cf. G.STÄHLIN, Art. περίψημα, ThWNT 6,88,20ff. mit Anm.64; der Ausdruck ist
   später zur Höflichkeitsformel entleert worden.

92 G.STÄHLIN, aaO. 90,9f.

πάντων (Stellvertretungsaspekt) und das ἐγενήθημεν, mit dem Paulus
"das Sühnevotum auf(nimmt), das über dem Opfer gesprochen wurde:
περίψημα ἡμῶν γενοῦ"[93]. Ebenso sieht Stählin in den ἔσχατοι und
ἐπιθανάτιοι eine "Bildvorstellung", die das verwandte Bild des
öffentlich, zugunsten der Allgemeinheit Getöteten in der Gedanken-
folge des Apostels nach sich gezogen"[94] habe. Vor allem aber meint
er, in 4,12b.13a Anhalt dafür zu haben, daß Paulus seine Leiden
als "Segen u(nd) Sühnung"[95] wirkend begreift.

Demgegenüber ist nun aber festzustellen, daß gerade die Paral-
lelformulierungen von 4,9 und 4,13 es nahelegen, V 13 von V 9 her
zu verstehen. Das heißt aber, daß κόσμου und entsprechend das parallele πάντων diejenigen bezeichnen, in deren Augen die Apostel
περικαθάρματα sind, ebenso wird ἐγενήθημεν in der gleichen Weise
(als passivum divinum) zu verstehen sein wie in 4,9. Auch scheint
mir der Schluß von den Aussagen in 4,12b.13a auf eine Sühnedeutung
von 4,13b keineswegs überzeugend. Vielmehr zeigt sich Paulus in
4,12b.13a ganz an dem Verhalten der bedrängten Apostel interessiert
ohne daß er dessen heilsame Wirkung irgendwie betont. Wäre mit 4,
13b eine sühnende Wirkung des Leidens intendiert, so wären - zumal
angesichts des besonderen Gewichts einer solchen Aussage für das
paulinische Apostel- und Apostolatsverständnis! - die Akzente gewiß deutlicher gesetzt. Schließlich zeigt auch das ἕως ἄρτι, das
4,13b mit 4,11f. unter dem Aspekt des 'erst endzeitlich Aufzuheben-
den' verklammert und zu dem ἤδη von 4,8 in Kontrast setzt, daß der
Sühneaspekt nur unter Verzerrung des Gesamtsinns eingetragen werden kann. Dasselbe gilt für die Kontexteinbettung von 4,6-13 in
den 1Kor: unterstellt man den Sühnegedanken, so ergeben sich erhebliche Spannungen sowohl nach vorn (wo der Akzent eindeutig auf
dem 'Nichts-Sein' der Apostel liegt) als auch zum Mimesis-Gedanken
von 4,16.

Nach alledem erscheint es mir am plausibelsten, περίψημα und
περικαθάρματα als steigernde Fortführung von 4,9 anzusehen: die
Apostel gelten der Welt als Inbegriff der Verachtung, als der letzte Kehricht und Schmutz.

Für dieses Verständnis findet sich denn auch im Traditionsfeld
vom leidenden Gerechten eine Parallele, die unserem Text näher
steht als die an den Termini περίψημα und περικάθαρμα orientierten
Verweisstellen in der LXX oder in der griechischen Literatur:

---

93 Ebd. 90,16.
94 Ebd. 90,24-27.
95 Ebd. 90,35. - Auf die bei dieser Deutung denn doch große Probleme aufgebende
   Wendung 'τοῦ κόσμου' geht STÄHLIN nicht ein.

Klgl 3,45: *Du hast uns zum Kehricht und zum Abscheu gemacht im Kreis der Völker*
(סְחִי וּמָאוֹס תְּשִׂימֵנוּ בְּקֶרֶב הָעַמִּים)
berührt sich mit 1Kor 4,13b durch das paarweise Auftreten der beiden Ausdrücke, aber auch durch deren genaue Bedeutung (סְחִי > סחה
'wegfegen' könnte ein exaktes Äquivalent für περικάθαρμα sein), darüber hinausgehend aber auch durch die ganze 'Szenerie' des Verses.

Interpretation

Versuchen wir nun, die Aussage von 1Kor 4,6-13 unter Berücksichtigung der bisher erarbeiteten Struktur-, Traditions- und Kon-
textaspekte ganzheitlich in den Blick zu bringen:

Der umfassende Rückverweis in 4,6 kennzeichnet sowohl den Neueinsatz unseres Textes als auch seine enge Verbindung zum Vorhergehenden. Paulus sieht in den Parteiungen in der Gemeinde nicht
nur ein 'gruppendynamisches', sondern ein eminent theologisches
Problem: sie sind Symptom eines 'falschen Bewußtseins', welches
das paulinische Evangelium im Wesen verkennt. Entsprechend grundsätzlich setzt Paulus an, indem er das 'Wort vom Kreuz', ja, Jesus
Christus selbst als die Weisheit Gottes der menschlichen Weisheit
radikal entgegensetzt. Gott hat die Weisheit der Weisen zur μωρία
gemacht, indem er das menschlicher Weisheit schlechterdings[96] als
μωρία geltende Wort vom Kreuz als σοφία θεοῦ aufgerichtet hat. Dieses Geschehen betrifft aber nicht nur den erkenntnismäßigen Aspekt
der σοφία, sondern menschliches Vermögen insgesamt: in Jesus Christus vollzieht sich das Ja Gottes zu den Schwachen und das Nein
Gottes zu den Starken.

Paulus läßt die Korinther nicht im Unklaren darüber, in welchen
Kategorien er diese Christologie denkt: die kontinuierlich herangezogenen Schriftstellen aus dem Traditionsfeld vom leidenden Gerechten zeigen vielmehr, daß er Gott in der im Kreuz Christi vollzogenen Aufrichtung der Weisheit Gottes in einer Weise am Werk
sieht, die bereits im Alten Testament bezeugt und wirksam ist. In
der 'Schrift' sind gerade in dieser Tradition Koordinaten und
Richtung des in Christus sich ereignenden göttlichen Handelns
schon vorgegeben und sichtbar. Daß Gott so und nicht anders handelt - ein Handeln, das auch an der κλῆσις der Gemeinde und an der
εἴσοδος des Apostels[97] verifiziert werden kann (1,26-2,5) -, hat
dann auch Konsequenzen für die Bestimmung der Funktion und des

---

96 Cf. M.HENGEL, Mors turpissima crucis, bes. 125-131.145-149.178-181.
97 1Kor 2,1: ἐλθὼν πρὸς ὑμᾶς, cf. die Nähe zu Inhalt und Funktion der Argumentation mit der εἴσοδος des Paulus in 1Thess 1,5; 2,1ff., siehe dazu auch
   unten Exkurs 4 (S.236f.), der auch Gal 4,13f. berücksichtigt.

'Status' der Apostel, die Paulus in 3,5ff. am Beispiel des Apollos
und seiner selbst exemplifiziert.

Auf diesen ganzen Argumentationsprozeß seit 1,10 bezieht sich
Paulus in 4,6: Christologie, 'Status' der Apostel, Schriftbezug
und das aktuelle Problem der Spaltungen sind hier in derselben Weise aufeinander bezogen wie es in 1Kor 1,10-4,5 deutlich wurde: Die
der Weisheit der Welt widerstreitende σοφία Gottes in Christus als
das christliches Erkennen und Beurteilen bestimmende und begrenzen-
de Kriterium ist - wie die Schriftzitate ausweisen - schon im Alten
Testament bezeugt. In den diesem Kriterium unterworfenen Aposteln
Paulus und Apollos kann die Gemeinde deshalb "lernen", τὸ μὴ ὑπὲρ
ἃ γέγραπται zu respektieren. Die rhetorischen Fragen von V 7 verdeutlichen das, indem sie im Rückgriff auf 1,29-31 und 3,21 das
Sich-Rühmen der Korinther als Fehlhaltung abweisen. Gott eröffnet
den Menschen im Wort vom Kreuz das Heil aus Erbarmen, indem er das
Niedrige und Schwache (eben die, die aus sich selbst "nichts sind")
erwählt. Selbstruhm verkennt darum das Evangelium. Genau dieselbe
Fehlhaltung ist am Werk, wenn die Korinther die im Evangelium zugesagte Sättigung, Bereicherung und Herrschaftsteilhabe selbstmäch-
tig in den Griff nehmen und unter Leugnung der ihnen in 1,26ff.
vor Augen gehaltenen 'Realität' darüber verfügen (4,8). Das letzte
Glied der Dreierreihe verstärkt den Vorwurf, indem es ihn am Gegensatz zwischen der Gemeinde und den Aposteln profiliert: sie
meint schon erreicht zu haben, wonach die Apostel, die das Kriterium des μὴ ὑπὲρ ἃ γέγραπται respektieren, sich noch sehnen (8b).
Das Gewicht des Vorwurfs wird vollends deutlich, wenn man die darin aufgewiesene Front zwischen den Hungrigen, Armen und Schwachen
und den Satten, Reichen und Mächtigen von der Tradition vom leidenden Gerechten her begreift. Indem die Gemeinde die von Gott zugesagten Güter vorzeitig selbständig mit Beschlag belegt und sich so
verhält, als seien sie in ihrer festen Verfügung, läuft sie Gefahr,
auf die falsche Seite der eschatologischen Frontlinie zu geraten.
Sie steht dann nicht nur auf der 'anderen Seite' im Vergleich mit
den Aposteln, sondern auch auf der von Gott sich abkehrenden und
von ihm zurückgewiesenen Seite.

Daß es dabei tatsächlich um die 'Fronten' der Tradition vom leidenden Gerechten geht, zeigt die Fortführung des Textes (4,9-13):
die Gegenüberstellung von Aposteln und Gemeinde kommt auf ihren
Höhepunkt, indem Paulus die Korinther mit dem Bild des leidenden
Apostels konfrontiert. Die eher theologisch-theoretische Entgegensetzung von "μὴ ὑπὲρ ἃ γέγραπται" und "καύχημα ὡς μὴ λαβών" (V 6f.)
bzw. "Schon" und "noch nicht" (der endzeitlichen Güter teilhaftig)

(V 8) findet im konkreten Gegenbild ihren Abschluß: Gott hat die
Apostel als die Letzten aller Welt zur Schau gestellt; in letzter
Niedrigkeit stehen sie öffentlich da als die μωροὶ διὰ Χριστόν,
ἀσθενεῖς und ἄτιμοι, die (wie die Wiederaufnahme der Sache und der
Begriffe von 1,26f. deutlich macht) gemäß dem Wirken der σοφία Gottes, d.h. gemäß dem Evangelium vom Kreuz in dieser Position stehen,
während die Korinther als φρόνιμοι ἐν Χριστῷ[98], als ἰσχυροί und
ἔνδοξοι auf der 'anderen Seite' zu stehen kommen. Daß diese Entgegensetzung nicht nur zu der grundsätzlichen von 1,27f., sondern
gleichzeitig auch zu der zeitlich akzentuierten von 4,8 parallel
zu verstehen ist, zeigt die diesen Zeitbezug betonende Rahmung des
Peristasenkatalogs mit ἄχρι τῆς ἄρτι - ἕως ἄρτι: die die Gegenwart
der Apostel bestimmende Realität, die in aller Schärfe durch die
Aufreihung der Leiden und Nöte, wie sie faktisch bestehen und auch
von den Aposteln akzeptiert werden, artikuliert wird, um schließlich in den massiven Schimpfwörtern von 4,13b ihren Höhepunkt zu
finden, muß die zuvor charakterisierte Gegenwartseinschätzung der
Korinther unabweisbar als falsch entlarven.

Das Bild der Apostel, das deren empirische Lebensverhältnisse[99]
mithilfe der Tradition vom leidenden Gerechten zur Sprache bringt,
zeigt der Gemeinde den Ort, an den das Evangelium "bis jetzt"
führt, wenn es gemäß der Intention Gottes, τὰ μὴ ὄντα zu erwählen,
ἵνα τὰ ὄντα καταργήσῃ, begriffen und gelebt wird.

1Kor 4,6-13 handelt also nicht nur von 'Apostelleiden'. Vielmehr stellt Paulus seine Leiden den Korinthern exemplarisch vor
Augen: sie sind die faktisch und theologisch notwendige Konsequenz
des für die Apostel wie für die Gemeinde in gleicher Weise maßgeb-
lichen Handelns Gottes im Kreuz Jesu, "der uns geworden ist Weis-

---

98 Das ἐν Χριστῷ hat man ironisch verstanden (H.LIETZMANN, HNT Kor, 20; H.CON-
ZELMANN, KEK 1Kor, 108) oder als Zugeständnis des Paulus, die Korinther sei-
en trotz ihrer Fehlhaltung 'in Christus' (A.SCHLATTER, Bote, 159; E.FASCHER,
THNT 1Kor, 150). Innerhalb der Dreierreihe verlangt das μωροὶ διὰ Χριστόν
einen entsprechenden scharfen Gegensatz, weshalb φρόνιμος eindeutig pejorativ
zu verstehen ist, am ehesten in Richtung einer überheblichen, eingebildeten
Klugheit, die Paulus auch in Röm 11,25 (cf.12,17) mit diesem Wort bezeichnet.
Dann aber wirft ὑμεῖς φρόνιμοι ἐν Χριστῷ der Gemeinde vor, daß sie sich auf
Christus etwas einbilde, ihn zu ihren eigenen Klugheits- und Eitelkeits-
zwecken mißbrauche, während die Apostel sich διὰ Χριστόν (der Präpositionengebrauch ist bezeichnend) zu μωροί machen lassen. Φρόνιμος ist also nicht
einfach "rhetorische Abwechslung ohne sachliche Bedeutung" (H.CONZELMANN,
KEK 1Kor, 108), ganz abgesehen davon, daß "σοφὸς ἐν Χριστῷ" angesichts der
Gleichung Christus = Weisheit (von 1Kor 1,30) auch genau das Gegenteil bezeichnen könnte und darum mißverständlich wäre.
99 Diese sind faktisch wohl ganz die Erfahrungen des Paulus selbst, gleichwohl
ist der Satz nach 1Kor 4,9 der Sache nach als gültig für "die Apostel" gemeint. Jedenfalls will sich Paulus keineswegs als ein besonderer, leidender
Apostel von den anderen unterschieden wissen.

heit von Gott, Gerechtigkeit und Heiligung und Erlösung". Von daher ist der anschließende Schlußpassus 4,14-21 auch nicht einfach
ein abschließender Appell zur Einmütigkeit, sondern ein Aufruf zur
Mimesis des Paulus. Zwischen dem Zentrum der paulinischen Botschaft, den Apostelleiden, dem Verhalten der Gemeinde und der Tradition vom leidenden Gerechten besteht ein fester Sachzusammenhang: Paulus denkt die in Christus offenbar gewordene 'Weisheit
Gottes' (und das heißt nach 1,30: die Rechtfertigung durch den Gekreuzigten) als Erwählung derer, die "nichts sind" und begreift
diese Erwählung im Kontext der Tradition vom leidenden Gerechten.
In ihr findet er nicht nur Sprachmöglichkeiten zur Artikulation
seiner Verkündigung, sondern auch die Koordinaten eines dem Evangelium angemessenen Selbstverständnisses des Menschen: als in Christus Gerechtfertigter, d.h. als ein von Gott in die Position eines
'Gerechten' Gestellter, sieht sich Paulus "bis jetzt" vor allem
auch in die Position des 'leidenden Gerechten' mit all ihren Zumutungen gestellt. Μιμηταί μου γίνεσθε (4,16) bedeutet so die Aufforderung, in eben diese dem Handeln Gottes in Christus allein angemessene Position einzutreten.

EXKURS 4: Kontinuität und neue Akzente:
1Kor 1-4 im Vergleich mit 1Thess 1-3

1Kor 1-4 und 1Thess 1-3 sind einander vor allem darin nahe, daß hier wie
dort Leiden in einem wesentlichen Bezug zur Zeit bedacht wird.

Im 1Thess ist alles Argumentieren auf die Parusie ausgerichtet: Leiden wird
im Kontext der endzeitlichen Anfechtung der Gott Zugehörigen durch die Feinde
Gottes begriffen; Jesu Tod, das Leiden des Apostels und die Leiden der Gemeinde
gehören darin zusammen. Daß die Evangeliumsverkündigung des Apostels und das
'Stehen im Herrn' der Gemeinde in Leidenssituationen hineinführen, ist faktische Notwendigkeit in diesem Äon, in dem der Ruf in die βασιλεία und δόξα Gottes ergangen ist, ohne daß die Gerufenen ihm damit schon entnommen wären.

Was Paulus im 1Thess gegenüber bedrängten Christen tröstend und erklärend
völlig unpolemisch entwickelt, vertritt er in 1Kor 1-4 in einer harten Auseinandersetzung mit einer Gemeinde, die offensichtlich frei von äußerer Bedrängnis
sich anschickt, die Unterscheidung der Zeiten aufzuheben und die Güter, auf die
hin sich die Thessalonichergemeinde unterwegs weiß, "schon jetzt" in Besitz zu
nehmen. Indiz dafür ist die Meinung, die Apostel beurteilen zu können, was sich
in den Parteiungen zeigt. Paulus sieht sich gefordert, der Problemsituation
von der Substanz seines Evangeliums aus zu begegnen, weshalb er die Zusammenhänge von Kreuz Christi, Tradition (vom leidenden Gerechten) und christlichem
Lebensvollzug (des Apostels und der Gemeinde) in der gerade herausgearbeiteten
Weise weit ausführlicher als im 1Thess entfaltet. Dabei argumentiert er immer
wieder mit Gedanken, die er auch schon im 1Thess anführte: in seinen Grundposi-
tionen ist der 1Kor keineswegs aus der aktuellen Sondersituation in Korinth herzuleiten.

Umgekehrt zeigt Paulus eine große Flexibilität, mit der er diese Gedanken
pointiert in die besondere Situation hineinwendet und der ihn in der Auseinandersetzung mit den Korinthern leitenden Intention anpaßt.

Beispielhaft veranschaulichen läßt sich dieses Ineinander von Sachkontinui-
tät und situationsbezogener Neuakzentuierung an 1Kor 2,1-5. Die Antithesen von

1Thess 1,5 + *2,13:*   **und**   *1Kor 2,4f.:*

"οὐκ... ἐν λόγῳ μόνον ἀλλά καί ἐν   "...οὐκ ἐν πειθοῖς σοφίας λόγοις ἀλλ'
δυνάμει καί ἐν πνεύματι ἁγίῳ" (1,5);   ἐν ἀποδείξει πνεύματος καί δυνάμεως
"...οὖ λόγον ἀνθρώπων ἀλλά ... λόγον   *damit* (ἵνα) *euer Glaube nicht sei*
θεοῦ, *der wirksam ist an euch, den*   ἐν σοφίᾳ ἀνθρώπων ἀλλ' ἐν δυνάμει
Glaubenden*" (2,13)   θεοῦ"

entsprechen einander ganz deutlich, doch ändert Paulus in 1Kor den Gedankenduk-
tus in bezeichnender Weise: während er den Thessalonichern bestätigte, daß der
λόγος Gottes in ihnen, den Glaubenden, wirksam sei, betont die ἵνα-Formulierung
in 1Kor 2,5 den Sinn der ἀπόδειξις von πνεῦμα und δύναμις im Kontrast zu ihren
eigenen Vorstellungen. Konnte Paulus im 1Thess 1,6 und 2,14 den Mimesis-Gedanken direkt anschließen, so bedarf es im 1Kor erst der langen, bis 4,13 reichen-
den Belehrung, bis er ihn (als Aufforderung!) zur Sprache bringen kann: in den
beiden Briefen kommen also dieselben inhaltlichen Elemente mit ganz verschiedener Intention zur Sprache; mit den Korinthern ringt Paulus um eben den Stand
theologischer Einsicht und daraus folgender Praxis, den er den Thessalonichern
lobend und tröstend bescheinigt.

Fast ebenso ergeht es sich mit 1Thess 2,1f. und 1Kor 2,1-3: in beiden Briefen redet Paulus von seiner εἴσοδος unter betontem Hinweis auf sein Leiden und
seine Niedrigkeit, bis in die Formulierungen hinein ähnlich. Während er aber in
1Thess die παρρησία betont, durch die Gott ihn *trotz* aller Bedrängnis zur Evan-
gelienverkündigung befähigt, so akzentuiert er im 1Kor seine ἀσθένεια, φόβος
und τρόμος πολύς als den seiner Verkündigung des Gekreuzigten entsprechenden
Zustand, in dem sein Kerygma ganz auf die Kraft Gottes angewiesen ist, um zur
Wirkung zu gelangen. Auch hier also werden dieselben Sachzusammenhänge in je unterschiedlicher Betonung dargestellt und so der jeweiligen situationsbedingten
besonderen Aussageintention dienstbar gemacht.

Gal 4,13f. An dieser Stelle sei noch auf die dritte Äußerung des Apostels
eingegangen, in der er auf sein erstes Auftreten in einer Gemeinde zu sprechen kommt: Gal 4,13f. Wieder steht bezeichnenderweise dabei die Schwachheit
des Apostels (die in Galatien durch Krankheit wohl besonders augenfällig war)
ganz im Vordergrund, der die gute Aufnahme des Apostels gegenübergestellt
wird. Anders als im 1Thess und 1Kor hebt Paulus im Gal nun aber nicht darauf
ab, daß sich darin die Kraft seines Evangeliums (trotz der Schwäche des Ver-
kündigers) erweise, sondern hält - wie der Kontext zeigt, situationsbedingt
- der Gemeinde selbst zugute, sie habe damals erkannt, daß seine Schwäche
nicht auf sein Evangelium 'durchschlage' und ihn "wie einen Engel Gottes,
wie Jesus Christus" (4,14) aufgenommen.[100] Ob Paulus mit dieser Formulierung
wirklich sagen will, die Galater hätten einen *Sach*zusammenhang zwischen den
Leiden Christi und des Apostels hergestellt[101], ist vom Text her nicht eindeutig zu entscheiden und muß deshalb offenbleiben.

Doch zurück zum Vergleich von 1Thess und 1Kor: auch die Tradition vom leidenden
Gerechten ist in beiden Briefen in unterschiedlicher Weise eingesetzt. Am 1Thess
ließ sich indirekt zeigen, daß Paulus seine Leiden und die der Gemeinde im Kontext dieser Tradition versteht und artikuliert; im 1Kor dagegen wird sie in den
Schriftzitaten explizit *als Tradition* zitiert und in 1Kor 4,6 sogar zum Thema:
μή ὑπέρ ἃ γέγραπται weist die Gemeinde an, das Kreuz Jesu als ein Handeln Gottes im Kontext der Tradition vom leidenden Gerechten zu verstehen und sich durch
das Kreuz, d.h. als Gerechtfertigte, in die Reihe der Niedrigen stellen zu lassen, die ihr Heil allein von Gott erwarten, auch wenn sie - wie die Apostel -
sich dadurch den Verfolgungen und Schmähungen dieses Äons aussetzen.

---

100 Zur Deutung cf. E.GÜTTGEMANNS, Der leidende Apostel, 173-177. Die auch von
    ihm (ebd. 176) geteilte Deutung H.SCHLIERs: die Galater hätten den Apostel
    "*als* Χριστός Ἰησοῦς selbst bei sich aufgenommen", überfordert m.E. den Text.
101 So z.B. D.LÜHRMANN, ZBK Gal, 74.

12.2. 1.Korinther 15

Außerhalb von 1Kor 1-4 begegnet das Leidensthema im 1Kor noch viermal, freilich durchweg nur als Nebenaspekt im Rahmen einer anderen, übergeordneten
Thematik. Während auf 1Kor 9,12-18; 11,30-32 und 13,3 hier nicht ausführlich
einzugehen[102] ist, bietet 1Kor 15 einige für unsere Fragestellung ausgesprochen aufschlußreiche Aspekte. Angesichts der theologischen und exegetischen
Brisanz und Problematik des Gesamtkapitels[103] ist dabei eine strenge Begrenzung auf den Aspekt des Leidens und seiner Traditionsbezüge geboten.

Es bietet sich an, das Kapitel von 1Kor 1-4 her anzugehen. Nicht
nur, daß es in dem Nach- und Miteinander von auf die paulinische
Verkündigung 'vor Ort' zurückgreifender[104] theologischer Belehrung
(15,1-28), an der Empirie orientierter Bekräftigung (15,29-34),
veranschaulichender Unterweisung (15,35-57) und abschließender Aufforderung zur praktischen Konsequenz (15,58) dem Argumentationsgang von 1Kor 1-4 in mehrerlei Hinsicht vergleichbar ist; es enthält darüber hinaus in 15,30-32 und 15,42ff. Aussagen, die uns
deutlich auf die inhaltlichen Zusammenhänge von 1Kor 1-4 zurückverweisen.

Nachdem Paulus zuvor der korinthischen These, ὅτι ἀνάστασις
νεκρῶν οὐκ ἔστιν (15,12) durch eine positive theologische und
christologische Begründung der Auferstehung widersprochen hat,
möchte er den Korinthern in 15,29-33 an zwei ihrer eigenen Erfahrung zugänglichen Sachverhalten zeigen, daß ihre Behauptung falsch
sein muß. Er tut dies zunächst durch den Hinweis auf den von ihnen
selbst geübten Brauch der Vikariatstaufe[105], der *unsinnig* ist, wenn
Tote nicht auferstehen, und er tut es zweitens durch den Verweis
auf seine eigene Leidensexistenz, die in diesem Falle *sinnlos* wird.
Paulus kennzeichnet sie hier ganz ähnlich wie in 1Kor 4 auch: es
geht um ein jede Stunde, jeden Tag umfassendes Gefährdetsein und
'Sterben'. Die Formulierung καθ' ἡμέραν ἀποθνήσκω (31), die - wie
das parallel gesetzte κινδυνεύομεν πᾶσαν ὥραν (30) zeigt - weder
psychologisch oder mystisch noch - gemäß der Parallele bei Seneca[106] - im Sinne des natürlichen Verfalls mißverstanden werden

---

102 Die entsprechenden Abschnitte der maschinenschriftlichen Erstfassung meiner
    Dissertation (S. 199-201.205) sind hier aus Raumgründen gestrichen; zu 1Kor
    9,12-18 cf. E.KÄSEMANN, Eine paulinische Variation des "amor fati"; G.
    THEISSEN, Legitimation und Lebensunterhalt, bes. 220-224.
103 Cf. nach wie vor K.BARTH, Die Auferstehung von den Toten (1924), 72ff., im
    Vergleich mit den Kommentaren; P.STUHLMACHER, Auferweckung Jesu und bibli-
    sche Theologie, 163.
104 Vgl. 1Kor 15,1 mit 1,17f. und 2,1.
105 Zur Sache und zur exegetischen Kontroverse darüber cf. bes. J.WEISS, KEK
    1Kor, 363f.; H.CONZELMANN, KEK 1Kor, 327f. (dort weitere Literatur).
106 Seneca, Epistulae morales 24,19f. bezeichnet die Einsicht "cotidie
    morimur" im Sinne von "cotidie (...) demitur aliqua pars vitae" als einen
    geläufigen Allgemeinplatz ("locus"). Weitere Belege bei J.WEISS, KEK 1Kor,
    304 Anm.2.

darf, sondern offensichtlich dieselben Phänomene wie 1Kor 4,9.11f.
im Auge hat, faßt zum ersten Mal die Leiden des Apostels als ein
"Sterben" zusammen.

Vordergründig mag dies durch das Auferstehungsthema des Kapitels bedingt erscheinen, von der Sache her aber hat diese Ausdrucksweise tiefere Wurzeln in der Tradition vom leidenden Gerechten, in der seit den Psalmen das Leiden stets als ein Eintreten
in den Todesbereich und ein 'Dem-Tod-ausgesetzt-Sein' verstanden
wurde. Dem entspricht, daß uns auch die Auferstehung in ihren Wurzeln als ein Rettungshandeln Gottes am leidenden Gerechten in dieser Tradition begegnete, in dem Gottes צדקה sich auch im Bereich
des Todes und über den Tod hinaus als mächtig und wirksam erweist.
Das 'tägliche Sterben' ist so Ausdruck für ein Existieren im Schat-
ten des Todes. In der Bekräftigungsformel νὴ τὴν ὑμετέραν καύχησιν,
ἀδελφοί, ἣν ἔχω ἐν Χριστῷ 'Ιησοῦ τῷ κυρίῳ ἡμῶν setzt Paulus diese
seine Leidensexistenz zu der Gemeinde in Beziehung, um deretwillen
er sie (wie 1Kor 9,12ff. zeigt, über das Maß des Notwendigen hinaus) auf sich nimmt. Beide, die Leidensexistenz des Apostels und
sein davon nicht zu trennendes Werk an der Gemeinde, werden sinnlos, wenn "Tote nicht auferstehen".

Bezeichnet also 1Kor 15,30f. den Inhalt des Leidenskatalogs von
4,11f. in einer auf den Aspekt der Auferstehung zugespitzten Summe,
so führt 15,32 nochmals einen einzelnen 'Fall' solchen Leidens an:

*Wenn ich κατὰ ἄνθρωπον mit Bestien gekämpft habe (ἐθηριομάχησα) in Ephesus,
was ist es mir nütze?*
*Wenn Tote nicht auferstehen, "laßt uns essen und trinken, denn morgen
sterben wir".*

Auch hier sei für die vielfältigen Beziehungs- und Deutungsversuche auf die
Kommentare verwiesen[107]. Vor allem die Frage, ob der Tierkampf bildlich
oder im Wortsinn (und falls letzteres: ob real oder irreal) zu verstehen sei,
ist immer wieder erörtert worden[108]. In einer materialreichen Untersuchung
ist Malherbe der älteren Beobachtung nachgegangen, daß 15,29-34 überdurch-
schnittlich viele Berührungen in Stil und Terminologie mit griechischen, insbesondere kynisch-stoischen Texten aufweist[109]. Er hat dann gezeigt, daß die
Rede vom θηριομαχεῖν im Kynismus die Auseinandersetzung des Weisen mit seinen Leidenschaften (ἡδοναί) bezeichnen kann, aber auch mit seinen Gegnern,
die (z.B. von Lukian) ἀναίσχυντα θηρία genannt werden[110]. Der bildliche
Sprachgebrauch erscheint von daher auch für den paulinischen Text am wahr-
scheinlichsten. Hinzu kommt, daß die Kyniker diese Redeweise vor allem in
der Auseinandersetzung mit den Epikuräern gebrauchen[111]. Dadurch ergibt sich

---

107 Cf. v.a. H.LIETZMANN, HNT Kor, 83; J.WEISS, KEK 1Kor, 365f.
108 Bei der Frage ist zu berücksichtigen, daß Paulus nicht ohne vorherige Ab-
    erkennung des römischen Bürgerrechts ad bestias verurteilt werden konnte
    (cf. die Rechtsinformationen bei H.LIETZMANN, aaO. 83); ferner, daß weder
    in dem sehr biographischen Peristasenkatalog 2Kor 11,23-29 noch in der
    Apostelgeschichte von einem Tierkampf die Rede ist.
109 A.J.MALHERBE, The Beasts at Ephesus, 72f.
110 Cf. ebd. 74f. mit Anm.37-39.
111 Cf. ebd. 78f.

eine geschlossene Traditionsfolie, in die sich auch der Zusammenhang von
1Kor 15,32a und das Zitat in 15,32b einbeziehen lassen.

Nun zeigt aber schon das Nebeneinander von Jesaja-Zitat (1Kor 15,32b =
Jes 22,13LXX) und Menander-Zitat (1Kor 15,33 = Thaïs; Fragment Nr.218
Kock[112]), wie wenig sinnvoll es ist, 'Judentum' und 'Hellenismus' hier traditionsgeschichtlich gegeneinander auszuspielen, und wie sehr es darauf ankommt, die Konvergenz und wechselseitige 'Übersetzbarkeit' beider Traditionsbereiche festzuhalten. Dem kommt entgegen, daß die gerade angesprochene Tra-
tionsfolie zwar in der Debatte zwischen Kynikern und Epikuräern dem paulinischen Text am nächsten steht, von der Sache her aber auch im Diaspora-Juden-
tum, z.B. bei Philo, begegnet[113]. Ebenso ist daran zu erinnern, daß wir in
Weish 2,6-9 die Feinde des leidenden Gerechten ganz ähnlich als Hedonisten
gekennzeichnet fanden, die den Gerechten um seiner Kritik an dieser ihrer Lebensweise willen zu Tode bringen[114]. Von hier aus ist es gut möglich, daß
Paulus einen Topos der in der Antike geläufigen Auseinandersetzung mit dem
Hedonismus aufnimmt, ohne daß man daraus auf eine besondere Gruppierung hellenistischer Popularphilosophie als Gegner schließen kann.

Auch Act 19 bietet keinen positiven Anhalt dafür, daß Paulus in Ephesus
mit einer Front zu kämpfen hatte, die dem Hedonismus im engeren Sinne zuzu-
rechnen ist (allenfalls 19,24-28 ließe sich in diese Richtung deuten). Doch
ist Act 19 ohnehin kaum geeignet, die Paulus in Ephesus treffenden Leiden[115]
konkret zu veranschaulichen: sie müssen sehr viel schwerer und gefährlicher
gewesen sein als Lukas berichtet, der weder von der ephesinischen Gefangenschaft des Paulus noch von der (wohl damit verbundenen) unmittelbaren Lebensgefahr etwas erwähnt.

Der Text fragt, was der Kampf auf Leben und Tod, den Paulus in
Ephesus bestanden hat, denn "nütze sei", wenn er κατὰ ἄνϑρωπον gekämpft wurde, d.h. als eine bloß menschliche Streiterei[116] anzusehen ist ohne die Perspektive der Auferstehung. Die Antwort ist: er
war sinnlos, und es ist 'sinnvoller', den Tag zu genießen. Die ganze Schärfe des Arguments wird deutlich, wenn man sich vor Augen
hält, daß sowohl Jes 22,13 als auch Weish 2,6-9 die Position gott-
loser Frevler wiedergeben; pointiert meint der paulinische Satz
also: wenn Tote nicht auferstehen, so haben die Gottlosen die bes-
sere Einsicht und die richtigere Lebensanschauung. 1Kor 15,30-32
läßt so erkennen, daß Paulus die Auferstehung in festem Bezug auf
seine Niedrigkeits- und Leidensexistenz (=Todesexistenz) denkt,
der er sie gemäß der Tradition vom leidenden Gerechten als Gottes
Rettungs- und Rechtshandeln zuordnet. Genau dieser für sein Got-
tes-, Welt- und Selbstverständnis so grundlegend wichtige Bezug
steht in der Auseinandersetzung mit den Auferstehungsleugnern für
ihn auf dem Spiel.

112 Cf. H.CONZELMANN, KEK 1Kor, 331; zur allgemeinen Verbreitung des Worts cf.
    ebd. Anm.139.
113 Cf. A.J.MALHERBE, aaO. 78f.
114 Siehe oben S.104f.
115 Vgl. dazu 2Kor 1,8f.; 11,23f. - Im Zusammenhang mit der Behandlung dieser
    Texte wird darauf zurückzukommen sein, s.unten S.247 m.Anm.18; 294 m.Anm.174.
116 Das κατὰ ἄνϑρωπον wird allgemein als schwierig empfunden. Die hier vorge-
    schlagene Deutung stützt sich u.a. auf 1Kor 3,3, wo dieselbe Formulierung
    m.E. in ganz ähnlicher Bedeutung gebraucht wird. Cf. auch A.J.MALHERBE,
    aaO. 80: "a struggle on a merely human level, without a hope of resurrection"
    und ebd. Anm.78.

Dem entspricht es, wenn er auch bei der nun folgenden Frage
nach dem Wie der Auferstehung (15,35/15,42-44) einen Teil der Antworten aus der Tradition vom leidenden Gerechten bezieht, nämlich
den Gedanken der eschatologischen Umkehrung der Verhältnisse, der
uns in 1Kor 1-4 als konstitutiv für die Deutung des Kreuzes als
Weisheit Gottes begegnete. Die Antithesen φθορά/ἀφθαρσία; ἀτιμία/
δόξα; ἀσθένεια/δύναμις; σῶμα ψυχικόν/σῶμα πνευματικόν, die den in
der Auferstehung geschehenden 'Umschlag' veranschaulichen, verbinden (wie schon 1Kor 1-4) die Tradition vom leidenden Gerechten
(vgl. nur ἀτιμία, ἀσθένεια in 1Kor 4,10) mit der hellenistisch-
jüdischen ψυχή-πνεῦμα-Konzeption, die hier sogar unter Zitation
des von Pearson[117] herausgearbeiteten locus classicus Gen 2,7 aufgenommen ist. Wie in 1Kor 2 knüpft Paulus durch die Übernahme
dieser Konzeption an die Denk- und Sprachwelt seiner Kritiker an.
Durch die Zusammenordnung beider Traditionen erreicht er, daß
ψυχή und πνεῦμα, die die Gegner im präsentischen Nebeneinander
denken (weshalb sie meinen, schon jetzt τέλειοι πνευματικοί werden
zu können[118]), in die Reihe der im eschatologischen Nacheinander
geordneten Größen zu stehen kommen: wie die ἀτιμία und ἀσθένεια
der leidenden Gerechten erst in der Auferstehung zu δόξα und
δύναμις aufgehoben sein werden, so ist auch die vollkommene pneumatische Existenz und die Aufhebung der psychischen erst in der
Auferstehung zu erlangen. Genau das schärft Paulus ausdrücklich in
15,46ff. ein (und zwar indem er seine eigene Auslegung von Gen 2,7
der seiner Gegner entgegenstellt). Für die von Paulus verteidigte
Auferstehungsvorstellung bildet die Tradition vom leidenden Gerechten also *eine* grundlegende Komponente, die Paulus vor allem
unter dem Aspekt der 'Differenz der Zeiten' gegen seine Kritiker
wendet, die nicht einfach übersprungen werden darf.

Auch das letzte Schriftzitat des Kapitels, 15,54f., eine Kombination[119] aus Jes 25,8 und Hos 13,14, mit der Paulus triumphie-
rend den Auferstehungszusammenhang abschließt, bestätigt die enge
Verbindung des paulinischen Auferstehungsverständnisses mit der
Tradition vom leidenden Gerechten. Wie in der diachronen Skizze
gezeigt, ist die prophetische Heilsankündigung Jes 25,6-8, aus der

---

117 S.auch oben S.220 m.Anm.46.
118 S.oben S.220f. zu 1Kor 2,6ff. Auch 1Kor 13,12 scheint mir in dieselbe Richtung zu zielen (und bewußt gezielt zu sein). - Zur ψυχικός-πνευματικός-Fra-
ge cf. wieder B.A.PEARSON, The Pneumatikos-Psychikos-Terminology, 15-26.
119 Cf. E.E.ELLIS, Paul's Use of O.T., 176.; Paulus zitiert Jes 25,8 in Abwei-
chung vom (heutigen) Text der LXX und wörtlich übereinstimmend mit dem
(heutigen) Theodotion-Text (cf. O.MICHEL, Paulus und seine Bibel, 64). Doch
ist der Theodotion-Text unsicher; H.CONZELMANN, KEK 1Kor, 349 mit Anm.35,
nimmt eine "'vortheodotianische' Textfassung" an.

Paulus hier den Hauptgedanken bezieht, schon in der 'Jesajaapokalypse' selbst von der Tradition vom leidenden Gerechten her gedeutet und verstanden worden[120]. Die eschatologische Aufhebung des
Todes, die Jes 25 als endzeitliche Projektion im Rahmen dieser Tradition entwirft, erfüllt sich für Paulus in der Auferstehung, in
der Gott den in Christus Gerechtfertigten[121] das den Gerechten verheißene Heil gewährt, indem er ihnen "den Sieg gibt durch unseren
Herrn Jesus Christus" (15,57).

13.Kapitel

DER ZWEITE KORINTHERBRIEF

Es scheint mir geraten, die nach wie vor nicht gelösten literarkritischen
Probleme des 2Kor[1] zunächst auf sich beruhen zu lassen. Denn nur so bleiben
wir offen dafür, daß sich ja auch aus unserer Untersuchung Anhaltspunkte für
die Beurteilung der Einheitlichkeit ergeben könnten, vielleicht sogar Präfe-
renzen für eine bestimmte der zahlreichen Teilungs- und Rekonstruktionshypo-
thesen. Wir brauchen die literarkritischen Fragen auch deshalb nicht vorab
zu entscheiden, weil die von einigen Exegeten für selbständige Briefe gehaltenen Textkomplexe auch von denen, die an der Einheitlichkeit des 2Kor festhalten, als relativ abgeschlossene Briefteile angesehen werden[2]. In jedem
Fall sind also   A   2Kor 1,1-2,13 + 7,5-16
                      B   2Kor 2,14-7,4 (ohne 6,14-7,1)[3]
                      C   2Kor 8 + 2Kor 9 (evtl. je für sich)
                      D   2Kor 10-13

---

120 Siehe oben S.77f.
121 Cf. 1Kor 15,56: Sünde und Gesetz als Stachel des Todes und Kraft der Sünde
    müssen überwunden sein, damit der Sieg über den Tod möglich wird. Das ist
    aber im *Kreuz* geschehen, so daß der Rechtfertigungszusammenhang klar mit
    in Rede steht.
  1 Man vergleiche nur die beiden 1973 im selben Heft der ZNW (Jg.64) publi-
    zierten, völlig konträren Aufsätze: W.SCHMITHALS, Die Korintherbriefe als
    Briefsammlung (263-288) und: N.HYLDAHL, Die Frage nach der literarischen
    Einheit des 2Kor (289-306). Während SCHMITHALS in seiner literarkritischen
    Aufteilung der Kor in 9 Einzelbriefe eine "Rekonstruktion der lebhaften und
    wechselvollen, das heißt der echt geschichtlichen Art der Korrespondenz" und
    damit eine "Verstehenshilfe" sieht, "die einer historisch-kritischen Exegese
    angemessen ist" (ebd.287), hält HYLDAHL die literarische Einheit des 2Kor
    für "so gesichert wie irgendwie möglich" (305) und fordert, "daß die Exegese
    aufhört, sich ihre eigenen Voraussetzungen zu verschaffen, und anfängt, die
    beiden Briefe an die korinthische Gemeinde von den Bedingungen derselben her
    auszulegen" (306).
  2 Dies gilt von 2Kor 10-13 von vornherein, ebenso für die beiden 'Kollekten-
    Kapitel' 8 + 9 (zusammen oder als Dubletten je für sich). Doch auch in 2Kor
    1-7 wird 2,14-7,4 von den Forschern, die nicht - wie die meisten - eine re-
    daktionelle Einfügung in den Zusammenhang annehmen, als eine den Gedanken-
    gang 1,1-2,13 / 7,5-16 unterbrechende "Digression" (N.HYLDAHL, aaO. 289) an-
    gesehen, cf. auch W.G.KÜMMEL, Einleitung, 253.
  3 Zum Problem des Textabschnitts 6,14-7,1 cf. z.B. P.VIELHAUER, Geschichte,
    153; W.G.KÜMMEL, Einleitung, 249f. Es kann hier unberücksichtigt bleiben,
    weil der Abschnitt unser Thema nicht berührt. Wenn im folgenden von 2Kor
    2,14-7,4 die Rede ist, so ist 6,14-7,1 nicht mitgemeint.

zunächst getrennt zu untersuchen. Danach sind dann die Leidensaussagen der
vier Texteinheiten zueinander in Beziehung zu setzen; abschließend wird
dann auf die literarkritische Fragestellung zurückzukommen sein.

13.1. 2.Korinther 1,3-11 und 7,5-7

In dem 2Kor 2,14-7,4 rahmenden Briefteil 1,1-2,13 + 7,5-16 bilden schon die auf das Präskript folgenden Eingangsverse 1,3-11 den
für unser Thema entscheidenden Text. Die dort breit ausgeführte
Verhältnisbestimmung vom 'Leiden' und 'Trost' wird dann in 7,5-16
nochmals aufgenommen (7,5-7).

13.1.1. 2.Korinther 1,3-11

Strukturen

1,3-11 ist durch das einleitende εὐλογητὸς ὁ θεὸς und die 'Zielformulierung' ἵνα ... εὐχαριστηθῇ (11) als einheitliches Proömium
kenntlich, gleichwohl läßt es sich in zwei Teile untergliedern.
1,3-7 entfaltet die Entsprechungsverhältnisse, die zwischen Leiden
und Trost einerseits grundsätzlich, andererseits im Blick auf deren 'Träger': Christus, Paulus und die Gemeinde, bestehen. 1,8-11
ist dagegen eine diese Entsprechungen unterstreichende und illustrierende Ergänzung, die den 'empirischen Fall' der θλῖψις in
Asia berichtet und im Blick auf das Vorangehende deutet.
    Auffällig ist zunächst die Häufigkeit der einschlägigen Termini,
die die Akzentuierung des Textes klar verfolgen lassen: In den 5
Versen 2Kor 1,3-7 verwendet Paulus 10x παράκλησις oder παρακαλέω
und 6x einen der (synonym gebrauchten) Ausdrücke θλῖψις (θλίβομαι)
/πάθημα (πάσχω). In 2Kor 1,8-11 nimmt er den Terminus θλῖψις dann
nochmals auf und konkretisiert ihn durch Ausdrücke des Wortfelds
θάνατος, denen er 3x eine Verbform von ῥύομαι (Subjekt jeweils:
Gott) gegenüberstellt. Vor allem aber ist für den Text die sorg-
fältige syntaktisch-semantische Strukturierung der Vv 3-7 kennzeichnend, deren Eigenarten sich durch folgende Skizze verdeutlichen lassen[4]:

---

4 Sie soll vor allem die auffälligen Sprachmittel (Wort(gruppen)wiederholungen,
  Chiasmen, Gegensatzentsprechungen) sowie die 'Gelenke' der Sätze und Teil-
  sätze (καθώς/ὡς-οὕτως usw.) veranschaulichen. Cf. auch die Skizzierung des
  chiastischen Geflechts von 1,6f. bei K.PRÜMM, Diakonia Pneumatos, I,17.

3 Εὐλογητὸς

ὁ θεὸς ⟩⟨ καὶ πατὴρ τοῦ κυρίου ἡμῶν Ἰησοῦ Χριστοῦ,

ὁ πατὴρ τῶν οἰκτιρμῶν καὶ θεὸς πάσης | παρακλήσεως,

4   ὁ | παρακαλῶν   ἡμᾶς | ἐπὶ πάσῃ τῇ θλίψει | ἡμῶν

      εἰς τὸ δύνασθαι ἡμᾶς | παρακαλεῖν   τοὺς | ἐν πάσῃ   θλίψει |

                     διὰ τῆς | παρακλήσεως

                         ἧς | παρακαλούμεθα | αὐτοὶ ὑπὸ τοῦ θεοῦ.

5 ὅτι ⎡καθὼς | περισσεύει | τὰ παθήματα τοῦ Χριστοῦ εἰς ἡμᾶς,

     ⎣οὕτως διὰ τοῦ Χριστοῦ | περισσεύει | καὶ ἡ παράκλησις   ἡμῶν.

6 ⎡εἴτε δὲ θλιβόμεθα, ← | ὑπὲρ τῆς ὑμῶν παρακλήσεως | καὶ σωτηρίας·

  ⎣εἴτε   παρακαλούμεθα, | ὑπὲρ τῆς ὑμῶν παρακλήσεως | ⌐

                                τῆς ἐνεργουμένης ἐν ὑπομονῇ

                                         τῶν αὐτῶν παθημάτων

                                           ὧν καὶ ἡμεῖς πάσχομεν

7 καὶ ἡ ἐλπὶς ἡμῶν βεβαία ὑπὲρ ὑμῶν εἰδότες ὅτι

                    ⎡ ὡς κοινωνοί ἐστε τῶν παθημάτων
                    ⎣ οὕτως   καὶ τῆς παρακλήσεως.

↔ : παθημα⎫
     θλῖψις⎭ ↔ παράκλησις - Beziehung   ⟩⟨ Chiasmus

Traditionen

Betrachten wir das den Text tragende Wortfeld im Kontext der
Tradition vom leidenden Gerechten, so sind die Bezüge sofort deutlich: θλῖψις/θλίβομαι gehört ebenso wie παρακαλέω seit dem Alten
Testament zum festen Bestand ihres Sprachgebrauchs[5]; ähnlich wie
hier aufeinander bezogen begegnen beide schon in Ps 71,20f., wobei
auch dort der Gedankenschritt Not → Trost weiterführt zur Danksagung an Gott. In Ps 94,19 und Ps 23,4f. lassen sich ähnliche Berührungen feststellen. Auch das die zweite Hälfte des Textes prä-
gende ῥύομαι ist geradezu terminus technicus[6] für Gottes Rettung
des leidenden Gerechten aus der (Todes-)Not. Darüber hinaus ist
auch die Rede von den οἰκτιρμοί Gottes (die V 3 der παράκλησις
Gottes parallelstellt) in den Psalmen[7] reich belegt.

---

5 Παρακαλεῖν ist in den Psalmen 7x LXX-Äquivalent für נחם *pi.*, παράκλησις in
  Ps 94 (93),19; Jes 66,11; Jer 16,7 für תנחום. Das (bisweilen) synonym zu
  θλῖψις/θλίβεσθαι gebrauchte πάσχειν/πάθημα begegnet noch kaum in LXX, ist
  aber in den Schriften des hellenistischen Judentums in diesem Sinne belegt, .
  cf. W.MICHAELIS, Art. πάσχω κτλ., ThWNT 5, 906-910.
6 LXX hat ῥύεσθαι in den Psalmen 63x, davon 34x als Äquivalent für נצל *hi.*
7 In LXX 11x für נחם; die Verbindung mit παρακαλεῖν am deutlichsten in Ps
  119,76f.; eine (freilich anders bezogene) Verbindung mit πατήρ findet sich
  in Ps 103,13.

So sind gerade diejenigen Elemente, die die Textstruktur semantisch tragen, von der Tradition vom leidenden Gerechten her vorgegeben und auch dort schon in ähnlicher Weise aufeinander bezogen.

Interpretation

Nach diesen Vorklärungen kommt alles darauf an zu sehen, wie
und wozu Paulus die Tradition vom leidenden Gerechten in diesem so
sorgfältig komponierten Text aufnimmt. Schon V 3 gibt einen Hinweis, wenn er die traditionelle Redeweise von "Gott, der οἰκτιρμοί
und παράκλησις gewährt", in der Gottesprädikation ὁ πατὴρ τῶν
οἰκτιρμῶν καὶ θεὸς πάσης παρακλήσεως spezifiziert und ihr als Parallelismus ὁ θεὸς καὶ πατὴρ τοῦ κυρίου ἡμῶν Ἰησοῦ Χριστοῦ voranstellt. Offensichtlich denkt Paulus das von Gott in Jesus gestif-
tete Heil so stark im Kontext der 'traditionellen' Barmherzigkeits-
erweise Gottes, daß er analog der πατήρ-Beziehung Gottes zu Jesus
auch den göttlichen Ursprung der οἰκτιρμοί als πατήρ-Beziehung aussagen kann, ja, es besteht hier wohl sogar eine erkenntnismäßige
Wechselbeziehung: Paulus erkennt Gott als den "Vater der Barmher-
zigkeitserweise" gerade darin, daß er der "Vater unseres Herrn Jesus Christus"[8] ist und deutet umgekehrt das Handeln Gottes in Christus als ein Handeln in der Kontinuität des von der Tradition vom
leidenden Gerechten von jeher bezeugten Gotteshandelns. Dieses aber
ist wirksam in der Tröstung, die Paulus "in jeder θλῖψις" erfährt,
und die ihn seinerseits zur Tröstung derer befähigt, die ihrerseits
in solcher θλῖψις sind[9] (V 4).

Wenn Paulus nun in V 5 seine θλῖψις gerade in diesem Traditionskontext als ein περισσεύειν der παθήματα τοῦ Χριστοῦ εἰς ἡμᾶς bezeichnet, so ist dies eine (für die Deutung dieser Verhältnisbestimmung nicht unwichtige) Bestätigung unserer Beobachtungen zu
1Thess 1+2: auch dort war ja die Gleichartigkeit der Leiden Jesu,
des Paulus (und der Gemeinde) dadurch bedingt, daß sie alle durch
die endzeitliche Anfeindung verursacht waren, die - gemäß der Frontstellung in der Tradition vom leidenden Gerechten - die auf Gottes
Seite Stehenden von seiten der Feinde Gottes auszustehen haben. Im
1Kor stand dann das Leiden des Apostels (und - qua Mimesis-Empfeh-
lung (1Kor 4,16) - auch das der Gemeinde) insofern mit dem Leiden

---

8 Zur Sache vgl. auch die Ἀββᾶ-ὁ-πατήρ-Rufe von Röm 8,15; Gal 4,6; s.auch
  unten S.352.
9 Auch dieser Gedanke hat eine Vorstufe in der Tradition vom leidenden Gerechten, in der (schon in den Psalmen) Gottes Hilfe für die leidenden Gerechten
  als Freude (cf. Ps 142,8; 35,26f.) bzw. deren Ausbleiben als Anlaß des 'Zu-
  schandenwerdens' des Kreises der 'Gerechten' thematisiert wurde. S.oben
  S.30 und 64.

Jesu in Verbindung, als Paulus das im Kreuz Christi sich vollziehende Geschehen als ein universales Heilshandeln Gottes gemäß der
Tradition vom leidenden Gerechten begriff, das die von diesem Handeln Betroffenen in ihrer Existenz und ihrem Handeln unter das Kriterium dieser Tradition stellen konnte. Faßt man beide Gedanken
als Aspekte desselben Phänomens zusammen, so ergibt sich auch für
die Redeweise in 2Kor 1,5 eine plausible Verständnismöglichkeit:
gemäß der apokalyptischen Konzeption von der endzeitlichen Zuspitzung der Verhältnisse (περισσεύειν!) greifen die (Kreuzes-)Leiden
Christi, in denen Gott wirksam und verändernd in die Welt eingreift,
auch auf diejenigen über, die dieses Kreuz für sich als 'Evangelium' ergreifen und anderen verkündigen[10]. Paulus ist so nicht nur
Bote des Evangeliums vom Kreuz, sondern als solcher zwangsläufig
auch Träger der παθήματα τοῦ Χριστοῦ.

Gal 6,17. Denselben Gedanken bringt Paulus zum Ausdruck, wenn er im hand-
schriftlichen Schlußwort des Gal schreibt: ἐγὼ γὰρ τὰ στίγματα τοῦ Ἰησοῦ
ἐν τῷ σώματί μου βαστάζω. Die στίγματα, d.h. die Wunden und bleibenden Nar-
ben, die Paulus aus den zahllosen Mißhandlungen um seiner Verkündigungsarbeit
willen am Leibe trägt (anschaulich dazu die konkreten Angaben in 2Kor 11,
24-26!) sind Merkmale einer authentischen Verkündigung des Kreuzes. Die Funktion der Aussage im Kontext besteht darin, die Galater zu Respekt und Rücksichtnahme gegenüber Paulus zu veranlassen: sie sollen ihm zu dem Maß seiner
Leiden nicht noch weitere Belastungen hinzufügen[11].

Den in dieser Weise als 'Christusleiden' gedeuteten Leidenserfahrungen stehen die Erfahrungen der Tröstung in ganz ähnlicher Weise
gegenüber. Wieder bezeichnet das περισσεύειν das endzeitliche Übermaß[12], und wie die παθήματα wird auch die endzeitliche παράκλησις

10 Zu den Deutungsmöglichkeiten der Genitivverbindung παθήματα τοῦ Χριστοῦ cf.
   M.RISSI, Studien, 54f. mit Anm.125 (WINDISCH; SCHLATTER; BACHMANN; KREMER).
   RISSIs Deutung als "Genetivus auctoris" trifft zwar m.E. das Richtige insofern, als sie das mystische Verständnis verwehrt, bleibt aber doch hinter
   dem Text zurück, weil die paulinischen Leiden eben nicht (wie die "Krankheit
   des Zeus" (= νοῦσός Διός, Odyssee ι411, die RISSI als Analogie anführt) als
   von Christus - unabhängig von seinen eigenen Leiden - 'verhängt' angesehen
   werden können. Haben sie aber etwas mit den Leiden Jesu zu tun, ist das von
   RISSI auf den ersten Blick so elegant gelöste alte Problem sofort wieder offen. Mir scheint die sich von 1Thess und 1Kor her nahelegende Lösung im Kontext der 'Fronten' der Tradition vom leidenden Gerechten von daher angemessener.
11 Die Interpretationsgeschichte (cf. E.GÜTTGEMANNS, Apostel, 126-135) zeigt,
   wie oft der Text unter Absehung von Kontext und kommunikativer Funktion, vor
   allem aber auch von den konkreten Lebensbezügen des Paulus für theologische
   und psychologische Spekulationen herhalten mußte, die er in keiner Weise
   deckt.
12 Περισσεύειν ist im Neuen Testament "fast durchweg in Zusammenhängen gebraucht,
   die von einer Fülle reden, die in der Heilszeit gegenüber dem alten Äon vorhanden ist und sich kundgibt" (F.HAUCK, Art. περισσεύω κτλ., ThWNT 6,59,
   12-14) und ist so ein "eschatologisches Leitwort" (ebd. 59,16). Von daher
   dürfte das περισσεύειν der Leiden sogar von dem περισσεύειν der Tröstungen
   her gedacht sein, die schon jetzt Anteil an der (alttestamentlich verheiße-
   nen: cf. z.B. Jes 25,8) endzeitlichen Tröstung geben. Zur Vorstellung des
   'Übermaßes' cf. auch die unten S.265f. angeführten Zusammenhänge aus den
   Qumrantexten.

als διὰ τοῦ Χριστοῦ qualifiziert, worin sich derselbe enge Zusammenhang zwischen Christologie und Tradition vom leidenden Gerechten zeigt wie in V 3.

Erst jetzt[13] spricht Paulus sein Gegenüber explizit an (V 6:
ὑμῶν) und leitet damit auf das Verhältnis von Apostel und Gemeinde
über, indem er seinen Leiden einen besonderen Funktionsaspekt hinzufügt: sie dienen ὑπὲρ τῆς ὑμῶν παρακλήσεως καὶ σωτηρίας, sind
also Leiden im Einsatz für die Gemeinde[14]. Daß Paulus seine Mühen
um die Gemeinden mit unter die θλίψεις rechnet, hatte der Katalog
in 1Kor 4,11f. schon gezeigt[15].

Doch nicht nur die Leiden wirken sich in dieser Weise positiv
auf die Gemeinde aus, sondern auch die 'Tröstungen' des Apostels[16].
Ebenso wie in zahlreichen Toda-Psalmen Gottes Zuwendung zum leidenden Gerechten gepriesen wird als Grund der Hoffnung für andere Arme und Gebeugte[17], so ist auch hier die παράκλησις des Paulus unter dem Aspekt gesehen, daß sie ὑπομονή bei der Gemeinde wirkt, die
die "gleichen Leiden leidet wie wir". Gerade diese Gemeinsamkeit
des Leidens (V 7: κοινωνοί ἐστε), die auch eine Gemeinsamkeit des
Trostes impliziert, ist für Paulus ein hoffnungsvolles Zeichen im
Blick auf die Gemeinde.

Worauf diese Hoffnung, überhaupt: das Ineinander von Leiden und
Trost, sich gründet, konkretisieren die Vv 8ff.: Paulus berichtet
von seiner θλῖψις in Asia, also jener ihn von Juden wie Heiden treffenden Anfeindung um seiner Verkündigung willen[18], die ihn bis an

13 Zu der gerade darin bestehenden Besonderheit dieses Proömiums im Vergleich
   zu denen der übrigen Paulusbriefe cf. z.B. H.WINDISCH, KEK 2Kor, 36.
14 Diese 'Sinnbestimmung' der Leiden von der 'Faktizität' her reicht m.E. völlig aus und läßt eine Deutung im Sinne eines (coram deo) stellvertretenden
   Leidens als überflüssig (und da vom Text nicht gedeckt: als falsch) erscheinen. Es geht um das tätige Bemühen um die Gemeinde unter Anfeindungen und
   Leiden. παράκλησις ist die 'zeitliche' Wirkung dieses Einsatzes, σωτηρία der
   Gemeinde sein (endzeitliches) Ziel.
15 In ähnlicher Weise betont Paulus auch in 1Kor 9,12ff. die positive Wirkung
   seines - über das Maß des 'Solls' hinaus geleisteten - Einsatzes für das
   Evangelium.
16 Daß damit nicht nur psychologische Stabilisierungen des Paulus gemeint sind,
   sondern gegenüber der Gemeinde sichtbar ausweisbare positive (Rettungs-)Er-
   eignisse, zeigen 2Kor 1,8ff. ganz konkret.
17 Cf. z.B. Ps 69,33f.
18 Eine urchristentumsgeschichtliche Konkretion der 'Bedrängnis in Asia' ist
   nur annäherungsweise möglich, weil Act 19 und die Andeutungen der Paulusbriefe (s.oben zu 1Kor 15,32 S.240) weder ein sachlich kohärentes Bild ergeben (cf. G.BORNKAMM, Paulus, 94-101) noch anschauliche Einzelheiten über bestimmte Ereignisse während des Ephesusaufenthaltes mitteilen. Erschließen
   läßt sich, daß Paulus in Ephesus über längere Zeit gefangen war und - wenn
   wir den Phil mit einbeziehen: im Zusammenhang damit, evtl. aber (außerdem)
   auch schon zuvor - in ernster Lebensgefahr schwebte. Auch muß man bedenken,
   daß die in 2Kor 11,24-26 geschilderten biographischen Einzelheiten sich nur
   zum Teil von Act her lokalisieren lassen, von daher durchaus auch teilweise
   die Zeit in Ephesus betreffen können. Zur ephesinischen Gefangenschaft cf.

den Rand des Todes gebracht hatte, aus der Gott ihn aber errettet
hat (ἐρρύσατο). Den Sinn dieser 'klassischen' Erfahrung des leidenden Gerechten erblickt er darin, daß ihm in der Situation, als
er "bei sich selbst das Todesurteil empfangen hatte", alles Vertrauen auf sich selbst verlorenging zugunsten des Vertrauens auf
"Gott, der die Toten auferweckt". Wieder ist der Gedanke der Totenauferweckung als Spitzenaussage der Tradition vom leidenden Gerechten erkennbar; er gibt die Perspektive vor, in der für Paulus
die ganze Thematik von 'Leiden und Trost' steht. Indem Gott den
Paulus aus "solchem Tod" errettete, war er als der Gott wirksam,
der die Toten auferweckt. Darin hat die παράκλησις ihre Basis und
die feste Hoffnung auf weitere Rettung ihren Grund: als eine
παράκλησις eben *dieses* Gottes kann Paulus sie aller θλῖψις entgegensetzen.

> Er kann es umso mehr, als er - wie 1Kor 15 hinreichend lehrt - die Aufer-
> weckung der Toten selbstverständlich unter Einbeziehung der schon erfolgten
> Auferweckung Jesu denkt. Unser Text betont dies zwar nicht explizit, deutet
> es aber doch durch das διὰ τοῦ Χριστοῦ (V 5) an und bringt es durch die große
> Sicherheit zum Ausdruck, mit der er der tödlichen Bedrängnis das dem Tod wi-
> derstehende und ihn überwindende Rettungshandeln Gottes entgegensetzt.

Ganz im Duktus der Tradition vom leidenden Gerechten schließt Pau-
lus den Gedankengang ab: aus der Erfahrung der Rettung folgt die
Hoffnung auf künftige Rettung, die zur vielstimmigen Danksagung an
Gott Anlaß geben wird, zur "Toda in großer Gemeinde".

Überschauen wir diese Interpretation von 2Kor 1,3-11, so ist
bemerkenswert, daß hier die erstmals explizit begegnende Bezeichnung der Leiden des Apostels als παθήματα τοῦ Χριστοῦ ausgerechnet
im Kontext der wohl bisher deutlichsten Übernahme von Elementen und
Zusammenhängen der Tradition vom leidenden Gerechten begegnet. Die
Interpretation der paulinischen Leiden als "Christusleiden" schließt
es offensichtlich nicht aus, sie auch von dieser Tradition her zu
verstehen. Im Gegenteil: hatten wir am 1Kor gesehen, daß das *Kreuz
Jesu* unter das Kriterium der Tradition vom leidenden Gerechten
stellt, daß also der Tod Jesu eine Wirksamkeit entfaltet, die -
wie Paulus den Korinthern immer wieder entgegenhielt - ins Leiden
führt, so entwickelt dieser Text nun wiederum im Rückgriff auf die
Tradition vom leidenden Gerechten ein positives Pendant dazu, indem er den παθήματα τοῦ Χριστοῦ, d.h. eben jener 'Todeswirklich-
keit', eine 'Lebenswirklichkeit' entgegensetzt. Diese ist die
παράκλησις *des* Gottes, "der die Toten auferweckt" und der Jesus
Christus auferweckt *hat*: deshalb παράκλησις διὰ τοῦ Χριστοῦ (1,5).

---

auch E.LOHSE, KEK Kol, 234-237; P.STUHLMACHER, EKK Phlm, 21; zu den Konkre-
tisierungsversuchen der 'Bedrängnis in Asia' in der älteren Forschung H.
WINDISCH, KEK 2Kor, 44f.

Wir sehen: Paulus begreift den Gedanken der Auferstehung zwar
im Sinne der Tradition vom leidenden Gerechten als eine 'Fortschreibung' des Rettungshandelns Jahwes, nicht jedoch - wie manche
Teile dieser Tradition - apokalyptisch-dualistisch: Auferstehung
tritt nicht an die Stelle (ausbleibender) 'diesseitiger' Heilserweise. Vielmehr ist sie angesichts der schon geschehenen Auferweckung Jesu, die das Postulat der Tradition vom leidenden Gerechten prototypisch eingelöst und verifiziert hat, schon hier und
jetzt, z.B. in der irdischen Existenz des Apostels wirksam. Daß
Paulus solche Wirksamkeit mit den Mitteln der *älteren* Tradition vom
leidenden Gerechten artikuliert, erweist, daß er seine eigenen Erfahrungen der Errettung aus der (Todes-)Not, Jesu Auferweckung von
den Toten, das alttestamentlich-jüdische Zeugnis von Gott, der die
Toten auferweckt und die vielfältigen Zeugnisse von Gottes Rettungshandeln an den Seinen in einem einheitlichen sachlichen Zusammenhang begreift.

13.1.2. 2.Korinther 7,5-7

Eine Bestätigung der in 2Kor 1,3-11 aufgewiesenen Deutungsbezü-
ge ergibt sich auch aus 7,5-7. Hier stellt Paulus seiner 'umfassenden Bedrängnis', die er als "Anfeindungen von außen, Ängste aus
dem Innern" konkretisiert, den Trost entgegen, der ihm durch die
Ankunft und die guten Nachrichten des Titus zuteilgeworden ist.
Θλῖψις und παράκλησις sind also ganz direkt auf die 'pragmatische'
Ebene der paulinischen Mission zu beziehen: die Erfolgsnachrichten
aus Korinth geben Paulus Kraft, mit den Problemen in Mazedonien
fertigzuwerden. Darin, daß es dazu kommt, sieht Paulus aber den
Gott wirksam, "der die Gebeugten tröstet" (ὁ παρακαλῶν τοὺς
ταπεινούς). Will man die Wendung nicht als fromme Floskel überle-
sen, so ist man auf Jes 49,13 (in der gegenüber M veränderten Fassung der LXX) gewiesen[19], wo Himmel und Erde zum Jubel aufgerufen
werden: die Berge sollen Freude und die Hügel Gerechtigkeit (!)
hervorbrechen lassen, "weil Gott sich seines Volkes erbarmt und
die Gebeugten seines Volkes tröstet" (τοὺς ταπεινοὺς τοῦ λαοῦ
αὐτοῦ παρεκάλεσεν).

---

19 LXX stellt die Verben um. M: "Jahwe tröstet sein Volk und erbarmt sich seiner Gebeugten" (כִּי־נִחַם יְהֹוָה עַמּוֹ וַעֲנִיָּו יְרַחֵם). Außerdem hebt sie die in M im-
plizierte Gleichsetzung 'mein Volk = die Gebeugten' auf durch die Ersetzung
des Possessivsuffixes durch τοῦ λαοῦ. Schließlich ist auch der δικαιοσύνη-
Aspekt im Kontext eine Ergänzung der LXX gegenüber M. - Zur Sache cf. auch
Ps 119,50. H.WINDISCH, KEK 2Kor, 227, macht auf diese Bezüge aufmerksam, sieht
sie jedoch vor allem darin motiviert, daß Paulus sich als "religiöser Mensch"
so äußert und daß Jes 49,13 "ganz seine Stimmung wiedergibt".

Auch hier ist die deutende Parallelisierung der paulinischen Erfahrung mit der Traditionsaussage vom leidenden Gerechten in doppelter Weise aufschlußreich: sie läßt erkennen, daß Paulus Gottes
Handeln an ihm in der Kontinuität mit dem in dieser Tradition bezeugten Handeln begreift; ebenso zeigt sie, daß er sich selbst als
den leidenden Apostel Jesu Christi in der Kontinuität mit den
ταπεινοί (=ענוים) dieser Tradition stehen sieht.

13.2. 2.Korinther 2,14-7,4

Die beiden mit dem Leidensthema befaßten Textabschnitte 2Kor 4,7-18 und
6,3-10 sind fest eingebunden in die umfassende, in sich geschlossene Argumentation dieses Brief(teil)es, der in der Regel mit "Apologie des Apostel-
amtes des Paulus"[20] o.ä. überschrieben wird. Von daher kommt dem Ort und der
Funktion der Leidensaussagen in der 'Apologie' besondere Bedeutung zu, weshalb hier zunächst deren Argumentationsstruktur kurz nachzuzeichnen ist.

Strukturen

a) 2Kor 4,7-18 und 6,3-10 in ihrem Kontext

Die Geschlossenheit der Gesamtargumentation wird sofort deutlich, wenn man eine Gliederung des Textes versucht. Denn so sehr
er auf den ersten Blick "aus sehr mannigfaltigen Teilen zusammen-
gesetzt"[21] erscheint, die sich inhaltlich auch recht leicht zu bestimmten "Gedankenkreisen"[22] ordnen lassen, so wenig darf man die
Verklammerungen übersehen, die der Text mit verschiedenen Mitteln
auf verschiedenen Ebenen der sprachlichen Oberfläche erreicht und
die für seine Struktur (und Deutung) aufschlußreich sind.

Die erste Auffälligkeit dabei ist das Verhältnis von 'monologischen' und explizit adressatenbezogenen Partien. Der Text macht
schon in seinem Anfang deutlich, daß er auf zwei Ebenen argumentiert: während nämlich 2,14-17 die 'Themenfrage': τίς ἱκανός; (16b)
ganz allgemein formuliert und sie unter Hinweis auf grundsätzliche
Erfahrungen der paulinischen Praxis (2,14-16) und das Grundcharak-
teristikum seiner Verkündigung: εἰλικρίνεια (2,17) thetisch beantwortet, reflektiert 3,1-3 die Behauptung dieser Verse nochmals in
direktem Adressatenbezug und stellt so auf der 'Meta-Ebene' des
Wir-Ihr eine Beziehung zur 'Frontlage' in Korinth her: Es geht um
die ἱκανότης des Apostel Paulus auch und gerade im Blick auf diese
konkrete Gemeinde.

---

20 So W.G.KÜMMEL, Einleitung, 243.
21 H.WINDISCH, KEK 2Kor, 95.
22 Cf. z.B. M.RISSI, Studien. Er sieht "drei wesentliche Gedankenkreise" (ebd.
   11): "Der alte Bund - Der Prediger - Der Tod" (ebd. 3, cf. 5).

Diesem Nebeneinander entspricht es, wenn Paulus auch in dem
folgenden langen Hauptteil, der sonst ganz in der 3. und vor allem
1.Person gehalten ist, an einigen Stellen knappe Anredeteile 'ein-
sprengt'[23]. Er tut das bisweilen durch (im Zusammenhang recht unvermittelt erscheinende) punktuelle Wendungen (4,5; 4,13.15; 6,1 -
cf. auch 3,18: ἡμεῖς πάντες), dann aber auch durch die (die Aus-
gangsfrage von 3,1 förmlich beantwortetende[24]) umfassendere Passage 5,11b-13 und führt schließlich in 6,11-7,5 (ohne 6,4-7,1) die
Argumentation ganz auf die 'Meta-Ebene' hinüber.

Das 'Wechselspiel' der Ebenen hält sich also von der schon in
dieser Doppelung angelegten Ausgangsbasis 2,14-3,3 an bis zum Ende
des Textes hin durch und stellt einen wichtigen Strukturfaktor der
'Apologie' dar.

Die dadurch bewirkte Verklammerung des Gesamttextes wird noch
verstärkt durch eine ganze Anzahl von Leitmotiven, die jeweils in
2,14-3,3 ihren Ausgangspunkt haben und sich wie bunte Fäden durch
den Hauptteil des Textes ziehen: als erstes und gewichtigstes ist
hier die an den Stichwörtern ἱκανός (2,17, cf. 3,6!) sachlich und
διακονεῖν (3,3) terminologisch festzumachende διακονία zu nennen,
die den ganzen Text über in Rede steht (3,7.8.9; 4,1; 5,18; 6,3),
ebenso hält sich aber auch der Gegensatz Tod/Leben von 2,16 über 3,6;
4,10-13; 5,5; 5,14f. bis 6,9 durch und läßt sich ausgehend von 3,1
der Gedanke des συνιστάναι über 4,2; 5,12 bis 6,4 verfolgen (in 4,2
und 5,11 verbindet er sich mit dem Stichwort συνείδησις). Auch der
Gebrauch des Verbs φανεροῦν ist auffällig: es verbindet zunächst
die beiden Abschnitte der Ausgangsbasis miteinander (2,14; 3,3)
und begleitet dann die Argumentation des Hauptteils über 4,2
(φανέρωσις); 4,10.11; 5,10 bis 5,11, wo es wiederum die Verbindung
zwischen der monologischen (11a) und adressatenbezogenen (11b) Formulierung herstellt.

Neben diesen durchgehenden 'Fäden' weist der Text noch einige
eher punktuelle Verklammerungen auf: so verbindet der Gegensatz
alt/neu die Gedankenkreise von 3,6.15 und 5,17 (cf. auch 4,17); auf
die Schöpfung rekurrieren 4,6 ebenso wie 5,17; 4,16 nimmt das οὐκ
ἐγκακοῦμεν von 4,1 wörtlich wieder auf - die Reihe solcher die
Dichte des Textes unterstreichenden Klammern ließe sich fortsetzen.

---

23 So ist z.B. 2Kor 4,5 eine Parenthese: 4,6 knüpft an 4,4 an.
24 Vgl. 3,1:   Ἀρχόμεθα πάλιν ἑαυτοὺς συνιστάνειν;
    mit 5,12:   οὐ πάλιν ἑαυτοὺς συνιστάνομεν ὑμῖν.

Fragen wir angesichts solcher Verflechtungen nach Gliederungs-
signalen, so finden wir diese weniger im Konjunktionengebrauch als
in der auffälligen Übereinstimmung von Bau und Verbgebrauch folgender Satzanfänge

3,4   Πεποίθησιν············ δέ   τοιαύτην ··· ···· ···· ἔχομεν ...

3,12   Ἔχοντες οὖν◄·—··—·· τοιαύτην·◄ἐλπίδα ...

4,1   Διὰ τοῦτο ἔχοντες τὴν διακονίαν ταύτην ...

4,7   Ἔχομεν··δὲ τὸν θησαυρὸν τοῦτον ...

5,1   Οἴδαμεν γὰρ ὅτι ···◄ ἔχομεν ...

5,11   Εἰδότες οὖν τὸν φόβον τοῦ κυρίου ...,

die dadurch als Einleitung von Abschnitten und Unterabschnitten
markiert sind, zumal die ihnen jeweils vorangehenden Satzschlüsse
in ähnlicher Weise vergleichbar sind: 3,11; 3,18; 4,6 führen übereinstimmend den δόξα-Gedanken an, der in 4,17f. eschatologisch gesteigert wird, woran dann 5,10 mit dem Endgerichtsgedanken bündig anknüpft.

Verbinden wir all diese Beobachtungen zu einer Strukturskizze,
so stellt sich der Duktus der 'Apologie' folgendermaßen dar:

2,14-17 setzt das Thema: "τίς ἱκανός;" und gibt eine erste thetische Beant-
         wortung (Eröffnung der "monologischen Ebene" der 'Apologie').

3,1-3   bindet diese Fragestellung in die korinthische 'Frontlage' ein, auf
         die dann *5,11-13* und *6,11ff.* explizit zurückkommen (adressatenbezo-
         gene, "dialogische Ebene" der 'Apologie').

Die drei adressatenbezogenen Textstücke rahmen die auf der "monologischen
Ebene" geführte grundsätzliche Argumentation und gliedern sie gleichzeitig
in zwei große Einheiten:
            A) 3,4-5,10   und   B) 5,14-6,10.

A) läßt sich nochmals untergliedern in einen dreistufigen Argumentationsgang:

a) 3,4-11 + 3,12-18 + (summierend) 4,1-6

und einen zweigliedrigen:

b) 4,7-18 + 5,1-10.[25]

B) nimmt im ersten Teil (5,14-21) Motivik und Thematik von A.a), im zweiten
   Teil (6,3-10) von A.b) auf und bringt so die ganze Argumentation zum Abschluß; das beide Abschnitte verbindende 'Gelenk' 6,1f. stellt dabei nochmals einen expliziten Bezug zu den Adressaten her.

Um es überblicksweise zu veranschaulichen:

---

25 2Kor 4,7-18 und 5,1-10 ähneln sich im Aufbau in mehreren Punkten: Einsatz mit
   Verb 1.pl.präs.: Ἔχομεν/Οἴδαμεν (4,7/5,1); Neueinsatz unter Verwendung der
   Partizipialform desselben Verbs: ἔχοντες/θαρροῦντες...καὶ εἰδότες (4,13/5,6);
   Schlußkonsequenz eingeleitet mit διό (4,16/5,9).

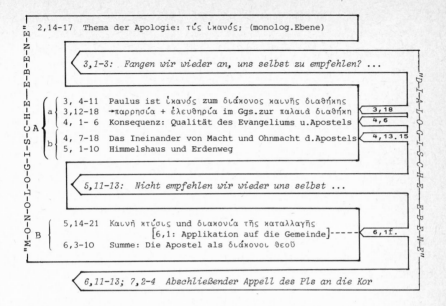

Diese Strukturskizze ermöglicht eine vorläufige Bestimmung des Verhältnisses der für uns besonders wichtigen Texte 4,7-18 und 6,1-10
zu den jeweiligen Kontexten und zueinander:

4,7-18 ist eine Art präzisierender Kontrapunkt zu dem vorangehenden großen ersten Argumentationsgang a). Darin bestimmt Paulus
seine ἱκανότης als eine von Gott ihm verliehene (3,5) Tauglichkeit
zum διάκονος τῆς καινῆς διαθήκης und setzt diese seine διακονία als
eine διακονία πνεύματος und τῆς δικαιοσύνης der mosaischen διακονία
γράμματος, τοῦ θανάτου und τῆς κατακρίσεως entgegen, um dann qua
πολλῷ-μᾶλλον-Schluß die überragende δόξα seiner διακονία zu erweisen. An diesen zurecht als "Verherrlichung des apostolischen Amtes"[26] bezeichneten Redegang schließt sich 4,7ff. - wie schon die
δέ-Verknüpfung vermuten läßt - relativierend und einschränkend an
und präzisiert so die zuvor nur unter positivem Aspekt gegebene
Bestimmung der apostolischen δόξα.

Der strukturell ganz ähnlich gebaute Folgetext hat - auch wenn
er den Gedankengang fortsetzt und dadurch sachlich vor allem von
4,16-18 abhängt - eigenes Gewicht: er nimmt die dort vorgezeichne-
te eschatologische Themenstellung auf, setzt aber einen besonderen
Akzent, indem er den Gedanken der Totenauferstehung veranschaulicht und in die Perspektive des Endgerichts rückt.

26 H.WINDISCH, KEK 2Kor, 95.

6,1-10 sind dagegen Teil des summierenden Abschlusses der ganzen Apologie. Sie bilden das Pendant zu der voranstehenden (5, 14-21) theologischen Entfaltung der διακονία des Paulus als im Sühnetod Jesu verankerte διακονία τῆς καταλλαγῆς. Die enge Bindung beider Abschnitte aneinander zeigt sich schon an der Satzoberfläche: die die entscheidenden Verse 6,3-10 syntaktisch tragenden Partizipien διδόντες und συνιστάνοντες haben ihr verbum regens in dem παρακαλοῦμεν von 6,1, das deutlich auf das grundsätzlichere παρακαλοῦντος von 5,20 zurückweist. In 6,3-10 bietet Paulus also die abschließende, umfassende Konkretion seines διάκονος-Standes, wie er in seiner in 5,14-21 theologisch pointiert charakterisierten διακονία entspricht.

4,7-18 und 6,3-10 sind also nicht - wie es auf den ersten Blick scheinen mag - relativ unmotivierte Dubletten, sondern verwandte Texte in verschiedenem Kontext und verschiedener Funktion. Die 'Verwandtschaft' ist aus der oben skizzierten Verklammerung des Gesamttextes ablesbar. Die besondere Funktion von 5,14-6,10 als dem Abschluß- und Höhepunkt der ganzen Apologie besteht darin, das in 3,4-5,10 aspektweise Entfaltete in einem Gesamtbild 'aufzuheben'. Insofern bietet gerade das Nebeneinander beider Texte die Möglichkeit, sie unter Berücksichtigung ihrer jeweiligen speziellen Funktion aufeinander zu beziehen, um so die Intention, die Paulus mit dem Leidensthema in seiner Apologie insgesamt verbindet, ganzheitlich zu erheben.

Um dieser Vergleichsmöglichkeit willen sei nun zunächst die Struktur beider Einzeltexte kurz skizziert:

b) 2Kor 4,7-18

Der Text ist dreistufig aufgebaut[27]: an den ganz von Antithesen geprägten ersten Teil (7-12) schließt sich eine positiv formulierte Zwischenreflexion an (13-15), die das Vorhergehende expliziert und weiterführt, während der dritte Teil (16-18) wiederum von Gegensätzen geprägt ist, die auf beide Teile zurückverweisen:

---

27 Textsignale sind wieder ἔχοντες (4,13) und διό (4,16). Der Text bildet so die Grobstruktur von 3,4-4,6 im Kleinen nochmals ab (vgl. auch 5,1-10):

3,4:	Ἔχομεν	3,12:	ἔχοντες	4,1 :	Διὰ τοῦτο
4,7:	Ἔχομεν	4,13:	ἔχοντες	4,16:	Διό
(5,1:	Οἴδαμεν	5,6 :	...εἰδότες...	5,9 :	Διό).

7 Ἔχομεν δὲ   τὸν θησαυρὸν τοῦτον   ἐν ὀστρακίνοις σκεύεσιν,

     ἵνα   ἡ ὑπερβολὴ τῆς δυνάμεως ᾖ τοῦ θεοῦ καὶ μὴ ἐξ ἡμῶν·

8 ἐν παντὶ   θλιβόμενοι   ἀλλ'οὐ στενοχωρούμενοι,

         ἀπορούμενοι   ἀλλ'οὐκ ἐξαπορούμενοι,

9   διωκόμενοι   ἀλλ'οὐκ ἐγκαταλειπόμενοι,

         καταβαλλόμενοι   ἀλλ'οὐκ ἀπολλύμενοι,

10 πάντοτε   τὴν νέκρωσιν τοῦ Ἰησοῦ ⎤ ἵνα καὶ⎡ ἡ ζωὴ τοῦ Ἰησοῦ

         ἐν τῷ σώματι περιφέροντες, ⎦   ⎣ ἐν τῷ σώματι ἡμῶν φανερωθῇ.

11 ἀεὶ γὰρ   ἡμεῖς οἱ ζῶντες εἰς θάνατον⎤ ἵνα καὶ⎡ ἡ ζωὴ τοῦ Ἰησοῦ φανερωθῇ

         παραδιδόμεθα διὰ Ἰησοῦν, ⎦   ⎣ ἐν τῇ θνητῇ σαρκὶ ἡμῶν.

12 ὥστε   ὁ θάνατος ἐν ἡμῖν ἐνεργεῖται, ἡ δὲ   ζωὴ ἐν ὑμῖν.

---

13 Ἔχοντες δὲ   τὸ αὐτὸ πνεῦμα   τῆς   πίστεως

          κατὰ τὸ γεγραμμένον·   ἐπίστευσα,   διὸ ἐλάλησα,

          καὶ ἡμεῖς   πιστεύομεν,   διὸ καὶ λαλοῦμεν,

14 εἰδότες ὅτι   ὁ ἐγείρας τὸν κύριον Ἰησοῦν

          καὶ ἡμᾶς σὺν Ἰησοῦ ἐγερεῖ καὶ παραστήσει σὺν ὑμῖν.

15 τὰ γὰρ πάντα δι' ὑμᾶς, ἵνα ἡ χάρις πλεονάσασα διὰ τῶν πλειόνων τὴν

          εὐχαριστίαν περισσεύσῃ εἰς τὴν δόξαν τοῦ θεοῦ.

---

16 Διὸ   οὐκ ἐγκακοῦμεν,   ἀλλ'

      εἰ καὶ ὁ ἔξω ἡμῶν   ⎤ ἀλλ' ⎡ ὁ ἔσω ἡμῶν

      ἄνθρωπος διαφθείρεται ⎦   ⎣ ἀνακαινοῦται ἡμέρᾳ καὶ ἡμέρᾳ.

17 τὸ γὰρ παραυτίκα ἐλαφρὸν τῆς θλίψεως ἡμῶν   καθ' ὑπερβολὴν εἰς ὑπερβολὴν

                             αἰώνιον βάρος δόξης κατεργάζεται

                                        ἡμῖν,

18 μὴ σκοπούντων ἡμῶν τὰ βλεπόμενα   ἀλλὰ τὰ   μὴ βλεπόμενα·

      τὰ γὰρ βλεπόμενα πρόσκαιρα   τὰ δὲ μὴ βλεπόμενα αἰώνια.

c) 2Kor 6,1-10

Der ganze Text besteht grammatikalisch aus einem einzigen Satz, der in zwei Aussageaspekte zu differenzieren ist. Einerseits die Anrede an die Gemeinde: παρακαλοῦμεν μὴ εἰς κενὸν τὴν χάριν τοῦ θεοῦ δέξασθαι ὑμᾶς (die durch das Schriftzitat 6,2 bekräftigt wird); andererseits die Selbstdarstellung der Apostel. Diese ist sprachlich realisiert v.a. in den von παρακαλοῦμεν regierten Partizipien: die Apostel ermahnen als συνεργοῦντες, die ὑπὲρ Χριστοῦ die διακονία τῆς καταλλαγῆς wahrnehmen, und um der Reputation dieser διακονία willen niemandem ἐν μηδενί einen Anstoß geben, sondern sich ἐν παντὶ empfehlen ὡς θεοῦ διάκονοι. Der letzte Halbvers (4a) bildet gleichsam eine Überschrift über den nun folgenden langen "Katalog", die deutlich angibt, wie dessen Einzelglieder einander zuzuordnen sind: die ἐν-Glieder des ersten Teils entfalten das ἐν παντί, die ὡς-Glieder des abschließenden Teils das ὡς θεοῦ διάκονοι, während die dazwischenstehenden διά-Glieder eine Überleitung zwischen beiden Teilen darstellen.

Aufgrund der syntaktisch und semantisch vom Text selbst ange-
zeigten Klassifizierungen legt sich folgende - zum Teil schon von
Fridrichsen und Bultmann so vorgeschlagene[28] - Gliederung nahe:

4   ἀλλ' ἐν παντὶ συνιστάνοντες   ἑαυτοὺς ὡς θεοῦ διάκονοι

    ἐν ὑπομονῇ πολλῇ
        ἐν θλίψεσιν,   ἐν ἀνάγκαις,   ἐν στενοχωρίαις,
5   ἐν πληγαῖς,   ἐν φυλακαῖς,   ἐν ἀκαταστασίαις,
        ἐν κόποις,   ἐν ἀγρυπνίαις,   ἐν νηστείαις,
6   ἐν ἁγνότητι,   ἐν γνώσει,
    ἐν μακροθυμίᾳ,   ἐν χρηστότητι,
    ἐν πνεύματι ἁγίῳ,   ἐν ἀγάπῃ ἀνυποκρίτῳ,
7   ἐν λόγῳ ἀληθείας,   ἐν δυνάμει θεοῦ·

    διὰ τῶν ὅπλων τῆς δικαιοσύνης τῶν δεξιῶν καὶ ἀριστερῶν,

8   διὰ δόξης   καὶ ἀτιμίας
    διὰ δυσφημίας   καὶ εὐφημίας·

    ὡς πλάνοι   καὶ ἀληθεῖς,
9   ὡς ἀγνοούμενοι   καὶ ἐπιγιγνωσκόμενοι,
    ὡς ἀποθνῄσκοντες   καὶ ἰδοὺ ζῶμεν,
    ὡς παιδευόμενοι   καὶ μὴ θανατούμενοι,
10 ὡς λυπούμενοι   ἀεὶ δὲ χαίροντες,
    ὡς πτωχοὶ   πολλοὺς δὲ πλουτίζοντες,
    ὡς μηδὲν ἔχοντες   καὶ πάντα κατέχοντες.

Bultmann hat darauf hingewiesen[29], daß in der ersten Hälfte des Textes die "Peristasen" und "'Tugenden' bzw. Kräfte" jeweils als Block
antithetisch aneinandergereiht sind, während in der zweiten Hälfte
die einzelnen Glieder selbst Antithesen sind. Man kann diese Beobachtung noch ein Stück weiterführen. Beachtet man nämlich, daß
ὑπομονή seiner Semantik nach nicht eine Peristasis oder ein Leiden
bezeichnet[30], sondern eine 'Tugend', so zeigt sich, daß der neun-
gliedrige Peristasenkatalog in einen neungliedrigen Tugendkatalog
eingebettet ist. (Peristasen: 3x3 Glieder; Tugenden/Charismen: 1 +
4x2 Glieder). Die beiden Katalogteile sind also nicht betont gegen-
sätzliche Blöcke, die ihnen innewohnende Antithetik ist eher addi-
tiv aufzufassen, nicht im Sinne von sich ausschließenden Gegensätzen: Peristasen und Tugenden/Charismen ergeben zusammen das πᾶν
(des ἐν παντί von Vers 4), in dem sich Paulus als διάκονος θεοῦ erweist; entsprechend sind auch im zweiten Teil die Gegensatzpaare
jeweils mit καὶ (nicht mit οὐ...ἀλλά) formuliert und sind einige
von ihnen (δόξα/ἀτιμία, δυσφημία/εὐφημία, πλάνος/ἀληθής, λυπούμενος/
χαίρων) deutlich meristische Totalitätsaussagen, die ein Ganzes
durch seine gegensätzlichen Aspekte zum Ausdruck bringen.

28 Cf. A.FRIDRICHSEN, Paulus und die Stoa, 27f.; R.BULTMANN, KEK 2Kor, 170.
29 R.BULTMANN, aaO. 170.
30 Zum Ort und Stellenwert der ὑπομονή im 'System' der griechischen Tugendleh-
   ren cf. F.HAUCK, Art. μένω κτλ., ὑπομονή, ThWNT 4, bes. 586, zum Einfluß
   dieser Lehren auf das antike Judentum cf. ebd. 588f.; zur Verwendung in Tu-
   gendkatalogen cf. S.WIBBING, Tugend- und Lasterkataloge, bes. 16.32.99.

Traditionen

a) 2Kor 4,7-18

Auf den ersten Blick erweckt der Text den Eindruck eines traditionsgeschichtlich recht disparaten Gebildes: Peristasenkatalog,
alttestamentliches Zitat und ἔξω-ἔσω-ἄνθρωπος-Motiv scheinen willkürlich aneinander gereiht; ergänzt wird dieses Bild noch um die
in den Kommentaren angesprochenen Verbindungen zu jüdischen und
hellenistischen, vor allem stoischen Denk- und Sprachmustern und
zur gnostischen Anthropologie. Der Text erscheint so als Muster-
beispiel synkretistischer Traditionsverbindung und -vermischung.

1. Schon für den *'Schatz in irdenen Gefäßen'* (4,7) gilt, daß sowohl
der übertragene Gebrauch von θησαυρός[31] (meist für die Weisheit)
als auch das Bild von den Ostraka-Gefäßen für die Hinfälligkeit des
Menschen[32] antikes Allgemeingut ist. Die hier vorliegende Verbindung beider Bilder findet sich vorpaulinisch nirgends, immerhin
kann man sie aber in Weish 7 vorbereitet sehen, wo der Lobpreis
der Weisheit als θησαυρός mit dem Gedanken verbunden ist, ihr Träger sei ein 'normaler' θνητὸς ἄνθρωπος (7,1) und er schätze sie
höher als Gesundheit und Schönheit (7,10). An einen Gegensatz wie
bei Paulus ist dabei freilich nicht gedacht. Dieser ergibt sich jedoch im Rückgriff auf das Alte Testament, in dem sich das Bild vom
tönernen Gefäß nicht nur in den Gottes Souveränität und Macht unterstreichenden bekannten Belegen Jes 30,13; Jer 19,11; Ps 2,9 findet, sondern auch als Selbstbezeichnung des leidenden Gerechten.
So heißt es etwa in Ps 31,13:

Ich bin geworden wie ein zerbrochenes Gefäß ...,[33]

wobei der Kontext einen unmittelbaren Bezug zur tödlichen (Feind-)
bedrohung des Beters wie auch zur rettenden Zuwendung Gottes herstellt. In apokalyptischen Texten ist σκεῦος dann Bezeichnung des
Menschen hinsichtlich seines Seins im vergänglichen Äon, z.B.
4Esra 4,11:

"Wie wirst du, ein sterblicher Mensch, der im vergänglichen Äon lebt,
das Gefäß sein können, das des Höchsten Walten faßt?"[34]

---

31 Cf. Sir 1,25; Bar 3,15; Plato, Philebos 15d; Xenophon, Memorabilia I, 6,14;
   Philo, Congr 127.
32 Cf. Klgl 4,2; Seneca, Ad Marciam de consolatione 11,3; zu Epiktet, Diss I,
   9,18f. cf. A.BONHÖFFER, Epiktet und das NT, 123f.
33 σκεῦος ἀπολωλός; cf. Klgl 4,2: ἀγγεῖα ὀστράκινα.
34 Übersetzung nach W.SCHRAGE, Leid, Kreuz und Eschaton, 152 Anm.28, der die
   beiden Belege 4Esra 4,11 und 7,89 heranzieht, um A.SCHLATTERs Vermutung (cf.
   Bote, 532) zu stützen, der 'Schatz in irdenen Gefäßen' sei im Kontext der
   Polarität 'alter/neuer Mensch', 'alte/neue Schöpfung' zu verstehen. Die la-
   teinische Version liest in 4,11 statt: "lebt": "schon aufgerieben wird"
   (W.SCHRAGE, ebd.).

In 4Esra 7,88f. ist dann die Rede von leidenden Gerechten, die,
als sie noch im sterblichen Gefäß lebten, dem Höchsten unter Mühsalen gedient und stündlich Gefahren erduldet haben.

2. Auch für den *antithetischen Peristasenkatalog (4,8f.)* ergibt sich
ein differenzierter Befund: die - gerade durch die Antithesen gegebene[35] - "Stilverwandtschaft"[36] zur stoischen Diatribe ist seit
langem[37] gesehen und immer wieder an denselben Belegen bei Epiktet
und Plutarch aufgezeigt worden[38]. Umgekehrt betonen sowohl Fridrichsen als auch Bultmann, wie sehr sich die stoischen und paulinischen Texte in ihrer Aussageintention unterscheiden[39], so daß man
schwerlich die Art der Verwendung dieser literarischen Form in der
kynisch-stoischen Diatribe und bei Paulus ineinssetzen kann[40]. Wie
schon in 1Kor 4 ist es vielmehr ein jüdischer Beleg, der unserem
Text am nächsten kommt, nämlich der oben zitierte[41] Katalog aus
TestJos 1f., in dem die Leiden Josephs und die von Gott gewirkte
Zuwendung bzw. Rettung einander antithetisch gegenübergestellt werden. Ganz ähnlich setzt Paulus hier seiner Leidenssituation Gottes
Wirken an ihm entgegen[42] und benutzt dabei bezeichnenderweise denselben Terminus οὐκ ἐγκαταλείπειν, mit dem auch das TestJos die
göttliche Wirksamkeit kennzeichnet: διωκόμενοι ἀλλ' οὐκ ἐγκαταλειπόμενοι heißt es in 2Kor 4,9, οὐ γὰρ ἐγκαταλείπει κύριος τοὺς
φοβουμένους αὐτόν ist das Motto, das in TestJos 2,4 die Einzelglieder des antithetischen Katalogs auf ihren gemeinsamen Nenner
bringt. Damit greifen beide Texte auf eine Grundaussage des leidenden Gerechten zurück, die schon in den Psalmen als Bekenntnis
und Bitte breit belegt ist: der Herr läßt seine Heiligen nicht im

---

35 Zur Antithese als Sprachmittel der Diatribe cf. R.BULTMANN, Diatribe, 25ff.;
   zur Rezeption bei Paulus ebd. 75ff. und v.a. N.SCHNEIDER, Antithese, bes.
   34-67.
36 Cf. W.SCHRAGE, Leid, Kreuz und Eschaton, 142.
37 Cf. SCHRAGEs Referat (ebd.) des Forschungsgangs seit R.BULTMANN, Diatribe.
   Auch SCHRAGE selbst hält eine Beeinflussung der Antithesen durch die kynisch-
   stoische Diatribe für möglich (ebd.147).
38 Epiktet, Diss II, 19,24: *Zeigt mir einen, der krank ist und glücklich, in
   Gefahr und glücklich, sterbend und glücklich, verbannt und glücklich, ent-
   ehrt und glücklich! Zeigt ihn, ich begehre (...) diesen Stoiker zu sehen.*
   (Text auch bei R.BULTMANN, KEK 2Kor, 116; H.WINDISCH, KEK 2Kor, 143). Plutarch, Moralia 1057 E: *Der stoische Weise: eingekerkert wird er nicht ge-
   hemmt; (vom Felsen) herabgestürzt wird er nicht gezwungen; gefoltert wird
   er nicht gequält; verstümmelt wird er nicht verletzt; fallend beim Ringen
   bleibt er unbesiegt; und ummauert - unbelagert; von den Feinden verkauft -
   unerobert.* (Text bei A.FRIDRICHSEN, Paulus und die Stoa, 30).
39 A.FRIDRICHSEN, aaO. 30f.; R.BULTMANN, KEK 2Kor, 117.
40 Gegen H.D.BETZ, Sokratische Tradition, 98.
41 Siehe oben S.120.
42 Daß es ihm in den mit ἀλλά eingeleiteten passivischen Aussagen seines Katalogs um *Gottes* Wirksamkeit geht, ist von 4,7 (τοῦ θεοῦ) her eindeutig.

Stich[43]. Daß sich auch für alle anderen Elemente des paulinischen
Katalogs Parallelbelege aus dem Traditionsfeld vom leidenden Gerechten anführen lassen[44], verwundert von hier aus nicht. Alle entscheidenden Faktoren des Katalogs: seine Einzelelemente ebenso wie
die ihn beherrschende Antithese von Leidensartikulation und ihr
kontrastierter Wirksamkeit Gottes am Leidenden, nicht zuletzt aber
auch seine Aussageintention (nämlich: zu unterstreichen, daß Gott
die Seinen in aller Bedrängnis, der sie von sich aus nicht gewachsen sind, nicht zuschanden werden läßt) lassen sich so im Kontext
der Tradition vom leidenden Gerechten, wie sie vom Alten Testament
aus bis in die hellenistische Sprachform der TestXII hinein sich
entfaltet hat, festmachen.

> Diese traditionsgeschichtliche Perspektive sollte nicht dahingehend mißver-
> standen werden, als ginge es um eine Alternative (jüdische *oder* hellenisti-
> sche Tradition) und den Versuch, den jüdischen Einfluß einseitig zu betonen.
> Worum es einzig geht, ist eine historisch möglichst plausible Erklärung da-
> für, daß und wie Paulus die hellenistische Form des Peristasenkatalogs ver-
> wendet. Denkbar sind drei Erklärungsmöglichkeiten.
> *Erstens:* Man kann in der Übernahme der Stilform ein Indiz dafür sehen,
> Paulus wolle dasselbe sagen wie die Stoiker. Diese Annahme ist bei näherem
> Hinsehen nicht durchzuhalten.
> Möglich ist *zweitens*, daß Paulus die Stilform aus seiner stoischen Umwelt
> übernimmt, sie aber in ihrer Aussageintention entscheidend verändert. Da-
> durch wird eine deutliche Trennung von formaler und inhaltlicher Ebene nötig:
> der Formvergleich ergibt positive Befunde, die dann sofort der inhaltlichen
> Abgrenzung bedürfen. Dies ist der Weg, den Windisch und vor allem Bultmann
> (mit respektablen Ergebnissen) gegangen sind.
> Die *dritte* Möglichkeit, die ich historisch für die plausibelste halte, er-
> öffnet sich durch die zwischentestamentlichen Schriften. Sie erlauben uns,
> den Prozeß der Synthese zwischen jüdischem und hellenistischem Denken und
> Schreiben, der ja längst vor Paulus eingesetzt hat, zumindest exemplarisch
> zu beobachten. Die diachrone Skizze der Tradition vom leidenden Gerechten
> hatte uns vor Augen geführt, in wie vielfältiger Weise auch sie an diesem
> Prozeß Anteil hatte und in wie unterschiedlichem Grade sie dabei auch in der
> Sache 'hellenisiert' wurde (bis hin zur stoisierten Hiobfigur). Der Perista-
> senkatalog ist dabei als Mittel solcher 'Übersetzung' mehrfach belegt,
> offensichtlich bot er sich zur Vermittlung der in Klage- und Lobpsalmen vor-
> gegebenen Inhalte und Aussageintentionen besonders an. Dabei müssen wir be-
> rücksichtigen, daß die Form auch im griechischen Bereich nicht von Anfang an

---

43 Cf. v.a. Ps 37,28; ähnlich auch Ps 9,10; 10,14; 16,10; 27,9; 37,25.33; 38,21;
   71,9.18; 119,8; 140,8; cf. aber auch Ps 22,1. In fast allen Fällen hat LXX
   ἐγκαταλείπειν als Äquivalent für עזב. Auf den Beauftragten Gottes bezogen
   steht es in Jos 1,5 LXX für רפה *hi.: Wie ich mit Mose war, so werde ich mit
   dir sein, und nicht werde ich dich verlassen noch dich preisgeben* (cf. R.
   BULTMANN, KEK 2Kor, 116).

44 Cf. zu θλιβόμενοι   z.B. Ps 18,6; 31,9;
       ἀπορούμενοι   Jes 8,23 LXX (fehlt in M);
       διωκόμενοι   Ps 69,4; 109,31; (7,1);
       καταβαλλόμενοι   Ps 37,14;
       ἐξαπορούμενοι   Ps 88,16;
       ἀπολλύναι   ist in zahlreichen Psalmen Ausdruck für das Geschick
                         der Frevler und Sünder;
       στενοχωρούμενοι   bezeichnet in Jes 28,19f. (abweichend von M) die von
                         Gottes Strafgericht Betroffenen.

in derselben Akzentuierung verwendet worden ist wie in den (relativ späten) Belegen Epiktets, Plutarchs und Senecas; vielmehr zeigt der Gebrauch der Form bei Plato noch wesentlich 'neutralere' Züge, die dem 'leidenden Gerechten' viel näher stehen[45].

Greift Paulus die Peristasenkataloge in der *schon mit der jüdischen Tradition vom leidenden Gerechten vermittelten* Gestalt auf, so ist die Frage, wie er zu dem für ihn bezeichnenden, von der stoischen Verwendungsweise so verschiedenen Gebrauch kommt, klar zu beantworten: die paulinischen Aussagen sind keine direkte Adaption der stoischen, sondern die Fortschreibung einer ihm aus seiner eigenen Traditionsverwurzelung zuwachsenden Aussagelinie. Daß ihm die Differenz zu den zeitgenössischen stoischen 'Parallelgedanken' bewußt war, soll damit nicht ausgeschlossen werden, wenn sich auch nirgends eine – in diesem Falle doch zu erwartende – explizite Auseinandersetzung mit dem stoisch-kynischen Selbstbewußtsein findet.

3. Diese Sicht wird bestätigt, wenn Paulus in 2Kor 4,13 durch ein explizites Zitat eines 'einschlägigen' Psalms vom leidenden Gerechten selbst die Brücke zur alttestamentlichen Textbasis schlägt und hinzufügt, er habe τὸ αὐτὸ πνεῦμα πίστεως, das auch in diesem Psalm zum Ausdruck kommt. Ἐπίστευσα, διὸ ἐλάλησα ist in der LXX, der paulinischen Bibel, der erste Halbvers des 115.Psalms, und der fährt fort: ἐγὼ δὲ ἐταπεινώθην σφόδρα *(ich bin tief gebeugt)*, um anschließend unter Erhebung des "Bechers des Heils" Gott für seine Rettungstat zu preisen:

---

45 Eine hinreichend gründliche Untersuchung der Geschichte der Peristasenkataloge ist im Rahmen dieser Arbeit nicht möglich. Sie hätte anzusetzen bei Platon, der in Polit 361d-362a den Glaukon sagen läßt, ein "Lobredner der Ungerechtigkeit" könne gegen das Streben, gerecht zu sein, wohl einwenden: "*Bei solchem Verhalten wird der Gerechte gegeißelt, gefoltert, in Fesseln gelegt, an beiden Augen geblendet werden, um dann schließlich, wenn das Maß des Leidens voll ist, ans Kreuz geschlagen zu werden und zu erkennen, daß man eigentlich sich entschließen müßte, nicht gerecht zu sein, sondern zu scheinen*" (... ὁ δίκαιος μαστιγώσεται, στρεβλώσεται, δεδήσεται, ἐκκαυθήσεται τώφθαλμώ, τελευτῶν πάντα κακὰ παθὼν ἀνασχινδυλευθήσεται...). H.HOMMEL, Der gekreuzigte Gerechte, 25-27, hat gezeigt, daß Platon in dieser Formulierung eine Reihung von Leiden auf den Gerechten überträgt, mit der er in einem früheren Text (Gorgias 473b.c) das Los eines 'Ungerechten', nämlich des nach ungerechter Tyrannis Strebenden aussagt (zum geschichtlichen Hintergrund cf. ebd.27). Die erste (uns greifbare) Verwendung des Leidenskatalogs bringt also zum Ausdruck, daß der Gerechte um seines gerechten Verhaltens willen das Geschick des Ungerechten erträgt, wobei im sokratisch-platonischen Kontext "die These des Meisters, daß Unrechttun schlimmer sei als Unrechtleiden" (ebd. 25; cf. Gorg 473a; 474c u.ö.) mitzubedenken ist, von der aus Platon zu dem Schluß kommt, daß der zu Unrecht bestrafte Gerechte weniger unglücklich ist als der bestrafte Ungerechte, und v.a. als der straffrei bleibende Ungerechte. Der "leidende Gerechte" steht "auf der Stufenleiter der εὐδαιμονία obenan" (ebd. 27). Von dieser Basis aus wären nun sowohl die Form des Leidenskatalogs als auch der Gedanke des 'leidenden Gerechten' durch die griechische Literatur und Philosophie weiterzuverfolgen (was – soweit ich sehe – bisher nirgends umfassend unternommen worden ist) bis hin zu den Peristasenkatalogen des späten Kynismus und der kaiserzeitlichen Stoa. Erst dann könnte auch genauer bestimmt werden, von welcher Stufe der Entwicklung aus die 'griechische' Form in jüdische Texte Eingang fand. Ein solches Vorgehen erscheint mir in der Sache angemessener als der direkte Rekurs auf das kynisch-stoische Material, aber auch als ein direkter Vergleich der neutestamentlichen Texte mit denen Platons, wie ihn HOMMEL unternimmt.

Ψ *115,6f. Teuer ist in den Augen des Herrn das Leben*[46] *seiner Heiligen.*
O Herr, ich bin dein Knecht, ich bin dein Knecht, der Sohn
deiner Magd.
Du hast meine Fesseln gelöst ...,

worauf das Lobopfer (θυσία αἰνέσεως = זבח תודה) dargebracht wird.
Gerade dieser Bezug zum Dankopfer, der sich mit dem Motiv des über-
fließenden Dankes zur δόξα Gottes in 2Kor 4,15 berührt, macht es
sehr wahrscheinlich, daß Paulus mit dem Zitat des zunächst recht
unmotiviert erscheinenden[47] Psalmwortes mehr zitiert als nur jene
drei Wörter: in der Tat geht es ihm um das πνεῦμα eben *der* πίστις,
die in diesem Psalm wirksam ist, nämlich die auf Gottes Rettungshandeln sich verlassende Glaubensgewißheit, die in der Bedrängnis
ihre Klage und ihr Vertrauen vor Gott artikuliert und dann angesichts der Rettung den öffentlichen Lobpreis laut werden läßt[48].
Es wird bei der Interpretation zu beachten sein, daß Paulus diese
Gewißheit auf sein Wissen um seine durch die Auferweckung des Herrn
verbürgte Auferweckung gründet, wichtig aber ist im Blick auf die
Traditionsfrage, daß ihn dies keineswegs hindert, ja im Gegenteil,
daß es ihn veranlaßt, Ψ 115 heranzuziehen. In ihm sieht er denselben Geist des Glaubens wirksam, so daß er ein Entsprechungsverhältnis zwischen seiner Heilserwartung und der Rettung des leidenden
Gerechten sowie zwischen seinem und dessen λαλεῖν postuliert.

4. Wenn in 4,16 nun noch vom ἔξω und ἔσω ἄνθρωπος die Rede ist,
so ist im Kontext ganz klar, daß die Antithese von διαφθείρεσθαι
des äußeren und ἀνακαινοῦσθαι des inneren Menschen die Antithesen
von 4,7+8f. in anderer Formulierung aufnimmt. Paulus greift dabei
den eindeutig hellenistischen anthropologischen Dualismus auf, wie
er in der griechischen Philosophie seit Platon bis in die Stoa hinein vielfältig sich verfolgen läßt, aber auch in der hellenistischen Gnosis und Mystik mit je eigener Nuancierung wirksam ist[49].
Eine genaue Festlegung, welcher dieser Nuancen der Tradition Paulus

---

46 Wörtlich: "der Tod". Ψ 115,6f. = Ps 116,15f.
47 Charakteristisch z.B. H.WINDISCH, KEK 2Kor, 148: "V.13 hat zunächst etwas
Frappierendes und Geschraubtes (...); (Paulus hat) offenbar das Bedürfnis
gehabt, noch ein neues Zwischenglied einzuschieben".
48 Es ist erstaunlich und vielleicht kein Zufall, sondern Folge einer gemeinsamen Auslegungstradition von Ψ 115, wenn in Weish 9,4f. einem Gebet um die
Gabe der Weisheit, die an den 'Schatz in irdenen Gefäßen' erinnernde Spannung zwischen Teilhabe an der Weisheit und menschlich-kreatürlicher Hinfälligkeit ausgerechnet unter Aufnahme von Ψ 115,7 formuliert wird: *Gib mir die*
Weisheit ... Denn ich bin dein Knecht und der Sohn deiner Magd, ein schwa-
cher und kurzlebiger Mensch (ἄνθρωπος ἀσθενὴς καὶ ὀλιγοχρόνιος).
Daß die 'Parallele' zum 'irdischen Zelt' von 2Kor 5,4 im selben Kapitel steht
(Weish 9,15) sei hier nur angemerkt.
49 Cf. H.WINDISCH, KEK 1Kor, 152f.; R.BULTMANN, KEK 2Kor, 127-129; R.REITZEN-
STEIN, Hell. Mysterienreligionen, 354f.; A.BONHÖFFER, Epiktet und das NT,
116f.; J.JEREMIAS, Art. ἄνθρωπος κτλ., ThWNT 1, 366,12-33.

verbunden ist, ist vom 2Kor her nicht möglich[50]: weder διαφθείρεσθαι noch (das in der ganzen Gräzität überhaupt erstmals hier
belegte[51]) ἀνακαινοῦσθαι bieten Anhaltspunkte für eine Entscheidung. So betonen denn die Kommentare (die sich in dieser Frage in
der Regel nicht entschließen, einem bestimmten Traditionsbereich
die Priorität zu geben[52]) auch stets, Paulus habe das ihm überlieferte "umgedeutet"[53] und "seiner Gesamtanschauung und seiner Le-
benserfahrung angepaßt"[54]: eine "christliche Metamorphose hellenistischer Begriffe"[55]. Die genaue *Bedeutung* der paulinischen Rede
von ἔξω und ἔσω ἄνθρωπος ist also nicht begriffsgeschichtlich, sondern allein aus dem Kontext des paulinischen Textes zu erheben.
Eine Orientierung dabei ermöglicht vor allem der folgende Vers 17,
indem er an den hellenistischen Dualismus von ἔξω/ἔσω ἄνθρωπος den
apokalyptischen, vor allem zeitlich gedachten Dualismus der Äonen
direkt anschließt: das Vergehen des ἔξω und die Erneuerung des ἔσω
ἄνθρωπος werden hier im Kontext der vorläufigen, vergleichsweise
geringgewichtigen θλῖψις und der von ihr bewirkten (κατεργάζεται)
ewigen, übermäßig gewichtigen δόξα gestellt. Vers 18 zeichnet diesen Gedanken dann wieder in das gemeinantike Koordinatensystem
des Dualismus von Sichtbarem und Unsichtbarem ein[56]. Ein Blick auf
die oben zitierten[57] Stellen aus dem syrBar zeigt uns am einfachsten, wie stark 2Kor 4,17 den apokalyptischen Vorstellungen korrespondiert: ebenso wie Paulus betont syrBar die angesichts der Vor-
läufigkeit und Vergänglichkeit dieses Äons gegebene "kurze Spanne"
des Leidens, so daß dessen Gewicht gemessen an der ewigen Teilhabe

50 Auch die von H.P.RÜGER, Hieronymus, 137, vorgeschlagene Deutung, daß Paulus
   hier - gemäß rabbinischer Analogien - "die jüdischen Begriffe guter und bö-
   ser Trieb aus Rücksicht auf seine christlichen Leser in Korinth (...) durch
   die hellenistischen Begriffe innerer und äußerer Mensch ersetzt hat", läßt
   sich m.E. angesichts des Kontextes für 2Kor 4,16 nicht ohne weiteres annehmen (im Gegensatz zu Röm 7,22, wo ein solcher 'Ersatz' ganz plausibel erscheint). In jedem Fall zeigen RÜGERs Beobachtungen aber wieder die 'Vermit-
   telbarkeit' jüdischer Vorstellungsmuster in hellenistische Begrifflichkeit
   und die Art und Weise, wie solche Vermittlung vonstatten geht: die Übereinstimmung bestimmter Aspekte beider Traditionskreise ermöglicht den gedanklichen Übergang von einen zum anderen. Platon, Polit 589a kennt den ἐντός
   ἄνθρωπος als "λογισμός, der die Triebe beherrscht" (H.WINDISCH, KEK 2Kor,152),
   worin sich der "gute Trieb" der Lehre vom יצר טוב und יצר הרע 'wiederfinden'
   ließ. Cf. außer dem bei H.P.RÜGER, aaO. 132-137, ausgewerteten Material auch
   den Exkurs von P.BILLERBECK (Bill IV/1, 466-483, bes. 480).
51 Cf. J.BEHM, Art. καινός κτλ., ThWNT 3, 454,9ff.
52 Deutlich allein R.BULTMANN, KEK 2Kor, 127: "Verwandt ist der Begriff des ἔσω
   ἄνθρωπος bei Paulus nicht mit dem der Philosophie, wohl aber mit der Gnosis".
53 R.BULTMANN, aaO. 129.
54 H.WINDISCH, KEK 2Kor, 153.
55 H.WENDLAND, NTD Kor, 192; cf. A.SCHLATTER, Bote, 239; H.BEHM, Art. ἔσω, ThWNT
   2, 697,4f.
56 Cf. das Material bei H.WINDISCH, aaO. 156.
57 Siehe oben S.103.

am "großen Licht der ewigen Welt" verschwindend zurücktritt. Daß
es sich bei diesen Gedankengängen um die apokalyptische Fortschreibung derselben Tradition vom leidenden Gerechten handelt, die auch
hinter dem Peristasenkatalog und dem Psalmzitat von V 13 steht,
ist in der diachronen Skizze schon im Maße des Möglichen aufgezeigt worden[58].

Die Rückfrage nach den Traditionsbezügen von 2Kor 4,7-18 ergibt
also ein geschlosseneres Bild als zunächst erwartet: die tragenden
Anknüpfungen an die Tradition beziehen sich durchweg auf solche
Gedanken und Vorstellungen, die sich im Rahmen der Tradition vom
leidenden Gerechten aufweisen lassen: sie ist der dominierende Traditionshintergrund des Textes. Daß Paulus darüber hinaus - vor allem in 2Kor 4,16 und 18 - Begriffe aus anderen Traditionszusammen-
hängen einbezieht, ist dabei keineswegs zu übersehen. Vielmehr
läßt sich gerade hieran ablesen, wie er die ihm von der dominierenden Traditionsfolie her vorgegebenen Inhalte 'übersetzt' in den
Sprach- und Denkhorizont seiner Adressaten.

> Natürlich ist für das Textverständnis über die Traditionsbeziehungen hinaus
> auch noch die christologische Komponente von entscheidender Bedeutung. Die
> Interpretation wird zu zeigen haben, wie beide Faktoren zusammenwirken und
> sich zu einem einheitlichen Aussagesinn verbinden.

b) 2Kor 6,1-10

1. An die in 6,1 ausgesprochene Ermahnung an die Gemeinde, τὴν
χάριν τοῦ θεοῦ nicht εἰς κενόν zu empfangen, schließt der Text mit
γάρ das als solches gekennzeichnete Zitat von Jes 49,8a (wörtlich
aus LXX) an:

καιρῷ δεκτῷ ἐπήκουσά σου   καὶ ἐν ἡμέρᾳ σωτηρίας ἐβοήθησά σοι.

Da der von Paulus hinzugefügte Nachsatz (2b) deutlich macht, daß
es ihm bei diesem Zitat vor allem um die Zeitbestimmungen geht,
die er durch das betonte νῦν mit seiner Gegenwart identifiziert,
schließt z.B. Lietzmann, der Text sei hier "als 'Spruch' ohne Rücksicht auf den Zusammenhang bei Jesaias zitiert"[59], während Windisch
meint, Paulus könne aufgrund des κενῶς von Jes 49,4 oder wegen des
Wortspiels δέξασθαι/δεκτῷ "auf das Zitat verfallen sein"[60], für eine weiterreichende inhaltliche Beziehung dagegen fehle es an der
dazu nötigen "psychische(n) Disposition (...) im Vorhergehenden"[61]
Dennoch scheint es mir geraten, den zitierten alttestamentlichen
Text in seinem Kontext in Augenschein zu nehmen. Er ist Teil jener
zum zweiten Gottesknechtslied hinzugefügten[62] Verse Jes 49,7-12

---

58 Siehe oben v.a. S.100f.
59 H.LIETZMANN, HNT Kor, 127.
60 H.WINDISCH, KEK 2Kor, 201.
61 Ebd.
62 Cf. C.WESTERMANN, ATD Jes 40-66, 172.

(13?), die Israel Hilfe und Heil von Gott ankündigen: den Gefangenen Befreiung und denen im Dunkel Licht (Jes 49,9). Das "Erhören"
und "Helfen" des von Paulus zitierten Halbverses ist also an seinem ursprünglichen Ort eingebunden in den umfassenden Rahmen der
deuterojesajanischen Heilsverkündigung. Es bringt dort den Einsatz
(Aorist!) der großen Heilsinitiative Jahwes zum Ausdruck, die -
wie die diachrone Skizze zeigte - in einer festen Verbindung zur
Tradition vom leidenden Gerechten gedacht ist: es geht um die trö-
stende Heilszuwendung Jahwes zu seinem Volk, um das Erbarmen gegenüber den Elenden, wie es der (von Paulus in 2Kor 7,6 ebenfalls zitierte[63]) Vers 49,13 abschließend zusammenfaßt (cf. auch 49,10: ὁ
ἐλεῶν αὐτοὺς παρακαλέσει).

Gerade von diesem Kontext her ergibt sich also zwischen 2Kor
6,1 und dem Zitat in 6,2 ohne weiteres eine inhaltliche Beziehung,
die die Zitierung gerade dieses Textes völlig plausibel macht. Sie
besteht darin, daß die bei Deuterojesaja zugesagte Erhöhung und
Hilfe für Paulus in der χάρις erfüllt ist, von der er in 2Kor 6,1
spricht und die Gottes καταλλαγή des Kosmos meint, die er im Tod
Jesu vollzogen hat (2Kor 5,19-21).

2. Für den ersten Teil von 2Kor 6,4-10, den Tugendkatalog mit
integriertem Persistasenkatalog (5f.), bietet der schon von Windisch als "wundervolle Parallele"[64] herangezogene Katalog in slav
Hen 66,6 die stärksten Berührungen. Auch dort sind - wenn auch
längst nicht so einleuchtend angeordnet - Tugenden und Leiden in
einem einzigen Katalog in demselben "einförmige(n) Staccato"[65] aneinandergereiht, das dem paulinischen Katalog aufgrund des stereotypen ἐν eigen ist. Darüber hinaus finden sich eine ganze Reihe inhaltlicher Verbindungen[66]. Auch mit dem schon zu 2Kor 4,8f. herangezogenen Katalog TestJos 1f. berührt sich der von 2Kor 6 auffallend häufig[67]. Verglichen damit liegen die von Windisch[68] und
Höistad[69] angeführten stoisch-kynischen Parallelen dem Text un-

---

63 Siehe oben S.249.
64 H.WINDISCH, KEK 2Kor, 206; zitiert oben S.102.
65 R.HÖISTAD, Hellenistische Parallele, 25.
66 Von den 14 Gliedern des Katalogs slavHen 66 haben mindestens 5 (Langmut,
   Sanftmut, Gerechtigkeit, Schläge, einander liebend) eine Entsprechung in
   2Kor 6,4-7.
67 Exakte terminologische Berührungen zwischen TestJos 1,3-2,7 und 2Kor 6,4-7
   sind: ἀλήθεια (1,3/6,7); φυλακή (1,6/6,5); θλῖψις (2,4/6,4); ἀνάγκη (2,4/6,4);
   μακροθυμία (2,7/6,6); ὑπομονή (2,7/6,4); hinzu kommen Sachentsprechungen:
   λιμός/νηστεία (1,5/6,5); Geschlagenwerden (2,3/6,5).
68 H.WINDISCH, KEK 2Kor, 204-206, stellt zwar eine große Menge Material zusammen, zwischen den einzelnen Texten und 2Kor 6 bestehen aber immer nur ganz
   punktuelle Berührungen.
69 R.HÖISTAD, Hellenistische Parallele, 22-27, vergleicht Dion, Or 8,15f., doch
   überzeugt dieser Vergleich keineswegs. Weder "gründe(t) sich" 2Kor 6,4ff.

gleich ferner, so daß man keineswegs von einer "stoische(n) Grundlage von 2Kor 6,4-10, sowohl was die sachliche Anschauung als auch,
was die Formgebung und die Formelemente betrifft"[70], sprechen kann.
Vielmehr zeigt gerade das den Tugendkatalog abschließende - durch
den Präpositionswechsel hervorgehobene - letzte Glied: διὰ τῶν
ὅπλων τῆς δικαιοσύνης τῶν δεξιῶν καὶ ἀριστερῶν, daß Paulus in den
Tugenden (einschließlich der ὑπομονή in den Leiden) "Waffen der
Gerechtigkeit" sieht, die er - als διάκονος θεοῦ (6,4) - in Ausübung der διακονία τῆς δικαιοσύνης (3,9) trägt[71]. Dadurch aber
stellt er den ganzen Zusammenhang in den Kontext der Vorstellung
des dualistischen Kampfes der 'Gerechten' und 'Frevler', die - wie
wir sahen - einen wichtigen Vorstellungskreis der Tradition vom
leidenden Gerechten ausmacht. Er hat schon in den Psalmen (z.B. Ps
139; Ps 118) seine Wurzeln und liegt vor allem in den Qumrantexten
in einer umfassenden Konzeption entfaltet vor. Dort ist es der
Kampf der Geister des Lichts und der Finsternis, der sich im Kampf
zwischen Licht- und Finsternissöhnen vollzieht[72]. Wichtig dabei
ist, daß dieser Vorstellungskreis in Qumran mehrere Aspekte nebeneinander enthält, angefangen von der Erwartung einer Endzeitschlacht im Sinne einer großen militärischen Auseinandersetzung
(1QM)[73] über den Gedanken des Sich-Bewährens im täglichen Lebensvollzug[74] bis hin zur Vorstellung vom Kampf der Geister im Herzen
des Menschen[75], das - bis zu seiner eschatologischen Erneuerung -
an beiden Geistern Anteil hat. Bezeichnenderweise verwenden die
Qumrantexte gerade die Stilform des Tugend- und Lasterkatalogs, um
die Fronten dieses Kampfes zu kennzeichnen, wobei sie - genau wie
slavHen 66 - die Kataloge in die Perspektive des Gottesgerichts
stellen: im slavHen korrespondiert den Tugenden und Leiden hier
die Erbschaft des ewigen Äons, in den Vorstellungen der Qumrange-

---

"auf dem Kampfmotiv" im Sinne des ἀγών (ebd. 24), noch finden sich auffallende terminologische oder sachliche Berührungspunkte.

70 A.FRIDRICHSEN, Paulus und die Stoa, 27.

71 W.SCHRAGE, Leid, Kreuz und Eschaton, 157, deutet die Waffen "zur Rechten und
zur Linken" auf "Angriffs- und Verteidigungswaffen". Dies entspricht auch
dem Zusammenhang sehr gut im Blick auf die Kombination der 'defensiven' (passiven) und 'aktiven' Glieder des Katalogs (ὑπομονή + Peristasen / Tugenden
+ Charismen).

72 Zum Zusammenhang von Tugendkatalog und dualistischer Kampfkonzeption cf. S.
WIBBING, Tugend- und Lasterkataloge, 61ff.67f.; differenzierter jetzt H.
LICHTENBERGER, Studien, 132ff.

73 Zwar begegnet im Qumranschrifttum nirgends ein genaues Äquivalent für ὅπλα
τῆς δικαιοσύνης, vgl. aber die Rolle von צדק/צדקה in 1QM, vor allem die mit
der Losung 'Gerechtigkeit Gottes' beschrifteten Feldzeichen (1QM 4,6); cf.
dazu P.STUHLMACHER, Gerechtigkeit Gottes, 163ff.

74 Cf. vor allem die umfassende "Unterweisung" 1QS 3,13-4,26; dazu H.LICHTEN-
BERGER, Studien, 123ff.194ff.

75 Cf. v.a. 1QS 4,15.20.23-25; dazu H.LICHTENBERGER, aaO. 139ff.

meinde entspricht den in den Katalogen anschaulich gemachten guten
oder bösen Wegen der Menschen ein ebenfalls in Katalogen darge-
stelltes "Übermaß" (רוב) an ewigen Glücksgütern bzw. Plagen bei
der "Heimsuchung" (פקודה) (cf. 1QS 4,2-6.6-8.9-11.11-14).

Daß dieser Kampf und die daraus für die Frommen sich ergebende
"militia dei"[76] sich vom stoischen ἀγών und dessen 'Teilnehmern'
klar unterscheidet, liegt auf der Hand[77]. Gleichwohl mag die Verbindung von Peristasenkatalog und ἀγών-Motiv in der kynisch-stoischen Popularphilosophie es Paulus erleichtert haben, seinen Adressaten die apokalyptischen Kampfvorstellungen mithilfe der Perista-
sen- und Tugendkataloge zu vermitteln.

3. Der zweite Katalogteil (8-10) knüpft in den beiden διά-Glie-
dern an denselben Traditionszusammenhang an: δόξα und ἀτιμία,
δυσφημία und εὐφημία sind die Extreme des Spektrums, das die ganze
Erfahrung der Apostel umfaßt und kennzeichnen gleichzeitig die
Fronten, die ihre Verkündigung hervorruft: am Echo des Evangeliums wird die Scheidung der Geister ablesbar, die in dieser Hinsicht durchaus analog zur apokalyptischen Tradition gedacht ist
(cf. den Eingang der Apologie in 2Kor 2,15: die Scheidung von
σωζόμενοι und ἀπολλύμενοι vollzieht sich im Ja oder Nein zum Apostel als der εὐωδία Χριστοῦ).

Lassen sich die ersten beiden ὡς-Glieder (8b.9a) noch als Entfaltung von 8a verstehen[78], so tritt in den fünf folgenden Gliedern 9b.10 der Aspekt des menschlichen 'Echos' zurück, vielmehr
geht es um das Nebeneinander der Gegensätze als gleichzeitiger
Aspekte der apostolischen Existenz. In den beiden Antithesen

  ὡς ἀποθνῄσκοντες καὶ ἰδοὺ ζῶμεν,
  ὡς παιδευόμενοι καὶ μὴ θανατούμενοι

ist deutlich Ps 118,17f. aufgenommen:

Ψ 117,17 οὐκ ἀποθανοῦμαι, ἀλλὰ ζήσομαι καὶ ἐκδιηγήσομαι τὰ ἔργα κυρίου
  18 παιδεύων ἐπαίδευσέν με ὁ κύριος
  καὶ τῷ θανάτῳ οὐ παρέδωκέν με.

Wieder ist es aufschlußreich, den Kontext der Psalmverse ins Auge
zu fassen: wie in der diachronen Skizze schon gezeigt, ist gerade
dieser Psalm (dessen neutestamentliche Wirkungsgeschichte einer
eigenen Untersuchung wert wäre) einer der Texte, die den Gedanken
der Kampfgemeinschaft mit Jahwe schon alttestamentlich artikulieren[79]. Insofern besteht also auch auf der Ebene des Traditions-

---

76 P.STUHLMACHER, Gerechtigkeit Gottes, 163.
77 Gegen R.HÖISTADs Postulat einer "Entsprechung" (Hell. Parallele, 25 Anm.1).
78 Cf. H.LIETZMANN, HNT Kor, 128; zustimmend R.BULTMANN, KEK 2Kor, 175.
79 Die Vv 17f., auf die Paulus sich hier beruft, folgen in Ps 118 unmittelbar
 auf den "Siegesjubel in den Hütten der Gerechten" über den von Gott gewährten
 Sieg und die Erhöhung des צדיק/δίκαιος; dem korrespondiert als Gegenstück in
 V 10, daß er "im Namen Jahwes" die ihn umringenden Völker vertilge.

hintergrundes eine Kontinuität zum Vorhergehenden. Freilich wird
man bei der Interpretation nicht übersehen dürfen, daß Paulus Ps
118 nicht wörtlich zitiert, sondern frei assoziierend heranzieht,
vor allem, daß er dabei den ursprünglichen einfachen (tautologi-
schen) Gegensatz 'nicht sterben, sondern leben' zum Paradox[80] 'als
Sterbende leben' kompliziert; dagegen entspricht der παιδεία-Ge-
danke ganz der Tradition.

Die letzten drei Antithesen lassen sich am besten mit (der apokalyptischen Ausprägung) der Tradition vom leidenden Gerechten verbinden: freilich ist auch hier wieder das Nacheinander von Leiden
und Heil zum Nebeneinander umgeformt; Windisch weist in diesem Zusammenhang zurecht auf die Seligpreisungen Jesu hin[81]. Daß die Armen nicht nur reich gemacht werden, sondern ihrerseits viele reich
machen, steigert nicht nur den Gegensatz, sondern greift gleichzeitig wieder die besondere Nuance der Tradition auf, daß das Leiden zu einer positiven Wirkung für andere führt, die uns bisher
schon in 1Kor 4,12b.13a; 1Kor 9,12-18 begegnete und die auch in
2Kor 4,12 - wie gleich noch zu zeigen sein wird - vorauszusetzen
ist.

Die von Windisch[82] vor allem zur letzten Antithese angeführten
kynisch-stoischen Parallelen kommen der paulinischen Aussage in
der Tat erstaunlich nahe, am nächsten Krates, Ep 7: καὶ ἔχοντες
μηθέν, πάντ' ἔχομεν. Deswegen auf eine "Losung, die wohl kynischen
oder stoischen Ursprungs ist"[83] zu schließen, ist durchaus möglich,
verändert jedoch den traditionsgeschichtlichen Befund im Blick auf
die Deutung des Textes nicht: einerseits, weil die Aussage so all-

---

80 Im Blick auf den (vor allem von R.BULTMANN mit Vorliebe herangezogenen) Begriff der Paradoxie (cf. KEK 2Kor, 170ff.) empfiehlt sich eine differenzier-
   te Betrachtung je nachdem, ob die Gegensätze als zeitlich nacheinander (bzw.
   in verschiedenen Situationen) oder als gleichzeitig von einer Sache ausgesagt werden. Bei den 'gleichzeitigen' ist wiederum zu unterscheiden, ob sich
   der Gegensatz aufgrund der verschiedenen Perspektive ergibt, aus der verschiedene Subjekte diese Sache betrachten oder ob es sich um ein wirklich
   in sich selbst widersprüchliches Phänomen handelt. - Zur stoischen Form des
   'Paradoxon' cf. H.A.FISCHEL, Rabbinic Literature and Greco-Roman Philosophy,
   70-73; die von ihm zu 2Kor 6,6-10 herangezogene Stelle (ebd. 71,148 Anm.110)
   aus Cicero, Pro Murena 61:
     Solos sapientes esse si distortissimi sint, formo(n)sos
                si mendicissimi, divites
               si servitutem serviant, reges...
   illustriert wieder die große Nähe und gleichzeitige Differenz zu Paulus: hier
   wie dort ähnliche Paradoxien; während aber bei Cicero der Sinn der ist, daß
   der sapiens unabhängig ist von den kontingenten 'äußeren Verhältnissen', haben die Negativlisten der paulinischen Antithesen volles Gewicht als substantielle Aspekte seines διάκονος-Seins.
81 H.WINDISCH, KEK 2Kor, 209.
82 Ebd.
83 Ebd.

gemein ist, daß ihre Übernahme keine 'Stoisierung' des paulinischen Gedankengangs bewirkt, andererseits, weil im paulinischen
Zusammenhang das πάντα κατέχοντες vor allem die für die ganze Apologie bestimmenden ἔχομεν- bzw. ἔχοντες-Formulierungen wiederauf-
nehmen dürfte, denen das μηδὲν ἔχοντες = πτωχοί kontrastiert wird.

Auch für 6,1-10 ergibt sich so die Tradition vom leidenden Gerechten als dominierender Hintergrund. Im Zentrum steht dabei die
am ehesten mit den Qumrantexten vergleichbare Kennzeichnung des
διάκονος θεοῦ als Mitkämpfer Gottes (cf. auch das συνεργοῦντες
von 6,1!), mit denen Gott die endzeitliche Scheidung der Fronten
bewirkt, an denen er aber auch seine heilsame, rettende Wirkung
tut.

Interpretation

Im folgenden sind nun die strukturellen und traditionsgeschichtlichen Einzelaspekte des Textes in den Rahmen des Textganzen zurückzugeben und in einem deutenden Nachvollzug der Leidensaussagen der 'Apologie' mit den noch
nicht angesprochenen Aussagekomponenten (vor allem der christologischen) zu
verbinden.

Anzusetzen ist bei der Themenfrage der 'Apologie': τίς ἱκανὸς
πρὸς ταῦτα; (nämlich dazu, die schicksalentscheidende εὐωδία
Χριστοῦ zu sein). Der Zusammenhang macht deutlich, daß Paulus mit
dieser Frage auch die nach seiner eigenen ἱκανότης stellt. Auffälligerweise beantwortet er sie aber nicht direkt, sondern verweist
stattdessen auf die εἰλικρίνεια, durch die er sich von "den vielen" unterscheidet, die "das Wort Gottes verschachern"[84]. Diese
'Antwort' ist ein Kunstgriff des Paulus insofern, als sie die miß-
verständliche Antwort: ἱκανοί ἐσμεν vermeidet und sofort den springenden Punkt deutlich macht: ἱκανός πρὸς ταῦτα kann nur sein, wer
nicht aus sich selbst und unter Rücksichtnahme auf menschliche Er-
wartungshaltungen, sondern wer ganz und gar ἐκ θεοῦ κατέναντι θεοῦ
ἐν Χριστῷ (2,17) redet, wer von Gott dazu gemacht ist.

Dies alles aber trifft auf Paulus zu, weshalb es auch keiner
Empfehlung von irgendeiner menschlichen Instanz bedarf, vielmehr
legt das aus dieser ἱκανότης Gewirkte - konkret: die Existenz der
Gemeinde in Korinth - Zeugnis für ihn ab. Als von Gott gegebene
(und darum nicht hinterfragbare) und an der Gemeinde sichtbar wirk-

---

84 M.RISSI, Studien, 18f. - Zum Sinn von καπηλεύειν vgl. seinen Hinweis (ebd.
19) auf Jes 1,22: die κάπηλοι verwässern den Wein; aber auch den bei R.
BULTMANN, KEK 2Kor, 72f. und D.GEORGI, Gegner, 226f. aufgewiesenen Gebrauch
v.a. in der antisophistischen Polemik seit Platon. Man wird die Nuancen des
Begriffs nicht gegeneinander ausspielen dürfen. Der Aspekt der 'Verfälschung' des Wortes und der der Eigensucht und des Interesses, für sich Kapi-
tal daraus zu schlagen, sind gerade im paulinischen Zusammenhang zwei Seiten einer Sache: sobald ein Eigeninteresse mitspielt, verschiebt sich das
Zentrum der Botschaft und wird sie 'falsch'.

same (und darum im Grunde auch nicht bestreitbare) steht die paulinische ἱκανότης darum auch in der folgenden Apologie nicht mehr
länger zur Debatte, vielmehr leitet Paulus schon im Auftakt des
ersten Hauptteils (3,4-6) zu dem - so viel substantielleren - Thema über, das sich ihm mit der ἱκανότης-Frage sofort verbindet und
um das es ihm eigentlich geht: die διακονία τῆς καινῆς διαθήκης.

Die Frage nach der 'Tauglichkeit' des Paulus als Apostel (bzw.
als διάκονος Χριστοῦ)[85] wird so aufgehoben in die übergreifende
Frage nach der *Qualität* seiner διακονία. Indem Paulus sie als
διακονία des neuen Bundes identifiziert, zu der Gott selbst ihn
befähigt hat (3,6: ἱκάνωσεν)[86] gewinnt er ein inhaltliches Kriterium für die Verteidigung und Beurteilung christlicher διακονία.
Die über die ἱκανότης und ἀλήθεια eines διάκονος Χριστοῦ entscheidende Frage ist die, ob seine διακονία der καινή διαθήκη angemessen ist, ihr entspricht oder nicht. Die καινή διαθήκη wiederum ist
inhaltlich v.a. durch zwei Aspekte geprägt: zum einen durch die
von Paulus in Anlehnung an Jer 31,31-33 ausgesagte πνεῦμα-Qualität
(im Gegensatz zur steinernen γράμμα-Qualität des alten Bundes),
zum anderen[87] durch den urchristlich - auch in Korinth[88] - selbst-
verständlichen Aspekt, daß die καινή διαθήκη im Sühntod Jesu als
ihrem einzigen Rechtsgrund besiegelt ist. Paulus bringt dies in
der Rede von der διακονία τῆς δικαιοσύνης (3,9) zum Ausdruck, der
er die διακονία τῆς κατακρίσεως des alten Bundes kontrastiert. Das
Kriterium, an dem er die zwischen ihm und seinen Gegnern strittige
διακονία gemessen wissen will, ist also die καινή διαθήκη; der
διάκονος hat sowohl ihrer πνεῦμα-Qualität als auch ihrer sachlichen Basis: dem Sühntod Jesu und der dadurch gewirkten δικαιοσύνη
Rechnung zu tragen, und zwar ohne beides voneinander zu trennen.
Die ganze sich anschließende Argumentation bis 7,4 (also einschließlich der uns vor allem interessierenden Leidensaussagen)
ist im Grunde nichts anderes als die Entfaltung der paulinischen
διακονία als διακονία τῆς καινῆς διαθήκης in dem gerade skizzierten
Sinne.

---

85 Die - zuerst von G.FRIEDRICH, Gegner, 185ff. beobachtete - auffällige Häufung der διακονεῖν/διακονία/διάκονος-Begrifflichkeit im 2Kor gibt Anlaß zu
   der Vermutung, daß es sich um "Schlagworte der Gegner" handelt, "die Paulus
   polemisch aufgreift" (ebd. 186). Es fällt auf, daß gleichzeitig ἀπόστολος in
   der ganzen 'Apologie' 2,14-7,4 völlig fehlt.
86 Daß hierbei an die Bekehrung (= Berufung - cf. Gal 1,11ff., bes. 1,16!) des
   Paulus gedacht ist, liegt auf der Hand und wird dadurch bekräftigt, daß Paulus selbst in Phil 3,3-11 "seine Berufung als Vorgang der Christuserkenntnis
   und der Rechtfertigung beschreibt" (P.STUHLMACHER, Ende, 31): die ἱκανότης
   zur διακονία τῆς δικαιοσύνης (2Kor 3,9) hat also eine in der Tiefe der paulinischen Biographie verwurzelte Basis.
87 Beide Aspekte sind nicht voneinander zu lösen, denn "der Herr ist der Geist"
   (2Kor 3,17).
88 Dies verbürgt schon die Herrenmahltradition, cf. 1Kor 11,25.

Als erstes geht Paulus dabei auf die δόξα dieser διακονία
ein, die ihm - wie die auffallende Häufung der δόξα-Begrifflichkeit[89] in 2Kor 3 vermuten läßt - von seinen Gegnern bestritten
worden ist. Paulus 'beweist' sie nicht durch eine empirische Falsifikation des gegnerischen Vorwurfs (z.B. durch den Aufweis von
Machttaten oder πνεῦμα-Erfahrungen), sondern durch einen theolo-
gisch-theoretischen Schluß: ist der mosaischen διακονία trotz ihres γράμμα-Charakters, der sie zu einer διακονία θανάτου und
κατακρίσεως macht, δόξα zueigen, um wieviel mehr kommt dann seiner
διακονία, die ihrem Wesen nach διακονία πνεύματος und δικαιοσύνης
ist, δόξα zu[90].

Das zweite Kennzeichen der paulinischen διακονία als der
διακονία τῆς καινῆς διαθήκης (die er von jetzt an nicht mehr als
Überbietung, sondern im Gegensatz zur mosaischen profiliert) ist
die aufgrund ihrer πνεῦμα-Qualität dem Paulus eigene παρρησία
(3,12) und ἐλευθερία (3,17), die ebenfalls Gegenstand der gegnerischen Kritik gewesen sein dürften. Daß es Paulus dabei weniger um
den Gedanken der Gesetzesfreiheit geht als um den des freien An-
teilnehmens und Anteilgebens am Evangelium, zeigt sich schon darin,
daß das Gesetzesthema in 2Kor 3 stark zurücktritt[91], vor allem
aber in der Schlußwendung von 3,18: Wo die παρρησία seiner διακονία
zur Wirkung kommt, schauen "wir alle" die δόξα κυρίου und werden

---

89 δόξα: 57 x in den echten Paulusbriefen, davon
            19 x in 2Kor (Röm: 16x; 1Kor: 12x), davon
            16 x in 2Kor 2,14-7,4 (Apologie), (sonst: 2Kor 1: 1x; 2Kor 8: 2x);
   davon   11 x in 2Kor 3,7-18 (sonst: 2Kor 4: 4x; 2Kor 6: 1x).

   δοξάζω: 11 x in den echten Paulusbriefen, davon
            3 x in 2Kor, davon
            2 x in 2Kor 3,10 (sonst: 2Kor 9,13).
   Die δόξα-Begrifflichkeit des 2Kor konzentriert sich also in 2Kor 3 (ca. 60%
   der Belege in nur 12 Versen), die 'Apologie' als ganze weist über 80% der Belege auf, der Rest (außer 1,20) entfällt auf die 'Kollektenkapitel' 2Kor 8+9,
   während 2Kor 10-13 überhaupt keinen Beleg enthalten.
90 Nur zu streifen ist hier die Frage, ob in 2Kor 3,7-18 ein judenchristlicher
   Midrasch der Gegner verarbeitet ist, den Paulus "durch Hinzufügung in seinem
   ursprünglichen Sinn völlig umgestaltet" (G.FRIEDRICH, Gegner, 184, im Anschluß an S.SCHULZ, Decke des Moses, 30, der von einem "zentral-judenchrist-
   lichen Traditionsstück" spricht). Schon H.WINDISCH, KEK 2Kor, 112, nimmt einen "christlichen Midrasch" an (freilich keinen gegnerischen), cf. auch H.
   LIETZMANN, HNT Kor, 111.115. - Eine literarkritische Rekonstruktion der gegnerischen Vorlage versucht D.GEORGI, Gegner, 274-282, cf. auch 248; dagegen
   M.RISSI, Studien, 30, und J.-F.COLLANGE, Enigmes, 67f. - Daß Paulus die Frage der δόξα, der ἐλευθερία und des Leidens aufgrund entsprechender gegnerischer Einwände anspricht, erscheint mir sehr wahrscheinlich; die Art, wie er
   es tut, ergibt sich aber m.E. aus seinem Vorhaben, seine διακονία als
   διακονία τῆς καινῆς διαθήκης zu entfalten.
91 Im 'klassischen' paulinischen Sinne ist es nur in 2Kor 3,9 (indirekt im
   κατάκρισις-Gedanken) angesprochen; νόμος fehlt im 2Kor ganz.

zu einer dieser gleichartigen δόξα-Gestalt verwandelt (μεταμορφούμεθα)[92].

Es entspricht der mit ihr verbundenen δόξα und παρρησία, wenn
Paulus seine διακονία, deren Träger er durch das Erbarmen Gottes
geworden ist, nicht eigennützig behindert[93], sondern sie ohne jede
Heimlichtuerei, Heimtücke oder Verfälschung versieht, so daß er es
vor Gott verantworten kann, sich jedermanns Gewissen gegenüber zu
empfehlen. Ja, er kann sogar soweit gehen, daß er für den Fall,
daß sein Evangelium verborgen bleibt, nicht eine Unzulänglichkeit
seiner Verkündigung, sondern eine Verstockung bei den Adressaten
dafür verantwortlich macht, die vom Gott dieses Äons[94] geblendet
sind, so daß sie τὸν φωτισμὸν τοῦ εὐαγγελίου τῆς δόξης τοῦ Χριστοῦ,
ὅς ἐστιν εἰκὼν τοῦ θεοῦ (= τὴν δόξαν κυρίου: 3,18) (4,4) nicht sehen können. Während zur Mose-διακονία das κάλυμμα also *wesentlich*
hinzugehörte, wodurch die δόξα κυρίου nicht erkannt werden *konnte*,
ist sie in der διακονία τῆς καινῆς διαθήκης, mit der Paulus betraut
ist, in Christus ganz offenbar, wenn auch der Satan den Blick darauf noch verstellen kann.

Paulus beschließt den Gedankengang, indem er den Ort und die
Rollen der an der διακονία τῆς καινῆς διαθήκης Beteiligten noch
einmal klar voneinander abgrenzt und gleichzeitig in nochmaliger
Steigerung deren Großartigkeit zum Ausdruck bringt: Gegenstand des
Kerygmas ist allein Jesus Christus als der Herr, der Verkündiger
dagegen δοῦλος ὑμῶν διὰ 'Ιησοῦν (4,5). Die διακονία τῆς καινῆς

---

92 Μεταμορφούμεθα ist "ein Mysterienausdruck" (R.BULTMANN, KEK 2Kor, 98 Anm.53);
   cf. das reiche Material bei R.REITZENSTEIN, Hell. Mysterienreligionen, 357-
   360, der den "nicht-jüdisch(en)" Charakter betont (ebd. 360). Doch wieder ist
   die 'Verwandtschaft' nur eine an der Sprachoberfläche und 'versteht' Paulus
   μεταμορφοῦσθαι als Neuschöpfung (s. unten zu 2Kor 5,17).

93 Die umfangreichen philologischen Studien von M.BAUMERT, Täglich Sterben,
   318-346 lassen eine aktive Deutung des ἐγκακοῦμεν im Sinne von 'unwillig
   sein' (und dadurch zum Schlechten einer Sache wirken) wahrscheinlich erscheinen. Ähnlich wie in 2Kor 6,3 und 1Kor 9,12 geht es darum, daß Paulus keinerlei persönliches Interesse zum Zuge bringen will, das den Belangen des Evangeliums zuwiderläuft oder schadet. Daß er in 4,1 die auf den ersten Blick
   näherliegende positive Formulierung (etwa im Sinne von 'wir wirken der
   διακονία zum Guten mit') angesichts der synergistischen Mißverstehensmöglich-
   keit vermeidet, ist m.E. plausibel.

94 Der 'Gott dieses Äons' ist nach R.BULTMANN, KEK 2Kor, 106, ein "gnostische(r)
   Begriff". Doch weist auch schon der ebd. zitierte Text des TestJud 19,4:
   Denn der Herrscher des Irrtums verführte mich (ἐτύφλωσε γάρ με ὁ ἄρχων τῆς
   πλάνης), *und (darum) war ich unwissend wie ein Mensch und wie Fleisch, von
   Sünden verdorben* (J.BECKER, JSHRZ III, 74) große Nähe in der Sache auf; cf.
   auch die ἄρχοντες τοῦ αἰῶνος τούτου 1Kor 2,6.8. Den Übergang von der ἄρχων-
   zur θεός-Bezeichnung vermag VitAd 14ff. zu illustrieren: dort fordert der
   zur Verehrung des Menschen als des Ebenbildes Gottes aufgeforderte Satan
   seinerseits die Verehrung durch den Menschen (14) und kündigt an, er werde
   seinen Thron über des Himmels Sterne stellen und "dem Höchsten gleich" sein
   (15), weshalb er dann "in diese Welt vertrieben" wird (16; bei P.RIESSLER,
   Altjüdisches Schrifttum, 671).

διαθήκης ist (Knechts)dienst an der Gemeinde, die Indienstnahme dazu aber ein Akt Gottes, den Paulus explizit mit der Schöpfung parallelisiert: "Gott, der sprach: Aus der Finsternis soll Licht werden, der hat es in unseren Herzen hell gemacht, um dadurch den
φωτισμὸς τῆς γνώσεως τῆς δόξης τοῦ θεοῦ ἐν προσώπῳ ('Ιησοῦ) Χριστοῦ
weiterzuverbreiten (4,6)[95]. Mit dieser Aussage gelangt die positive
Darstellung der διακονία τῆς καινῆς διαθήκης auf ihren Höhepunkt:
indem er Paulus mit ihr betraut, ist Gott an ihm als Schöpfer wirksam, und dieses Schöpfungsgeschehen gelangt durch die paulinische
διακονία zu weiterer Wirksamkeit. Nehmen wir diesen Spitzensatz
mit dem Gedanken der Metamorphose (3,18) der Christen zur δόξα-
εἰκών zusammen, so erkennen wir leicht, daß Paulus schon in 2Kor
3,4-4,6 mit der διακονία τῆς καινῆς διαθήκης die καινὴ κτίσις im
Auge hat, die er im zweiten Hauptteil seiner 'Apologie' explizit
zum Thema machen wird.

Erst jetzt, in 4,7ff., kommt Paulus auf den Leidensaspekt seiner διακονία zu sprechen. Ist man den ihre δόξα herausstellenden
Argumentationsgang mitgegangen, so erscheinen 4,7ff. als der Kontrapunkt, der die Charakteristik dieser διακονία erst wirklich ver-
vollständigt. "Wir haben diesen θησαυρός" - es ist deutlich, daß
damit die gerade als so 'herrlich' erwiesene διακονία selbst gemeint ist[96] -, "aber wir haben ihn in irdenen Gefäßen". Die Deutung dieses widersprüchlichen Sachverhalts, die Paulus in 7b sofort anschließt: ἵνα ἡ ὑπερβολὴ τῆς δυνάμεως ᾖ τοῦ θεοῦ καὶ μὴ ἐξ
ἡμῶν, ist uns vom 1Kor her in der Grundstruktur schon vertraut. In
1Kor 2,3-5 gab Paulus der Schwachheit seines Auftretens den 'Sinn',
ἵνα ἡ πίστις ὑμῶν μὴ ᾖ ἐν σοφίᾳ ἀνθρώπων ἀλλ' ἐν δυνάμει θεοῦ, wobei er diese Relation unmittelbar mit dem 'Prinzip' Gottes, τὰ μὴ
ὄντα zu erwählen, und mit seiner ganz am Gekreuzigten orientierten
Verkündigung verband (1Kor 1,26ff.; 2,2). Ging es dort um die Diskrepanz zwischen dem schwachen Apostel und dem durch ihn (von Gott)
gewirkten Werk: dem Glauben der Gemeinde, so geht es hier - wohl
wieder aufgrund einschlägiger gegnerischer Kritik - um die Diskrepanz zwischen der Schwachheit seines Auftretens und der beanspruchten δόξα seiner διακονία. Hier wie dort ist es Paulus darum zu tun,
daß die Gemeinde das Nebeneinander von Leiden und δόξα als in der
'Sache' des Evangeliums selbst begründet erkennt.

---

95 Vgl. auch 2Kor 5,17. - Nur wenn man mit R.BULTMANN, KEK 2Kor, 111, πρὸς
   φωτισμόν ... (4,6) im Sinne des aktiven Weiterverkündigens versteht, ist das
   ὅτι zu Beginn des Satzes überhaupt plausibel und wird 4,6 nicht zur Tautologie.
96 Mit R.BULTMANN, KEK 2Kor, 114; gegen H.LIETZMANN, HNT Kor, 115 ("das Evangelium und seine δόξα") und H.WINDISCH, KEK 2Kor, 141f. ("das Evang., die 'Er-
   kenntis', das 'Licht', die Glorie vor unseren geistigen Augen").

Genau diesen Sachzusammenhang explizieren die folgenden Sätze.
Paulus setzt ein mit dem antithetischen Peristasenkatalog, in dem
er seine Erfahrungen mithilfe der Sprech- und Denkweise der Tradition vom leidenden Gerechten zur Sprache bringt[97]. Auch wenn Bultmann[98] meint, man dürfe diese Sätze nicht im Sinne von "Es geht
uns schlimm, aber nicht g a n z schlimm" verstehen, vielmehr:
"In allem Schlimmen geht es uns letztlich und eigentlich n i c h t
schlimm. Wir können zu allem Ja sagen", wird man nicht übersehen
dürfen, daß die Antithesenpaare keine völligen Gegensätze, sondern
vielmehr nur um Nuancen sich unterscheidende Grade des Leidens ge-
geneinanderstellen[99]. Der Vergleich mit dem Sprachgebrauch der Tradition vom leidenden Gerechten zeigte, daß die Termini der jeweils
verneinten Glieder vorzugsweise gebraucht werden, um das endgültige
Unheilslos der Gottesfeinde zu charakterisieren. Es geht also um
die Antithese von Leiden und endgültiger Preisgabe durch Gott.
Ebenso wie die Beter der Psalmen, die "von den Stricken des Todes
umfangen" sind (Ps 116,3), darum wissen, daß Gott sie vor dem Tode
errettet, so sieht sich auch Paulus der Bedrängnis und Verfolgung
ausgesetzt und macht doch immer wieder die Erfahrung, daß er ihr
nicht preisgegeben ist. Vergegenwärtigen wir uns, daß bei der Frage nach der Ursache seiner Leiden für Paulus der Gedanke der Behinderung und Anfeindung durch den Satan stets mitschwingt, so ist
der Katalog Ausdruck der Gewißheit (und der Erfahrung), daß Paulus
trotz der Massivität, mit der die feindliche Macht gegen ihn vor-
geht (und deren schmerzhafte Auswirkungen er keineswegs verharmlost
oder bestreitet) aufgrund der ὑπερβολὴ τῆς δυνάμεως τοῦ θεοῦ dieser
Macht nicht schutzlos preisgegeben ist.

Für die Beurteilung seiner Leiden ist nun aber entscheidend,
daß diesen vier kurzen Antithesen, die uns auf die Tradition vom
leidenden Gerechten zurückverwiesen, noch zwei größere folgen, die
genau dasselbe Geschehen[100] noch einmal zur Sprache bringen, jetzt
aber im Rekurs auf Tod und Leben Jesu. Die zuvor geschilderte Not
und Verfolgung wird hier als περιφέρειν τὴν νέκρωσιν τοῦ Ἰησοῦ ἐν
τῷ σώματι umschrieben, wozu das ἡμεῖς οἱ ζῶντες εἰς θάνατον παραδιδόμεθα διὰ Ἰησοῦν eine erläuternde und insofern die Ausdrucks-
form von V 10 begründende[101] Variante ist.

---

97 Siehe oben S.265f.
98 R.BULTMANN, KEK 2Kor, 116 (dort gegen H.WINDISCH, KEK 2Kor, 143).
99 So deutlich θλιβόμενοι/στενοχωρούμενοι: θλῖψις καὶ στενοχωρία bilden bei
   Paulus und in vielen jüdischen und griechischen Texten ein Paar und werden
   oft als Synonyme aufgefaßt.
100 Syntaktisch gehört das Partizip περιφέροντες (10) noch zu der Reihe der Partizipien von 8f., was die enge Verklammerung der Antithesen des 'Katalogs'
   mit V 10f. unterstreicht. Cf. außerdem die Reihe ἐν παντί (8) - πάντοτε (10)
   - ἀεί (11).
101 Vers 11: γάρ. - Cf. E.GÜTTGEMANNS, Apostel, 121f.

Den negierten ἀλλά-Aussagen von V 8-10 entsprechen die ἵνα-Sätze, die unter gleichzeitiger Aufnahme des Gedankens von 7b das Nicht-Preisgegebenwerden der Apostel als Offenbarwerden der ζωή τοῦ 'Ιησοῦ ἐν τῷ σώματι ἡμῶν bzw. ἐν τῇ θνητῇ σαρκὶ ἡμῶν beschreiben.

Angesichts der entscheidenden Bedeutung dieser Verse für das paulinische Leidensverständnis und der Vielfalt der vorgelegten Deutungsversuche[102], empfiehlt es sich, zunächst nach den theologischen Hintergründen dieser am Text selbst zu beobachtenden Parallelisierung von Bedrängnis und Verfolgung des Apostels mit der νέκρωσις τοῦ 'Ιησοῦ und der Erfahrung des Nichtpreisgegebenwerdens mit der ζωή τοῦ 'Ιησοῦ zu fragen.

Einen ersten Anhaltspunkt bietet dabei die Formulierung νέκρωσις τοῦ 'Ιησοῦ selbst (statt des geläufigeren θάνατος Χριστοῦ ('Ιησοῦ)). Sie läßt vermuten, daß Paulus sich bewußt auf den Vorgang der Passion und des Sterbens Jesu beziehen will[103] (von dem er von daher auch eine bestimmte anschauliche Vorstellung gehabt haben muß). Paulus sieht also in der Passion des Menschen Jesus einen seinen Leiden vergleichbaren Vorgang und ordnet ihm entsprechend sein Nicht-Zuschandenwerden als eine Offenbarung der (Auferstehungs-)ζωή Jesu zu. Dies wird nachvollziehbar, wenn wir uns vergegenwärtigen, daß schon die vormarkinische Passionsgeschichte den Tod Jesu gerade in seiner Prozeßhaftigkeit des 'Absterbens' mithilfe der Tradition vom leidenden Gerechten darstellte und die vorpaulinische Bekenntnistradition Tod und Auferstehung Jesu im Sinne der Erniedrigung und Erhöhung des leidenden Gerechten aufeinander bezog[104]. Es sind dieselben Kräfte, die am Geschick des leidenden Gerechten, am Geschick Jesu und am Geschick des von ihm in den Dienst genommenen Paulus wirksam sind: die Gott widerstreitende (Todes-)macht auf der einen Seite, auf der anderen die aus dem Tod

---

102 Cf. die von E.GÜTTGEMANNS, aaO. 94-118 vorgetragenen Deutungen, vor allem seine Auseinandersetzung mit der Vielzahl mystischer Deutungsvarianten, ebd. 102-112 mit Anm.51-100. R.BULTMANN versteht νέκρωσις "im sakramentalen Sinn" (KEK 2Kor, 119; cf. auch DERS., Art. νέκρωσις, ThWNT 4, 899). GÜTTGEMANNS selbst hält all dem seine im Anschluß an E.KÄSEMANN, Legitimität, 56, gewonnene Deutung als "Epiphanie" entgegen.

103 Nicht plausibel m.E. R.BULTMANN, KEK 2Kor, 119: Paulus sage "νέκρωσις statt θάνατος, weil das Sterben mit Christus hier nicht in dem grundsätzlichen Sinn gemeint ist, in dem es in der Taufe ein für allemal (antezipierend) geschehen ist, sondern sofern es sich im konkreten geschichtlichen Leben dauernd vollzieht". So richtig es ist, den Lebensprozeß angesprochen zu sehen, so wenig erklärt sich dadurch die νέκρωσις-θάνατος-Unterscheidung. Vielmehr kommt dieser Gedanke allein durch das πάντοτε ... περιφέρειν zum Ausdruck und wäre ebensogut mit θάνατος zu verbinden gewesen. Es geht vielmehr um den Prozeßcharakter des Leidens und Sterbens Jesu, d.h. um seine Passion im Unterschied zum bloßen 'Daß' des Todes.

104 Röm 15,3 wird dies auch explizit bestätigen, s.unten S.358.

errettende Macht Gottes. Ergibt sich von hier aus eine die Vorgänge an Jesus und Paulus in eine Linie rückende Perspektive, so
bekommt diese aber durch den besonderen Charakter Jesu eine neue
Ausrichtung: indem nämlich in Jesus der *Messias und Kyrios* in die
Reihe der leidenden Gerechten eingetreten ist, wird für Paulus das
Leiden dieses *einen*, des gerechtmachenden Gerechten zum neuen, unverwechselbaren Zentral- und Fluchtpunkt, so daß er sein eigenes
Leiden in der διακονία (cf. V 11: διὰ 'Ιησοῦ) als Herumtragen der
νέκρωσις τοῦ 'Ιησοῦ bezeichnen kann.

Noch einschneidendere Konsequenzen der Zentrierung der Tradition vom leidenden Gerechten auf Jesus werden in den ἵνα-Sätzen in
V 10 und 11 erkennbar: die schon in der Tradition vom leidenden
Gerechten wieder und wieder bezeugte Gottesmacht, die vom Tode errettet, ist angesichts der Realität der schon geschehenen Auf-
weckung Jesu als die den Tod endgültig überwindende Macht erwiesen,
so daß Paulus - in Modifikation der apokalyptischen Erwartungen -
das Rettungshandeln Gottes schon jetzt, eben als ζωῇ τοῦ 'Ιησοῦ an
seinem σῶμα wirksam erfahren kann. Die eine, schon geschehene Auferstehung des leidenden Gerechten Jesus verbürgt also nicht nur
die Auferstehung auch für die, die von ihm gerechtfertigt zu ihm
gehören (cf. 1Kor 15), vielmehr wird sie schon jetzt am σῶμα des
Apostels offenbar. Die in der ζωή Jesu wirksame Kraft ist dabei
mit der identisch, mit der Gott seine צדקה am leidenden Gerechten
erwies (wie die bewußte Parallelisierung von 8f. und 10f. signalisiert).

Im Vergleich mit der apokalyptischen Ausprägung der Tradition vom leidenden
Gerechten, der er - wie wir sahen- oft stark verbunden ist, gewinnt Paulus
mit der Vorstellung der jetzt schon wirksamen ζωῇ 'Ιησοῦ ein Stück der konkreten Geschichtlichkeit zurück, die der älteren alttestamentlichen Tradition
eigen, und in den apokalyptischen Texten zum Teil verloren gegangen war. Zwar
ist die grundsätzliche Unterscheidung der Äonen nicht aufgegeben, jedoch ergibt sich aus der 'Ungleichzeitigkeit' der schon geschehenen Auferweckung Jesu und der noch ausstehenden endgültigen Äonenwende ein neues Verständnis des
Seins im 'alten Äon': als Antezipation der Realität des neuen Äons wirkt die
Auferstehung Jesu schon in diesen sterblichen Äon bis in die θνητὴ σάρξ des
Apostels hinein und ist als δύναμις θεοῦ sichtbar an ihm wirksam.
   Daß Paulus die Erfahrungen dieser neuen Seinsweise mithilfe der Sprach-
und Vorstellungsmuster der älteren alttestamentlichen Tradition artikulieren
kann, macht einerseits die Geschlossenheit des ganzen Traditionsfeldes deutlich und läßt andererseits erkennen, wie die Variationsfähigkeit dieser Tradition es ermöglicht, unter Kombination und Neunuancierung ihrer Varianten
die Formulierung neuer Inhalte in der Kontinuität zu den alten zu denken und
zu formulieren.

Da für Paulus - wie wir bei der Auswertung der ersten Abschnitte
der 'Apologie' sahen - seine 'Bekehrung' und seine 'Berufung', und
das heißt: sein 'Christi-Sein' und 'διάκονος-Sein' von Anfang an
ineinsfallen, sieht er die Wirksamkeit der ζωή Jesu sofort im Hin-

blick auf seine διακονία: indem sie wirkt, ermöglicht und beför-
dert sie seine Arbeit an der Gemeinde, so daß Paulus über die an
sich zu erwartende Formulierung 'so sind Tod und Leben Jesu an uns
wirksam' (die natürlich auch zutrifft!) noch einen Schritt hinausgehend formulieren kann: 'so wirkt der Tod an uns, das Leben aber
an euch'.

Es entspricht genau der eben erhobenen Identifizierung der die
צדקה-Erweise am leidenden Gerechten vollziehenden Gotteskraft mit
der in der Auferstehung Jesu wirksamen, wenn Paulus in 4,13-15 nun
das wörtliche Zitat des Eingangs von Ψ 115 mit der Auferstehung
Jesu und der Christen in Verbindung bringt: es ist τὸ αὐτὸ πνεῦμα
πίστεως, das Paulus wie den Psalmisten zum Reden nötigt: den Psalmisten zur auf Gottes helfendes Eingreifen vertrauenden Klage: 'ich
bin tief gebeugt', Paulus zur Artikulation seiner Zuversicht, die
- und darin erweist sich 13-16 als präzisierende Kommentierung von
10f. - in der geschehenen Auferweckung Jesu ihre Basis hat. Die
schon jetzt an seinem σῶμα erfahrbare und offenbar werdende ζωή
Jesu ist nur in der Perspektive auf seine zukünftige, endgültige
Auferweckung richtig gesehen. Und wieder kommt die Identität seiner 'Bekehrung' und 'Berufung' zum Tragen, wenn er den Gedanken
sofort auf den Kreis der durch seine διακονία 'Begünstigten' aus-
weitet in der Vorstellung, er werde bei seiner Auferstehung 'hin-
gestellt' σὺν ὑμῖν, dem er zuspitzend hinzufügt: "das alles (geschieht) nämlich um euretwillen"[105]. Doch selbst darin ist noch
nicht die letzte Zielbestimmung angesprochen, vielmehr dient das
Wirksamwerden der ζωή τοῦ 'Ιησοῦ an der θνητὴ σάρξ des Apostels
(ebenso wie seine διακονία insgesamt) letztlich der Vermehrung[106]
der im Dank der Vielen sich artikulierenden Ehre Gottes. Wieder
trifft sich Paulus mit dem Beter des Toda-Psalms, der Gottes Rettungshandeln im Kreis der Toda-Gemeinde dankend preist.

Von hier aus nehmen 4,16-18 die Ausgangsunterscheidung von V 7f.
nochmals auf: dem διαφθείρεσθαι des äußeren Menschen (d.h. der Verfolgung und Bedrängnis des Apostels, in der er sich als irdenes
Gefäß erweist) steht die 'tägliche Erneuerung' des inneren gegen-

---

105 2Kor 4,15 ist darin dem ἀνάγκη-Gedanken von 1Kor 9,16 nahe: Paulus kann offensichtlich sein 'Christ-Sein' nicht von der 'Indienstnahme' zugunsten der
Gemeinden trennen: seine Rechtfertigung geschah von Gott her von vornherein
zugunsten der 'Anderen'.
106 Wie stark die Toda (wohl ihrem ganzen institutionellen Charakter nach) auf
das 'Überfließen' von Dank und Lobpreis Gottes ausgerichtet ist, macht z.B.
Ps 69,31-35 deutlich, wenn dort der Kreis der Lobpreisenden sich ausgehend
vom einzelnen Geretteten über den 'Kreis der Gebeugten' bis hin zu "Himmel
und Erde, das Meer und alles, was darinnen sich regt", konzentrisch erweitert.

über (die dem von der ζωή τοῦ ᾽Ιησοῦ bewirkten Nicht-Preisgegebenwerden dessen, der "den Schatz hat", korrespondiert). So besteht
ein enger Sachzusammenhang zwischen der διακονία τῆς καινῆς
διαθήκης und der ἀνακαίνωσις ihres Trägers; die Erneuerung darf
also nicht als "Restitution"[107] mißverstanden werden, vielmehr ist
in ihr "Gottes neuschaffendes, endzeitliches Wunderhandeln, das
den Menschen radikal verwandelt"[108], am Werke. Die ἔξω/ἔσω-
ἄνθρωπος-Differenzierung steht also ganz im Kontext der eschatologischen Perspektive, so daß die der apokalyptischen Ausprägung der
Tradition vom leidenden Gerechten entsprechende Charakterisierung
der θλῖψις als παραυτίκα ἐλαφρόν gegenüber dem αἰώνιον βάρος δόξης
folgerichtig anschließt. Auch die abschließend herangezogenen Gegensätze zwischen Sichtbarem und Unsichtbarem sind in zeitliche
Kategorien gefaßt (πρόσκαιρος und αἰώνιος), von wo aus Paulus dann
in 5,1-10 zu einer entsprechenden Gegenüberstellung seiner
ἐπίγειος οἰκία τοῦ σκήνους und seiner künftigen οἰκοδομή ἐκ θεοῦ
übergehen kann.

2Kor 4,7-18 ist der Text, an dem sich bisher am deutlichsten
beobachten läßt, wie Paulus die Tradition vom leidenden Gerechten
christologisch zentriert und so zu einer Aussageform macht, die
seine eschatologischen Erwartungen und deren Konsequenzen für seine Gegenwart in Kontinuität zur Tradition aussagbar macht. Dabei
handelt es sich um einen doppelten Vorgang: zum einen versteht Paulus - in Anknüpfung an die ihm vorgegebene urchristliche Tradition
- Tod und Auferstehung Jesu im Kontext der Tradition vom leidenden
Gerechten, zum anderen gewinnt dadurch die Tradition vom leidenden
Gerechten ihrerseits eine christologische Mitte, die vor allem im
Blick auf die Realität der Auferweckung Jesu auch eine qualitative
Umgestaltung bewirkt, insbesondere eine Modifikation der dualistischen Äonen-Konzeption. Zwar bleibt sie der entscheidende zeitliche Denkrahmen, doch wird die scharfe Grenzziehung zwischen altem
und neuem Äon 'perforiert': das Heil als ζωή τοῦ ᾽Ιησοῦ wirkt
schon in den alten Äon hinein und wird am leidenden Apostel offenbar, der die διακονία τῆς καινῆς διαθήκης versieht. Letztere ist
angesichts des besonderen Charakters des Textes als 'Apologie der
διακονία τῆς καινῆς διαθήκης' der entscheidende Bezugspunkt, auf
den Leiden und Verfolgung des Apostels bezogen sind, und zwar als
substantielle Merkmale der διακονία insofern, als allein in der
Schwachheit des Apostels die δύναμις θεοῦ in ihrer ὑπερβολή zum

---

107 Cf. Referat und Kritik entsprechender Deutungen durch W.SCHRAGE, Leid,
    Kreuz und Eschaton, 151.
108 W.SCHRAGE, aaO. 151.

Zuge kommt. Dieser Gedanke berührt sich eng mit der am 1Kor aufge-
zeigten Denkfigur, daß allein eine solche *Leidens*-διακονία dem im
Kreuz Jesu inaugurierten Vorgang der Rechtfertigung und Erwählung
der aus sich selbst nichts Seienden entspricht.

5,14-6,10, der zweite, die Apologie im Blick auf die διακονία
abschließende Argumentationsgang, ist eine theologisch zugespitzte
Zusammenfassung des im ersten Teil aspektweise Entfalteten. Ebenso
wie im ersten Teil die Aussage von 4,7ff. nicht ohne das Vorangehende erfaßt werden kann, so haben auch hier die Leidensaussagen
von 6,4ff. in 5,14ff. ihre theologische Bezugsbasis, auf die deshalb zunächst einzugehen ist.

In Auseinandersetzung mit den Einwänden seiner Gegner, die
"pneumatische Phänomene wie Ekstasen bei ihm vermissen"[109], betont
Paulus, er nehme seine διακονία im Blick auf die Gemeinde allein
im Bereich seines σωφρονεῖν wahr. 5,14ff. begründet dies: die
ἀγάπη τοῦ Χριστοῦ beherrscht ihn[110], da er dafürhält, daß aus dem
Tod des Einen ὑπὲρ πάντων folgt, daß "alle gestorben sind". Die
'Logik' dieses Schlusses wird nur dann verständlich, wenn wir erstens sehen, daß Paulus das ὑπέρ des stellvertretenden Todes Jesu
inklusiv versteht: die Christen sind durch Jesu Tod mit hindurch-
gegangen, und zweitens die daraus gezogene Konsequenz in V 15 bedenken, daß sie dann eben auch ζῶντες μηκέτι ἑαυτοῖς ζῶσιν ἀλλὰ τῷ
ὑπὲρ αὐτῶν ἀποθανόντι καὶ ἐγερθέντι. Kurz: die Liebe Christi, die
in seinem Tod offenbar geworden ist, nimmt die von ihr Betroffenen
aus ihren selbstbezogenen, selbstsüchtigen Lebensbindungen heraus
und stellt ihr Leben in den Dienst Christi. Daß es dabei um mehr
geht als um eine Änderung des 'Lebensstils', sondern vielmehr um
eine umfassende Neukonzeption der Existenz, machen auch die folgenden Verse deutlich; V 16 im Blick auf die neue Qualität des Erken-
nens: "von jetzt an" wird Erkenntnis κατὰ σάρκα[111] unmöglich. Hat

---

109 R.BULTMANN, KEK 2Kor, 151.
110 Ἀγάπη τοῦ Χριστοῦ ist zunächst gewiß die "von Christus erwiesene Liebe"
    (R.BULTMANN, KEK 2Kor, 152), und sicher nicht die 'Liebe des Paulus zu Chri-
    stus'. Wichtig aber ist im Zusammenhang mit dem Verb, daß die 'Liebe Chri-
    sti' als Macht über Paulus herrscht und so gleichzeitig die Liebe ist, die
    er der Gemeinde erweist, d.h. die durch ihn von Christus an der Gemeinde
    gewirkt wird. Insofern ergibt sich nämlich überhaupt erst ein sinnvoller
    Anschluß an V 13. Zum Gegensatz von Ekstase und bewußtem (Liebes-)handeln
    an der Gemeinde cf. auch 1Kor 13,1f.
111 Zur Deutung von 2Kor 5,16 cf. die von E.GÜTTGEMANNS, Apostel, 284-298 mit
    Anm.19-99 genannten Positionen (neuere Literatur im Anhang von R.BULTMANN,
    KEK 2Kor, 264). Grammatisch ist das Verb κατὰ σάρκα auf das Verb zu beziehen
    (v.a. auch im Blick auf den Kontext, in dem es allein um die Veränderungen
    auf der Seite des Paulus geht), der Text redet also nicht davon, wie es
    Paulus mit dem historischen/irdischen Jesus gehalten habe. Vielmehr geht
    es um den Gegensatz der 'fleischlichen' Erkenntnisweise, die in Jesus den

Paulus früher sogar Chrístus "κατὰ σάρκα erkannt" (und darum notwendigerweise verkannt und seine Gemeinde verfolgt), jetzt ist es
nicht mehr so. Denn - und damit kommt der Text explizit an den
Punkt, den er schon in der ganzen Apologie anvisierte und den er
seit 5,14 systematisch vorbereitete: εἴ τις ἐν Χριστῷ, καινὴ
κτίσις· τὰ ἀρχαῖα παρῆλθεν, ἰδοὺ γέγονεν καινά. Es ist eine neue
ontologische Qualität[112], die 'man' in Christus gewinnt und die
Paulus in Christus gewonnen hat. Sie ist begründet in dem Akt Gottes, in dem "er uns mit sich" διὰ Χριστόν versöhnt hat und (wieder
sind 'Bekehrung' und 'Berufung' eins!) in dem er "uns die διακονία
τῆς καταλλαγῆς gegeben hat". Der Sachzusammenhang zwischen der
"Versöhnungs*tat*"[113] und der διακονία wird in V 19 nochmals unterstrichen, wenn die Aussage, daß Gott in Christus den κόσμος[114] mit
sich versöhnt, syntaktisch parallel nach zwei Aspekten hin entfaltet wird: der eine ist die Nichtanrechnung der Übertretungen, der
andere die Einsetzung des Worts der Versöhnung ἐν ἡμῖν. Die διακονία τῆς καινῆς διαθήκης definiert sich so als διακονία τῆς
καταλλαγῆς, in der der διάκονος "ὑπὲρ Χριστοῦ" zur Versöhnung mit
Gott ruft.

Voraussetzung solcher διακονία aber ist, daß Gott τὸν μὴ γνόντα
ἁμαρτίαν ὑπὲρ ἡμῶν ἁμαρτίαν ἐποίησεν, ἵνα ἡμεῖς γενώμεθα δικαιοσύνη
θεοῦ ἐν αὐτῷ. Wie Hofius gezeigt hat[115], ist die in V 21 entfaltete
Christologie ganz von Jes 53 inspiriert: Christus ist das zur
Rechtfertigung der Vielen (ἡμεῖς) eingesetzte Sündopfer[116]. Wichtig ist indes, daß der Sühnopferaspekt nicht punktuell und isoliert
rezipiert wird, vielmehr hat Paulus in V 20 offensichtlich auch
die dem vierten Gottesknechtslied voranstehenden Verse Jes 52,7ff.

Messias nicht erkannt und der 'geistlichen' im Glauben an Jesus als den
Christus. Im Falle des Paulus war diese Differenz von besonderer biographischer Relevanz: die Erkenntnis κατὰ σάρκα führte ihn zur aktiven Verfolgung
der Gemeinden, die ihm zuteilgewordene Offenbarung zur διακονία τῆς καινῆς
διαθήκης. Was die Frage der Veranlassung von 5,16 durch entsprechende gegnerische Gegenpositionen betrifft, so halte ich es durchaus nicht für abwegig, daß die Gegner ihm seine vorchristliche Vergangenheit vorgehalten haben; 5,16 nähme dann diesen Vorwurf auf und betonte den von Gott selbst unter diese Vergangenheit gezogenen Schlußstrich in dem Neuschöpfungsakt seiner Rechtfertigung.
112 Cf. P.STUHLMACHER, Erwägungen zum ontologischen Charakter, bes. 32ff.
113 Cf. O.HOFIUS, Erwägungen zur Gestalt und Herkunft, 196.
114 Cf. ebd. 195: Κόσμος meint (anders als in Röm 11,15) "in 2Kor 5,19 in hellenistischem Sinn die Menschheit schlechthin", was dagegen spricht, "daß bei
Paulus ein bereits formelhaft geprägter Begriff von 'Weltversöhnung' vorliegt".
115 Cf. O.HOFIUS, aaO. 196f.
116 Ἁμαρτίαν ἐποίησεν meint die Einsetzung Jesu zum Sündopfer: ἁμαρτία ist ab-
gekürzter terminus technicus für τὸ περὶ (τῆς) ἁμαρτίας = חטאת *Sündopfer*
(cf. z.B. Lev 4 und 5 passim, die abgekürzte Form z.B. Lev 4,25; 5,12).
Περὶ ἁμαρτίας ist in Jes 53,10 in derselben Bedeutung LXX-Äquivalent für אשם.

im Blick[117]. Nimmt man die oben schon angesprochene[118] Traditionsverbindung der folgenden Verse 6,1f. zu Jes 49,8 und die den Gedanken der neuen Schöpfung betreffende zu Jes 43,18-21 hinzu[119],
so ergibt sich eine auffallend dichte Bezugnahme zum deuterojesajanischen Textfeld und der darin zum Ausdruck kommenden besonderen
Ausprägung der Tradition vom leidenden Gerechten. Auch hier zeigt
sich wieder, daß die Gottesknechtstradition Paulus durchaus nicht
als 'erratischer Block' erschien, der punktuell auf das 'Christus-
geschehen' zu applizieren wäre, vielmehr kommt es zu einer 'flä-
chigen', ein ganzes Geflecht von Aspekten umfassenden Rezeption
des deuterojesajanischen Zusammenhangs, die sowohl dort als auch
bei Paulus in den Sachkontext der Tradition vom leidenden Gerechten eingebettet sind.

Der 'Überleitungspassus' 6,1f. hat an dieser Stelle eine mehr-
fache Funktion. Erstens stellt er den Vollzug dessen dar, was Paulus gerade beschrieb: als Mitarbeiter an Gottes Werk der Versöhnung ermahnt der Apostel die Gemeinde, diese Gnade Gottes nicht
'vergeblich' zu empfangen. Damit wird (zweitens) die Möglichkeit
deutlich, daß der Empfang der χάρις ins Leere, εἰς κενόν geht.
Auf dieser Folie erscheint der Tugendkatalog (6,3ff.) als ein apo-
logetischer Aufweis, daß dies im Falle des Paulus nicht so ist.
Schließlich unterstreicht das Schriftzitat aus Jes 49,8 (6,2) die
Dringlichkeit der παράκλησις in zeitlicher Hinsicht: *jetzt* ist die
ἡμέρα σωτηρίας da, damit aber auch der καιρός, an dem sich erweist,
ob die Gnade εἰς κενόν empfangen wurde oder nicht. Mit der Präsenz
des Heils ist auch die Zeit der eschatologischen Scheidung der
Fronten gekommen.

Angesichts dieser Ausrichtung schließen sich die Aussagen von
6,3-10, die - wie wir sahen[120] - am besten auf dem Hintergrund
eben dieser eschatologischen Frontstellung verstanden werden können, sehr plausibel an. Paulus empfiehlt sich ἐν παντί so, wie ein
διάκονος θεοῦ sich empfehlen kann, nämlich als einer, der ἐν
ὑπομονῇ πολλῇ Bedrängnisse, Leiden und Entbehrungen auf sich nimmt
und die ihn zu seiner διακονία befähigenden 'Tugenden' und Charismen aufweist, kurz: der mit den Waffen der Gerechtigkeit zur Rechten und zur Linken ausgestattet ist und so ein wirksamer 'Mitkämpfer' Gottes sein kann. Den Vollzug dieser Mitkämpferschaft stellen
die Vv 8-10 wohl im bewußten Rückgriff auf den Katalog von 4,8f.,

---

117 Cf. O.HOFIUS, aaO. 197f.
118 Siehe oben S.263f.
119 Cf. dazu z.B. P.STUHLMACHER, Erwägungen, 6.
120 Siehe oben S.264f.

vor allem aber auf Ps 118 dar. Wieder ist es das Ausgeliefertsein
ins Leiden, d.h. an die Todesmacht, das in seiner ganzen Schwere
ernstgenommen wird, dem aber in allem die Gewißheit des Nicht-
Preisgegebenseins gegenübersteht, die sich in den drei letzten Antithesen der Reihe sogar zur positiven Formulierung steigert: ἀεὶ
χαίροντες, πολλοὺς πλουτίζοντες, πάντα κατέχοντες sind Kennzeichen
der neuen Schöpfung, an der Paulus ἐν Χριστῷ teilhat, auch wenn
Trauer und Armut nach wie vor tägliche Erfahrungen sind.

> Man sollte nicht die Spannung zwischen diesen letzten Aussagen und 1Kor 4,8
> übersehen: Das "Schon-jetzt", das Paulus den Korinthern dort vorwirft und
> verbietet, erscheint hier als Kennzeichen seines Apostel- (und des Chri-
> sten-)standes[121]. Offensichtlich setzt Paulus in unterschiedlichen Situati-
> nen sehr verschiedene Akzente und vermeidet dabei keineswegs immer jede Ein-
> seitigkeit. Wo er dem Enthusiasmus wehrt, der aus dem Wirksamwerden des neu-
> en Äons schon im alten eigenmächtig eine bequeme Möglichkeit macht, den al-
> ten Äon 'schon jetzt' hinter sich zu lassen, macht er mit aller Entschieden-
> heit das 'Noch nicht' geltend und stellt das Bild des leidenden Apostels oh-
> ne jede Relativierung radikal vor Augen und als Vorbild hin. Jetzt, da sein
> Apostolat - vielleicht sogar unter dem Eindruck solcher einseitig akzentu-
> ierten Zeichnung im 1Kor - angezweifelt und falsch eingeschätzt wird, argu-
> mentiert er viel differenzierter und stellt das Ineinander von δόξα und Nie-
> drigkeit als komplexes Beziehungsverhältnis dar. Dabei braucht er von dem in
> 1Kor 1-4 Ausgeführten nichts zurückzunehmen, wohl aber ergänzt er es im 2Kor
> zu einem umfassenderen, ganzheitlicheren (und darum in der Sache auch zu-
> treffenderen) Bild.

Fassen wir zusammen: Paulus gelangt in der 'Apologie' zu einem erheblich differenzierteren Bild, vor allem durch den christologischen Bezug der Leidensaussagen. Indem er in Aufnahme und Weiterführung der ihm schon aus der Formel- und Passionsüberlieferung
vorgegebenen Traditionsverbindung[122] Kreuz und Auferstehung des
Messias Jesus im Kontext der Tradition vom leidenden Gerechten
versteht und (angesichts der betonten Einzigartigkeit *dieses* Gerechten) als deren Zentral- und Fluchtpunkt erfährt, vermag er seine
eigenen Erfahrungen im Rahmen dieser Tradition als Anteilhabe des
Gerechtfertigten an νέκρωσις und ζωή Jesu zu deuten. Paulus verbindet dabei die in 1Kor 1-4 im Blick auf das Kreuz Jesu und in
1Kor 15 auf seine Auferstehung je für sich schon ausgebildeten
christologischen Bezüge zu einer umfassenden, einheitlichen Konzeption.

Zweitens ist die als Konsequenz daraus sich ergebende Verschiebung der zeitlichen Koordination der Tradition vom leidenden Gerechten festzuhalten: der konsequente Dualismus der apokalyptischen Denkfigur der beiden Äonen wird 'perforiert' in der Vorstellung einer schon in der Gegenwart dieses sterblichen Äons erfahr-

---

121 In der Sache ist dies schon A.SCHLATTER, Bote, 521, im Blick auf 2Kor 3,18
    aufgefallen.
122 Siehe oben S.178f.183f.195.

baren Wirksamkeit der Auferstehungs-ζωή Jesu, die Paulus im Laufe
der Argumentation zur umfassenden Konzeption der 'schon jetzt' den
Christen eigenen neuen ontologischen Qualität der καινή κτίσις wei-
terdenkt.

Gerade von dem hier gewonnenen Aspekt der von Paulus so grundsätzlich formulierten καινή κτίσις ἐν Χριστῷ ist nun noch zu fragen, ob den Leidensaussagen der 'Apologie' Allgemeingültigkeit zukommt oder ob es nur um den 'leidenden Apostel' geht. Diese Frage (die sich mit der philologischen nach dem
Gebrauch des ἡμεῖς bei Paulus weitgehend berührt) ist deshalb nur schwer zu
beantworten, weil deutliche Markierungen an der Textoberfläche fast durchweg
fehlen[123]. So sind denn auch etwa die z.B. bei Bultmann öfter zu findenden
Feststellungen, Paulus gehe an einer bestimmten Textstelle von der Beschreibung "seiner apostolischen Haltung" zu "gemeinchristlich"[124] gemeinten Aussagen über (und umgekehrt), allzuoft recht subjektiv. Angesichts der besonderen Textsorte: der Text will von vornherein Apologie sein, verwundert es
nicht, daß Paulus allein seine διακονία im Auge hat. Hinzu kommt, daß er selbst
- wie wir immer wieder gesehen haben - im Blick auf sein eigenes Christ-Sein
'Bekehrung' und 'Berufung' nicht trennen kann, so daß eine Unterscheidung
zwischen dem, was Paulus mit allen Christen gemein hat und besonderen apostolischen Kennzeichen, die gleichsam hinzuzuaddieren wären, schon im Ansatz
verfehlt wäre. So wird man dem Text die ihm in dieser Frage eigene Unschärfe
lassen müssen: auf der einen Seite sind die Leiden oft durch die besondere
διακονία bedingt und spiegeln die besondere Problemlage und die besonderen
Erfahrungen des Paulus; auf der anderen Seite aber greift Paulus zur theologischen Begründung dieser Leiden durchweg auf die 'gemeinchristliche' Substanz des Evangeliums zurück, so daß man die Apologie keineswegs mit dem Hinweis, hier gehe es nur um die apostolischen Leiden, beiseitelegen kann. Vielmehr sind die καινή κτίσις, die Wirksamkeit der ζωή Jesu in diesen Äon hinein
und die eschatologische Frontstellung, durchaus überindividuelle, ja kosmische Vorstellungsgrößen. Als der, der "von der
Liebe Christi beherrscht" καινή κτίσις ist, ist Paulus trotz seiner besonde-
ren Situation nicht 'verschieden' von jedem anderen ἐν Χριστῷ auch.

13.3. 2.Korinther 8,9

Die beiden 'Kollektenkapitel' 2Kor 8 und 9 sind für unsere Fragestellung nicht so wichtig, daß es nötig wäre, die urchristentumsgeschichtlichen und theologischen Implikationen der Kollekte der
Paulus-Gemeinden für die palästinischen Gemeinden zu erörtern. Einzugehen ist lediglich auf 2Kor 8,9, und zwar deshalb, weil die
hier greifbaren christologischen Aussagen, die die χάρις τοῦ κυρίου
ἡμῶν ʼΙησοῦ Χριστοῦ in den Kategorien von Armut und Reichtum zur
Sprache bringen, in besonderer Deutlichkeit zeigen, wie selbstverständlich Paulus die Christologie im Kontext der Tradition vom leidenden Gerechten denkt und entwickelt. Deutlicher als an den bisher
untersuchten Stellen zeigt sich vor allem, daß Paulus das *ganze*
'christologische Geschehen' in dieser Weise versteht, also
nicht nur den Todesweg des irdischen Jesus, sondern - wie nicht

---

123 Eine Ausnahme bildet nur das ἡμεῖς πάντες von 3,18 und 5,10, das Apostel
und Gemeinde 'gemeinchristlich' zusammenfaßt.
124 R.BULTMANN, KEK 2Kor, 131 (zu 4,17f.; 5,1-5), cf. ebd. 122 (zu 4,12).

nur die Ähnlichkeit mit dem Philipperhymnus erkennen läßt - die
ganze, in diesem Todesweg ihren Höhepunkt findende Sendung des
präexistenten Christus[125]. Dieser Christus, der 'Reiche', wird "um
euretwillen" arm, "damit ihr durch sein Armsein reich werdet". Im
Grunde enthält dieser eine Vers genau das, was wir oben als Quint-
essenz der vormarkinischen Passionsgeschichte erhoben haben: der
Messias tritt um 'unseretwillen' ein in die Reihe der leidenden
Gerechten. Doch geht Paulus noch einen Schritt weiter, wenn er
Christus nicht nur als אביון/ענ׳ bezeichnet (und so den Kontrast
zu den ganz anders gearteten Erwartungen der Umwelt artikuliert),
sondern diesem Armsein des Christus seine 'eigentliche' Seinsweise: πλούσιος entgegenstellt. Paulus verbindet also die Vorstellung
vom Christus als dem leidenden Gerechten mit der des präexistenten
λόγος = Χριστός, wie sie ihm z.B. im Philipperhymnus schon vorgegeben war[126].

Was die Tradition vom leidenden Gerechten betrifft, so zeigt
der Vers wieder deren Flexibilität. Denn bis in die syntaktische
Konstruktion hinein kann man 2Kor 8,9b: ὑμεῖς τῇ ἐκείνου πτωχείᾳ
πλουτήσητε als eine Transposition der Leidensaussage von Jes 53,5
LXX: τῷ μώλωπι αὐτοῦ ἡμεῖς ἰάθημεν in die Kategorien von 'arm/
reich' ansehen. Die (ihr geschichtlich zugewachsene) Variationsbreite der Tradition vom leidenden Gerechten ermöglicht es Paulus,
im Blick auf die Formulierung der christologischen Aussagen entsprechend den Belangen der jeweiligen Argumentation innerhalb eines relativ breiten Rahmens frei zu variieren und so christologische Begründungen in verschiedenste Kontexte hineinzutragen. Denn
2Kor 8,9 ist ja die christologische Formulierung der Sachbegründung für die paulinische Kollekte. Was will sie aussagen?

Man kann sie zunächst im Sinn eines 'Modells' verstehen: wie
der 'reiche' Christus durch sein Armwerden andere reich macht, so
sollen die (durch ihn) reich Gemachten ihrerseits verfahren. Doch
trägt sie noch ein Stück weiter, sobald man das ganze sachliche
Gewicht des πλουτήσητε berücksichtigt. Denn das Reichgemachtwerden
durch die πτωχεία Christi ist das Hineingenommenwerden in die durch
seinen Tod gewirkte καταλλαγή und καινὴ κτίσις[127] und ist so das

---

125 Πλούσιος ὤν kann nicht zur Unterscheidung des 'Lebens Jesu' vor seiner Passion von dieser dienen; es verweist also auf ein Sein Jesu jenseits seiner
   'irdischen' Existenzform, die seinem 'Armwerden' vorausliegt, also sein
   'präexistentes Sein'.
126 Zum Philipperhymnus siehe oben S.189f. und unten S.311f.
127 Daraus ergibt sich auch für 2Kor 8,9 ein eschatologischer Horizont. Dieser
   wird noch verstärkt dadurch, daß 'Reichwerden' in der apokalyptischen Tradition vom leidenden Gerechten - wie wir sahen - als eine der endzeitlichen
   Gaben gilt. Daß Paulus diesen Topos auf das 'Reichwerden in Christus' überträgt, zeigte schon 1Kor 4,8; siehe dazu oben S.225.234).

Geschenk des die ganze Existenz verändernden, eigentlichen Lebens.
Es handelt sich hier also um dasselbe Phänomen wie wir es schon im
Blick auf die 'Liebe Christi' in 5,14 beobachteten: der von Chri-
sti Liebe Ergriffene wird zu einem wirksamen, sie weitergebenden
'Faktor' dieser Liebe.

> Festgehalten zu werden verdient auch noch, daß Paulus offensichtlich die
> Begriffe πλούσιος und πτωχός in ihrer wörtlichen ('materiellen') und über-
> tragenen ('geistigen') Bedeutung ganz ineinssieht. Eine so 'materielle' Sa-
> che wie die Kollekte erscheint ihm durchaus einer christologischen Begrün-
> dung würdig, und umgekehrt lassen sich von den christologischen Aussagen ih-
> re praktisch-materiellen Konsequenzen nicht abtrennen. Diese Ganzheitlich-
> keit und der sich daraus ergebende schillernde Bedeutungsgehalt der Begriffe
> ist - wie wir sahen - der Tradition vom leidenden Gerechten von jeher eigen
> und bildet ein deutliches Unterscheidungsmerkmal von der Art und Weise, wie
> Stoiker und Kyniker das Verhältnis von 'geistigen' und 'materiellen' Belan-
> gen bestimmen.

13.4. 2.Korinther 10-13

Strukturen

Auch in 2Kor 10-13 wird das Leidensthema um des es mitumgrei-
fenden 'Oberthemas': der "Legitimität des Apostels"[128] willen angesprochen. Es bildet also nur einen Aspekt des Gesamtzusammen-
hangs[129], freilich (sowohl der Ausführlichkeit als auch der Komposition des Textes nach) den gewichtigsten Zentralaspekt der Argumentation des ganzen Vierkapitelkomplexes.

Denn der Gesamttext läßt sich als eine konzentrische Komposition
beschreiben, deren Zentrum die "Ruhmesrede"[130] 2Kor 11,16-12,10
bildet. Diese ist Teil der 'Narrenrede' 2Kor 11,1-12,13[131], um die
die durch Motiventsprechungen deutlich aufeinander bezogenen[132]
Rahmenstücke 2Kor 10 und 12,13-13,10 gelegt sind. Gerade die Ruhmesrede aber ist von der Leidensthematik beherrscht. Für das Verständnis dieses 'Zentrums' ist es förderlich, sich den Gedanken-

---

128 Cf. E.KÄSEMANNs Studie: "Die Legitimität des Apostels".
129 Weitere Aspekte, die sich freilich mit dem Leidensaspekt eng berühren und
    sich zu einem Gesamtbild des 'schwachen Apostels' verbinden, sind vor allem
    die Frage der apostolischen Autorität (cf. E.KÄSEMANN, aaO. 56ff.: μέτρον
    τοῦ κανόνος) und der Apostelzeichen (cf. ebd. 61ff.).
130 J.ZMIJEWSKI, Stil, 76.
131 J.ZMIJEWSKI, ebd., rechnet 2Kor 11,1-12,10 zur Narrenrede, ohne jedoch die-
    se Abgrenzung genauer zu begründen. Indes ist diese 'Rede' keine scharf vom
    Kontext zu unterscheidende Größe sui generis, vielmehr ist sie eng mit ihm
    verknüpft. M.E. gehört 12,11-13 als das thematische (Unterhaltsverzicht als
    ἀδικία/ἁμαρτία: 11,7/12,13; "Überapostel": 11,5/12,11) und textfunktionale
    (vgl. 11,1 mit 12,11) Pendant zu 11,1-15 zur Narrenrede hinzu, zumal 12,13
    noch deutlich ironisch formuliert ist.
132 Cf. die gleichlautende Charakterisierung der ἐξουσία als εἰς οἰκοδομὴν καὶ
    οὐκ εἰς καθαίρεσιν in 10,8 und 13,10 (cf. 12,19); die ἀπών/παρών-Thematik in
    10,1f. und 13,10; die Vorausschau auf den geplanten Besuch in Korinth
    (10,2.6 und 12,14; 13,1).

gang knapp zu vergegenwärtigen, den Paulus von 2Kor 10,1 an in
strenger gedanklicher Geschlossenheit auf dieses Zentrum zu zurück-
legt und der die bewußte Funktion dieser Konzentrik erkennen läßt.

Schon 2Kor 10 ist m.E. durchgehend auf die 'Narrenrede' bezogen,
die Paulus offenbar als Plan bereits deutlich vor Augen steht. Was
er hier anhand der von den Gegnern gegen ihn ins Feld geführten
Differenz zwischen seinem Verhalten ἀπών und παρών (cf. 10,1f.)
bzw. zwischen seinem 'leiblichen' Auftreten und seinen Briefen
(cf. 10,10f.) entwickelt, sind gleichzeitig die hermeneutischen
und sachlichen Prolegomena zur Narrenrede, mit denen er deren rechtes Verständnis zu steuern versucht.

So eröffnet er den gesamten Vierkapitelkomplex in 10,1 mit dem
Hinweis auf die πραΰτης und ἐπιείκεια Christi: von hier aus will
er seine Paraklese verstanden wissen, und von hier aus soll seine
ταπείνωσις verstanden werden, die die Korinther falsch einschätzen
und durch diesen Text nun richtig einzuschätzen lernen sollen. Genau dadurch aber ist auch die Spannung konstituiert, die das ganze
Kapitel durchzieht: um die angesichts der πραΰτης Christi allein
angemessene ταπείνωσις des Apostels gegenüber der Gemeinde beibe-
halten zu können, entschließt sich Paulus, es gegen die in die Gemeinde eingedrungenen Gegenspieler "zu wagen" (10,2) und sich mit
ihnen vor dem Forum der Gemeinde zu messen[133]. Schon 10,2 kündigt
also die Auseinandersetzung an, die dann in der Narrenrede förmlich durchgeführt werden soll als ein Kampf, der - wie 10,3-6 zur
Abwehr entsprechender Mißverständnisse hinzufügt - nicht κατὰ
σάρκα, d.h. von Paulus um seiner selbst willen, geführt wird, sondern mit Waffen, in denen Gott wirksam ist und mit dem Ziel, fehl-
gehendes Denken der ὑπακοὴ τοῦ Χριστοῦ zu unterwerfen.

Paulus ist also entschlossen, sich seiner ἐξουσία zu rühmen.
Doch kann und soll von dieser ἐξουσία angesichts der πραΰτης Christi nicht unter Absehung von ταπείνωσις und ἀσθένεια des Apostels
die Rede sein, weshalb Paulus in 10,7 den Blick der Gemeinde förmlich auf diesen in ihren Augen als 'Schwachstelle' erscheinenden
Punkt seiner Existenz lenkt[134] und in 10,10 die ihm von den Gegnern vorgeworfene ἀσθένεια anspricht. Vielmehr geht es ihm darum,

---

133 Nicht zu trennen von der besonderen Konstellation in 2Kor 10, wo Paulus
    'abwesend' gegenüber den Gegnern stark auftritt, um 'anwesend' gegenüber der
    Gemeinde ταπεινός sein zu können, ist das in 10,10 geäußerte allgemeinere
    Argument der Gegner, Paulus sei in seinen Briefen 'stark', anwesend aber
    'schwach'. Auch hier geht es ja um dasselbe: Paulus mutet der Gemeinde 'ab-
    wesend' viel zu, damit er ihr bei seiner Gegenwart als ταπεινός begegnen
    kann. Er selbst bestätigt dies z.B. in 1Kor 4,21; 2 Kor 2,3.

134 Τὰ κατὰ πρόσωπον βλέπετε (10,7) nimmt das κατὰ πρόσωπον ... ταπεινός von
    10,1 wieder auf und ist imperativisch zu verstehen.

seine ἐξουσία gerade als der, der er wirklich ist, zu erweisen.
Damit gewinnt aber seine καύχησις ein Kriterium, das sie radikal
von der maßlos-ungebrochenen καύχησις seiner Gegenspieler in Korinth unterscheidet (cf. 10,12f.15f.). Denn Paulus richtet sie
völlig an dem ihm von Gott zugemessenen Maß aus und führt sie so
als καύχησις im Sinne eines Selbstruhms ad absurdum: wie schon in
1Kor 1,31 signalisiert auch hier wieder das Zitat von Jer 9,22f.
den Punkt, an dem κατὰ κύριον (cf. 11,17) vertretbares Reden auf-
hört. Will Paulus dennoch an dem Plan festhalten, sich mit seinen
Gegenspielern zu vergleichen, so kann er dies nur noch unter Über-
schreitung der Grenze zur ἀφροσύνη und das heißt: in der Form der
'Narrenrede' tun.

Paulus beginnt sie in 11,1, um sie sofort zu unterbrechen und
die Gemeinde in direkter Ansprache wegen der Leichtfertigkeit zu
schelten, mit der sie sich zur Annahme eines anderen Jesus, eines
anderen Pneuma, eines anderen Evangeliums verführen läßt[135]. Erst
in 11,5 nimmt er den Faden wieder auf und setzt zum Vergleich mit
den 'Überaposteln' an. Und wieder unterbricht er sich sofort, um
nochmals ein 'Sonderthema' anzusprechen: seinen Verzicht auf Unterhalt, der in besonderem Maße von den Gegnern zu Verdächtigungen
und Verleumdungen benutzt worden sein dürfte[136].

So löst erst 11,16f. ein, was das Prolegomena-Kapitel 10 angekündigt hatte: den von V 21b an durchgeführten[137] Vergleich, der
erweisen soll, daß Paulus sich in allen Punkten mit seinen Gegenspielern messen kann.

Wie bereits Zmijewski gesehen hat[138], ist es ein wesentliches
Strukturmerkmal von 2Kor 11,21b-12,10, daß reflektierende[139] "Bemerkungen und andere Redeteile (...) konstant miteinander ab(wech-
seln)"[140]. Diese beiden ineinandergeschobenen Sprachebenen geben
dem Gesamtaufriß eine deutliche Gliederung:

---

135 εἰ ... ὁ ἐρχόμενος (11,4) = wenn jemand kommt.
136 Cf. die Bezeichnung der Gegner als ψευδαπόστολοι und διάκονοι des Satans ge-
    rade in diesem Zusammenhang.
137 10,16-21a nimmt das Vorangehende zusammenfassend wieder auf, nämlich den
    Charakter des Redens ὡς ἐν ἀφροσύνη und das ἀνέχεσθαι durch die Gemeinde.
138 J.ZMIJEWSKI, Stil, 276f. Seine Einteilung in zwei Hauptteile leuchtet mir
    als strenge Scheidung nicht ein, weil sich - m.E. gewollt - die thematische
    Abgrenzung und der Wechsel der Sprachform nicht decken. Dadurch entsteht
    ein gestaffelter, fließender Übergang.
139 J.ZMIJEWSKI, ebd., redet von "reflexiven Bemerkungen", meint aber reflek-
    tierende.
140 J.ZMIJEWSKI, Stil, 276 ("konstant" dort gesperrt).

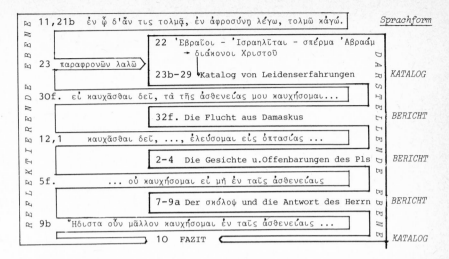

Die Skizze läßt auch den Prozeß erkennen, den der Text im Wechselspiel seiner Argumentationsebenen und Sprachformen durchläuft: das
Sich-Messen mit den Gegnern ist nur ganz am Anfang ein wirklicher
Vergleich und gerät von dem Moment an, in dem es um den Kernpunkt:
das διάκονος-Χριστοῦ-Sein, geht, zu einer ganz am Leiden orientierten 'Ruhmesrede', in der die gesamte apostolische Existenz einschließlich der Pneuma-Erfahrungen in die Perspektive der Leidensexistenz gerückt wird und die so von Anfang an auf das Fazit von
12,10 zuläuft.

Dieser Befund läßt sich im Blick auf die einzelnen Teile der
Argumentation bekräftigen und präzisieren: so ist der Peristasenkatalog mit Abstand der umfangreichste und aufgrund des Einsatzes
entsprechender Stilmittel[141] wohl auch der rhetorisch wirksamste
des ganzen corpus paulinum. Folgende, an den Gliederungsvorschlä-
gen Windischs, Fridrichsens und Zmijewskis[142] orientierte Strukturskizze mag das verdeutlichen[143]:

---

141 Cf. ebd. bes. 243-275.
142 Cf. H.WINDISCH, KEK 2Kor, 353-359; A.FRIDRICHSEN, Stil, 25f.; J.ZMIJEWSKI,
   Stil, 247-264.
143 Die großen Differenzen der verschiedenen Gliederungsversuche zeigen, daß
   eine eindeutig plausible Struktur kaum aufzuweisen ist. Das ist auch in
   dieser Skizze nicht intendiert, vielmehr soll sie nur einige wohl nicht zu-
   fällige 'Muster' sichtbar machen, die dem Text sein Profil und seine Wirkung geben. Letztere ergibt sich vor allem auf lautlicher (Wortwiederholun-
   gen, Präpositionengebrauch, gleiche Kasusendungen) und semantischer Ebene.
   Dabei ist mehr auf die Kohärenz des Textes zu achten als auf die Ordnung
   der Einzelelemente im Sinne einer Klassifizierung. WINDISCHs Textänderung
   aufgrund der 'Unordnung' der Elemente (cf. KEK 2Kor, 358) ist von daher
   m.E. unberechtigt.

```
21 Ἐν ᾧ δ'ἄν τις τολμᾷ,      ἐν ἀφροσύνῃ λέγω,      τολμῶ  κἀγώ.

22  Ἑβραῖοί    εἰσιν;                                       κἀγώ.
    Ἰσραηλῖταί  εἰσιν;                                       κἀγώ.
    σπέρμα Ἀβραάμ εἰσιν;                                     κἀγώ.

23 διάκονοι Χριστοῦ εἰσιν;   παραφρονῶν λαλῶ,         ↓ὑπὲρ ἐγώ.

          ἐν   κόποις*  περισσοτέρως,
          ἐν   φυλακαῖς* περισσοτέρως,
          ἐν   πληγαῖς*  ὑπερβαλλόντως,

          ἐν   θανάτοις   πολλάκις
24              :        :   ὑπὸ Ἰου. πεντάκις 40-1.ἔλαβον,
25              :        :   τρὶς      :ἐρραβδίσθην,
                :        :   ἅπαξ      :ἐλιθάσθην,
                :        :   τρὶς      :ἐναυάγησα,
                :        :              νυχθήμερον ἐν τῷ
                :        :              βυθῷ πεποίηκα·
26             ὁδοιπορίαις  πολλάκις,
                            .κινδύνοις    ποταμῶν,
                            :κινδύνοις    λῃστῶν,
                            :κινδύνοις ἐκ γένους,
                            :κινδύνοις ἐξ ἐθνῶν,
                            :κινδύνοις ἐν πόλει,
                            :κινδύνοις ἐν ἐρημίᾳ,
                            :κινδύνοις ἐν θαλάσσῃ,
                            :κινδύνοις ἐν ψευδαδέλφοις,

27 κόπῳ καὶ μόχθῳ, ἐν αγρυπνίαις* πολλάκις,
   ἐν λιμῷ καὶ δίψει, ἐν νηστείαις* πολλάκις,
   ἐν ψύχει καὶ γυμνότητι·

28 χωρὶς τῶν παρεκτὸς ἡ ἐπίστασίς μοι καθ'ἡμέραν,
              ἡ μέριμνα πασῶν τῶν ἐκκλησιῶν.

29  τίς ἀσθενεῖ        καὶ οὐκ    ἀσθενῶ ;
    τίς σκανδαλίζεται καὶ οὐκ ἐγὼ πυροῦμαι;
```

↓ = *Steigernde Anordnung*

: = *Formal ausweisbare Reihungen (Kasusgebrauch, Wortarten usw.)*

* = *auch in 2Kor 6,5f.*

Auffällig an diesem Katalog ist vor allem sein allgemein beobachteter[144] stark biographischer Charakter, der vor allem durch die in 24f. gebotene berichtende[145] Aufzählung der Todesgefahren erreicht wird. Damit schlägt der Katalog selbst die Brücke zu den übrigen, durchweg berichtenden Stücken der 'Ruhmesrede', deren erstes, die Damaskusepisode (11,32f.), thematisch noch ganz zum Katalog hinzugehört, der Sprachform nach aber schon mit den beiden anderen 'biographischen Berichten' über die ὀπτασίαι und ἀποκαλύψεις und über den σκόλοψ τῇ σαρκί (12,2-4.7-9a) in einer Reihe steht. Paulus stellt also die demütigenden, seine ἀσθένεια schlaglichtartig vor Augen führenden Erfahrungen von Damaskus direkt mit seinen Pneuma-Erfahrungen zusammen, von denen er nur mit auffallender Zurückhal-

144 Cf. H.WINDISCH, aaO. 354; H.LIETZMANN, HNT Kor, 151; A.FRIDRICHSEN, Stil, 26.29; DERS., Peristasenkatalog, 82; J.ZMIJEWSKI, Stil, 322f.414.
145 Cf. die Verbform im Aorist und Perfekt.

tung zu reden bereit ist: er tut es in zwei parallelen[146] Sätzen,
in denen er ungleich viel weniger Worte einsetzt, um seine Entrückung in den 3.Himmel bzw. in das Paradies zu beschreiben als dazu, sich von sich selbst als dem Subjekt dieser Erfahrungen zu di-
stanzieren. Der darin zum Ausdruck kommenden Zurückhaltung entspricht es, wenn Paulus diesem Bericht über seine Entrückungen in
12,7-9a einen weiteren Bericht zur Seite stellt, der - einerlei
wie man das Zuordnungsproblem von Vers 7a löst[147] - entweder durch
diesen Halbvers selbst oder durch das ihn aufnehmende διό deutlich
auf das Vorangehende bezogen ist und gleichsam einen Kontrapunkt dazu setzt. In drei knappen Sätzen, von denen der erste durch das
durch Verdoppelung betonte ἵνα μὴ ὑπεραίρωμαι gerahmt wird, berichtet Paulus von dem ihm von Gott ins Fleisch gegebenen σκόλοψ, seiner dreimaligen Bitte zum Herrn, davon befreit zu werden und dessen
Antwort, die ihm die Heilung verweigert, eben damit er sich nicht
überhebe, vielmehr ganz aus der Gnade Christi lebe und die δύναμις
wirklich in der ἀσθένεια zum Zuge kommen lasse. Das Herrenwort ist
so der Abschluß der Argumentation, der das vom Peristasenkatalog
an durchgeführte und in den reflektierenden Zwischenbemerkungen
entsprechend kommentierte 'Sich-der-Schwachheiten-Rühmen' 'authen-
tisch' verifiziert, die beiden Argumentationsebenen verbindet und
das Fazit, das V 10 wieder als Katalog formuliert (der jetzt wieder
sehr viel allgemeinere Elemente zusammenstellt) unmittelbar plausibel erscheinen läßt.

Ebenso wie 2Kor 10,1-11,15 auf die Ruhmesrede hinzielten, so
blicken die nun folgenden Textteile auf sie zurück, wobei sie weitgehend dieselben Fragestellungen in umgekehrter Reihenfolge nochmals abschreiten.

Wichtig für unsere Fragestellung ist dabei vor allem die Aussage
von 13,4, die die paulinische ἀσθένεια nochmals in einen christologischen Bezugsrahmen stellt und so diesen in der Ruhmesrede selbst
nur sehr wenig ausgeführten Aspekt zu präzisieren erlaubt - in der
Interpretation wird darauf zurückzukommen sein.

Traditionen

Fragen wir nach der Beziehung von 2Kor 10-13, insbesondere der
'Ruhmesrede', zur Tradition vom leidenden Gerechten, so müssen wir
feststellen, daß Paulus in diesem Text darauf verzichtet, seine Argumentation durch einen direkten, expliziten Rückgriff auf die Tra-

---

146 Cf. die genaue Gegenüberstellung bei J.ZMIJEWSKI, Stil, 335.
147 Cf. die Lösungsmöglichkeiten bei J.ZMIJEWSKI, Stil, 352-355.

ditionstexte evident zu machen und abzusichern. Lediglich das Zitat von Jer 9,22f. in 10,17, das die besonderen Vorbehalte des paulinischen καυχᾶσθαι zur Sprache bringt, verweist uns auf die Zusammenhänge von 1Kor 1,31 und deren Traditionshintergrund zurück, darüber hinaus jedoch bleiben die Leidensaussagen einschließlich der
'reflektierenden Bemerkungen' ganz an der Erfahrung, den 'Tatsachen'
orientiert.

Überhaupt läßt 2Kor 10-13 auffallend selten Bezüge zum Alten Testament erkennen; neben 10,17 findet sich nur noch ein einziges -
unseren Zusammenhang nicht berührendes - Zitat (Dtn 19,15 in 13,1),
und auch die Dichte der Anklänge und Anspielungen (wie sie etwa
Nestle[26] aufweist), ist sowohl im Vergleich mit dem übrigen 2Kor
als auch mit anderen Paulinen auffallend gering[148]. Es ist offensichtlich für den Vierkapitelkomplex charakteristisch, daß er seine Evidenz ganz aus der (stark biographischen) Argumentation selbst
beziehen will, sie jedenfalls nicht durch explizite, womöglich als
solche gekennzeichnete Berufung auf die 'Schriften' absichert.

Die Forschung[149] hat denn auch (besonders im Blick auf die 'Narrenrede') vor allem die hellenistischen Stilparallelen untersucht
und dabei in mehreren Fällen auch inhaltliche Einflußbeziehungen
sehr unterschiedlicher Art aufzuweisen versucht, freilich in der
Regel nur punktuelle Bezüge einzelner Textteile[150]. So nimmt Windisch an, Paulus spiele in der 'Narrenrede' die Rolle "des 'Narren',
besser des närrischen Prahlers und Aufschneiders im Mimus"[151] und
kopiere so eine ihm aus eigener Anschauung in seiner hellenistischen Umwelt bekannte Figur. Fridrichsen versucht aufgrund einiger
stilistischer Entsprechungen zu zeigen, daß Paulus in dem großen
Peristasenkatalog 11,23ff. "mit vollem Bedacht die Aufzählung seiner Leiden und Demütigungen streckenweise formell zu einem *cursus
honorum* gestaltet hat"[152], wie er in den antiken Ruhmes- und Ehren-
chroniken vielfach inschriftlich belegt ist[153].

In jüngerer Zeit hat vor allem H.D.Betz diese Arbeiten weitergeführt, zunächst indem er aufgrund formgeschichtlich-stilistischer

---

148 Der Rand des NESTLE-ALAND[26] weist in 2Kor 10-13 insgesamt an zehn Stellen
   auf alt- bzw. zwischentestamentliche Schriften hin (1-2x pro Seite). Ein
   Vergleich ergibt für die 'Apologie' 2Kor 2,14-7,4 (unter Ausklammerung von
   6,14-7,1!) eine etwa dreimal größere 'Dichte' von Verweisen.
149 Cf. die Forschungsübersicht bei J.ZMIJEWSKI, Stil, 27-40, bes. 35.
150 H.D.BETZ, Sokratische Tradition, 8f., bedauert denn auch das Fehlen einer
   2Kor 10-13 als ganzes behandelnden literarischen und religionsgeschichtlichen Analyse.
151 H.WINDISCH, KEK 2Kor,316; zur Sache cf. auch H.D.BETZ, aaO. 79f.
152 A.FRIDRICHSEN, Stil, 26.
153 Cf. auch den präzisierenden Nachtrag: A.FRIDRICHSEN, Peristasenkatalog und
   res gestae, bes. 80.

(aber auch religionsgeschichtlicher) Parallelen zu zeigen versuchte, in 2Kor 12,7-10 handele es sich um die Parodie einer Aretalogie[154], deren einzelne Bestandteile "mit instruktiven Texten der religionsgeschichtlichen Umwelt in Beziehung"[155] zu setzen sind. In seiner jüngeren Arbeit gelangt er dann über das Stadium der nur punktuellen Untersuchung hinaus zu der These, der ganze Vierkapitelkomplex 2Kor 10-13 stehe "in einer bis auf Sokrates zurückgehenden Tradition"[156]: Paulus verfolge in seiner "kunstvoll komponierten 'Apologie' in Briefform" eine "antisophistische Tendenz"[157] und bekämpfe damit eine Theologie seiner Gegner, die er nicht zu Unrecht als "pseudochristliche Sophistik"[158] ansehe. In diesem Kampf bediene er sich der traditionellen Waffen sokratischer Polemik: der Ironie und Parodie. "Paulus steht faktisch in einer bestimmten geistesgeschichtlichen Tradition des Griechentums, nämlich in der Auseinandersetzung zwischen den 'Philosophen' und den 'Sophisten', wenn er die gegen ihn erhobenen Anklagen ironisch gelten läßt"[159]. Indem er diese Perspektive konsequent durchhält, ergeben sich für Betz für das Verständnis des Textes entscheidende Konsequenzen[160], im Blick auf unsere Fragestellung vor allem folgende:

a) Die ganze Ruhmesrede entspricht den Regeln, "wie sie die Rhetorik für die 'περιαυτολογία' aufgestellt"[161] hat und wie sie etwa in Plutarchs Reflexionen über das Selbstlob überliefert sind.

b) Der Peristasenkatalog 11,23ff. ist ganz in derselben Weise verwendet, wie diese "literarische Form in der kynisch-stoischen Diatribe verwendet wurde"[162].

154 Cf. H.D.BETZ, Christus-Aretalogie, 289.
155 Ebd. 290.
156 H.D.BETZ, Sokratische Tradition, 14.
157 Ebd.
158 Ebd. 140, cf. auch 67.
159 Ebd. 55.
160 Auf die grundsätzlichere theologische Frage nach dem Verhältnis von Philosophie und Christologie bei Paulus ist hier nicht einzugehen, die exegetische wie hermeneutische Tragweite der von H.D.BETZ aufgewiesenen Perspektive sei aber wenigstens zitatweise angedeutet: *"Diese Verteidigung ist für Paulus deshalb so bedeutsam, weil er sich nicht nur durch den Rückgriff auf seine Christologie verteidigt, sondern zugleich auf eine bestimmte Tradition hellenistischer Kultur, die des "sokratischen Humanismus" zurückgreift, welcher offenbar besonders in der kynisch-stoischen Philosophie weitergegeben wurde. Die Inanspruchnahme gerade dieser Tradition ist nun aber nichts original Paulinisches; schon das hellenistische Judentum hatte den gleichen Schritt getan. Paulus lehnt offenbar die "Weisheit der Hellenen" nicht in Bausch und Bogen ab, wie man bisher anzunehmen geneigt war, sondern zieht bestimmte Traditionen vor, während er andere ablehnt. Von dieser Erkenntnis aus müßten die einschlägigen Texte in 1Kor neu untersucht werden."* (Sokratische Tradition, 55).
161 H.D.BETZ, Sokratische Tradition, 75, cf. auch 95.
162 Ebd. 98.

c) Der Bericht über die Entrückung 12,2-4 ist die Parodie einer
'Himmelfahrt', deren Gestaltung vor allem aus literarischen Gründen erfolgte: "Paulus parodiert Typisches und identifiziert sich
damit nur ironisch"[163]. Zusammen mit der parodierten Aretalogie
12,7b-10 hat sie den Zweck, zu erweisen, daß die gegnerische Forderung des καυχᾶσθαι δεῖ absurd ist, "weil man ihr formal nachkommen kann, ohne am Ende die 'Zeichen des Apostels' wirklich vorge-
wiesen zu haben"[164].

Es liegt auf der Hand, daß diese Perspektive, die die Texte
weitgehend auf der Ebene ironischer Uneigentlichkeit zu verstehen
sucht, sowohl die paulinischen Aussagen als auch die dahinter in
Erscheinung tretende Haltung des Paulus in einem Licht erscheinen
läßt, das von den übrigen Paulusbriefen her gesehen nicht nur unge-
wohnt anmutet, sondern ihnen auch klar widerspricht. Auch ist zu
fragen, ob sie den Texten selbst wirklich zu entnehmen ist oder ob
sie nicht vielmehr von Betz in einer sehr viel größeren Betonung
und Konsequenz in sie hineingetragen und hineingelesen wird als es
der Rekonstruktion der ursprünglichen Textaussage zuträglich ist.

So hat Zmijewski in seiner Stiluntersuchung von der philologischen Detailanalyse her den Parodiecharakter sowohl von 12,2-4 als
auch 12,7-10 mit guten Gründen verneint[165] und insgesamt davor ge-
warnt, "die 'Narrenrede' als ganze oder einzelne Teile daraus (...)
zu vorschnell mit Dokumenten zeitgenössischer Literatur in Beziehung zu setzen"[166]. Vielmehr stellt er am Ende seiner Untersuchung
fest, "daß der paulinische Stil, wie er in der 'Narrenrede' sichtbar wird, offenbar in gleicher Weise von hellenistischen wie von
jüdisch-semitischen Einflüssen geprägt ist"[167]. Da aber alle Vergleiche mit hellenistischen Parallelen ihre Anhaltspunkte vor allem von der stilistischen Ebene her beziehen, muß man dem Postulat
eines durchgehenden griechischen Traditionshintergrundes, wie es
Betz aufstellt, schon von hier aus mit Vorsicht begegnen.

Stattdessen erscheint es mir zutreffender, den Denkrahmen, in
dem dieser Text und seine einzelnen Teile konzipiert sind, als ein
Ineinander von jüdischen und hellenistischen Elementen zu beschreiben, die aufeinander bezogen sind und zusammen einen Prozeß konstituieren, der die von Paulus in einem bestimmten primär jüdisch geprägten Sprach- und Vorstellungsrahmen gedachten Aussagen so zur

---

163 Ebd. 89.
164 Ebd. 93.
165 J.ZMIJEWSKI, Stil, 41Of.
166 Ebd. 27 Anm.25.
167 Ebd. 424.

Sprache bringt, daß sie im Blick auf die Adressaten kommunikativ
wirksam werden können.

Der Text läßt deutlich erkennen, daß Paulus diesen Prozeß als
einen Kampf ansieht, den er gegen die in die korinthische Gemeinde
eingedrungenen Gegenspieler kämpft. Dieser ist - und damit ist eine erste grundlegende Bestimmung des Traditionsrahmens gegeben -
aber keine gewöhnliche menschliche Auseinandersetzung, sondern
Teil des Kampfes Gottes mit seinem Widersacher: die Gegner sind
'Satansdiener', die sich als Apostel Christi getarnt haben (11,
13-15); wie die Paradiesesschlange einst Eva aus dem Gottesgehorsam
lockte, wollen sie die νοήματα der Gemeinde aus der ἁπλότης, der
"schlichten Treue gegen Christus"[168] führen zu einem anderen Jesus,
einem anderen Geist, einem anderen Evangelium (11,3f.). Paulus
sieht sich also auch hier als 'Mitkämpfer Gottes'[169] gegen die Satansmacht und stellt den Text so in den apokalyptischen Vorstellungsrahmen, dem wir bei ihm vom 1Thess an immer wieder begegneten[170].

In diesem Ringen um seine Gemeinde sieht er sich gezwungen (12,
11), deren Drängen nachzugeben und die ihm bestrittene Legitimität
durch eine rühmende Bekräftigung seiner ἐξουσία nachzuweisen. Er
läßt sich darauf ein, obwohl es - wie er schon in 1Kor 1-4 hinreichend klar gemacht hat - angesichts des Wesens christlichen Seins
als geschenkweise gerechtfertigten Seins nichts Sinnwidrigeres geben kann als ein solches Selbstrühmen. Eben dies macht er in 10,17
mithilfe desselben Traditionsrückgriffs auf Jer 9,22f. wie in 1Kor
1,31 deutlich: er hat und ist nichts aus sich selbst, vielmehr ist
er ganz auf das gewiesen, was Gott ihm in seiner Barmherzigkeit zugemessen hat und ist er nur insofern und solange δόκιμος, als "der
Herr", nicht er selbst, ihn empfiehlt (cf. 10,12.18). Der hier und
in 12,11 an- bzw. ausgesprochene Gedanke der οὐδένεια, in dem Betz
einen Grundgedanken der sokratischen Tradition übernommen sieht[171],

---

168 R.BULTMANN, KEK 2Kor, 200.
169 Cf. bes. 2Kor 10,3-6.
170 In ähnliche Richtung weist auch die Bezeichnung der Krankheit des Paulus als
    ein Geschlagenwerden durch den ἄγγελος σατανᾶ in 12,7. Es besteht m.E. ange-
    sichts der oben in der Traditionsuntersuchung belegten und von Paulus auch
    schon in 1Thess 2,18 aufgenommenen Vorstellung, daß Satan die Gerechten be-
    feindet, versucht und an ihrer Mitarbeit am Werk Gottes zu hindern trachtet,
    keineswegs Anlaß zu der Annahme, diese Formulierung sei allein als gegneri-
    scher Vorwurf denkbar (so E.GÜTTGEMANNS, Apostel, 164f.; H.D.BETZ, Christus-
    Aretalogie, 290f.). - Zur Krankheit des Paulus cf. H.WINDISCH, KEK 2Kor,
    385ff.; E.GÜTTGEMANNS, aaO. 162-165.
171 Cf. H.D.BETZ, Sokratische Tradition, 127f. - BETZ weist auf die Rezeption
    des Gedankens durch Philo hin, der ihn "mit alttestamentlichen Stellen ver-
    bunden hat" (ebd. 128).

verweist uns also zunächst auf dieselbe Traditionsfolie, die schon
in 1Kor 1-4 erkennbar war.

Diese Sicht der Dinge widerspricht der von Betz vor allem darin, daß sie den
Traditions*boden* der paulinischen Argumentation anders bestimmt. Dadurch sind
seine zum Teil durchaus instruktiven Beobachtungen keineswegs entwertet. Diese sind m.E. ein Beweis mehr für die - bei allen grundsätzlichen Differenzen - erhebliche Affinität jüdischen und griechischen Denkens jener Zeit,
die eine wichtige Voraussetzung dafür ist, daß Paulus z.B. in Korinth verstanden werden, Interesse und Gehör finden konnte.
    Die Konvergenz der sokratischen Tradition und der von der Tradition vom
leidenden Gerechten her geformten, christologisch zentrierten paulinischen
Position, die sich darin äußert, daß beide im Wissen um die - freilich jeweils ganz verschieden motivierte[172] - οὐδένεια und ταπείνωσις des wahren
Philosophen bzw. Apostels gegen ein selbstgefälliges Rühmen polemisieren,
war gewiß für die Überzeugungskraft der paulinischen Aussagen bei seinen Hörern in Korinth von großer Bedeutung. Auch ist keineswegs auszuschließen,
daß Paulus bei der Formulierung seines Textes seine Kenntnisse (populär)phi-
losophischer Argumentation - über deren Umfang jedoch nur Vermutungen möglich sind - bewußt in diesem Sinne eingesetzt hat. Deshalb macht er sich
aber noch nicht das Selbst- und Weltverständnis der Sokratik oder der stoisch-kynischen Bewegung zueigen; die spätere - wirkungsgeschichtlich dann so
folgenreiche - Synthese von paulinischem Christentum und griechischer Philosophie ist dadurch zweifellos begünstigt worden, aber sie ist von Paulus
selbst m.E. weder vollzogen worden noch intendiert gewesen.

Hatten wir gerade gesehen, daß Paulus schon von Jer 9,22f. her die
Widersinnigkeit seines Sich-Rühmens klar ist, daß also schon die
Tatsache des καυχᾶσθαι seine Worte zu einer Rede ἐν ἀφροσύνῃ macht[173],
so gestaltet er sie im einzelnen durchaus mithilfe der Sprachmittel der Diatribe, vor allem ihrer ironischen Möglichkeiten. Entscheidend für die Traditionsfrage ist jedoch, daß sich eine umfassende Parallele, aus der man ein mehr oder weniger festes Schema
erschließen könnte, dem Paulus hier folgt, nicht aufweisen läßt.
Vielmehr scheint die formale Ausprägung und vor allem die Abfolge
der Gedanken von ihm selbst ganz auf die bestimmten Bedürfnisse
und Intentionen ausgerichtet zu sein, die er mit seinem Schreiben
verfolgt. Dem entspricht es, daß die inhaltlichen Elemente - der
Peristasenkatalog ebenso wie die 'Berichte' - stärker als sonst
irgendwo in den Paulinen biographisch-individuell geprägt sind[174].

---

172 R.BULTMANN hat (gegen WINDISCH) vor allem auf den Unterschied hingewiesen,
    "daß sich der Grieche nicht vor der göttlichen Gnade beugt, sondern sich
    vor ihrem φθόνος fürchtet" (KEK 2Kor, 212 zu 2Kor 11,16).
173 Dieses Verständnis wird vor allem durch die Entgegensetzung von λαλεῖν κατὰ
    κύριον und λαλεῖν ὡς ἐν ἀφροσύνῃ (11,17) deutlich: wie 11,18 erkennen läßt,
    ist ὡς ἐν ἀφροσύνῃ hier ein Wechselbegriff für κατὰ σάρκα.
174 Die Elemente, die keineswegs alle in der Apostelgeschichte zu finden sind,
    verdeutlichen die Paulus offensichtlich von den ersten Anfängen seiner
    christlichen Existenz an treffenden Anfeindungen und Verfolgungen ebenso
    wie die Härten und Entbehrungen der missionarischen Wanderexistenz. Zur
    Flucht aus Damaskus vgl. Act 9,23-25; zur (lebensgefährlichen) jüdischen
    Strafe der '39 weniger 1' Geißelhiebe cf. Bill.III,527-530; zur (römischen)
    Prügelstrafe cf. Act 16,22f. (in Philippi) und H.WINDISCH, KEK 2Kor, 356;
    zur 'Steinigung' Act 14,19 (in Lystra), zur Gefangenschaft s.oben S.247
    Anm.18.

Dieser persönlichen Prägung verdankt sich m.E. auch der besondere Charakter des Peristasenkatalogs 11,23ff.: er enthält (zum
Teil in derselben Reihenfolge) fünf Elemente von 2Kor 6,4ff. und
läßt sich - wie die Strukturskizze zeigt - als eine Erweiterung
dieses 'Grundkatalogs' um biographisch ausweisbare, individuelle
Elemente beschreiben. Mit diesen Erweiterungen trägt Paulus aber
- wie gleich noch zu zeigen sein wird - der besonderen, den Charakter des ganzen Vierkapitelkomplexes bestimmenden Situation Rechnung, so daß es mir sehr unwahrscheinlich erscheint, daß die aus
dem 'biographischen' Charakter sich ergebende formale Nähe zu den
res-gestae-Aufreihungen der Ehren- und Ruhmesinschriften römischer
und orientalischer Herrscher[175] bewußt intendiert ist, zumal Vv
28f. nicht dazu passen.

Daß die 'Berichte' über die 'Entrückung' und die verweigerte
Heilung der Krankheit des Paulus ebenfalls 'biographisch' gemeint
sind, erscheint mir nicht nur aufgrund der oben schon angesprochenen Stiluntersuchung Zmijewskis wahrscheinlich; gegen die Annahme,
hier würden griechische Schemata parodiert, spricht auch, daß beide Berichte ganz in jüdischen Vorstellungsbereichen bleiben, wenn
sie die mehrstufige Himmelskonzeption der Apokalypsen bzw. die
Vorstellung vom Satansengel[176] aufgreifen.

Aufs ganze gesehen läßt sich 2Kor 10-13 auch im Blick auf die
Traditionsfrage durchaus in Kontinuität zu den bisher behandelten
Texten betrachten: Paulus begreift sowohl den in diesem Text sich
vollziehenden Vorgang der Auseinandersetzung mit seinen Gegenspielern als auch die wesentliche Waffe in diesem Kampf: das καυχᾶσθαι
τὰ τῆς ἀσθενείας (11,30, cf. 12,9) im Kontext desselben Traditionsrahmens, den wir auch bisher als konstitutiv für sein Leidens- und
damit verbunden sein Selbstverständnis erhoben haben. Dieser Bezug
tritt jedoch im Vergleich mit den bisher behandelten Texten auffallend selten explizit in Erscheinung. Vielmehr ist der Text offensichtlich daran interessiert, allein aus sich selbst evident zu
sein, d.h. aufgrund der angeführten 'Fakten' und der Art seiner
Argumentation, die er weitgehend aus dem Repertoire der Diatribe
bezieht, zu überzeugen.

Interpretation

Diese 'Selbstgenügsamkeit' des Textes, mit der die 'Sparsamkeit'
seiner Traditionsverwendung einhergeht, scheint mir zusammen mit

---

175 Cf. A.FRIDRICHSEN, Peristasenkatalog, bes. 80-82.
176 Siehe oben S.293 Anm.170.

seinem auffallenden Interesse an biographisch ausweisbaren Erfahrungen der Schlüssel zu seinem Verständnis zu sein.

Denn wie Paulus den Vierkapitelkomplex schon mit einem betonten
Αὐτὸς δὲ ἐγὼ Παῦλος eröffnet, so betont er immer wieder - nicht
zuletzt durch den im Vergleich mit allen anderen paulinischen Texten auffallend häufigen Gebrauch der 1.sg. -, daß es ganz allein
um ihn, um seine *persönliche* Legitimität geht. Er als Person ist
gefordert, seine ἐξουσία auszuweisen. Er tut es in Briefform, ist
aber dabei des Vorwurfs seiner Gegenspieler eingedenk, die die
Diskrepanz zwischen seinem persönlichen Auftreten und seinen Briefen gegen ihn geltend gemacht haben (10,10).

Entsprechend verzichtet er in 2Kor 10-13 so gut wie ganz auf
theologisch-theoretische Ausführungen und ist geradezu demonstra-
tiv darauf bedacht, den Blick der Gemeinde auf τὰ κατὰ πρόσωπον
(10,7) zu richten und so an dem, "was man an mir sieht oder von
mir hört" (12,6) seine Legitimität zu erweisen. "Damit es nicht
scheint, als wolle ich euch durch die Briefe in Furcht versetzen"
(10,9), bedient sich Paulus allein der an 'Fakten' orientierten
Argumentation.

Fassen wir von hier aus die bisher im Blick auf die 'Ruhmesrede' 2Kor 11,16-12,10 angesprochenen Aspekte zu einem deutenden Gesamtbild zusammen: Nach einem die 'Prolegomena' und den Beginn der
'Narrenrede' nochmals rekapitulierenden 'Vorspann', in dem er erstens (11,16-18) seine Narrenrolle als ein Reden κατὰ σάρκα kennzeichnet, auf das er sich nur einläßt, um von den Korinthern angenommen zu werden, und zweitens (19-21a) in einem höchst ironischen,
polemischen Seitenhieb der Gemeinde die 'Fakten' vor Augen stellt,
die sie sich von seinen Gegenspielern ohne weiteres gefallen lassen, beginnt in 21b das eigentliche Rühmen: was seine Gegenspieler
auch für sich anführen mögen, Paulus will und kann es mit ihnen
aufnehmen. Der Reigen wird eröffnet durch die drei Herkunftsbe-
zeichnungen 'Hebräer'/'Israeliten'/'Same Abrahams'[177], die verschiedene Aspekte jüdischen Seins unter Verwendung einer besonders
gewählten, Hochschätzung unterstreichenden Ausdrucksweise[178] in
steigernder Reihenfolge zur Sprache bringen. V 30 schreibt diese
steigernde Linie weiter fort zu dem von den Gegnern beanspruchten
Titel διάκονοι Χριστοῦ, womit gleichzeitig aber auch die ἀφροσύνη
ihren Höhepunkt erreicht: mit παραφρονῶν λαλῶ nimmt Paulus das ἐν
ἀφροσύνῃ λέγω von V 21 steigernd auf: sich im Blick auf das

---

177 Über diese Bezeichnungen und ihre Verbindung zur jüdischen Apologetik han-
    delt ausführlich D.GEORGI, Gegner, 51-82.
178 Cf. D.GEORGI, Gegner, 51.

διάκονος-Χριστοῦ-Sein zu messen und hier 'Fakten' für sich geltend
zu machen ist ihm sowohl angesichts der Tradition, vor allem aber
auch angesichts der Art und Weise, wie er selbst zu seiner διακονία
gelangt ist, der an Blasphemie grenzende Gipfel der ἀφροσύνη. Dennoch, die Korinther haben nach Fakten verlangt, und Paulus kommt
dem nach, und zwar in einem alle Erwartungen sprengenden Maß:
statt des stereotypen κἀγώ, mit dem er in V 22 jeweils den 'Gleich-
stand' mit seinen Gegenspielern markierte, heißt es jetzt: ὑπὲρ
ἐγώ, und ohne jede weitere Überleitung schließt sich daran das
Staccato des Peristasenkatalogs an, das auf die Hörer einprasselnd
sie geradezu mit der Fülle von 'Fakten' erschlägt und ihnen so den
nach 'Fakten' verlangenden Mund fürs erste verschließt. Die Peristasen sind, wie wir sahen, im Grundstock dieselben wie im Katalog
von 2Kor 6, die aber durch eine Fülle weiterer, konkrete Erfahrung
spiegelnder Glieder verstärkt, konkretisiert und gesteigert werden:
so etwa, wenn die steigernde Linie κόποι - φυλακαί - πληγαί -
θάνατοι an ihrem Höhepunkt durch das zahlenmäßige Aufzählen der Todesgefahren aufs eindringlichste[179] ausgeführt wird; so auch, wenn
die ὁδοιπορίαι durch die Aufzählung der acht κίνδυνοι konkretisiert
und als geradezu universale Gefährdung des Apostels ausgeführt werden: Gefahren drohen ihm von Naturgewalten ebenso wie von Menschen,
von Juden ebenso wie von Heiden, ja selbst - das letzte Glied der
Reihe ist wieder ein Seitenhieb - von den ψευδάδελφοί in seiner
engsten Umgebung. Von diesen Spitzenaussagen kehrt der Katalog zurück zu den 'kleineren' Mühen und Entbehrungen, die täglich zum
direkten Nutzen der Gemeinden auszuhalten sind bis hin zu den täglichen Anstrengungen im Umgang mit den Gemeinden und die Sorge um
jede einzelne von ihnen. Diese 'Abflachung' des Katalogs von den
'spektakulären' Todesgefahren bis zu der Mühe der täglichen Praxis
lenkt den Gedankengang auf die Liebe hin, die in all diesen Peristasen wirksam ist (und dem Katalog jeden heroischen Charakter
nimmt) und bis hin zur schlichten Solidarität mit jedem Einzelnen
reicht, die Paulus in den Fragen von V 29 anspricht. All dies ist
in der ἀσθένεια enthalten, die seine Gegenspieler zum Schlagwort
gegen ihn gemacht haben und die er ihnen nun in den einzelnen 'Fakten' seiner Biographie gleichsam Schlag um Schlag entgegenstellt:
wenn es nicht überhaupt Narrheit wäre, das διάκονος-Χριστοῦ-Sein
an Fakten auszuweisen, so wären es eben gerade diese Nachweise sei-

---

179 H.WINDISCH unterstreicht zurecht die Wirksamkeit der Zahlwörter, die v.a. in
    V 24 durch deren Häufung erzielt wird: "man ist versucht, die Gesamtzahl aus-
    zurechnen: es sind 195 Schläge!" (KEK 2Kor, 355).

ner ἀσθένεια, die Paulus weit über seine Gegenspieler hinaus als
διάκονος Χριστοῦ ausweisen könnten.

Die Reihe der Peristasen abschließend und gleichzeitig durch
den Wechsel der Sprachform zum folgenden überleitend fügt Paulus
den Bericht darüber an, wie er in Damaskus mit knapper Not den
Häschern des Ethnarchen Aretas entkommen ist. Das Nacheinander
von höchster Todesnot durch die Verfolgung und Rettung aus dieser
Not macht diese Episode durchaus geeignet, das διωκόμενοι ἀλλ' οὐκ
ἐγκαταλειπόμενοι von 2Kor 4,9 zu illustrieren, doch Paulus setzt
den Akzent hier m.E. mehr auf die Schwachheit und Lächerlichkeit,
die dem Apostel sogar bei dieser Rettung anhaftet: die skurrile
Szene insgesamt spricht ebenso dafür wie das Vokabular, das mit
seinem "Beiklang des Gewöhnlichen, Volksmäßigen"[180] die Errettung
keineswegs in ein irgendwie glänzendes Licht stellt.

Von hier aus nun kommt Paulus in 12,1ff. auf die ὀπτασίαι und
ἀποκαλύψεις κυρίου zu sprechen, die wohl am ehesten geeignet gewesen wären, bei seinen Gegenspielern Ehre für ihn einzulegen. Aber
gerade hier lehnt er es ab, sich zu rühmen, vielmehr distanziert
er sich als redendes Subjekt von sich selbst als dem Subjekt seiner Pneumaerfahrungen: er hat diese Erfahrungen gemacht und kann
sogar den Zeitpunkt angeben (12,2), und er könnte sich ihrer rühmen, denn er hat sie wirklich gemacht (12,6); er enthält sich aber
dessen, eben weil er will, daß die Gemeinde durch das überzeugt
wird, was sie an ihm "hört und sieht": die Pneumaerfahrungen dürfen die ἀσθένεια nicht aus dem Blickfeld verdrängen, und darum
will er sich nur der ἀσθένεια rühmen.

Der sich daran anschließende Bericht über den σκόλοψ τῇ σαρκί
läßt uns noch ein Stück besser begreifen, warum er so und nicht
anders argumentiert: denn dieser 'Dorn im Fleisch' - die Korinther
wußten genau, worum es sich handelt, als "geheimnisvolle Krankheit"[181] stellt er sich nur unserer Unwissenheit dar -, durch den
er sich den Schlägen des Satans ausgesetzt sieht, ist nicht von
ihm genommen worden, obwohl er den Herrn dreimal darum gebeten hat.
Vielmehr wurde ihm der Bescheid zuteil: ἀρκεῖ σοι ἡ χάρις μου, ἡ γὰρ
δύναμις ἐν ἀσθενείᾳ τελεῖται. Dieses Herrenwort hat Paulus im Blick
auf den σκόλοψ einsehen lassen, daß er ihm gegeben sei, ἵνα μὴ
ὑπεραίρωμαι, aber es ist gleichzeitig auch der dem gesamten Gedankengang Plausibilität verleihende Satz, der zudem als authentische

---

180 K.PRÜMM, Diakonia Pneumatos, I, 646; cf. J.ZMIJEWSKI, Stil, 287: σαργάνη
    "stammt aus der Fischersprache und bezeichnet einen 'einfachen Netzkorb zum
    Fischfang'".
181 So J.ZMIJEWSKI, Stil, 410 (u.ö.).

Offenbarung des Herrn eine autoritative Absicherung der Position
des Paulus darstellt. Die - formgeschichtlich in die Richtung des
Orakels weisende[182] - Verweigerung der erbetenen Heilung richtet
sich in ihrem *ersten Teil* direkt an Paulus: "Genug für dich ist meine Gnade". Bultmann[183] hat den Sinn dieses Satzes m.E. genau getroffen, wenn er in ihm zunächst einen zurückweisenden Bescheid
("mehr bekommst du nicht"), dann aber - aufgrund der Verbindung
mit dem Nachsatz - auch eine Zusage ("damit kannst du auskommen")
sieht: "Das Sich-Begnügen ist wirklich ein Genug-Haben". Die Heilung wird also abgeschlagen, weil die Gnade Christi "alles" ist
und in diesem Alles-Sein gefährdet wäre, würde Paulus durch eine
wunderbare Heilung noch eine andere Gabe neben der χάρις zuteil.
Doch führt der *zweite Teil* des Wortes noch ein Stück weiter: "Denn
die δύναμις kommt in der ἀσθένεια zur Vollendung". Innerhalb des
Zusammenhangs ist es keine Frage, daß hier von der Kraft *Gottes* die
Rede ist, so daß dieser Satz eine der Grundüberzeugungen der Tradition vom leidenden Gerechten wiedergibt, die wir in der diachronen Skizze von der ältesten Textschicht an verfolgen konnten: daß
Gottes Kraft an den Schwachen wirksam sei[184]. Die *Verbindung beider*
Teile des Herrenworts zeigt, daß dieser traditionelle Topos hier
christologisch zentriert ist: Gottes Kraft, die sich in der χάρις
Χριστοῦ, d.h. in dem durch Kreuz und Auferstehung gewirkten, den
Menschen geschenkweise rechtfertigenden Heil[185] 'definiert', kommt
in der Schwachheit zur Vollendung, und eben darum muß die Gnade
für Paulus genügen und wird seine Schwachheit nicht aufgehoben,
sondern bleibt als Ort der Realisierung der δύναμις Gottes erhalten. Von hier aus leuchtet unmittelbar ein, warum Paulus sich zuvor und im folgenden allenfalls seiner Schwachheiten rühmen will

---

182 Cf.J.ZMIJEWSKI, Stil, 411. - H.D.BETZ, Christus-Aretalogie, 295-299, hat
   eine Fülle von Vergleichsmaterial zusammengetragen, doch läßt schon dessen
   Variationsbreite den Nachweis einer bewußten Übernahme durch Paulus nicht zu.
183 R.BULTMANN, KEK 2Kor, 228 , cf. H.CONZELMANN, Art. χάρις, ThWNT 9, 387,23-25.
184 Der Sache nach ist dieser Gedanke wieder und wieder belegt, vgl. nur Ps 6,2;
   31,10f.16-22: der Gegenbegriff zu ἀσθενεῖν/ἀσθενής ist hier jeweils ἔλεος/
   ἐλεεῖν, der in Ps 59,10f. und 63,3f. ganz eng mit δύναμις verbunden ist (cf.
   auch den Gebrauch von δύναμις in Ps 46,1 und 54,1, sowie die δύναμις-
   σωτηρία-Verbindung in Ps 140,8). Ἔλεος überschneidet sich wiederum mit
   χάρις als LXX-Äquivalent für חֶסֶד und חֵן. Die paulinische δύναμις θεοῦ /
   ἀσθένεια - Antithese läßt sich also terminologisch so nicht auf einen bestimmten Text zurückführen (und könnte durchaus auch situationsbedingt in
   dieser Akzentuierung formuliert sein), hat aber der Sache nach in der alten
   Entgegensetzung von ἀσθένεια - θλῖψις (cf. Ψ 31,10f.!) und ἔλεος - χάρις -
   δύναμις - δικαιοσύνη - σωτηρία ihre Basis.
185 R.BULTMANN, aaO. 229, versteht die χάρις "als Amtsgnade des Apostels". Demgegenüber ist wieder auf die Unlösbarkeit von 'Bekehrung' und 'Berufung' bei
   Paulus zu verweisen, die es problematisch erscheinen läßt, 'Amtsgnade' und
   "dem Glaubenden geschenkte Heilsgnade" (ebd.) zu trennen.

und wird einsichtig, warum Paulus - außer aus den schon genannten
adressatenbedingten Gründen - seine Pneuma-Erfahrungen zwar in die
Ruhmesrede mit aufnimmt, sich ihrer aber nicht rühmen will: diese
eine, zuletzt berichtete Pneuma-Erfahrung hat ihm selbst seinen
Ort in der ἀσθένεια zugewiesen und ihn so die Akzente bei der Auf-
arbeitung seiner Erfahrungen zu setzen gelehrt.

> Das Herrenwort von 12,9a ist so das letzte und stärkste Argument im Kampf
> gegen die Gegenspieler, das die gesamte vorherige Argumentation verifiziert:
> der Herr selbst hat ihm gesagt, was es mit seiner Schwachheit auf sich hat.
> Die Korinther wollten keine starken Briefe, sondern Fakten sehen: Paulus
> nennt ihnen die Fakten und fügt als letztes dieses - auch in den Augen sei-
> ner Widersacher ihm zur Ehre gereichende - Faktum der ihm zuteil gewordenen
> Offenbarung des Herrn hinzu, dessen *Inhalt* sie nun aber dazu nötigt anzuer-
> kennen, daß er recht hat. Paulus schlägt so die Gegner mit ihren eigenen
> Waffen: es ist kein 'starker Brief', der sie mit theologischer Reflexion
> oder schriftgelehrter Traditionsabsicherung überfährt, er verläßt die Ebene
> κατὰ πρόσωπον keinen Moment lang. Er hält ihnen *die* Fakten vor Augen, die
> seiner Meinung nach den διάκονος Χριστοῦ legitimieren, nämlich Leiden und
> Schwachheit. Die Gegner haben andere Fakten erwartet, nämlich Pneumaerfah-
> rungen. Doch noch bevor sie ihren Einwand geltend machen können, kommt Pau-
> lus selbst darauf zu sprechen: auch solche Fakten kann er vorweisen, doch
> gerade diese Erfahrungen haben ihm offenbart, daß Leiden und Schwachheit
> die signa des διάκονος Χριστοῦ sind.

Von hier aus kann Paulus den Gedanken nun abschließend zum Lobpreis seiner Schwachheit steigern: als Ort, in dem die δύναμις τοῦ
Χριστοῦ zur Wirkung kommt, sind die Peristasen, die er im nun wieder allgemeiner gehaltenen (und einige der noch fehlenden Glieder
des Katalogs von 6,4ff. nachtragenden) Peristasenkatalog Revue pas-
sieren läßt, willkommen. Er schließt mit einer paradoxen Abbreviatur: "denn wenn ich schwach bin, dann bin ich stark" (12,10), die
freilich noch das Gesicht der Narrenrede trägt, denn "stark" ist
Paulus ja gerade nur insofern, als Christus in ihm stark und wirksam ist.

Diese christologische Komponente wird in 13,3f. nochmals ergänzt und präzisiert durch den Gedanken der 'Schwachheit Christi',
von dem zuvor nur andeutungsweise in den 'Prolegomena' (10,1),
nicht aber in der Ruhmesrede selbst die Rede war. Paulus erinnert
die Gemeinde daran, daß Christus in ihr wirksam ist und nicht
schwach: Er ist ἐξ ἀσθενείας gekreuzigt worden, in der Auferwek-
kung aber ist Gottes δύναμις an ihm wirksam geworden, so daß er
nun lebt ἐκ δυνάμεως θεοῦ. Die Wirksamkeit Christi in der Gemeinde
ist also das Resultat des durch und an ihm vollzogenen Geschehens
von Kreuz und Auferweckung, das im Gegensatz von ἀσθένεια und
δύναμις θεοῦ, mithin ganz in den Koordinaten der Tradition vom
leidenden Gerechten zur Sprache kommt. Durch direkte syntaktische
Parallelisierung setzt Paulus in 13,4 seine Schwachheit zu diesem
Vorgang in Beziehung: "auch wir sind schwach" und zwar ἐν αὐτῷ,

d.h. "als solche, die 'in ihm' sind"[186]. Wieder ist die Tradition
vom leidenden Gerechten hilfreich, um diese Parallelsetzung nachzuvollziehen: es ist dieselbe ἀσθένεια, der der leidende Gerechte
der Tradition, der in diese Welt gesandte Jesus und die ihm Nach-
folgenden ausgesetzt sind, nämlich die Gott widerstreitende Macht,
die den 'Gerechten' ebenso wie den 'Gerechtfertigten' um ihrer Zugehörigkeit zu Gott willen befeindet. Daß diese Identität der
Mächte von Paulus wirklich mitgedacht ist, macht die zweite Entsprechung deutlich: "wir werden leben mit ihm aus der Kraft Gottes εἰς ὑμᾶς". So löst sich auch die Schwierigkeit des Futurs in
Verbindung mit dem εἰς ὑμᾶς[187]: es ist ein und dieselbe Gotteskraft, die Christus auferweckt *hat*, die Paulus in seiner *zukünftigen*
Auferweckung zum Leben mit Christus führen wird *und* die *gegenwärtig*
durch die Schwachheit des Paulus an der Gemeinde wirksam ist. Diese Kraft aber ist von Paulus in 2Kor 4-6 deutlich mit *der* χάρις
und δικαιοσύνη identifiziert worden, von der schon die Tradition
vom leidenden Gerechten Zeugnis ablegt.

Überblicken wir den Vierkapitelkomplex als ganzen, so stellt
er sich zwar in Kontinuität zu den zuvor behandelten Texten,
gleichzeitig aber auch als eine besondere Größe dar. Durch und
durch auf die Person des Paulus bezogen, gibt er einerseits das
persönliche, am stärksten biographisch ausgewiesene Bild von seinen Leiden wieder, andererseits aber bleibt auch die Frage nach
dem Sinn und der Deutung seiner Leiden hier am stärksten aufs Individuelle beschränkt. Denn das in 12,7-9 berichtete Herrenwort,
das - wie wir sahen - von grundlegender Bedeutung für die Frage
nach dem Sinn seiner Leiden ist, gilt zunächst ihm ganz persönlich. Offensichtlich sieht sich Paulus in einem besonderen Maße
den Leiden ausgesetzt, das seiner besonderen Funktion entspricht:
dem an seinem Missionswerk ausweisbaren Übermaß an durch ihn wirksam werdender δύναμις entspricht auch ein Übermaß an ἀσθένεια:
anders als in allen bisher betrachteten Texten erscheinen die
'Apostelleiden' des Paulus hier derart betont, daß der Schluß naheliegt, es handle sich um eine Größe sui generis.

Ebenso führt die Eingrenzung der Fragestellung auf den einen
Punkt: ob dieser Mann Paulus legitimer Apostel sei, zu einem gegenüber allen anderen Texten auffälligen Zurücktreten der eschatologischen Perspektive: lediglich in dem zuletzt angesprochenen
Textabschnitt klingt sie in 13,4 kurz an, während in den ganz an
den 'Fakten' der Gegenwart und Vergangenheit orientierten 'großen'

---

186 R.BULTMANN, aaO. 246.
187 Cf. ebd. unter Hinweis auf W.GRUNDMANN.

Leidensaussagen der 'Ruhmesrede' kein Raum dafür ist. Beide Beson-
derheiten, die aus der situationsbedingten Besonderheit dieses
Brief(teil)es ohne weiteres erklärlich sind, lassen es geraten erscheinen, 2Kor 10-13 nur im Kontext der übrigen, weniger stark
situationsorientierten Leidensaussagen heranzuziehen, will man
das paulinische Leidensverständnis im ganzen erheben.

13.5. Zum Verhältnis der Leidensaussagen der vier Brief(teil)e

Paulus stellt uns in den vier Textkomplexen des 2Kor vor un-
terschiedlich akzentuierte und nuancierte, gleichwohl - nicht zuletzt aufgrund ihres gemeinsamen Traditionshintergrundes - konvergierende Leidensaussagen, die sich als Aspekte einer einheitlichen Gesamtsicht miteinander verbinden lassen.

Gehen wir von dem gewichtigsten Textkomplex, 2Kor 2,14-7,4 aus,
so finden wir hier die Leidensthematik als konstitutives Element
der Apologie der paulinischen διακονία τῆς καινῆς διαθήκης. Das
Interesse des Textes ist ganz darauf konzentriert, das Erschei-
nungsbild dieser διακονία theologisch reflektiert darzustellen und
sie so als plausibel und legitim auszuweisen. Er tut dies, indem
er sie als das Feld beschreibt, in dem die Gott widerstreitende
Todesmacht und die Kraft Gottes gleichermaßen wirksam sind, als
dieselben Kräfte, die die Tradition im Blick auf Leiden und Rettung des leidenden Gerechten bezeugt und die in νέκρωσις und ζωή
Jesu zu ihrer entscheidenden Wirksamkeit gelangt sind; entscheidend insofern, als das christologische Geschehen Zentrum und
Fluchtpunkt der Wirksamkeit dieser Kräfte ist, aber auch insofern,
als in Tod und Auferstehung Jesu der Kampf beider Mächte endgültig
entschieden ist zugunsten der δύναμις Gottes[188].

Die übrigen Texte lassen sich nun dieser theologisch reflek-
tierten Entfaltung des paulinischen Leidensverständnisses ergänzend zuordnen: die ganz von der Gegenüberstellung der παθήματα und
der παράκλησις geprägten, die Apologie rahmenden Textstücke 2Kor
1,3-2,13 und 7,5-16 variieren den Gedanken der Apologie auf der
Ebene der konkreten Erfahrung in der Missionspraxis: im Nebeneinander von Bedrängnis und Trost in dieser Bedrängnis, die sich in
Rückschlägen und - im Ergebnis überwiegenden - Erfolgen der paulinischen Mission äußern, gewinnt die διακονία sichtbare Gestalt.

---

188 Von hier aus fällt m.E. auch Licht auf das Bild des Triumphzuges von 2Kor
2,14 und die Frage, ob damit eine Verherrlichung des Apostolats oder eine
Demutsaussage gemeint sei (cf. dazu z.B. G.BORNKAMM, Vorgeschichte, 185 mit
Anm.114). Paulus ist miles Christi, der teilhat an den 'Erfolgen' seines
Herrn, ohne damit selbst Triumphator zu sein.

Die 'Apologie' und der um sie herumgelegte 'Rahmen' lassen so einen ganz engen Sachzusammenhang erkennen.

Demgegenüber ist der eigenständige Charakter von 10-13 erheblich stärker zu betonen. Auch dieser Text ist eine Apologie, die
sich in Gegenstand und Methode jedoch signifikant von der ersten
unterscheidet: sie ist ganz persönlich orientiert und im Vergleich
mit dem differenzierten Bild, das die erste Apologie erkennen
läßt, erheblich einseitiger akzentuiert. Aus der differenzierten
Ausgewogenheit herausgenommen, wird der Leidensaspekt in der Narrenrede zum schlechthin dominierenden signum apostolicum, das
durch den Aufweis entsprechender 'Fakten' ausgewiesen wird. An
die Stelle einer christologischen Sachbegründung tritt die direkte Autorisierung durch ein Herrenwort. Hatte die erste Apologie
vor allem das Interesse, die paulinische διακονία theologisch zu
identifizieren und auf diese Weise überzeugend und werbend auf
die Gemeinde einzuwirken, so läßt sich die zweite sehr viel stärker auf die Auseinandersetzung mit den Gegnern ein und ist dabei
ganz an der *persönlichen* Legitimität des Apostels Paulus orientiert.
Trotz der engen thematischen Berührungen[189] sind die beiden Apolo-
gien also keine unmotivierten Dubletten, sondern verwandte Texte
mit je eigener Aussageintention.

2Kor 8,9 schließlich präzisiert den christologischen Aspekt
der Leidensaussagen von 2Kor 1-7: Paulus läßt klar erkennen, daß
für ihn 'Jesus als der leidende Gerechte' und die Praeexistenzchristologie nicht auseinanderfallen, auch nicht erst durch theologische Reflexion verbunden werden müssen, sondern in der Person
des Christus ineinsfallen. Die oben angesprochene Zentrierung der
Tradition vom leidenden Gerechten auf diesen einen, ganz besonderen Gerechten Jesus wird von hier aus bestätigt und begründet.

EXKURS 5: Zum literarkritischen Problem
des 2. Korintherbriefs

Die Frage nach der Einheitlichkeit oder dem redaktionellen Charakter des
2Kor ist im Rahmen dieser Untersuchung nicht eingehend zu erörtern. Im folgenden sind deshalb nur einige Beobachtungen und Überlegungen mitzuteilen, die
sich aus unserer Untersuchung ergeben und die vielleicht bei der Klärung des
Problems hilfreich sein könnten:
Der gerade angesprochene enge Sachzusammenhang der 'ersten Apologie' zu ihrem 'Rahmen' scheint mir auch für die literarkritische Frage wichtig. Vor die
Alternative gestellt, ob die 'Apologie' ursprünglich überhaupt nichts mit dem

---

189 Cf. z.B. die Aufzählung der gegnerischen Vorwürfe bei W.G.KÜMMEL, Einlei-
    tung, 246f.: für die meisten von ihnen lassen sich Belege aus beiden 'Apo-
    logien' anführen.

'Rahmen' zu tun hatte oder ob es sich um eine "Riesenparenthese" handelt,
spricht unser Befund eher für die Einheitlichkeit, zumal das in der Literatur
immer wieder weitergegebene Argument, 7,5 schließe an 2,13 "nahtlos"[190] an,
nur hinsichtlich der 'Stationen' des Berichteten, keineswegs aber für die
Textoberfläche gilt[191]. Allerdings ist die 'Apologie' m.E. keine "Parenthese",
sondern der Haupttext, um dessenwillen Paulus den 2Kor in erster Linie schreibt
und um den er bewußt einen Rahmen legt, der den Doppelaspekt von Leiden und
δόξα seiner διακονία auf der Ebene der Missionspraxis sichtbar macht. Der Text
führt den Hörer zunächst an den 'Tiefpunkt' der paulinischen Missionserfahrung
und erörtert genau an dieser Stelle Inhalt und Legitimität der paulinischen
διακονία als eine von δόξα und Leiden gleichermaßen geprägten Größe, um dann
die zuvor verfolgte Linie positiv weiterzuverfolgen[192].

Schwieriger liegen die Dinge im Blick auf 2Kor 10-13. Haben wir recht gesehen, daß diese zweite Apologie eine einseitiger akzentuierte und von daher
in der Aussageintention (nicht notwendig aber in der Situation) sich unterscheidende Parallele zur ersten ist, und trifft es zu, daß Paulus hier ganz
auf das gegnerische Begehren nach 'Fakten' eingeht, obwohl er selbst diese Art
der Verteidigung für unangemessen und unnütz hält, so kann man sich den Text
am ehesten als ein 'Superadditum' zur ersten Apologie vorstellen, das Paulus
ihr anhangsweise beigibt, um (notgedrungen) auch seinen extremsten und behar-
lich auf 'Fakten' pochenden Widersachern zu zeigen, daß er auch auf dieser
Ebene sich behaupten könnte, wenn es darauf ankäme.

Ohne einer auch die anderen Problempunkte, insbesondere der Dublette 2Kor 8
/2Kor 9 und die zahlreichen weiteren in der Forschung ins Feld geführten Indizien und Argumente in die Betrachtung einbeziehenden Untersuchungen vorgreifen zu wollen, scheint mir die Tendenz dieser Befunde eher auf einen einheitlichen, jedoch in sich differenzierten Text zu weisen.

---

190 P.VIELHAUER, Geschichte, 150.

191 Cf. schon W.G.KÜMMEL, Einleitung, 253 mit Anm.28 (Hinweis auf C.K.BARRETT).
    - Liest man 2,13 und 7,5 hintereinander, fallen die Doppelungen sofort ins
    Auge. Diese lassen sich aber nicht als redaktionelle Einfügungen erklären,
    die der Redaktor bei der Interpolation der 'Apologie' vorgenommen hätte: es
    handelt sich nämlich weder in 2,13 noch in 7,5 um nachgetragene (und deshalb
    auch ohne Schaden für den Satz wieder weglaßbare) Ergänzungen, sondern um
    konstitutive Satzelemente. Nimmt man also eine Redaktion an, dann muß zu-
    mindest 7,5 *ganz* redaktionelle Bildung sein. Dadurch aber ist das Argument
    'nahtloser Anschluß' hinfällig. Dagegen ist 7,5 als Wiederaufnahme des in
    2,13 unterbrochenen Berichts völlig plausibel.

192 Daß die 'Apologie' als Textsorte sich mit dem Rahmen nicht in Einklang brin-
    gen lasse, der deshalb ein eigenständiger 'Versöhnungsbrief' sein müsse,
    läßt sich im Blick auf die auch in diesem 'Versöhnungsbrief' ausdrücklich
    angesprochene 'gemischte' Zusammensetzung der Gemeinde m.E. nicht hinrei-
    chend sicher behaupten, cf. nur 1,14 (ἀπὸ μέρους) und 2,6 (ὑπὸ τῶν
    πλειόνων). Titus hat (mithilfe des 'Tränenbriefes') offensichtlich den ent-
    scheidenden Durchbruch zugunsten des Paulus in Korinth erzielt, deswegen
    sind aber die gegen Paulus ins Feld geführten Argumente noch nicht völlig
    'aus der Welt': Paulus kann sich durchaus genötigt sehen, der Gemeinde seine
    Gegenargumente noch mitzuteilen, sei es zur Festigung des von Titus Erreich-
    ten, sei es, um die noch Schwankenden bzw. beharrlich Widerstehenden zu
    überzeugen.

14.Kapitel

DER PHILIPPERBRIEF

Der Phil[1], den Paulus wohl am ehesten während seiner ephesinischen Gefangenschaft[2] geschrieben hat, steht dem 2Kor nicht nur zeitlich[3], sondern auch in
der Sache besonders nahe, obwohl die Zusammensetzung der Adressatengemeinde[4],
ihre Situation und das persönliche Verhältnis des Paulus zu ihr spürbar anders sind als im 2Kor. Wir haben also im Phil eine ungefähr gleichzeitige,
in einen anderen, im ganzen (trotz Phil 3) weniger polemischen Situationskontext gerichtete Entfaltung des Leidensthemas vor uns, welche die bisher
angesprochenen Aspekte präzisiert und ergänzt. Da die 'einschlägigen' Aussagen des Phil nicht in kleineren, geschlossenen Textpassagen konzentriert,
sondern über den ganzen Text verstreut sind, eine - im Grunde von daher er-
forderliche - Gesamtexegese des ganzen Briefes im Rahmen dieser Untersuchung
aber nicht möglich ist, muß eine knappe, vor allem auch an der Frage nach der
Kontinuität und Innovation gegenüber dem 2Kor und den früheren Texten orientierte Darstellung genügen.

Strukturen

Schon eine erste Lektüre zeigt, daß im Phil - außer in 3,2-21 -
die Wortgruppe χαρά/χαίρειν geradezu leitmotivische Verwendung findet. Sie läßt sich über zwölf Stationen[5] verfolgen wie ein roter
Faden, an dem die verschiedenen, sonst eher locker aufeinander bezogenen Abschnitte des Textes 'aufgereiht' sind. Auf Präskript und
Proömium (1,1f.3-11) folgt ein erster großer Gedankenkreis (1,12-
2,18). Dieser wird eingeführt durch den Bericht über die neueste
Entwicklung, die die Gefangenschaft des Paulus genommen hat: sie
erweist sich als wirksam zur Förderung des Evangeliums und ist so
Anlaß zur Freude (1,12-18a). Der folgende Textteil 1,18b-2,18 ist
- entgegen dem ersten Augenschein - in der Abfolge seiner Gedanken

---

1 Die literarkritischen Fragen können wir auch beim Phil zunächst auf sich beruhen lassen (Problemgeschichte und neuere Lösungsversuche bei B.MENGEL,
  Studien, cf. bes. die Übersicht 201f.). Auch wenn zwei oder drei Brief(fragment)e ineinander gearbeitet sein sollten, liegen diese zeitlich nah beieinander. Zudem ergibt sich im folgenden ohnehin eine relativ selbständige
  Behandlung der drei evtl. erst sekundär verbundenen Textkomplexe. Am Ende
  der Untersuchung wird zu prüfen sein, ob sich aus ihr Anhaltspunkte für
  oder gegen die Einheitlichkeit ergeben (s.unten S.321f., Exkurs 6).
2 Zu den verschiedenen Lokalisierungs- und Datierungsmöglichkeiten cf. z.B.
  W.G.KÜMMEL, Einleitung, 284-291; P.VIELHAUER, Geschichte, 166-170; G.FRIED-
  RICH, NTD 8, 129-131; zur ephesinischen Gefangenschaft auch H.KÖSTER, Einführung, 565-570 und oben S.247f. mit Anm.18.
3 1Kor, Phil und 2Kor dürften zwischen 53 und 55 n.Chr. geschrieben sein.
4 Zur Geschichte und den besonderen soziologischen Faktoren der Stadt (und
  damit auch der Gemeinde) Philippi cf. J.GNILKA, HThK Phil, 1-5; N.WALTER,
  Die Philipper und das Leiden, 423f.
5 Insgesamt 14 Vorkommen, davon 2 Doppelvorkommen im selben Satz. Es ergibt
  sich die 'Linie': Phil 1,4 - 1,18 (*2x*) - 1,25 - 2,2 - 2,17 - 2,18 - 2,28 -
  2,30 - 3,1 - 4,1 - 4,4 (*2x*) - 4,10.

sehr sorgfältig komponiert: er läuft von 1,18b aus über dieselben
Gedankenschritte auf seinen 'Kern': den Christushymnus Phil 2,6-11,
zu, über die er danach wieder an seinen Ausgangspunkt zurückkehrt.
Auf diese Weise ergibt sich eine - für die Interpretation m.E. sehr
aufschlußreiche - feste Verbindung zwischen den um den Hymnus grup-
pierten einzelnen Textteilen, d.h. vor allem: zwischen den Erwägungen über das Schicksal des Paulus und den meist als 'paränetisch' bezeichneten Aussagen über das Verhalten der Gemeinde.
Folgende Skizze mag die Anlage des Textes verdeutlichen:

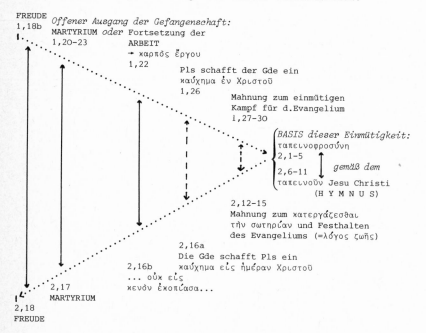

Auch die Fortsetzung des Textes, die "Mitteilungen über Timotheus
und Epaphroditus"[6], 2,19-30, sind durch das 'Freude'-Motiv (28f.)
in den Gesamtrahmen des Briefes integriert; wichtig für unseren Zusammenhang ist am Bericht über die Krankheit des Epaphroditus, daß
Paulus (ohne die berichtende Redeweise zu unterbrechen) Krankheit
und Genesung theologisch deutet (V 30a bzw. 27b) und im Blick auf
seine eigene Freude und Betrübnis reflektiert (27c.28).

Die in Phil 3,1b (oder 3,2) neu einsetzende Argumentation fällt
dagegen - sofern man nicht 4,1 als Abschluß hinzunimmt - aus dem
durch das 'Freude'-Motiv gekennzeichneten Zusammenhang heraus[7] und

6 W.G.KÜMMEL, Einleitung, 281.
7 Dies spricht auf den ersten Blick für eine literarische Selbständigkeit des
  Abschnitts. Doch sollte man nicht übersehen, daß das zweite auffällig häufi-

ist auch sonst in Ton und Stil von Phil 1-2 deutlich unterschieden.
Schon das dreifache βλέπετε mit den drei massiven Negativbezeich-
nungen: Hunde - böse Arbeiter - Zerschneidung (3,2) verleiht dem ganzen Text ein polemisches Vorzeichen. Die Auseinandersetzung mit
den damit angesprochenen judenchristlichen Gegenspielern, die offensichtlich Beschneidung und Gesetz gegen das paulinische Evangelium ins Feld geführt haben, erfolgt dann in einer kurzen Gegen-
these (3,3: die wahre περιτομή sind "wir", die sich Jesu Christi
rühmen und "nicht auf Fleisch vertrauen"), vor allem aber in der
ausführlichen Antithese von 3,4-6 contra 3,7-11. In einem großen
Katalog von 'Qualifikationsnachweisen' stellt Paulus hier dar, daß
er es angesichts seiner hohen jüdischen Abkunft und seiner Untade-
ligkeit im Gesetzeswandel voll mit seinen Gegnern aufnehmen könnte
(cf. 3,4: ἐγὼ μᾶλλον), um dann im schärfsten - durch das doppelte
ἀλλά von 3,7 und 3,8 unterstrichenen - Gegenzug diese seine (und
damit auch seiner Gegner) 'fleischliche' Qualifikation um Christi
willen als σκύβαλα zu verwerfen:

Phil 3,8 ... um dessentwillen mir alles ein Verlust worden ist, und ich
          halte es für Dreck[8],

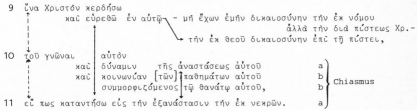

9 ἵνα Χριστὸν κερδήσω
        καὶ εὑρεθῶ ἐν αὐτῷ - μὴ ἔχων ἐμὴν δικαιοσύνην τὴν ἐκ νόμου
                                                 ἀλλὰ τὴν διὰ πίστεως Χρ. -
                              τὴν ἐκ θεοῦ δικαιοσύνην ἐπὶ τῇ πίστει,

10 τοῦ γνῶναι   αὐτὸν
        καὶ   δύναμιν   τῆς ἀναστάσεως αὐτοῦ   a
        καὶ   κοινωνίαν [τῶν] παθημάτων αὐτοῦ   b
              συμμορφιζόμενος τῷ θανάτῳ αὐτοῦ,   b   Chiasmus

11 εἴ πως καταντήσω εἰς τὴν ἐξανάστασιν τὴν ἐκ νεκρῶν.   a

Im Blick auf die Leidensthematik ist es wichtig zu sehen, daß Paulus in den beiden Finalkonstruktionen 3,9 und 3,10 das 'In-Christus-Sein' und das 'Christus-Erkennen' einander zuordnet, wobei er
das Sein in Christus unlöslich mit der Rechtfertigung allein aus
Glauben zusammendenkt (cf. die verdeutlichende Partizipialparen-
these in 3,9). Ebenso verbindet er die Christus-Erkenntnis, die er
des näheren als Erkenntnis der "Kraft seiner Auferstehung" und der
"Gemeinschaft seiner Leiden" bestimmt, mit dem Gleichgestaltetwerden τῷ θανάτῳ αὐτοῦ (cf. die analoge Partizipialkonstruktion in
3,10). Vers 11 rückt den ganzen Zusammenhang schließlich in eine
eschatologische Perspektive, indem er ihn auf die Totenauferstehung bezieht. Dabei deutet das - gegenüber anderen paulinischen
Aussagen zum selben Gegenstand recht vage anmutende - εἴ πως von

_____

    ge Wort: φρονεῖν (10x im Phil) auch in 3,15.19 (insgesamt 3x) begegnet: die-
    ser zweite 'Faden' läßt sich also durchgehend verfolgen, und χαρά könnte in
    der Polemik aus sachlichen Gründen fehlen.
8 Übersetzung nach G.FRIEDRICH, NTD 8, 160.

V 11 schon an, daß Paulus diese Aussagen nicht im Sinne einer vermeintlichen Heilssicherheit mißverstanden sehen will. Dieses Problem wird in 3,12-16 explizit[9] Thema. Wieder entfaltet Paulus es
zunächst an sich selbst: jeweils zweimal betont er, er habe es (d.
h.: das In-Christus-Sein, die Christuserkenntnis und damit das endgültige Heil) noch nicht ergriffen (3,12.13), sondern "jage ihm
nach" (3,12.14 : διώκω). Von 3,15f. an fordert Paulus dann die Gemeinde dazu auf, die an seiner Person exemplifizierten Einsichten
und Haltungen nachzuvollziehen und zu übernehmen[10]. Paulus wendet
den Text dazu ab 3,18 wieder in den Bereich der Polemik zurück,
wenn er die Gemeinde vor die Alternative stellt, seine συμμιμηταί
zu werden (3,17) oder sich an den "Feinden des Kreuzes" auszurichten (3,18), die τὰ ἐπίγεια φρονοῦντες auf die ἀπώλεια zugehen, während die am Kreuz orientierten Nachfolger Jesu ihr πολίτευμα im
Himmel haben und darauf warten, daß der wiederkommende Herr ihr
σῶμα τῆς ταπεινώσεως seinem σῶμα τῆς δόξης gleichgestalten wird.
Das Stichwort σύμμορφον (3,21) schlägt dabei eine Brücke zurück
zum συμμορφιζόμενος von 3,10: dem Gleichgestaltetwerden τῷ θανάτῳ
(Ἰησοῦ) in diesem Äon entspricht das Gleichgestaltetwerden τῷ
σώματι τῆς δόξης αὐτοῦ bei der Parusie.

Traditionen

a) Phil 1
  Schon in 1,19f. fällt ein deutlicher Bezug zum Traditionsfeld
vom leidenden Gerechten auf. Der einleitende Satz
Phil 1,19: οἶδα γὰρ ὅτι τοῦτό μοι ἀποβήσεται εἰς σωτηρίαν greift
Hiob 13,6 LXX: καὶ τοῦτό μοι ἀποβήσεται εἰς σωτηρίαν wörtlich
auf. Sind auch die Kontexte kaum und die durch das τοῦτο vertretene Sache nur bedingt vergleichbar[11], so konvergieren beide Texte
doch in der im zitierten Satz zum Ausdruck kommenden Zuversicht
des Leidenden, der von den Leiden befreienden צדקה-Erweise Gottes
teilhaftig zu werden.
  Wir haben in der diachronen Skizze verfolgen können, wie die
Tradition vom leidenden Gerechten im Laufe ihrer Geschichte eine
sehr weite Vorstellung von σωτηρία entwickelt hat, die sowohl aktuelle Rettungserfahrungen als auch die Zuversicht zukünftiger Ret-

---

9 Cf. bes. G.BARTH, ZBK Phil, 63.
10 Zur Problematik der Spannung zwischen 3,12: οὐχ ὅτι ... τετελείωμαι und der
   τέλειοι-Anrede von 3,15 cf. z.B. J.GNILKA, HThK Phil, 200f.; G.BARTH, aaO.64.
11 Τοῦτο steht in Hi 3,16 LXX dafür, daß Hiob trotz aller Widerstände vor Gott
   seinen Rechtsstreit führen kann (wovon sein Schicksal abhängt); in Phil 1,19
   für die (in ihrem Ausgang offene) Gefangenschaftssituation.

tung und schließlich die Hoffnung auf eschatologisches Heil umfaßt.
Die Basis dieses Spektrums in seiner ganzen Breite aber ist die *eine*
צדקה Gottes. Von hier aus scheint es mir unangemessen, Hiob und
Paulus mit der Feststellung gegeneinander auszuspielen, daß Hiob
(nur) "die Errettung von physischem Unheil erwartet", während Paulus allein abziele "auf die endgültige Rettung, die der Mensch im
Endgericht erfahren soll"[12] (weshalb σωτηρία denn in Phil 1,19 auch
keinesfalls die "äußer(e) Befreiung aus dem Gefängnis"[13] meinen
könne). Vielmehr gilt es gerade zu sehen, daß Paulus, indem er im
folgenden den Ausgang seiner Gefangenschaft als offen für beide
Möglichkeiten: Freilassung oder Hinrichtung, bestimmt, das ganze Spektrum von σωτηρία im Auge hat[14]. Paulus weiß: Gott wird ihn
'retten', sei es durch einen positiven Ausgang seines Prozesses,
sei es durch den Tod, der eben auch kein Zuschandenwerden, sondern
vielmehr der Durchgang zum Sein σὺν Χριστῷ ist (1,23). Worauf es
ihm dabei ankommt, läßt sich von 1,20 her noch präzisieren. Paulus
bestimmt dort seine Hoffnung dahingehend, ὅτι ἐν οὐδενὶ αἰσχυνθήσο-
μαι ἀλλ' ἐν πάσῃ παρρησίᾳ ὡς πάντοτε καὶ νῦν μεγαλυνθήσεται Χριστὸς
ἐν τῷ σώματί μου, εἴτε διὰ ζωῆς εἴτε διὰ θανάτου. Wieder rekurriert
er auf das Traditionsfeld vom leidenden Gerechten, vor allem mit
der Gegenüberstellung von ἐν οὐδενὶ αἰσχυνθήσεται und μεγαλυνθήσεται Χριστός. Wie schon Gnilka gezeigt hat, ist diese "Wortwahl
durch eine im Psalter des AT ausgebildete Redeweise, die in den
Qumran-Hodayoth fortlebt"[15] beeinflußt. So verbinden schon Ps 35,
26f. und 40,15-17 den Gedanken, daß Jahwe die Feinde des Beters
"zuschanden werden läßt"[16] mit der Aussage, daß der κύριος in diesem seinen Rettungshandeln sich als 'groß' erweist und als solcher
öffentlich gepriesen wird (Ps 35,27; 40,17: Μεγαλυνθήτω ὁ κύριος;
cf. auch 1QH 4,23f.)[17]. Wieder 'übersetzt' Paulus einen ihm in der
Tradition vorgegebenen Zusammenhang in das in Christus neu gewonnene Bezugsfeld: Indem er nicht zuschanden wird, vollzieht sich an
seinem σῶμα ein öffentlicher Erweis der 'Größe' Christi.

     Diese Übertragung der Aussagen auf Christus ist eine notwendige
und angesichts der sachlichen Zusammengehörigkeit von Gottes Rettungshandeln am leidenden Gerechten und seiner universalen Ret-

---

12 J.GNILKA, HThK Phil, 66.
13 E.LOHMEYER, KEK Phil, 51; cf. J.GNILKA, aaO. 66.
14 Ebenso ging es ja auch Hiob nicht allein um 'physisches Unheil', sondern um
   die צדקה Gottes, die freilich dort noch enger auf das sichtbare 'Ergehen'
   bezogen ist.
15 J.GNILKA, HThK Phil, 67.
16 Wie die Ps belegen, ist dies gleichbedeutend mit dem Nichtzuschandenwerden
   des Beters, cf. die 'Relationsentsprechungen' (dazu oben S.25).
17 Cf. dazu J.GNILKA, HThK Phil, 68; weitere Belege aus dem Alten Testament
   und aus Qumran ebd. 67 Anm.24 und 68 Anm.25.

tungstat in Christus auch sachgerechte Einzeichnung der Traditions-
aussagen in die neuen Koordinaten, die sich durch Kreuz und Auferstehung Jesu ergeben. Daß Gott an Paulus so handelt wie am leidenden Gerechten, ist direkte Folge der auf dem Kreuz Christi be-
ruhenden Gerechtmachung, die ihn auch unter die Herrschaft dieses
Christus stellt. Deshalb können fortan alle das Gottesverhältnis
betreffenden Aussagen auch nicht mehr unter Absehung von Christus
gemacht werden. Es handelt sich hier somit um dieselbe 'christologische Zentrierung' der Tradition vom leidenden Gerechten, die (v.
a. im 2Kor) schon mehrfach zu beobachten war.

> Auch die auf die bisherigen Rettungserfahrungen des Apostels zielende Formu-
> lierung ὡς πάντοτε καὶ νῦν - die übrigens wieder bestätigt, daß Paulus das
> gegenwärtige, empirisch-biographisch belegbare 'Heil' nicht vom zukünftig
> und endzeitlich erhofften trennt! - greift auf einen geläufigen Topos der
> Tradition vom leidenden Gerechten zurück: Hoffnung gewinnt Anhalt und ver-
> stärkt sich zur 'großen Hoffnung' in der erinnernden Vergegenwärtigung er-
> fahrener Rettung[18].

Die Vorstellung, daß sich in solchem 'Nichtzuschandenwerden' des
gefangenen Apostels eine *öffentliche* Verherrlichung Christi vollzieht, macht schon deutlich, daß Paulus auch hier sein Leiden nicht
als etwas 'Privates' ansieht, das nur ihn und seinen Gott beträfe.
Dies wird vollends klar, wenn Paulus wenige Sätze später - jetzt
unter Einbeziehung auch der Leiden der Gemeinde von Philippi -
sein Leiden als ἀγών bezeichnet: was die Gemeinde "an ihm gesehen
hat" bei seinem ersten Aufenthalt in Philippi und "was sie nun über
ihn hört", d.h. die ephesinische Gefangenschaft, ist "derselbe
Kampf", den sie selbst "hat", indem ihr "geschenkt ist" ὑπὲρ
Χριστοῦ πάσχειν (1,29f.).

Sind auch die historischen Konturen dieses ἀγών der Philipper
vor allem im Blick auf ihre Gegner nicht sehr deutlich[19], so gibt
Phil 1,27-30 über den theologischen Zusammenhang, in dem Paulus
ihn denkt, ausgesprochen klare Auskunft. Der Kampf, in dem die Gemeindeglieder zur Abwehr der ἀντικείμενοι als συναθλοῦντες τῇ
πίστει τοῦ εὐαγγελίου einmütig zusammenstehen sollen (27f.), ist
die eschatologische Auseinandersetzung, in der die 'Front' Gottes
der widergöttlichen widersteht und in der die Scheidung zwischen
den der ἀπώλεια entgegengehenden Feinde Gottes und den von ihnen
angefeindeten und ihnen Widerstand leistenden Mitkämpfern Gottes
definitiv erkennbar wird. Der ἀγών ist so im Blick auf die
ἀντικείμενοι ein untrügliches Zeichen ihrer Verlorenheit[20]
(ἔνδειξις ἀπωλείας), für die durch den Glauben an Christus auf die

---

18 Siehe oben S.63f.
19 Cf. J.GNILKA, aaO. 99f.; G.FRIEDRICH, NTD 8, 146.
20 Ἔνδειξις ἀπωλείας ist die Tatsache des Kampfes als solche, nicht die ihnen
   entgegengebrachte Einmütigkeit der Gemeinde.

Seite Gottes gestellte Gemeinde dagegen ein von Gott selbst gege-
benes Zeichen ihrer σωτηρία. Indem sie den Widersachern Christi
(und damit Gottes) nicht nachgeben, sondern ihnen allen Widerstand
entgegensetzen, leiden die Philipper ὑπὲρ Χριστοῦ und bewähren so
die in ihrem Glauben an Christus konstituierte Zusammengehörigkeit
mit ihm und Gott. Der Gemeinde ist "τὸ ὑπὲρ Χριστοῦ", d.h. "das
Auf-der-Seite-Christi-Stehen"[21] gnadenweise geschenkt. Auf der
Seite Christi zu stehen bedeutet zunächst: an ihn glauben und so
der Gottesgemeinschaft teilhaftig zu sein; es heißt aber ebenso:
im eschatologischen Kampf auf seiner Seite stehen und leiden. Insofern (und nur insofern) ist das Leiden der Gemeinde "Gnade"[22].
Auch hier ist also wieder die Tradition vom leidenden Gerechten
als des Mitkämpfers Gottes, der im apokalyptischen Kampf auf Gottes Seite steht, in christologischer Neuzentrierung wirksam. Als
in Christus Gerechtfertigte sind die Philipper auf die Seite Christi gestellt und geraten so ins Leiden, indem sie den Christus-
und Gottesfeinden Widerstand leisten[23].

b) Die Rezeption des Christushymnus (Phil 2,1-11)

In Phil 2,6-11 zitiert Paulus den ihm bereits von der helle-
nistisch-judenchristlichen Gemeinde überlieferten Christushymnus,
dessen zentrale Aussagen - wie wir oben sahen[24] - im Traditionskontext der Psalmen vom leidenden Gerechten, des vierten Gottes-
knechtsliedes und seines deuterojesajanischen Umfeldes sowie der
Weisheitstheologie verwurzelt sind. Der Hymnus beschreibt die
Menschwerdung des präexistenten Christus als einen Akt der frei-
willigen Selbsterniedrigung[25], die in dem ἐταπείνωσεν ἑαυτὸν
γενόμενος ὑπήκοος μέχρι θανάτου (θανάτου δὲ σταυροῦ)[26] ihre größte
Steigerung erfährt, um dann in einer zweiten Strophe, die mit διὸ[27]
auf die erste bezogen ist, die Erhöhung des Gekreuzigten durch
Gott zu beschreiben: Gott setzt ihn um dieses seines Todes willen

---

21 Zur lexikalischen Möglichkeit dieses Verständnisses von ὑπέρ cf. W.BAUER,
   Wörterbuch, 1658 (1aδ).
22 Von hier aus sind alle Deutungen abzuweisen, die 'Leiden' *grundsätzlich*
   als 'Gnade' ansehen möchten.
23 N.WALTER, Die Philipper und das Leiden, 422, betont mit Recht, daß "schon
   die Tatsache des Kampfes, nicht erst irgendein erkennbarer 'Erfolg'" Zeichen
   für das Heil der Philipper sei. In der Tat geht es darum, im endzeitlichen
   Kampf auf der 'richtigen' Seite zu stehen, und das wird den Philippern durch
   die Anfeindungen 'signalisiert'.
24 Siehe oben S.189f.
25 Cf. zur - hier nicht zu diskutierenden - Einzelinterpretation vor allem E.
   KÄSEMANN, Kritische Analyse, bes. 65-79, und O.HOFIUS, Christushymnus, bes.
   56-64.
26 Zur Frage der ursprünglichen Gestalt des Hymnus s.oben S.189 mit Anm.58.
27 Cf. das לכן/διὰ τοῦτο von Jes 53,12a! - dazu O.HOFIUS, Christushymnus, 71.

ein zum κύριος der Welt, dem die universale[28] Huldigung zuteil werden wird, "zur Ehre Gottes des Vaters".

Nachdem wir oben gesehen haben, wie sehr in diesem Stück urchristlicher Poesie die Christologie von der Tradition vom leidenden Gerechten her gedacht und artikuliert ist, ist jetzt vor allem
darauf einzugehen, wie und wozu Paulus diesen Text in den Zusammenhang seiner Argumentation einfügt. Der Vers 5, der die eigentliche Brücke zwischen beiden bildet, fordert die Gemeinde auf, so
gegeneinander gesinnt zu sein, wie es dem Sein in Christus Jesus
angemessen ist: "Die Norm des rechten φρονεῖν wird durch das ἐν
Χριστῷ ᾽Ιησοῦ bestimmt"[29]. Gerade diese 'Norm' exemplifiziert der
Hymnus, indem er den Weg Jesu Christi nachzeichnet, wobei es Paulus ganz auf das ταπεινοῦν ἑαυτὸν ankommt, dem die ταπεινοφροσύνη
(2,3) entspricht, zu der er die Gemeinde auffordert. Wie auch in
2Kor 8,9 ist das 'Verhalten' Christi, das in seiner Inkarnation
und seinem Tod der Gemeinde vor Augen steht, zunächst ein 'Modell'
für das Verhalten der Gemeindeglieder, gleichzeitig ist es aber
viel mehr als das, nämlich ein inhaltliches Kriterium des Seins ἐν
Χριστῷ: der im Hymnus beschriebene Vorgang, daß Christus im Gehorsam gegen Gott ihnen zugute ein ταπεινός geworden ist, weshalb ihn
Gott zum κύριος der Welt erhöht hat, läßt für alle, die diesem
κύριος angehören und die diesem 'Weg' Christi alles verdanken, die
ταπεινοφροσύνη als einzige angemessene Haltung im Umgang miteinander erscheinen. Dient die Tradition vom leidenden Gerechten im urchristlichen Hymnus dem Zur-Sprache-Kommen der Christologie, so zitiert ihn Paulus, um der Gemeinde das Verhalten gegeneinander im
Bereich des Seins ἐν Χριστῷ zu erläutern. Wenn auch auf mittelbare
Weise stellt Paulus also auch hier der Gemeinde die Tradition vom
leidenden Gerechten als den 'Rahmen' vor Augen, in dessen Koordinaten christliches Leben seinen Ort hat[30].

---

28 Daß es in Phil 2,9-11 um die "universale Huldigung" (O.HOFIUS, aaO. 18ff.)
   durch "alle der Anbetung fähigen Wesen im gesamten Raum der Schöpfung Gottes:
   die Engel im Himmel, die Lebenden auf der Erde, die Toten in der Unterwelt"
   (ebd. 53) geht, hat HOFIUS gegenüber der oft vertretenen Deutung auf die
   "Proskynese und Akklamation der kosmischen Gewalthaber" (E.KÄSEMANN, Kritische Analyse, 88) mit guten Gründen geltend gemacht. Auch die von ihm vertretene zeitliche Perspektive von bereits geschehener "Inthronisation des Gekreuzigten zum Weltherrscher" und "noch ausstehende(r) Endverherrlichung Jesu" (aaO. 66) hat m.E. alle Argumente für sich.
29 J.GNILKA, HThK Phil, 208.
30 Eine Parallele für diese Verbindung von Christologie und Paränese im Kontext
   der Leidens- und Niedrigkeitsthematik ist neben 2Kor 8,9 (s.dazu o. S.282ff.)
   vor allem die oben (S.192) angesprochene nachösterliche *Verbindung* der beiden (vorösterlichen) Jesuslogien Mk 10,42-44 und Mk 10,45: auch hier wird
   Jesu Selbstpreisgabe in den Tod zugunsten der Vielen unmittelbar zur Begründung der Haltung des Einander-Dienens im Umgang der Gemeindeglieder miteinander herangezogen. Wieder ist das Verhalten Jesu 'Modell' für die ihm Nach-

c) Phil 2,12-30

Die Ermahnung, die Paulus an den Hymnus anschließt (2,12-18)
bietet in der Beschreibung des von Paulus gewünschten 'Standes'
der Gemeinde noch einen weiteren aufschlußreichen Rückgriff auf
die Tradition. Die "geliebten Brüder" sollen "untadelig und lau-
ter (ἄμεμπτοι καὶ ἀκέραιοι) als fehllose Kinder Gottes inmitten
eines verkehrten und verdrehten Geschlechts" wandeln und so "leuchten wie Lichter in der Welt". Dabei zeigt sich die Rede von den
τέκνα θεοῦ ἄμωμα μέσον γενεᾶς σκολιᾶς καὶ διεστραμμένης deutlich
auf das Scheltwort Dtn 32,5 τέκνα μωμητά, γενεὰ σκολιὰ καὶ
διεστραμμένη bezogen. Was dort die Schelte gegen das abtrünnige
Israel zur Sprache bringt, wird hier zur 'Kontrastfolie', von der
sich die Christen 'abheben': im Gegensatz zu jenen tadelnswerten,
weil von Gott abgeirrten Kindern, stehen sie untadelig da und unterscheiden sich so von ihrer 'verkehrten' Umgebung. Der usprüng-
lich auf Israel beschränkte Bezugsrahmen ist universal entschränkt:
die *eine* Front der 'Kinder Gottes' steht weltweit der *einen* Front
der Gottlosen gegenüber (die in Philippi sogar in besonderem Maße
aus Heiden bestanden haben dürfte). Wie sich einst die von Gott
abfallenden tadelnswerten Kinder und die sich zu ihm haltenden
δοῦλοι (Dtn 32,36) und υἱοί (32,43), denen Gott seine Hilfe und sein
Heil zusagt[31] (cf. 32,39-42) in dem einen Volksverband Israel ge-
genüberstanden, so nun in der ganzen Welt. Dabei ist es bezeichnend, daß ἄμεμπτος und ἄμωμος, also zwei der drei Begriffe, die
das richtige Verhalten der Philipper als τέκνα θεοῦ ausdrücken, in
der LXX die 'Tugenden' des (leidenden) Gerechten der Psalmen bzw.
Hiobs bezeichnen[32]. Dazu paßt es, daß das Bild vom 'Leuchten' in
der Welt: φαίνεσθε ὡς φωστῆρες ἐν κόσμῳ aus Dan 12,3 genommen ist:
καὶ οἱ συνιέντες φανοῦσιν ὡς φωστῆρες τοῦ οὐρανοῦ. Gilka greift m.E.
zu kurz, wenn er feststellt, es bestehe zwar eine Berührung, Paulus meine aber "etwas ganz anderes. Wird dort der selige Zustand
der Vollendeten gezeichnet, so hier die Bewährung der Christen in
dieser Welt"[33]. Zwar sollte man diesen Unterschied nicht übersehen,
ebensowenig aber auch, daß die משכלים in Dan 12 Mitkämpfer Jahwes
sind[34], die um seinetwillen zu Fall kommen und deshalb zu 'Lich-

---

folgenden und gleichzeitig mehr: nämlich ein inhaltliches Kriterium, an dem
ablesbar ist, ob die Gemeinde wirklich *diesem* Herrn nachfolgt und Gemeinde
ἐν Χριστῷ ist.

31 Das 'Moselied' weist - vor allem in den Schlußversen Dtn 32,36-43 - in Vokabular und Inhalt deutliche Berührungen mit der Tradition vom leidenden Gerechten auf.

32 Cf. J.GNILKA, HThK Phil, 152, unter Verweis auf Ψ 14,2; 100,6; 118,1.80; Hi
1,1.8; 2,3; 4,17; 9,20.

33 J.GNILKA, aaO. 153.

34 Siehe oben S.89.

tern' erhöht werden. Von hier aus kann Phil 2,15 durchaus eine
christologisch reflektierte Variation von Dan 12,3 sein: als die
zum durch die Auferstehung erhöhten κύριος Gehörigen 'leuchten'
die Philipper schon in diesen κόσμος hinein und bilden so - dem in
Christus schon geschehenen Einbruch der βασιλεία Gottes in den
κόσμος Rechnung tragend - schon jetzt jenen Zustand ab, der nach
den apokalyptischen Erwartungen endzeitlich den Mitstreitern Gottes zukommen wird.

d) Phil 3

Es ist nicht verwunderlich, daß Phil 3 keine expliziten Tradi-
tionsverbindungen erkennen läßt[35], geht es Paulus doch darum, seine
persönliche Christuserfahrung gerade in ihrer Unmittelbarkeit zur
Geltung zu bringen: Biographie und Christologie verbinden sich ganz
direkt miteinander und scheinen die einzigen 'Quellen' zu sein,
aus denen sich die Argumentation speist. Und doch ist bei näherer
Betrachtung nicht zu übersehen, daß nicht nur die Topoi von Phil
3,4-6 ganz selbstverständlich auf die Traditionssphäre der damit
beschriebenen 'pharisäischen Vergangenheit' des Paulus zurückweisen, sondern daß auch 3,8-14 (d.h. die Beschreibung der 'Wende')
in Stil und Begrifflichkeit jüdischen Texten durchaus nahestehen,
am nächsten wohl den Hodajot von Qumran - z.B. 1QH 4,30-38. Freilich bringt der Text diesen Hintergrund nirgends als solchen zur
Geltung, so daß er ohne 'Signaleffekt' für die Hörer bleibt.

e) Phil 4

Unsere Rückfrage nach den im Phil wirksamen Traditionen kann schließlich
nicht an 4,11-13 vorbeigehen, auch wenn es sich hier nicht um einen 'Leidenstext' im strengen Sinne handelt. Denn sowohl durch das Stichwort αὐτάρκης
als auch durch die nur hier zu findende Zusammenstellung von negativen und
positiven Lebenslagen zu einem Peristasenkatalog steht dieser Text stoischer
Denk- und Sprechart viel näher als alle bisher angesprochenen[36]. Paulus
hat gelernt, mit allem 'fertigzuwerden', ob Mangel oder Überfluß, Sattsein
oder Hunger. Erst der Nachsatz πάντα ἰσχύω ἐν τῷ ἐνδυναμοῦντί με (4,13a)
rückt den Text vom stoisch-kynisch Geläufigen ab, indem Paulus 'sein' Vermögen dazu ganz auf die in ihm wirksame Kraft Gottes zurückführt.
    Hengel hat darauf hingewiesen, daß in der von Paulus so betonten Selbst-
genügsamkeit gleichzeitig auch "ein jüdisch-weisheitliches Ideal"[37] angesprochen ist. Auch hier sind Judentum und Hellenismus also nicht gegeneinander
auszuspielen. Gleichwohl bleibt festzuhalten, daß Paulus bei der Formulierung
dieses gemeinantiken Topos durchaus von der Diatribe beeinflußt sein kann,
ohne daß er sich dadurch die dort damit verbundenen Positionen zueigen macht,
wie V 13 deutlich zeigt. Gleichzeitig läßt dieser Katalog aber auch den Kon-

---

35 Symptomatisch ist schon, daß im Nestle[26] zu Phil 3 nur eine einzige Anspielung auf atl.-jüdische Texte (Hos 4,7 zu Phil 3,19) notiert ist.
36 Cf. W.SCHRAGE, Leid, Kreuz und Eschaton, 147 Anm.16; zu den einzelnen für die
   Diatribe besonders typischen Zügen cf. R.BULTMANN, Diatribe, 71 und M.DIBE-
   LIUS, HNT Thess/Phil, 74-76 (mit der Musonios-'Beilage': 76).
37 M.HENGEL, Eigentum und Reichtum, 60, unter Hinweis auf Pirqe Abot 4,1; cf.
   aber schon Sir 29,22f.!

trast zu den bisher besprochenen, für das paulinische Leidensverständnis sehr
viel zentraleren Peristasenkatalogen deutlich werden[38], die durchweg reine
Leidenskataloge sind und in ihrer Aussageintention auf die Tradition vom
leidenden Gerechten weisen.

Interpretation

a) Phil 1-2

Legte schon die Strukturuntersuchung nahe, den Text als einheitlichen, durch
eine wohlüberlegte Komposition auf den Christushymnus hin ausgerichteten Gedankengang anzusehen, wo wurde dies durch die Traditionsrückfrage bestätigt:
1,19f.; 1,28-30; 2,12-18 und der Hymnus weisen auf Traditionsbereiche mit
einem gemeinsamen Bezugsrahmen zurück. Bei der Interpretation des Textes tun
wir also gut daran, dieser Ganzheitlichkeit Rechnung tragend die Gefangenschaft des Paulus, die Leiden der Gemeinde und die Erniedrigung Christi nicht
als isolierte Einzelgedanken, sondern unter Berücksichtigung ihrer wechselseitigen Bezogenheit zu betrachten.

Es fällt sogleich auf, daß Paulus in 1,12-18 von seiner Gefangenschaft kaum im Blick auf seine Person, sondern fast ganz im
Blick auf das Evangelium redet: er weiß sich εἰς ἀπολογίαν τοῦ
εὐαγγελίου (1,16) in Haft und verweist darauf, daß sie dem Evangelium zugute komme, und zwar - ganz pragmatisch - dadurch, daß das
ganze römische Prätorium davon erfährt. Außerdem bewirkt sie in
der ephesinischen Gemeinde eine verstärkte Verkündigungsarbeit sowohl durch Sympathisanten des Gefangenen als auch durch solche,
die seine Haft gegen ihn für eigene Zwecke auszunützen trachten.
Und selbst hier zählt für ihn allein das faktische Ergebnis: daß
Christus verkündigt wird. Von daher ist ihm seine gegenwärtige Lage
Anlaß zur Freude.

Erst jetzt, nachdem er deutlich gemacht hat, daß er seinen Leiden allein wegen und zum Nutzen des Evangeliums und damit der Sache Gottes ausgesetzt ist, kommt - eingeleitet durch eine Variation des Leitmotivs 'Freude', die die Perspektive von der Gegenwart auf die Zukunft verschiebt - auch der persönliche Aspekt zur
Sprache, und zwar in Kategorien der Tradition vom leidenden Gerechten, die er auf seinen 'Fall' anwendet und gleichzeitig in einen
auf Christus bezogenen Denkrahmen 'übersetzt'. Wie die leidenden
Gerechten vor ihm, ist Paulus gewiß, daß Gott ihn nicht zuschanden
werden läßt, sondern sich - und das heißt: Christus - an ihm verherrlicht. Diese Verherrlichung schließt beide Möglichkeiten des
Ausgangs seiner Gefangenschaft ein: kommt Paulus mit dem Leben davon, so erweist sich darin Gottes rettende Kraft[39] an ihm wirksam
und ermöglicht ihm die Fortführung seines Kampfes für Christus;

---

38 Eine gewisse Berührung besteht allenfalls zwischen Phil 4,11f. und den 'me-
ristischen Totalitätsaussagen' von 2Kor 6,8a, s.dazu oben S.256.
39 Cf. die ζωὴ τοῦ Ἰησοῦ von 2Kor 4,10f.; dazu oben S.275f.

wird er hingerichtet, so wird er auch darin nicht zuschanden, ist
doch der Tod für ihn Durchgang zum Sein σὺν Χριστῷ. Von seiner persönlichen Warte betrachtet ist so der Tod sogar das bei weitem Bes-
sere, doch wieder tritt dieser Aspekt zurück hinter den seinen Werkes für Christus: um der Gemeinden willen ist das ἐπιμένειν τῇ
σαρκί nötiger (1,24), und so ist er zuversichtlich, wieder nach
Philippi zu kommen.

Nach dieser ganz auf das 'Werk' abhebenden Skizze seiner Gefan-
genschaftsexistenz schließt sich die Ermahnung von 1,27-30 durchaus nicht nur über die eher äußerliche Verbindung von V 26 zu V 27
an. Vielmehr parallelisiert Paulus seine apostolische Leidensexistenz mit dem Leiden der Gemeinde: es ist derselbe ἀγών, in dem die
auf der Seite Christi für das Evangelium Stehenden den auf die
ἀπώλεια zugehenden Feinden Gottes widerstehen und der ihnen ein
Zeichen für ihre eigene σωτηρία sein kann (vgl. 1,28 mit 1,19).
Das Ziel dieser Erörterung und der eigentliche Gegenstand der Ermahnung ist die Eintracht der Gemeinde: um deren Notwendigkeit
plausibel zu machen, weist Paulus sie auf die große eschatologische Frontstellung hin, in der sie mit ihm und Christus zusammen
stehen und angesichts derer 'interne' Auseinandersetzungen keinen
Raum haben.

Mit noch gesteigerter Eindringlichkeit nimmt 2,1f. diese Ermahnung nochmals auf: wieder geht es um die Eintracht der Gemeinde,
auffällig ist dabei die Doppelung von τὸ αὐτὸ φρονεῖν (2,2a) und
τὸ ἕν φρονεῖν (2,2b), die unterstreicht, daß nicht nur eine bloß
taktische, um des Feindes willen aufgezwungene Einmütigkeit nach
der Art eines 'Burgfriedens' gemeint ist, sondern eine inhaltlich
genau bestimmte, die die Gemeinde von der Substanz her zusammen-
hält und eines Sinnes macht. Diese substantielle Bestimmung gibt
Paulus, indem er das τὸ αὐτὸ/ τὸ ἕν φρονεῖν durch die
ταπεινοφροσύνη inhaltlich füllt und in dem durch τοῦτο φρονεῖτε
angeschlossenen Hymnus anschaulich vor Augen stellt. Der hier ge-
zeichnete Weg des präexistenten Christus, der freiwillig Knechts-
gestalt annehmend sich erniedrigte zum Schmachtod am Kreuz und um
dieses Todes willen von Gott erhöht worden ist zum κύριος aller,
stellt die Gemeinde, die ihn als ihren κύριος bekennt und aufgrund
dieses seines Weges überhaupt erst zu ihrem Heil gelangt, vor die
Notwendigkeit, von diesem Weg her auch ihr φρονεῖν und die Praxis
ihres Umgangs miteinander bestimmen zu lassen.

Hatte der Hymnus seine Beschreibung der universalen Herrschaft
Christi mit der Kyrios-Akklamation beschlossen, mit der - wie jetzt

schon die Gemeinde "als Vortrupp der ganzen Welt"[40] - bald alle
dem Christus huldigen werden, so knüpft Paulus mit seinen auf das
Zitat folgenden Sätzen daran an, indem er dieses Herrsein Christi
im Sinne einer Verpflichtung geltend macht. Unter der Herrschaft
Christi zu stehen heißt nicht, in falscher Sicherheit einen Heils-
besitz zu pflegen, sondern bedeutet "in Furcht und Zittern"[41] das
Heil zu 'erarbeiten' (2,12: τὴν ἑαυτῶν σωτηρίαν κατεργάζεσθε). Das
Mißverständnis, hier gehe es um Werkgerechtigkeit[42], ist nicht nur
vom folgenden (2,13) her ausgeschlossen, es legt sich auch gar
nicht erst nahe, wenn man den Text nicht von seinem (Traditions-)
Kontext isoliert. Ging es bisher darum, daß Paulus und die Philipper auf der Seite Christi stehend im Widerstand gegen die Feinde
Gottes dessen Sache vertreten, so auch hier: ist der Sieg Gottes
in Christus auch errungen, so ist doch die Gefahr eines 'Frontli-
nieneinbruchs', bei dem eine Gemeinde[43] den Feinden Gottes anheim-
fällt, groß genug, um mit Furcht und Zittern alle Anstregungen zu
unternehmen, um die σωτηρία nicht aufs Spiel zu setzen. Daß Gott
dazu "nach (seinem) Wohlgefallen" die Kraft gibt, fügt 2,13 ermu-
tigend und gleichzeitig jedem Verdienstgedanken widersprechend sofort hinzu. Die Praxis solchen aktiven Bemühens um die σωτηρία besteht darin, sich als die τέκνα θεοῦ zu erhalten, die inmitten eines Gott widerstrebenden Geschlechts "wie Lichter in der Welt" erscheinen (2,15). Der Kampf für den Christus, in dem die Gemeinde
auf die σωτηρία zugeht und in dem sie die σωτηρία bewährt, ist also wieder[44] der 'defensive' Kampf des Leidens (1,28f.) *und* der
'offensive' Kampf des rechten, untadeligen und vorbildlichen Wandels, durch den sich die zu Gott Gehörenden sichtbar von den anderen unterscheiden und ihnen gleichzeitig Orientierung sein können.
Der paulinische Text nimmt so die von Hofius schon für den Christushymnus herausgearbeitete Vorstellung auf, daß die Gemeinde
"Vortrupp" der für die (nahe) Zukunft erwarteten universalen
Hinwendung der Welt zu Christus sei. Was dort im Blick auf das Be-

---

40 O.HOFIUS, Christushymnus, 67.
41 'Furcht und Zittern' ist natürlich eine naheliegende, geläufige Wortverbin-
   dung. Gleichwohl sei darauf hingewiesen, daß in Ps 2,11 ein vergleichbarer
   Aufruf zum Dienen in 'Furcht' und 'Zittern' als Reaktion auf die Inthronisation des Herrschers (cf. Ps 2,7) begegnet, was im Blick auf das Verhältnis
   von Phil 2,9f. zu 2,12 interessant ist.
42 Cf. zu den Deutungs- und Umdeutungsversuchen die bei J.GNILKA, aaO. 148f. referierten Positionen.
43 Daß es hier nicht um Einzelne geht, sondern - wie schon die Mahnung zur Geschlossenheit nahelegt - um das Heil der Gemeinde als ganzer, zeigt sich in
   dem ἑαυτῶν σωτηρία (statt σωτηρία ὑμῶν), womit "die einzelnen als Gemeinde"
   (J.GNILKA, aaO. 149) angesprochen sind, die füreinander Verantwortung tragen.
44 Siehe oben zu 2Kor 6 (S.263ff.).

kenntnis zum Herrn formuliert ist, gewinnt hier Züge einer umfassenden missionarisch wirksamen Lebenspraxis. Daß dabei die Aussagen über die Gott widerstreitende 'Umwelt', die ihr entgegengesetz-
ten τέκνα θεοῦ und vor allem ihr 'Leuchten' unter zum Teil wörtlicher Aufnahme alttestamentlicher Zusammenhänge aus dem Traditionsfeld vom leidenden Gerechten formuliert sind, erweist auch in dieser Hinsicht den ganzen Text als geschlossenen Gedankengang. Paulus schließt ihn ab, indem er ganz kurz den gerade geforderten guten Wandel der Philipper auf seinen eigenen Stand vor Christus bezieht (er wird dadurch ein καύχημα am Tag des Herrn haben[45]), um
dann wieder die 'andere' Möglichkeit des Ausgangs seiner Gefangenschaft: das Martyrium, ins Auge zu fassen und so zum 'Freude'-Leit-
motiv zurückzuleiten.

Auch die angeschlossenen Mitteilungen über die Sendung des Timotheus (2,19-
24) und Epaphroditus (2,25-30) lassen in den Äußerungen über die Krankheit
des Epaphroditus denselben 'Vorstellungsrahmen' erkennen. Epaphroditus, der
"Mitkämpfer (2,25: συστρατιώτης) war - um des ἔργον Χριστοῦ willen (2,30) -
krank bis an den Tod (2,27). Doch Gott hat sich seiner erbarmt (ἠλέησεν) und
dadurch gleichzeitig Paulus vor einem Übermaß an λύπη bewahrt. Wieder sind
das Kampfmotiv, das um des Einsatzes für den Christus widerfahrende Leiden
(hier die Krankheit als ein nicht von Menschen zugefügter, sondern von der
Todesmacht selbst gegen den auf Gottes Seite Stehenden geführter Angriff)
und der Heilserweis[46] Gottes an den Seinen aufeinander bezogen, und wieder
zeigt sich, daß Paulus die Tradition vom leidenden Gerechten nicht nur im
Blick auf die Heils- und Auferstehungsteilhabe, sondern durchaus auch auf
die aktuellen Rettungserfahrungen der im Kampf für Christus Stehenden heranzieht.

b) Phil 3

Die Strukturanalyse hatte gezeigt, daß die in unserem Zusammenhang besonders wichtige Aussage Phil 3,10 Bestandteil der großen
Antithese ist, in der Paulus zur Abwehr der gegen ihn in Philippi
agitierenden judenchristlichen Gegenmission seine 'respektable'
jüdische Vergangenheit und sein in Christus gewonnenes neues Sein
radikal gegeneinander ausspielt. Dabei verbindet die dem grundlegenden ἵνα Χριστὸν κερδήσω (3,8) parallelgeordnete zweite Final-
konstruktion τοῦ γνῶναι αὐτόν ... die Auferstehungs- und Leidensaussagen von 3,10 mit dem Rechtfertigungszusammenhang von 3,8f. zu
einer geschlossenen Einheit: Paulus findet in Christus die
δικαιοσύνη ἐκ θεοῦ ἐπὶ τῇ πίστει und er "erkennt" diesen Christus,
indem er die δύναμις seiner Auferstehung und die κοινωνία seiner

---

45 Cf. die Entsprechung zu Phil 1,26 und 1,22, die in der Strukturskizze deutlich wurde (siehe oben S.306).
46 Ἐλεεῖν/חנן ist in den Psalmen - meist im an Gott gerichteten Imperativ - eines der häufigsten Verben, um den Heilserweis Gottes am leidenden Gerechten
zu erbitten; mit ἀσθενής direkt verbunden ist es in Ps 6,3; cf. auch Ps 26,
11; 31,10, wo im Kontext deutlich vom leidenden *Gerechten* die Rede ist.

Leiden erkennt, d.h. erfährt[47]. *Ein 'leidender Gerechtfertigter' ist Pau-*
lus hier - deutlicher als irgendwo sonst in den Paulusbriefen - also auch im
terminologisch-präzisen Sinne. Steht seine Glaubensgerechtigkeit deutlich im Gegensatz zu der von ihm einst so hochgeschätzten und
nach Kräften erstrebten Gesetzesgerechtigkeit von 3,6, so bildet
der Leidensaspekt von 3,10 vor allem eine Opposition zu seiner früheren Rolle als Verfolger der Gemeinden: wie ihn sein Eifern nach
Gesetzesgerechtigkeit zur eifrigen Verfolgung der Christen getrie-
ben hatte, so stellt ihn die Glaubensgerechtigkeit in das durch
Jesu Leiden und Jesu Auferstehung konstituierte Spannungsfeld einer Leidensexistenz in der Perspektive der Auferstehung der Toten.

Die besondere Nuance der Argumentation von Phil 3 liegt nun gerade in der Verhältnisbestimmung dieser beiden Größen. Betonte
Paulus z.B. in 2Kor 4,10 daß sowohl νέκρωσις als auch ζωή Jesu an
seinem 'sterblichen Fleisch' wirksam sind, so geht es ihm auch
hier darum, daß der Gerechtfertigte an der δύναμις von Jesu Auferstehung und an seinen Leiden direkt teilhat; gleichzeitig aber
kommt ihm alles darauf an, daß die umfassende Teilhabe an der Auf-
erstehungswirklichkeit Christi erst endzeitlich erreicht wird. So
spricht er denn auch von einer κοινωνία nur im Blick auf das Leiden und ersetzt die dem συμμορφιζόμενος τοῦ θανάτου αὐτοῦ entsprechende Auferstehungsaussage zunächst durch den auffallend vage erscheinenden Satz von V 11, um sie erst nach einer umfassenden, jedes vorschnelle τέλειος-Denken zurückweisenden Zwischenreflexion
(V 12-20) auszusprechen: das σῶμα τῆς ταπεινώσεως ἡμῶν wird erst
zukünftig σύμμορφον τῷ σώματι τῆς δόξης αὐτοῦ verwandelt werden,
und zwar vermöge derselben Kraft, die dem Christus das All unterwerfen wird: beides ist Teil desselben endzeitlich-endgültigen Geschehens bei der Parusie.

Die gerade angesprochene Zwischenreflexion von Phil 3,12-20 hat
also die Funktion, die Philipper zu warnen vor einem Denken, das
das Heil im Sinne einer den Heilsstand sichernden 'Vollkommenheit'
schon ergriffen zu haben meint. Wieder stellt Paulus zunächst sich
selbst als Beispiel hin (er hat es noch nicht ergriffen, jagt ihm
aber nach), um dann die Gemeinde aufzufordern, seine συμμιμηταί zu
werden. Worum es dabei genau geht, macht die Gegenposition deutlich, die Paulus dieser Mimesis in 18f. entgegensetzt: die Gemeinde
soll nicht den "Feinden des Kreuzes Christi" folgen, deren "Gott
der Bauch" ist und die ihre αἰσχύνη zu ihrer δόξα machen, kurz: die

---

47 Γνῶναι (3,10) meint hier keineswegs einen rein intellektuellen Akt, wie schon
   der Anschluß von κοινωνία παθημάτων zeigt. Cf. W.BAUER, Wörterbuch, 319
   (1a.2a.).

als τὰ ἐπίγεια φρονοῦντες auf die ἀπώλεια zugehen. Ohne die vielfältigen Deutungsmöglichkeiten[48] dieser Einzelcharakterisierungen
hier diskutieren zu müssen, können wir leicht erkennen, daß es sich
bei den Feinden des *Kreuzes* Christi (nicht einfach Christi!) um
Christen handelt, die dieses Kreuz nicht zum bestimmenden Zentrum
ihrer Verkündigung machen und darum auch den von Paulus zuvor aufgewiesenen substantiellen Zusammenhang zwischen Rechtfertigung und
Leidensgemeinschaft ganz oder teilweise verneinen.

Gal 5,11; 6,12. An dieser Stelle ist auch auf die beiden Aussagen im Gal einzugehen, in denen Paulus von der Verfolgung um des *Kreuzes* willen redet.
Nach Gal 5,11 wird er um des "Skandalons des Kreuzes" willen verfolgt, das beseitigt wäre, wenn er "noch die Beschneidung verkündigte", d.h. wenn er sich
nicht gegen die Beschneidung, gegen das Gesetz wendete, das Kreuz nicht al-
ternativ zur Beschneidung verkündigte. Genau dies wirft er seinen Gegnern in
6,12 vor: sie fordern weiterhin die Beschneidung, um nirgends anzuecken, "damit sie nicht wegen des Kreuzes Christi verfólgt werden". Vor allem zwei Aspekte sind festzuhalten:
a) Die Polemik gegen die Gegner weist im Gal in dieselbe Richtung wie in
Phil 3: sie bringen das Evangelium um seine authentische Intention und ver-
kürzen es um ihres eigenen Nutzens willen. Bildet im Gal die Beschneidungsfrage selbst den Streitpunkt und ist das aus der Verkündigung des 'skanda-
lösen' beschneidungsfreien Evangeliums vom Kreuz resultierende Leiden eher
ein Nebenaspekt, so steht umgekehrt in Phil 3 die Frage der Leidensbereitschaft im Vordergrund, während die Beschneidungsfrage dahinter zurücktritt
(cf. aber Phil 3,2!). Der Sachzusammenhang ist aber jeweils derselbe: Paulus
wendet sich gegen ein Evangelium, das von den Verkündern den eigenen religiösen und weltlichen Bedürfnissen und Besorgnissen angepaßt und dadurch seiner Spitze beraubt wird. Wer dem Kreuz sein Skandalon nimmt, ist ein "Feind
des Kreuzes".
b) Gal 5,11 läßt uns zudem die Problemsituation deutlicher erkennen, die uns
bisher stets nur in ihren Ergebnissen: nämlich den an Paulus vollzogenen
Synagogenstrafen in den Leidenskatalogen begegnete. Hier nun wird deutlich:
die Verfolgung (durch die Juden) trifft Paulus, weil er nicht mehr[49] die Beschneidung der bekehrten Heiden verlangt, sondern im Gegenteil programma-
tisch das Kreuz als den einzigen Grund des Heils, die Gerechtigkeit Gottes
aus Glauben und ohne Werke des Gesetzes, mithin auch ohne Beschneidung, proklamiert. Diese das Skandalon des Kreuzes (cf. Gal 3,13) bis ins letzte
ernst nehmende Verkündigung führt ins Leiden, trägt ihm z.B. wiederholt die
"Vierzig weniger Einen" ein[50]. Daß er sich mit aller Leidenschaft gegen die
in seine Missionsgemeinde eindringenden christlichen Missionare wehrt, die
gerade diese Spitze seines Evangeliums verwerfen und den Christusglauben
wieder an die Beschneidung binden wollen, leuchtet ein. Ihre Verkündigung
führt nicht ins Leiden - aber sie verraten das Kreuz, sind Feinde des Kreuzes.

48 Cf. das Referat der Positionen bei J.GNILKA, aaO. 205f. und seinen Exkurs
   'Die philippinischen Irrlehrer', ebd. (211-218) 213f.; zum nomistischen Charakter der gegnerischen Position cf. v.a. H.KÖSTER, The Purpose of the
   Polemic, bes. 324-331; B.MENGEL, Studien, 295.
49 Das ἔτι von Gal 5,11 ist m.E. mißverstanden und unterinterpretiert, wenn man
   daraus auf eine vorchristliche Missionstätigkeit des Paulus "als pharisäischer Diasporamissionar" schließt (G.BORNKAMM, Paulus, 42, cf. 35f.; ähnlich D.LÜHRMANN, ZBK Gal, 82), wovon er sonst (z.B. in Phil 3) nichts erwähnt.
   Zu bedenken ist vielmehr, daß Paulus in Christus "das Ende des Gesetzes"
   (Röm 10,4) erkennt, so daß auch die 'Zeit des Gesetzes' ein für allemal an
   ihr Ende gekommen ist.
50 Cf. 2Kor 11,24, dazu oben S.294 mit Anm.174 und S.297.

Paulus hät in Phil 3,15.17 dem gegnerischen φρονεῖν sein eigenes entgegen und ruft dazu auf, es nachzuahmen. Auf diese Weise
stellt er der Gemeinde den 'eschatologischen Vorbehalt' in aller
Schärfe vor Augen und verwehrt ihr jeden Versuch, die κοινωνία
der Leiden Christi und die ταπείνωσις des noch nicht verwandelten
σῶμα eigenmächtig zu überspringen und schon jetzt das βραβεῖον
(V 14), den Kampfpreis, zu beanspruchen, dem er selbst noch "nach-
jagt" und der "in dem Ruf zu einem Leben" besteht, "das ἄνω, in
der Welt Gottes, erfüllt ist"[51].

Überblicken wir den Text, so tritt die ihn bestimmende Antithese deutlich hervor: einem statischen Vollkommenheitsdenken stellt
Paulus sein ihm aufgrund seiner eigenen Erfahrung mit dem Christus
zuteilgewordenen Verständnis des Seins in Christus entgegen. Der
Kreuzestod und die Auferweckung Jesu konstituieren eine Existenz
im Kräftefeld der in diesen beiden Ereignissen wirksamen Kräfte:
ist auch die δύναμις τῆς ἀναστάσεως Χριστοῦ als die letztlich entscheidende Macht schon jetzt erkennbar und wirksam (10), so ist
der Gerechtfertigte so lange in die ihn dem Tod Jesu gleichgestal-
tende κοινωνία παθημάτων αὐτοῦ gestellt, bis die Auseinandersetzung
dieser Kräfte, an der er aktiv teilhat, mit der völligen Unterwerfung des Alls unter den Christus zu ihrem Ende gelangt.

EXKURS 6: Zum literarkritischen Problem des Philipperbriefs

Die Interpretation von Phil 3 erfolgte bis jetzt bewußt unabhängig vom übrigen Phil, um die Frage des Verhältnisses von Phil 1f. und Phil 3 (und mit ihr
die literarkritische Frage) noch offen zu lassen. Auf sie ist nun kurz einzugehen, wobei wieder nur die Anhaltspunkte festzuhalten sind, die sich von unserer Untersuchung her für die Lösung der Probleme ergeben.

Ein Vergleich zeigt, daß Paulus in Phil 3 christliche Gegenspieler im Auge
hat, während er in Phil 1 und 2 die Konfrontation der Gemeinde mit ihrer nicht-
christlichen 'Umwelt' anspricht; ebenso ist von jeher aufgefallen, daß Paulus
im Phil 1f. so ausführlich von seiner Gefangenschaft redet, daß man sich fragt,
warum er sie in Phil 3 überhaupt nicht erwähnt.

Auf der anderen Seite zeigt der Vergleich aber auch auffällige Berührungspunkte: so ermahnt Phil 1f. (wie auch 4) in erster Linie zur Geschlossenheit
und Eintracht der Gemeinde, ohne daß man erführe, welche Differenzen wirklich
dahinterstehen, während Phil 3 gerade einen derartigen 'Problemhorizont' mitteilt, der die Gemeinde zu spalten droht (cf. 3,2: κατατομή). Ebenso führen
Phil 2,12ff. und 3,12ff. die Notwendigkeit einer aktiven 'Verfolgung' des in
Christus eröffneten Heils ins Feld, um damit eine vorschnelle 'Heilssicherheit'
zu destruieren. Schließlich zieht sich das geradezu leitmotivische φρονεῖν[52]
auch durch Phil 1,3 und stimmt in 2,5 und 3,15 auch inhaltlich überein: beidemal
geht es um die gleiche Haltung eines an Christi Erniedrigung in den Tod orientierten Verzichts auf eigenes Geltungsstreben. Die einzelnen Teile des Phil

---

51 J.GNILKA, HThK Phil, 200 (vgl. auch die Rede vom "himmlischen πολίτευμα der
   Christen" in Phil 3,20).
52 Die 'Linienführung' verläuft über die Stationen: Phil 1,7 - 2,2 (*2x*) - 2,5 -
   3,15 (*2x*) - 3,19 - 4,2 - 4,10 (*2x*).

erscheinen mir so jeweils besser im Verbund miteinander verständlich als isoliert voneinander.

Von hier aus wäre die literarkritische Frage nun neu zu erörtern. Vor allem
wären die vorgeschlagenen 'Nähte' der Redaktion nochmals genau zu prüfen. So
kann m.E. 4,1 wohl Abschluß von 3,2-21 innerhalb eines einheitlichen Phil sein
(der den polemischen Gedankengang über das Leitmotiv χαρά an den Kontext 'an-
bindet'), nicht aber zu einem selbständigen Text 'Phil 3' gehören, eben weil
das χαρά-Motiv deutliches Kennzeichen des 'übrigen' Phil ist. Läßt man aber den
selbständigen Text mit 3,21 enden, so ist die Anknüpfung von 4,1 an 3,1 keineswegs bündig. Auch hier weisen die in unserer Untersuchung sich ergebenden Beobachtungen m.E. eher auf die Einheitlichkeit des Briefes.

Ist diese Sicht zu erhärten, so stellt sich das Verhältnis der Teile des
Phil in einer gewissen Parallele zum 2Kor dar: auch Phil 3 ist wie 2Kor 10-13
ein stark biographisch geprägter, gesonderter Argumentationsgang, der in direkter Polemik gegen die Gegner und ihre Argumente angeht. Dabei verfolgt er im
Blick auf die Gemeinde dasselbe Interesse wie der voranstehende, theologisch
differenziertere Teil: die Gemeinde soll festhalten an dem ihr von Paulus verkündigten, am Kreuz Jesu (cf. 2,8; 3,10.18) orientierten Glauben, den sie als
leidende Gerechtfertigte in der Auseinandersetzung mit der Welt aktiv zu bewähren haben. Daß der erste 'Durchgang' dazu die Tradition vom leidenden Gerechten als Traditionsfolie deutlich erkennen läßt, während der zweite auf eine solche theologische 'Basis' verzichtet und vor allem aus der biographischen Komponente seine Überzeugungskraft zu beziehen sucht, entspricht dabei ganz den
Beobachtungen am 2Kor.

Gehörte - wie der Exkurs vermuten läßt - Phil 3 von Anfang an
mit Phil 1f. zusammen, so können wir die Interpretation des Kapitels noch einen Schritt weiter führen. In diesem Falle ist nämlich
die Kombination des ταπείνωσις-Gedankens mit der Vorstellung Jesu
als des endzeitlichen Pantokrator in Phil 3,20f. als bewußte Aufnahme des Hymnus Phil 2,6-11 anzusehen: war dort das ταπεινοῦν
ἑαυτόν bis zum Tod am Kreuz der Grund für die Erhöhung Jesu zum
universalen κύριος, so geht es hier um die endzeitlichen Auswirkungen eben dieses Vorgangs bei der Wiederkunft Christi als σωτήρ.
In demselben Akt, in dem seine universale Herrschaft vollständig
verwirklicht werden wird, gibt der in freiwilligem Gehorsam zum
ταπεινός Gewordene den Seinen Anteil an seiner Erhöhung, indem er
ihr σῶμα ταπεινώσεως seinem σῶμα τῆς δόξης gleichgestaltet.

c) Zusammenfassung

Der Philipperbrief ist derjenige unter den Paulusbriefen, der
die Leidensthematik am breitesten und - was die Palette der Aspekte angeht - auch am 'ausgewogensten' behandelt. Dabei stellt ihn
die Situation, daß der gefangene Apostel an eine von außen bedräng-
te Gemeinde schreibt, in die Nähe des 1Thess, während die christologische Fundierung des Leidensverständnisses ihre nächste Parallele im 2Kor hat und ihn die Auseinandersetzung mit dem falschen
τέλειος-Denken und der 'realized eschatology' seiner Gegner in der
Argumentation am stärksten mit dem 1Kor, in der Art der 'Durchfüh-

rung' der Polemik dagegen mit 2Kor 10-13 verbindet. Alle seine
Leidensaussagen lassen sich als Aspekte eines einheitlichen Leidensverständnisses begreifen, für das die Vorstellung einer umfassenden Auseinandersetzung zwischen den auf der Seite Christi Stehenden und den Gottesfeinden konstitutiv ist: Paulus greift hier
deutlich auf das apokalyptisch-dualistische 'Front'-Denken zurück,
wie es auch seit den (späteren) Psalmen des Alten Testaments der
Tradition vom leidenden Gerechten mehr und mehr zueigen geworden
ist, und gibt ihm durch den Bezug auf Jesu Kreuz und Auferstehung
ein neues Zentrum. Indem Christus Menschen den Zugang zu Gott eröffnet, stellt er sie gleichzeitig auch auf Gottes Seite im Kampf
gegen die Gott sich widersetzenden Feinde. In dieser Auseinandersetzung gilt es, bis zur endgültigen, universalen Aufrichtung und
Anerkennung der Herrschaft Christi das für Gott gewonnene 'Terrain'
trotz aller Anfeindungen und Leiden nicht preiszugeben und durch
ein Verhalten, das dem in Christus neu gewonnenen Sein gemäß ist,
neues hinzuzugewinnen. Mit der paulinischen Redeweise vom 'Kampf'
hat es also eine sehr viel weitergehende Bewandtnis, als daß es
sich dabei um "eine Sprache (handelt), die die alten Soldaten in
Philippi verstehen"[53]. Vielmehr ist der Kampf für Paulus eine konstitutive Dimension christlichen Seins, die er als direkte Folge
des in Tod und Auferstehung Jesu vollzogenen Gotteshandelns begreift. Das Werk Christi wird vorangetrieben gegen den Widerstand
der sich Gott widersetzenden Welt, und die Christen sind aktiv an
dem weltweiten Prozeß beteiligt, an dessen Anfang Jesu Sendung,
Tod und Auferweckung stand und an dessen Ende die universale Herrschaft Christi stehen wird.

> Bei diesem Kampf liegt zwar der Tod des Kämpfers durchaus im Bereich des Mög-
> lichen, doch liegt Paulus jede besondere Betonung oder gar Verherrlichung
> des Martyriums fern. Im Gegenteil sieht er in 1,23f. im Märtyrertod nur den
> für ihn persönlich besseren, im weiteren Dienst an der Gemeinde dagegen den
> für das Werk Christi notwendigeren und darum vorzuziehenden Ausgang seiner
> Gefangenschaft. Trotz ihrer vorbildlichen Geschlossenheit ist Lohmeyers[54]
> Interpretation des Phil deshalb gerade in ihrer grundlegenden These nicht
> durchzuhalten. Diesem Stellenwert des Martyriums im Phil entspricht es, daß
> Paulus auch jede Heroisierung der Leiden vermeidet: der 'Sinn' der Leiden
> geht nirgends über die Funktion hinaus, die sie am Werk Christi erfüllen.

Walter erinnert[55] an die heidnische Herkunft der Adressaten und

53 G.FRIEDRICH, NTD 8, 147.
54 E.LOHMEYER, KEK Phil. - Schon der Aufriß dieser Kommentierung (ebd. 5f.) läßt
   erkennen, daß hier alles auf das Martyrium bezogen ist. In der Durchführung
   sieht sich LOHMEYER freilich zu völlig unbegründeten historischen Vermutungen
   (z.B. ebd.111f.!) und zu ständigem Hineinlesen des Martyriumsgedankens in den
   Text (cf. z.B. 165-167 zu Phil 4,2f.) genötigt. Zur Kritik cf. N.WALTER, Die
   Philipper und das Leiden, 417f. und die dort genannten älteren Einwände. Immerhin hat LOHMEYER aber die Zentralstellung der Leidensthematik klar erkannt.
55 N.WALTER, aaO. 417f., gegen E.LOHMEYERs Annahme, im Phil spreche "ein Märtyrer zu Märtyrern" (KEK Phil, 5.70).

betont, wie "fremd für den aus hellenistischer Tradition kommenden
Menschen der Gedanke des Leidens um Gottes und seines Ausschließ-
lichkeitsanspruches willen sein mußte"[56]. Auch wenn man im Blick
auf die Zusammensetzung der Gemeinde wohl stärker differenzieren
muß als Walter es tut[57], so dürfte doch zutreffen, daß die Leidenssituation der Philipper und die Nachricht von der Gefangensetzung
des Paulus ein ernstes "Glaubensproblem"[58] für sie darstellte, zu
dessen Bewältigung der Phil beitragen will. Gerade dann aber ist
hervorzuheben, daß Paulus der Gemeinde Sätze wie 1,27-30 ohne alle
Abstriche zumutet und daß er auch gegenüber den in der biblischen
Glaubenstradition relativ ungeschulten Heidenchristen von Philippi
unter wörtlichem und sachlichem Rückgriff[59] auf die Tradition vom
leidenden Gerechten argumentiert. Zeigt sich doch darin, daß die
Frage des Leidens für Paulus keineswegs zur Disposition steht, sondern die Substanz des Seins ἐν Χριστῷ berührt und daß Paulus sich
des Traditionskontextes nicht nur in Rücksicht auf sein Gegenüber
bedient, sondern Leiden von vornherein in diesem Kontext erfährt
und bedenkt.

15.Kapitel

DER RÖMERBRIEF

"Leiden" gehört nicht zu den zentralen Themen des Römerbriefs, und auch in
den drei 'einschlägigen' Textabschnitten: Röm 5,1-11; 8,18-39 und 15,1-6
kommt es nicht für sich und um seiner selbst willen zur Sprache, sondern nur
als ein (freilich: wichtiger) Aspekt im übergeordneten Aussagezusammenhang.
Offenbar ist Paulus im Röm weder genötigt[1], sich und sein Apostolat gegen-

---

56 N.WALTER, aaO. 428; cf. auch 430 mit Anm.43; B.MENGEL, Studien, 291.
57 Immerhin berichtet ja Act 16,14f.40 von Lydia als einer σεβομένη, d.h. einer
   sich zur Synagoge haltenden Heidin, so daß damit zu rechnen ist, daß wie in
   den übrigen paulinischen Gemeinden auch in Philippi ehemalige "Gottesfürchtige" vertreten waren, allerdings dürfte deren Anteil in der römischen Vetera-
   nenkolonie Philippi geringer gewesen sein als anderswo. Dafür spricht auch,
   daß die jüdische Gemeinde von Philippi wahrscheinlich keine eigene Synagoge
   hatte, wie man aus Act 16,13 schließen kann, also sehr klein war.
58 N.WALTER, aaO. 433.
59 Die Tatsache, daß Paulus im Phil keine der von ihm zitierten alttestamentlichen Wendungen als solche kennzeichnet, könnte mit der Zusammensetzung der
   Gemeinde zusammenhängen. In jedem Fall zeigt sie, daß Paulus mit den Zitaten
   nicht eine Bestätigung durch die 'Autorität' der 'Schrift' bezweckt, sondern
   die Sache selbst in deren Sprachmustern am besten auszudrücken meint. Es verhält sich so, wie die Schrift sagt, so daß es Paulus angemessen erscheint,
   sich ihrer zu bedienen, und zwar auch denen gegenüber, die diese Redeweise
   vielleicht gar nicht als Schriftauslegungen verstehen.
 1 Zum Abfassungszweck des Röm, zur Situation der römischen Gemeinde und zu ihrem Verhältnis zu Paulus cf. M.KETTUNEN, Abfassungszweck, bes. 188f.57-81;
   U.WILCKENS, EKK Röm I, 33-46.

über seinen Adressaten *wegen seiner Leiden* zu verteidigen, noch die römische
Gemeinde in einer besonderen Leidenssituation zu belehren und zu trösten.
  Diese im Vergleich mit den übrigen Paulusbriefen geringere Situationsab-
hängigkeit der Leidensaussagen im Röm kommt uns für unsere Untersuchung sehr
gelegen. Sollte sich nämlich das bisher an den stark adressaten- und situati-
onsbezogenen Texten gewonnene Bild auch in diesem ganz anders gearteten kommunikativen Kontext bestätigen, so besteht Grund zu der Annahme, daß es wirklich zumindest gewisse Grundzüge des 'paulinischen Leidensverständnisses' wiedergibt. Außerdem bieten die Kontextzusammenhänge die Möglichkeit zu einer
theologischen Präzisierung dieses Bildes, vor allem im Blick auf das Verhältnis von Rechtfertigung und Leiden.

15.1. Römer 5,1-11 und 8,18-39

Einerlei, welchem Gliederungsvorschlag[2] zu Röm 1-8 wir folgen, ob wir mit den
meisten Auslegern[3] mit Röm 5,1 einen neuen Hauptteil beginnen lassen, oder
mit Wolter und Wilckens[4] Röm 5 noch zum vorherigen Hauptteil Röm 1,18ff. ziehen: in jedem Fall ergibt sich, daß Paulus an zwei besonders exponierten Stellen der in Röm 1-8 vorliegenden umfassenden Entfaltung seines Rechtfertigungs-
verständnisses auf das Leiden zu sprechen kommt[5]. Schon die Disposition des
Briefes läßt ein Korrespondenzverhältnis zwischen Röm 5,1-11 und 8,18-39 erkennen, das von der inhaltlichen und argumentativen Verwandtschaft der beiden Texte eindeutig bestätigt wird[6]. Von daher sind die beiden Texte miteinander zu behandeln.

15.1.1. Römer 5,1-11

Strukturen

Für das Verständnis von Röm 5,1-11 hängt viel davon ab, daß man
die durch die syntaktischen Signale, durch Wiederaufnahme von Wörtern und durch parallele Satzkonstruktionen markierten Zuordnungs-
und Abhängigkeitsverhältnisse der Textelemente richtig erfaßt. Folgende Skizze ist ein Versuch, sie zu verdeutlichen:

2 Cf. die bei M.WOLTER, Rechtfertigung, 203-208, referierten Positionen; seither außerdem U.WILCKENS, EKK Röm I, 181f. mit Anm.484.
3 So etwa die Kommentare von E.KÄSEMANN, H.SCHLIER, O.MICHEL, H.LIETZMANN sowie
  W.G.KÜMMEL, Einleitung, 267f. mit Anm.1.
4 Cf. M.WOLTER, aaO. 211.215; U.WILCKENS, EKK Röm I, 17f. (so auch die Kommentare von P.ALTHAUS und O.KUSS u.a.). - Eine Grenze zwischen 5,11 und 5,12
  ziehen die Kommentare von T.ZAHN, F.J.LEENHARDT u.a.
5 Je nach Gliederung rahmen die Leidenstexte den Komplex Röm 5-8 oder stehen
  jeweils am Ende der beiden Hauptteile. Doch erweist schon die Tatsache, daß
  der Text Anhaltspunkte für mindestens drei verschiedene Gliederungen anbietet,
  den Einschnitt zwischen den 'Hauptteilen' als nicht eben tief (cf. U.LUZ,
  Aufbau, 180). Bei der Auslegung von Röm 5,1-11 ist also den von LUZ (178 Anm.
  44) aufgelisteten "Verbindungen nach rückwärts" und "nach vorn" gleichermas-
  sen Rechnung zu tragen.
6 Diese Korrespondenz läßt sich schon am Konkordanzbefund erkennen: folgende
  für beide Textkomplexe konstitutiven Elemente treten in Röm 8,17ff. zum ersten Mal seit Röm 5,1-11 wieder auf:
  ἐλπίς/ἐλπίζω: Röm 5,2-5, dann erst wieder Röm 8,20-25;
  ἀγάπη: Röm 5,5.8, dann erst wieder Röm 8,35-39;
  'Leiden' (πάσχω/θλῖψις):   Röm 5,3, dann erst wieder Röm 8,17.18.35ff.;
  ὑπομονή: Röm 5,3f., dann erst wieder Röm 8,25;
  'Teilhabe von Menschen a.d.δόξα':Röm 5,2, dann erst wieder Röm 8,18.21.30.
  Darüber hinaus liegen die πολλῷ-μᾶλλον-Schlüsse von Röm 5,9.10 ihrer Logik
  und der Sache nach in Röm 8,32 zugrunde: die πῶς-Frage ist lediglich eine
  sprachliche Variante.

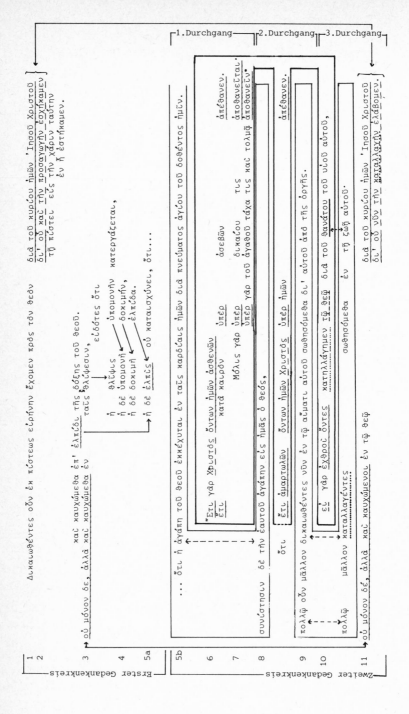

Die Skizze läßt erkennen, daß die θλῖψις-Aussagen (5,3f.) ganz fest
in den ersten Gedankenkreis mit dem Leitstichwort ἐλπίς eingebunden
sind, der dann in einem zweiten Gedankenkreis begründet wird, dessen Thema der 'Tod Jesu für uns als ἀγάπη' ist. Beide Kreise überschneiden sich in 5,5, wo ἐλπίς und ἀγάπη τοῦ θεοῦ fest aufeinander
bezogen werden.

Der erste Kreis hat vor allem die Funktion, den in den vorherigen Kapiteln Röm 1-4 entwickelten Vorgang der Rechtfertigung aus
Glauben, der in 5,1.2a in einer Art Momentaufnahme der Gegenwart
des Gerechtfertigten verdichtet ist, in die Perspektive der noch
nicht erlangten, aber für die Zukunft erhofften δόξα τοῦ θεοῦ zu
stellen. Diesem Zukunftsaspekt wird der θλῖψις-Aspekt zunächst ergänzend (cf. 5,3: οὐ μόνον ἀλλὰ καί) als Gegenwartsaspekt parallelgeordnet und dann über die 'Brücke' des Kettenschlusses[7] 3b-4 auch
inhaltlich fest mit der ἐλπίς verbunden. 5a bildet gleichzeitig den
Abschluß des Kettenschlusses[8] und die Fortschreibung von 2b: _daß_
die Hoffnung "kein leerer Wahn"[9] ist, ist gleichermaßen Voraussetzung für die Berechtigung der Aussagen von 2b wie von 3-4.

Warum sie kein leerer Wahn ist, zeigt der zweite Gedankenkreis[10].
Dreimal schreitet Paulus darin denselben Gedankenbereich ab, wobei
er jeweils einen neuen Aspekt betont und ihn seinem Ziel, die Hoffnung als _begründete_ Hoffnung zu erweisen, dienstbar macht[11].

Der erste Durchgang entfaltet die 'Liebe Gottes', indem er sie
als bedingungslose Initiative Gottes kennzeichnet, die dieser im
Tod Jesu für die (noch) Gottlosen ergriffen hat. Die schlechthin
unvergleichliche Qualität solchen 'Verhaltens' Gottes betont V 7.

Der zweite Durchgang nimmt die Verbindung von 'Liebe Gottes' und
'Tod Jesu für uns' in genau der gleichen Weise wieder auf und fügt
nun den πολλῷ-μᾶλλον-Schluß hinzu: das für uns im Tod Jesu Geschehene versichert uns auch des zukünftigen Heils.

Der dritte Durchgang wiederholt sowohl die Aussagen über den Tod
Jesu als auch den πολλῷ-μᾶλλον-Schluß, ersetzt dabei aber die Recht-

---

7 Zur formalen Struktur und rhetorischen Wirkung (Klimax) cf. M.WOLTER, Rechtfertigung, 145 Anm.488.
8 Dies ist m.E. angesichts des eindeutigen sprachlichen Signals ἡ δέ nicht zu
   leugnen: jeder Hörer muß es zunächst als Fortsetzung der Kette verstanden haben. Freilich kennzeichnet dann das abweichende Prädikat die besondere Rolle
   des Schlußglieds und weist gleichzeitig in der Sache auf 5,2b zurück (gegen
   M.WOLTER, aaO. 149f., der - nur letzteres betonend - 5,5a nicht mehr der Kette zurechnen will).
9 U.WILCKENS, EKK Röm I, 292.
10 Vgl. den durch ὅτι hergestellten Begründungszusammenhang von ἀγάπη und ἐλπίς.
11 Es sind jeweils drei Gedanken miteinander verbunden, von denen in jedem Durchgang zwei erhalten bleiben und einer durch einen neuen ersetzt wird. So ergibt sich ein allmählicher Gedankenfortschritt.

fertigungs- durch die Versöhnungsterminologie und -perspektive und
erreicht in V 11 das angestrebte Ziel, indem er den Ruhmesaussagen
von V 2 und 3 das auf der schon gegenwärtig (νῦν!) empfangenen Versöhnung διά 'Ιησοῦ Χριστοῦ beruhende Sich-Rühmen ἐν τῷ θεῷ zur Seite stellt: da die καταλλαγή nach dem Vorhergehenden die endzeitliche σωτηρία impliziert, ist damit die sachliche Begründung für das
Sich-der-Hoffnung-Rühmen gegeben: Paulus hat gezeigt, daß die Perspektive, auf die er den Rechtfertigungszusammenhang in V 2b ausgerichtet hat, in diesem Zusammenhang selbst mitenthalten ist und deshalb zurecht von ihm geltend gemacht wird. Die Argumentation erreicht so wieder den 'Stand' von 5,1.2 (V 11 ist bis in die Ein-
zelworte hinein fast ganz eine Kombination dieser beiden Verse!),
der jetzt aber als ein begründeter und inhaltlich präzisierter Zusammenhang erscheint.

Traditionen

Als Traditionszusammenhang, aus dem heraus der Kettenschluß in
Röm 5,3-5 zu verstehen ist, wird in der neueren Forschung zurecht
fast einhellig die Vorstellung des "Prüfungsleidens"[12] angenommen,
die uns in der diachronen Skizze in einem recht breiten Feld der
spätalttestamentlichen und zwischentestamentlichen Literatur, vor
allem in weisheitlich-paränetischen Zusammenhängen begegnete. Terminologisch lassen sich die Bezüge am deutlichsten aufzeigen[13] anhand von TestJos 2, wo θλῖψις (2,4), ὑπομονή (2,7, cf. 10,1f.) und
δοκιμάζειν/δόκιμος[14] (2,6f.) einander in ganz ähnlicher Weise wie
in Röm 5 zugeordnet sind. Seine mit den πειρασμοί (d.h. den Ver-
führungsversuchen der Memphitin) verbundenen Leiden[15] besteht Joseph in Geduld, und er weiß sich so "erprobt" (2,7: δόκιμος). Daß
derselbe Sachzusammenhang von 'Bedrängnis' und 'Bewährung' - wenn
auch nicht in so dichter terminologischer Parallele zu Röm 5 -
auch den Märtyrertraditionen und den apokalyptischen Traditionen
eigen ist, in denen θλῖψις vor allem die (endzeitlichen) Verfolgungen der Gerechten durch die Gottesfeinde meint, ist von der diachronen Skizze her deutlich[16]. Gerade hier findet sich dann auch
das vierte Element der paulinischen Begriffsreihe, die ἐλπίς, mit
diesem Vorstellungsrahmen verbunden: außer auf die Makkabäertradi-

---

12 M.WOLTER, Rechtfertigung, 139; cf. E.KÄSEMANN, HNT Röm, 126; allgemeiner U.
   WILCKENS, EKK Röm I, 291.
13 Cf. M.WOLTER, aaO. 141; weitere Belege ebd. Anm.472. Einleuchtendste Parallele zur Formgestalt des Kettenschlusses ist Weish 6,17-20.
14 Δοκιμή ist vor Paulus nicht belegt und könnte eine selbständige paulinische
   Bildung sein (so M.WOLTER, aaO. 142).
15 Vgl. TestJos 2,4-6 im Zusammenhang mit 3,1-9,4.
16 Siehe oben S.97f.104f.111f. und M.WOLTER, aaO. 144f.

tion[17] verweist Wolter zurecht auf Weish 3,4f.: die "Hoffnung auf
Unsterblichkeit" der Gerechten stützt sich hier darauf, daß Gott
sie "prüft" und sie "seiner wert findet". "Die Gerechten erwiesen
sich in der Prüfung des Leidens als standhaft und gläubig (...) und
werden aus diesem Grunde mit dem eschatologischen Heil belohnt"[18].
Wo wird man mit Wolter in der "Begriffsreihe θλῖψις - ὑπομονή -
δοκιμή - ἐλπίς in Röm 5,3-4 (...) die sprachliche Reduktion des so-
eben skizzierten jüdischen leidenstheologischen Vorstellungszusam-
menhangs auf seine zentrale Begrifflichkeit" sehen können, die in
ihrer "klimaktischen Aufeinanderfolge (...) exakt das spezifische
Gefälle und die innere Struktur dieser Tradition nachzeichnet"[19].

In der Forschung stärker problematisiert ist die Frage nach dem
Traditionshintergrund und der Deutung von Röm 5,5a: ἡ δὲ ἐλπὶς οὐ
καταισχύνει. Der geläufigen[20] Herleitung von Ps 22,6; 25,20 (LXX)
und dem damit zusammenhängenden Skopus, "daß man diesen Vers in Gewißheit zum Ausdruck bringen sieht, daß die Hoffnung auf das eschatologische Heil erfüllt wird"[21] hat Wolter widersprochen und demgegenüber auf den seit der LXX und bei Paulus häufiger[22] begegnenden
engen Zusammenhang von καυχᾶσθαι und καταισχύνειν verwiesen. Die
Wendung wolle so "zum Ausdruck bringen, daß das christliche
καυχᾶσθαι ἐπ' ἐλπίδι ein begründetes Rühmen ist, das nicht als
Täuschung entlarvt wird, weil sein Gegenstand, die Hoffnung auf
die Herrlichkeit Gottes, nicht in Erfüllung geht und die Christen
überhaupt nicht des eschatologischen Heils teilhaftig werden"[23].
Diese These steht in unmittelbarem Zusammenhang mit der in der
Strukturuntersuchung schon angesprochenen[24] Behauptung, V 5a gehöre nicht mehr zum Kettenschluß, sondern weise stattdessen über den
darin vorliegenden "Exkurs" direkt auf 5,2 zurück.

Wolters Beobachtungen sind zunächst in zweierlei Hinsicht weiterführend: Erstens sieht er richtig, daß sich zu der Formulierung
von 5a weder in Ps 22 noch in Ps 25 eine so wörtliche Entsprechung
findet, daß man - angesichts der übrigen Belege in den Psalmen und
dem übrigen AT, die den ἐλπίς/ἐλπίζειν-Gedanken mit dem des
καταισχύνειν verbinden[25] - einen "isolierte(n) Rückgriff auf zwei
singuläre Psalmstellen der LXX"[26] ohne eine nähere Begründung der

17 Cf. M.WOLTER, aaO. 142f.; v.a. 4Makk 17,4.
18 M.WOLTER, aaO. 143f.
19 Ebd. 145.
20 Cf. ebd. 150 mit Anm.504.
21 Ebd. 150.
22 Cf. 2Kor 7,14; 10,8; 9,2-4.
23 M.WOLTER, aaO. 152f.
24 Siehe oben S.327 Anm.8.
25 Ψ 30,2; 70,1; Jer 31(48),13; Spr 11,7 LXX; cf. M.WOLTER, aaO.150 m.Anm.506.
26 M.WOLTER, aaO. 151.

starken Umformulierung durch Paulus behaupten kann. Zweitens macht
er zurecht darauf aufmerksam, daß καταισχύνειν von der LXX her
nicht nur mit ἐλπίς, sondern auch mit θλῖψις[27] und mit καυχᾶσθαι[28]
korrespondiert, in Röm 5,2.3f.5 also ein schon in der Tradition
konstituiertes semantisches Feld vorliegt.

Andererseits übersieht er aber, daß καταισχύνειν in der LXX
fast ausschließlich und an den von ihm angeführten Paulusstellen
durchweg passivisch gebraucht wird: die Formulierung ἐλπὶς οὐ
καταισχύνει ist nicht nur als solche singulär, sondern auch in ihrer Struktur (Abstraktnomen + aktivisches καταισχύνειν) ohne jede
Analogie in LXX und bei Paulus; sie bedeutet überdies eine sprachliche Härte, ἐλπίζοντες οὐ καταισχυνόμεθα wäre viel eher zu erwarten. Ich sehe nur einen einzigen Grund, der stattdessen die in 5a
vorliegende Formulierung veranlaßt haben kann, nämlich der Wunsch,
den Kettenschluß fortzusetzen, wodurch Paulus das ἡ δὲ ἐλπίς fest
vorgegeben war. Trifft dies zu, so können wir 5a aber trotz der
fehlenden wörtlichen Übereinstimmungen auf Ps 22,6 und vor allem
auf Ps 25,20 zurückführen. Denn wir kennen nun den Grund für die
Umformulierung: wollte Paulus den in μὴ καταισχυνθείην, ὅτι ἤλπισα
ἐπὶ σέ (Ψ 24,20) zur Sprache kommenden Kausalnexus von Hoffnung
und Nichtzuschandenwerden in 'Verlängerung' des Kettenschlusses
ausdrücken, so konnte er das gar nicht anders formulieren als
durch ἡ ἐλπὶς δὲ οὐ καταισχύνει. Daß auch in Ψ 24,17 (und Ψ 21,11)
explizit von θλῖψις die Rede ist, unterstreicht überdies die sachliche Verbindung von 5a zum Kettenschluß: wer in der θλῖψις auf
Gott hofft, wird nicht zuschanden.

Paulus läßt also die vom 'Prüfungsleiden' her angefangene Denkbewegung in eine der Grundaussagen der Tradition vom leidenden Gerechten ausmünden. Angesichts der in der diachronen Skizze aufgewiesenen Zusammengehörigkeit beider Traditionslinien schon in ihrem Ursprung ist dies ein ganz plausibler Vorgang (der sich übrigens auch in dem oben angeführten Text TestJos 2,4-6 verfolgen
läßt!). Er zeigt, daß Paulus die Denkfigur des 'Prüfungsleidens'
kennt und rezipiert, daß er sie aber - im Gegensatz zu einigen jüdischen Kreisen, für die sie zum beherrschenden, ja einzigen In-
strument der Leidensinterpretation wird - im umfassenden Kontext
der Tradition vom leidenden Gerechten und von ihrem Zentrum: der
Verläßlichkeit der צדקה Gottes als Heilszuwendung zu den Seinen,
her versteht und auf dieses hin zur Sprache bringt.

---

27 Ψ 21,6; 24,2f.; 30,2; 36,19; 43,10; cf. M.WOLTER, aaO. 150 mit Anm.503.
28 Jer 12,13; cf. M.WOLTER, aaO. 152; siehe auch oben S.329, Anm.22.

Damit ist der von Wolter postulierte Rückbezug von V 5a auf V 2 keineswegs
ausgeschlossen, im Gegenteil: das καυχᾶσθαι ἐπ' ἐλπίδι τῆς δόξης τοῦ θεοῦ
erscheint in der Tat aufgrund von 5a als *begründetes* Rühmen. Begründet aber
wird es durch den vom 'Erfahrungsmoment' der θλῖψις ausgehenden, die Denkbe-
wegungen der Tradition vom leidenden Gerechten nachvollziehenden Kettenschluß
3-5a. Von hier aus gewinnt auch das eigenartig erscheinende Nebeneinander des
doppelten καυχᾶσθαι: ἐπ' ἐλπίδι *und* ἐν θλίψεσιν[29] einen plausiblen Grund: der
Leiden kann Paulus sich rühmen, weil sie ihm Anhalt bieten für die δόξα-Hoffnung, den eigentlichen Gegenstand seines Rühmens.

Daß Paulus die Gewißheit des Nichtzuschandenwerdens in seiner Hoffnung nicht nur von der Tradition her begründet, sondern in dem angeschlossenen ὅτι-Satz (5b) eine weitere, die erste in gewissem
Sinne überholende (christologische) Begründung hinzusetzt, wird
bei der Interpretation zu bedenken sein.

Einen zweiten Rückgriff auf vorgegebenes Traditionsgut weist
Röm 5,1-11 noch in 5,7 auf. Um die unvergleichbare und besondere
Qualität des Todes Jesu für die ἀσεβεῖς zu veranschaulichen, die
jedem von den Erfahrungsregeln 'normalen' Verhaltens her geprägten
Erwartungshorizont widerspricht, markiert Paulus hier die äußerste
Grenze dessen, was 'normalerweise', wenn auch selten, 'noch vor-
kommt', und zwar durch eine offensichtlich den Adressaten ohne wei-
tere Erläuterung verständliche und einleuchtende Erfahrungsregel:

5,6	Χριστός ...	ὑπὲρ	ἀσεβῶν		ἀπέθανεν.
7a	μόλις γὰρ ὑπὲρ		δικαίου	τις	ἀποθανεῖται·
7b		ὑπὲρ γὰρ τοῦ ἀγαθοῦ τάχα τις καὶ τολμᾷ ἀποθανεῖν·

Es liegt auf der Hand, daß das δίκαιος von 7a als Opposition zu dem
ἀσεβής von 6b formuliert ist, und der bei Wolter angeführte Gedanke[30] aus Spr 11,31: εἰ ὁ μὲν δίκαιος μόλις σῴζεται, ὁ ἀσεβὴς καὶ
ἁμαρτωλὸς ποῦ φανεῖται; ist in Röm 5,7a in der Sache, wenn nicht
sogar der Formulierung nach aufgegriffen: der Text setzt in seiner
Pointe "das Wissen darum voraus (...), daß, wenn dem Gerechten
schon kaum etwas zugute kommt, dieses dem Gottlosen erst recht
nicht vergönnt ist"[31].

Gleichzeitig enthält Röm 5,7 in der Vorstellung des Sterbens für
einen Gerechten (7a) bzw. für den Guten/das Gute einen (angesichts
der Knappheit der Formulierung offensichtlich geläufige Gedanken
ansprechenden) Rekurs auf die Pflichtenlehre der hellenistischen
Philosophie mit der darin enthaltenen Freundschaftsethik. Die von

---

29 Zum Präpositionenwechsel (der sich in der Bedeutung nicht oder nur minimal
   auswirkt) cf. M.WOLTER, aaO. 135; U.WILCKENS, EKK Röm I, 291f. Anm.960.
30 M.WOLTER, aaO. 173. - Zu dem durch μόλις gekennzeichneten logischen Schluß-
   verfahren cf. auch Weish 9,16 und die bei M.WOLTER, aaO. 173 mit Anm.627 angeführten Belege.
31 M.WOLTER, aaO. 173. - 1Petr 4,18 zitiert Spr 11,31LXX wörtlich und überträgt seine Aussage völlig ungebrochen in die christliche Situation.

Stählin[32], Wolter[33] und Hengel[34] aufgeführten reichen Belege zeigen, daß die Vorstellung, für einen guten Freund, aber auch für
die Polis oder ein (philosophisches) Ideal sein Leben aufs Spiel
zu setzen oder freiwillig hinzugeben, in großer Breite quer durch
das Spektrum der philosophischen Schulen - wenn hier auch mit sehr
verschiedener Nuancierung im einzelnen[35] - lebendig war.
'Αποθνήσκειν ὑπέρ ist dabei ein entscheidender Terminus, sogar in
der Verbindung mit τολμᾶν (cf. 7b) begegnet er insbesondere bei
Isocrates als "feste assoziative Verknüpfung"[36].

> Die vieldiskutierte Frage, ob τοῦ ἀγαθοῦ in 7b als Maskulinum oder Neutrum
> aufzufassen sei[37], wovon vor allem die Verhältnisbestimmung von 7a und 7b
> zueinander stark abhängt, ist angesichts des paulinischen Sprachgebrauchs[38]
> und um des Gefälles des Textes[39] willen wohl am ehesten zugunsten der neu-
> trischen Deutung zu beantworten: das Leben für "das Gute" als dem höchsten
> Wert zu wagen, kommt "vielleicht" - wenn auch selten einmal - vor; für einen
> Gerechten geschieht dergleichen "kaum" einmal; Christus aber ist für die
> Gottlosen gestorben.

Paulus verknüpft also auch hier wieder jüdische und hellenistische
Traditionselemente: indem er bei der klassischen jüdischen Frontstellung ἀσεβής/δίκαιος ansetzt und über die Brücke des in jüdi-
schem und hellenistischem Wertdenken in gleicher Weise hochgeschätzten δίκαιος hinüberschreitet zum Gedanken des Lebenseinsatzes
für das ἀγαθόν, gelingt ihm der Aufweis, daß Gottes Heilstat in jeder Hinsicht "inkommensurabel ist"[40] und den Rahmen all dessen,
was jüdische wie griechische Weisheit an Erfahrungsregeln und Wertmaßstäben bereitstellen, aufsprengt.

---

32 G.STÄHLIN, Art. φιλέω κτλ. φίλος, ThWNT 9, 151.
33 M.WOLTER, aaO. 171f. mit Anm.619-624.
34 M.HENGEL, Atonement, 13 mit Anm.45.
35 Cf. v.a. M.HENGEL, aaO. 6-18.
36 M.WOLTER, aaO. 172; cf. auch seinen Hinweis auf das Kompositum ὑπερ-
   αποθνῄσκειν, das seit Platon bis Epiktet belegt ist (ebd. Anm.622); Belege
   auch bei LIDDELL-SCOTT, 1859.
37 Cf. die Darstellung der Positionen bei M.WOLTER, aaO. 174 mit Anm.630; U.
   WILCKENS, EKK Röm I, 296 mit Anm.980. Beide plädieren selbst für die neutri-
   sche Deutung.
38 ὁ ἀγαθός kommt bei Paulus gar nicht, τὸ ἀγαθόν dagegen im Röm 10x, im Gal,
   1Thess, Phlm je 1x (sonst im NT nur noch 3x) vor (cf. U.WILCKENS, EKK Röm I,
   296 Anm.978). Auch der Artikelgebrauch deutet angesichts des artikellosen
   δίκαιος von 7a darauf hin, daß beide Begriffe nicht parallel als Maskulina
   verstanden werden sollten.
39 Geht man von τὸ ἀγαθόν aus, so ergibt sich eine steigernde Folge von 7a zu
   7b, bei der der Wechsel von μόλις zu τάχα dem auf der Wertskala entspricht:
   δίκαιος als hoher, τὸ ἀγαθόν als schlechthin höchster Wert. Bei maskuliner
   Deutung erscheint dagegen 7b als Korrektur von 7a (so z.B. - mit starken Einwänden gegen den Stil des Verses - E.KÄSEMANN, HNT Röm, 128f. und - trotz
   neutrischer Deutung - U.WILCKENS, EKK Röm I, 296), weil zwischen 'der Gute'
   und 'der Gerechte' kein Wertunterschied besteht (cf. M.WOLTER, aaO. 174f.
   mit Anm.631-633, besonders das Zitat aus Cicero, De officiis, II, 9,33:
   iustis autem (...) hominibus, id est bonis viris).
40 E.KÄSEMANN, HNT Röm, 128.

15.1.2. Römer 8,18-39

Strukturen

Sowohl die Struktur als auch die Traditionsfrage des vor allem in seinen
Schlußversen für uns wichtigen 8.Kapitels des Röm sind in jüngerer Zeit wiederholt[41] und mit sehr unterschiedlichen Ergebnissen untersucht worden. Dabei ist m.E. schon die Vielzahl der vorgeschlagenen Gliederungen[42], von denen jede ein gewisses Recht beanspruchen kann, ein sicheres Indiz dafür, daß
Röm 8 eben nicht 'abschnittweise' argumentiert, sondern als ein Prozeß von
ineinandergelagerten und auseinander entfalteten Aspekten anzusehen ist.
Richtung und Ziel dieses Prozesses sind aufs ganze gesehen deutlich zu erkennen, in seiner Feinstruktur dagegen ist er eher als ein Oszillieren zu
beschreiben, bei dem sich das thematische Zentrum der Argumentation unter
stetigem Rückgriff und Vorgriff allmählich verschiebt. Da das Leidensthema
erstmals in Röm 8,17 anklingt und von hier aus bis zum Kapitelschluß nach
und nach zu einem thematischen Zentralaspekt der Argumentation aufrückt, ist
es im Blick auf unsere Fragestellung sinnvoll, den fortlaufenden[43] Textprozeß etwa vom Beginn von Röm 8 an mit zunehmender Schärfe des Blicks zu beobachten.

Schon eine statistische Konkordanzauswertung zeigt, daß dieser Prozeß zu Beginn von Röm 8 von der νόμος-ἁμαρτία-Thematik zur πνεῦμα-
σάρξ-Thematik übergeht[44]. An Röm 8,13-14 läßt sich dann beobachten, wie er von der Antithese σάρξ/πνεῦμα zum positiven Zusammenhang von πνεῦμα und υἱος/υἱοθεσία fortschreitet, der sich in 8,15
zum πνεῦμα υἱοθεσίας verdichtet, von wo aus der Text im Ἀββὰ-ὁ-
πατήρ-Ruf seinen ersten sachlichen und rhetorischen Höhepunkt erreicht. Kaum merklich verschiebt sich dann die 'υἱοθεσία' nur um
eine Nuance zum τέκνα-θεοῦ-Gedanken und tritt das πνεῦμα-Thema von
8,17 an völlig zurück. Stattdessen folgert Paulus aus dem τέκνον-
Gedanken den der 'Erbschaft' und schließt von der 'Gotteskindschaft' auf die 'Gotteserbschaft', die dann - gleichsam in Auswertung der vorhergehenden christologischen Aussagen (cf. v.a. 8,3.11)
- als ein 'Miterben mit Christus' beschrieben wird.

41 Cf. v.a. H.PAULSEN, Überlieferung und Auslegung in Röm 8 (1974); P.v.d.OSTEN-
   SACKEN, Röm 8 als Beispiel paulinischer Soteriologie (1975); außerdem P.FIED-
   LER, Röm 8,31-39 als Brennpunkt paulinischer Frohbotschaft (1977); W.SCHMIT-
   HALS, Die theologische Anthropologie des Paulus (1980).
42 H.PAULSEN (aaO. 179f.) 7,25a+8,1-11 / 8,12-17 / 8,18-27 / 8,28-39.
   P.v.d.OSTEN-SACKEN: 8,1-13 / 8,14-30 /   8,31-39.
   W.SCHMITHALS gliedert die seiner Meinung nach in Röm 7,17-8,39 vorliegende
   "kleine Dogmatik": 7,17-20 / 7,21-23 / 7,24-25a / "Zwischenspiel" 7,25b+8,1 /
   8,2-11 / 8,12-17 / 8,18-30 / 8,31-39.
43 (Mindestens) Röm 5,12-8,39 läßt sich als einheitlicher, in der geschilderten
   Weise fortschreitender Prozeß beschreiben, wie schon eine grobe statistische
   Konkordanzauswertung folgender Hauptbegriffe zeigt, die (in dieser Reihenfolge) einander unter stetigem Bezug aufeinander als thematische Zentren ablösen:
   Schwerpunktmäßig kommen vor: ἁμαρτία in Röm 5,12 - 8,3
   νόμος   in Röm 7,1 - 8,1
   σάρξ   in Röm 8,3 - 8,13
   πνεῦμα in Röm 8,2 - 8,16.
44 πνεῦμα: 34x im Röm, davon 17x in Röm 8,2-16; dann noch Röm 8,23.26(2x).27;
   σάρξ: 26x im Röm, davon 13x in Röm 8,3-13; dann erst wieder Röm 9,3.
   Die νόμος-ἁμαρτία-Thematik tritt zurück: ἁμαρτία noch je 1x in Röm 8,2.3.10,
   dann erst wieder 11,27, νόμος in 8,2.3.4.7, dann erst wieder 9,31.

Zunächst eher als einen Nebenaspekt, der mit εἴπερ deutlich an
den von τέχνα θεοῦ (8,16) ausgehenden Kettenschluß εἰ δὲ τέχνα,
καὶ κληρονόμοι· κληρονόμοι μὲν θεοῦ, συγκληρονόμοι δὲ Χριστοῦ an-
gehängt ist, spricht Paulus an dieser Stelle erstmals das Leidensthema an: εἴπερ συμπάσχομεν ἵνα καὶ συνδοξασθῶμεν (8,17). Die
Brücke in der Argumentation bildet dabei eindeutig die Parallelität, ja Identität von 'Miterben' und 'Mitverherrlichtwerden', während der Aspekt des 'Mitleidens' zuvor nicht angelegt ist, sondern
erst von dem 'Mitverherrlichtwerden' aus als sachlich fest damit
verbundener Kontrapunkt in den Zusammenhang hineingetragen wird[45].

Das damit gewonnene Gegenüber von Leiden und δόξα wird in 8,18ff.
wieder aufgenommen, und zwar zunächst unter Ausklammerung des christologischen Aspektes. Vielmehr wird zeitlich akzentuierend den
παθήματα τοῦ νῦν καιροῦ die *künftig* offenbarwerdende δόξα gegenübergestellt (8,18), wobei der direkt anschließende V 19 diese Gegenüberstellung mit der den Text dann beherrschenden Verhältnisbestimmung von κτίσις und Kindern Gottes verbindet. Die Gegenwart ist gekennzeichnet von dem die ganze Schöpfung erfassenden Seufzen nach
der (zukünftigen) Befreiung zur Freiheit der Herrlichkeit der Kinder Gottes (8,19-22). Diejenigen aber, die das πνεῦμα τῆς υἱοθεσίας
als ein 'Angeld' empfangen haben, die auf Hoffnung gerettet sind
und in ὑπομονή ausharren[46], erfahren durch den Geist Hilfe: er
nimmt sich ihrer in ihrer ἀσθένεια an und tritt dadurch vor Gott
für sie ein (26: ὑπερεντυγχάνει/ 27: ἐντυγχάνει),daß er ihr Seufzen artikuliert (8,23-27). Erst der den Hoffnungsaspekt zum positiven οἴδαμεν wendende Gedanke 8,28-30 trägt die christologische
Komponente wieder explizit[47] in den Text ein und führt ihn gleichzeitig wieder auf den Ausgangspunkt, die δόξα, zurück: denen die
Gott lieben, wirkt alles zum Guten mit, weil Gott sie zuvor erkannt und zur Sohnschaft als Bruderschaft mit dem πρωτότοκος Chri-

---

45 Vgl. Röm 5,1-5: auch dort war vom Kontext her allein der δόξα-Aspekt angelegt,
   der Leidensaspekt trat (gleichsam als sachlich notwendige Ergänzung zur δόξα)
   in 5,3f. hinzu.

46 Wieder ist auf Röm 5 zu verweisen: war dort die ὑπομονή ein Schritt auf dem
   Wege zur Hoffnung (5,3f.), so ermöglicht hier umgekehrt die ἐλπίς den Stand
   in der ὑπομονή (im Gegensatz zur Ungeduld der Schöpfung).

47 'Geist' und 'Christus' sind angesichts von Aussagen wie 2Kor 3,17f.; Röm
   8,9-11 natürlich nicht gegeneinander auszuspielen. Vielmehr ist das Wirken
   des Geistes ein 'Wirken Christi', insofern als es den ἐν Χριστῷ eröffneten
   Zugang zu Gott im täglichen Vollzug wahrnimmt. Entsprechend wird der Christus
   nach Röm 8,34 im Gericht dieselbe Funktion wahrnehmen. Der Geist ist also
   nichts 'anderes' als der Christus, er ist vielmehr die Wirkweise (Manifesta-
   tionsform) Christi in der Zeit zwischen seiner Himmelfahrt und der Parusie.
   Man kann also von einer Identität von πνεῦμα und Χριστός sprechen, sollte m.
   E. den besonderen Charakter der Zeit 'zwischen den Zeiten' im Vergleich zur
   Situation der Parusie (aber auch zur Zeit des irdischen Jesus) nicht übersehen: Röm 8,34 stellt gegenüber 8,26f. eine Steigerung dar.

stus ersehen hat: solche Teilhabe an der Sohnschaft aber impliziert - wieder bedient sich der Text des Kettenschlusses - Berufung, Rechtfertigung und Verherrlichung. Die durchgehende Aorist-
reihe dieses Kettenschlusses, die die zuvor eigens betonte tempo-
rale Differenz von Gegenwart und Zukunft nicht mehr erkennen läßt,
verdient dabei besonderes Augenmerk: der Leidensexistenz, die auf
die *zukünftige* Offenbarung der δόξα zugeht, korrespondiert hier eine andere Ebene, auf der die δόξα τῶν τέκνων τοῦ θεοῦ schon *gegenwärtig* realisiert ist. Sie ist der seufzenden Schöpfung noch nicht
offenbar, wohl aber den Kindern Gottes, die von Gott "gerechtge-
macht" sind und "die er auch verherrlicht" hat: sie haben jetzt
schon - in der Weise der ἀπαρχή (cf. V 23) - realen Anteil an der
δόξα, auf deren weltumgreifende, vollendete Realisation sie in der
Hoffnung und in dem Wissen zugehen, daß Gott ihnen "alles zum Guten mitwirken" läßt.

Der Einsatz von V 31: Τί οὖν ἐροῦμεν πρὸς ταῦτα; kennzeichnet
das Folgende als eine Schlußfolgerung aus dem Vorangehenden. In
einem Wechselspiel von (rhetorischer) Frage und diese abweisender
Erwiderung rekapituliert der Text in 8,31-34 zunächst das Handeln
Gottes in Kreuz und Auferstehung Jesu als rechtfertigende Liebes-
tat, die die Gerechtfertigten der Anklage und Verurteilung enthebt. V 35 fährt zunächst mit einer im gleichen Stil gestellten
Frage: τίς ἡμᾶς χωρίσει ἀπὸ τῆς ἀγάπης τοῦ Χριστοῦ; fort und exemplifiziert deren 'τίς' durch einen siebengliedrigen Peristasenkatalog. Dieser wird in 8,36 durch ein (als solches gekennzeichnetes) Schriftzitat (Ps 43,23) erläutert. V 37 setzt 35f. mit ἀλλά
eine abweisende Antwort entgegen, die in 38f. in einem zehnglie-
drigen Katalog ein Pendant zum Peristasenkatalog aufweist und abschließend wörtlich in die Fragestellung von 8,35 zurückführt.
Zur Veranschaulichung mag folgende Übersicht dienen:

31b   εἰ ὁ θεὸς ὑπὲρ ἡμῶν,
    τίς καθ' ἡμῶν;
32   ὅς γε τοῦ ἰδίου υἱοῦ οὐκ ἐφείσατο
                                       ἀλλὰ ὑπὲρ ἡμῶν πάντων παρέδωκεν αὐτόν,
                          πῶς οὐχὶ καὶ σὺν αὐτῷ τὰ πάντα ἡμῖν χαρίσεται;

33 τίς ἐγκαλέσει κατὰ ἐκλεκτῶν θεοῦ;   θεὸς ὁ δικαιῶν·

34 τίς ὁ κατακρινῶν;   Χριστὸς ὁ ἀποθανών, μᾶλλον δὲ
                                                        ἐγερθείς,
                                           ὅς καὶ ἐστιν ἐν δεξιᾷ τοῦ θεοῦ,
                                           ὅς καὶ ἐντυγχάνει ὑπὲρ ἡμῶν.

35 τίς ἡμᾶς χωρίσει ἀπὸ τῆς ἀγάπης τοῦ Χριστοῦ ...

35⸱τίς ἡμᾶς χωρίσει ἀπὸ τῆς ἀγάπης τοῦ Χριστοῦ;

    θλῖψις
    ἢ στενοχωρία
    ἢ διωγμὸς
    ἢ λιμὸς
    ἢ γυμνότης
    ἢ κίνδυνος
    ἢ μάχαιρα;

36 καθὼς γέγραπται ὅτι

    ἕνεκεν σοῦ θανατούμεθα ὅλην τὴν ἡμέραν,
    ἐλογίσθημεν ὡς πρόβατα σφαγῆς.

37 ἀλλ' ἐν τούτοις πᾶσιν ὑπερνικῶμεν διὰ τοῦ ἀγαπήσαντος ἡμᾶς.

38 πέπεισμαι γὰρ ὅτι   οὔτε θάνατος
                   οὔτε ζωὴ

                   οὔτε ἄγγελοι
                   οὔτε ἀρχαὶ

                   οὔτε ἐνεστῶτα
                   οὔτε μέλλοντα

                   οὔτε δυνάμεις

39   οὔτε ὕψωμα
                   οὔτε βάθος

                   οὔτε τις κτίσις ἑτέρα

⸱δυνήσεται ἡμᾶς χωρίσαι ἀπὸ τῆς ἀγάπης τοῦ θεοῦ
                  τῆς ἐν Χριστῷ Ἰησοῦ τῷ κυρίῳ ἡμῶν.

Auf die umstrittene[48] Frage, wie weit sich πρὸς ταῦτα (8,31) zu-
rückbeziehe, ergibt sich aus dem Prozeßcharakter des Textes eine
gestaffelte, das Vorangehende gleichsam in konzentrischen Kreisen
einbeziehende Antwort: es geht - und der inhaltliche Schwerpunkt
von Röm 8,31-39 bestätigt das - zunächst um das in 8,17 und vor
allem 8,18 erstmals angesprochene Problem des Leidens der Kinder
Gottes, auf das Paulus in 8,18-30 zunächst dadurch eingegangen
war, daß er das Seufzen der Gotteskinder in den umfassenden Rahmen des Seufzens der versklavten und nach der Freiheit schreienden
κτίσις stellte und von hier aus die Hoffnung, ja die Gewißheit der
δόξα-Teilhabe entwickelte. Auf diese Gewißheit des 'Gott für uns'
baut die herausfordernde erste Frage in 8,31b sachlich auf; Paulus
führt sie aber sofort auf ihren letzten Grund: die 'Hingabe des eigenen Sohnes für uns' zurück, wobei der Text im Blick auf die Sub-
jekt-Rolle Gottes auf Röm 8,3f. (dem περὶ ἁμαρτίας von 8,3 entspricht das ὑπὲρ ἡμῶν von 8,32!), im Blick auf die in der πῶς-Frage implizierten Folgerung des 'Alles-Schenkens' dagegen auf die
πολλῷ-μᾶλλον-Schlüsse von 5,9.10 zurückverweist. Ebenso schlägt das
die dritte Frage abweisende θεὸς ὁ δικαιῶν zunächst einen Bogen

---

48 Cf. P.FIEDLER, Brennpunkt, 23.

zum ἐδικαίωσεν von 8,30, sodann aber auch zu 5,1. Auch die vierte
Frage (8,34) hat in den κατάκριμα/κατακρίνειν-Formulierungen sowohl
an Röm 8,1.3 als auch an Röm 5.16.18 sachlichen Anhalt. Schließlich
nimmt das ἐντυγχάνει von 8,34 deutlich das (ὑπερ)ἐντυγχάνει von
8,26f. wieder auf, während die das folgende beherrschende ἀγάπη
τοῦ Χριστοῦ (8,35) als ἀγάπη τοῦ θεοῦ ἡ ἐν Χριστῷ (8,39; cf. 8,37)
wieder einen klaren[49] Bezug zu 5,5.8 herstellt.

Die Fülle von Rückbezügen auf den nächsten, näheren und weiteren
Kontext, die den Textprozeß von Röm (5-)8 deutlich auf diesen
Schluß hin ausgerichtet erscheinen läßt, gibt dem Text seinen Charakter als Höhe- und Zielpunkt der Argumentation. Gleichwohl darf
man nicht übersehen, daß er dabei sein eigenes, im Vorangehenden
vorbereitetes, aber noch nicht ausgeführtes Thema hat, nämlich die
rechtfertigende Liebe Gottes als die, die sich in der Realität des
Leidens der Gerechtfertigten als allen Anfeindungen, Leiden und
Mächten überlegen erweist. Röm 8,31-39 ist also nicht ein bloßes
Resumée, sondern vielmehr der Zentral- und Fluchtpunkt, auf den
hin die Argumentation von Röm 8, ja sogar von Röm 1-8 ausgerichtet
ist.

Traditionen

Angesichts des in der Unterscheidung von Überlieferungs- und Traditionsgeschichte nach wie vor uneinheitlichen Sprachgebrauchs der Forschung[50] sei
vorausgeschickt, daß im folgenden nicht in erster Linie die Frage nach den
vorpaulinischen, christlichen Überlieferungen zur Debatte steht, die durch
Schilles Aufsatz, vor allem aber durch die ausführlichen Arbeiten Paulsens
und v.d.Osten-Sackens in jüngerer Zeit in den Vordergrund des Interesses getreten ist[51]. Vielmehr geht es - wenn auch möglichst unter Berücksichtigung
der überlieferungsgeschichtlichen Befunde - vor allem um den sachlichen Traditionshintergrund, von dem her die Leidensaussagen von Röm 8 gedacht und
formuliert sind.
    Zurückhaltung im Blick auf die überlieferungsgeschichtliche Fragestellung
ist nicht zuletzt deshalb geboten, weil die genannten Arbeiten gerade in der
Frage der Rekonstruktion des Überlieferungsgutes zu völlig divergierenden
Ergebnissen gelangen[52]. Kein Wunder, wenn Fiedlers eingehende Nachprüfung

---

49 Ἀγάπη kommt in Röm 1-8 nur in Röm 5,5.8 und Röm 8,35.39 vor.
50 'Überlieferungsgeschichte' als Geschichte der mündlichen Überlieferung eines
   bestimmten Textes und 'Traditionsgeschichte' als die Geschichte von geprägten
   und tradierten Vorstellungsinhalten, die sich über verschiedene Einzeltexte
   verfolgen lassen, sind m.E. sinnvoll zu unterscheiden. Zur Terminologie cf.
   H.BARTH/O.H.STECK, Exegese, 40.79f.; J.ROLOFF, Neues Testament, 24f.
51 G.SCHILLE, Die Liebe Gottes in Christus (1968). H.PAULSEN, Überlieferung
   (1974); P.v.d.OSTEN-SACKEN, Soteriologie (1975).
52 Während G.SCHILLE für Röm 8,38f. die Verarbeitung einer hymnischen Überlieferung annimmt, in 8,31-37 dagegen nur "anerkannte Sätze des Bekenntnisses"
   durchscheinen sieht (aaO. 235), hält H.PAULSEN gerade umgekehrt 8,31-34 für
   einen nur geringfügig modifizierten zweistrophigen vorpaulinischen Hymnus,
   während 8,35-39 eine diesen Hymnus ergänzende "paulinische ad-hoc-Bildung"
   darstellt, bei der er freilich z.B. in 8,38 auch "fest fixiertes Material rezipiert hat" (aaO. 151). Demgegenüber weist P.v.d.OSTEN-SACKEN alle Rekon-
   struktionsversuche eines Hymnus ab und sieht sich durch die Frage-Antwort-

ergibt, daß sie "die zuletzt von Käsemann vertretene Auffassung nicht gefähr-
den können, daß Paulus in V 32-34 lediglich 'Bekenntnisfragmente' eingearbei-
tet und sich in V 35.38f. an geprägte Reihen angelehnt habe"[53].

a) Röm 8,18-30

Schon 8,18-30 ist durch 8,18 so stark auf unsere Thematik hin
ausgerichtet, daß es um des Gefälles des Textes willen gut ist,
sich den zugrundeliegenden Traditionshintergrund wenigstens kurz
zu vergegenwärtigen[54]. Hinter der Gegenüberstellung von gegenwär-
tigem Leiden und zukünftiger δόξα (18) steht - wie wir schon mehrfach sahen[55] - das apokalyptische Gegeneinander des alten Äons, in
dem die Sünder Gott bekämpfen und "darum die Gerechten als die Seinen"[56] bedrücken, und des durch die große Wende des endzeitlichen
Gerichts heraufgeführten neuen Äons, in dem diese Gerechten die
ihnen zukommende Herrlichkeit empfangen werden. Von diesem Traditionsrahmen aus ist es völlig einleuchtend, daß der Text nun die
endzeitlichen Wehen vor Augen stellt (cf. 8,22), in denen sich die
"nahe Wirklichkeit"[57] des Gerichts auswirkt, und zwar - hier greift
der Text auf eine schon alttestamentlich breit angelegte Tradition[58] zurück - als eine die *ganze* Schöpfung umfassende und auf die
Erneuerung zudrängende Wirksamkeit.

Mit dieser Vorstellung berührt sich die im Anschluß an ältere griechische
Tradition im Hellenismus vielfältig thematisierte "Klage über die allem Irdischen anhaftende Vergänglichkeit und die Verheißung einer Rettung aus ihr"[59];
doch machen es der Sprachgebrauch[60] und die große Dichte des eindeutig jü-

---

Struktur des Textes zur Rekonstruktion eines katechetischen Formulars veranlaßt, dessen postulierte Gestalt m.E. aber kaum überzeugt (zur Kritik cf. P.
FIEDLER, Brennpunkt, 25f.).

53 P.FIEDLER, Brennpunkt, 27, mit Verweis auf E.KÄSEMANN, HNT Röm, 239-242; ganz
ähnlich U.WILCKENS, EKK Röm II, 171f.

54 Cf. U.WILCKENS, EKK Röm II, 147-150; H.BALZ, Heilsvertrauen, 36-69.

55 Siehe oben in der diachronen Skizze, bes. S.95-110.

56 U.WILCKENS, EKK Röm II, 148.

57 Ebd.; cf. die dort Anm.614.615 angeführten Belege aus 4Esra, syrBar und den
Sibyllinen; zu den "Wehen" besonders äthHen 62,4; 1QH 3,7f.

58 Cf. U.WILCKENS, EKK Röm II, 149 mit Anm.622; WILCKENS verweist auch (ebd. mit
Anm.623) auf die rabbinische Fortführung dieser Linie, v.a. in Auslegung von
Gen 3,17; cf. dazu Bill. III, 245-255; H.R.BALZ, Heilsvertrauen, 41-43, der
außerdem den Bezug zu "hellenistisch-synkretistische(n) Anschauungen" (ebd.
45) betont (cf. ebd. 43-54).

59 U.WILCKENS, EKK Röm II, 149.

60 Als Hinweis auf hellenistische Terminologie kommt nur das meist mit 'Vergänglichkeit' übersetzte φθορά (8,21) in Frage, das - neben vielen anderen Ver-
wendungsmöglichkeiten - in philosophischen Zusammenhängen das Vergängliche
im Gegensatz zum Unvergänglichen, Ewigen bezeichnet (cf. v.a. die bei G.HAR-
DER, Art. φθείρω, φθορά κτλ., ThWNT 9, 97,40-44 angeführten Belege aus stoischen Fragmenten, aber auch die Vorgeschichte, ebd. 96,6ff.). Nun zeigt aber
der 'gewöhnliche' Sprachgebrauch - wie auch der der LXX -, daß φθείρειν vor
allem die Bedeutung von 'verderben', 'zerstören' hat. In Qumrantexten dient
das häufigste LXX-Äquivalent שחת vorzugsweise zur Kennzeichnung des in der Situation der endzeitlichen Scheidung wirksamen Verderbens: so stereotyp אנשי
השחת für die "Männer des Verderbens", d.h. die für das Verderben Bestimmten
(cf. G.HARDER, aaO. 98,22ff.). Daß diese Färbung des Begriffs auch bei Paulus

disch-apokalyptisch geprägten Materials wahrscheinlich, daß solche Berührungen, wenn sie nicht ohnehin 'gemeinantike' Vorstellungsbereiche betreffen,
eher darauf zurückgehen, daß hier auf hellenistisch geschulte Adressaten
'zuformuliert' wurde als daß sie von genuin hellenistischen Gedanken her
formuliert wären. Das gilt auch im Blick auf die "frappierende(n) hellenisti-
sche(n) Parallelen (...) (f)ür das Stöhnen von Röm 8,22f."[61].

Ein interessanter Bezug zur Tradition vom leidenden Gerechten zeigt
sich m.E. in 8,26f., wenn Paulus das Eintreten des Geistes für
"uns", die "wir nicht wissen, was wir beten sollen", durch den
einführenden Satz 8,26a: τὸ πνεῦμα συναντιλαμβάνεται τῇ ἀσθενείᾳ
ἡμῶν als eine 'Hilfe' deutet. Denn ἀντιλαμβάνεσθαι bezeichnet in Ψ
17,36; 19,3; 62,9 die Hilfestellung Gottes am leidenden Gerechten
in der Feindauseinandersetzung[62]. Solches 'Stützen' in der Schwachheit versieht hier der Geist. Dies legt es nicht nur nahe, daß mit
ἀσθένεια die Leidenssituation des νῦν καιρός (cf. 8,18) angesprochen ist, sondern rückt auch jene 'Sprachhilfe' des Geistes in die
Perspektive der 'Hilfe am leidenden Gerechten'. Damit geht überein
daß uns schon in der diachronen Skizze in Hi 33,23-26 die Vorstellung eines angelus intercessor begegnete, der für Hiob eine Mitt-
ler- und Dolmetscherrolle (מליץ) wahrnimmt[63]. Diese Vorstellung
des Eintretens von Engeln für die Menschen vor Gott ist dann in
großer Variationsbreite im zwischentestamentlichen Schrifttum lebendig[64]. Unter anderem leisten sie Fürbitte für die Gerechten,
klagen deren Feinde an und bringen die Gebete der Heiligen vor
Gott (cf. z.B. Tob 12,12.15). Neben und an die Stelle der Engel-
gestalten treten dann aber (vor allem in Qumran[65], Jub und TestXII)
in verschiedensten Funktionen die Geister bzw. der Geist[66], der

---

wahrscheinlich ist, zeigt der Gegensatzbegriff δόξα, zumal die Opposition
כבוד/שׂחה in 1QS 4,7/4,12 deutlich die 'endzeitliche Alternative' bezeichnet.
Röm 8,21 von hier aus zu deuten, erscheint mir jedenfalls plausibler, als mit
P.v.d.OSTEN-SACKEN, Soteriologie, 84, zu schließen, δόξα müsse in Röm 8,21
wegen der Opposition zu φθορά soviel wie "Unvergänglichkeit" bedeuten, dies
sei unpaulinischer Sprachgebrauch, folglich Röm 8,21 vorpaulinisch.
Für ματαιότης ergibt sich ein ähnlicher Befund: cf. O.BAUERNFEIND, Art.
μάταιος, ματαιότης κτλ., ThWNT 4,525ff.
61 U.WILCKENS, EKK Röm II, 150 mit Anm.629: Corpus Hermeticum XXIII, 3.33.34-37
   (bei NOCK-FESTUGIÈRE IV, 1.10.11f.).
62 In Ps 18 und 20 als Kriegssituation; auf Ψ 17,36 folgt im nächsten Vers eine
   ἀσθενέω-Aussage.
63 H.R.BALZ, Heilsvertrauen, 90 mit Anm.182, verweist auf den positiven Sinn von
   מליץ (s.dazu oben S.72 und G.FOHRER, KAT Hi, 460) als 'in der rechten Weise
   reden', worin es auf denselben Gesichtspunkt abhebt wie Röm 8,27 mit dem κατὰ
   θεόν (d.h.: wie es Gott angemessen ist) ἐντυγχάνει ὑπὲρ ἁγίων (cf. O.BETZ,
   Paraklet, 139).
64 Cf. die Darstellung und die Fülle von Belegmaterial bei H.R.BALZ, aaO. 87-90;
   außerdem N.JOHANSSON, Parakletoi, bes. 75ff.96ff.; O.BETZ, Paraklet, 16ff.
   (mit wichtiger Kritik an JOHANSSON),60ff.94ff.
65 Zur Fürbitte in Qumran und zur Rolle von 'Fürsprecherengel' und 'Geist' cf.
   O.BETZ, Paraklet, 36-116.
66 Cf. H.R.BALZ, aaO. 89.

z.B. auch in Weish 1,5ff. (identisch mit der σοφία) eine universale Mittlerrolle zwischen Gott und den Menschen wahrnimmt. Schon in
der Tradition liegen also der Gedanke der besonderen 'Sprachhilfe'
beim Gebet und der des umfassenderen (ὑπερ-)ἐντυγχάνειν[67] des Geistes nah beieinander. Daß Paulus diese Gesamtperspektive aufgreift,
wird bei der Interpretation ebenso zu beachten sein wie die Tatsache, daß es hier nun der Geist Gottes selbst ist, von dem so geredet wird.

8,28 ist durch das formelhafte τοῖς ἀγαπῶσιν τὸν θεόν, das uns
schon von 1Kor 2,9 her auf die PsSal und Sir 1,10 zurückverwies[68],
als jüdisch-weisheitliche Tradition zu erkennen. Schmithals[69] hat
eine Fülle von Parallelmaterial aus jüdischer *und* griechischer Tradition beigebracht, das die Grundaussage des Satzes als 'gemeinantike' Weisheitserkenntnis ausweist[70]. So z.B. Marc Aurel 10,3

*Halte dich überzeugt, daß dir alles zu deinem Wohl gereicht und von den
Göttern herrührt und alles zu deinem Besten dient, was diesen gefällt.*

Schmithals macht jedoch zurecht auf die Differenz des stoischen
Gedankens zu Röm 8,28 aufmerksam: Im Gegensatz zu "Mark Aurel, der
davon ausgeht, daß in der vernünftigen Allnatur alles in Harmonie
miteinander steht, so daß es nur *ein* wirklich Schlechtes gibt, sich
gegen die göttliche Natur der Dinge aufzulehnen"[71], geht es Paulus
um das - für die Tradition vom leidenden Gerechten konstitutive
und in dem 'denen, die Gott lieben' komprimiert formulierte - "Vertrauen, daß er denjenigen nicht verläßt, der sich auf ihn verläßt"[72].

Paulus präzisiert diese - ihm wahrscheinlich auch schon in der
Formulierung vorgegebene[73] - Gnome in 28b, indem er die ἀγαπῶντες
τὸν θεόν als die nach Gottes Ratschluß (πρόθεσις) Berufenen bezeichnet und dies dann im Kettenschluß von 29f. durch die Verbreihe
προγινώσκειν → προορίζειν → καλεῖν → δικαιοῦν → δοξάζειν entfaltet.
Wieder liegt bis in die Einzelheiten jüdische Tradition zugrunde,
nämlich der Gedanke der Erwählung Israels (z.B. Ps 105,6.43), der
sich - wohl über den schon alttestamentlichen Topos des 'Rests' -
in der zwischentestamentlichen Literatur mehr und mehr auf die
Schar der 'Gerechten' und 'Heiligen' verengt: 'die Gerechten',

---

67 Zum Sprachgebrauch cf. ebd. 75.
68 Siehe oben S.217 mit Anm.31.
69 W.SCHMITHALS, Anthropologie, 162f.
70 Cf. die ebd. zum Teil zitierten Aussagen Berakhot 60b; Sprüche Achikars 167;
   Corpus Hermeticum IX,9; Sir 39,27; Platon, Politeia 612e, Plotin, Enneaden
   IV,3,16; Lactantius, De ira, 14; Bill III,255f.
71 W.SCHMITHALS, aaO. 163.
72 Ebd.
73 Cf. U.WILCKENS, EKK Röm II, 151.

'die Heiligen' und 'die Auserwählten' werden zu austauschbaren
Wechselbegriffen (cf. z.B. äthHen 38,2-5). Im Blick auf den Aspekt
der 'Vorherbestimmung' der Erwählung erinnert Röm 8 am stärksten
an die Qumrantexte[74]. Schon Michel[75] hat auf die Selbstbezeichnung
der Qumrangemeinde als יחד עצתו ("Gemeinschaft seines Ratschlus-
ses"; 1QS 3,6; עצה ≙ πρόθεσις) aufmerksam gemacht. Außerdem (und
vor allem) ist aber auf 1QS 3,13-4,26 hinzuweisen: hier[76] wird
nicht nur in 3,15f. die Vorstellung von Gottes "herrlichem Plan"
(3,16: מחשבת כבודו)[77] ausgeführt, in dem er als "Gott der Erkennt-
nisse"[78] (אל הדעות) wie alles Sein und Geschehen, so auch die Bestimmung (תעודה) der Menschen festgelegt hat, "bevor sie entstanden", sondern auch den zur Teilhabe an dieser Gemeinschaft Erwählten eine endzeitliche Reinigung durch den Geist der Wahrheit (4,21)
und der Empfang der "Krone der Herrlichkeit" (4,7) bzw. "aller
Herrlichkeit Adams" (4,22) ankündigt.

Von CD 2-4 läßt sich dieser Zusammenhang noch präzisieren und
erweitern: auch hier bezeichnet das ידע Gottes ein 'Vorherwissen'
im Sinne eines Vorherbestimmens (2,9); auch hier begegnet die Zusage der "Herrlichkeit Adams" (3,20), darüber hinaus ist aber auch
noch die Rede von den "Berufenen des Namens" (קריאי שם; 2,11), die
in 4,4 näherhin als die "Söhne Zadoks, die Erwählten Israels, die
am Ende der Tage auftreten werden" beschrieben werden.

Aus der Reihe der Begriffe von Röm 8,28-30 haben also πρόθεσις,
προγινώσκειν, καλεῖν, δικαιοῦν und δοξάζειν in 1QS und CD eine Entsprechung[79]. Dabei fällt auf, daß sie dort durchweg - entsprechend
der den Qumrantexten eigenen dualistischen Denkweise[80] - ein negatives Pendant neben sich haben, das die 'Nicht-Erwählung der Frevler von allem Uranfang an' (cf. CD 2,7) und ihre Vorherbestimmung

---

74 Zu Determination und Prädestination in Qumran cf. H.LICHTENBERGER, Studien,
   184-189; E.P.SANDERS, Paul and Palestinian Judaism, 257-270; R.BERGMEIER,
   Glaube, 63-85. - Die frühqumranische Kriegsrolle und die wohl vorqumranischen
   (cf. H.LICHTENBERGER, aaO. 285) Gebete aus 4QDibHam enthalten noch den Gedanken der Erwählung (ganz) Israels (cf. 1QM 10,9; 4QDibHam 3,9; 4,3.5). Die in
   CD, 1QS und 1QH vorliegende Vorstellung der (exklusiven) Erwählung der sich
   zum Lehrer der Gerechtigkeit haltenden (cf. 1QH 5,22) eschatologischen Gemeinde als des wahren Israels ist also eine (verengende) Fortschreibung dieses
   Gedanken.
75 O.MICHEL, KEK Röm, 211 mit Anm.1.
76 1QS 3-4 dürfte 1QH 1,6ff. voraussetzen, cf. H.LICHTENBERGER, aaO. 188 mit Anschluß an P.v.d.OSTEN-SACKEN, Gott und Belial, 123ff.
77 Cf. auch die Denkfigur des "göttlichen Geheimnisses" (רז) in 1QS 3,23; 1QH
   1,21; CD 3,18; hierzu auch 1Q 27.
78 1QS 3,15; der Aspekt des 'Vorweg-Wissens' (bzw. '-Kennens') ergibt sich deutlich aus dem Folgetext; er wird durch CD 2,9 bestätigt.
79 Zu dem einzigen Begriff ohne Parallele in Qumran: προορίζειν cf. AssMos 1,14;
   Bill.I,982 (sic!; cf. U.WILCKENS, EKK Röm II, 163 Anm.729).
80 Zum Dualismus in Qumran cf. H.LICHTENBERGER, Studien, 190-200; R.BERGMEIER,
   Glaube, 70ff.

zum Los des Frevels und zum endzeitlichen Verderben ausdrückt. Dieser Dualismus fehlt in Röm 8, so daß sich die Berührungen ganz auf die 'positive Seite' der qumranischen Konzeption[81] beschränken. Hier jedoch sind sie so eng, daß eine Traditionsbeziehung nicht von der Hand zu weisen ist. Daß die Vorherbestimmung zum Heil sich in Röm 8,29 mit der εἰκών-Christologie verbindet, wodurch die δόξα eine neue inhaltliche Füllung erfährt, sei im Blick auf die Interpretation hier schon 'vorgemerkt'.

> Für Röm 8,28b-30 wird relativ einhellig die Übernahme einer vorpaulinischen (Tauf-)Formulierung angenommen[82]: der Rückgriff auf die zugrundeliegende jüdische Tradition geht also nicht auf Paulus selbst zurück, sondern auf die vorpaulinische Gemeinde, von der er das Formelgut übernahm. Dagegen könnte die Verbindung mit der εἰκών-Christologie (8,29b.c) paulinisch sein[83] und so den spezifischen Akzent seiner Rezeption darstellen.

b) Röm 8,31-39

> Den deutlichsten, weil explizit gekennzeichneten Rückgriff auf Tradition in den Leidensaussagen von Röm 8 bildet 8,36: hier ist Ps 44,23 wörtlich nach LXX zitiert, wodurch die vierte τίς-Frage von Röm 8,31-39 auf eine bestimmte, sogleich näher zu erörternde Perspektive hin ausgerichtet wird. Angesichts des in der Strukturuntersuchung aufgezeigten engen Zusammenhangs des Gesamttextes ist jedoch der ganze Komplex Röm 8,31-39 auf seine Traditionsbezüge hin zu befragen.

Die erste τίς-Frage: εἰ ὁ θεὸς ὑπὲρ ἡμῶν, τίς καθ' ἡμῶν; zeigt sich in der Struktur ihrer inneren Bezüge ganz von denselben festen Relationsentsprechungen geprägt, wie sie in den Psalmen zwischen JAHWE, dem BETER und dem FEIND bestehen und die, wie wir sahen[84], grundlegend für die Tradition vom leidenden Gerechten sind: steht Gott auf der Seite des Beters, so hat der Feind Gott gegen sich und darum keine Chance. Die in der diachronen Skizze zitierten[85] Beispiele zeigen, in welcher Breite und in welcher Vielfalt der Formulierung dieser Grundgedanke sich durch die ganze Geschichte der Tradition vom leidenden Gerechten verfolgen läßt.

Die in Röm 8,31b vorliegende Formulierung ähnelt am ehesten der von Ps 118,6, dessen LXX-Fassung (Ψ 117,6): κύριος ἐμοὶ βοηθός, οὐ φοβηθήσομαι τί ποιήσει μοι ἄνθρωπος jedoch die prägnante ὑπέρ-Formulierung nicht aufweist. Der masoretische Text: יְהוָה לִי לֹא אִירָא מַה־יַּעֲשֶׂה לִי אָדָם steht der paulinischen Formulierung darin näher (לִי ≙ ὑπὲρ ἐμοῦ). Ps 118,6 ist also nicht wörtlich zitiert; den-

---

81 In diesem Zusammenhang sei daran erinnert, daß wir es in 1QS 3,15-4,26 möglicherweise mit einer erst sekundären Verknüpfung von Prädestinationsaussagen mit dem Dualismus zu tun haben (cf. H.LICHTENBERGER, aaO. 188). Möglicherweise greift Röm 8 auf eine solche noch nicht dualistische 'Vorstufe' der Tradition zurück.
82 Cf. z.B. E.KÄSEMANN, HNT Röm, 235f.; U.WILCKENS, EKK Röm II, 151 mit Anm.640.
83 P.v.d.OSTEN-SACKEN, Soteriologie, 85, nimmt ein weiteres Traditionsstück an.
84 Siehe oben S.24-26.
85 Siehe oben S.26.47.65.87f.(99f.).

noch könnte diese (oder eine andere, verwandte) Formulierung zugrundeliegen, wofür vor allem die (die erste τίς-Frage von den übrigen unterscheidende!) Plazierung der Frage *hinter* die positive Aussage spricht.

Daß diese Möglichkeit sogar einige Wahrscheinlichkeit für sich hat, ergibt sich aufgrund der Untersuchung des durch die nächste τίς-Frage eingeleiteten Komplexes (8,33). Hier hat man von jeher auf Jes 50,8 verwiesen, ohne aber zu bemerken, daß Jes 50,7-9 und Ps 118,6f. sowohl in der Abfolge der Gedanken als auch in einigen Einzelaussagen enge Berührungen aufweisen:

Jes 50	Ψ 117
7 καὶ κύριος βοηθός μου ἐγενήθη,	6 κύριος ἐμοὶ βοηθός,
διὰ τοῦτο οὐκ ἐνετράπην,	οὐ φοβηθήσομαι
ἀλλὰ ἔθηκα τὸ πρόσωπόν μου	
ὡς στερεὰν πέτραν	
καὶ ἔγνων ὅτι οὐ μὴ αἰσχυνθῶ.	
8 ὅτι ἐγγίζει ὁ δικαιώσας με·	
τίς ὁ κρινόμενός μοι; ἀντιστήτω μοι ἅμα·	τί ποιήσει μοι ἄνθρωπος.
καὶ τίς ὁ κρινόμενός μοι; ἐγγισάτω μοι.	
9 ἰδοὺ κύριος βοηθεῖ μοι·	7 κύριος ἐμοὶ βοηθός,
τίς κακώσει με;	
ἰδοὺ πάντες ὑμεῖς ὡς ἱμάτιον παλαιωθήσεσθε,	κἀγὼ ἐπόψομαι τοὺς
καὶ ὡς σὴς καταφάγεται ὑμᾶς.	ἐχθρούς μου.

Will man diesen Befund nicht als Zufall abtun, so sieht man, daß in Röm 8,31ff. nicht isolierte alttestamentliche Gedankensplitter anklingen, sondern ein kohärenter Traditionszusammenhang hinter dem Text steht, der seine Struktur und seine Aussagen entscheidend mitbestimmt. Sowohl der in der Eingangsformulierung anklingende Grundgedanke (8,31b) als auch das die Struktur beherrschende Wechselspiel von τίς-Frage und Antwort (vgl. Röm 8,33b + 34a mit Jes 50,8)[86] haben festen Anhalt in diesem Traditionsfeld. Darüber hinaus ist das Ineinander von Rechtfertigungs- und Leidensthematik,

---

86 E.KÄSEMANN, HNT Röm, 240, hält es für "durchaus nicht wahrscheinlich, daß die Frage 34a das κρίνειν in Jes 50,8f. weiterführt". Auch P.v.d.OSTEN-SACKEN betont die Differenz der Texte (Soteriologie, 44f.); anders H.R.BALZ, Heilsvertrauen, 117. - Demgegenüber ist aber zu betonen, daß angesichts der für den Text doch entscheidenden christologischen Formulierungen gar nicht zu erwarten ist, daß ausschließlich Jes 50,7-9 den Aufbau bestimmen und daß die Kombination aus τίς-Frage-Struktur und δικαιοῦν-Partizipialkonstruktion in Verbindung mit dem κρινόμενος/κατακρινῶν-Zusammenhang in beiden Texten schwerlich Zufall sein kann. Die herausfordernden Fragen werden freilich in Jes 50 durch eine fiktive Aufforderung an den Gegner beantwortet (wobei die Pointe) gerade darin besteht, daß kein Gegner auftritt), in Röm 8 dagegen durch eine 'Behauptung', die schon *voraussetzt*, daß gar kein Gegner da ist (und begründet, warum keiner da ist). Röm 8 baut so auf dem faktischen Ergebnis des Textes Jes 50 auf.

das Röm 8,31-39 insgesamt bestimmt, in Jes 50, aber auch in der
Psalmentradition vom leidenden Gerechten, schon vorgegeben. So
scheint mir diese Tradition das strukturell und inhaltlich tragende 'Gerüst' des Textes zu bilden. Dessen Sinn wird freilich erst
erfaßt, wenn auch seine christologischen Aussagen berücksichtigt
werden, auf die nun zunächst einzugehen ist.

Wie die Strukturskizze zeigt, sind die christologischen Aussagen in V 32 und 34b als zwei durch Partizipial- und Relativstil
auch sprachlich hervorgehobene 'Blöcke' in das τίς-Fragen-Gefüge
integriert.

Die erste ist theozentrisch orientiert und beschreibt das in
Jesu Tod vollzogene Handeln Gottes im Rückgriff auf Gen 22: Das
dort an Abraham gerichtete Jahwe-Wort Gen 22,16 LXX:
οὐκ ἐφείσω τοῦ υἱοῦ σου τοῦ ἀγαπητοῦ δι'ἐμέ klingt in dem
ὅς γε τοῦ ἰδίου υἱοῦ οὐκ ἐφείσατο ἀλλὰ ὑπὲρ ἡμῶν πάντων παρέδωκεν αὐτόν
von Röm 8,32 zumindest deutlich an. Darüber hinaus fehlt jedoch jedes Indiz für eine weitergehende Beziehung zur oben skizzierten[87]
Aqeda-Tradition; vor allem ist die Entsprechung Isaak-Christus
überhaupt nicht thematisiert[88]. Vielmehr liegen die Berührungen
allein in dem Nicht-Schonen des geliebten/eigenen[89] Sohnes, worin
sich (wie einst die Bindung Abrahams an Gott) so die liebende Bindung Gottes an ἡμεῖς πάντες als stärker erweist als die Liebe zum
Eigenen. Gott gibt etwas von sich preis[90], so wie Abraham sein
Liebstes preiszugeben bereit war. Die eigentliche *christo*logische
Aussage von 8,32 dagegen liegt eher in der durch ἀλλά eingeleiteten
zweiten Satzhälfte, die auf Jes 53,6: καὶ κύριος παρέδωκεν αὐτὸν
ταῖς ἁμαρτίαις ἡμῶν zurückweist und damit in der Kontinuität der
(in Weiterführung von Mk 10,45 und der Herrenmahlsworte) den Tod
Jesu von Jes 53 her deutenden breiten urchristlichen Traditionsbildung steht (cf. Röm 4,25 usw.). Röm 8,32 verbindet also zwei
verschiedene Deutemotive, wobei man nicht übersehen sollte, daß
die möglicherweise zugrundeliegende LXX-Version von Gen 22,16 in
dem δι'ἐμέ selbst schon einen syntaktischen und sachlichen 'Platz-
halter' enthält, der diese Verknüpfung leicht ermöglichte. Ob es
in der vorpaulinischen Überlieferung jemals eine Vorstufe gegeben
hat, die in einfachem Austausch von 'du' (= Abraham) zu 'er'

---

87 Siehe oben den Exkurs 3, S.159-163.
88 Zum gegenwärtigen Stand der alten Debatte um die Aqeda-Rezeption in Röm 8 cf.
   das Referat der Positionen bei M.L.GUBLER, Deutungen, 341-344.364-375; H.
   PAULSEN, Überlieferung, 165-168.
89 LXX: τοῦ υἱοῦ σου τοῦ ἀγαπητοῦ (*geliebten*); M: אֶת־בִּנְךָ אֶת־יְחִידְךָ (*einzigen*),
   cf. N.A.DAHL, Atonement, 17 mit Anm.18.
90 Cf. Luthers Formulierung: "Er ließ es sich sein Bestes kosten": WA 35,424,10
   (cf. EKG 239, 4.Strophe); WA 12,599,3; WA 47,278,39f.

(= Gott) und 'ich' (= Gott) zu 'wir' (= die Christen) gelautet hat:
ὃς τοῦ ἰδίου υἱοῦ οὐκ ἐφείσατο δι'ἡμᾶς, ist natürlich völlig unsicher, sie macht aber deutlich, daß der ἀλλά-Satz im Grunde ein
solches δι'ἡμᾶς ersetzt und auf der Basis von Jes 53 präzisiert.

Der zweite christologische 'Block', V 34b, hat dagegen Χριστὸς
'Ἰησοῦς selbst zum Subjekt und entfaltet in vier Schritten die 'Stationen' des Werkes Christi mit deutlicher soteriologischer Ausrichtung. Wichtig sind dabei (1) die steigernde Zuordnung von Tod und
Auferstehung Jesu: ὁ ἀποθανών, μᾶλλον δὲ ἐγερθείς, (2) die messianische Komponente in der Formulierung: ὃς καί ἐστιν ἐν δεξιᾷ τοῦ
θεοῦ mit Rückverweis[91] auf Ψ 109,1: Εἶπεν ὁ κύριος τῷ κυρίῳ μου
Κάθου ἐκ δεξιῶν μου und (3) die Zielformulierung der Gesamtaussage:
ὃς καί ἐντυγχάνει ὑπὲρ ἡμῶν. Dabei verweist das Interzessionsmotiv
nicht nur wörtlich auf den in Röm 8,26f. entfalteten Zusammenhang,
sondern auf das oben schon angesprochene weite traditionsgeschichtliche Feld, von dem aus verschiedene Linien zum Christus-Interzes-
sor-Gedanken gezogen werden können[92]. In unserem Zusammenhang muß
wieder der Hinweis auf die in der diachronen Skizze an verschiedenen Stellen[93] aufgewiesenen Bezüge der Tradition vom leidenden Gerechten zur Interzessionsthematik genügen: Seit Hi 42 ist die Vorstellung nachweisbar, daß der (leidende) Gerechte für (an ihm)
schuldig gewordene Menschen fürbittend vor Gott eintreten kann;
wir haben dann anhand der LXX- und Targumversionen von Hi 42 verfolgen können, wie sich dieser Gedanke mehr und mehr auf den Stellvertretungsgedanken zubewegt, bis er sich in TestBenj 3,8 deutlich
mit dem Gedanken des stellvertretenden Leidens und Sterbens von
Jes 53 verbindet. Die Vorstellung, daß der als leidender Gerechter
gestorbene und auferstandene Messias Jesus Interzession vor Gott
übt, ist von diesen Zusammenhängen her zumindest gedanklich vorbereitet und mitbestimmt, wenn auch noch andere Faktoren, vor allem
die Menschensohn- und Messiastraditionen, mitgewirkt haben mögen,
denen hier nicht weiter nachzugehen ist.

Überschauen wir die Traditionsbezüge der bisher untersuchten Aussagen von Röm
8,31-34, so wird eine weitgehende Kontinuität des Bezugsfeldes deutlich, und
zwar im Blick sowohl auf die christologischen als auch auf die nicht-christo-
logischen Aussagen: die von Ps 118 und Jes 50 her artikulierte Gewißheit, daß

---

91 Cf. H.PAULSEN, Überlieferung, 169f., der insbesondere auf die hier noch
ausgebildete Verbindung zu Ps 8 verweist und daraus auf ältere Überlieferung
schließt.
92 Nachdem N.JOHANSSON die Vorstellung vom Christus intercessor vor allem über
die Menschensohnfigur erklären wollte (Parakletoi, 181-255.270ff., bes.
234ff.), haben O.BETZ, Paraklet (im Blick auf das Johannesevangelium) und R.
le DÉAUT, Aspects, 35-57, Materialien für ein sehr viel differenzierteres
Bild beigebracht; cf. auch J.MAUCHLINE, Jesus Christ as Intercessor, 355-357.
359.
93 Siehe oben S.72.94f.115-119.

niemand gegen die auf Gottes Seite Stehenden etwas ausrichten kann, wird
durch die christologischen Aussagen neu begründet. Dabei weisen aber die Kategorien,in denen diese Christologie gedacht ist: die 'Dahingabe', das Nacheinander von Tod und Auferstehung als Erniedrigung und Erhöhung[94] und schließlich der Interzessionsgedanke traditionsgeschichtlich auf dieselben Traditionsbereiche zurück, die auch in den nichtchristologischen Aussagen wirksam
sind. In Röm 8,31-34 werden - obwohl das Leidensthema selbst hier noch gar
nicht zur Debatte steht - sowohl der Sachgrund der Rechtfertigung als auch
die aus dieser Rechtfertigung resultierende unangefochtene Heilszuversicht
von der Tradition vom leidenden Gerechten her artikuliert.

Von hier aus kann der Text nun auch wie selbstverständlich auf das
Leidensthema zu sprechen kommen: von der 'Liebe Christi'[95], die
den zuvor beschriebenen 'Stand' des θεὸς ὑπὲρ ἡμῶν konstituiert[96],
vermag nichts zu trennen, auch nicht die Fülle der Peristasen, die
der Katalog von 8,35b auflistet. Wieder sind es die uns schon aus
den anderen Katalogen bekannten Peristasen der missionarischen Praxis[97], die freilich im zeitgeschichtlichen Kontext des Röm eine
für jeden Christen mögliche Perspektive darstellen, also nicht an
ein 'Amt', wohl aber an das Christsein gebunden sind.

Besonders beachtenswert ist es, daß Paulus den Katalog in 8,36
durch ein explizit als Traditionsrekurs gekennzeichnetes Zitat aus
Ps 44 bestätigt und illustriert[98]:

Ψ 43,23   ὅτι ἕνεκα σου θανατούμεθα ὅλην τὴν ἡμέραν
                ἐλογίσθημεν ὡς πρόβατα σφαγῆς.

Denn hierin zeigt sich eindeutiger als bei allen anderen paulinischen Peristasenkatalogen, daß ihre Aussageintention ganz in der
Linie der Tradition vom leidenden Gerechten liegt: der Katalog artikuliert die Fülle des Leidens, dem die Christen um ihres Standes
auf der Seite Gottes willen kontinuierlich ausgesetzt sind. Angesichts des vor allem vom Gedanken der Siegeszuversicht[99] geprägten
Kontextes, der sonst allzuleicht im Sinne eines 'Nichts kann uns
etwas ausmachen' stoisierend mißverstanden werden könnte, setzt
das Zitat einen deutlichen Kontrapunkt und wehrt jedes heroisieren-
de Unterschätzen oder enthusiastische Überspringen des Leidens ab,

---

94 Cf. E.SCHWEIZER, Erniedrigung und Erhöhung, 110.
95 Wie Röm 8,39 zeigt, ist dieser Ausdruck eine Abbreviatur für die in Christus
   erwiesene Liebe Gottes.
96 Cf. auch den impliziten, durch die πῶς-Frage unterstrichenen Liebes-Aspekt in
   der Aqeda-Aussage von Röm 8,32!
97 θλῖψις: 2Kor 6,4;(4,8);
   στενοχωρία: 2Kor 6,4; 12,10;(4,8);
   διωγμός: 2Kor 12,10; cf. 4,9: διωκόμενοι;
   λιμός: 2Kor 11,27; cf. 1Kor 4,11: πεινῶμεν;
   γυμνότης: 2Kor 11,27; cf. 1Kor 4,11: γυμνιτευόμεν;
   κίνδυνος: 2Kor 11,26 (8x);
   Nur μάχαιρα begegnet nicht schon in einem früheren Katalog, cf. aber
   θάνατος: 2Kor 11,23;(4,12).
98 Cf. die Verbindung durch καθώς!
99 Cf. den voranstehenden Textzusammenhang und das ὑπερνικᾶν in 8,37.

indem es seine Faktizität wirksam vor Augen führt und damit den Gerechtfertigten ihren Stand - solange es noch Feinde Gottes gibt -
in der dauernden Anfeindung und Todesgefahr zuweist[100].

Ps 44,23 hat - wie vor allem die rabbinische Überlieferung reich belegt[101] -
eine breite Auslegungstradition und ist u.a. ein locus classicus der Märtyrertradition. Ein auslegungsgeschichtlicher Längsschnitt könnte zeigen, wie sich
das Verständnis der ursprünglichen Klage des Volkes angesichts ausbleibenden
Erfolgs in einem Krieg mehr und mehr auf die Vorstellung des 'Engagements'
der Gerechten für Jahwe verlagert[102].

Der in der bisherigen Untersuchung mit zunehmender Deutlichkeit
zutagetretende Befund, daß Paulus die in den Peristasenkatalogen
geschilderten Leiden im Kontext der Tradition vom leidenden Gerechten, und hier insbesondere in Verbindung mit der (endzeitlichen)
Auseinandersetzung der 'Mitkämpfer' auf Gottes Seite mit den Feinden Gottes versteht, wird hier durch die paulinische Aussage selbst
deutlich bestätigt.

15.1.3. Römer 5,1-11 und 8,18-39

Interpretation

Versuchen wir abschließend eine Zusammenschau der Struktur- und Traditionsuntersuchungen von Röm 5 und 8, die gleichzeitig auch die enge Verwandtschaft
beider Textkomplexe berücksichtigt, so ergibt sich - ohne alle im vorangehenden Einzelaspekte zu wiederholen - folgendes Gesamtbild:

Röm 5,1-11 bilden einen Argumentations'bogen': er setzt in 5,1
an bei dem sich aus Röm 1-4 ergebenden 'Stand' der in Christus Gerechtfertigten und lenkt in 5,11 auch wieder dorthin zurück. Die
dazwischenliegenden Aussagen haben die Funktion, den Bezug der
Rechtfertigung zu dem mit ihr implizierten zukünftigen Heil[103] zu
entfalten. Dabei werden drei Zeitebenen unterschieden und zueinander in Bezug gesetzt: die *Gegenwart* der Gerechtfertigten beruht konstitutiv auf dem *zuvor* geschehenen 'Sterben Christi für uns' und
steht aufgrund eben dieses Geschehens in der gewissen Perspektive
zukünftigen Heils.

In diesem 'Gedankenrahmen' stellt Paulus der Hoffnung auf die
δόξα die θλῖψις ergänzend zur Seite: die Gegenwart des Gerechtfertigten wird von beiden Aspekten bestimmt. So richtig es ist, daß
Paulus - wie schon im 1Kor - mit dem Verweis auf das Leiden verhin-

---

100 G.MÜNDERLEIN, Interpretation, 136-142 sieht in Röm 8,35f. die Tradition vom
    leidenden Gerechten (Psalmzitat) mit einer "radikal umgestaltet(en)" (ebd.
    140) alttestamentlichen Droh- und Fluchworttradition verbunden, die seiner
    Meinung nach die Peristasenkataloge prägt. Sein Versuch zeigt m.E., wie not-
    wendig es ist, das Beobachtungsfeld nicht auf das Alte Testament zu beschrän-
    ken.
101 Cf. Bill. II,258-260.
102 Cf. dazu auch Ps 69,8-10 und oben S.64f.
103 Cf. die Titelformulierung der Untersuchung WOLTERs: "Rechtfertigung und zu-
    künftiges Heil".

dern will, daß in einem "christliche(n) 'Rühmen' (...) die Realität der Gegenwart, die der der zukünftigen Herrlichkeit widerstrei-
tet, übersprungen"[104] wird, so wenig darf man übersehen, daß
θλῖψις und ἐλπίς keineswegs zwei an sich bezuglose Größen sind,
deren Verbindung einfach kontingent oder allein ein 'Kunstgriff'
des Paulus wäre; vielmehr ist sie in der Tradition vom leidenden
Gerechten längst vorgegeben. Der Kettenschluß Röm 5,3-5 vollzieht
diese Tradition nach und führt die Hörer so von ihrer eigenen Erfahrung der Bedrängnis zu einem Fundamentalsatz jüdischer Erfahrung mit Gott: der Hoffende wird nicht zuschanden. In diesem Weg
von der 'Empirie' zur ἐλπίς holt er den voranstehenden Ausgangsge-
danken von 5,2: das Rühmen auf die Hoffnung der δόξα hin, wieder
ein und bekräftigt ihn gleichzeitig.

Solches Aufeinanderbeziehen von δόξα-Hoffnung und einer aus dem
Prüfungsleiden resultierenden ἐλπίς ist nicht einfach eine Gedan-
kenspielerei, sondern (angesichts des Ineinandergreifens von weisheitlichem und apokalyptischem Denken z.B. in Weish) eine traditionsgeschichtlich durchaus plausible Verbindung. Der gemeinsame
'Wurzelgrund': die auf den Heilswillen Jahwes sich gründende Hoffnung des auf Gottes Seite stehenden, leidenden Gerechten, kommt
denn auch durch den Rückgriff auf 'einschlägige' Psalmentradition
in 5,5a deutlich zur Sprache. Entscheidend aber ist, daß Paulus
diesem Satz in 5b eine weitere, neue Begründung hinzufügt ("die
Liebe Gottes ist ausgegossen in unsere Herzen durch den heiligen
Geist ..."), die er in 6ff. zu einem umfassenden christologischen
Begründungszusammenhang entwickelt. Paulus verknüpft also nicht
nur verschiedene Linien der Tradition vom leidenden Gerechten miteinander, sondern gibt dieser Traditionsverbindung als ganzer, und
zwar in ihrem zentralen 'Knotenpunkt' 5a eine christologische Ausrichtung: die Liebe Gottes, die er in Jesu Tod 'für uns' erwiesen
hat (5,8) und die jedem einzelnen Christen durch den Geist übereignet ist, bekräftigt und begründet die zunächst von der Tradition
vom leidenden Gerechten her entwickelte ἐλπίς. Wieder muß man es
als eine notwendige Prämisse solchen Vorgehens ansehen, daß für
Paulus eine sachliche Kohärenz zwischen der ἐλπίς der Tradition
und diesem neuen christologischen Begründungszusammenhang besteht.

Sie tritt zutage, wenn wir den eigentlichen christologischen
Aussagen 5,6-8 nachgehen. Christus starb für Gottlose, d.h. 'für
uns, als wir noch ἀσθενεῖς/ἁμαρτωλοί, d.h. gottlos waren' (cf. die
ἔτι-Formulierungen in 5,6-8). Die Unvergleichbarkeit dieses Ge-

---

104 U.WILCKENS, EKK Röm I, 290.

schehens mit jeder menschlich-sittlichen Analogie, die V 7 in aller Schärfe klarmacht, betrifft gerade dieses ὑπερ ἀσεβῶν: die
Rechtfertigung der Gottlosen. Die Liebe Gottes, von der 5b spricht,
läßt sich also nicht unter Absehung von ihrer in V 8 ausgeführten
'Definition' als geschenkweise rechtfertigende, d.h. gerecht machende Liebe verstehen. Damit ergibt sich aber eine Brücke zum ersten Gedankenkreis: den von Gott selbst zu Gerechten Gemachten gelten dieselben Zusagen der Zuwendung und des endzeitlichen Heils
wie den 'Gerechten' der Tradition, ist doch hier wie dort der eine
Heilswille Gottes wirksam. Ja, man kann angesichts der πολλῷ-
μᾶλλον-Schlüsse noch weiter gehen: die Grundaussage der Tradition
vom leidenden Gerechten: daß Gott die Seinen nicht im Stich läßt,
gilt für die durch die Rechtfertigung der Gottlosen von Gott selbst
zu den Seinen Gemachten in noch größerer Unmittelbarkeit und darum
mit noch größerer Gewißheit als für die leidenden Gerechten der
Tradition, ist ihnen doch der 'größere', schlechthin analogielose
Beweis der Liebe Gottes schon zuteil geworden, indem er sie mit
sich versöhnte, "als sie (noch) Feinde (Gottes) waren" (5,10).

Wieder sind Kontinuität und Innovation gegenüber der Tradition
vom leidenden Gerechten in gleicher Weise festzuhalten: Paulus
steht in dieser Tradition und denkt und begreift christliches Leiden und Hoffen durchaus von ihr her[105]: *die leidenden Gerechtfertigten
treten ein in die Rolle des leidenden Gerechten.* Aber gleichzeitig gerät
das den Gerechten zugesagte Heil in die Perspektive der schon geschehenen, alles überragenden Heilstat Gottes für die Gottlosen
und erscheint so im Vergleich mit dem schon geschehenen 'Größeren'
als das 'Kleinere', das darum mit umso größerer Gewißheit erhofft
werden kann. *Was für die leidenden Gerechten gilt, gilt auch für die leidenden
Gerechtfertigten; ja, es gilt für sie 'erst recht', 'umso mehr'.*

Das schon in Röm 5,1-11 zentrale Verhältnis von Vergangenheit,
Gegenwart und Zukunft nimmt auch in Röm 8 eine Schlüsselstellung
ein. Verfolgen wir es im Kontext der Leidensaussagen, so ist zunächst in 8,15 anzusetzen: der Empfang des Geistes der Sohnschaft
(cf. 5,5b) ist geschehen (cf. die Aoriste) und prägt die Gegenwart
der Kinder Gottes. Kindschaft aber enthält den Zukunftsaspekt der
Erbschaft, die als Miterbschaft Christi *eschatologische* Zukunft im-

---

105 An Röm 5 ist besonders aufschlußreich, daß hier trotz der in unmittelbarer
    Nähe stehenden Aussagen über Christi Tod jede explizit christologische Deu-
    tung der Leiden als 'Christusleiden' o.ä. unterbleibt. Dies ist nicht gegen
    die Stellen auszuspielen, in denen eine solche Deutung begegnet; es zeigt
    vielmehr, daß Paulus die Tradition vom leidenden Gerechten und die Christo-
    logie in sehr verschiedener Weise aufeinander beziehen kann, was dafür
    spricht, daß er von einer weitgehenden Kohärenz beider Größen ausgeht.

pliziert. Von daher ergibt sich eine konsequente Zeitlinie vom
Aorist von 8,15 bis hin zum Futur des συνδοξασθῶμεν von 8,17. Von
hier aus gesehen ist der Aspekt des συμπάσχειν, der - wie wir sahen - keineswegs vom Zusammenhang her naheliegt, sondern als Pendant des συνδοξάζειν in den Text eingetragen wird, genau an derselben Stelle in den Gedankengang eingebettet wie in Röm 5,3 der
θλῖψις-Aspekt. Wieder erhält die zukünftige δόξα den Aspekt des gegenwärtigen Leidens beigeordnet, jetzt aber in christologischer
Ausprägung als Mitleiden mit Christus, dem das Mit-Christus-Ver-
herrlichtwerden entspricht.

Die durch ἵνα hergestellte Verbindung beider Elemente erinnert
an 2Kor 4,10f., wo die Anteilhabe an νέκρωσις und an ζωή Jesu in
gleicher Weise einander zugeordnet sind. Auch wenn die dort in der
apologetischen Situation betonte Nuance, daß die ζωή Jesu *schon jetzt*
am sterblichen Fleisch des Apostels wirksam ist, hier fehlt, läßt
sich Röm 8,17 m.E. als eine Abbreviatur der in 2Kor 4 vorliegenden
Gedankengänge begreifen: so erscheint das συνδοξάζειν als eine
Kurzformel für die in 2Kor 4,14 ausgeführte Vorstellung: (ὁ θεὸς)
καὶ ἡμᾶς σὺν ᾽Ιησοῦ ἐγειρεῖ καὶ παραστήσει σὺν ὑμῖν, und verweist
das συμπάσχειν auf das παραδιδόμεθα διὰ ᾽Ιησοῦν von 2Kor 4,11. Wir
haben oben gesehen, wie Paulus die christologische Komponente dieser Leidensaussagen mit der Tradition vom leidenden Gerechten zusammendenkt, indem er den 'Schluß' vom 'Leiden um Jesu willen' auf
das 'Mit-Jesus-auferweckt-Werden' im expliziten Rekurs auf Ps 115
vollzieht (2Kor 4,13): "derselbe Geist des Glaubens" wie der in
dieser Tradition wirksame befestigt die Gewißheit, daß das in Jesu
Weg prototypisch realisierte Folge-Verhältnis von Leiden und Auferstehung auch auf Paulus und die Gemeinde übertragbar ist, eben deshalb, weil Leiden auf der Seite Gottes von jeher sein Telos in der
Heilszuwendung Gottes hat. Von hier aus leuchtet es ein, daß Paulus in 8,17 das συμπάσχειν zur Bekräftigung der Gewißheit des
συνδοξάζειν - also mit derselben Funktion wie den θλῖψις-Aspekt
in Röm 5,3 - in den Gedankengang einträgt. Daß er dabei in Röm 5
die ganz unchristologische Traditionsfigur des Prüfungsleidens,
in Röm 8,17 dagegen eine christologisch bezogene Leidensaussage
verwendet, unterstreicht, wie sehr für ihn beide Bereiche ineinander übergehen.

Daß Röm 8,17 von 2Kor 4 her zu verstehen ist, legt auch die noch augenfäl-
ligere Nähe von Röm 8,18 und 2Kor 4,17 nahe[106]. Was Paulus dort vor allem

---

106 Röm 8,18: ... οὐκ ἄξια τὰ παθήματα τοῦ νῦν καιροῦ πρὸς τὴν μέλλουσαν
    δόξαν ἀποκαλυφθῆναι εἰς ἡμᾶς.
    2Kor 4,17: τὸ γὰρ παραυτίκα ἐλαφρὸν τῆς θλίψεως ἡμῶν καθ' ὑπερβολὴν εἰς
    ὑπερβολὴν αἰώνιον βάρος δόξης κατεργάζεται ἡμῖν ...

im Hinblick auf sein eigenes Leiden und seine eigene Zukunft sagt, gilt hier
für Gegenwart und Zukunft der ganzen Gemeinde[107].

In dieses Spannungsfeld von παθήματα τοῦ νῦν καιροῦ und zukünftiger δόξα sind die nun folgenden Aussagen eingebunden: Paulus weitet den Horizont universal aus, indem er die Schar der υἱοὶ τοῦ
θεοῦ (von denen seit 8,14 die Rede ist), in Beziehung setzt zu der
sie mitumfassenden Schöpfung, die insgesamt unter der Versklavung
unter die ματαιότης seufzt. Deren Herrschaft ist die ganze Schöpfung unterworfen[108], aber "auf Hoffnung hin" (ἐφ' ἐλπίδι, 8,20),
d.h. mit der Perspektive der Befreiung von der Verderbensmacht zur
Freiheit der Herrlichkeit der Kinder Gottes.

Die Gegenwart der Christen - einschließlich der παθήματα τοῦ
νῦν καιροῦ - ist von daher im Kontext der seufzend in den Wehen
der Endzeit liegenden Schöpfung zu sehen, an deren Seufzen auch
die Teil haben, die "das Angeld des Geistes empfangen haben" (8,23),
ist doch auch ihre Rettung noch Hoffnung, deren volle Realisierung
noch aussteht. Freilich hat diese Hoffnung eine Basis, die sie als
berechtigte, feste, konkrete und bewußte Hoffnung qualifiziert, so
daß Christen δι' ὑπομονῆς (8,25) ihre Zukunft erwarten können, während für die übrige Schöpfung das ungeduldige, bewußte Harren (cf.
ἀποκαραδοκία, 8,19) kennzeichnend ist.

Mit den Beobachtungen an den bisher erörterten Texten ist diese Einbettung
der παθήματα τοῦ νῦν καιροῦ in den Kontext der Schöpfung, die als ganze der
Gott widerstreitenden Todes- und Verderbensmacht versklavt ist, bruchlos zu
verbinden, resultieren doch auch dort die Leiden vor allem aus der Auseinandersetzung mit den 'Feinden' der auf Gottes Seite Stehenden als Exponenten
der Gott widerstreitenden Macht. Gleichzeitig ergibt sich aber eine Erweiterung des Horizonts, die eine neue, weitreichende Perspektive für die Leidensinterpretation eröffnet. Das Leiden der Gerechtfertigten ist - so sehr es
gerade in seiner Christozentrik und Theozentrik als besondere Größe ausgewiesen ist - *auch* eingebunden in den Leidenszustand einer von ihrem Schöpfer
entfremdeten Schöpfung. Unter dem Joch der fremden Herrschaft[109] sehnt sie
sich nach der Gotteskindschaft, die ihrer eigentlichen Schöpfungsbestimmung
entspricht. Christen stehen insofern Seite an Seite mit dieser Schöpfung, als

---

      Cf. den Gedanken der Sichtbarkeit und Unsichtbarkeit des erhofften Heils in
      Röm 8,24 und 2Kor 4,18: auch in 2Kor 4,18 dürfte das 'Unsichtbare' im Sinne
      des 'noch nicht Sichtbaren' zu verstehen sein.
107   Dabei handelt es sich aber nicht um eine sekundäre Übertragung von Paulus
      auf die Gemeinde (cf. dazu z.B. syrBar 15,8, wo Leiden und δόξα von vorn-
      herein auf die Gemeinde der Frommen bezogen sind). Daß Paulus in 2Kor vor
      allem von sich selbst, im Röm aber vor allem von den Christen allgemein re-
      det, liegt an der Funktion der beiden Briefe. Es läßt sich daran beobachten,
      daß Paulus Leiden und Hoffnung des Apostels allenfalls quantitativ, nicht
      aber qualitativ von Leiden und Heil aller Christen unterscheidet.
108   Der Hauptfrage der Exegese von Röm 8,20 nach dem 'Unterwerfer' und dem zu-
      grundeliegenden Mythos ist hier nicht nachzugehen; cf. U.WILCKENS, EKK Röm
      II, 154f.; E.KÄSEMANN, HNT Röm, 227. Daß die Aussage auf den Sündenfall zielt,
      erscheint mir angesichts der Sehnsucht nach der δόξα sicher: nach VitAd 21
      ging im Sündenfall den Menschen die ihnen in der Schöpfung zugeeignete δόξα
      Gottes verloren; cf. auch 4Esra 7,11f.
109   Cf. die Betonung der *unfreiwilligen* Unterwerfung in 8,20: οὐχ ἑκοῦσα.

die ἀπολύτρωσις ihres σῶμα noch aussteht. Sie sind ihr also nicht entnommen,
auch wenn der die Aufhebung ihrer Entfremdung realisierende Akt Gottes im
Kreuz Christi schon geschehen ist.

In dieser Gegenwart, die durch die Spannung von schon Geschehenem
und noch Zukünftigem als 'Zwischenzeit' qualifiziert ist, kommt
der Geist den leidenden Gerechtfertigten in ihrer Schwachheit zur
Hilfe, indem er für sie vor Gott eintritt. Daß darin die 'Sprachhilfe' aufgenommen ist, die auch schon dem leidenden Gerechten der
Tradition zuteil wird, hatten wir oben gesehen: der Geist nimmt
die Rolle des מליץ/μεσίτης wahr, wobei auch hier eine neue Nuance
deutlich wird, wenn auf die elementare Unfähigkeit der versklavten
Schöpfung abgehoben wird, sich vor Gott zu artikulieren: der Geist
nimmt sich unser in unserer Sprachlosigkeit an, er tut, was wir
nicht vermögen und macht so einen wesentlichen Teil des durch die
Rechtfertigung eröffneten Zugangs zu Gott schon jetzt erfahrbar[110].
Ein "hervorragendes Beispiel für das, was in VV 26f generell gemeint ist"[111], ist der Abba-Ruf von 8,15. In ihm wird die υἱοθεσία
im Sinne des Angenommenseins durch Gott konkret, und gleichzeitig
wird deutlich, daß der Geist buchstäblich einen 'neuen Spracher-
werb' bewirkt: aus dem unartikulierten Stammeln läßt er das kind-
lich-elementarsprachliche ᾿Αββά hervorgehen. Das Seufzen der Christen unterscheidet sich also gerade darin vom Seufzen der übrigen
Kreatur, daß der Geist es als Gebetsschrei artikuliert und so zu
Gott gelangen läßt. Diese Artikulationshilfe aber ist eine von
Gott selbst ausgehende Hilfeleistung am leidenden Gerechtfertigten,
die an das schon in der Tradition bezeugte Handeln Gottes am leidenden Gerechten anknüpft und es überbietet.

> Daß solches Umartikulieren des 'Seufzens' zum 'Gebet' umgekehrt auch erken-
> nen läßt, daß christliches Gebet seinem Wesen nach in diesem elementaren
> Seufzen der Versklavten seine Wurzeln hat, ist hier nicht weiter auszuführen,
> sei aber gleichwohl festgehalten[112].

Die Verse 8,19-27 sind von hieraus gesehen ohne weiteres auf 8,18
zurückzubeziehen: sie zeichnen die dort angesprochene Spannung von
Leidensgegenwart und δόξα-Hoffnung in den universalen Rahmen der
κτίσις ein und kennzeichnen die Gegenwart als Zeit, in der die

---

110 Daß dabei an Glossolalie gedacht sei, erscheint von hier aus eher unwahrscheinlich. Zum Problem und der exegetischen Debatte cf. U.WILCKENS, EKK
Röm II, 161f. mit Anm.712; besonders die von E.KÄSEMANN, Schrei, konsequent durchgehaltene Deutung, daß "die unaussprechlichen Seufzer in unserer Stelle nichts als glossolalische Gebetsäußerungen sind" (ebd. 225).
111 U.WILCKENS, EKK Röm II, 161; den Zusammenhang betont auch E.KÄSEMANN, Schrei,
224.
112 "Daß der Schrei nach der Freiheit gottwohlgefälliges Bitten und rechten
christlichen Gottesdienst zutiefst mitbestimmen müsse und die Solidarität
mit der Welt gerade dort nicht vergessen werden dürfe", halte ich mit E.
KÄSEMANN, Schrei, 236, für eine immer wieder neu von Paulus zu lernende Einsicht.

δόξα noch ganz Hoffnung ist, in der aber der Geist eine Mittler-
und Helferfunktion an den Christen in ihrer ἀσθένεια versieht, die
ihrem Gebet Zugang zu Gott verschafft und es ihnen ermöglicht, die
Situation universaler Bedrängnis durchzustehen. 8,28 kann dann diese Gedanken weiterführend und gleichzeitig auf den Ausgangspunkt
in 8,18 zurücklenkend in weisheitlicher Grundsätzlichkeit und deutlicher Traditionsbezogenheit formulieren, daß allen, die auf Gottes Seite stehen, alles zum Guten mitwirkt. Wie sehr dieser Satz
darauf zielt, ganz so wie 8,18 die Berechtigung der δόξα-Hoffnung
in der Leidenssituation - τὰ πάντα umfaßt nach dem Kontext auch
(und vor allem) die παθήματα der Gegenwart[113] - zu bekräftigen,
zeigt der angehängte Rekurs auf den Heilsplan Gottes, der 'die,
die Gott lieben' als die gemäß seiner πρόθεσις Berufenen identifiziert und in einem langen, in seinen 'Stationen' - wie wir sahen -
in Qumran vorgegebenen Kettenschluß auf die Zielformulierung:
ἐδόξασεν zuführt. Ebenso wie das συνδοξάζειν von 8,17 die δόξα von
8,18 in einen christologischen Bezug stellte, so enhält auch dieser Kettenschluß in 8,29b einen sein Ziel christologisch präzisierenden 'Exkurs': das Glied προώρισεν[114] wird erweitert durch eine
Zielangabe: "gleichgestaltet zu werden der εἰκών seines Sohnes, damit er der Erstgeborene unter vielen Brüdern sei". Auch hier ist
der Bezug zu 2Kor 3,18; 4,4 (Phil 3,21) deutlich: Christus ist die
εἰκών Gottes (2Kor 4,4); ihm als dem Erhöhten gleichgestaltet zu
werden, ist so die endgültige Wiedereinsetzung in Gottes Ebenbild-
lichkeit und damit *der* δόξα, die nach Röm 3,23 und VitAd 21 im
Sündenfall (cf. den Bezug zu Röm 8,20!) verloren gegangen ist, und
in der Rechtfertigung wieder restituiert wurde. Der υἱοθεσία gegenüber Gott entspricht dabei die Bruderschaft mit dem πρωτότοκος
Christus der die (Wieder-)Teilhabe an der (Schöpfungs-)δόξα (neu)
konstituiert hat. Denn er, der präexistente Sohn, hatte im Gegensatz zu Adam seine Gottesebenbildlichkeit und δόξα nicht verloren,
gab sie aber gemäß der Sendung Gottes preis, um den gefallenen Menschen das Heil (wieder) zu eröffnen. Er wurde darum von Gott wieder
in die δόξα eingesetzt und ist so das 'Modell' der Gottesebenbildlichkeit der Gerechtfertigten. Gotteskindschaft und δόξα sind

---

113 Cf. U.WILCKENS, EKK Röm II, 163.
114 Es fällt auf, daß sich bei der traditionsgeschichtlichen Rückfrage in Qumran
    nur zu diesem Glied keine Parallele fand. In den bei U.WILCKENS, EKK Röm II,
    163 mit Anm.729, angeführten Parallelbelegen (AssMos 1,14; EstR 1,1 (82a))
    zielt προορίζειν jeweils auf die Vorherbestimmung einer besonderen Qualität,
    die jemandem zueiqen werden soll. Dies und die 'optische' Komponente des Be-
    griffs, die ihn mit der εἰκών-Vorstellung vorzüglich verbindbar macht, könnte
    erklären, warum er hier (evtl. erst durch Paulus, als er den εἰκών-Gedanken
    in den Kettenschluß einfügte?) zu den übrigen hinzutritt.

christlich am adäquatesten aussagbar als Bruderschaft und Mitver-
herrlichtwerden mit dem Christus. Als solche aber sind sie mit dem
Tod und der Auferstehung Christi auch schon realisiert und zugeeignet: der Aorist des ἐδικαίωσεν (8,30) zieht so den des ἐδόξασεν
völlig sachgemäß nach sich, auch wenn das Vollmaß der δόξα irdisch
Hoffnungsgut bleibt.

In diese Spannung der Gegenwart zwischen Leiden und δόξα-Hoffnung hinein setzt nun Röm 8,31-39 den sie eindeutig akzentuieren-
den, steigernden Schlußgedankengang: unter Rückgriff auf das bisher in Röm 8 (und im Röm zuvor) Entfaltete und auf ein ganzes Feld
traditioneller Vorstellungs- und Denkmuster bringt der Text positiv die Übermacht des 'Gott-für-uns' gegenüber jeder Anklage, Anfeindung oder Bedrohung zur Sprache.

Dabei setzt er in V 31 bei dem grundlegenden ὁ θεὸς ὑπὲρ ἡμῶν
der Tradition vom leidenden Gerechten an, dem die erste, ebenso
grundlegende τίς-Frage nach dem Feind entspricht: V 32 entfaltet
dieses ὑπὲρ ἡμῶν theo-logisch und christologisch, indem er die Tradition von Gn 22 und Jes 53 verbindet und auf den Tod Christi bezieht. Gott hat in seiner Liebe zu 'uns' sogar seinen eigenen Sohn
nicht geschont und ihn 'für uns' dahingegeben. Die direkt angeschlossene τίς-Frage unterstreicht - wie Röm 5,6-10 -, daß gemessen an diesem grenzenlos großen, schon geschehenen Liebeshandeln
die noch ausstehende δόξα-Teilhabe nur noch ein 'Kleines' ist.

Die zweite und dritte τίς-Frage (V 33 und 34) spitzen die erste
allgemeine auf die spezielle Gerichtssituation zu: in steigernder
Reihenfolge kommt zunächst der Aspekt der 'Anklage' in den Blick,
der durch die knappe Berufung auf θεὸς ὁ δικαιῶν gemäß Jes 50,8
souverän abgewiesen wird, sodann der der 'Verurteilung', der - in
Steigerung von V 33 - mit dem Verweis auf Jesu Tod und - nochmals
steigernd -- auf seine Auferstehung und Erhöhung zur Rechten Gottes
entkräftet wird: er, der 'um unseretwillen' gelitten hat, tritt
als Erhöhter für 'uns' ein. Schon die identische Terminologie zeigt,
daß hier der Gedanke von Röm 8,26f., der die traditionelle Vorstellung der Interzession für den leidenden Gerechten aufnahm, weitergeführt ist: die Interzession des Geistes in der Situation der
Sprachlosigkeit vor Gott und die Interzession des Christus in der
himmlischen Gerichtssituation stehen in einer Linie. Gleichzeitig
aber belegt die Traditionsuntersuchung, daß auch der leidende Gerechte für die an ihm schuldig Gewordenen eine interzessorische
Funktion wahrnehmen kann, wodurch sich überhaupt erst erklärt, daß
Jesus Christus selbst der Interzessor ist: er, der als *der* Gerechte

für die Vielen litt und starb, hat als der Erhöhte Vollmacht nicht
nur zur 'Vermittlung', sondern zur definitiven Entscheidung und
ist so der Christus, der "im Himmel, am Ort des künftigen Endgerichts, an der Seite Gottes steht und alle mögliche endzeitliche
Verdammung schon jetzt im voraus zunichtemacht"[115].

Wie die beiden den Gerichts- und Rechtfertigungszusammenhang ansprechenden τίς-Fragen eine Spezifizierung der allgemeineren ersten: τίς καϑ' ἡμῶν; darstellen, so entfaltet nun auch die vierte
das Problem des Leidens als einen weiteren, von der ersten mitum-
griffenen Aspekt. Rechtfertigung und Zuhilfekommen im Leiden sind
also - ganz gemäß der Tradition vom leidenden Gerechten - zwei
aufeinander bezogene Teile desselben צדקה-Handeln Gottes: er ist
'für uns' und läßt darum weder die Verkläger noch die gewalttätigen Bedränger des Gerechten zum Ziele kommen. Der Katalog, mit dem
Paulus das τίς wuchtig exemplifiziert, summiert dabei die verschiedensten Momente christlicher (seine eigene Erfahrung spiegelnder) Leidensexistenz, die er alle als Anfeindungen derselben feindlichen Macht versteht[116], wobei die Kommentierung des Katalogs
durch das Schriftzitat deutlich macht, daß dieser Feind im Sinne
der Tradition vom leidenden Gerechten als Feind Gottes gegen die
auf Gottes Seite Stehenden tätig ist. Wie die leidenden Gerechten
der Tradition, so sind auch die in Christus Gerechtfertigten um ihrer Beziehung zu Gott willen dauernd (ὅλην τὴν ἡμέραν) den Angrif-
fen der Gott widerstreitenden Todes- und Verderbensmacht ausgesetzt.
Aber diese Angriffe können ihr Ziel, "uns von der Liebe Christi zu
trennen", nicht erreichen, eben weil diese Liebe stärker ist als
alle Waffen des Feindes Gottes. Die Verse 38f. vollziehen diesen
Gedanken nochmals nach, wobei sie ihn universal aufweiten: keine
Macht der Welt, weder auf der Erde (ϑάνατος/ζωή) noch im Himmel
(ἄγγελοι/ἀρχαί) noch irgendwo in zeitlicher (ἐνεστῶτα/μέλλοντα)
noch räumlicher (ὕψωμα/βάϑος) Hinsicht vermag es, zwischen die
grenzenlose Liebe Gottes, die er in Jesus Christus erwiesen hat

---

115 U.WILCKENS, EKK Röm II, 174.
116 Cf. v.a. die τίς- (nicht τί-)Formulierung der Frage: gefragt ist nach dem
    Feind. Statt ihn als 'Individuum' zu benennen, führt der Text seine (konkret
    erfahrbaren) 'Waffen' katalogartig an. Die immer wieder (cf. P.v.d.OSTEN-
    SACKEN, Soteriologie, 22 Anm.13) aufgewiesene "unverkennbare Spannung" (ebd.
    22) zwischen V 35a und 35b ist sehr viel weniger hart, wenn man sich vor
    Augen hält, daß von der Tradition vom leidenden Gerechten her auf jeden Fall
    hinter der Bedrängnis, Hunger usw. eine Gott widerstreitende Macht mitge-
    dacht ist. (Damit bleibt die Möglichkeit, daß in einer vorpaulinischen Vor-
    lage ursprünglich V 38 direkt an 35a anschloß, durchaus bestehen, in diesem
    Fall würde sich erklären, warum Paulus bei der Einarbeitung des Peristasen-
    katalogs das τίς nicht änderte.)

(cf. 8,32) und die von dieser Liebe Gehaltenen, deren Herr dieser
Jesus Christus geworden ist, einen Keil zu treiben.

15.2. Römer 15,1-6

In Röm 15,1-6 steht das Leidensthema noch weniger als in Röm 5 und 8 im Vordergrund. Dennoch trifft es sich gut, daß gerade dieser Text die (chronologische) Reihe unseres exegetischen Durchgangs beschließt, bietet er doch eine explizite Bestätigung des an den Einzeltexten bisher erschlossenen, sich
mehr und mehr zu einem Ganzen fügenden Bildes.

Strukturen

Röm 15,1-6 ist der dritte Abschnitt der vierteiligen "speziel-
le(n) Paränese"[117] Röm 14,1-15,13, in deren Zentrum das schon 1Kor
8-10 beherrschende Thema der im Glauben Starken und Schwachen steht.
Stichwortverweise[118] von Röm 15,1 auf 14,1 und von 15,2 auf 14,19
verklammern den Text mit den beiden voranstehenden Argumentations-
gängen. In ihnen hatte Paulus am konkreten Fall der in der Gemeinde strittigen Ansichten über asketische Lebensweise und "Tagwähle-
rei"[119] die Möglichkeit und Notwendigkeit von Toleranz aufgewiesen
(14,1-12) und zur Wahrung der in der Liebe motivierten Rücksicht
aufgerufen (14,13-23), die auf "Frieden und wechselseitige Erbau-
ung" (14,19) zielt.

In diesem Zusammenhang setzt Röm 15,1-6 mit dem betonten
ὀφείλομεν ein: 'wir Starken' sind *verpflichtet*, die Schwachheiten
der ἀδύνατοι zu tragen (βαστάζειν) und nicht - hier begegnet erstmals der für das Weitere entscheidende Begriff - uns selbst zu gefallen (ἑαυτοῖς ἀρέσκειν). Diese Negation wird im nächsten Satz
positiv gefüllt: nicht sich selbst zu gefallen heißt konkret: dem
Nächsten zu gefallen, d.h. ihm zu Gefallen (da) zu sein, zu seinem
Guten und so auf die οἰκοδομή hinzuwirken. Das ἕκαστος ἡμῶν betont
dabei die Allgemeingültigkeit ('jeder einzelne je für sich'), die
auch den Apostel mitumfaßt, wodurch auch der engere Rahmen der römischen Problemsituation überschritten wird[120].

V 3 hat diesen ganzen Komplex im Auge, wenn er in Parallelformulierung zur negierten Aussage von 1b auf den Messias verweist:
"denn auch der Christus hat nicht sich selbst gefallen", um auch
hier wieder der Negation eine positive Füllung zu geben und zwar

---

117 E.KÄSEMANN, HNT Röm, 351.
118 Nämlich ἀσθενήματα/ἀσθενεῖν bzw. οἰκοδομή.
119 Cf. E.KÄSEMANNs Erwägungen über die Möglichkeit, "daß Pls Eventualitäten
     nur illustrativ verwertet", der er aber zurecht die Deutung auf "mögliche
     Praktiken in der römischen Gemeinde" vorzieht (aaO. 353); zur "Tagwählerei"
     ebd. 354f.
120 Dies betont vor allen H.SCHLIER, HThK Röm, 419f.

in der Zitation von Ps 69,10. Der Text parallelisiert also das οὐχ
ἑαυτῷ ἀρέσκειν des Christus und der Christen, während die jeweils
beigegebenen Gegenbilder - zumindest auf den ersten Blick - in unterschiedliche Richtungen weisen, was gleich noch zu untersuchen
sein wird.

V 4 kommentiert die Heranziehung des Schriftzitats und begründet sie mit dem Verweis auf den Zweck[121] und die Funktion der
Schrift: sie ist 'zu unserer Belehrung (διδασκαλία) geschrieben,
näherhin: um durch das Zeugnis von ὑπομονή und παράκλησις Hoffnung
zu vermitteln[122].

Die Vv 5f., in denen Paulus zur Anrede in der 2.Person übergeht, knüpfen in der Gottesprädikation wörtlich an 'Geduld und
Trost' von V 4 an und geben in Gebetsstil dem Wunsch Ausdruck, die
Gemeinde möge τὸ αὐτὸ φρονεῖν ἐν ἀλλήλοις κατὰ Χριστὸν Ἰησοῦν mit
dem Ziel, zu einstimmigem Lobpreis Gottes zu gelangen.

In 15,7-13 schließt sich ein neuer Gedankengang an, der (cf. das
διό von 15,7), die Konsequenz aus 15,1-6 zieht. Wieder parallelisiert Paulus ausdrücklich das Verhalten der Gemeinde dem des Christus: "Darum nehmet einander an, wie auch der Christus euch angenommen hat zur Ehre Gottes". Verläßlichkeit und Erbarmen sind die
Motive für Gottes Handeln in Christus an Juden und Heiden, deren
Annahme durch eine Kette von vier Schriftzitaten als Erfüllung von
Verheißung gekennzeichnet wird (15,9-12). Ziel ist der ἐλπίς-Gedan-
ke (15,13), worin sich der Text deutlich auf 15,4 zurückbezieht[123].

Traditionen

Das wörtliche (und ausdrücklich gekennzeichnete) LXX-Zitat von
Ps 69,10b in Röm 15,3b: οἱ ὀνειδισμοὶ τῶν ὀνειδιζόντων σε ἐπέπεσαν
ἐπ' ἐμέ ist für uns in dreierlei Hinsicht aufschlußreich: Es liefert (1) den *expliziten* Beweis, daß auch das paulinische Christus-
verständnis auf der Tradition vom leidenden Gerechten aufruht, sodann ist (2) die kommunikative Funktion der christologischen Aussage im Kontext bemerkenswert; schließlich (3) kommt Paulus selbst
in 15,4 auf die hermeneutischen Implikationen seines Schriftge-

---

121 Cf. die (einander erläuternden) Finalkonstruktionen εἰς τὴν ἡμετέραν
   διδασκαλίαν und ἵνα ... ἐλπίδα ἔχωμεν.
122 Ob sich τῶν γραφῶν nur auf παράκλησις oder auch auf ὑπομονή beziehe, ist
   strittig (cf. O.MICHEL, KEK Röm, 356 Anm.3), bedeutet aber in unserem Zusammenhang keine gewichtige Differenz.
123 Cf. die parallelen Einleitungswendungen von
   Röm 15,5: ὁ δὲ θεὸς τῆς ὑπομονῆς καὶ τῆς παρακλήσεως ... und
   Röm 15,13: ὁ δὲ θεὸς τῆς ἐλπίδος ..., die zusammengenommen die drei tragenden Begriffe von 15,4: ὑπομονή, παράκλησις und ἐλπίς (in genau dieser Reihenfolge) aufnehmen und so Röm 15,1-6 und 7-13 als einheitliche Komposition
   ausweisen.

brauchs zu sprechen, was für die Frage des 'Wie' und 'Wozu' seines
Umgangs mit der Tradition ausgesprochen bedeutsam ist.

(1) Sehen wir zunächst von den Kontextproblemen ab und betrachten 15,3 für sich, so ist ganz deutlich, daß Paulus in 15,3b auf
die Schrift zurückgreift, um die 'Selbstlosigkeit' des Messias[124]
durch das Bild des leidenden Gerechten zu illustrieren, der von den
gegen Gott gerichteten Schmähungen der Gottesfeinde getroffen wird.
Seine 'Selbstlosigkeit' besteht also - wie ein Blick auf den unmittelbaren Kontext des Zitats: Ps 69,8.10a bestätigt - darin, daß
er von seinen 'eigenen Interessen' absah und sich um Gottes willen
den Anfeindungen der Gottesfeinde aussetzte.

> Paulus spricht so ganz direkt aus, was wir oben mehrmals[125] unterstellt ha-
> ben, um den Sachzusammenhang der Leiden in der Christusnachfolge mit Chri-
> sti Leiden nachvollziehen zu können: daß er Christus als den Messias auch in
> der Rolle des als Mitkämpfer Gottes leidenden Gerechten sieht, der von den
> Gottesfeinden angefeindet wird. Wir wissen: diese Vorstellung vom Messias,
> der in die Rolle des leidenden Gerechten eintritt, ist nicht nur paulinisch,
> sondern auch einer der Grundgedanken der vormarkinischen Passionsüberliefe-
> rung, die das Leiden und den Tod Jesu ganz in dieser Weise begreift und im
> Rückgriff auf die Traditionstexte darstellt. Ps 69 ist dabei (neben Ps 22)
> geradezu ein Schlüsseltext (der übrigens sowohl in der synoptischen, als
> auch in der johanneischen und paulinischen Tradition zur Deutung und Kenn-
> zeichnung Jesu herangezogen wird[126], so daß wir es hier mit einem urchrist-
> lich geläufigen Topos zu tun haben).

(2) Die Funktion dieses Traditionsrekurses ist im Zusammenhang
Röm 14f. eindeutig: die Gemeinde soll sich an ihrem Messias Jesus
als Vorbild orientieren. Freilich ergibt sich sofort das Problem,
daß der Gedanke vom Nicht-sich-selbst-Gefallen Jesu sich zwar ohne
weiteres auf die voranstehenden Ausführungen beziehen läßt, daß
aber das Tragen der ὀνειδισμοί *Gottes* und das Dem-*Nächsten*-zu-Gefal-
len-Sein von 15,2 (und 1) sich nicht ohne weiteres in Parallele
setzen lassen. Die Dinge lägen einfacher, wenn hier ein Satz wie
Jes 53,4 zitiert wäre, oder eine Formulierung über Jesu Passion
stünde, etwa im Sinne von Mk 10,45.

> Um dieses Problems willen hält z.B. Lietzmann[127] das Zitat für eine Unge-
> schicklichkeit des Paulus; Althaus behilft sich mit dem Schluß, die Psalm-
> stelle solle "nur die Freiheit Christi von aller Gebundenheit an sich selbst
> und seine Interessen belegen. *Worin* Christus die Freiheit bewährt hat, ist
> für den Zusammenhang unwesentlich und bezeichnet nicht mehr Christi Vor-
> bild"[128].

---

124 Cf. den Artikelgebrauch: ὁ Χριστός. Dazu E.KÄSEMANN, HNT Röm, 369; O.MICHEL,
    KEK Röm, 355; H.SCHLIER, HThK Röm, 420.

125 Siehe oben S.206.236.246.317f.

126 Cf. v.a. Joh 2,17 (Ps 69,10a); Joh 15,25 (Ps 69,5); in der Passionsüberlie-
    ferung: Mk 15,23.36par. (Ps 69,22); zur paulinischen Betonung des 'Mitkämp-
    fer-Aspekts cf. auch Phil 4,3 (Ps 69,29).

127 Cf. H.LIETZMANN, HNT Röm, 119 (zu Röm 15,4); weitere Lösungsversuche bei E.
    KÄSEMANN, HNT Röm, 369f.

128 P.ALTHAUS, NTD Röm, 144.

Demgegenüber betont Käsemann gerade den Entsprechungszusammenhang zwischen
dem Psalmzitat und dem Verhalten, zu dem die Gemeinde aufgefordert wird. Christus "war der Geschmähte schlechthin und mußte es um Gottes willen sein. Insofern ist er Vorbild und Urbild unseres Verhaltens, in welchem der Starke
sich zum Kraftlosen und Hilfsbedürftigen zu gesellen hat, deren Schmach mit-
tragen muß und sich darin den Lästerungen der Welt aussetzt"[129].
Wollen wir der Aussage von Röm 15,3 als ganzer gerade auch in ihrem Traditionsbezug gerecht werden, so weist uns Käsemanns Deutung in die richtige Richtung. Freilich muß man sie noch präzisieren, denn vom Gelästertwerden, das
bei Käsemann doch die 'Brücke' zwischen Christi und 'unserem' Verhalten bildet, ist in Röm 15 *im Blick auf die Gemeinde* ja gar nicht die Rede[130].

Eine tragfähige Lösung ergibt sich, wenn man zwei im Laufe der Untersuchung zutagegetretene Beobachtungen in Betracht zieht:

a) Die erste betrifft das Verständnis des Psalmzitats: Schon
Käsemann hat im Blick auf Röm 15,3b festgestellt, es "würde vor-
züglich passen, dürfte man hier vom leidenden Gottesknecht sprechen und das mit der Aufnahme von Jes 53,4 unter dem Stichwort
βαστάζειν in Mt 8,17 begründen"[131]. Im Gegensatz etwa zu Michel,
der ohne weitere Begründung in Röm 15,3 "den Messias als den leidenden Gottesknecht"[132] gezeichnet sieht, meint er aber urteilen
zu müssen: "Das Zitat läßt jedoch solche Assoziation nicht zu,
weil es in ihm nicht um die Annahme menschlicher Schuld, sondern
um das Erleiden rebellischer Lästerungen geht, das Jesu irdische
Geschichte im ganzen bestimmte"[133].

Nun fällt aber nicht nur auf, daß Ps 69,18 den Beter durchaus
als 'Knecht Gottes' bezeichnet - wenn auch in dem in Psalmen geläufigen unspezifischen Sinn -, sondern auch, daß zwischen Jes
53,4f. und Ps 69,27 einige auffällige terminologische Berührungen
bestehen. Diese dokumentieren erneut die enge Verflechtung der
Gottesknechtstradition und der Psalmentradition vom leidenden Gerechten, die ja schon in der diachronen Skizze, aber auch im Blick
auf die Rezeption in der vormarkinischen Passionstradition und bei
Paulus immer wieder hervortrat. Gerade wenn, wie Michel[134] und
Käsemann[135] zurecht betonen, das Zitat auf die Passion Jesu zu beziehen ist, wird man z.B. angesichts eines Textes wie Phil 2,6-11,
aber auch der ältesten Passionsüberlieferung davon ausgehen können,
daß Gottesknechts- und Psalmentradition in diesem Kontext schon

129 E.KÄSEMANN, HNT Röm, 369.
130 Cf. P.ALTHAUS, NTD Röm, 144: "Die Starken in Rom haben ja nichts mit Schmä-
    hungen zu tun"; ähnlich auch H.LIETZMANN, HNT Röm, 119.
131 E.KÄSEMANN, HNT Röm, 369.
132 O.MICHEL, KEK Röm, 355.
133 E.KÄSEMANN, HNT Röm, 369.
134 Cf. O.MICHEL, KEK Röm, 255: "Pls weiß, daß er durch die Worte des Psalmisten
    einen ganz bestimmten historischen Sachverhalt der Geschichte Jesu richtig,
    d.h. theologisch, beschrieben hat".
135 E.KÄSEMANN, HNT Röm, 369, betont den Charakter der Passion als "Erleiden der
    Gottesfeindschaft".

früh einen festen Assoziationszusammenhang bildeten, der eine exklusive Deutung Jesu als des leidenden Gerechten unter Absehung von
der 'Gottesknechtskomponente' als eine unwahrscheinliche Konstruktion erscheinen läßt. Daß Jesus 'für uns' gelitten hat und daß Jesus als der Messias in die Rolle des leidenden Gerechten eintrat,
ist *ein* Geschehen, das sowohl um Gottes als auch um unseretwillen
geschah. Beides ist nicht zu trennen: auch wenn Paulus in Röm 15,3
den übergreifenden Aspekt des 'Um Gottes willen' betont, so steht
damit doch das ganze Geschehen in Rede, so daß man seinen Vorbild-
charakter nicht auf das Tragen der Schmähungen reduzieren muß, sondern die um Gottes willen geschehene Zuwendung zum Mitmenschen (aus
der die Schmähungen ja auch resultieren) durchaus mit einbeziehen
kann[136]. Diese Sicht wird denn auch von Röm 15,7 bestätigt, wo Paulus das Einander-Annehmen der Christen als Konsequenz aus ihrem
Angenommensein durch den Christus fordert und damit den in 15,3b
zunächst vermißten Aspekt selbst anspricht.

   b) Die zweite Beobachtung betrifft das Verständnis des mit dem
Vorbild intendierten Verhaltens der 'Starken': Ps 69 gehört, wie
wir oben sahen, in diejenige Linie der Tradition, die das Auf-Jah-
wes-Seite-Stehen nicht nur im Sinne eines positiven JAHWE-BETER-Ver-
hältnisses auffaßt, sondern darüber hinausgehend als ein aktives -
in diesem Psalm speziell als Engagement für den Tempel (69,10a)
bestimmbares - 'Eifern' für Jahwe, das im Zuge der traditionsgeschichtlichen Entwicklung mit dem Gedanken des 'Mitkämpfers', der
aktiv an der Durchsetzung der 'Sache Jahwes' Anteil hat und darum
ins Leiden gerät, in Zusammenhang steht[137].

   Daß auch Paulus diese Vorstellung des 'Mitkämpfers mit Gott' -
freilich christologisch vermittelt - auf seinen eigenen Einsatz
für den Aufbau der Gemeinden und damit die Ausweitung des Herr-
schaftsbereiches Christi bezieht, hatten wir oben mehrfach gesehen[138]. Fragt man in diesem Kontext nach der Motivation des in

---

136 Hier ist E.KÄSEMANNs Hinweis (aaO. 369) auf die Wiedergabe des סבל von Jes
    54,4 durch βαστάζειν in Mt 8,17 aufzunehmen: in der Tat besteht keine lite-
    rarische Beziehung, die gewiß stärker ausgeführt wäre. Stattdessen wird man
    durch βαστάζειν eher auf Gal 6,2 verwiesen, wo es ebenfalls im Kontext des
    Gedankenkreises der Nächstenliebe das aktive, den Nächsten entlastende Tra-
    gen bezeichnet. Allerdings sollte man die sachliche 'Verwandtschaft' solchen
    Tragens mit dem 'Unsere-Krankheiten-Tragen' des Knechts nicht übersehen, die
    das 'Gesetz Christi' mit seinem eigenen Handeln zu einer unauflöslichen Ein-
    heit verbindet.
137 Siehe oben S.65. - Daß die Deutung der Passion des *Messias* Jesus sich mit
    dieser Linie der Tradition besonders gut verbinden ließ, ist ohne weiteres
    deutlich - und dürfte wohl der Hauptgrund für die oben angesprochene breite
    urchristliche Rezeption des Psalms sein.
138 Siehe oben S.198.206.275f.317.

Röm 14f. geforderten Verhaltens der Starken gegenüber den Schwachen, so findet man in 14,19 die Aufforderung zu einem dem Aufbau
der Gemeinde (οἰκοδομή)[139] als dem Gottesvolk aus Juden- und Heidenchristen[140] dienlichen Verhalten, und 14,20 fügt deutlich hinzu,
man solle doch wegen einer Speise "den Bau[141] Gottes (ἔργον θεοῦ)
nicht auflösen". Wie sich die δυνατοί gegenüber den ἀδύνατοι verhalten, ist also nicht isoliert eine Frage der Nächstenliebe, so-
wenig man diesen Aspekt angesichts des πλησίον von 15,2 übersehen
darf[142], sondern - diese mitumfassend und auf Gott hin funktiona-
lisierend - auch eine Frage der Verantwortlichkeit für die Gemeinde
als des Baus Gottes, demgegenüber destruktiv oder konstruktiv (cf.
15,2: οἰκοδομή) sich zu verhalten durchaus in der Möglichkeit jedes
Einzelnen liegt. Insofern ist es um der Sache Gottes willen
"Pflicht", daß die δυνατοί die Schwachheiten der ἀδύνατοι tragen
und auf die ihnen grundsätzlich zustehende Freiheit verzichten,
ebenso wie der Christus selbst um der Sache Gottes willen den Weg
des Geschmähten gegangen ist, obwohl er es 'nicht nötig gehabt hätte'.

Entgegen dem ersten Augenschein ist also die Parallelisierung
von 15,2 und 15,3b im Bezugsfeld des Kontextes Röm 14-15 und des
zugrundeliegenden Traditionshintergrundes ein durchaus nachvoll-
ziehbarer Vorgang; die sich durch das Zitat von Ps 69,10b ergebende Betonung des 'Um Gottes willen' rückt dabei den Aspekt der
Nächstenliebe in die ihn mitumgreifende Perspektive des Dienstes
an Gott und erweist sich so bei näherem Zusehen als wohlmotiviert.

(3) Von hier aus erscheint auch die hermeneutische Kommentierung des Zitats in 15,4 sehr viel weniger als "ein eingesprengter
Lehrsatz"[143] denn als eine im Zuge der Paränese funktionale und
sie weiterführende Erläuterung[144]: um die Vorbildlichkeit Jesu positiv auszudrücken, kann das Schriftzitat deshalb herangezogen wer-

---

139 Cf. umfassend dazu P.VIELHAUER, Oikodome, bes. 93-95.
140 Wie die konkreten Problempunkte (die v.a. die Speisevorschriften betreffen)
    zeigen, geht es um das Zusammenleben des judenchristlichen und heidenchrist-
    lichen Teils der römischen Gemeinde: Paulus sieht in deren Schwierigkeiten
    die Einheit des Gottesvolks aus Juden und Heiden (die er von Röm 1,16 an
    immer wieder anspricht) gefährdet.
141 Hatte schon E.PETERSON, Bau, 441, aus verschiedenen Gründen postuliert,
    ἔργον habe hier die Bedeutung von (Tempel-)Bau, so wird dies inzwischen
    durch die Qumrantexte bestätigt, die die Gemeinde als Gottes "ewige Pflan-
    zung" und "heiliges Haus für Israel" bezeichnen (cf. 1QS 8,5; 11,8). - Daß
    Gottes Bau tatsächlich mit in die Verantwortung der daran Bauenden gegeben
    ist, zeigt 1Kor 3,9-15 aufs deutlichste.
142 Cf. auch das auf Röm 13,8 zurückweisende ὀφείλομεν (15,1).
143 O.MICHEL, KEK Röm, 356.
144 Dafür spricht auch die Textverflechtung im Übergang von 15,4 zu 15,5.

den, weil die Schrift insgesamt zu "unserer Belehrung" geschrieben
ist, die in einer tröstenden Funktion auf Hoffnung zielt.

> Paulus steht mit diesem Verständnis der Schrift als "Lehre für uns", das er
> auch an anderen Stellen, am deutlichsten in 1Kor 10,11[145] anspricht, ganz im
> Kontext einer Exegese, die die Gegenwart als Endzeit begreift und alle Über-
> lieferung auf diese Endzeit-Gegenwart hin zielend versteht. Gerade in solcher
> "modernization"[146] deckt sie sich mit dem Schriftverständnis der Qumrangemein-
> de, wie es beispielhaft in den Pescharim, aber auch in der Damaskusschrift
> greifbar ist[147].
>   Auch der in dem ἵνα-Nachsatz zum Ausdruck kommende Gedanke, daß die Schrift
> eine Trostfunktion an ihren Lesern versieht, weist auf jüdisch Geläufiges zu-
> rück: so meinen die makkabäischen Frommen nach 1Makk 12,9, die Versicherungen
> der συμμαχία und φιλία der Spartaner eigentlich nicht nötig zu haben, weil
> sie, "die heiligen Bücher in Händen (schon hinreichend) Trost haben"
> (παράκλησιν ἔχοντες τὰ βιβλία τὰ ἅγια τὰ ἐν ταῖς χερσὶν ἡμῶν).

In unserem Zusammenhang ist an dieser Kommentierung zunächst wichtig, daß Paulus selbst den 'Schrifthintergrund' explizit anspricht.
Er denkt seine Theologie nicht nur im Traditionskontext, sondern
er macht sich und seinen Hörern auch bewußt, daß er dies tut.

Auch stellt der Vers m.E. klar, daß das Zitat nicht als ein "Je-
suswort" im Sinne einer tradierten Aussage des Irdischen oder Erhöhten selbst[148] gemeint ist, sondern als eine bewußt deutende "Beschreibung seines Weges"[149] durch Paulus, die festhalten will: Jesus hat sich so verhalten wie der Beter von Ps 69,10b. Die aus der
Tradition genommene Kurzformulierung faßt dabei genau *den* Aspekt
der Passion Jesu ins Auge, den Paulus der Gemeinde als vorbildlich
für ihr eigenes Verhalten vor Augen stellen will und stellt diesen
Aspekt gleichzeitig in den sachlich kohärenten, weiteren Konnota-
tionsrahmen, der den 69.Psalm als ganzen und darüber hinaus die
Tradition vom leidenden Gerechten in Röm 15 präsent sein läßt.

Von daher kann Paulus auch den Lehrcharakter des Zitats "für
uns" behaupten: das Verhalten des Messias in seinem irdischen Weg
und seiner Passion hat die Schrift (hier im Blick auf Ps 69,10b)
'verifiziert', deshalb ist sie paränetisch übertragbar: sie ist
'Verstehenshilfe' im Blick auf Jesu Weg, ebenso aber auch ein durch
diesen Weg vermitteltes 'Modell' für das eigene Verhalten.

Mehr noch: nach Röm 5,4b dient das Zitat nicht nur zur διδασκαλία, sondern zielt auch auf ὑπομονή, παράκλησις und ἐλπίς. Wieder

---

145 "Dies geschah jenen als Beispiel (τυπικῶς), es wurde aber aufgeschrieben zu
     unserer Warnung, für uns, die das Ende der Zeiten erreicht hat." Cf. auch
     Röm 4,24; 1Kor 9,10.
146 Cf. J.A.FITZMYER, Quotations, 309-316; cf. auch E.E.ELLIS, Prophecy, 232,
     Anm.38.
147 Cf. CD 1,13f.; 4,12ff.; 6,11-14; weitere Belege bei J.A.FITZMYER, aaO.
     310-314; zu den Pescharim siehe oben S.146f.
148 Gegen E.KÄSEMANN, HNT Röm, 369; cf. O.MICHEL, KEK Röm, 355 mit Anm.4 und
     356. - Sowohl die Einleitungsformel als auch die hermeneutische Kommentie-
     rung des Zitats sprechen gegen ein Herrenwort.
149 O.MICHEL, KEK Röm, 366.

ist die Traditionsfolie hilfreich, die von Röm 15,1-2 her recht
unmotiviert erscheinende Aussageentwicklung nachzuvollziehen, gehören die drei Begriffe doch zu den tragenden Elementen der Tradition vom leidenden Gerechten[150], die uns entsprechend oft in den
paulinischen Leidensaussagen begegneten, besonders im Zusammenhang
mit der Vorstellung der Feindbedrängnis um Gottes willen[151].

Paulus stellt so das römische Problem der Starken und Schwachen
in den größeren Rahmen der Frage nach Hoffnung, Geduld und Trost
der als 'Mitkämpfer' auf Gottes Seite Stehenden. Als der, der ihnen Geduld und Trost gibt, soll Gott ihnen verleihen, τὸ αὐτὸ
φρονεῖν ἐν ἀλλήλοις κατὰ Χριστὸν 'Ιησοῦν (15,5), d.h. eben diesem
Vorbild des seine eigenen Interessen der 'Sache Gottes' hintanstel-
lenden leidenden Gerechten Jesus zu entsprechen und so auch zu einer gemeinsamen Position in der Gemeinde zu gelangen. Die Parallelität zu Phil 2,2.5 (cf. 3,15; 4,2) ist offensichtlich: das Zitat
von Röm 15,3b erfüllt im Grunde denselben Zweck wie der Hmynus in
Phil 2,6-11. Wie dort der präexistente Gottessohn, der den Weg in
die Niedrigkeit bis ans Kreuz geht, so ist hier der Messias, der
um Gottes willen die Schmähungen auf sich nimmt, das Vorbild, an
dem christliches 'Selbstbewußtsein' sich auszurichten hat, nicht
zuletzt um der Einheit der Gemeinde willen, in der sich die 'Sache
Gottes' in und gegenüber der Welt realisiert (vgl. Röm 14,20 mit
Phil 2,15!).

Daß dieser Gedankengang in Röm 15,6 nun nochmals durch eine ἵνα-
Bestimmung funktionalisiert wird, verwundert angesichts des Traditionskontextes nicht: ebenso wie in Ps 69 ist das Ziel des paulinischen Textes der Lobpreis Gottes. Wie die Schar der Mitkämpfer
des Beters, die nach Ps 69,7 mit dem Schicksal des Beters stehen
und fallen, bei der Toda mit dem Geretteten frohlockt (69,33), so
preist auch hier die Gemeinde der Mitkämpfer Christi Gott, der
den um seinetwillen Geschmähten aus dem Tode 'errettet', nämlich
auferweckt und erhöht hat, als "Gott und den Vater unseres Herrn
Jesus Christus".

---

150 Auch in Ps 69 begegnen alle drei, vgl. Ψ 68,4: ἐλπίζειν - 68,7.21:ὑπομένειν
   - 68,21: παρακαλεῖν.
151 ὑπομονή ist in 2Kor 6,4 die erste (den Peristasenkatalog in den Tugendkatalog einbindende) "Waffe der Gerechtigkeit": παράκλησις ist v.a. in 2Kor
   1,3-11 der dominierende Gegenbegriff zu θλῖψις. Zu ἐλπίς cf. v.a. Röm 5,1-11.
   - Hinzuweisen ist auch auf die wörtliche Nähe der Gottesprädikationen in
   2Kor 1,3: θεὸς πάσης παρακλήσεως und Röm 15,5: θεὸς τῆς ὑπομονῆς καὶ τῆς
   παρακλήσεως, die auf geläufige Gedankengänge schließen läßt.

Interpretation

Da die wesentlichen Interpretationsaspekte bereits genannt sind, mag eine
knappe Paraphrase genügen:

Röm 15,1 weist auf 14,1ff. zurück und betont die *Pflicht* der im
Glauben Starken (zu denen Paulus auch sich selbst rechnet), die in
Röm 14 beispielhaft vor allem am Speiseverhalten verdeutlichten
Schwächen im Glauben derer zu tragen, die ἀδύνατοι, d.h. gegenüber
der in Christus neu erschlossenen Freiheit noch befangen sind. Die
abgewiesene Alternative: sich selbst zu Gefallen zu leben, macht
deutlich, daß jedes zulasten der 'Schwachen' gehende Wahrnehmen
christlicher Freiheit dem Vorwurf ausgesetzt ist, selbstsüchtig
am eigenen Interesse orientiert zu sein. Stattdessen ermahnt Paulus zu einem Verhalten, das dem einzelnen Nächsten zum Guten und
so der Gemeinde als dem Bau Gottes zum Aufbau dient. Vorbild dafür
ist Jesus selbst als der Messias, der nicht sich selbst zu Gefallen lebte, sondern wie der leidende Gerechte von Ps 69 um Gottes
willen sich den Schmähungen der Gottesfeinde aussetzte.

Seine Passion von Ps 69 zu verstehen, entspricht dem Charakter
der Schrift, die in diesem Psalm eine zum rechten Verständnis der
Passion Jesu und zu einem ihr entsprechenden Verhalten anleitende
'Lehre' formuliert hat, um dadurch in der endzeitlichen Situation
Geduld und Trost und damit Hoffnung zu vermitteln.

Das die Passion und den Tod Jesu illustrierende Schriftwort ist
also 'dazu da', Jesu Passion als Vorbild für die Gemeinde zur Sprache zu bringen, indem es - wie in Phil 2 der Hymnus die ταπεινοφροσύνη - das Verhalten Jesu unter dem hier als Vorbild hervorzuheben-
den besonderen Aspekt zum Ausdruck bringt. Dieser aber ist der um
der 'Sache Gottes' willen den Schmähungen sich nicht entziehende,
selbstlose Einsatz für Gott. Von diesem Vorbild sich im Denken und
in der Praxis bestimmen zu lassen, sind Christen gehalten. Tun sie
es, so entsteht Einigkeit in der Gemeinde, in der sie mit einem
Munde Gott als den Vater des vom Leiden erhöhten Herrn Jesus Christus preisen und so die Toda für die Rettung des ihnen vorangegangenen 'Mitkämpfers' begehen, der um Gottes willen und ihnen zugute
in Leid und Tod geraten, von Gott aber auferweckt und erhöht worden ist.

TEIL B

AUSWERTUNG

Im folgenden sind die Einzelergebnisse der Textuntersuchungen zu einer - notwendigerweise sehr knappen - Skizze zu verbinden und die Konsequenzen zu bedenken, die sich aus der Rezeption der Tradition vom leidenden Gerechten für
das paulinische Leidensverständnis im ganzen ergeben. Die am Schluß der Einleitung formulierten Leitfragen (oben S.16) dienen als Richtschnur der Darstellung.

16.Kapitel
DER TRADITIONSHINTERGRUND DER PAULINISCHEN LEIDENSAUSSAGEN

16.1. Das Verhältnis zur Tradition vom leidenden Gerechten

Setzen wir beim quantitativen Aspekt an: Die Untersuchung hat
ergeben, daß die alttestamentlich-jüdische Tradition vom leidenden
Gerechten in dem weiten Definitionsrahmen, der sich in der diachronen Skizze von den Textbefunden her als angemessen erwies, die paulinischen Leidensaussagen in so starkem Maße prägt, daß wir diese
Tradition als ihren *dominierenden* Hintergrund ansehen können. Die
Bezüge reichen von der allgemeineren Beobachtung, daß das den paulinischen Leidensaussagen zugrundeliegende Welt-, Selbst- und Got-
tesverständnis in wichtigen Aspekten mit dem der Traditionstexte
konvergiert, über deutlich erkennbare Vokabular- und Strukturüber-
nahmen bis hin zu expliziten, als solche gekennzeichneten Tradi-
tionszitaten.

Das *Feld der Texte*, die im Laufe der Untersuchung heranzuziehen
waren, um Übernahmen, Entsprechungen und Berührungen aufzuweisen,
ist ausgesprochen umfangreich. Es umfaßt fast alle in der diachronen Skizze angesprochenen alttestamentlichen und den größeren Teil
der zwischentestamentlichen Textkomplexe, unter letzteren v.a. die
weisheitlich-paränetischen und die apokalyptischen Bereiche, während die Märtyrertraditionen, die stoisierende Interpretation des
leidenden Gerechten und die spezifische rabbinische 'Leidenstheologie' so gut wie nicht in Erscheinung treten.

Die Vergleichbarkeit mit den herangezogenen Texten impliziert
natürlich nicht notwendig, daß Paulus sie *als Texte* gekannt und rezi-

piert hat. Doch ließ sich für die alttestamentlichen Zitate wiederholt zeigen, daß sie nicht punktuell auf den zitierten Wortlaut beschränkt sind, sondern im Gegenteil den Kontext des Zitierten deutlich mit im Blick haben (bisweilen sogar für das Verständnis voraussetzen) und in theologisch einleuchtender Weise mit aufnehmen[1].

Dem quantitativen Gewicht der Bezüge zur Tradition vom leidenden Gerechten entspricht ein sachliches: sie gibt Paulus weitgehend die Sprache und Denkstruktur vor, mit der er Leiden im theologischen Bezug begreift. Die Pointe der Rezeption durch Paulus
ist dabei die, daß er den Sprach- und Erfahrungsrahmen der Tradition ganz fest auf Tod und Auferstehung Jesu Christi bezieht und
der Tradition vom leidenden Gerechten so ein neues, nämlich christologisches Zentrum gibt. Von hier aus ergibt sich der Wechselprozeß von Rezeption und Innovation, den wir bei den Textuntersuchungen immer wieder beobachten konnten. Er hat Konsequenzen für
die paulinischen Leidensaussagen im Blick auf alle drei 'Subjekte'
des Leidens: Christus, den Apostel und die Gemeinde[2].

16.2. Das Verhältnis dieser Rezeption zu den anderen Traditions-
      beziehungen

Neben diesem dominierenden Hintergrund sind wir in den Traditionsuntersuchungen immer wieder auch anderen Sprach- und Vorstellungsmustern begegnet, ohne daß deren Stellenwert mit dem der Tradition vom leidenden Gerechten vergleichbar wäre. Sie traten in
der Regel punktuell auf (z.B. 1Thess 2; 1Kor 2,6-16; 2Kor 4,16)
und waren in einigen Fällen direkt mit Aussagen vom 'leidenden Gerechten' verbunden[3]. Paulus greift auf diese Traditionselemente
(die zum Teil am ehesten dem hellenistischen Diasporajudentum zuzuordnen waren, zum Teil populäre kynisch-stoische Topoi aufnahmen[4]) zurück, um entweder gegnerische Argumente aufzunehmen oder
abzuwehren[5], oder aber, um vom alttestamentlich-jüdischen Traditionshintergrund aus konzipierte Gedankengänge in einer seinen Le-
sern geläufigen Sprachform auszusagen, sie auf seine Adressaten
'zuzuformulieren'[6]. Die Tradition vom leidenden Gerechten wird von
Paulus also nicht isoliert verwendet, sondern im Rahmen einer auch
anderen Sprach- und Vorstellungsmustern gegenüber offenen Redeweise,

1 S.oben bes. S.213-219.260f.263f.266.
2 S.dazu Kapitel 17.
3 S. z.B. oben S.261f. zu 2Kor 4,16.
4 S.o. bes. S.200ff. (zu 1Thess 2); 219ff. (zu 1Kor 2,6-16); 239f. (zu 1Kor 15).
5 So wohl am ehesten in 1Thess 2 (s.o. S.202); 1Kor 2,6-16 (s.o. S.219-221).
6 S.oben v.a. S.259f.294.314, dazu auch S.267 m.Anm.80 und 340.

wie sie den Kulturverflechtungen seiner Zeit entspricht. Dabei
steht aber weder die dominierende Rolle noch die deutlich von ihren alttestamentlichen Wurzeln her bestimmte theologische Kontur
der Tradition vom leidenden Gerechten auch nur einen Augenblick
lang in Frage: die Breite des von Paulus benutzten Traditionsspek-
trums weitet nicht seinen angestammten jüdischen Traditionshorizont synkretistisch aus, sondern dient ihm dazu, den vielschichtig
zusammengesetzten Kreis seiner Adressaten an seine weitgehend aus
alttestamentlich-jüdischem Denken entwickelte Theologie heranzu-
führen. Daß ihm dabei die Synagogen, die den 'Gottesfürchtigen'
Teilhabe an ihrer Tradition gewährten, schon ein gutes Stück "vor-
gearbeitet" hatten und daß das Judentum seiner Zeit ohnehin nicht
im schroffen Gegensatz zum Hellenismus zu sehen ist, sollte dabei
nicht vergessen werden.

17.Kapitel
KONSEQUENZEN DER REZEPTION
FÜR DAS PAULINISCHE LEIDENSVERSTÄNDNIS

17.1. Der Christus als der leidende Gerechte

Im Blick auf die paulinische Christologie sind vor allem drei
Punkte anzuführen:
1. Paulus gibt in Röm 15,1-6 explizit zu verstehen, daß er die
Passion Jesu (auch) als ein Geschehen im Kontext der Tradition vom
leidenden Gerechten begreift: der Χριστός tritt ein in die Rolle
des um Gottes willen geschmähten, angefeindeten und verfolgten Gerechten, wie sie in Ps 69 zur Sprache kommt: er erscheint als der
Mitkämpfer Gottes in der Auseinandersetzung mit den Gottesfeinden.
Die Art und Weise der Verwendung des Psalmzitats (es steht nicht
in einem christologischen Lehrstück, sondern dient in einer Ge-
meindeparänese als christologisches Argument!) zeigt deutlich, daß
diese Deutung der Passion nicht von Paulus ad hoc neu entworfen,
sondern sowohl für ihn als auch für die römische Gemeinde (bei der
das Argument ja wirken soll) eine geläufige Denkfigur darstellt.
Ein Rückblick auf die (in Teil I.B. skizzierte) vorpaulinische Gemeindeüberlieferung zeigt denn auch, daß gerade diese Verbindung:
der Messias als der leidende Gerechte, die vormarkinische Passionsüberlieferung prägt und in ihrer Spitze schon auf Jesus selbst
zurückweist.

2. Die in den Paulusbriefen greifbaren (in Kapitel 10.2. exemplarisch untersuchten) *christologischen Formeln und Lieder* der vorpaulinischen Gemeinde zeigen, daß Paulus neben der die vorösterlichen
Vorgänge noch ganz in den Vordergrund stellenden Deutung der Passion noch weitere Überlieferungen[1] vorgegeben sind, in denen Tod
und Auferstehung Jesu im Kontext der Tradition vom leidenden Gerechten gedeutet werden: So sind nach 1Kor 15,3f. sowohl Jesu Sühnetod (nach Jes 53) als auch seine Auferweckung (als Heilserweis
am leidenden Gerechten[2]) κατὰ τὰς γραφάς geschehen (der Text will
den Traditionshorizont also bewußt mitgesehen wissen!). Auch der
theologisch am stärksten reflektierte derartige Text: der Philipperhymnus, greift die Vorstellung von Erniedrigung und Erhöhung
des leidenden Gerechten auf,die er mit dem Gedanken der Präexistenz
und der Inthronisation des Christus zum universalen Herrscher verbindet, um so Kreuz und Auferstehung Jesu in ihrer ganzen kosmischen Tragweite zu erfassen und auszusagen. Paulus ist also schon
ein gewisses Spektrum von christologischen Aussagen vorgegeben,
die sich der Tradition vom leidenden Gerechten bedienen. Indem er
diese Texte zitiert, gibt er zu erkennen, daß seine Christologie
- jedenfalls was ihr Verhältnis zu dieser Tradition betrifft -
ganz im Konsens mit den christologischen Gemeindetraditionen steht
(was er im Blick auf 1Kor 15,3-5 ja auch selbst ausdrücklich (15,
3a) betont).

3. Dieser Konsens wird dadurch bestätigt, daß dasselbe Verständnis von Passion, Tod und Auferweckung Jesu auch in den von Paulus
selbst formulierten Argumentationen zugrundeliegt: außer für die
schon angesprochene deutlichste Belegstelle Röm 15,3 gilt dies
auch schon für 1Thess 1,6, v.a. aber für den 2Kor: so bildet dieses Verständnis in 2Kor 4,10f. die Voraussetzung für die von Paulus vorgenommene Zuordnung von νέκρωσις und ζωή Jesu[3]; ebenso ist
die Gegenüberstellung von παθήματα τοῦ Χριστοῦ und παράκλησις διὰ
τοῦ Χριστοῦ (2Kor 1,5) als einer παράκλησις des Gottes, der die
Toten auferweckt (1,9) nur plausibel, wenn man Jesu Tod und Auferstehung von der Tradition vom leidenden Gerechten her verstanden
sieht.

---

1 Dieses Nebeneinander der beiden Arten von Überlieferung ergibt sich v.a. aufgrund der Textsortendifferenz und der Methode der Rekonstruktion (aus den
  Paulusbriefen bzw. der Markuspassion), überlieferungsgeschichtlich und vor
  allem sachlich sind sie dagegen nicht in der Weise als Alternativen zu sehen,
  wie dies oft geschieht. Vor allem ist nicht zu vergessen, daß auch die Passionsüberlieferung auf Jes 53 zurückgreift (Mk 14,24), also keineswegs eine
  nicht-soteriologische Deutung zuläßt.
2 Siehe oben S.183-185.
3 Siehe dazu oben S.274ff.

Von hier aus läßt sich aus der Perspektive unserer Untersuchung
als e i n Aspekt paulinischer Christologie formulieren:
Paulus sieht in Jesus Christus den präexistenten Messias, der in seiner Passion
eintrat in die Rolle des in der Auseinandersetzung mit den Gottesfeinden ge-
schmähten, leidenden und getöteten Gerechten und von Gott auferweckt wurde.
Wie schon die vorpaulinische Gemeinde, begreift Paulus diesen
Vorgang unter Einbeziehung der in Jes 53 vorliegenden besonderen
Ausprägung der Tradition vom leidenden Gerechten:
Jesu Christi Leiden und Tod hat als das Leiden und Sterben des einen wahrhaft
Gerechten den Charakter sühnender Existenzstellvertretung zu "unseren" ('der
Vielen') Gunsten und wird in der Auferweckung Jesu von den Toten von Gott als
in dieser Weise wirksam und gültig bestätigt.

17.2. Der Apostel Paulus als der leidende Gerechtfertigte

Ist die christologische Rezeption der Tradition vom leidenden
Gerechten Paulus in der Gemeindeüberlieferung schon weitgehend vorgegeben, so ist sie im eigentlichen Zentralbereich seiner Leidensaussagen: den Äußerungen über seine Leiden als Apostel sehr viel
stärker sein eigenes Werk[4]. Auch hier sind nur einige wichtige
Aspekte der Rezeption zusammenzustellen, mit denen die Fülle der
in den Textuntersuchungen angesprochenen Beobachtungen keineswegs
ganz erfaßt ist.
1. Paulus bedient sich der Terminologie und der Strukturzusam-
menhänge der Tradition vom leidenden Gerechten vor allem, um a)
die ihn treffenden Leiden zu schildern; b) sich selbst als Leidenden zu charakterisieren und c) Gottes grundsätzliches Zugewandt-
sein und seine aktuelle Zuwendung zum Leidenden zum Ausdruck zu
bringen.
a) Die in dieser Weise beschriebenen Leiden sind zum überwiegenden Teil die Bedrängnisse, Widrigkeiten und Entbehrungen, die
ihm aus seiner Verkündigungsaufgabe erwachsen, sei es in Gestalt
von Verfolgungen und Anfeindungen um seines Evangeliums willen,
sei es in den vielfältigen Nöten, Gefahren und Schwierigkeiten,
die sich mit seiner Existenz als Wanderprediger im antiken Lebenskontext ganz von selbst verbinden; hinzu kommt schließlich noch
eine ihn physisch offensichtlich stark beeinträchtigende Krankheit.
b) Aus alledem zeichnet er - insbesondere mithilfe der Peristasenkataloge - ein Bild des vielfältig angefeindeten, verfolgten, leidenden und schwachen Apostels, dessen Züge nicht an einem *bestimmten,*

---

4 Anhaltspunkte finden sich freilich schon in der Jesus-Verkündigung, siehe
  dazu oben S.174-177.

individuellen Vorbild der Tradition (etwa Jeremia oder dem 'Knecht'
der Gottesknechtslieder) ausgerichtet sind, sondern ganz dem Typ
des auf der Seite Gottes stehenden und darum angefeindeten 'Gerechten' entsprechen, wie ihn die Tradition seit den Psalmen bis in die
Apokalypsen hinein in allmählicher Entwicklung vielgestaltig ausgeprägt hat. Die von Paulus in den verschiedensten Kontexten[5] angesprochene Satansfigur verdeutlicht den Charakter seiner Leiden
als Leiden in der Auseinandersetzung mit der Gott widerstreitenden
Macht.

c) In Aussagen über Gott nimmt Paulus die Tradition vom leidenden Gerechten vor allem auf, um Hoffnungen, aber auch Erfahrungen
zur Sprache zu bringen, die Gott als den Gott der Barmherzigkeits-
erweise betreffen, der die Gebeugten tröstet, die Toten auferweckt,
aus der Not errettet und endzeitlich den Seinen das Heil bereitet.

2. So eindeutig die Verbindung der paulinischen Aussagen mit
der Tradition zu erkennen ist, so unzweideutig ist andererseits
auch zu sehen, daß diese Traditionsrückgriffe keineswegs unabhängig von der Christologie erfolgen, sondern im Gegenteil in engster
Vermittlung mir ihr, ja, die Christologie bildet die Voraussetzung
dafür, daß Paulus sich und seine Gottesbeziehung überhaupt mithilfe der Tradition vom leidenden Gerechten zur Sprache bringen kann.
In den einzelnen Texten kommt diese Vermittlung - entsprechend den
verschiedenen kommunikativen Situationen der Briefe - unterschied-
lich nuanciert zum Ausdruck:

Einige Beispiele mögen das verdeutlichen:

Vielleicht die einfachste Weise der Verbindung liegt im *1Thess* vor, wenn Paulus seine Leiden mit den Leiden und der Tötung Jesu in eine Linie stellt (es
ist dieselbe Kampffront, in der Jesus, Paulus und die Gemeinde den Gottesfeinden gegenüberstehen).

Stärker reflektiert ist der Zusammenhang in *2Kor 4*, wenn das Leiden und
Nichtzuschandenwerden des Paulus als Offenbarwerden der νέϰρωσις und ζωή Jesu an seinem σῶμα bezeichnet werden (V 8-11): hier stehen die Tradition vom
leidenden Gerechten und die christologische Aussageform als Parallelbeschrei-
bungen desselben Sachverhalts nebeneinander. Das die ϰαινή διαθήϰη konstitu-
ierende Gotteshandeln an dem als leidenden Gerechten gestorbenen und auferweckten Messias Jesus gibt der Tradition vom leidenden Gerechten in Christus
ein neues Zentrum, von dem her die alten Aussagen neu in den Blick kommen:
so kann Paulus als der διάϰονος der ϰαινή διαθήϰη sein eigenes Leiden und
Nichtzuschandenwerden in dieser neu zentrierten Tradition erfahren und zur
Sprache bringen.

Noch umfassender kommt der Bezug im *1Kor* zum Ausdruck: indem Gott in seinem Handeln in Christus diesen zur διϰαιοσύνη und σοφία macht, erweist er
sich als der das in den Augen der Welt Schwache und Nichtsseiende erwählende
und das Starke zunichtemachende Gott, wie ihn die Tradition vom leidenden Gerechten bezeugt[6]. Für Paulus, der sich durch dieses rechtfertigende Gottes-

---

5 Vergleiche v.a. 1Thess 2,18 mit 2Kor 11,4 und 12,7.
6 Siehe oben S.214-216. Daß Jesu eigene Verkündigung in genau dieselbe Richtung weist, hatten wir in Teil I.B. gesehen (s.oben S.168-171).

handeln neu in die Gottesbeziehung gestellt sieht, bietet diese Tradition
von daher einen Orientierungsrahmen, der den durch das Kreuz Christi gerecht
Gemachten in die Kontinuität des 'leidenden Gerechten' stellt und ihn lehrt,
daß der Weg des 'Gerechten' "bis jetzt" der Weg durch Bedrängnis und Verachtung ist und er nicht auf die Seite der 'Starken' gehört.

Alle diese Aspekte lassen sich dann im *Röm* wiederfinden, wo - freilich
nicht speziell als Aussagen über den leidenden *Apostel* - der Gedanke des in
der Rechtfertigung durch Christus neu erschlossenen Zugangs zu Gott und des
Friedens mit ihm unmittelbar mit dem in der Tradition vom leidenden Gerechten schon vorgegebenen Folgezusammenhang von θλῖψις-Wirklichkeit und δόξα-
Hoffnung verbunden wird, dessen Wirksamkeit in Christus eine neue Begründung
hat (Röm 5). Ähnlich sagt auch Röm 8 den - hier wieder in der Auseinandersetzung mit den Gott widerstreitenden Mächten gesehenen - 'Kindern Gottes' die
in der Tradition den leidenden Gerechten verheißene δόξα zu, die ihnen angesichts des bereits geschehenen Gotteshandelns in Christus schon zugeeignet
ist, so daß sie als die leidenden Gerechtfertigten die endzeitliche, vollkommene δόξα-Teilhabe mit umso größerer Zuversicht erwarten können.

3. Diese Verbindung von Tradition und Christologie ist sowohl
von den theologischen Grundstrukturen der Tradition vom leidenden
Gerechten als auch von Paulus her nachvollziehbar. Paulus sieht in
Jesu Leiden, Tod und Auferweckung ein צדקה-Handeln am leidenden Gerechten, das einerseits einzigartigen Charakter hat: Der Kreuzestod des einen wahrhaft Gerechten und Messias Jesus kommt den Gottlosen zugute; Gott erweist ihnen in der Rechtfertigung seine צדקה,
Liebe und Barmherzigkeit in universaler Ausweitung. Andererseits
hat aber Gott darin auch seine צדקה am leidenden Gerechten prototypisch verifiziert: die Zusagen der Tradition, die dem leidenden
Gerechten Heil und Leben verheißen, haben sich in der Auferweckung
Jesu als wahr erwiesen. Von hier aus sieht sich Paulus als der
durch Christus zum 'Gerechten' Gemachte in den Kreis der mit Gott
Gemeinschaft habenden Gerechten gestellt, die auf ihre endzeitliche Verherrlichung zugehen. Solche Gottesgemeinschaft bedeutet in
der Realität dieses Äons aber auch: an Gottes (und Christi) Seite
zu stehen in der Auseinandersetzung mit den Feinden Gottes. Und
für Paulus bedeutet sie im besonderen die aktive Verkündigung der
καινὴ διαθήκη, deren διάκονος er in dem besonderen, von seiner
Rechtfertigung nicht zu trennenden Akt seiner Berufung geworden
ist, eine διακονία, die ihn in besonderem Maße ins Leiden führt.

4. Indem Paulus Kreuz und Auferstehung Jesu von der Tradition
vom leidenden Gerechten her versteht, schließt ihm dieser eine,
besondere 'Fall' (der ihm selbst die Gottesgemeinschaft neu eröffnete) die ihm vertraute Tradition neu auf und lehrt ihn, sie von
Christus als ihrem neuen Zentrum her zu sehen. In dem, was Gott
in Christus und an Christus getan hat, hat er sich definitiv als
der barmherzige Gott erwiesen, der in seinem צדקה-Handeln den Niedrigen erhöht, dem Schwachen zu Hilfe kommt, den Leidenden aus Not
und Tod errettet, τὰ μὴ ὄντα erwählt, sich dem geschundenen עני

zuwendet und ihm das Heil bereitet, als den ihn die Tradition vom
leidenden Gerechten immer schon bezeugte. Deshalb kann Paulus in
ihr (anders als in manchen anderen jüdischen Traditionen) "denselben Geist des Glaubens" wirksam sehen[7], den er selbst hat: der
darin bezeugte Gott, der die Gebeugten tröstet und die Toten auferweckt, ist derselbe Gott, der sich ihm in Christus zugewendet
hat.

Auf diese Weise erschließt sich Paulus als gebildetem Juden mit
schriftgelehrter Schulung ein ausgesprochen weites Feld innerhalb
der ihm vertrauten Tradition, aus dem er nun Denk- und Sprachmuster
zur Artikulation auch christlich-theologischer Zusammenhänge übernehmen kann, mit deren Hilfe er aber vor allem auch die schon unmittelbar nach seiner Berufung einsetzenden Leidenserfahrungen deuten und zur Sprache bringen kann. Die Traditionsuntersuchungen haben dies an den Einzeltexten in großer Vielfalt aufgewiesen.

> Daraus sei hier nur ein einziges Beispiel angeführt, bei dem die Tradition
> vom leidenden Gerechten Paulus m.E. in besonderem Maße entgegenkam, um einen
> schwierigen theologischen Sachverhalt zu erfassen und auszusagen, nämlich
> das Phänomen der christlichen Existenz 'zwischen den Zeiten'. Wie ist umzu-
> gehen mit der Spannung einer Realität, in der Gottes Heil aufgrund der in
> Jesu Tod bereits gewirkten Rechtfertigung und Versöhnung schon definitiv prä-
> sent ist und gleichzeitig in seiner vollkommenen Realisierung noch aussteht,
> d.h. zukünftig erhofft und erwartet wird? Wie wir in der diachronen Skizze
> gesehen haben, weist auch die Tradition vom leidenden Gerechten beide As-
> pekte: gegenwärtiges und endzeitlich-zukünftiges Heil, im weiten Bogen ihres
> Textfeldes nebeneinander auf. So betont vor allem die ältere Tradition die
> konkret und unmittelbar erfahrbare und erfahrene Zuwendung Jahwes zum lei-
> denden Gerechten, auf der anderen Seite fanden wir in apokalyptischen Texten
> die streng dualistische Erwartung (ausschließlich) zukünftigen Heils; dazwi-
> schen waren, z.B. in Qumran, Positionen zu beobachten, die beides miteinander
> zu vermitteln versuchten. In diesem Nebeneinander eröffnet die Tradition Pau-
> lus die Möglichkeit, die durch Christi Sendung, sein Sterben und seine Aufer-
> stehung schon in diesen Äon hineinbrechende Realität des neuen Äons zu arti-
> kulieren, indem er seinen Leiden nicht nur die zukünftige δόξα gegenüber-
> stellt, sondern auch die Erfahrungen der konkreten Errettung aus der Not und
> des Nichtzuschandenwerdens trotz aller Bedrängnis im Rückgriff auf die älte-
> ren Traditionsschichten zur Sprache bringt. Von hier aus gewinnt er z.B. Aus-
> sagemöglichkeiten zur Beschreibung seiner διακονία τῆς καινῆς διαθήκης, die
> er als leidender Apostel versieht, an dem und durch den aber Gottes Kraft
> (2Kor 4,7-9) als ζωή τοῦ Ἰησοῦ (4,10f.) wirksam ist; ebenso läßt sich das
> Nebeneinander von Rettung aus der Not erhoffendem Lebenswillen und Gelassen-
> heit angesichts der Möglichkeit des nahen Todes von hier aus begreifen (vgl.
> z.B. 1Kor 1,8-11; Phil 1,19-26).

5. Als Leiden des Gerechtfertigten haben die Leiden des Paulus
keine grundsätzlich besondere Qualität, durch die sie als *apostolische*
Leiden von denen anderer Christen unterschieden wären, wohl aber
ist ihnen eine besondere Intensität und ein besonderes Maß eigen.

Wie die Traditionsuntersuchungen ergaben, ist Paulus an der im
Traditionsfeld vom leidenden Gerechten ja durchaus vorhandenen spe-

---

7 Siehe oben S.260f.276.

zifischen Vorstellung des 'Leidens des Beauftragten' nicht auffallend
interessiert (allenfalls 1Kor 9,16 ist an einem Topos aus Jer 20
orientiert); von den paulinischen Texten selbst scheint allein 2Kor
10-13 den apostolischen Leiden eine Sonderstellung einzuräumen,
die sich aber von der besonderen kommunikativen Situation dieses
Brief(teil)es her erklärt. Auch betont Paulus immer wieder die
Gleichartigkeit seiner und der Gemeinde Leiden (cf. 1Thess 1,6;
2Kor 1,6; Phil 1,30) und ruft (in 1Kor 4,16) zur Mimesis seiner
Leidens- und Niedrigkeitsexistenz auf.

Andererseits schlägt sich das Spezifikum der paulinischen Per-
sönlichkeit: daß seine 'Bekehrung' mit seiner Berufung zum Heiden-
apostel identisch ist (seine christliche Existenz steht von Anfang
an unter der ἀνάγκη der Verkündigung), darin nieder, daß er als
διάκονος der καινὴ διαθήκη mit einem besonderen Maß an Leiden konfrontiert ist, das er (auch im Vergleich mit allen anderen Aposteln) als 'Übermaß' herausstellen kann (cf. 2Kor 11,23), und daß
diese Leiden ganz praktisch der Gemeinde zugutekommen.

Seine von vornherein mit besonderen Implikationen verbundene
Rechtfertigung eignet Paulus einen besonderen Grad von ἀσθένεια zu
(damit der in der διακονία verkündigten, sich allein Gottes Gnade
gegenüber dem Schwachen verdankenden Rechtfertigung eine Verkündigung entspreche, der man ansieht, daß sie nicht aus menschlicher
Stärke erfolgt). Vor allem stellt sie ihn an eine besonders expo-
nierte Stelle in der Kampffront mit den Gott widerstreitenden, die
Welt beherrschenden Mächten. Paulus wird so zu einer exemplarischen
Leidensgestalt, er ist der 'leidende Gerechtfertigte' in höchster
Steigerung. Gerade in dieser durch das Maß der Leiden von allen
anderen Aposteln und Christen unterschiedenen Leidensexistenz versteht er sich aber als Modell rechter, d.h. der Rechtfertigung im
Kreuz Christi angemessener und Gottes Sache in der Welt wirksam ver-
tretender christlicher Existenz.

Versuchen wir, die Aspekte zusammenzufassen:

*Paulus versteht sich als den leidenden Gerechtfertigten, d.h. als den von Gott
in Christus gerecht Gemachten und in den Stand des leidenden Gerechten Gewiesenen, der als Mitarbeiter und Mitkämpfer Gottes die* διακονία τῆς καινῆς διαθήκης
versieht. Er nimmt diesen Dienst in besonderer ἀσθένεια *wahr, damit (wie in seiner Rechtfertigung) allein* G o t t e s *Kraft in ihm mächtig sei und weiß darin
Jesu (Passions-)*νέκρωσις *und (Auferstehungs-)*ζωή *an sich wirksam. Ziel seiner*
διακονία *ist es, Menschen für Christus zu gewinnen und so den die Welt beherrschenden Mächten Terrain für Gott abzuringen. In den ihm daraus erwachsenden Anfeindungen und Leiden weiß er sich als leidender Gerechter von Gott getröstet*

und durch sein rettendes Eingreifen unterstützt; am Ende seines Weges erhofft
er die den leidenden Gerechten zugesagte und ihm in der Rechtfertigung durch
Christus schon gewirkte δόξα*-Existenz. Paulus arikuliert diese seine Leidens-*
existenz mithilfe der ihm in Christus neu erschlossenen Tradition vom leidenden
Gerechten und sieht sie in ihren Grundzügen als Modell christlicher Existenz an.

17.3. Die Gemeinde Jesu Christi als Gemeinde der leidenden Gerechtfertigten

Aus dem Vorangehenden ist schon deutlich, daß Paulus die Leiden
seiner Gemeinde nicht wesentlich anders versteht als seine eigenen. Auch sie verdankt sich ganz dem Entschluß Gottes, das Niedrige und Schwache zu erwählen und gehört darum nicht auf die Seite
der Starken und Mächtigen: ihre Rechtfertigung durch das Kreuz
Christi weist auch sie in den Stand der leidenden Gerechten (cf.
den großen Zusammenhang von 1Kor 1-4 (mit 4,16) und die ταπεινοφροσύνη von Phil 2). Die ihr in Christus eröffnete Gottesgemeinschaft
bedeutet in der Zeit bis zur Parusie auch für die Gemeinde, daß
sie in die Auseianandersetzung zwischen Gott und der ihm widerstreitenden Macht gerät und hier auf und an Gottes (und Christi) Seite
stehend Leiden, Not und Bedrängnis erfährt. Ihre Leiden stehen so
mit denen des Paulus und Jesus in einer Linie (cf. bes. 1Thess 1,6;
Phil 1,29f.). Das Spektrum solcher Bedrängnis reicht dabei von der
ganz 'provinziellen', konkreten Auseinandersetzung der Christen
mit den ihr in ihrer nächsten Umwelt erwachsenden Widerständen
(1Thess; Phil) bis hin zu der universalen Versklavung unter die
ματαιότης, unter der auch die Christen zusammen mit der ganzen
Schöpfung noch seufzen. In dieser Bedrängnis gilt es durchzuhalten
und das (von Paulus[8]) für Gott gewonnene 'Terrain' nicht preiszugeben. Gott läßt die Seinen dabei nicht im Stich, gibt den Gemeinden vielmehr Trost und Kraft, gleichwohl erfordert dieser Kampf
auch ihren vollen Einsatz: 'Fronteinbrüche' sind möglich, wie Paulus vor allem im Phil immer wieder betont.

Wie dieser Kampf in der konkreten Lebenspraxis der Gemeinde zu
führen ist, zeigt (in der Formulierung auf Paulus bezogen, aber
hier übertragbar) wohl am deutlichsten der Tugend- und Leidenskatalog von 2Kor 6, darüber hinaus ist auf die Paränesen zu verweisen:
die Gemeinde soll sich im Festhalten am Evangelium, in untadeligem
Wandel (gerade auch nach 'außen': Phil 2,15) und in der Liebe der

---

8 Dies gilt natürlich nicht für den Röm, Paulus betont es sonst aber häufig:
   cf. z.B. 1Thess 3,5; Phil 2,16; 2Kor 1,14.

Sündenmacht widersetzen und die ihr daraus erwachsenden Anfeindungen in Geduld ertragen.

Bei alledem hat die Gemeinde die (nah erwartete) Parusie vor
Augen, die das Ende aller Auseinandersetzung bedeutet und ihr die
vollkommene Teilhabe an der δόξα Gottes bringen wird. Diese ist
ihr in Christus schon gewirkt und (in der Taufe) übereignet, kann
in der Realität dieses Äons aber noch nicht ungebrochen zum Zuge
kommen[9].

In dieser Leidensexistenz hat die Gemeinde in Paulus ein Vorbild. Sie unterscheidet sich von ihm (um im Bild zu bleiben) darin,
daß sie eher den Bestand des für Gott gewonnenen Terrains verteidigt und erhält, während Paulus neues zu gewinnen beauftragt ist.
Texte wie 1Thess 1,7, nach denen die im Leiden feststehende Gemeinde von Thessalonich anderen zum Vorbild geworden ist, relati-
vieren indes auch diese Unterscheidung.
*Paulus weist der Gemeinde als den von Gott in Christus Gerechtfertigten den
Stand von leidenden Gerechten zu, die in der Auseinandersetzung zwischen Gott
und der ihm widerstreitenden Macht auf Gottes und Christi Seite stehen, aufgrund
seiner Hilfe nicht unterliegen und auf ihre endzeitliche Verherrlichung zugehen.*

17.4. Das Verhältnis des Leidens Jesu Christi, des Paulus und
      der Gemeinde

Das sachliche Verhältnis, in dem Paulus sein eigenes Leiden, das
seines Herrn und das seiner Gemeinde sieht, läßt sich in einem zweigliedrigen Gedankengang beschreiben (a.b), dessen Glieder aber
nicht voneinander zu trennen sind (c).

a) Paulus sieht Jesus in seiner Passion, sich selbst in seiner
διακονία und die Gemeinde in ihrer christlichen Lebenspraxis in ein
und dieselbe Front gestellt: sie stehen auf der Seite Gottes der
Gott widerstreitenden und darum die Seinen anfeindenden und in Leiden und Tod führenden Macht gegenüber, die die Welt beherrscht.
Paulus artikuliert diesen Sachverhalt mithilfe der Tradition vom
leidenden Gerechten, die den Gedanken des 'Leidens um Gottes
willen' in einer langen Traditionsentwicklung ausgeprägt hat.

b) Jesus ist in seinem Leiden und Tod aber nicht ein leidender
Gerechter wie viele vor ihm, sondern als der Messias, der in diese
Rolle eintritt, der eine, wahrhaft Gerechte, dessen Leiden und Tod
darum den Vielen zugutekommt. Sein Kampf und sein (in der Auferstehung sichtbar gewordener) Sieg über die Gott widerstreitende

9 Vgl. aber die Möglichkeit von Ansätzen einer Realisation im Verhalten der Gemeinde, die in Phil 2,15 durchscheint, s.dazu oben S.313f.317f.

(Todes-)Macht rechtfertigt die Vielen, stellt sie in die Gemeinschaft mit Gott und rettet sie vor dem Verderben. Auch zur Artikulation dieses besonderen Sachverhalts findet sich im Kontext der
Tradition vom leidenden Gerechten in der Figur des Gottesknechts
von Jes 53 bereits alttestamentlich ein Vorstellungs- und Sprachmuster.

c) Indem in dem einen Geschehen der Passion und des Todes Jesu
beide Aspekte zusammen enthalten sind, lassen sich das Leiden Jesu, des Paulus und der Christen einerseits als analoge Leiden ne-
beneinanderstellen und ist gleichzeitig die Analogielosigkeit des
Leidens Jesu in seiner soteriologischen Funktion festzuhalten. Beide Aspekte sind für das paulinische Leidensverständnis unentbehrlich: der erste weist Paulus - im Kontext der Tradition vom leidenden Gerechten - konkret zu einem bestimmten Verhalten an, zu dem
er seinerseits seine Gemeinde anweist; der zweite läßt ihm - und
allen, denen in Christus neues Sein eröffnet worden ist - Jesu
Kreuz zum unverwechselbaren Mittelpunkt seines Gottes-, Selbst-
und Weltverständnisses werden und von daher auch zum Zentrum der
Tradition vom leidenden Gerechten.

AUSBLICK

Das besondere traditionsgeschichtliche und theologische Profil der paulinischen Leidensartikulation und Leidensdeutung, um das sich unsere Untersuchung bemüht hat, hilft m.E. einige Probleme der Interpretation der Briefe
und der Darstellung der Theologie des Paulus zu lösen, gleichzeitig stellt
es uns aber auch vor eine ganze Reihe weiterführender Fragen, eröffnet Perspektiven lohnender und notwendiger Weiterarbeit. Drei davon möchte ich abschließend in den Blick bringen.

Zur Wirkungsgeschichte

Wie die Gedanken des Paulus über das Leiden aufgenommen, weiterbedacht und
verarbeitet wurden im Neuen Testament, in der Alten Kirche und in der weiteren Theologie- und Auslegungsgeschichte, aber auch: wie seine Leiden selbst
von Anderen gesehen und geschildert wurden, angefangen von der Apostelgeschichte bis in die Paulusbücher unserer Tage, ist eine eigene Untersuchung
wert. Im folgenden ist diese Perspektive nur in das unmittelbar an den Gegenstandsbereich unserer Untersuchung angrenzende Textfeld zu verfolgen[1].

1) Zeitlich und sachlich am nächsten[2] steht Paulus der *Kolosserbrief*, mit dessen zentraler Aussage zum Thema, Kol 1,24, deshalb
zu beginnen ist[3].

Νῦν χαίρω ἐν τοῖς παθήμασιν ὑπὲρ ὑμῶν καὶ ἀνταναπληρῶ
  ↑   τὰ ὑστερήματα τῶν θλίψεων τοῦ Χριστοῦ
              ἐν τῇ σαρκί μου
       ὑπὲρ τοῦ σώματος αὐτοῦ,
        ↑ὅ ἐστιν ἡ ἐκκλησία,
              ↑ῆς ἐγενόμην ἐγὼ διάκονος ...

Neben allen sogleich ins Auge springenden Unterschieden in Sprache
und Aussage weist dieser Satz auffallend viele Kontinuitätspunkte
zu Paulus auf, die eine Interpretation vom authentischen paulinischen Leidensverständnis her nahelegen. Dies gilt insbesondere für
die in der Forschung immer wieder als Hauptproblem empfundene[4] Genitivverbindung θλίψεις τοῦ Χριστοῦ (24b), die eine Parallele in
2Kor 1,4f. hat, wo Paulus seine θλῖψις als ein περισσεύειν der

---

1 Auf die Leidenstheologie des 1Petr ist in diesem Ausblick nicht einzugehen.
  Zur Sache cf. z.B. L.GOPPELT, Theologie, 504f., zum Verhältnis zu Paulus bes.
  N.BROX, EKK 1Petr, 48f. (dort weitere Literatur).
2 Cf. E.KÄSEMANN, Art. Kolosserbrief, RGG³, 3, 1728, der im Falle der Unechtheit
  eine Datierung "so früh wie denkbar" fordert; E.SCHWEIZER, EKK Kol, 23f.;
  W.H.OLLROG, Mitarbeiter, 237.
3 Zu Kol 1,24 cf. v.a. J.KREMER, Leiden Christi; ergänzend E.LOHSE, KEK Kol,
  112f. und den Überblick bei E.SCHWEIZER, EKK Kol, 83f. Zu jedem einzelnen
  der dazu tragenden Bedeutung von Kol 1,24b tragenden Wörter liegen mehrere unterschiedliche Deutungsansätze vor (cf. J.KREMER, aaO. 156-201).
4 J.KREMER, aaO. 174-195, referiert allein sechs Typen von Versuchen, den Ge-
  nitiv zu erfassen. Wichtig ist vor allem, daß "unmöglich an eine Ergänzung
  zum noch unvollständigen Sühnewerk Christi zu denken ist" (E.SCHWEIZER, EKK
  Kol, 86; cf. E.LOHSE, KEK Kol 112f.).

παθήματα τοῦ Χριστοῦ εἰς ἡμᾶς beschreibt. Hatten wir dort den Vorgang des περισσεύειν so gedeutet, daß die Leiden Christi (in apokalyptisch gedachtem Crescendo) auf Paulus übergreifen, der in seiner Zugehörigkeit zu Christus auch in derselben Kampffront mit ihm
steht und deshalb - als Bote des Evangeliums sogar in besonders ex-
ponierter Weise - um Christi willen zu leiden hat, so scheint Kol
1,24 eben diese - im 2Kor in den Einzelschritten nachvollziehbare -
christologische Qualifizierung der θλίψεις des Paulus auf eine begriffliche Kurzformel zu bringen: θλίψεις τοῦ Χριστοῦ wären von
hier aus gesehen die (endzeitlichen) Bedrängnisse, die aus dem
Stehen in der 'Christus-Front'[5] resultieren. Dabei ist nun wichtig,
daß durch die Begriffsverschiebung von παθήματα zu θλίψεις, die
"im ganzen Neuen Testament nie Jesus zugesprochen werden"[6], der in
2Kor 1 durch die Verkettung von θλίψεις - παθήματα - παθήματα τοῦ
Χριστοῦ explizit greifbare Sachzusammenhang zwischen der *Passion* Jesu und den Leiden des Apostels (und der Gemeinde) nicht mehr ausdrücklich anklingt[7], der Akzent also ganz auf den Apostelleiden
liegt. Dem entspricht auch die nicht ohne weiteres auf andere über-
tragbare Rolle, in der der Kol Paulus sieht, wenn er von ἀνταναπληροῦν der ὑστερήματα der Christusbedrängnisse durch Paulus
spricht. Auch für diese Redeweise bietet sich indes eine Deutung
von Paulus her an. Wie wir sahen, bezeichnet er mit θλῖψις/
θλίβεσθαι häufig die Bedrängnisse in der konkreten Auseinandersetzung mit den Gottes- und Christusfeinden[8], d.h. für ihn: im
(endzeitlichen) Kampf zwischen der Gott widerstreitenden Macht
(personifiziert in Satan[9]) und den auf Gottes Seite stehenden 'Gerechten', (nämlich den durch Christus Gerechtfertigten). Dabei bezieht Paulus seine Missionsarbeit ganz konkret in diesen Kampf

---

5 Cf. auch das ἀγών/ἀγωνίζεσθαι-Motiv in Kol 1,29 und 2,1.
6 E.SCHWEIZER, EKK Kol, 84; cf. ebd. 83; E.LOHSE, KEK Kol, 114. Dagegen bezeichnet παθήμα(τα) auch die Passion Jesu (cf. Hebr 2,9; 1Petr 1,11; 5,1;
  Phil 3,10).
7 Daß er deshalb *gar nicht* mehr mitgedacht wäre, ist aber unwahrscheinlich.
  So ist auch nicht mit E.LOHSE (KEK Kol, 113f.; DERS., Christusherrschaft,
  212f.) - gewissermaßen an Paulus vorbei - ein direkter Rückgriff auf die
  apokalyptische Vorstellung von den 'Wehen des *Messias*' anzunehmen. Sie
  scheint zwar von dem - freilich in apokalyptischen Texten m.W. nirgends wörtlich so belegten - Stichwort "Messiasbedrängnisse" ≙ θλῖψις τοῦ Χριστοῦ zunächst nahezuliegen, läßt sich aber nur unter der Voraussetzung einer sehr
  weitgehenden christlichen Uminterpretation auf den Text beziehen. Zu den von
  E.LOHSE (KEK Kol, 114f.; Christusherrschaft, 211) selbst genannten Problemen,
  kommt noch die Universalität der Messiaswehen, während die θλίψεις τοῦ
  Χριστοῦ in Kol 1,24 doch offensichtlich nur die Kirche erfassen.
8 Cf. v.a. 1Thess 3,3.4; 2Kor 1,8; 3,5; 4,8; 6,4; Phil 1,17; Röm 8,35.
9 So deutlich in 1Thess 2,18; 3,5; 2Kor 12,7; cf. auch 1Kor 7,5; Phil 1,27f.
  (diesen Aspekt sieht auch J.KREMER, aaO. 174).

ein[10]: durch die Glauben weckende Verkündigung des Evangeliums
wird Terrain für Gott gewonnen, das aber auch - wie vor allem der
Phil einschärft[11] - wieder verloren gehen kann. Dieser Kampf ist
noch keineswegs zu Ende[12], vielmehr ist die weltweite Missionsauf-
gabe noch abzuschließen, und ebenso bleiben die bestehenden Gemeinden von außen angefeindet und im Innern gefährdet: die θλίψεις
sind also endlich, gehören aber noch keineswegs der Vergangenheit
an. Es ist also keineswegs unpaulinisch, wenn der Kol davon spricht,
daß an den θλίψεις τοῦ Χριστοῦ noch etwas fehlt[13].

Kol 1,24 sagt nun, daß Paulus dieses Fehlende mit seinem Leiden
ausfüllt. Das ἀντ(ι)-Präfix von ἀνταναπληροῦν dürfte dabei das
(gleichbedeutende) doppelte ὑπέρ von 24a aufnehmen, das die Pointe
des Satzes ausmacht: Paulus übernimmt solches Auffüllen ὑπὲρ ὑμῶν
(= ὑπὲρ τοῦ σώματος Χριστοῦ = ὑπὲρ τῆς ἐκκλησίας) also für die Kirche als den Leib Christi. Ob ὑπέρ dabei als 'zugunsten/zum Nutzen'
oder weitergehend als 'anstelle/stellvertretend für' zu verstehen
ist, ist philologisch nicht zu entscheiden. Theologisch würde der
Stellvertretungsgedanke im umfassenden Sinne: daß nämlich Paulus
die Kirche von allem noch ausstehenden Leiden entlastet, seinen eigenen Aussagen völlig zuwiderlaufen, während er das Leiden zum
Wohl der Gemeinde ihr wiederholt selbst vorhält[14] und sich auch
eine Stellvertretung im relativen Sinne: daß ihr Paulus Leiden ab-
nimmt, die im Kampf mit der Gott widerstreitenden Front gelitten
werden müssen, ohne weiteres in den paulinischen Denkhorizont einfügen läßt. Da der übrige Kolosserbrief sonst keine Anhaltspunkte
für die erste, extrem unpaulinische Deutung erkennen läßt, scheint
mir die Deutung im Anschluß an die paulinischen Aussagen zutreffender.

---

10 Cf. v.a. 1Thess 2,18; Phil 1,14; ferner das Ineinander von Bedrängnissen von
   außen und Mühen der Gemeindearbeit in den Peristasenkatalogen: 1Kor 4,11f.;
   2Kor 6,5; 11,23-28.
11 Phil 2,12.16; 3,17f.; cf. auch 2Kor 6,1.
12 Cf. 1Kor 4,11-13 ("bis jetzt"); Phil 2,16; Röm 8,18.
13 Ich halte dieses Verständnis der ὑστερήματα für plausibler als E.LOHSEs Annahme (KEK Kol, 115; Christusherrschaft, 211), in Kol 1,24 sei (gemäß apokalyptischen Vorstellungen) an ein bestimmtes Quantum von Leiden gedacht,
   "deren Maß und Umfang Gott beschlossen hat" (Christusherrschaft, 211) und
   die vor der Äonenwende bzw. vor der Parusie abgetragen werden müssen. (Zur
   exegetischen Vorgeschichte, v.a. zur Vorstellung eines für die Kirche und
   ihre Glieder bestimmten Leidensmaßes cf. E.SCHWEIZER, EKK Kol, 84 Anm.232.
   238 im Rückgriff auf J.KREMER). Vor allem wird die Pointe dieser Deutung: daß
   das schnelle 'Abtragen' der Leiden die Parusie beschleunige, in Kol 1 nirgends ausgewertet. Auch E.SCHWEIZERs Auskunft, man habe das Leiden "einfach
   als durch Gottes Willen gesetzte Notwendigkeit vor dem Kommen der Herrlichkeit verstanden" (EKK Kol, 85) bleibt hinter dem zurück, was sich konkret
   erkennen und sagen läßt.
14 Cf. bes. 2Kor 1,6; 4,12.

Lassen sich die Einzelelemente von Kol 1,24 also durchweg mit
dem paulinischen Leidensverständnis verbinden, so ist nun aber
festzuhalten, daß sowohl die einseitige Akzentuierung dieser einen
Funktion der Leiden[15] (die im paulinischen Zusammenhang stets nur
einen Aspekt unter anderen darstellte) als auch die Vorstellung
von der διακονία des Apostels an der ἐκκλησία als dem Leib Christi,
wonach Paulus "in seinem Leiden (...) sein Amt für die ganze Kirche"[16] versieht, über den Aussagerahmen der Briefe des Paulus hinausgehen.

> Für die Frage nach der Autorschaft und Datierung des Kol ist vor allem die
> einseitige Akzentuierung der Leidensaussage auf den ekklesiologisch-funktio-
> nalen Aspekt aufschlußreich. Während die bisher untersuchten Aussagen der
> persönlichen Seite der Leiden des Paulus, d.h. sowohl ihrer biographisch-
> subjektiven Erfahrungskomponente, als auch der Sinndeutung der Leiden im Hin-
> blick auf seine eigene Person Raum gab[17], fällt im Kol dieser Aspekt so gut
> wie ganz aus. Der bei Paulus ganzheitlich aus der Perspektive der betroffe-
> nen Person zur Sprache kommende Vorgang wird auf seine für die Gemeinde re-
> levante Seite verkürzt. Dieses Bild fügt sich gut zu den übrigen Argumenten
> gegen eine Abfassung durch Paulus selbst[18]. Auf der anderen Seite läßt die
> gerade dem Phil und 2Kor ähnliche Grundkonzeption des Leidensverständnisses
> eine Abfassung 'neben' diesen Briefen, d.h. im Pauluskreis während der 'har-
> ten Phase' der ephesinischen Gefangenschaft, wie sie Schweizer und Ollrog
> vorschlagen[19], sehr wahrscheinlich erscheinen.

2) Auch im *Epheserbrief* kommen Leiden nur als Apostelleiden zur
Sprache, ebenso setzt sich die Tendenz des Kol darin fort, daß sie
ausschließlich unter ekklesiologisch-funktionalem Aspekt in den
Blick gebracht werden. Der Verfasser rahmt den mit der Berufung und
Funktion des Apostels befaßten Abschnitt 3,1-13 mit je einer Aussa-
ge über die Apostelleiden ὑπὲρ ὑμῶν, wobei der Bezug auf den ins
Leiden führenden Einsatz für das Evangelium eindeutig ist.

> So folgt die Selbstbezeichnung als δέσμιος[20] τοῦ Χριστοῦ ὑπὲρ ὑμῶν τῶν ἐθνῶν
> (3,1) unmittelbar auf den Redegang 2,11-22 (cf. 3,3), der die Eröffnung des
> Heils für die *Heiden* als Hauptmysterium des paulinischen Evangeliums heraus-
> stellt. Ganz ähnlich kommen auch in 3,13: ἐν ταῖς θλίψεσίν μου ὑπὲρ ὑμῶν die
> Leiden den Adressaten zugute und dienen ihrer δόξα, indem sie zum Vollzug
> der Verkündigung des Evangeliums an die Heiden (3,8) gehören.

Dabei bietet der Kontext von 3,13 noch weitergehende Aufschlüsse,
indem er die Missionsarbeit dem in Gottes Heilsplan begründeten

---

15 Auch Kol 1,29; 2,1 ist nur an diesem Aspekt interessiert. Ebenso hat 4,3
(Gefangenschaft um des μυστήριον τοῦ Χριστοῦ willen) ganz die Verkündigung
im Blick. Die einzige 'persönliche' Notiz findet sich im Trostmotiv von 4,11
(cf. evtl. noch 4,18).
16 E.LOHSE, KEK Kol, 116.
17 Darin lag ja der Hauptberührungspunkt mit dem 'leidenden Gerechten'!
18 Dazu E.SCHWEIZER, EKK Kol, 21; E.LOHSE, KEK Kol, 249-257, bes.253f.; W.H.
OLLROG, Mitarbeiter, 219ff.236f. (dort 236 mit Anm.1 weitere Literatur).
19 Cf. E.SCHWEIZER, EKK Kol, 27f.; W.H.OLLROG, aaO. 236-242.
20 Cf. Eph 4,1 (zu Beginn der Paränese): ἐγὼ ὁ δέσμιος ἐν κυρίῳ: hier wird (im
Anschluß an die Klärungen von Eph 3) δέσμιος geradezu zu einem die apostolische Autorität unterstreichenden Würdeprädikat.

Ziel zuordnet, den "Mächten und Gewalten in den Himmeln", d.h. den
Gott widerstreitenden "Weltpotenzen"[21], durch die Kirche (διὰ τῆς
ἐκκλησίας) die "vielfältige Weisheit Gottes bekanntzumachen" (3,
10): die Leiden des Apostels dienen der Durchsetzung der in Jesus
Christus realisierten (cf. 3,11: ἐποίησεν) Weisheit Gottes, die in
der Kirche aus Juden und Heiden Gestalt gewinnt.

Dieser Beschränkung auf die Leiden des *Apostels* entspricht es,
wenn in der Paränese auch in dem zum Anlegen der Waffenrüstung Gottes und zum eschatologischen[22] Kampf (πάλη) gegen Teufel und Fin-
sternismächte auffordernden Abschnitt 6,11-20 jeder Hinweis auf
eine Leidensbereitschaft oder gar -notwendigkeit der *Gemeinde* fehlt:
von den "Waffen der Gerechtigkeit zur Rechten und zur Linken" (2Kor
6,7) kommen im Eph allein die "charismatischen Tugend(en)"[23] zum
Zuge.

3) Gemessen an diesen deuteropaulinischen Engführungen weist
der *zweite Timotheusbrief* (der unter den Pastoralbriefen auf das Leidensthema am ausführlichsten eingeht) in seinen Leidensaussagen eine erheblich größere, der authentischen paulinischen Basis wieder
näherkommende Breite an Aspekten und Variationen auf. Der im Kol
und Eph ausschließlich betonte ekklesiologische Aspekt ist zwar
auch im Blick - Paulus leidet διὰ τοὺς ἐκλεκτούς, damit auch sie
der σωτηρία teilhaftig werden (2,10)[24]- doch ist er erheblich weniger massiv formuliert[25] und steht in einer Reihe mit anderen.
Zentralaspekt bleiben freilich auch im 2Tim die Apostelleiden als
Leiden für das Evangelium: so führt 2Tim 1,11f. das Prediger-,
Apostel- und Lehrer-Sein des Paulus explizit als αἰτία seiner Leiden an und ergeht auch an Timotheus die Aufforderung, als "guter
Streiter Jesu Christi" mit Paulus "Ungemach zu erleiden"[26] (2,3:
Συγκακοπάθησον ὡς καλὸς στρατιώτης Χριστοῦ Ἰησοῦ).

Dabei ist nicht sicher auszumachen, ob an einen Sachzusammenhang zwischen den
Leiden des Apostels und des Timotheus und den *Leiden* Jesu gedacht ist, was
sich aber nahelegt, wenn man 1Tim 6,12f. hinzuzieht. Hier nämlich wird Timotheus ermahnt, den "guten Kampf des Glaubens" zu kämpfen (6,12) unter Berufung auf Christus Jesus, "der vor Pontius Pilatus für das gute Bekenntnis
Zeugnis abgelegt hat" (6,13). Läßt sich über diese 'Brücke' auch eine Verbindung von Christi Leiden und Leiden in der Nachfolge[27] herstellen, so ist sie

21 H.SCHLIER, Epheser, 155.
22 Cf. ebd. 292f.298.
23 Ebd. 294.
24 Die sachliche Verbindungslinie von 2Tim 2,10 - Eph 3,13 - Kol 1,24 betont
   G.P.H.THOMPSON, Ephesians, 187-189.
25 Das Stichwort ἐκκλησία fehlt im 2Tim ganz.
26 Cf. auch 1,8: συγκακοπάθησον τῷ εὐαγγελίῳ; 2Tim 4,5 stellt κακοπάθησον
   in eine Imperativreihe, die Timotheus zur rechten Wahrnehmung seines Dienstes als Verkündiger ermahnt.
27 Zu deren inhaltlicher Konkretion cf. 1Tim 6,11!

doch wesentlich einfacher gedacht und hat einen sehr viel geringeren Stellenwert als bei Paulus. Diesem Zurücktreten der Christologie beim Bedenken des
Leidens entspricht in den Past im übrigen ein Zurücktreten des Leidens beim
Bedenken der Christologie: 1Tim 6,13 ist die einzige Stelle, an der vom Leiden und Sterben Jesu explizit die Rede ist.

In unserem Zusammenhang ist besonders wichtig, daß der 2Tim in 1,12ff.;
3,11 und 4,17f. die Leidensaussagen mit Rettungsaussagen verbindet
und so ganz ähnlich wie die echten Paulinen die Tradition vom leidenden Gerechten zum Zuge bringt. Daß dabei beide bei Paulus selbst
auftretenden Variationen: das Nichtzuschandenwerden angesichts der
festen Zuversicht, am Tage des Gerichts gerettet zu werden (1,12b:
εἰς ἐκείνην τὴν ἡμέραν) ebenso wie die ganz handgreiflich erfahrene
Rettung aus der akuten Notsituation heraus[28] (3,11b: ἐκ πάντων με
ἐρρύσατο ὁ κύριος) auch hier noch[29] begegnen, unterstreicht, wie
fest der oben[30] anhand von Phil 1,19ff. aufgewiesene Sachzusammenhang zwischen beiden Komponenten ist: auch dem 2Tim liegt es fern,
das den 'zeitlichen' und 'endzeitlichen' Aspekt gleichermaßen umfassende Verständnis der Tradition vom leidenden Gerechten zugunsten eines rein 'jenseitsbezogenen' aufzugeben. Die schönste Bestätigung für dieses Zusammendenken beider Komponenten bietet 2Tim
4,18, wo es in direktem Zusammenhang mit lebensgefährlichen Anfeindungen des Apostels heißt:

ῥύσεταί με ὁ κύριος ἀπὸ παντὸς ἔργου πονεροῦ *(meiner Feinde)*
καὶ σώσει εἰς τὴν βασιλείαν αὐτοῦ τὴν ἐπουράνιον.

Nur in einer einzigen Aussage des 2Tim ist vom Leiden der Gemeinde die Rede. Der Verfasser schließt sie appendixhaft an den
mit den Apostelleiden des Paulus und seines 'Nachfolgers'[31] Timotheus befaßten Zusammenhang (3,10f.) an:

2Tim 3,12: *Aber auch alle, die fromm leben wollen* (οἱ θέλοντες εὐσεβῶς ζῆν)
            in Christus Jesus, werden verfolgt werden (διωχθήσονται).

Ergab sich bisher eine recht weitgehende Übereinstimmung des Leidensverständnisses des 2Tim mit dem paulinischen, so verschiebt
sich hier der Akzent gegenüber Paulus in einer für die Situation
und Theologie der Pastoralbriefe insgesamt aufschlußreichen Weise:

---

28 2Tim 3,11 bezieht sich auf die διωγμοί und παθήματα, die Paulus "in Anti-
    ochien, in Ikonium, in Lystra" widerfahren sind. Auch Act 13,50 - 14,20 be-
    richtet diese drei "Fälle" in einem einheitlichen Zusammenhang in genau der-
    selben Reihenfolge.
29 Da die Pastoralbriefe aus der Retrospektive auf das Leben des als Märtyrer
    gestorbenen Paulus abgefaßt sind, hätte es nahegelegen, die 'jenseitige'
    Komponente (im Sinne von 2Tim 1,12) stärker zu betonen, wie dies dann etwa
    in 1Clem 5,7 der Fall ist.
30 Siehe oben S.309f.315f.
31 Cf. 3,10. Ebenso sieht der 2Tim m.E. in Timotheus aber auch den (Amts-)nach-
    folger, dem Paulus angesichts seines nahen Todes (cf. 4,6ff.) sein 'Testa-
    ment' hinterläßt.

Anlaß der endzeitlichen Verfolgung der Christen ist ihr Wille,
"fromm zu leben". Gerieten die jungen Gemeinden des Paulus primär
durch die Provokation ins Leiden, die ihr Bekenntnis zum gekreuzigten Christus, die Proklamation und Praxis eines (gesetzes)frei-
en neuen Seins und der mit beidem verbundene exklusive Anspruch
für jedermann, vor allem aber für das Diasporajudentum bedeutete,
aus dessen Umfeld ihr Zulauf weitgehend kam, entspricht die -
nicht von ungefähr bei Paulus fehlende[32] - Vorstellung einer
christlichen εὐσέβεια der Situation einer sich zunehmend etablie-
renden Gemeinde, die um der notwendigen Abgrenzung von Irrlehren
willen und angesichts der zu längerfristigen Perspektiven nötigen-
den Parusieverzögerung ein konservatives Interesse entwickelt, das
auf den Bestand des überlieferten Glaubens und der ihm entsprechenden bestehenden sittlichen Ordnung zielt. Dieser Versuch, das
neue Sein in Christus in die Praxis einer die ganze Spanne eines
Menschenlebens ausfüllenden Lebensführung umzusetzen, führt zu einer - exemplarisch in der εὐσεβής-Terminologie greifbaren - Annäherung an die Ordnungs- und Wertvorstellungen der die Gemeinde um-
gebenden Religion und Zivilisation[33]. Freilich ist damit der Konflikt keineswegs ausgeschlossen, wie die (die apokalyptische Vorstellung von der endzeitlichen Bedrängnis der Frommen aufnehmende)
langfristige Erwartung von Verfolgungen zeigt.

4. Nicht minder interessant als die Untersuchung der Rezeption des paulinischen Leidens*verständnisses* wäre es, den Darstellungen und Erwähnungen des
leidenden Apostels Paulus als *Person* nachzugehen und die von den verschiedenen Autoren gezeichneten Bilder und Interpretationen mit den Selbstzeugnis-
sen des Paulus zu vergleichen. Auch diese Perspektive ist hier nur ein kleines Stück weit zu verfolgen.

Die *Apostelgeschichte*[34] stellt die Leiden des Paulus in deutlicher Akzentuierung als um des Evangeliums willen und im Vollzug des Verkündigungsauftrags
erlitten dar. Dabei spricht auch Lukas nirgends den für das Selbstverständnis des Paulus so entscheidenden Bezug seiner Leiden zu den *Leiden* Jesu an,
stattdessen ist hier v.a. 'das Evangelium' zu einer festen Bezugsgröße geworden, dessen (erfolgreicher) Weg durch die Welt denn ja auch das eigentliche Thema der Apostelgeschichte ist.

---

32 Die Konkordanz weist die 'εὐσεβ-'Wortgruppe als besonderes Kennzeichen der
Pastoralbriefe aus (sonst nur noch in 2Petr und Act); zur inhaltlichen Bestimmung des Begriffs cf. v.a. 1Tim 2,2; 4,7f. und W.FOERSTER, Art. σέβομαι
κτλ., ThWNT 7,175-184; zu Bedeutung und theologischem Stellenwert in den Pastoralbriefen ebd. 181,21-183,13.

33 Zur Bedeutung und Rolle von εὐσεβής für das gebildete Griechentum und das
Judentum in hellenistisch-römischer Zeit (bes. Philo und 4Makk) cf. W.
FOERSTER, aaO. 177,8-180,35. Vgl. weiter die Haustafeln (1Tim 2,8-15; 6,1f.;
Tit 2,1-10), die Stellung zum Staat (1Tim 2,1f.) usw., dazu E.LOHSE, Grund-
riß, 155-158.

34 Cf. v.a. Act 9,23ff.; 13,50; 14,5f.19; 16,20ff.; 17,10ff.; 20,3ff.; 21,27ff.;
27,14-28,10.

Von hier aus erklärt sich auch die Betonung des direkten Zeugnischarak-
ters der Leiden[35], der sich nicht nur darauf beschränkt, daß sich ihm gerade
in der Leidenssituation neue Möglichkeiten für die Verkündigung eröffnen (cf.
dazu schon Phil 1,13), sondern bisweilen auch bedeutet, daß Gott durch die
wunderbare Errettung des leidenden Apostels die Richtigkeit seiner Verkündigung bestätigt und dadurch Glauben wirkt, wie dies in Act 16,23-40 recht massiv ausgeführt wird[36]. Dadurch nimmt der leidende Apostel in Act ein Stück
weit die Züge jener unverletzbaren Gottesmänner an, deren Bild sich über die
Männer im Feuerofen und Daniel in der Löwengrube bis zum Elia der Königsbü-
cher zurückverfolgen läßt[37], der aber dem paulinischen Leidensverständnis
(ebenso wie der Tradition vom leidenden Gerechten) nicht entspricht.

In ähnliche Richtung weist auch der *1.Klemensbrief*, der in einer kurzen Notiz
Paulus als "das größte Beispiel der Geduld" (5,7: ... ὑπομονῆς (...)
μέγιστος ὑπογραμμός) preist und in direktem Zusammenhang mit den Erfolgen
seiner weltumspannenden Verkündigungs- und Lehrtätigkeit von seinen Leiden
(5,6: "siebenmal in Ketten, vertrieben, gesteinigt"[38]) bis hin zum Märtyrertod[39] während der neronischen Verfolgung sowie von seiner Erhöhung "an den
heiligen Ort" berichtet. Wieder ist die (denselben Sachzusammenhang wie die
bisher untersuchten Texte implizierende) Zusammenordnung von Missionswerk
und Leiden (hier nun auch: Märtyrertod) kennzeichnend; als neuer Aspekt kommt
die stoisierende Darstellung[40] hinzu, die Paulus zusammen mit den anderen
"Helden des Christentums (...) in die Nähe eines antiken Menschenideals"[41]
rückt. Auch die Intention der Erwähnung des Paulus ist interessant: die Leiden der Apostel entspringen - wie die der zahlreichen zuvor erwähnten alttestamentlichen Leidensgestalten - nach Meinung des 1Clem menschlicher Eifersucht (ζῆλος), Neid (φθόνος) und Streit (ἔρις), und werden der Gemeinde von
Korinth vor Augen geführt, um deren von Eifersucht, Neid und Streit gestörte
Eintracht wiederherzustellen.

Daß kaum zwei Jahrzehnte später in den *Ignatiusbriefen* der Apostel und Märtyrer Paulus ganz als direktes Vorbild[42] des von seiner Martyriumssehnsucht
geradezu besessenen[43] Bischofs erscheint, läßt erkennen, wie schnell das
authentische paulinische Leidensverständnis zugunsten einer den Zeitbedürf-
nissen scheinbar angemesseneren Martyriumsfrömmigkeit aufgegeben werden
konnte. Dies wiegt umso schwerer, als Ignatius zumindest mehrere Paulusbriefe kannte[44] und einige Topoi und Denkfiguren der paulinischen Leidensaussagen, v.a. die bei ihm wieder betonte Beziehung von Leiden Christi und Leiden des Märtyrers[45] daraus übernahm.

---

35 Ihrer Ursache nach erscheinen sie vorzugsweise als "Anschläge der Juden"
    (Act 9,24.29; 20,3.19; 23,30; cf. auch 17,5ff.; 18,12ff.; 21,27; 23,12ff.;
    24,1ff.; 26,7. Zum Zeugnischarakter cf. v.a. Act 20,19-24; 23,11; ferner
    die Rede des Gefangenen Paulus vor Agrippa (26,1-32) und seine Aussicht, als
    Gefangener vor dem Kaiser Zeugnis abzulegen (27,24).
36 Cf. auch Act 27,14-28,10.
37 Siehe oben S.82f. (Exkurs 2).
38 Neben der Steinigung (Act 14,19) dürfte auch das Motiv des Vertriebenwerdens
    auf Act (13,50; 14,6.20; 17,14 u.ö.) zurückgehen. Die Siebenzahl der Gefan-
    genschaften setzt zusätzlich andere Informationen voraus.
39 1Clem 5,7: μαρτυρήσας ἐπὶ τῶν ἡγουμένων. - Zur Bedeutung und Entwicklung der
    μάρτυς-Begrifflichkeit cf. J.A.FISCHER, Apostolische Väter, 31f. Anm.41.
40 Cf. die Bezeichnung der Märtyrer als Athleten und die Betonung ihres Edel-
    muts (5,1.2), das Motiv des "Kampfpreises der Geduld" (5,5) und die Redewei-
    se von den ἀγαθοὶ ἀπόστολοι (5,3).
41 J.A.FISCHER, aaO. 31, Anm.37 (zu 1Clem 5,1).
42 So IgnEph 12,2.
43 Cf. z.B. IgnTr 10; IgnSm 4,2; IgnRöm 4,1f.; 5,2-3.
44 Cf. J.A.FISCHER, aaO. 122.
45 Cf. z.B. IgnTr 10; IgnSm 4,2.

Zur Aktualität des paulinischen Leidensverständnisses

Die zweite Perspektive führt uns in den Bereich systematisch-
und praktisch-theologischer Fragestellungen. Welche Konsequenzen
ergeben sich aus den exegetischen Befunden für das theologische
Bedenken von Leiden und Leidenserfahrungen heute und für die aktuelle Praxis der christlichen Gemeinde in und neben ihrem kirchlich
institutionalisierten seelsorgerlichen und diakonischen Handeln?
Zwei Aspekte sind mir besonders wichtig:

1) Einzusetzen ist bei dem Faktum der Artikulation von Leiden
durch Paulus als solchem: Wir haben gesehen, daß die paulinischen
Leidensaussagen weitgehend von der Tradition vom leidenden Gerechten bestimmt waren, als deren Wurzelboden in der diachronen Skizze
die alttestamentliche Klage erkennbar war. Deren Charakteristik
ist in wesentlichen Elementen paulinischer Aussagen, insbesondere
in den Leidenskatalogen, noch deutlich zu spüren. Haben wir auch
kein Zeugnis dafür, daß Paulus selbst ganze Klagepsalmen gebetet
hat, so steht doch in jedem Fall von den Briefen her fest, daß
ihn seine Leiden nicht stumm machten, sondern ihn nötigten, sie
laut und variantenreich zur Sprache zu bringen vor Gott und den
Menschen. Dem entspricht es, daß Paulus in Röm 8,26f. eindrucks-
voll deutlich macht, daß Christen im Christus-πνεῦμα einen 'Dolmetsch' haben, der ihr Seufzen vor Gott artikuliert: Leiden darf
und soll zur Sprache kommen. Wie θλῖψις und δόξα in der christlichen Existenz zusammentreffen, so gehören Klage und Lobpreis als
Reflex darauf zusammen, solange es Leiden gibt. Daß spätere[46]
christliche Theologie das paulinische Leidensverständnis v.a. mit
stoischen und platonischen Gedanken und Wertvorstellungen überla-
gert hat und dabei die Klage aufs äußerste sublimierte, um stattdessen die Unerschütterlichkeit zur christlichen Tugend zu erheben
(wir haben Ansätze dazu gerade am 1Clem gesehen, und Hedinger hat
es im großen Zusammenhang aufgewiesen[47]), wird von den paulinischen Texten nicht gedeckt.

2) Wie wir gesehen haben, setzt Paulus sein eigenes Leiden und
das der Christen in doppelter Weise mit dem Leiden und dem Tod
Christi in Beziehung[48]. Zum einen entspricht der Rechtfertigung
in Christus als einem Akt der gnädigen Zuwendung Gottes gegenüber

---

46 U.HEDINGER, Versöhnung Gottes, 20 mit Anm.25, sieht schon bei Paulus selbst
   Ansätze für eine Sublimierung der Klage (obwohl er im gleichen Zusammenhang
   betont, Paulus habe "der Klage die Würde christlicher Liebe und Hoffnung ver-
   liehen"); freilich ist zu berücksichtigen, daß die von ihm angeführten Stellen
   Röm 9,19 und 11,34 nicht Leiden ἐν Χριστῷ betreffen.
47 Cf. ebd. 19-25.
48 Siehe oben S.369ff.374f.375f.

dem Schwachen und Nichtigen eine Niedrigkeitsexistenz, für die die
Tradition vom leidenden Gerechten Modell sein kann; andererseits
(und nicht davon zu trennen) sind die Leiden der Christen denen
des Christus analog als Leiden der (durch die Rechtfertigung an
die Seite Gottes gestellten) 'Mitkämpfer' in der Auseinandersetzung Gottes mit der diesen Äon beherrschenden, Gott widerstreitenden Macht der Sünde und des Todes. Die Leiden der Christen haben
also eine *Funktion* im Kontext der Beziehung zwischen Gott und *Welt*.
Sie sind gerade im Bezug zum Kreuz Christi weder Selbstzweck noch
lediglich eine Angelegenheit einer persönlichen Christusbeziehung
(die dann mystisch zu überhöhen wäre), weder ein unerklärbares,
nicht weiter hinterfragbares Verhängnis eines autonom gedachten
Gottes noch eine von Gott vorgenommene Prüfung oder um der Sünde
willen auferlegte Last, sondern sie erwachsen *deshalb* aus der Chri-
stuszugehörigkeit, weil die Christen in diesem Äon leben, der
noch von den gegen Gott rebellierenden Mächten beherrscht wird.
Sie befeinden die an Gottes Seite Stehenden und versuchen, sie zu
Fall zu bringen. Die Leiden, von denen Paulus redet, sind Leiden
im Widerstand an der Seite Christi.

Diese Einsicht nötigt m.E. zu einer kritischen Sichtung der
vielfältigen 'Kreuzestheologien' und Typen von Leidensfrömmigkeit:
die paulinischen Texte decken keineswegs eine pauschale theologische Rechtfertigung und Sinngebung von Leiden, sie reden der "Versöhnung Gottes mit dem Elend"[49] nicht das Wort. Im Gegenteil: indem sie das Leiden von der Christusbeziehung her bedenken und seinen 'Sinn' ganz fest an diese Relation binden, ergibt sich eine
deutliche Frontstellung *gegen* Leiden und Tod. Christen haben in der
Tat "Protestleute" (Chr.Blumhardt) gegen beide zu sein, die in
Wort und Tat ihren Herren gegen die Todesmacht als Herrn der Welt
proklamieren.

Man mag einwenden, daß dieser Schluß das paulinische Weltbild voraussetze,
das gerade im Blick auf die Redeweise von Satans-, Sünden- und Todesmacht
mythologisch sei. Und in der Tat ist seine so ganzheitliche Sicht, die im
Grunde alle ihm widerfahrenden Leiden ganz direkt mit der Satansmacht in Beziehung bringen konnte[50], angesichts heutiger Einsicht in die Verursachungs-
zusammenhänge von Leiden neu zu bedenken, v.a. auch im Blick auf.die dadurch
eröffneten Möglichkeiten, Leiden(sursachen) zu beseitigen und unserer Verantwortung angesichts solcher Möglichkeiten. Aber über die Wahrheit der von
Paulus zur Sprache gebrachten grundsätzlichen Einsicht in Gottes *eindeutiges*

---

49 Cf. die Titelformulierung: Wider die Versöhnung Gottes mit dem Elend.
50 Cf. die oben S.370 Anm.5 angegebenen Stellen: Paulus sieht Krankheit, Be-
hinderungen seiner Mission und die Anfeindungen durch seine Gegner als von
Satan bewirkt an - daß es Gott ist, der ihn an den Ort stellt, an dem er diesen Bedrängnissen durch Satan ausgesetzt ist, ist damit durchaus zu verbinden (cf. auch 1Kor 4,9).

Handeln zur Rettung des Menschen, seinen darin proklamierten *eindeutigen* Anspruch auf die Welt und des Christen *eindeutigen* Ort und Auftrag in dem Prozeß der Durchsetzung dieses Anspruches durch Gott, ist durch diesen Einwand keineswegs entschieden.

Hat Paulus aber recht, so ist die Aktualität seines Leidensverständnisses gerade unter diesem Aspekt mit Händen zu greifen. Als Einzelne und als Gemeinde sind und bleiben Christen gerufen, durch ihre ganze Existenz Zeugnis zu geben von ihrem Herrn, dem Gekreuzigten. Zeugnis, das missionarisch wirkt, das aber auch auf Widerstand trifft und Widerstand provoziert. Jedenfalls dann, wenn es am Gekreuzigten orientiert bleibt und dessen Anspruch weder in seiner persönlichen noch in seiner politischen Dimension verkürzt, indem es ihn auf das Maß des Unanstößigen reduziert: Paulus stellt uns eindringlich vor die Frage, ob seine Vorwürfe von 1Kor 4,8 und Gal 6,12 nicht auch - mutatis mutandis - auf uns zutreffen.

Vor allem aber ermutigen die paulinischen Leidensaussagen, die mit dem Herrschaftsanspruch Gottes und dem Ruf in die dem Gekreuzigten nachfolgende Zeugnisexistenz verbundenen Handlungs- und Hoffnungsperspektiven wieder neu zu entdecken und zu bedenken. Die gegenwärtige 'Wiederentdeckung' der Bergpredigt durch die Theologie und die Gemeinde könnte im Nach- und Neubedenken gerade dieser paulinischen Aussagen eine weiterführende und differenzierende Fortsetzung finden.

Zur Frage 'Traditionsgeschichte und biblische Theologie'

Am Ende unseres langen Weges ist noch einmal auf die in der Einleitung angesprochene Frage[51] nach der traditionsgeschichtlichen Perspektive zurückzukommen.

Die diachrone Skizze der Tradition vom leidenden Gerechten ließ uns den Weg nachvollziehen, den diese Tradition von ihren vorexilischen Anfängen an in allmählicher Aufweitung bis zu dem breiten Spektrum hin genommen hat, das in der synchronen Skizze schließlich vor uns stand. Diese Geschichte ließ sich als ein kohärenter Prozeß darstellen, bei dem im Zusammenspiel von Rezeption und Innovation sich ein allmähliches Fortschreiten der Gedankenentwicklung, vor allem aber auch eine starke Auffächerung in die Breite beobachten ließ. Dabei war die traditionsgeschichtliche Kohärenz stets an Textsignalen aufweisbar, umgekehrt ließen die Texte jeden Schematismus vermissen.

Dieser Prozeß stand in deutlicher Korrelation mit den konkreten politisch-geschichtlichen, ökonomischen und geistesgeschichtlichen

---

51 Siehe oben S.13-16.

Bewegungen Israels: Innovationen trugen in der Regel geschichtlichen Entwicklungen und Bedürfnissen Rechnung.

So sind der Tradition sehr wichtige und folgenreiche Elemente gerade in der
Exilszeit zugewachsen, andere in der Zeit der makkabäischen Erhebung. Umgekehrt versuchte etwa Tritojesaja die deuterojesajanische Tradition in die
karge Situation des nachexilischen Palästina hinein zu prolongieren und so
die Heilszusagen des Aufbruchs aus dem Exil präsent zu erhalten.

Dabei führte die Gebundenheit an die Geschichte keineswegs zu einlinigen Aussagen, vielmehr war schon relativ früh ein Nebeneinander verschiedener Ausprägungen der Tradition zu beobachten, die
durchaus nicht immer widerspruchsfrei zu verbinden waren, wohl aber
durch die Kontinuität zur gemeinsamen älteren Basis miteinander in
Beziehung standen. Auch wiesen die Texte bisweilen über das geschichtlich 'notwendig' Erscheinende hinaus: der Höhepunkt der Gottesknechtsüberlieferung: Jes 53, war uns z.B. als ein solcher geschichtlich plausibler, nicht aber aus der geschichtlichen Situation ableitbarer 'Überschuß' erschienen.

Die Möglichkeit zur immer wieder der Geschichte Rechnung tragenden Innovation erwuchs der Tradition weitgehend aus dem regen
Austausch zwischen den verschiedenen Traditionsbereichen und -in-
stitutionen Israels mit ihren spezifischen Ausdrucksformen (v.a.
Kult'lyrik', Prophetie, Weisheit): die Tradition vom leidenden Gerechten entwickelte sich gerade dadurch, daß sie Elemente in sich
aufnahm, die in anderen Zusammenhängen erstmals artikuliert worden
waren. Nicht zuletzt aufgrund dieser engen Verflechtung mit anderen Traditionsbereichen und -trägern kam es dann auch zu ihrer ausgesprochen breiten Ausgestaltung im zwischentestamentlichen Textbereich, der ohne Bruch an den alttestamentlichen anschloß.

Besonders wichtig scheint mir eine dritte Beobachtung: die exem-
plarische Untersuchung von 'Nahtstellen' der Traditionsentwicklung,
die bisweilen durch den Vergleich älterer und jüngerer Texte möglich war, zeigte, daß die den Texten eigene *Unschärfe* eine Grund-
voraussetzung für den traditionsgeschichtlichen Prozeß bedeutet.
Hatten die Texte in ihrer konkreten Situation auch einen eindeutigen Sinn, so wurde dieser undeutlicher, sobald sie aus dieser konkreten Situation gelöst wurden. Gerade dadurch ergab sich die Möglichkeit zu ihrer Rezeption in anderen Situationen: indem der Re-
zipient den Text in Nuancen anders verstand als er ursprünglich gemeint war und den ihm schwierig, mehrdeutig oder undeutlich erscheinenden Aussagen eine seiner eigenen Situation entsprechende
neue Eindeutigkeit[52] gab, konnte die ältere Tradition in neue Si-
_____
52 Als ein exemplarisches Beispiel sei nur die Gottesknechtsüberlieferung in Er-
   innerung gerufen, deren Rezeption in Dan 12; Weish 2 und 5; TestBenj 3 die

tuationen hineinwirken und entstand das Traditionskontinuum im
Wechselprozeß von Altem und Neuem. Gerade um des in ihr möglichen
Nachvollzugs des Werdens der Tradition in geschichtlich vermittel-
ter theologischer Arbeit über Generationen hinweg scheint mir die
diachrone Skizze aufschlußreich.

An den Prozeß der alttestamentlich-jüdischen Traditionsbildung
schließt sich die neutestamentliche insofern nahtlos an, als schon
Jesus selbst in seiner Verkündigung Elemente der Tradition aufgreift, um die in seiner Sendung realisierte, spezifische Heilszuwendung Gottes auszusagen. Auch hier boten die Testuntersuchun-
gen wiederholt die Möglichkeit, das Ineinander von Rezeption und
Innovation nachzuvollziehen: die besondere, weder aus dem traditionsgeschichtlichen Prozeß noch aus der historischen Situation
ableitbare Aussage kommt zur Sprache, indem sie die Tradition aufnimmt und in spezifischer Neuakzentuierung und punktueller, freilich den Rahmen alles Geläufigen aufsprengender Innovation weiterführt. Nur darum kann Jesu Verkündigung überhaupt verstanden werden, das darin ausgesagte Heil erfahrbar werden, weil diese ihm
und seinen Hörern gemeinsame Sprach- und Erfahrungsbasis zugrundeliegt. Neues (selbst das schlechthin Neue) kann nur auf der Basis
des Alten zur Sprache kommen.

Hermeneutik ist hier aber von der Sache nicht zu trennen, so
als sei das in Jesu Präsenz realisierte Heil nur als sprachliches
Phänomen in der Tradition vorbereitet und hätten die 'Wirklichkeit' des in der Tradition als wirksam bezeugten und erhofften
Heilshandelns Gottes und des in Jesus erfahrbaren Heils nichts
miteinander zu tun: die Seinsdisposition Jesu (wenn er denn Mensch
war) und seiner Hörer ist von der in der Tradition greifbaren
Sprachdisposition nicht zu trennen. So ist nicht nur Jesu Verkündigung in der Tradition vorbereitet, sondern ist auch der darin
proklamierten und sich ereignenden βασιλεία in den in der Tradition zur Sprache kommenden Heilserweisen Jahwes der Boden bereitet.

Aus alledem ist nicht auf einen Determinismus zu schließen:
ebensowenig wie die Tradition vom leidenden Gerechten ein einli-
niges Phänomen darstellt, das als ganzes ins Neue Testament hinü-
berweist, resultiert das in Jesus realisierte Heil Gottes mit irgendeiner heilsgeschichtlichen Zwangsläufigkeit aus dem alttesta-
mentlich-jüdisch bezeugten Geschehen. Letzteres bildet die notwendige Voraussetzung, nicht auch die hinreichende Begründung des
ersten.

'Unschärfen' des deuterojesajanischen Textes anders aufnahm und in den neuen
Situationskontext hinein 'vereindeutigte'.

Die frühesten neutestamentlichen Zeugen haben Jesu Verkündigung,
seinen Tod und seine Auferstehung in eben dieser Weise verstanden
und gedeutet. Auch ihr Reflex auf dieses Geschehen hat (schon sehr
früh) in Texten seinen Niederschlag gefunden, die die Tradition
vom leidenden Gerechten im Wechselprozeß von Rezeption und Innovation zur Sprache bringen.

Daß auch Paulus seine eigene, seine Existenz in die Kehre brin-
gende Erfahrung mit dem Christus in diesem Kontext verstanden hat,
ist sehr wahrscheinlich. Sie ermöglichte es ihm, unter Aufnahme
der Überlieferung der frühen Gemeinde die Tradition vom leidenden
Gerechten in der oben ausgeführten Weise[53] neu zu erschließen und
in ausgesprochener Breite für das Verständnis und die Artikulation
von Leidenserfahrungen im Kontext des Kreuzes aufzunehmen.

Wieder ist abzubrechen. Doch läßt sich angesichts der Ergebnisse und der (gerade skizzierten) Erfahrungen der Untersuchung m.E.
mit Fug sagen, daß - jedenfalls in diesem kleinen Ausschnitt aus
der Fülle biblischer Themenbereiche - eine dem alttestamentlich-
jüdischen Traditionskontinuum gegenüber offene, auch seinen Prozeßcharakter berücksichtigende traditionsgeschichtliche Arbeit am
Neuen Testament den Textbefunden am ehesten entspricht. Sie läßt
uns den lebendigen historischen Vorgang erfassen, an dem die alttestamentlichen und die neutestamentlichen Texte gemeinsam Anteil
haben. Sie ermöglichen uns so, zu einer ganzheitlichen Perspektive
vorzudringen, ohne auf die historischen und theologischen Differenzierungen zu verzichten, die sich aus einer unvoreingenommenen
historisch-kritischen Betrachtung ergeben.

---

53 Siehe oben S.371f.

LITERATURVERZEICHNIS

I.

Bibel

Biblia Hebraica Stuttgartensia. Ed. K.Elliger/W.Rudolph, Stuttgart 1968-1976.

Septuaginta. Ed. A.Rahlfs, Stuttgart ⁷1962.

NESTLE-ALAND, Novum Testamentum Graece. Ed. K.Aland/M.Black/C.M.Martini/
B.M.Metzger/A.Wikgren, Stuttgart ²⁶1979.

Apokryphen und Pseudepigraphen des Alten Testaments

Pseudepigrapha Veteris Testamenti Graece. Ed. A.M.Denis/M.de Jonge.
Bd.I: Testamenta XII Patriarcharum, ed. M.de Jonge, Leiden 1964.
Bd.I/2: The Testaments of the Twelve Patriarchs. A Critical Edition of the
         Greek Text. Ed. M.de Jonge, Leiden 1978.
Bd.II: Testamentum Iobi. Ed. S.P.Brock; Apokalypsis Baruchi Graece.
         Ed. J.-P.Picard, Leiden 1967.
Bd.III: Apocalypsis Henochi Graece. Ed. M.Black; Fragmenta Pseudepigrapharum
         quae supersunt Graeca. Ed. A.M.Denis, Leiden 1970.

KAUTZSCH, E. (ed.): Die Apokryphen und Pseudepigraphen des Alten Testaments.
Bd.I: Die Apokryphen des Alten Testaments. Bd.II: Die Pseudepigraphen
des Alten Testaments. (1900). Nachdruck Darmstadt 1962.

RIESSLER, P.: Altjüdisches Schrifttum außerhalb der Bibel. Augsburg 1928.

Jüdische Schriften aus hellenistisch-römischer Zeit. [JSHRZ]. Ed. W.G.Kümmel.
Gütersloh 1973ff.;
aus Bd.I: PLÖGER, O.: Zusätze zu Daniel. ²1977, S.63-87;
            WALTER, N.: Fragmente jüdisch-hellenistischer Historiker,
               1976, S.89-163;
            HABICHT, C.: 2.Makkabäerbuch. ²1979, S.165-285.
aus Bd.II: HAMMERSHAIMB, E.: Das Martyrium Jesajas. 1973, S.15-33;
            DIETZFELBINGER, C.: Pseudo Philo, Antiquitates Biblicae
               (Liber Antiquitatum Biblicarum). 1975, S.89-271;
aus Bd.III: BECKER, J.: Die Testamente der zwölf Patriarchen. 1974, S.15-163;
            WALTER, N.: Fragmente jüdisch-hellenistischer Exegeten: Ari-
               stobulos, Demetrios, Aristeas. 1975, S.257-299;
            SCHALLER, B.: Das Testament Hiobs. 1979, S.301-387;
aus Bd.IV: HOLM-NIELSEN, S.: Die Psalmen Salomos. 1977, S.49-112;
aus Bd.V: BRANDENBURGER, E.: Himmelfahrt Moses. 1976, S.57-84;
            KLIJN, A.F.J.: Die syrische Baruch-Apokalypse, 1976, S.103-191.

BONNER, C.: The Last Chapters of Enoch in Greek. (1937). Nachdruck Darmstadt
1968.

BONWETSCH, G.N.: Die Bücher der Geheimnisse Henochs. Das sogenannte slavische
Henochbuch. Leipzig 1922 (TU 44/2).

CHARLES, R.H.: The Greek Versions of the Testaments of the Twelve Patriarchs.
(1908). Nachdruck Oxford und Darmstadt ³1966.

KNIBB, M.A.: The Ethiopic Book of Enoch. Bd.II: Introduction, Translation and
Commentary. Oxford 1978.

VIOLET, B.: Die Apokalypsen des Esra und des Baruch in deutscher Gestalt.
Leipzig 1924 (GCS 32).

Philo und Josephus

Philonis Alexandrini Opera quae supersunt. Ed. L.Cohn/P.Wendland, Bd.I-VII/2,
   Berlin 1896-1930.

Philo von Alexandria: Die Werke in deutscher Übersetzung. Ed. L.Cohn/I.Heine-
   mann/M.Adler/W.Theiler. Bde. 1-7 (1909ff.). Nachdruck Berlin 1962-64.

Josephus in Nine Volumes. With an English Translation by H.S.J.Thackery [u.a.]
   Vol.I [Ap]. Vol.IV-IX [Ant].London und Cambridge (Mass.), 1926-1965.

Flavius Josephus: De Bello Judaico/Der jüdische Krieg. Griechisch und Deutsch,
   ed. O.Michel/O.Bauernfeind, Bde.I-III, Darmstadt 1959-1969.

Qumran

ALLEGRO, J.M.: Qumrân Cave 4,I (4Q158 - 4Q186), Oxford 1968 (DJD V).

BARTHÉLEMY, D./MILIK, J.T.: Qumrân Cave 1. Oxford 1955 (DJD I).

BEYER, K.: Die aramäischen Texte vom Toten Meer samt den Inschriften aus
   Palästina, dem Testament Levis aus der Kairoer Genisa, der Fastenrolle und
   den alten talmudischen Zitaten. Göttingen 1984.

JONGELING, B./LABUSCHAGNE, C.J./ v.d.WOUDE, A.S.: Aramaic Texts from Qumran.
   Vol.I, Leiden 1976 (SSS IV).

LOHSE, E.: Die Texte aus Qumran. Hebräisch und deutsch. München 1964.

MAIER, J./SCHUBERT, K.: Die Qumran-Essener. Texte der Schriftrollen und Lebens-
   bild der Gemeinde. München/Basel 1973 (UTB 224).

MAIER, J.: Die Tempelrolle vom Toten Meer. München/Basel 1978 (UTB 829).

Rabbinische Texte

Jalquṭ Schim[c]oni, Wilna 1898 (Yalq).

Lekach tob. Ed. S.Buber, Wilna 1884 (LeqT).

Mechilta de-Rabbi Simon ben Jochai. Rek. D.Hoffmann, Frankfurt 1905 (MekhSh).

Midrash Bereshit Rabba. Ed. J.Theodor / C.Albeck (Berlin 1912-1936), Jerusalem 1965.

Midrash Haggadol on the Pentateuch. Genesis. Ed. M.Margulies, Jerusalem 1947.

Midrasch zu den Megilloth, Stettin 1864.

Midrasch Mischle. Ed.S.Buber, Wilna 1893.

Midrash Rabbah, translated into English. Ed. H.Freedman/M.Simon. London [3]1951.

Midrasch rabba. Wilna 1884ff.

Midrasch Tanchuma. Ed.S.Buber, Wilna 1912 (TanB).

Die Mischna. Text, Übersetzung und ausführliche Erklärung. Ed. G.Beer/
   O.Holtzmann/S.Krauss u.a., Gießen/Berlin 1912ff.

Pirqe R. Eli[c]eser, Prag 1784.

Siphre ad Deuteronomium. Ed. L.Finkelstein, Berlin 1939.

Talmud Babli. Venedig 1520-1523, ed. L.Goldschmidt, Berlin 1897ff.

Talmud Jeruschalmi. Venedig 1523.

Tosephta. Ed. M.S.Zuckermandel, Pasewalk 1881.

Apostolische Väter

FISCHER, J.A.: Die apostolischen Väter. Darmstadt [7]1976 (SUC 1).

Griechische und römische Autoren

Dionis Chrysostomi Orationes. Ed. G.de Budé. Bd.1 und 2, Leipzig 1916-1919.

Dion Chrysostomos: Sämtliche Reden. Eingel., übers. u. erl. v. W.Elliger, ed. W.Rüegg, Zürich/Stuttgart 1967.

Epicteti Dissertationes ab Arriani digestae. Ed. H.Schenkl, Editio maior, Stuttgart 1965.

Platonis Opera. Ed. I.Burnet, Bde.I-V. Oxford (1900ff.) 1967ff.

L.Annaeus Seneca: Philosophische Schriften. Lateinisch und deutsch, Bde. 1-4, ed. M.Rosenbach, Darmstadt 1971-1984.

II.

ALAND, K. (ed.): Vollständige Konkordanz zum griechischen Neuen Testament. Berlin/New York (ANTT IV). Bd.I, 1977-1983. Bd.II. (Spezialübersichten)1978.

BAUER, W.: Griechisch-Deutsches Wörterbuch zu den Schriften des Neuen Testaments und der übrigen urchristlichen Literatur. Berlin [5]1975.

Bibel-Lexikon. Ed. H.Haag, Stuttgart [2]1968.

BLASS, F. / DEBRUNNER, A. / REHKOPF, F.: Grammatik des neutestamentlichen Griechisch. Göttingen [14]1976.

COMPUTER-KONKORDANZ zum Novum Testamentum Graece von Nestle-Aland, 26. Aufl. und zum Greek New Testament, 3.ed. Berlin/New York 1980.

GESENIUS, W. / BUHL, F.: Hebräisches und Aramäisches Handwörterbuch über das Alte Testament. Berlin/Göttingen/Heidelberg [17]1962.

HATCH, E. / REDPATH, H.A.: A Concordance to the Septuagint and the Other Greek Versions of the Old Testament. Bde. I-III (1897), Nachdruck Graz 1975.

Der Kleine Pauly. Lexikon der Antike. Ed. K.Ziegler/W.Sontheimer/H.Gärtner. Bde. 1-5 (1964-1975), München 1979 (dtv 5963).

KUHN, K.G.: Konkordanz zu den Qumrantexten. Göttingen 1960.

―― : Nachträge zur "Konkordanz zu den Qumrantexten". RdQ 4, 1963/64, 163-234.

LIDDELL, H.G. / SCOTT, R.: A Greek-English Lexikon. Rev. H.S.Jones, Oxford 1940.

LISOWSKY, G.: Konkordanz zum hebräischen Alten Testament. Stuttgart [2]1966.

MOULTON, W.F. / GEDEN, A.S. / MOULTON, H.K.: A Concordance to the Greek Testament. Edinburgh [5]1978.

Reclams Bibellexikon. Ed. K.Koch/E.Otto/J.Roloff/H.Schmoldt, Stuttgart 1978.

Die Religion in Geschichte und Gegenwart. Handwörterbuch für Theologie und Religionswissenschaft. 3.Aufl., ed.K.Galling, Bde. 1-6 und Register, Tübingen 1957-1965.

Theologisches Handwörterbuch zum Alten Testament. Ed. E.Jenni/C.Westermann, München und Zürich, Bd. I, [3]1978. Bd. II, [2]1979.

Theologisches Wörterbuch zum Neuen Testament. Begr. v. G.Kittel, ed. G. Friedrich, Bde. 1-10/2, Stuttgart 1933-1979.

III.

ABRAMOWSKI, R.: Zum literarischen Problem des Tritojesaja. ThStKr 96/97 (1925), 90-143.

ALFRINK, B.J.: L'idée de Résurrection d'après Dan., XII, 1.2. Bib 40 (1959), 355-371.

ALTHAUS, P.: Der Brief an die Römer. Göttingen [11]1970 (NTD 6).

BACHMANN, P.: Der erste Brief des Paulus an die Korinther. Leipzig [4]1936 (KNT 7).

BALZ, H.R.: Heilsvertrauen und Welterfahrung. Strukturen der paulinischen Eschatologie nach Römer 8,18-39. München 1971 (BEvTh 59).

BARRETT, C.K.: A commentary on the First Epistle to the Corinthians. London 1968 (BNTC).

—— : A commentary on the Second Epistle to the Corinthians. London 1973 (BNTC).

BARTH, C.: Die Errettung vom Tode in den individuellen Klage- und Dankliedern des Alten Testaments. Zollikon 1947.

BARTH, G.: Der Brief an die Philipper. Zürich 1979 (ZBK 9).

BARTH, H. / STECK, O.H.: Exegese des Alten Testaments. Leitfaden der Methodik. Neukirchen-Vluyn [8]1978.

BARTH, K.: Die Auferstehung der Toten. Eine akademische Vorlesung über I. Kor. 15. (1924) Zollikon [4]1953.

BAUERNFEIND, O.: Art. μάταιος, ματαιότης κτλ. ThWNT IV (1942), 525-530.

BAUMANN, E.: Struktur-Untersuchungen im Psalter I. ZAW 61 (1945/48), 114-176.

BAUMERT, N.: Täglich Sterben und Auferstehen. Der Literalsinn von 2 Kor 4,12-5,10. München 1973 (StANT 34).

BAUMGARTNER, W.: Die Klagegedichte des Jeremia. Gießen 1917 (BZAW 32).

BECK, B.: Kontextanalysen zum Verb נבט. In: Bausteine biblischer Theologie. FS f. G.J.Botterweck zum 60.Geb., ed. H.J.Fabry, Köln / Bonn 1977 (BBB 50), 71-97.

BECKER, Joachim: Wege der Psalmenexegese. Stuttgart 1975 (SBS 78).

BECKER, Jürgen: Untersuchungen zur Entstehungsgeschichte der Testamente der zwölf Patriarchen. Leiden 1970 (AGJU VIII).

BEGRICH, J.: Das priesterliche Heilsorakel. In: J.B.: Gesammelte Studien zum Alten Testament. Ed. W.Zimmerli, München 1964 (TB 21), 217-231.

—— : Studien zu Deuterojesaja. Ed. W.Zimmerli, München [2]1969 (TB 20).

BEHM, J.: Art. ἔσω. ThWNT II (1935), 696f.

—— : Art. καινός, καινότης κτλ. ThWNT III (1938), 450-456.

BENTZEN, A.: Daniel. Tübingen [2]1952 (HAT 19).

BERGER, K.: Die Auferstehung des Propheten und die Erhöhung des Menschensohnes. Traditionsgeschichtliche Untersuchungen zur Deutung des Geschickes Jesu in frühchristlichen Texten. Göttingen 1976 (StUNT 13).

—— : Exegese des Neuen Testaments. Neue Wege vom Text zur Auslegung. Heidelberg 1977 (UTB 658).

BERGMEIER, R.: Glaube als Gabe nach Johannes. Religions- und theologiegeschichtliche Studien zum prädestinatianischen Dualismus im vierten Evangelium. Stuttgart 1980 (BWANT 112).

BETZ, H.D.: Eine Christus-Aretalogie bei Paulus (2 Kor 12,7-10). ZThK 66 (1969), 288-305.

—— : Der Apostel Paulus und die sokratische Tradition. Eine exegetische Untersuchung zu seiner "Apologie" 2 Korinther 10-13. Tübingen 1972 (BHTh 45).

BETZ, O.: Die Geburt der Gemeinde durch den Lehrer (Bemerkungen zum Qumranpsalm 1QH iii. 1ff. (1QH ii. 21 - iii. 18). NTS 3 (1956/57) 314-326.

—— : Der Paraklet. Fürsprecher im häretischen Spätjudentum, im Johannes-Evangelium und in neu gefundenen gnostischen Schriften. Leiden/Köln 1963 (AGSU 2).

BEYERLIN, W.: Die Rettung der Bedrängten in den Feindpsalmen des Einzelnen auf institutionelle Zusammenhänge untersucht. Göttingen 1970 (FRLANT 99).

— : Innerbiblische Aktualisierungsversuche: Schichten im 44. Psalm. ZThK 73 (1976) 446-460.

— (ed.): Religionsgeschichtliches Textbuch zum Alten Testament. Göttingen 1975 (GAT 1).

BICKERMANN, E.: Der Gott der Makkabäer. Untersuchungen über Sinn und Ursprung der makkabäischen Erhebung. Berlin 1937.

— : The Date of Fourth Maccabees. In: E.B.: Studies in Jewish and Christian History I, Leiden 1976 (AGJU IX), 275-281.

Strack, H.L. / BILLERBECK, P.: Kommentar zum Neuen Testament aus Talmud und Midrasch. Bde. 1-6 (1926ff.), München [7]1978/79 (Bd. 5/6: [5]1979).

BLANK, S.H.: The Prophet as Paradigm. In: Essays in Old Testament Ethics. J.P.Hyatt in Memoriam, ed. J.L.Crenshaw/John T.Willis. New York 1974, 111-130.

BONHÖFFER, A.: Epiktet und das Neue Testament. Gießen 1910 (RVV 10).

BORNKAMM, G.: Paulus. Stuttgart [2]1969 (UB 119).

— : Die Vorgeschichte des sogenannten Zweiten Korintherbriefes. In: G.B.: Geschichte und Glaube. Zweiter Teil (Gesammelte Aufsätze Band IV), München 1971 (BEvTh 53), 162-194.

BRAULIK, G.: Psalm 40 und der Gottesknecht. Würzburg 1975 (fzb 18).

BREITENSTEIN, U.: Beobachtungen zu Sprache, Stil und Gedankengut des Vierten Makkabäerbuchs. Basel 1976.

BROX, N.: Der erste Petrusbrief. Zürich/Köln und Neukirchen-Vluyn 1979 (EKK XXI).

BRUN, L.: Noch einmal die Schriftnorm 1 Kor 4,6. ThStKr 103 (1931), 453-456.

BULTMANN, R.: Der Stil der paulinischen Predigt und die kynisch-stoische Diatribe. Göttingen 1910 (FRLANT 13).

— : Exegetische Probleme des zweiten Korintherbriefes. In: R.B.: Exegetica. Aufsätze zur Erforschung des Neuen Testaments, ed. E.Dinkler, Tübingen 1967, 298-322.

— : Die Geschichte der synoptischen Tradition. Göttingen [7]1967 (FRLANT 29).

— : Der zweite Brief an die Korinther. Ed. E.Dinkler. Göttingen 1976 (KEK - Sonderband).

CAMPENHAUSEN, H.Frhr.v.: Die Idee des Martyriums in der alten Kirche. Göttingen [2]1964.

CARMIGNAC, J.: Die Theologie des Leidens in den Hymnen von Qumran (1961). In: Qumran. Ed. K.E.Grötzinger u.a., Darmstadt 1981 (WdF 410), 312-340.

CAVALLIN, H.C.C.: Life After Death. Paul's Argument for the Resurrection of the Dead in I Cor 15. Part I: An Enquiry into the Jewish Background. Lund 1974 (CB.NT 7:1).

CHRIST, F.: Jesus Sophia. Die Sophia-Christologie bei den Synoptikern. Zürich 1970 (AThANT 57).

CHARLESWORTH, J.H.: The Pseudepigrapha and Modern Research. Missoula (Montana) 1976 (SBL Septuagint and Cognate Studies 7).

CLINES, D.J.A.: I, He, We, and They: A Literary Approach to Isaiah 53. Sheffield 1976 (Journal for the Study of the Old Testament. Suppl.Series,1).

COLLANGE, J.-F.: Enigmes de la deuxième épître de Paul aux Corinthiens. Etude exégétique de 2Cor. 2:14 - 7:4. Cambridge 1972 (MSSNTS 18).

CONZELMANN, H.: Der erste Brief an die Korinther. Göttingen 1969 (KEK 5).

— : / ZIMMERLI, W.: Art. χαίρω, χαρά κτλ. ThWNT IX (1973), 350-405.

CRÜSEMANN, F.: Die unveränderbare Welt. Überlegungen zur "Krisis der Weisheit" beim Prediger (Kohelet). In: Der Gott der kleinen Leute. Sozialgeschichtliche Bibelauslegungen, ed. W.Schottroff/W.Stegemann, Bd.1: AT. München und Gelnhausen 1979, 80-104.

DAHL, N.A.: The Atonement - An Adequate Reward for the Akedah? (Ro 8:32). In: Neotestamentica et Semitica. Studies in Honour of M.Black, ed. E.E.Ellis/ M.Wilcox, Edinburgh 1969, 15-29.

DALMAN, G.H.: Der leidende und sterbende Messias der Synagoge im ersten nachchristlichen Jahrtausend. Berlin 1888 (SIJB 4).

— : Jesaja 53, das Prophetenwort vom Sühneleiden des Gottesknechtes. Leipzig ²1914 (SIJB 13).

DALY, R.J.: The Soteriological Significance of the Sacrifice of Isaac. CBQ 39 (1977), 45-75.

— : Christian Sacrifice. The Judaeo-Christian Background before Origen. Washington 1978. (The Catholic University of America Studies in Christian Antiquity 18).

DAVIES, P.R. / CHILTON, B.D.: The Aqedah: A Revised Tradition History, CBQ 40 (1978), 514-546.

LE DÉAUT, R.: Aspects de l'intercession dans le judaisme ancien. JSJ 1 (1970), 35-57.

DIBELIUS, M.: Die Formgeschichte des Evangeliums. Tübingen ⁶1971.

— : An die Thessalonicher I. II. An die Philipper. Tübingen ²1925 (HNT 11).

DOBSCHÜTZ, E.von: Die Thessalonicher-Briefe. Nachdruck der Ausgabe von 1909 (= KEK 10), ed. F.Hahn, Göttingen 1974.

DÖRRIE, H.: Art. Dion. KP 2, 60f.

DORMEYER, D.: Der Sinn des Leidens Jesu. Historisch-kritische und textpragmatische Analysen zur Markuspassion. Stuttgart 1979 (SBS 96).

DUHM, B.: Das Buch Jesaja. Göttingen ⁵1968.

EISSFELDT, O.: Einleitung in das Alte Testament unter Einschluß der Apokryphen und Pseudepigraphen sowie der apokryphen- und pseudepigraphenartigen Qumran-Schriften. Entstehungsgeschichte des Alten Testaments. Tübingen ³1964.

ELLIGER, K.: Deuterojesaja (40,1-45,7). Neukirchen-Vluyn 1978 (BK XI/1).

ELLIS, E.E.: Paul's Use of the Old Testament. Edinburgh 1957.

— : 'Weisheit' und 'Erkenntnis' im 1. Korintherbrief. In: Jesus und Paulus. FS f. W.G.Kümmel zum 70. Geb., ed. E.E.Ellis/E.Gräßer, Göttingen 1975, 109-128.

— : Prophecy and Hermeneutic in Early Christianity. New Testament Essays. Tübingen 1978 (WUNT 18).
Daraus: - Exegetical Patterns in I Corinthians and Romans (213-220).
         - Prophecy and Hermeneutic in Jude (221-236).

FABRY, H.-J.: סוד. Der himmlische Thronrat als ekklesiologisches Modell. In: Bausteine biblischer Theologie. FS f.G.J.Botterweck zum 60. Geb., ed. H.-J.Fabry. Köln/Bonn 1977 (BBB 50), S. 99-126.

FASCHER, E.: Der erste Brief des Paulus an die Korinther. (1.Teil: 1 Kor 1-7), Berlin 1975 (THNT 7/1).

FIEDLER, P.: Röm 8,31-39 als Brennpunkt paulinischer Frohbotschaft. ZNW 68, 1977, 23-34.

— : Jesus und die Sünder. Frankfurt/Bern 1976 (BET 3).

FISCHEL, H.A.: Rabbinic Literature and Greco-Roman Philosophy. A Study of Epicurea and Rhetorica in Early Midrashic Writings. Leiden 1973 (StPB 21).

FISCHER, K.M.: Die Bedeutung des Leidens in der Theologie des Paulus. Diss. (masch.) Berlin 1967.

FITZMYER, J.A.: The Use of Explicit Old Testament Quotations in Qumran Literature and in the New Testament. NTS 7 (1960-61), 297-333.

— : Qumran and the interpolated paragraph in 2 Cor 6:14-7:1. NTS 4 (1957-58), 48-58.

— : The Dead Sea Scrolls - Major Publications and Tools for Study, Missoula, Montana 1975 (SBibSt 8).

FOERSTER, W.: Art. σέβομαι, σεβάζομαι κτλ. ThWNT VII (1964), 168-195.

FOHRER, G.: Einleitung in das Alte Testament. Begr. v. Ernst Sellin. Heidelberg ¹¹1969.

— : Der Aufbau der Apokalypse des Jesajabuchs (Jesaja 24-27). In: G.F.: Studien zur alttestamentlichen Prophetie (1949-1965), Berlin 1967 (BZAW 99), 170-181.

— : Das Buch Jesaja. Bd. 1-3, Zürich 1960, 1962, 1964 (ZBK).

— : Hiob. Gütersloh 1963 (KAT 16).

— : Elia. Zürich ²1968 (AThANT 53).

FRIDRICHSEN, A.: Zum Thema "Paulus und die Stoa". Eine stoische Stilparallele zu 2.Kor 4,8f. CNT IV (1944), 27-34.

— : Zum Stil des paulinischen Peristasenkatalogs 2 Cor. 11,23ff. SO VII (1928), 25-29.

— : Peristasenkatalog und res gestae. Nachtrag zu 2 Cor. 11,23ff. SO VIII (1929), 78-82.

FRIEDRICH, G.: Die Gegner des Paulus im 2. Korintherbrief. In: Abraham unser Vater. FS f. O.Michel zum 60.Geb., ed. O.Betz/M.Hengel/P.Schmidt, Leiden-Köln 1963 (AGSU V), 1-12.

— : Der Brief an die Philipper. In: J.Becker/H.Conzelmann/G.Friedrich: Die Briefe an die Galater, Epheser, Philipper, Kolosser, Thessalonicher und Philemon. Göttingen 1976 (NTD 8), 125-175.

FRIEDRICH, J.: Gott im Bruder. Eine methodenkritische Untersuchung von Redaktion, Überlieferung und Traditionen in Mt 25,31-46. Stuttgart 1977 (CThM 7).

GÄRTNER, B.: The Temple and the Community in Qumran and the New Testament. Cambridge 1965 (MSSNTS 1).

GEORGI, D.: Die Gegner des Paulus im 2. Korintherbrief. Studien zur religiösen Propaganda in der Spätantike. Neukirchen-Vluyn 1964 (WMANT 11).

GERLEMANN, G.: Studies in the Septuaginta. I: Book of Job. Lund 1946 (Lunds Universitets Årsskrift 43).

GERSTENBERGER, E.S.: Der bittende Mensch. Bittritual und Klagelied des Einzelnen im Alten Testament. Neukirchen-Vluyn 1980 (WMANT 51).

GERSTENBERGER, E.S. / SCHRAGE, W.: Leiden. Stuttgart 1977 (Biblische Konfrontationen, Kohlhammer-TB 1004).

GESE, H.: Lehre und Wirklichkeit in der alten Weisheit. Studien zu den Sprüchen Salomos und zu dem Buche Hiob. Tübingen 1958.

— : Vom Sinai zum Zion. Alttestamentliche Beiträge zur biblischen Theologie. München 1974 (BEvTh 64).
Daraus: - Die Krisis der Weisheit bei Koheleth (168-179);
         - Psalm 22 und das Neue Testament. Der älteste Bericht vom Tode Jesu und die Entstehung des Herrenmahls (180-201);
         - Anfang und Ende der Apokalyptik, dargestellt am Sacharjabuch (202-230).

— : Psalm 50 und das alttestamentliche Gesetzesverständnis. In: Rechtfertigung. FS für E.Käsemann, ed. J.Friedrich/W.Pöhlmann/P.Stuhlmacher,
Tübingen und Göttingen 1976, 57-78.

— : Zur biblischen Theologie. Alttestamentliche Vorträge. München 1977
(BEvTh 78).
Daraus: - Der Tod im Alten Testament (31-54);
        - Das Gesetz (55-84);
        - Die Sühne (85-106);
        - Die Herkunft des Herrenmahls (107-127);
        - Der Messias (128-151).

— : Tradition und biblische Theologie. In: Zu Tradition und Theologie im
Alten Testament. Ed. O.H.Steck, Neukirchen-Vluyn 1978 (BThSt 2), 87-111.

— : Die Weisheit, der Menschensohn und die Ursprünge der Christologie als
konsequente Entfaltung der biblischen Theologie. SEÅ 44 (1979), 77-114.

GINSBERG, H.L.: The Oldest Interpretation of the Suffering Servant.
VT 3 (1953), 400-404.

GNILKA, J.: 2 Korinther 6,14-7,1 im Lichte der Qumranschriften und der Zwölf-
Patriarchen-Testamente. In: Neutestamentliche Aufsätze. FS f. J.Schmid zum
70. Geb., ed. J.Blinzler/O.Kuss/F.Mußner, Regensburg 1963, 86-99.

— : Der Philipperbrief. Freiburg 1968 (HThK X/3).

— : Martyriumsparänese und Sühnetod in synoptischen und jüdischen Traditionen. In: Die Kirche des Anfangs. FS f. H.Schürmann, ed. R.Schnacken-
burg/J.Ernst/J.Wanke, Freiburg 1978, 223-245.

GOPPELT, L.: Typos. Die typologische Deutung des Alten Testaments im Neuen.
(1939) Nachdruck Darmstadt 1973.

— : Theologie des Neuen Testaments. Ed. J.Roloff. Göttingen 1976.

GRÄSSER, E.: Offene Fragen im Umkreis einer Biblischen Theologie. ZThK 77
(1980), 200-221.

GRAY, J.: The Book of Job in the Context of Near Eastern Literature. ZAW 82,
1970, 251-269.

GRIMM, W.: Weil ich dich liebe. Die Verkündigung Jesu und Deuterojesaja.
Bern/Frankfurt 1976 (ANTI 1).

GUBLER, M.-L.: Die frühesten Deutungen des Todes Jesu. Eine motivgeschichtliche Darstellung aufgrund der neueren exegetischen Forschung. Freiburg
(CH) und Göttingen 1977 (OBO 15).

GÜNTHER, H.: Gottes Knecht und Gottes Recht. Zum Verständnis der Knecht-
Gottes-Lieder. Oberursel 1976 (Oberurseler Hefte 6).

GÜTTGEMANNS, E.: Der leidende Apostel und sein Herr. Studien zur paulinischen
Christologie. Göttingen 1966 (FRLANT 90).

GUNKEL, H. / BEGRICH, J.: Einleitung in die Psalmen. Die Gattungen der religiösen Lyrik Israels. (1933) Göttingen ²1966.

Gunneweg, A.H.J.: Konfession oder Interpretation im Jeremiabuch. ZThK 67
(1970), 395-416.

— : Geschichte Israels bis Bar Kochba. Stuttgart 1972 (ThW 2).

HAACKER, K. u.a.: Biblische Theologie heute. Einführung - Beispiele - Kontroversen. Neukirchen-Vluyn 1977 (BThSt 1).

HAAG, E.: Die Botschaft vom Gottesknecht. Ein Weg zur Überwindung der Gewalt.
In: Gewalt und Gewaltlosigkeit im Alten Testament. Ed. N.Lohfink, Freiburg
1983 (QD 96), 159-213.

HAENCHEN, E.: Art. Gnosis und NT. RGG³ II, 1652-1656.

HALBE, J.: "Altorientalisches Weltordnungsdenken" und alttestamentliche Theologie. Zur Kritik eines Ideologems am Beispiel des israelitischen Rechts. ZThK 76 (1979), 381-418.

HANHART, R.: Die jahwefeindliche Stadt. Ein Kapitel aus "Israel in hellenistischer Zeit". In: Beiträge zur Alttestamentlichen Theologie. FS f. Walther Zimmerli zum 70.Geb., ed. H.Donner/R.Hanhart/R.Smend. Göttingen 1977, 152-163.

HARDER, G.: Art. φθείρω, φθορά κτλ. ThWNT IX (1973), 94-106.

HARNISCH, W.: Verhängnis und Verheißung der Geschichte. Untersuchungen zum Zeit- und Geschichtsverständnis im 4. Buch Esra und in der syr. Baruchapokalypse. Göttingen 1969 (FRLANT 97).

HASPECKER, J.: Gottesfurcht bei Jesus Sirach. Ihre religiöse Struktur und ihre literarische und doktrinäre Bedeutung. Rom 1967 (AnBib 30).

HAUCK, F.: Art. μένω, (...) ὑπομονή. ThWNT IV (1942), 578-593.

— : Art. περισσεύω, ὑπερπερισσεύω κτλ. ThWNT VI (1959), 58-63.

— / MEYER, R.: Art. καθαρός, καθαρίζω, (...) περικάθαρμα. ThWNT III (1938), 416-434.

HEDINGER, U.: Wider die Versöhnung Gottes mit dem Elend. Eine Kritik des christlichen Theismus und A-Theismus. Zürich 1972 (BSHST 60).

HEGERMANN, H.: Griechisch-jüdisches Schrifttum. In: J.Maier/J.Schreiner (ed.): Literatur und Religion des Frühjudentums. Eine Einführung. Würzburg und Gütersloh 1973, 163-180.

HENGEL, M.: Nachfolge und Charisma. Eine exegetisch-religionsgeschichtliche Studie zu Mt 8,21f. und Jesu Ruf in die Nachfolge. Berlin 1968 (BZNW 34).

— : War Jesus Revolutionär? Stuttgart 1970 (CwH 110).

— : Eigentum und Reichtum in der frühen Kirche. Aspekte einer früh-christlichen Sozialgeschichte. Stuttgart 1973.

— : Judentum und Hellenismus. Studien zu ihrer Begegnung unter besonderer Berücksichtigung Palästinas bis zur Mitte des 2.Jh.s v.Chr., Tübingen ²1973 (WUNT 10).

— : Leiden in der Nachfolge Jesu. In: Der leidende Mensch. Beiträge zu einem unbewältigten Thema, ed. H.Schulze, Neukirchen-Vluyn 1974, 85-94.

— : Zwischen Jesus und Paulus. Die "Hellenisten", die "Sieben" und Stephanus (Apg 6,1-15; 7,54-8,3). ZThK 72 (1975), 151-206.

— : Der Sohn Gottes. Die Entstehung der Christologie und die jüdisch-hellenistische Religionsgeschichte. Tübingen ²1977.

— : Mors turpissima crucis. Die Kreuzigung in der antiken Welt und die "Torheit" des "Wortes vom Kreuz". In: Rechtfertigung. FS f.E.Käsemann zum 70. Geb., ed. J.Friedrich/W.Pöhlmann/P.Stuhlmacher. Tübingen und Göttingen 1976, 125-184.

— : Qumrān und der Hellenismus. In: Qumrān. Sa piétê, sa théologie et son milieu, ed. M.Delcor, Paris/Leuven 1978 (BEThL 46), 333-372.

— : Zur urchristlichen Geschichtsschreibung. Stuttgart 1979.

— : Jesus als messianischer Lehrer der Weisheit und die Anfänge der Christologie. In: Sagesse et religion(Colloque de Strasbourg 1976), Paris 1979, 147-188.

— : Der stellvertretende Sühnetod Jesu. Ein Beitrag zur Entstehung des urchristlichen Kerygmas. IKZ 9 (1980), 1-25.125-147.

— : The Atonement. A Study of the Origins of the Doctrine in the New Testament. London 1981.

HENTSCHEL, G.: Die Eliaerzählungen. Zum Verhältnis von historischem Geschehen und geschichtlicher Erfahrung. Leipzig 1977 (EThS 33).

HERMISSON, H.-J.: Studien zur israelitischen Spruchweisheit. Neukirchen-
Vluyn 1968 (WMANT 28).

— : Der Lohn des Knechts. In: Die Botschaft und die Boten. FS f.H.W.Wolff
zum 70.Geb., ed. Jörg Jeremias/L.Perlitt, Neukirchen-Vluyn 1981, 269-287.

— : Israel und der Gottesknecht bei Deuterojesaja. ZThK 79 (1982), 1-24.

HOFIUS, O.: Der Christushymnus Philipper 2,6-11. Untersuchungen zu Gestalt
und Aussage eines urchristlichen Psalms. Tübingen 1976 (WUNT 17).

— : Erwägungen zur Gestalt und Herkunft des paulinischen Versöhnungsge-
dankens. ZThK 77 (1980), 186-199.

HÖISTAD, R.: Eine hellenistische Parallele zu 2. Kor. 6,3ff. CNT IX (1944),
22-27.

HOMMEL, H.: Schöpfer und Erhalter. Studien zum Problem Christentum und Antike.
Berlin 1956.
Daraus: - Das Harren der Kreatur (7-23);
        - Der gekreuzigte Gerechte. Platon und das Wort vom Kreuz (23-32).

HOOKER, M.D.: 'Beyond the Things Which Are Written': an Examination of I Cor.
IV.6. NTS 10 (1963/64), 127-132.

HORST, F.: Die Doxologien im Amosbuch. In: F.H.: Gottes Recht. Gesammelte
Studien zum Recht im Alten Testament, ed. H.W.Wolff, München 1961
(TB 12), 155-166.

— : Hiob 1 (1-19). Neukirchen-Vluyn ³1974 (BK XVI/1).

HUBMANN, F.D.: Untersuchungen zu den Konfessionen Jer 11,18-12,6 und Jer 15,
10-21. Würzburg 1978 (fzb 30).

HUGGER, P.: Jahwe meine Zuflucht. Gestalt und Theologie des 91. Psalms.
Münsterschwarzach 1971 (MÜSt 13).

HYLDAHL, N.: Die Frage nach der literarischen Einheit des Zweiten Korintherbriefes. ZNW 64 (1973), 289-306.

JACOB, E.: Sagesse et religion chez Ben Sira. In: Sagesse et religion. (Colloque de Strasbourg 1976), Paris 1979, 83-98.

JACOBS, L.: (Art.) Akedah. EJ 2, Jerusalem 1971, 480-484.

JANOWSKI, B.: Sühne als Heilsgeschehen. Studien zur Sühnetheologie der Prie-
sterschrift und zur Wurzel KPR im Alten Orient und im Alten Testament.
Neukirchen-Vluyn 1982 (WMANT 55).

— : Sündenvergebung "um Hiobs willen". Fürbitte und Vergebung in 11QtgJob
38,2f. und Hi 42,9f.LXX. ZNW 73 (1982), 251-280.

JEREMIAS, G.: Der Lehrer der Gerechtigkeit. Göttingen 1963 (StUNT 2).

JEREMIAS, Joachim: Neutestamentliche Theologie. Erster Teil: Die Verkündigung Jesu. Gütersloh ²1973.

— : Ist das Dankopfermahl der Ursprung des Herrenmahls? In: Donum Gentilicium. New Testament Studies in Honour of David Daube, ed. C.K.Barrett/
E.Bammel/W.D.Davies, Oxford 1978, 64-67.

— : Art. ἄνθρωπος, ἀνθρώπινος. ThWNT I (1933), 365-367.

— : Art. Ἠλ(ε)ίας. ThWNT II (1935), 930-943.

— : / ZIMMERLI, W.: Art. παῖς θεοῦ. ThWNT V (1954), 653-713.

JOHANSSON, N.: Parakletoi: Vorstellungen von Fürsprechern für die Menschen
vor Gott in der alttestamentlichen Religion, im Spätjudentum und Urchristentum. Lund 1940.

KÄSEMANN, E. Die Legitimität des Apostels. Eine Untersuchung zu II Korinther 10-13. ZNW 41 (1942), 33-71.

— : Exegetische Versuche und Besinnungen. Bd. 1 und 2, Göttingen [6]1970.
Aus Bd.1: - Eine urchristliche Taufliturgie (34-50);
           - Kritische Analyse von Phil 2,5-11 (51-95);
           - Das Problem des historischen Jesus (187-213);
           - (Meditation über) 1. Korinther 2,6-15 (267-276);
Aus Bd.2: - Eine paulinische Variation des "amor fati" (223-238);
           - Gottesgerechtigkeit bei Paulus (181-193).

— : Der gottesdienstliche Schrei nach der Freiheit. In: E.K.: Paulinische Perspektiven. Tübingen 1969, 211-236.

— : An die Römer. Tübingen [4]1980 (HNT 8a).

— : Art. Kolosserbrief. RGG³ III, 1727f.

KAISER, O.: Der königliche Knecht. Eine traditionsgeschichtlich-exegetische Studie über die Ebed-Jahwe-Lieder bei Deuterojesaja. Göttingen 1959 (FRLANT 70).

— : Der Prophet Jesaja: Kapitel 1-12. Göttingen [4]1978 (ATD 17).

— : Der Prophet Jesaja: Kapitel 13-39. Göttingen [2]1976 (ATD 18).

— : Einleitung in das Alte Testament. Eine Einführung in ihre Ergebnisse und Probleme. Gütersloh [4]1978.

KAMLAH, E.: Wie beurteilt Paulus sein Leiden? Ein Beitrag zur Untersuchung seiner Denkstruktur. ZNW 54 (1963), 217-232.

KEEL, O.: Feinde und Gottesleugner. Studien zum Image der Widersacher in den Individualpsalmen. Stuttgart 1969 (SBM 7).

— : Die Welt der altorientalischen Bildsymbolik und das Alte Testament am Beispiel der Psalmen. Einsiedeln/Köln und Neukirchen-Vluyn [3]1980.

KELBER, W.H. (Ed.): The Passion in Mark: Studies on Mark 14-16. Philadelphia 1976.

KETTUNEN, M.: Der Abfassungszweck des Römerbriefes. Helsinki 1979 (AASF 18).

KILIAN, R.: Isaaks Opferung. Zur Überlieferungsgeschichte von Gen 22. Stuttgart 1970 (SBS 44).

KIPPENBERG, H.G. / WEWERS, G.A. (ed.): Textbuch zur neutestamentlichen Zeitgeschichte, Göttingen 1979 (GNT 8).

KITTEL, G.: Art. θέατρον, θεατρίζομαι. ThWNT III (1938), 42f.

KLINZING,G.: Die Umdeutung des Kultus in der Qumrangemeinde und im Neuen Testament. Göttingen 1971 (StUNT 7).

KNIBB, M.A.: The Date of the Parables of Enoch: A Critical Review. NTS 25 (1979), 345-359.

KNIERIM,R.: Art. אָשָׁם ʾāšām Schuldverpflichtung. THAT I, 251-257.

KOCH, K.: Gibt es ein Vergeltungsdogma im Alten Testament? ZThK 52(1955), 1-42.

— : Die Entstehung der sozialen Kritik bei den Profeten. In: Probleme biblischer Theologie. FS f. G.v.Rad zum 70.Geb., ed. H.W.Wolff, München 1971, 236-257.

— : Messias und Sündenvergebung in Jesaja 53 - Targum. Ein Beitrag zu der Praxis der aramäischen Bibelübersetzung. JSJ 3 (1972), 117-148.

— : Die Profeten I. Assyrische Zeit. Stuttgart 1978 (UB 280).

— : Art. צדק ṣdq gemeinschaftstreu/heilvoll sein. THAT II, 507-530.

— : (Art.) Tat - Ergehen - Zusammenhang. Reclams Bibellexikon, ed. K.Koch/E.Otto/J.Roloff/H.Schmoldt, Stuttgart 1978, 486-488.

KÖSTER, H.: Einführung in das Neue Testament im Rahmen der Religionsgeschichte und Kulturgeschichte der hellenistischen und römischen Zeit.
Berlin/New York 1980.

— : The Purpose of the Polemic of a Pauline Fragment (Philippians III).
NTS VIII (1961-62), 317-332.

KRÄTZL, H.: Die apostolischen Leiden des hl.Paulus und ihre Wirkungen für
die Gemeinden. Diss.(masch.) Wien 1959.

KRAUS, H.-J. Klagelieder (Threni). Neukirchen-Vluyn ³1968 (BK XX).

— : Psalmen. Bd. I. II. Neukirchen-Vluyn ⁵1978; Bd. III. Theologie der
Psalmen. Neukirchen-Vluyn 1979 (BK XV).

KREMER, J.: Was an den Leiden Christi noch mangelt. Eine interpretationsgeschichtliche und exegetische Untersuchung zu Kol. 1,24b. Bonn 1956
(BBB 12).

KREMERS, H.: Der leidende Prophet. Das Prophetenbild der Prosaüberlieferung
des Jeremiabuches und seine Bedeutung innerhalb der Prophetie Israels.
Diss. (masch.) Göttingen 1952.

KÜCHLER, M.: Frühjüdische Weisheitstraditionen. Zum Fortgang weisheitlichen
Denkens im Bereich des frühjüdischen Jahweglaubens. Freiburg (CH) und
Göttingen 1979 (OBO 26).

KÜMMEL, W.G.: Einleitung in das Neue Testament. Heidelberg ²⁰1980.

KUHN, H.-W.: Enderwartung und gegenwärtiges Heil. Untersuchungen zu den Gemeindeliedern von Qumran mit einem Anhang über Eschatologie und Gegenwart in der Verkündigung Jesu. Göttingen 1966 (StUNT 4).

KUSCHKE, A.: Altbabylonische Texte zum Thema "Der leidende Gerechte". ThLZ 18
(1956), 69-76.

KUSS, O.: Der Römerbrief. Lfg. 1-3 (Rm 1,1-11,36) Regensburg 1957-1978.

KUTSCH, E.: Von Grund und Sinn des Leidens nach dem Alten Testament. In:
Der leidende Mensch. Beiträge zu einem unbewältigten Thema, ed. H.Schulze,
Neukirchen-Vluyn 1974, 73-84.

— : Der Epilog des Hiobbuches und 11QtgJob. In: XIX. Deutscher Orientalisten-
tag vom 28.Sept.bis 4.Okt.1975 in Freiburg, Vorträge, ed. W.Voigt, Wies-
baden 1977 (ZDMG, Suppl. III,1), 139-148.

LEHMANN, K.: Auferweckt am dritten Tag nach der Schrift. Früheste Christologie, Bekenntnisbildung und Schriftauslegung im Lichte von 1.Kor. 15,3-5.
Freiburg 1968 (QD 38).

LICHTENBERGER, H.: Studien zum Menschenbild in Texten der Qumrangemeinde.
Göttingen 1980 (StUNT 15).

— : Atonement and Sacrifice in the Qumran Community. In: Approaches to
Ancient Judaism, ed. W.S.Green, Vol. II, Ann Arbor, Michigan 1980, 159-171.

LIECHTENHAN, R.: Die Überwindung des Leides bei Paulus und in der zeitgenössischen Stoa. ZThK 30 (1922), 368-399.

LINDTON, O.: "Nicht über das hinaus, was geschrieben steht" (1 Kor 4,6).
ThStKr 102 (1930), 425-437.

LIETZMANN, H.: An die Korinther I/II. Ergänzt von W.G.Kümmel. Tübingen
⁵1969 (HNT 9).

— : An die Römer. Tübingen ⁵1971 (HNT 8).

LINNEMANN, E.: Studien zur Passionsgeschichte. Göttingen 1970 (FRLANT 102).

LOHMEYER, E.: Die Briefe an die Philipper, an die Kolosser und an Philemon.
(1930) Göttingen ¹¹1956 (KEK 9).

LOHSE, E.: Märtyrer und Gottesknecht. Untersuchungen zur urchristlichen Verkündigung vom Sühntod Jesu Christi. Göttingen ²1963 (FRLANT 64).

— : Christusherrschaft und Kirche im Kolosserbrief. NTS 11, 1964/65, 203-216.

— : Die Briefe an die Kolosser und an Philemon. Göttingen 1968 (KEK 9/2).

— : Grundriß der neutestamentlichen Theologie. Stuttgart 1974 (ThW 5).

LÜHRMANN, D.: Der Brief an die Galater. Zürich 1978 (ZBK NT 7).

LUZ, U.: Zum Aufbau von Röm 1-8. ThZ 25 (1969), 161-181.

— : Markusforschung in der Sackgasse? ThLZ 105 (1980), 641-655.

MACH, R.: Der Zaddik in Talmud und Midrasch. Leiden 1957.

MALHERBE, A.J.: "Gentle as a Nurse". The Cynic Background to I Thess ii.
NovTest XII (1970), 203-217.

— : The Beasts at Ephesus. JBL 87 (1968), 71-80.

MARTIN-ACHARD, R.: De la mort à la résurrection d'après l'Ancien Testament.
Neuchâtel/Paris 1956 (BT(N)).

MARXSEN, W.: Der erste Brief an die Thessalonicher. Zürich 1979 (ZBK 11/1).

MAUCHLINE, J.: Jesus Christ as Intercessor. ET 64 (1952/53), 355-360.

MAYER, W.R.: "Ich rufe dich von ferne, höre mich von nahe!" Zu einer babylo-
nischen Gebetsformel. In: Werden und Wirken des Alten Testaments. FS f.
Claus Westermann zum 70.Geb., ed. R.Albertz/H.P.Müller/H.W.Wolff/W.Zimmerli.
Göttingen und Neukirchen-Vluyn 1980, 302-317.

MENGEL, B.: Studien zum Philipperbrief. Untersuchungen zum situativen Kontext
unter besonderer Berücksichtigung der Frage nach der Ganzheitlichkeit oder
Einheitlichkeit eines paulinischen Briefes. Tübingen 1982 (WUNT 2/8).

METZGER, B.M.: Der Text des Neuen Testaments. Eine Einführung in die neutestamentliche Textkritik. Stuttgart 1966.

— : A Textual Commentary on the Greek New Testament. o.O. 1971.

MEYER, R. / WEISS, H.F.: Art. Φαρισαῖος. ThWNT IX (1973), 11-51.

MICHAELIS, W.: Art. πάσχω, παθητός κτλ. ThWNT V (1954), 903-939.

MICHEL, D.: Zur Eigenart Tritojesajas. ThViat X (1965/66), 213-230.

MICHEL, O.: Paulus und seine Bibel (1929) Nachdruck Darmstadt 1972.

— : Prophet und Märtyrer, Gütersloh 1932 (BFChTh 37/2).

— : Der Brief an die Römer. Göttingen [4]1966 (KEK 4).

— : Fragen zu 1 Thessalonicher 2,14-16: Antijüdische Polemik bei Paulus.
In: Antijudaismus im Neuen Testament? Exegetische und systematische Beiträge, ed. W.P.Eckert u.a., München 1967 (ACJD 2), 50-59.

MILIK, J.T.: The Books of Enoch. Aramaic Fragments of Qumran Cave 4,
Oxford 1976.

MITTMANN, S.: Aufbau und Einheit des Danklieds Psalm 23. ZThK 77 (1980), 1-23.

MOWINCKEL, S.: Zur Komposition des Buches Jeremia. Kristiania 1914.

MÜLLER, H.-P.: Das Hiobproblem. Seine Stellung und Entstehung im Alten Orient
und im Alten Testament. Darmstadt 1978 (EdF 84).

MÜNDERLEIN, G.: Interpretation einer Tradition. Bemerkungen zu Röm 8,35f.
KuD 11 (1965), 136-142.

NAUCK, W.: Freude im Leiden. Zum Problem einer urchristlichen Verfolgungs-
tradition. ZNW 46 (1955), 68-80.

NEUMANN, A.R.: Gladiatores. KP 2, 803f.

NEUSNER, J.: Die Verwendung des späteren rabbinischen Materials für die Erforschung des Pharisäismus im 1. Jahrhundert n.Chr. ZThK 76 (1979), 292-309.

NICKELSBURG, G.W.E.: Resurrection, Immortality, and Eternal Life in Inter-
testamental Judaism. Cambridge/Mass. und London 1972 (HThS 26).

—— : Riches, the Rich, and God's Judgment in I Enoch 92-105 and the Gospel
according to Luke. NTS 25 (1979), 324-344.

NORDEN, E.: Die antike Kunstprosa vom VI. Jahrhundert v.Chr. bis in die Zeit
der Renaissance. Bd. 2, Darmstadt ⁵1958.

NORTH, C.R.: The Suffering Servant in Deutero-Isaiah. An Historical and
Critical Study. Oxford und London ³1963.

NOTH, M.: Noah, Daniel und Hiob in Ezechiel XIV. VT 1 (1951), 251-260.

OLLROG, W.-H.: Paulus und seine Mitarbeiter. Untersuchungen zu Theorie und
Praxis der paulinischen Mission. Neukirchen-Vluyn 1979 (WMANT 50).

OSTEN-SACKEN, P.v.d.: Gott und Belial. Traditionsgeschichtliche Untersuchungen
zum Dualismus in den Texten aus Qumran. Göttingen 1969 (StUNT 6).

—— : Römer 8 als Beispiel paulinischer Soteriologie. Göttingen 1975
(FRLANT 112).

PAULSEN, H.: Überlieferung und Auslegung in Römer 8. Neukirchen-Vluyn 1974
(WMANT 43).

PEARSON, B.A.: The Pneumatikos-Psychikos Terminology in 1 Corinthians. A
Study in the Theology of the Corinthian Opponents of Paul and its Relation to Gnosticism. Missoula 1973 (SBLDS 12).

PERRIN, N.: Was lehrte Jesus wirklich? Rekonstruktion und Deutung.
Göttingen 1972.

PERLITT, L.: Mose als Prophet. EvTh 31 (1971), 588-608.

PESCH, R.: Das Markusevangelium. Bd. I, Freiburg ²1977; Bd. II, Freiburg
1977. (HThK II).

—— : Das Abendmahl und Jesu Todesverständnis. Freiburg 1978 (QD 80).

—— : Das Evangelium in Jerusalem: Mk 14,12-26 als ältestes Überlieferungsgut
der Urgemeinde. In: Das Evangelium und die Evangelien. Vorträge vom Tübin-
ger Symposium 1982, ed. P.Stuhlmacher, Tübingen 1983 (WUNT 28), 114-155.

PETERSON, E.: Ἔργον in der Bedeutung 'Bau' bei Paulus. Biblica 22 (1941),
439-441.

PFITZNER, V.C.: Paul and the Agon Motif. Traditional Athletic Imagery in the
Pauline Literature. Leiden 1967 (NT.S 16).

PHILONENKO, M.: Les Interpolations chrêtiennes des Testaments des douze
Patriarches et les manuscrits de Qumrân. PHPhR 38 (1958), 309ff. 39 (1959),
14ff.

—— : Quod oculus non vidit, I Cor. 2,9. ThZ 15 (1959), 51f.

—— : Le Testament de Job. Semitica 18 (1968), 25-57.

PLÖGER, O.: Das Buch Daniel. Gütersloh 1965 (HAT 18).

—— : Die Klagelieder. In: Die Fünf Megilloth. Tübingen ²1969 (HAT 18),127-164.

—— : Theokratie und Eschatologie. Neukirchen-Vluyn 1959 (WMANT 2).

POHLENZ, M.: Die Stoa. Geschichte einer geistigen Bewegung. (1.Bd.) Göttingen
1948; 2. Bd.: Erläuterungen. Göttingen 1949.

POLAG, A.: Die Christologie der Logienquelle. Neukirchen-Vluyn 1977 (WMANT 45).

—— : Fragmenta Q. Textheft zur Logienquelle. Neukirchen-Vluyn 1979.

POPKES, W.: Christus traditus. Eine Untersuchung zum Begriff der Dahingabe
im Neuen Testament. Zürich/Stuttgart 1967 (AThANT 49).

PORTEOUS, N.W.: Das Danielbuch. Göttingen 1962 (ATD 23).

PREUSS, H.D.: Jahwes Antwort an Hiob und die sogenannte Hiobliteratur des alten Vorderen Orients. In: Beiträge zur Alttestamentlichen Theologie. FS f. Walther Zimmerli zum 70.Geb., ed. H.Donner/R.Hanhart/R.Smend. Göttingen 1977, 323-343.

PRÜMM, K.: Diakonia Pneumatos. Der zweite Korintherbrief als Zugang zur apostolischen Botschaft. Auslegung und Theologie. Bd. 1, Rom/Freiburg/Wien 1967; Bd. 2/1 ebd. 1960; Bd 2/3 ebd. 1962.

PUECH, E. / GARCIA, F.: Remarques sur la colonne XXXVIII de 11QtgJob. RQ 9 (1978), 401-407.

RAD, G.v.: Theologie des Alten Testaments. Band I: Die Theologie der geschichtlichen Überlieferungen Israels. München ^{6}1969; Band II: Die Theologie der prophetischen Überlieferungen Israels. München ^{5}1968 (EETh 1).

——— : Weisheit in Israel. Neukirchen-Vluyn 1970.

——— : "Gerechtigkeit" und "Leben" in der Kultsprache der Psalmen. In: G.v.R.: Gesammelte Studien zum Alten Testament. München ^{4}1971 (ThB 8), 225-247.

RAHNENFÜHRER, D.: Das Testament des Hiob und das Neue Testament. ZNW 62 (1971), 68-93.

REITZENSTEIN, R.: Die hellenistischen Mysterienreligionen nach ihren Grundgedanken und Wirkungen (^{3}1927). Nachdruck Darmstadt 1977.

RENGSTORF, K.H.: Art. ἀποστέλλω κτλ. ThWNT I (1933), 397-448.

RESE, M.: Überprüfung einiger Thesen von Joachim Jeremias zum Thema des Gottesknechtes im Judentum. ZThK 60 (1963), 21-41.

REVENTLOW, H.Graf: Liturgie und prophetisches Ich bei Jeremia. Gütersloh 1963.

——— : Opfere deinen Sohn. Eine Auslegung von Genesis 22. Neukirchen-Vluyn 1968 (BSt 53).

——— : Hauptprobleme der Biblischen Theologie im 20.Jahrhundert. Darmstadt 1983 (EdF 203).

RIESENER, I.: Der Stamm עבד im Alten Testament. Eine Wortuntersuchung unter Berücksichtigung neuerer sprachwissenschaftlicher Methoden. Berlin/New York 1979 (BZAW 149).

RINGGREN, H.: Psalmen. Stuttgart 1971 (UB 120).

RISSI, M.: Studien zum zweiten Korintherbrief. Der alte Bund - Der Prediger - Der Tod. Zürich 1969 (AThANT 56).

RÖSSLER, D.: Gesetz und Geschichte. Untersuchungen zur Theologie der jüdischen Apokalyptik und der pharisäischen Orthodoxie. Neukirchen-Vluyn 1960 (WMANT 3).

ROLOFF, J.: Neues Testament. Neukirchen-Vluyn 1977 (Neukirchener Arbeitsbücher)

ROST, L.: Einleitung in die alttestamentlichen Apokryphen und Pseudepigraphen einschließlich der großen Qumran-Handschriften. Heidelberg 1971.

RUDOLPH, W.: Jeremia. Tübingen ^{3}1968 (HAT 12).

RÜGER, H.P.: Hieronymus, die Rabbinen und Paulus. Zur Vorgeschichte des Begriffspaars "innerer und äußerer Mensch". ZNW 68 (1977), 132-137.

RUPPERT, L.: Der leidende Gerechte. Eine motivgeschichtliche Untersuchung zum Alten Testament und zwischentestamentlichen Judentum. Würzburg und Stuttgart 1972 (fzb 5).   [= L.RUPPERT I]

——— : Der leidende Gerechte und seine Feinde. Eine Wortfelduntersuchung. Würzburg 1973.   [= L.RUPPERT II]

——— : Jesus als der leidende Gerechte? Der Weg Jesu im Lichte eines alt- und zwischentestamentlichen Motivs. Stuttgart 1972 (SBS 59).   [= L.Ruppert III]

—— : Das Skandalon eines gekreuzigten Messias und seine Überwindung mit Hilfe der geprägten Vorstellung vom leidenden Gerechten. In: Kirche und Bibel. FS f. Bischof Eduard Schick, ed. v.d. Professoren der Phil.-Theol. Hochschule Fulda, Paderborn/München/Wien/Zürich 1979, 319-341.

RUPRECHT, E.: Leiden und Gerechtigkeit bei Hiob. ZThK 73 (1976), 424-445.

SÄNGER, D.: Antikes Judentum und die Mysterien. Religionsgeschichtliche Untersuchungen zu Joseph und Aseneth. Tübingen 1980 (WUNT, 2.Reihe,5).

SANDERS, E.P.: Paul and Palestinian Judaism. A Comparison of Patterns of Religion. London 1977.

SASS, G.: Apostelamt und Kirche. Eine theologisch-exegetische Untersuchung des paulinischen Apostelbegriffs. München 1939 (FGLP IX, 2).

SATAKE, A.: Das Leiden der Jünger "um meinetwillen" ZNW 67 (1976), 4-19.

SCHALLER, B.: Zum Textcharakter der Hiobzitate im paulinischen Schrifttum. ZNW 71 (1980), 21-26.

—— : Art. Iosephos. KP 2, 1440-1444.

—— : Art. Philon von Alexandreia. KP 4, 772-776.

SCHENK, W.: Der 1. Korintherbrief als Briefsammlung. ZNW 60 (1969), 219-243.

SCHILLE, G.: Die Liebe Gottes in Christus. Beobachtungen zu Röm 8,31-39. ZNW 59 (1968), 230-244.

SCHLATTER, A.: Die korinthische Theologie. Gütersloh 1914 (BFChTh 18).

—— : Der Märtyrer in den Anfängen der Kirche. Gütersloh 1915 (BFChTh 19/3).

—— : Paulus der Bote Jesu. Eine Deutung seiner Briefe an die Korinther. Stuttgart ^{4}1969.

SCHLIER, H.: Der Brief an die Epheser. Ein Kommentar. Düsseldorf ^{6}1968.

—— : Der Römerbrief. Freiburg 1977 (HThK VI).

—— : Art. θλίβω, θλῖψις. ThWNT V (1954), 139-148.

SCHMID, H.H.: Gerechtigkeit als Weltordnung. Hintergrund und Geschichte des alttestamentlichen Gerechtigkeitsbegriffs. Tübingen 1968 (BHTh 40).

—— : Altorientalische Welt in der alttestamentlichen Theologie. Zürich 1974. Daraus: - Schöpfung, Gerechtigkeit und Heil. "Schöpfungstheologie" als Gesamthorizont biblischer Theologie (9-30);
- Jahweglaube und altorientalisches Weltordnungsdenken (31-63).

SCHMIDT, H.: Das Gebet des Angeklagten im Alten Testament. Gießen 1928 (BZAW 49).

SCHMIDT, K.L.: Art. καίω. ThWNT III (1938), 466-469.

SCHMITHALS, W.: Das kirchliche Apostelamt. Eine historische Untersuchung. Göttingen 1961. (FRLANT 79).

—— : Paulus und die Gnostiker. Untersuchungen zu den kleinen Paulusbriefen. Hamburg 1965 (ThF 35).

—— : Die Gnosis in Korinth. Eine Untersuchung zu den Korintherbriefen. Göttingen ^{3}1969 (FRLANT 66).

—— : Die Korintherbriefe als Briefsammlung. ZNW 64 (1973), 263-288.

—— : Das Evangelium nach Markus. Bd. 1 und 2. Gütersloh und Würzburg 1979 (ÖTK 2).

—— : Die theologische Anthropologie des Paulus. Auslegung von Röm 7,17-8,39. Stuttgart 1980 (Kohlhammer TB 1021).

SCHMITZ, R.-P.: Aqedat Jiṣḥaq. Die mittelalterliche jüdische Auslegung von Genesis 22 in ihren Hauptlinien. Hildesheim/New York 1979 (JTSt 4).

SCHNEIDER, J.: Die Passionsmystik des Paulus. Ihr Wesen, ihr Hintergrund und ihre Nachwirkungen. Leipzig 1929 (UNT 15).

SCHNEIDER, N.: Die rhetorische Eigenart der paulinischen Antithese. Tübingen 1970 (HUTh 11).

SCHOTTROFF, L. / STEGEMANN, W.: Jesus von Nazareth - Hoffnung der Armen. Stuttgart 1978 (UB 639).

SCHOTTROFF, W.: Der Prophet Amos. Versuch der Würdigung seines Auftretens unter sozialgeschichtlichem Aspekt. In: Der Gott der kleinen Leute. Sozialgeschichtliche Bibelauslegungen, ed. W.Schottroff/W.Stegemann, Bd. 1: Altes Testament, München und Gelnhausen 1979, 39-66.

— : Art. פקד pqd heimsuchen. THAT II, 466-486.

SCHRAGE, W.: Leid, Kreuz und Eschaton. Die Peristasen-Kataloge als Merkmale paulinischer theologia crucis und Eschatologie. EvTh 34 (1974), 141-175.

SCHÜRMANN, H.: Jesu ureigener Tod. Exegetische Besinnungen und Ausblick. Freiburg 1975.

SCHULZ, S.: Die Decke des Moses. Untersuchungen zu einer vorpaulinischen Überlieferung in II Cor 3,7-18. ZNW 49 (1958), 1-30.

SCHWEIZER, E.: Erniedrigung und Erhöhung bei Jesus und seinen Nachfolgern. Zürich ²1962 (AThANT 28).

— : Der Brief an die Kolosser. Zürich/Einsiedeln/Köln und Neukirchen-Vluyn 1976 (EKK XII).

SEVENSTER, J.N.: Paul and Seneca. Leiden 1961. (NT.S 4).

SJÖBERG, E.: Gott und die Sünder im palästinischen Judentum. Nach dem Zeugnis der Tannaiten und der apokryphisch-pseudepigraphischen Literatur. Stuttgart/Berlin 1938 (BWANT 79).

SMEND, R.: Die Entstehung des Alten Testaments. Stuttgart 1978 (ThW 1).

SPIEGEL, S.: The Last Trial. On the Legends and Lore of the Command to Abraham to Offer Isaac as a Sacrifice: The Akedah. New York 1969.

STÄHLIN, G.: Art. περίψημα. ThWNT VI (1959), 83-92.

— : Art. φιλέω, καταφιλέω κτλ. ThWNT IX (1973), 112-169.

STARCKY, J.: Les quatre étapes du messianisme à Qumran. Rev Bibl 70 (1963), 481-505.

STECK, O.H.: Israel und das gewaltsame Geschick der Propheten. Untersuchungen zur Überlieferung des deuteronomistischen Geschichtsbildes im Alten Testament, Spätjudentum und Urchristentum. Neukirchen-Vluyn 1967 (WMANT 23).

— : Überlieferung und Zeitgeschichte in den Elia-Erzählungen. Neukirchen-Vluyn 1968 (WMANT 26).

STEGEMANN, H.: Die Entstehung der Qumrangemeinde. Bonn 1971.

— : Der Pešer Psalm 37 aus Höhle 4 von Qumran (4QpPs 37). RdQ 4 (1963/64), 235-270.

STEGEMANN, W.: Wanderradikalismus im Urchristentum? Historische und theologische Auseinandersetzung mit einer interessanten These. In: Der Gott der kleinen Leute. Sozialgeschichtliche Bibelauslegungen, ed. W.Schottroff/ W.Stegemann, Bd. 2 : NT, München und Gelnhausen 1979, 94-120.

STEMBERGER, G.: Geschichte der jüdischen Literatur. Eine Einführung. München 1977.

STEUBING, A.: Der paulinische Begriff 'Christusleiden'. Diss. Heidelberg 1905.

STOEBE, H.J.: Seelsorge und Mitleiden bei Jeremia. Ein exegetischer Versuch. WuD NF 4 (1955), 116-134.

STRACK, H.L.: Einleitung in Talmud und Midrasch. München [6]1976.

STRECKER, G.: "Biblische Theologie"? Kritische Bemerkungen zu den Entwürfen von Hartmut Gese und Peter Stuhlmacher. In: Kirche. FS f.G.Bornkamm zum 75.Geb., ed. D.Lührmann/G.Strecker, Tübingen 1980, 425-445.

STUHLMACHER, P.: Gerechtigkeit Gottes bei Paulus. Göttingen [2]1966 (FRLANT 87).

— : Erwägungen zum ontologischen Charakter der καινὴ κτίσις bei Paulus. EvTh 27 (1967), 1-35.

— : Das paulinische Evangelium. I. Vorgeschichte. Göttingen 1968 (FRLANT 95).

— : "Das Ende des Gesetzes". Über Ursprung und Ansatz der paulinischen Theologie. ZThK 67 (1970), 14-39.

— : Der Brief an Philemon. Zürich/Einsiedeln/Köln und Neukirchen-Vluyn 1975 (EKK XVIII).

— : Das Bekenntnis zur Auferweckung Jesu von den Toten und die Biblische Theologie. In: P.St.: Schriftauslegung auf dem Wege zur biblischen Theologie. Göttingen 1975, 128-166.

— : Zur neueren Exegese von Röm 3,24-26. In: Jesus und Paulus. FS f. W.G. Kümmel zum 70. Geb., ed. E.Earle Ellis/E.Gräßer, Göttingen 1975, 315-333.

— : Achtzehn Thesen zur paulinischen Kreuzestheologie. In: Rechtfertigung. FS f. E.Käsemann zum 70.Geb., ed. J.Friedrich/W.Pöhlmann/P.Stuhlmacher. Tübingen und Göttingen 1976, 509-526.

— : Vom Verstehen des Neuen Testaments: Eine Hermeneutik. Göttingen 1979. (GNT 6).

— : Existenzstellvertretung für die Vielen: Mk 10,45 (Mt 20,28). In: Werden und Wirken des Alten Testaments. FS für C.Westermann zum 70.Geb., ed. R.Albertz/H.-P.Müller/H.W.Wolff/ W.Zimmerli, Göttingen und Neukirchen-Vluyn 1980, 412-427.

— : " ... in verrosteten Angeln". ZThK 77 (1980), 222-238.

THEISOHN, J.: Der auserwählte Richter. Untersuchungen zum traditionsgeschichtlichen Ort der Menschensohngestalt der Bilderreden des Äthiopischen Henoch. Göttingen 1975 (StUNT 12).

THEISSEN,G.: Soziologie der Jesusbewegung. Ein Beitrag zur Entstehungsgeschichte des Urchristentums. München 1977 (TEH 194).

— : Studien zur Soziologie des Urchristentums. Tübingen 1979. (WUNT 19). Daraus: - Wanderradikalismus. Literatursoziologische Aspekte der Überlieferung von Worten Jesu im Urchristentum. (79-105);
    - Legitimation und Lebensunterhalt. Ein Beitrag zur Soziologie urchristlicher Missionare. (201-230);
    - Soziale Schichtung in der korinthischen Gemeinde. Ein Beitrag zur Soziologie des Hellenistischen Urchristentums. (231-271);
    - Die Starken und die Schwachen in Korinth. Soziologische Analyse eines theologischen Streites. (272-289).

THIEL, W.: Die deuteronomistische Redaktion von Jeremia 1-25. Neukirchen-Vluyn 1973 (WMANT 41).

THIEME, K.: Die Struktur des Ersten Thessalonicher-Briefes. In: Abraham unser Vater. FS f. O.Michel zum 60. Geb., ed. O.Betz/M.Hengel/P.Schmidt. Leiden 1963 (AGSU V), 450-458.

THOMPSON, G.H.P.: Ephesian iii.13 and 2 Timothy ii.10 in the light of Colossians i.24. ET 71 (1959/60), 187-189.

TRILLING, W.: Der zweite Brief an die Thessalonicher. Zürich/Einsiedeln/
Köln und Neukirchen-Vluyn 1980 (EKK XIV).

USENER, U.: Der Stoff des griechischen Epos. (1897). In: H.U.: Kleine
Schriften, Bd. 4: Arbeiten zur Religionsgeschichte, ed. R.Wünsch, Leipzig/
Berlin 1913, 199-259.

VERMES, G.: Scripture and Tradition in Judaism. Haggadic Studies. Leiden
1961 (StPB 4).

— : The Dead Sea Scrolls. Qumran in Perspective. London 1977.

VIELHAUER, P.: Geschichte der urchristlichen Literatur. Einleitung in das
Neue Testament, die Apokryphen und die Apostolischen Väter. Berlin 1975.

— : Oikodome. Aufsätze zum Neuen Testament. Band 2, ed. G.Klein. München
1979 (TB 65).
Daraus: - Oikodome. Das Bild vom Bau in der christlichen Literatur vom
Neuen Testament bis Clemens Alexandrinus (1-168);
- Paulus und das Alte Testament. (196-228).

VOLZ, P.: Die Eschatologie der jüdischen Gemeinde im neutestamentlichen Zeit-
alter nach den Quellen der rabbinischen, apokalyptischen und apokryphi-
schen Literatur. Tübingen 1934.

WALLIS, P.: Ein neuer Auslegungsversuch der Stelle I. Kor. 4,6. ThLZ 75
(1950), 506-508.

WALTER, N.: Die Philipper und das Leiden. Aus den Anfängen einer heidenchrist-
lichen Gemeinde. In: Die Kirche des Anfangs. FS f. H.Schürmann, ed.,
R.Schnackenburg/J.Ernst/J.Wanke. Freiburg 1978, 417-434.

WANKE, G.: Untersuchungen zur sogenannten Baruchschrift. Berlin 1971 (BZAW 122).

WEBER, H.-R.: Kreuz. Überlieferung und Deutung der Kreuzigung Jesu im neutestamentlichen Kulturraum. Stuttgart 1975 (ThTh).

WEIPPERT. H.: Die Prosareden des Jeremiabuches. Berlin/New York 1973 (BZAW 132).

WEISER, A.: Die Psalmen. 1.Teil: Psalm 1-60; 2.Teil: Psalm 61-150.
Göttingen [8]1973 (ATD 14 und 15).

WEISS, J.: Der erste Korintherbrief. ([9]1910) Nachdruck Göttingen 1970 (KEK 5).

WELTEN, P.: Leiden und Leidenserfahrung im Buch Jeremia. ZThK 74 (1977),
123-150.

— : Die Vernichtung des Todes und ihr traditionsgeschichtlicher Ort. Studie
zu Jes 25,6-8; 24,21-23 und Ex 24,9-11. In: Festgabe für F.Lang zum 65.
Geb. am 6. Sept. 1978, ed. O.Bayer/G.-U.Wanzeck. Tübingen 1978 (masch.),
778-798.

— : (Art.) Buch/Buchwesen II. AT. TRE VII, Berlin/New York 1980, 272-275.

WENDLAND, H.: Die Briefe an die Korinther. Göttingen [13]1972 (NTD 7).

WENGST, K.: Christologische Formeln und Lieder des Urchristentums. Gütersloh
1972 (StNT 7).

WESTERMANN, C.: Struktur und Geschichte der Klage im Alten Testament. In:
C.W.: Forschung am Alten Testament. München 1964 (TB 24), 266-305.

— : Der Psalter. Stuttgart [2]1969.

— : Der Aufbau des Buches Hiob. Mit einer Einführung in die neuere Hiob-
forschung v. J.Kegler. Stuttgart [2]1977 (CThM 6).

— : Das Buch Jesaja: Kapitel 40-66. Göttingen [3]1976 (ATD 19).

WIBBING, S.: Die Tugend- und Lasterkataloge im Neuen Testament und ihre Traditionsgeschichte unter besonderer Berücksichtigung der Qumran-Texte.
Berlin 1959 (BZNW 25).

WICHMANN, W.: Die Leidenstheologie. Eine Form der Leidensdeutung im Spätjudentum. Stuttgart 1930 (BWANT 53).

WIDMANN, M.: 1 Kor 2,6-16: Ein Einspruch gegen Paulus. ZNW 70 (1979), 44-53.

WIENCKE, G.: Paulus über Jesu Tod. Die Deutung des Todes Jesu bei Paulus und ihre Herkunft. Gütersloh 1939 (BFChTh.M 42).

WILCKENS, U.: Weisheit und Torheit. Eine exegetisch-religionsgeschichtliche Untersuchung zu 1. Kor 1 und 2. Tübingen 1959 (BHTh 26).

—— : Der Brief an die Römer - Zürich/Einsiedeln/Köln und Neukirchen-Vluyn (EKK VI). 1. Teilband: Röm 1-5, 1978; 2. Teilband: Röm 6-11, 1980; 3. Teilband Röm 12-16, 1982.

—— : In 1 Kor 2,1-16. In: Theologia Crucis - Signum Crucis. FS f. E.Dinkler zum 70.Geb., ed. C.Andresen/G.Klein. Tübingen 1979, 501-537.

WILDBERGER, H.: Das Freudenmahl auf dem Zion. Erwägungen zu Jes 25,6-8. In: H.W.: Jahwe und sein Volk. Ges.Aufs. zum Alten Testament. München 1979 (TB 66), 274-284.

—— : Jesaja (1-12). Neukirchen-Vluyn ²1980 (BK X/1).

WILSON, R.McL.: Gnosis und Neues Testament. Stuttgart 1971 (UB 118).

WINDISCH, H.: Paulus und Christus. Ein biblisch-religionsgeschichtlicher Vergleich. Leipzig 1934 (UNT 24).

—— : Der zweite Korintherbrief. Nachdruck, ed. G.Strecker, Göttingen 1970 (= KEK 6).

WINTER, M.: Pneumatiker und Psychiker in Korinth. Zum religionsgeschichtlichen Hintergrund von 1. Kor 2,6-3,4. Marburg 1975 (MThSt 12).

WOLFF, C.: Jeremia im Frühjudentum und Urchristentum. Berlin 1976 (TU 118).

WOLFF, H.W.: Jesaja 53 im Urchristentum. Berlin ³1952.

WOLTER, M.: Rechtfertigung und zukünftiges Heil. Untersuchungen zu Röm 5,1-11. Berlin 1978 (BZNW 43).

WUELLNER, W.: Ursprung und Verwendung der σοφός-, δυνατός-, εὐγενής- Formel in I Kor 1,26. In: Donum Gentilicium. New Testament Studies in Honour of D. Daube, ed. E.Bammel/C.K.Barrett/W.D.Davies. Oxford 1978, 165-184.

WÜRTHWEIN, E.: Der Text des Alten Testaments. Eine Einführung in die Biblia Hebraica. Stuttgart ⁴1973.

WURZINGER, A.: Untersuchungen zum Leidensbegriff des Apostels Paulus. Diss. (masch.) Graz 1961.

ZIMMERLI, W.: Zur Sprache Tritojesajas. In: W.Z.: Gottes Offenbarung. Gesammelte Aufsätze zum Alten Testament. München ²1969 (TB 19), 217-233.

—— : Ezechiel (1-48). Neukirchen-Vluyn ²1979 (BK XIII/1+2).

ZMIJEWSKI, J.: Der Stil der paulinischen "Narrenrede". Analyse der Sprachgestaltung in 2 Kor 11,1-12,10 als Beitrag zur Methodik von Stiluntersuchungen neutestamentlicher Texte. Köln/Bonn 1978 (BBB 52).

STELLENREGISTER

Alle angeführten Stellen wurden aufgenommen. Einzelvers-Notierungen sind manchmal zusammengefaßt (z.B. ist "Jes 53,4f." in "Jes 52,13-53,12" mit enthalten,
"Ps 7,9" in "Ps 7" usw.). "ff" = die *beiden* nächstfolgenden Verse bzw. Seiten.

SACHREGISTER

Aufgenommen sind wichtige Namen und Begriffe, soweit Inhaltsverzeichnis und Stellenregister ihr Vorkommen nicht schon hinreichend belegen. Die angeführten Stichwörter stehen gleichzeitig für stammverwandte Wörter (z.B. Verb, Adjektiv) und Wortverbindungen sowie für die hebräischen, griechischen und lateinischen Äquivalente (z.B. "Prophet(ie)" für: Prophet, Prophetie, prophezeien, Prophetenspruch, -bild usw., נבא, προφήτης, προφητεύω usw., propheta). Seitenzahlen in Klammern verweisen auf indirekte Erwähnungen.